鏑木清方　明治風俗 4点組のうち「不忍池」40.7×51.8cm

HINOTORI

「火の鳥」

40x45 ㎜ ピエゾグラフ

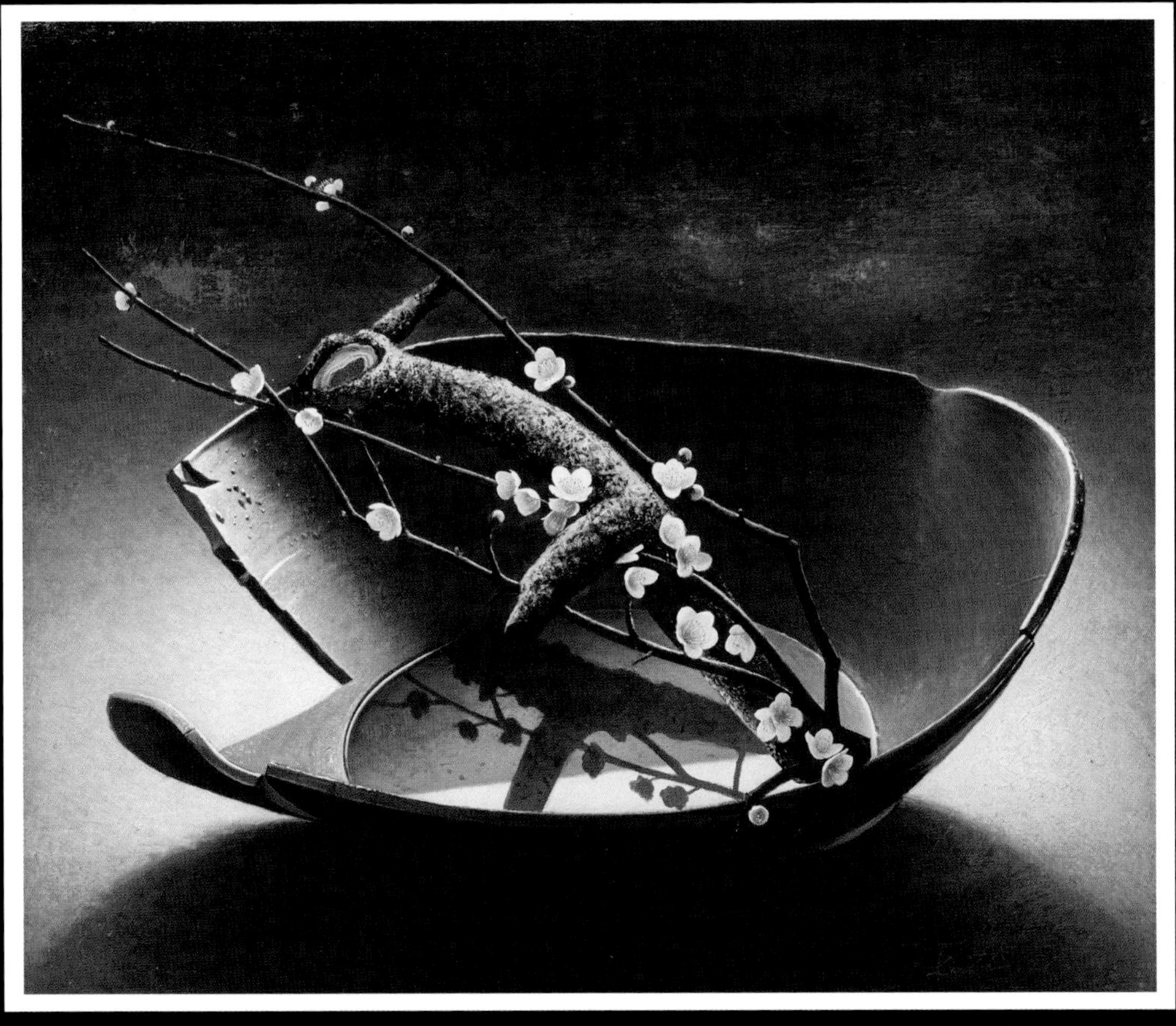

まえがき

「**美術市場2024**」は、画商や美術商が扱う市場性のある日本画家と洋画家の標準発表価格を明示いたしました。

明示した価格は、令和５年11月現在までに、全国主要百貨店や画廊等で発表された価格、または画商間でお取引きされた価格をもとにして綿密に調査し分析いたしました価格です。

日本画及洋画は、10号を基準とした1号あたりの標準発表価格です。ただし6号以下の作品は、1号あたりの価格が高くなる場合があります。

日本画掛軸部門は、尺五立物作品の標準発表価格です。

なお、物故作家に関しては、作品の制作年・絵柄・保存状態等によって著しく価格が異なるため掲載いたしません。

最後に、本書の刊行にあたり、多くの方々から頂いたご協力とご支援に対して、心から謝意を表します。

令和６年１月１日

株式会社 **美術新星社**

CONTENTS

目　次

market price of art

美術市場 2024

資料

絵画標準寸法表

号数	人物＝ Figure	風景＝ Paysage	海景＝ Marin
0	17.9 × 13.9	17.9 × 11.8	17.9 × 10.0
1	22.1 × 16.6	22.1 × 13.9	22.1 × 11.8
S.M.	22.7 × 15.8	—	—
2	24.0 × 19.0	24.0 × 16.1	24.0 × 13.9
3	27.3 × 22.0	27.3 × 19.0	27.3 × 16.1
4	33.4 × 24.3	33.4 × 21.2	33.4 × 19.1
5	35.0 × 27.3	35.0 × 24.3	35.0 × 22.1
6	40.9 × 31.8	40.9 × 27.3	40.9 × 24.3
8（尺 5 幅）	45.5 × 37.9	45.5 × 33.3	45.5 × 27.3
10（尺 8 幅）	53.0 × 45.5	53.0 × 40.9	53.0 × 33.3
12（2 尺幅）	60.6 × 50.0	60.6 × 45.5	60.6 × 40.9
15	65.2 × 53.0	65.2 × 50.0	65.2 × 45.5
20	72.7 × 60.6	72.7 × 53.0	72.7 × 50.0
25	80.3 × 65.2	80.3 × 60.6	80.3 × 53.0
30	90.9 × 72.7	90.9 × 65.2	90.9 × 60.6
40	100.0 × 80.3	100.0 × 72.7	100.0 × 65.2
50	116.7 × 90.9	116.7 × 80.3	116.7 × 72.7
60	130.3 × 97.0	130.3 × 89.4	130.3 × 80.3
80	145.5 × 112.1	145.5 × 97.0	145.5 × 89.4
100	162.1 × 130.3	162.1 × 112.1	162.1 × 97.0
120	193.9 × 130.3	193.9 × 112.1	193.9 × 97.0
150	227.3 × 181.8	227.3 × 162.1	227.3 × 145.4
200	259.1 × 193.9	259.1 × 181.8	259.1 × 162.1
300	290.9 × 218.2	290.9 × 197.0	290.9 × 181.8
500	333.3 × 248.5	333.3 × 218.2	333.3 × 197.0

単位 cm

市場ギャラリー

Shijou Gallery

日本画

手塚雄二「嘉陽」10号

浜田泰介「月下石鎚の冬」50号　2023年作

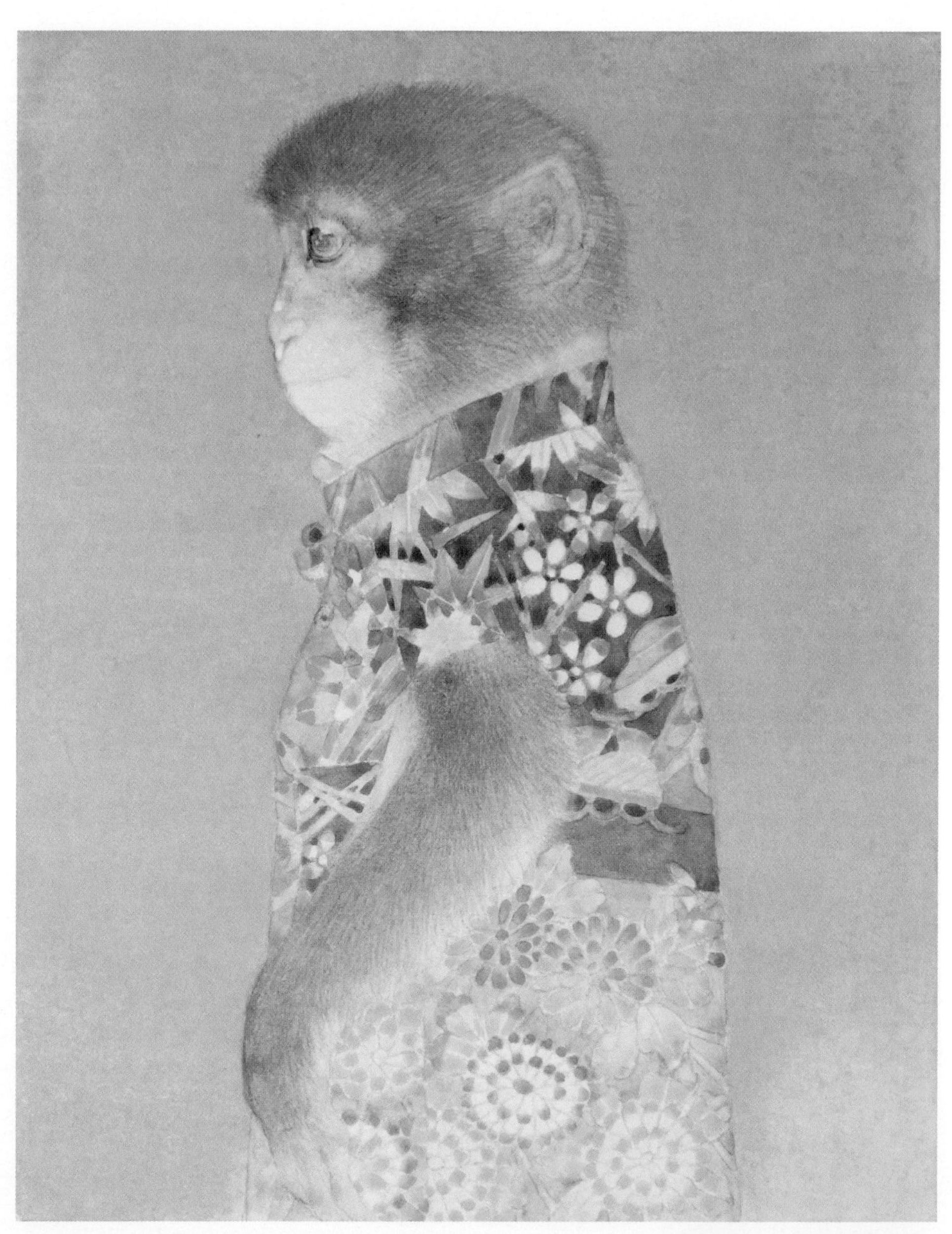

竹内浩一「春の舞台」3号

姚旭燈「喜悦」120号

河嶋淳司 六曲一双（左）「白象」167×344cm

福井江太郎　十三代目市川團十郎白猿襲名祝幕原画「團・新」21.9×80.5cm

岩田壮平「六々魚」20号

加来万周「幸運富士」20号

浅野信康「秋彩」10号

武市斉孝「桜の饗宴」6号

高島圭史「きいろいひと」20号

並木秀俊「金孔雀」194×134cm

水野淳子「きのうのきょうとアシタ」150号

川又 聡「生 命」30号

長谷川雅也「巣立ち」3号

須藤和之「海のよあけ」50号

福本百恵「智慧樹」6号S

吉田眞理子「桃」8号

日本画家

10号を基準とした1号あたりの標準発表価格を掲載しています。

あ

あいはら友子
六万六千　ともこ　無所属　関西学院大卒　個展（金沢名鉄　丸越　丸栄百貨店他）兵庫　昭和29年
〒155-0032世田谷区代沢二-二四-四　高木オフィス㈲　03(5430)6162

安住小百合
四万　さゆり　日展会友　多摩美大大学院修　日春展入　宮城県芸術協会運営委員　個展
〒242-0002大和市つきみ野四-七-D2-106　046(274)2779

安藤洋重
五万　ひろしげ　無所属　武蔵野美大卒　静岡県美術家協会会員　特選　個展　神奈川　昭和20年
〒421-0203焼津市大井川町藤守二七三七　054(622)4490

阿部一雅
五万五千　かずまさ　院展研究会員　愛知芸大卒　愛松会展出品香流会展出品　グループ展　愛知　昭和37年
〒480-1328長久手市早稲田九一八　0561(61)0187

阿部観水
三万　かんすい　無所属　武蔵野美大卒　三菱商事アートゲートプログラム入　神奈川　昭和63年
〒124-0011葛飾区四つ木三-一四-九-102　090(9102)3035

阿部任宏
六万　ただひろ　院友　愛知芸大大学院修　セントラル日本画大賞展　愛松会展出品　広島　昭和28年
〒454-0028名古屋市中川区露橋町一-二〇-六　052(352)1039

阿部千鶴
四万　ちづる　創画会准会員　東京芸大大学院修　創画会賞　個展　臥龍桜日本画大賞展入　広島　昭和45年
〒103-0025中央区日本橋茅場町一-一一-八　Gマークウェル気付

阿部穣
八万　ゆたか　無所属　東京芸大大学院修　三渓日本画展　個展　レスポワール展　東京　昭和50年
〒278-0033野田市上花輪八一六-七　04(7128)6910

青木香保里
三万　かおり　無所属　多摩美大大学院修　DOJIMA RIVER AWARD2016優秀賞　日経日本画大賞展入　東京
〒107-0062港区南青山五-四-三〇　新生堂気付　03(3498)8383

青木秀明
五万　ひであき　日展会員　特選　松伯美術館花鳥画展優秀賞　川端龍子展大賞　臥龍桜日本画展優秀賞　昭和50年
〒658-0012神戸市東灘区本庄町一-四-五-九F　G・オブジェ気付

青木恵
三万　めぐみ　無所属　多摩美大大学院修　雪梁舎フィレンツェ賞展佳作賞　トリエンナーレ豊橋入選　東京
〒107-0062港区南青山五-四-三〇　新生堂気付　03(3498)8383

青木志子
三万　ゆきこ　日展入選　多摩美大卒　奈良万葉日本画大賞展入　渺渺展出品　神奈川　昭和59年
〒221-0031横浜市神奈川区新浦島町一-一-一-803

青山亘幹
十五万　のぶよし　無所属　東京芸大大学院修　シェル美術賞展一等　山種美術館賞展招　個展　神奈川　昭和20年
〒247-0053鎌倉市今泉台一-一一-一〇　0467(46)4413

青山博之
十二万　ひろゆき　院展特待　東京芸大卒　セントラル日本画大賞展招　日伯展入　広島　昭和27年
〒173-0031板橋区大谷口北町五一-七　03(3958)8401

浅野忠
七万　ただし　院展特待　愛知芸大大学院修　東京日本画新鋭選抜展奨励賞　個展　愛知　昭和37年
〒480-0304春日井市神屋町一三九〇-六四　0568(88)7788

浅野信康
十五万　のぶやす　院友　東京芸大大学院修　春季展入　個展　有芽の会展出品　埼玉　昭和42年
〒352-0011新座市野火止五-一二-一三　048(477)3167

浅野均
十五万　ひとし　創画会会員　京都市立芸大卒　創画会賞　山種美術館展大賞　日経大賞展大賞　大阪　昭和30年
〒621-0231亀岡市東本梅町大内大坪一〇七-三六　0771(26)2296

芦田裕昭
十万　ひろあき　日展特別会員　親日春会会員　師・華楊　京美大卒　日春賞島根　昭和10年
〒610-1113京都市西京区大枝南福西町三-六-九　075(331)0660

新井政明
五万　まさあき　院友　東京芸大大学院修　春院展入　個展　二人展　埼玉　昭和28年
〒359-1146所沢市小手指南五-二六-七　042(949)3924

新井まち子
七万　まちこ　院展特待　奨励賞　師福王寺法林・一彦　学習院短大卒　群馬県展山崎記念特別賞　群馬　昭和25年
〒231-0066 横浜市中区日ノ出町一-六五

荒井　孝
十五万　たかし　院展特待　師・郁夫　東京芸大大学院修　奨励賞　春季展入　外務省買上　栃木　昭和13年
〒320-0073 宇都宮市細谷一-七-二八　028(624)6203

荒木亨子
四万　きょうこ　創画会会員　東京芸大大学院修　京都市立芸大卒　創画会賞　奨励賞　昭和46年
〒731-5146 広島市佐伯区屋代一-一-二二

荒木恵信
五万　けいしん　院友　金沢美工大大学院修　東京芸大大学院修　春季展外務大臣賞　奨励賞　個展　石川　昭和46年
〒929-0403 石川県河北郡津幡町字舟谷ト-一三一

井木紫人
三万五千　しじん　無所属　師・土屋雅裕　臥龍桜日本画大賞展入　日本表現派展入　愛知　昭和43年
〒470-0552 豊田市乙ヶ林四二三一-二　0565(65)2421

井田昌明
六万　まさあき　院友　東京芸大大学院修　春季展賞　有芽の会展　聿の会日本画展出品　群馬　昭和44年
〒371-0822 前橋市下新田町八七一-六四　027(253)7586

井手康人
十二万　やすと　院展同人　東京芸大大学院修　総理大臣賞　文科大臣賞　院賞大観賞　福岡　昭和37年
〒701-4303 瀬戸内市牛窓町鹿忍九-一〇　0869(34)5038

井出文洋
八万　ぶんよう　無所属　多摩美大大学院修　現代日本代表作家展　川端龍子賞展出　個展　神奈川　昭和29年
〒254-0821 平塚市黒部ヶ丘七-一　0463(32)1943

井上紫城
八万　しじょう　無所属　東京芸大大学院修　師・瑛中　元院友　院展入　春季展入　福岡　昭和16年
〒187-0043 小平市学園東町二-一〇-三五　042(343)8178

井上美紀
七万　みき　創画会会友　嵯峨美短大卒　個展　京都日本画家協会展協会賞　松伯美術館花鳥画展　大阪　昭和37年
〒665-0807 宝塚市長尾台二-一四-七　072(757)0035

井本一倭
五万　いちわ　無所属　大阪芸大卒　日展出品　個展　グループ展　兵庫　昭和49年
〒651-1351 神戸市北区八多町中三三一-A105　078(951)0395

伊東正次
五万　まさつぐ　日展会員　多摩美大大学院修　特選　日春展奨励賞　臥龍桜日本画大賞展優秀賞　愛媛　昭和37年
〒206-0803 稲城市向陽台四-一-C-412　042(402)8213

伊東良久
四万　よしひさ　創画会展出品　東京芸大卒　春期展入選　神奈川県展特別奨励賞　東京　昭和30年
〒236-0027 横浜市金沢区瀬戸七-一六　045(786)2185

伊藤　彬
二十万　あきら　無所属　元創画会会員　東美卒　新作家賞　春展賞　毎日現代展他入　兵庫　昭和15年
〒259-1325 秦野市萩が丘三-一三三　0463(88)2604

伊藤　哲
八万　さとし　無所属　東京芸大大学院修　現代絵画黎明展出品　個展　千葉　昭和37年
〒286-0041 成田市飯田町九六　0476(26)6083

伊藤はるみ
十万　創画会展入　京都芸大卒　春展賞　セントラル大賞展佳作賞　個展　大阪　昭和23年
〒616-8417 右京区嵯峨大覚寺門前大道町四五-四六　075(862)9031

伊藤彭耳
二十万　ほうじ　芸術員会員　院展同人　師・曠平　多摩美大卒　総理大臣賞　院賞大観賞　奨励賞　東京　昭和13年
〒245-0016 横浜市泉区和泉町二〇五三　045(802)5182

伊藤みさと
五万五千　院展特待　師・森田曠平　多摩美大卒　春院展入　個展（三越・横浜高島屋他）北海道　昭和22年
〒222-0032 横浜市港北区大豆戸町八〇三-二-七-106　045(544)9952

伊藤深游木
十五万　みゆき　院展特待　東京芸大大学院修　奨励賞　春季展入　有芽の会出　日本画と彫刻展出　東京　昭和29年
〒179-0085 練馬区早宮二-二三-二二　03(3934)1599

伊藤由純
五万　よしずみ　無所属　元日府展評議員　新人賞　奨励賞　中日展入　東京　昭和12年
〒462-0032 名古屋市北区辻町一-四三-一　曽根方　052(914)0751

射庭一嘉
四万　かずよし　無所属　東京芸大大学院修　個展　滋賀　昭和54年
ibaibaiba@ae.auone-net.jp

飯田文香
四万　あやか　無所属　多摩美大卒　県展特選　未来展特別賞　神奈川　平成2年
〒236-0012横浜市金沢区柴町

家本佳生琉
七万　かおる　院友　東京芸大大学院修　有芽の会展出品　神奈川　昭和35年
〒949-6372南魚沼市石打二二〇四　0257(83)2419

生田宏司
十万　こうじ　無所属　師・上野泰郎　加山又造　多摩美大卒　国際版画展多数入賞　山形　昭和28年
〒275-0011習志野市大久保一-五-八　047(493)4024

生野一樹
六万　かずき　春陽会展　伊・仏ムルロー工房にて制作　臥龍桜日本画大賞展 出版社表紙画 飛翔制作 松坂屋 昭和18年
〒247-0066鎌倉市山崎八六八　神奈川　0467(45)9158

池内璋美
十万　あきよし　日展会員　師・晃勢　京美大卒　東丘社　日春展奨励賞　山種美術賞展出品　兵庫　昭和22年
〒615-8037京都市西京区下津林大般若町一二五075(391)8153

池田彰彦
五万　あきひこ　創画会会友　師・稗田一穂　東京芸大大学院修　春季展賞　個展　東京　昭和23年
〒360-0044熊谷市弥生二-四〇　パナハートフジ　048(577)3527

諫山宝樹
四万　たまじゅ　無所属　京都市立芸大大学院修　京都市琳派賞　大阪　昭和55年
〒606-8403京都市左京区浄土寺南田町九　080(5307)7058

石井鈴
六万　すず　無所属　京都造形大卒　松陰芸術賞　国際ピース・アートコンクール&美術展優秀賞　大阪　昭和56年
info@suzuishiart.jp

石踊紘一
十二万　こういち　無所属　東京芸大卒　新制作展新作家賞　創画会春展賞　鹿児島　昭和17年
〒255-0005神奈川県大磯町西小磯七三一-一六　0463(61)9680

石踊達哉
三十万　たつや　無所属　東京芸大大学院修　創画会展入　春展受賞　山種展他出品　個展　満州　昭和20年
〒151-0053渋谷区代々木五-五一-一三　03(3469)4152

石川和賢
二万七千　かずよし　元展理事　師・満田竹水　個展（松坂屋　東急　島田市博物館他）静岡　昭和45年
〒135-0004江東区森下四-一八-八-1F

石谷雅詩
四万　まさし　院友　愛知芸大大学院修
〒444-0864岡崎市明大寺町長泉六　0564(54)4021

石﨑昭三
十二万　しょうぞう　無所属　師・龍子　元青龍社社友　個展（東武・伊勢丹他）山種賞出品　東京　昭和3年
〒358-0024入間市久保稲荷一-二一-三　042(962)1967

石原進
十二万　すすむ　日展会員　師・希望　太清　特選　日春賞　奨励賞　外務大臣賞　個展　岐阜　昭和17年
〒331-0074さいたま市西区宝来三六〇-一〇　048(625)7880

石松チ明
三万　ちあき　無所属　アダチUKIYOE大賞展特別賞　個展　静岡　平成6年
〒441-8023豊橋市八通町七四　ダイヤパレス羽根井201

石村雅幸
六万　まさゆき　院展特待　師・曠平・彭耳　玉川大卒　奨励賞　春季展奨励賞　福岡　昭和40年
〒300-1636茨城県北相馬郡利根町羽根野八八〇-一七三　0297(68)8250

泉東臣
六万　はるおみ　無所属　師・中島千波　東京芸大大学院修　臥龍桜日本画大賞展奨励賞　千葉　昭和54年
〒103-0025中央区日本橋茅場町一-一一-八　Gマークウェル気付

磯部光太郎
六万　こうたろう　無所属　東京芸大大学院修　狂言師野村萬斎長男初舞台記念扇制作　東京　昭和45年
〒247-0063鎌倉市梶原三-二〇-一六　0467(91)2732

磯部茂亀
八万　しげき　無所属　日展入　日春展入　青塔社　川端龍子展出画家協会展知事賞　個展　京都　昭和27年
〒520-0522大津市和邇中浜一二六

板垣夏樹
四万 **なつき** 無所属 東京芸大大学院修 美の起原展大賞 個展（池袋東武他） アルゼンチン 平成2年
https://itagakinatsuki.jimdofree.com/
〒230-0061 横浜市鶴見区佃野町二九-三九 **045(571)3403**

市橋豊美
六万 **とよみ** 院展特待 東京芸大大学院修 有芽の会展出品 G展 神奈川 昭和29年

市原義之
十万 **よしゆき** 日展会員 師・昭 金沢美大卒 総理大臣賞 特選 日春展会員 徳島 昭和18年
〒612-0809 京都市伏見区深草願成町三三-三 **075(561)7225**

出口雄樹
五万 **ゆうき** 無所属 東京芸大大学院修 個展・グループ展（NY・台湾・上海・パリ他） 福岡 昭和61年
〒605-0985 京都市東山区福稲柿本町

猪熊佳子
八万 **けいこ** 日展準会員 京都芸大大学院修 特選 日春展奨励賞 京展 山種美術館展優秀賞 京都 昭和33年
〒607-8004 京都市山科区屋敷町一四-一 **075(595)9945**

今井珠泉
令和5年 1月15日歿 **しゅせん** 院展同人 師・青邨 東京芸大卒 総理大臣賞 文科大臣賞 福島 昭和5年

今川教子
四万 **きょうこ** 無所属 京都造形大卒 JAXA日本画は宇宙を描く最優秀賞 卒業制作学長賞 混沌賞 静岡
〒424-0886 静岡市清水区草薙二四〇-四五

岩井晴香
三万 **はるか** 創画会準会員 京都精華大大学院修 創画会賞 郷さくら桜花賞展奨励賞 滋賀 昭和61年
〒524-0021 守山市吉身三-一二-二五

岩﨑絵里
六万 **えり** 無所属 嵯峨美短大卒 青垣日本画展兵庫県芸術文化協会賞 京展市長賞 兵庫 昭和43年
〒604-0031 京都市中京区押小路通新町東入頭町二 **075(394)1948**

岩﨑　宏
十五万 **ひろし** 無所属 現代思潮社美校卒 個展（横浜高島屋他） G展 新潟 昭和26年
〒239-0820 横須賀市光風台二六-二 **046(803)9385**

岩田壮平
二十五万 **そうへい** 日展会員 金沢美工大大学院修 菅楯彦大賞展大賞 日経日本画大賞展大賞 愛知 昭和53年
〒107-0062 港区南青山五-四-三〇 新生堂気付

岩谷晃太
六万 **こうた** 院友 奨励賞 足立美術館賞 東京芸大大学院修 有芽の会展法務大臣賞 個展（松坂屋） 東京 平成1年
https://www.artid.jp/iwatani/

岩永てるみ
十万 院展特待 師・田渕俊夫 東京芸大大学院修 天心賞 奨励賞 春季展奨励賞 外務大臣賞 大分 昭和43年
〒444-2824 豊田市池島町井戸神二一-一 **0565(77)3768**

岩波昭彦
十五万 **あきひこ** 院展特待 多摩美大卒 師・敏男 春院展奨励賞 個展（ニューヨーク・ドイツ他） 長野 昭和41年
〒285-0845 佐倉市西志津六-三-一 **043(463)8523**

岩野雅代
三万 **まさよ** 無所属 女子美大大学院修 東京芸術劇場池袋アートギャザリング栗原画廊賞 個展 大阪 昭和59年
〒351-0031 朝霞市宮戸四-二-六〇-一

宇城翔子
三万 **しょうこ** 院友 愛知芸大大学院修 郷さくら美術館桜花賞展奨励賞 若鶉会展 三重 昭和63年
〒500-8355 岐阜市六条片田一-一五-三 後藤方

烏頭尾　精
十二万 **せい** 創画会会員 京美大卒 新作家賞 春展賞 朝日新人展招 秀作展招 奈良 昭和7年
〒634-0111 奈良県高市郡明日香村岡一二五三 **0744(54)2048**

鵜飼雅樹
七万 **まさき** 日展会員 金沢美工大大学院修 日春賞 奨励賞 川端龍子展優秀賞 滋賀 昭和36年
〒520-0242 大津市本堅田二-一五-二五 **077(574)3765**

上田勝也
十万 **かつや** 日展会員 東京芸大大学院修 特選 日春賞 奨励賞 日本画大賞展佳作賞 京都 昭和19年
〒615-8084 京都市西京区桂坤町四一-一六 **075(391)6808**

上野　高
六万 **たかし** 院友 東京芸大大学院修 国宝源氏絵巻模写 徳川美術館収蔵 個展 グループ展 神奈川 昭和56年

上村淳之
八十万 **あつし** **文化勲章** **文化功労者** **芸術院会員** 芸術院賞 創画会理事長 京美大卒 創画会賞 京都 昭和8年
〒631-0803奈良市山陵町七五四 **0742(45)4655**

植田一穂
七万 **かずほ** 創画会理事 東京芸大大学院修 創画会賞 春季展賞 個展 広島 昭和36年
〒273-0048船橋市丸山二-二-八 **047(438)1664**

牛塚和男
七万 **かずお** 無所属 院展入 春院展入 師・平山郁夫 東京芸大大学院修 個展 鹿児島 昭和24年
〒840-0033佐賀市光二-七-四〇 **0952(22)9688**

梅原幸雄
二十五万 **ゆきお** 院展同人 東京芸大大学院修 総理大臣賞 文部大臣賞 院賞大観賞 三重 昭和25年
〒152-0023目黒区八雲五-一八-一二 **03(3725)9848**

雲碧秀郎
十万 **ひでお** 無所属 フィレンツェ国立美術学校卒 蒼駟会会員 日伊友好展出品 個展 神奈川 昭和25年
〒243-0032厚木市恩名三-一四-七 **046(221)0647**

江川直也
四万 **なおや** 無所属 京都造形芸大卒 佐藤太清賞展特選 臥龍桜日本画大賞展入 グループ展 埼玉 昭和63年
http://egawanaoya.com

海老洋
八万 **よう** 創画会会員 東京芸大大学院修 創画会賞 春季展賞 美の予感展 個展 山口 昭和40年
〒270-1436白井市七次台三-四七-三

榎本時子
四万 **ときこ** 院展特待 師・松尾敏男 玉川大卒 春院展入 無名会展出品 G展 東京 昭和34年
〒150-0002渋谷区渋谷四-一-一六-3A **03(3409)9387**

袁波
五万 **えんば** 中国国際連盟協会会員 日中水墨画交流展最優秀賞 日本国際美術展新人賞 個展 中国 1955
〒350-0808川越市吉田新町一-二-二-八-504 **0492(34)6189**

遠藤麻木子
四万 **まきこ** 無所属 武蔵野美大大学院修 創画会展入 21世紀アート大賞展熊本文化協会賞 神奈川 昭和47年
〒253-0031茅ヶ崎市富士見町九-四四 **0467(26)0266**

小川国亜起
七万 **くにあき** 院展特待 師・片岡球子 愛知芸大大学院修 うづら会展出品 個展 愛知 昭和36年
〒470-0372豊田市井上町九-三三-三 **0565(45)5189**

小倉亜矢子
四万五千 **あやこ** 無所属 東京芸大卒 フィレンツェ賞展優秀賞 新生展 個展 グループ展 昭和49年
〒247-0052鎌倉市今泉三-二二-六

小田野尚之
二十万 **なおゆき** 院展同人 東京芸大大学院修 総理大臣賞 文科大臣賞 院賞大観賞 神奈川 昭和35年
〒230-0018横浜市鶴見区東寺尾東台一九-一九 **045(583)8514**

小田原千佳子
七万 **ちかこ** 院友 師・郁夫 爽人 東京芸大大学院修 奨励賞 有芽の会展 新樹会展 個展 東京
〒113-0022文京区千駄木五-一九-一二 **03(3822)8873**

小野寺以文
四万 **いぶん** 無所属 多摩美大大学院修 山種美術館展 セントラル日本画大賞展 個展 東京 昭和24年
〒989-1501柴田郡川崎町大字前川字北原四九-一二 **0224(84)4622**

小山硬
三十万 **かたし** 院展同人 評議員 師・青邨 総理大臣賞文部大臣賞 院賞大観賞 熊本 昭和9年
〒470-0135日進市岩崎台三-一三二七 **05617(3)7324**

尾崎淳子
三万 **じゅんこ** 無所属 中央大卒 個展(小田急他) さっぽろ国際現代版画ビエンナーレ買上賞 北海道 昭和26年
〒215-0035川崎市麻生区黒川四七-八 **044(987)0454**

尾崎千頭
六万 **ちかみ** 日展会友 日春展入 師・川崎春彦 菅楯彦大賞展佳作賞 山種美術館大賞展出品 高知 昭和23年
〒199-0205神奈川県津久井郡藤野町日連三八-一三 **0426(87)2800**

尾長良範
五万 **よしのり** 創画会会員 多摩美大卒 創画会賞 春季展賞 日本海美術展とやま賞 個展 富山 昭和37年
〒214-0012川崎市多摩区中野島四-五-三-S103 **044(932)7809**

越智明子
三万 **あきこ** 無所属 東海大卒 京都造形大修 個展 グループ展 千葉 昭和48年
〒101-0046千代田区神田多町二-一一-二七 友美堂気付

大石朋生
五万 ともお　院友　東京芸大大学院修　奨励賞　有芽の会展法務大臣賞　神奈川　昭和43年
〒070-0822旭川市旭岡一-二三-四

大岡亜紀
四万 あき　無所属　武蔵野美大卒　個展（栗原画廊他）　東京　昭和38年
〒180-0002武蔵野市吉祥寺東町三-五-一-601

大河原典子
六万 のりこ　院友　東京芸大大学院修　郷さくら美術館桜花賞展奨励賞　有芽の会展出品　個展　東京　昭和51年
〒201-0015狛江市猪方三-三五-一

大久保信子
四万 のぶこ　無所属　パリ国際サロン優秀賞　サロン・ドートンヌ入　テレビドラマ美術協力　埼玉
〒344-0022春日部市大畑二四-一

大島亜弓
三万 あゆみ　院友　愛知芸大大学院修　春院展入　愛知　昭和63年
〒500-8355岐阜市六条片田一-一五-三　後藤方　**058(274)6055**

大瀬戸文子
二万 ふみこ　院友　広島市立大卒　個展　グループ展　広島
〒190-1221瑞穂町箱根ヶ崎二三三-一-一〇六

大竹彩菜
六万 あやな　無所属　東京芸大大学院博士後期修　台東区長賞　個展（三越 伊勢丹他）　画集刊行　埼玉　昭和56年
〒101-0051神田神保町一-一四-一九GALLERY KOGURE気付

大竹卓
六万 すぐる　無所属　武蔵野美大卒　筑波大大学院修　創画会展入　個展　昭和33年
〒176-0022練馬区向山三-九-三二

大竹正芳
四万五千 せいほう　無所属　東京芸大卒　個展（鎌倉芸術館）グループ展　神奈川　昭和40年
〒103-0025中央区日本橋茅場町一-一-八　Gマークウェル気付

大竹寛子
六万 ひろこ　無所属　東京芸大大学院博士後期修　東京芸大エメラルド賞　文化庁海外派遣（NY）　岐阜　昭和55年
www.hiroko-otake.com/

大竹ふさ代
三万五千 ふさよ　無所属　フェリス女学院大卒　大潮会展出品　個展（三越　ワシントン他）　神奈川　昭和15年
〒250-0045小田原市城山三-五-四三　**0465(22)2781**

大塚浩平
五万 こうへい　無所属　師片岡球子　愛知芸大大学院修　日本画工房浮島館（熊本文化財修復工房）主宰　熊本　昭和35年
〒861-3105熊本県上益城郡嘉島町上六嘉二〇三五　**096(237)2760**

大塚千聡
五万 ちあき　院友　東京芸大大学院修　京都日本画家協会会員　有芽の会展出品　神奈川　昭和37年
〒606-1115京都市左京区岩倉幡枝町一二三　**075(741)8015**

大塚玲王
三万 れお　無所属　師北田克己　愛知芸大大学院修　名古屋城本丸御殿障壁画復元模写制作共同体従事　熊本　平成6年
〒480-1317長久手市松杁一六七〇

大坪由明
八万 よしあき　院展特待　師・忠一　金沢美工大卒　奨励賞　春季展奨励賞　竜生会員　個展　富山　昭和22年
〒305-0004つくば市柴崎五四一　**0298(57)2526**

大豊世紀
七万 せいき　日展会員　師・西山英雄　金沢美大卒　特選　日春賞　奨励賞　大阪　昭和25年
〒612-8001京都市伏見区桃山町日向三一-一二　**075(602)9516**

大沼憲昭
七万 のりあき　無所属　京都新聞日本画賞展大賞　山種賞展他出品　石川　昭和29年
〒610-0332京田辺市興戸北落延五五　**0774(63)6923**

大野麻子
三万五千 あさこ　無所属　多摩美大卒　臥龍桜日本画大賞展優秀賞　個展　グループ展　神奈川　昭和44年
〒253-0054茅ヶ崎市東海岸南五-三-三四　**0467(88)3911**

大野逸男
十八万 いつお　院展同人　師青坪・法林　総理大臣賞　文科大臣賞　大観賞　足立美術館賞　個展　埼玉　昭和16年
〒346-0105埼玉県菖蒲町新堀二九三-二　**0480(85)1263**

大野俊明
十二万 としあき　無所属　京美大卒　山種美術館賞展優秀賞　京都二条城二の丸御殿障壁画模写　京都　昭和23年
〒606-8144京都市左京区一乗寺堂前町二三-四　**075(722)5556**

大野廣子
九万 ひろこ 無所属 武蔵野美大大学院修 川端龍子展優秀賞 個展(日本橋高島屋) 東京 昭和31年 www.hirokoohno.com **042(439)5106**

大場茂之
七万 しげゆき 院友 師平山郁夫 入選 春院展入 個展 G展 宮城 〒410-2132伊豆の国市奈古谷二二五一-四 **055(949)5329**

大平由香理
二万五千 ゆかり 無所属 東北芸術工科大大学院修 卒業制作展最優秀賞 アーティクル賞グランプリ 岐阜 〒211-0006川崎市中原区丸子通一-六三九T&Tギャラリー気付

大森隆史
五万 たかし 無所属 東京芸大卒 信州高遠の四季展奨励賞 堂島リバーフォーラム賞 東京 昭和42年 〒245-0014横浜市泉区中田南三-二八-四二-102

大森正哉
七万 まさや 創画会会友 京都芸大大学院修 松伯美術館花鳥画展大賞 川端龍子展入 京都 昭和47年 〒603-8151京都市北区下総町三一-五 **075(441)2560**

大矢亮
五万 あきら 院友 愛知芸大大学院修 長湫会展 勢の会展出品 愛知 昭和49年 〒487-0035春日井市藤山台一-四-二 115棟201 **0568(95)2582**

大矢真嗣
五万 しんじ 日展入 日春展入 多摩美大卒 個展 グループ展 昭和47年 〒215-0021川崎市麻生区上麻生七-三三-七

大矢十四彦
二十万 としひこ 院展招待 師・忠一 東京芸大卒 奨励賞 春季展賞 奨励賞 新潟 昭和15年 〒215-0021川崎市麻生区上麻生七-三三-七 **044(988)3294**

大矢紀
二十五万 のり 院展同人 評議員 師・青邨 総理大臣賞 文科大臣賞 院賞大観賞 奨励賞 新潟 昭和11年 〒215-0021川崎市麻生区上麻生七-一八-一六 **044(988)1366**

大矢眞弓
五万五千 まゆみ 創画会会友 京都市立芸大卒 春季展賞 青垣日本画展入 個展 G展 愛知 昭和24年 〒573-1103枚方市楠葉野田二-二六-二 小森方

太田圭
五万 けい 創画会会友 東京芸大大学院修 安宅賞 個展 長野 昭和32年 〒305-0035つくば市松代五-七-二四 **090(4603)1523**

王青
五万 おうせい 無所属 東京芸大大学院博士修 上野の森美術館大賞展大賞 上海 昭和35年 〒270-1144我孫子市東我孫子一-三九-五-B107 **080(3576)6803**

扇敏之
七万 としゆき 日展会友 師・華楊 京美大卒 晨鳥社日春賞 外務大臣賞 奨励賞 京都 昭和14年 〒601-1122京都市左京区静市野中野二五〇-三 **075(741)9059**

岡信孝
二十五万 のぶたか 無所属 元青龍社社人 奨励賞 春展受賞 個展(高島屋他) 神奈川 昭和7年 〒225-0005横浜市青葉区荏子田一-一〇-三 **045(904)1858**

岡江伸
六万 しん 日展会員 師・太清 女子美大卒 特選 日春展奨励賞 日春賞 個展 愛知 昭和28年 〒182-0021小平市上水南町一-一-二九

岡田眞治
十万 しんじ 院展特待 愛知芸大大学院修 院賞大観賞 天心賞 奨励賞 春院展外務大臣賞 愛知 昭和37年 〒480-1132長久手市上川原九-八 **0561(62)5240**

岡部裕紀
三万五千 ゆうき 無所属 多摩美大大学院修 創画会展 上野の森美術館大賞展出品 個展 東京 昭和44年 〒177-0033練馬区高野台三-二九-一〇-308

岡村桂三郎
十三万 けいざぶろう 無所属 東京芸大大学院修 創画会賞 春季展賞 山種美館賞優秀賞 東京 昭和33年 〒350-0416入間郡越生町大字越生七〇二-五 **0492(92)5848**

岡村智晴
八万 ともはる 無所属 東京芸大卒 アートフェア東京 日米韓交流展 グループ展 愛知 昭和59年 contact@okamuratomoharu.com

岡村倫行
十万 りんこう 日展会員 会員賞 特選 日春賞 奨励賞 山種美術館展優秀賞 京都 昭和19年 〒617-0857長岡京市高台西四-一 **075(952)9519**

岡本アヤコ
二万五千 日展入　奈良女子大大学院修　パリ国際サロン入賞　サロン・ドトーヌ展入　福岡
〒816-0941 大野城市東大利二-三-一サンアトラスV703

荻原季美子
十二万　きみこ 無所属　愛知芸大卒　セントラル日本画大賞展　山種賞展他出品　個展　長野　昭和22年
〒234-0056 横浜市港南区野庭町六二二-二-226 **045(841)8616**

奥田紫光
四万　しこう 全国水墨画協会評議員　東方展大賞　日本画21世紀展優秀賞　静岡　昭和36年
〒275-0017 習志野市藤崎一-一七-一七 **047(475)0132**

奥村美佳
七万　みか 創画会会員　京都造形大大学院修　創画会賞　日経日本画大賞展大賞　個展　京都　昭和49年
〒606-8307 京都市左京区吉田上阿達町三〇-三-209

奥山加奈子
四万　かなこ 無所属　武蔵野美大卒　早見芸術学園卒　個展　グループ展　東京　昭和49年
〒251-0031 藤沢市鵠沼藤が谷四-一〇-一二-201 **080(5005)9718**

奥山たか子
五万　たかこ 院展特待　東京芸大大学院修　川端龍子展　有芽の会展　愛知　昭和22年
〒242-0014 大和市上和田一八一-一-三-506 **046(263)0170**

長田佳子
六万五千　よしこ 無所属　東京芸大卒　松伯美術館花鳥画展大賞　個展　東京　昭和59年
〒530-0003 大阪市北区堂島二-一-二二　関西画廊気付

鬼塚堅太
四万　けんた 院友　師・松本哲男　番場三雄　東北芸術工科大大学院修　個展　G展　熊本　昭和52年
〒315-0131 石岡市下林二四七二-二九

か

加来万周
十五万　ばんしゅう 院展特待　東京芸大大学院修　師手塚雄二　臥龍桜日本画展優秀賞　墨彩画展雪舟大賞　昭和48年
〒336-0918 さいたま市緑区松木一-二五-一五

加藤亜作彦
五万　あさひこ 院友　愛知芸大大学院修　青垣日本画展佳作賞　香流会展出品　愛知　昭和37年
〒479-0841 常滑市明和町三-九〇 **0569(35)4631**

加藤厚
八万　あつし 院展特待　愛知芸大大学院修　院賞大観賞　都知事賞　奨励賞　春院展奨励賞　愛知　昭和32年
〒470-0111 日進市米野木町南山九七三-七七 **05617(3)4387**

加藤恵
五万　けい 院友　師・松尾敏男　東京芸大大学院修　春院展外務大臣賞　郷さくら美術館桜花賞展大賞　神奈川
〒225-0022 横浜市青葉区黒須田一〇-九 **045(974)1739**

加藤清香
三万五千　さやか 院友　愛知芸大大学院修　桜花賞展大賞　個展　風雅の会展　若鶉会展出品　愛知　昭和60年
〒470-0464 豊田市折平町上屋敷五〇二 **0565(76)1441**

加藤晋
六万　しん 日展会員　師・東一　多摩美大卒　特選　日春展奨励賞　個展　東京　昭和30年
〒351-0104 和光市南一-二-四〇 **0484(65)5862**

加藤千奈
四万　ちな 創画会展入　東京芸大大学院修　現代女流作家展　個展　愛知　昭和61年
〒464-0033 名古屋市千種区鹿子町四-一五

加藤智
五万五千　とも 日展会員　師・元宋　特選　日春賞　東京　昭和22年
〒275-0033 名古屋市千種区鹿子町四-一五 **047(452)5269**

加藤洋一朗
四万　よういちろう 院友　師・片岡球子　愛知芸大大学院修　名古屋城本丸障壁画復元　個展　愛知　昭和43年
〒486-0844 春日井市鳥居松町七-四四-一 **090(1749)5277**

加藤良造
五万　りょうぞう 創画会会員　多摩美大卒　創画会賞　春季展賞　二人展　岐阜　昭和39年
〒240-0105 横須賀市秋谷一-一-一-207 **0468(56)9566**

鍵谷節子
八万　せつこ 日展会員　師・池田遥邨　特選　日春展外務大臣賞　奨励賞　大阪　昭和19年
〒599-8104 堺市東区引野町三-一五三-三 **0722(87)1500**

片岡宣久
十二万　せんきゅう　無所属　元院友　東京芸大大学院修　セントラル大賞展入　遊星展参加　個展　高知　昭和18年
〒785-0046須崎市桑田山甲八三六-一　**0889(45)0160**

片野莉乃
三万　りの　無所属　多摩美大大学院修　FACE展2017損保ジャパン日本興亜美術賞展審査員特別賞　東京　平成4年
rino.katano@icloud.com

角島直樹
十二万　なおき　院展特待　師・片岡球子　愛知芸大卒　奨励賞　足立美術館賞　個展　兵庫　昭和22年
〒470-0105日進市五色園一-八〇二

金澤尚武
四万　しょうぶ　院友　愛知芸大大学院修　臥龍桜日本画大賞展　前田青邨記念大賞展入　個展　愛知　昭和53年
instagram.com/shobu.kanazawa/

金澤　隆
五万　たかし　無所属　東京芸大大学院修　樂三展　求美の会展出品　千葉　昭和61年
〒103-0025中央区日本橋茅場町一-一一-八　Gマークウェル気付

金子絵理
四万　えり　日展入　名古屋芸大卒　日春賞　青垣日本画展兵庫県知事賞　北陸中日新聞文芸欄挿絵　石川　昭和55年

兼未希恵
三万五千　みきえ　無所属　京都芸術短大卒　京都造形芸大卒　菅楯彦大賞展出品　個展　東京　昭和52年
〒185-0034国分寺市光町二-一四-九

兼若和也
四万　かずや　無所属　京都市立芸大卒　尖展出品　個展　グループ展　香川　昭和46年
〒606-8447京都市左京区鹿ヶ谷上宮ノ前町六七

鎌田義裕
六万　よしひろ　無所属　現代日本芸術協会常任理事　個展　北海道　昭和31年
〒344-0112春日部市西金野井四〇五-70　**048(745)4356**

上村俊明
七万　としあき　創画会会友　セントラル日本画大賞展入　個展(日本橋高島屋他)　大阪　昭和22年
〒509-0116各務原市緑苑西二-一三〇　**058(370)4494**

神谷菜穂
三万　なお　院友　愛知芸大大学院修　名古屋城本丸御殿障壁画復元　個展　愛知　昭和55年
〒451-0041名古屋市西区幅下二-七-九　猪飼方　**080(5118)6819**

亀山玲子
四万五千　れいこ　無所属　京都芸大卒　セントラル裸婦大賞展優秀賞　十美会21世紀展優秀賞　奈良　昭和24年
〒602-0054京都市上京区飛鳥井町二五二　フォルム405　**075(441)9193**

狩俣公介
八万　こうすけ　院友　東京芸大大学院修　奨励賞　春展奨励賞　個展　千葉　昭和53年
〒226-0005千葉市緑区誉田町二-二三-二五七

川崎鈴彦
十二万　すずひこ　日展会員　師・小虎・魁夷　東美卒　総理大臣賞　特選　菊華賞　東京　大正14年
〒166-0001杉並区阿佐谷北一-二六-六　**03(3330)7144**

川崎麻央
七万　まお　院展特待　東京芸大大学院修　院賞大観賞　都知事賞　郁夫賞　奨励賞　天心記念茨城賞　昭和62年
〒110-0003台東区根岸三-三-九

川島睦郎
十八万　むつお　日展会員　師・昭　京美大専攻科修　特選　日春展入　京展賞　関展賞　京都　昭和15年
〒612-0809京都市伏見区深草願成町四〇-一六　**075(531)6637**

川嶋　渉
八万　わたる　日展会員　京都精華大卒　特選　京展依嘱　京都市芸術新人賞　京都　昭和41年
〒612-0809京都市伏見区深草願成町四〇-一六　**075(531)6637**

川田恭子
八万　きょうこ　日展会員　東京芸大大学院修　特選　日春展奨励賞　上野の森大賞展入　個展　東京　昭和41年
〒203-0021東久留米市学園町一-三-一六　**0424(24)5271**

川地ふじ子
三万　無所属　師・龍一　日春展入　中日展入　上野の森大賞展入　愛知　昭和23年
〒462-0032名古屋市北区辻町一-四三-一　曽根方

川名倫明
五万　のりあき　無所属　東京芸大大学院博士修　フィレンツェ賞入　個展　春院展　千葉　昭和54年
〒204-0021清瀬市元町一-一四-二五

川又 聡
八万 さとし 無所属 東京芸大大学院修 臥龍桜日本画大賞展入 個展 グループ展 神奈川 昭和53年 〒248-0002鎌倉市二階堂二六七-二五九

川本淑子
三万 よしこ 無所属 師・大藪雅孝 中島千波 東京芸大大学院修 個展 グループ展 神奈川 昭和54年 〒103-0025中央区日本橋茅場町一-二-八 Gマークウェル気付

河合重政
八万五千 しげまさ 院展特待 師・片岡球子 愛知芸大大学院修 外務省買上 愛知 昭和20年 〒451-0041名古屋市西区幅下一-一五-八 **052(562)5177**

河嶋淳司
四十万 じゅんじ 無所属 東京芸大大学院修 創画会展出品 五島記念文化賞 個展 東京 昭和32年 〒112-0012文京区大塚三-四〇-三 ギャラリーKOH気付

河股幸和
八万 ゆきかず 日展会友 京都芸術短大卒 晨鳥社会員 京都 昭和35年 〒601-1123京都市左京区静市市原町四七二-八**075(741)1877**

河村源三
十万 げんぞう 日展会員 会員賞 特選 京展依賞 関展賞 京都 昭和24年 〒610-1101京都市西京区大枝北沓掛町四-二三-七**075(333)1341**

河村卓見
五万 たくみ 無所属 無何有展出品 個展 グループ展 東京学芸大卒 滋賀 昭和33年 〒520-0242大津市本堅田一-二三-二四 **077(572)1517**

河本真里
三万五千 まり 院友 愛知芸大大学院修 奨励賞 天心記念茨城賞 愛知 平成2年 〒489-0927長久手市岩作薮田二二

河本万里子
三万五千 まりこ 無所属 嵯峨美術短大修 青垣日本画展京都新聞社賞 桜花賞展大賞 滋賀 昭和50年 〒562-0028箕面市彩都粟生南四-一-二〇-1205 寺脇方

菅かおる
六万 無所属 京都造形大卒 京都文化博物館新鋭選抜展優秀賞 新生賞 松陰芸術賞 大分 昭和51年 kaorukan6@hotmail.com

木下育應
十万 いくおう 創画会展入 京美大卒 新制作入 春展賞 個展 京都 昭和19年 〒525-0045草津市若草四-六-九 **077(563)0840**

木下 武
三万 たけし 院展研究会員 東京芸大卒 院展入 春院展入 福岡 平成3年 〒120-0025足立区千住東一-二六-六-1F **080(2720)5390**

木下千春
五万 ちはる 院展招待 東京芸大大学院修 前田青邨顕彰中村賞 院賞大観賞 奨励賞 春季展賞 北海道 昭和47年 〒605-0073京都市東山区祇園町北側三〇一-二 大雅堂気付 **075(7154)7388**

木下めいこ
三万 無所属 多摩美大大学院修 郷さくら美術館桜花賞展優秀賞 万葉日本画大賞展準大賞 東京 昭和52年 〒248-0013鎌倉市材木座三-一七-三八-2F **0467(22)7243**

木村恵子
八万 けいこ 院展特待 師・球子 愛知芸大大学院修 うづら会展 愛松会展他出品 個展 愛知 昭和24年 〒466-0053名古屋市昭和区滝子町四-一 **052(881)4293**

木村圭吾
五十五万 けいご 無所属 菅楯彦大賞展市民賞 シェル美術賞 個展（成川美術館） 京都 昭和19年 〒411-0931駿東郡長泉町東野六〇八-一三 **0559(88)7834**

木村友彦
五万 ともひこ 日展会友 特選 日春賞 臥龍桜大賞展大賞 山種賞展出品 岐阜 昭和29年 〒502-0911岐阜市北島七-三-一六 **058(233)6514**

木村光宏
十二万 みつひろ 日展会員 特選 日春賞 山種美術館賞展大賞 愛知県芸術文化選奨文化賞 長野 昭和22年 〒463-0093名古屋市守山区城土町一三-五 **052(792)8221**

喜多 均
六万 ひとし 無所属 春季創画展出品 セントラル日本画大賞展出品 韓国水彩画協会展招待 奈良 昭和23年 〒639-0802奈良県生駒郡三郷町三室一-一三-五 **090(3160)5675**

喜多祥泰
七万 よしひろ 創画会友 東京芸大大学院修 奨励賞 春季展賞 赤坂日枝神社天井絵制作参加 徳島 昭和53年 instagram.com/kitayoshihiro_official

杵島洋人

四万　ひろと　無所属　師・平松礼二　多摩美大大学院修墨への挑戦準大賞　個展　東京　昭和49年
〒215-0025 川崎市麻生区五力田二-四-二-205

岸野香

十二万　かおり　院展同人　東京芸大大学院修　院賞大観賞　奨励賞　春季展賞　足立美術館賞　栃木　昭和41年
〒113-0021 文京区本駒込二-二-六-507　**03(5976)5763**

岸野圭作

十五万　けいさく　日展特別会員　師・東一　都知事賞　特選日春展奨励賞　外務省買上　山種賞展出品　和歌山　昭和28年
〒399-8102 安曇野市三郷温六〇三三　**0263(77)8383**

岸野フサヨ

四万　無所属　師・柏木行徳　武蔵野美短大卒　個展　正善寺襖絵制作　独日本大使館収蔵　鹿児島　昭和28年
info@art-dreamgallery.com

岸本章

四万　あきら　日展会友　師・川崎春彦　特選　日春展奨励賞　菅楯彦大賞展大賞　鳥取　昭和26年
〒680-0007 鳥取市湯所町一-二二〇-二　**0857(22)5736**

岸本浩希

四万　ひろき　院友　愛知芸大大学院修　奨励賞　個展　郷さくら美術館桜花賞展奨励賞　愛知　昭和57年
〒454-0871 名古屋市中川区柳森町二三〇九-一　**052(361)0085**

北川安希子

二万　あきこ　無所属　成安造形大卒　京都日本画新展大賞　京都府新鋭選抜展京都新聞賞　個展　滋賀　昭和58年
ktkt.akiko@gmail.com

北澤龍

五万　りゅう　院友　東京芸大大学院修　平山郁夫奨学金賞　郷さくら美術館桜花賞展優秀賞　東京　昭和62年
〒103-0025 中央区日本橋茅場町一-二-八　Gマークウェル気付

北島文人

四万　ふみひと　無所属　京都市立芸大大学院修　京都日本画新展優秀賞　山種アワード出品　個展　福岡　昭和56年
〒610-1101 京都市西京区大枝北沓掛町四-三三-九

北田克己

二十万　かつみ　院展同人　東京芸大大学院修　総理大臣賞　院賞大観賞　山種賞展大賞　東京　昭和30年
〒158-0086 世田谷区尾山台一-三-一三　**03(3705)5743**

北田浩子

三万　ひろこ　元日本画院同人　師・三谷青子　女子美大卒日本画院賞　奨励賞　G展　東京　昭和38年
〒166-0015 杉並区成田東四-一四-二　**03(3315)0613**

北村さゆり

六万　創画会展出品　多摩美大大学院修　春季展賞　富嶽文化賞展大賞　個展　静岡　昭和35年
〒185-0024 国分寺市泉町二-一三-一九-406　**042(328)9553**

来野あぢさ

七万　無所属　京都市立芸大大学院修　創画会賞　川端龍子賞展優秀賞　京展新人賞　京都府買上　京都　昭和34年
〒603-8478 京都市北区大宮釈迦谷町一〇-五九　**075(492)6668**

絹谷香菜子

八万　かなこ　無所属　東京芸大大学院修　安宅賞　成都ビエンナーレ　高島屋個展全国5カ所巡回　東京　昭和60年
〒157-0066 世田谷区成城四-六-一五

清沢孝之

六万　たかゆき　創画会展入　東京芸大大学院修　蒼粒展出品　個展　長野　昭和32年
〒339-0068 さいたま市岩槻区並木二-七-三-406　**048(756)3179**

清見佳奈子

三万　かなこ　日展入　多摩美大大学院修　郷さくら美術館桜花賞展奨励賞　個展　東京　昭和58年
〒247-0051 鎌倉市岩瀬

金醒石

五万　きんせいせき　無所属　武蔵野美大卒　醒墨会主宰画集刊行　個展(銀座三越他)　中国　1963
〒279-0014 浦安市明海三-一-一-401　海園の街　**047(381)0806**

金原保則

三万五千　やすのり　日本図案家協会会員　新人賞　業界賞　日本童画展新人賞　個展　静岡　昭和15年
〒616-8346 京都市右京区嵯峨天竜寺油掛町三-一九　**075(872)4956**

久野千恵美

二万五千　ちえみ　無所属　名古屋造形芸大卒　日本画招き猫専門作家　個展(名鉄百貨店)　鳥取　昭和33年
〒460-0008 名古屋市中区栄四-六-八　ギャラリー・ぐりーむ気付

久保孝久

五万　たかひさ　院展特待　埼玉大卒　師・大野百樹　埼玉県美術展協会長賞　個展　埼玉　昭和25年
〒355-0807 埼玉県比企郡滑川町和泉七二三一-一　**0493(56)3327**

久保嶺爾
十五万　れいじ　日展会友　師・昭　京美大修　特選　京展依　市長賞　関展賞　京都　昭和15年
〒612-0874京都市伏見区深草東伊達町五七　075(641)7116

釘町　彰
十五万　あきら　無所属　多摩美大大学院修　パリ第８大学院修　個展（全国・海外）　神奈川　昭和43年
在仏 0033(1724)60068

國司華子
二十万　はなこ　院展同人　東京芸大大学院修　総理大臣賞　文科大臣賞　院賞大観賞　足立美術館賞　個展　東京
〒300-0201かすみがうら市柏崎一五四六-一四

窪井裕美
四万　ひろみ　院友　東京芸大大学院修　師・手塚雄二　鎌倉芸術祭賞　個展（松坂屋他）　G展　栃木　昭和59年
〒104-0028中央区八重洲二-一〇-五　西邑画廊気付

熊谷曜志
四万　ようじ　無所属　愛知芸大大学院修　院展入　個展　愛知　昭和57年
〒104-0061中央区銀座五-一四-一六　靖山画廊気付　03(3546)7356

熊崎勝利
七万　かつとし　日展会友　三重大卒　特選　中日賞　日春展奨励賞　県芸術文化活動特別奨励賞　岐阜　昭和18年
〒500-8381岐阜市市橋一-一〇-一二　058(272)9210

熊原清久
八万　きよひさ　院友　愛知芸大大学院修　セントラル日本画大賞展佳作賞　愛松会展出品　佐賀　昭和26年
〒453-0849名古屋市中村区稲西一八三コープ野村104　052(411)2140

倉島重友
二十万　しげとも　院展同人　評議員　東京芸大大学院修　文科大臣賞　院賞大観賞　足立美術館賞　長野　昭和19年
〒301-0043龍ヶ崎市松葉四-一二-七　0297(66)0554

倉田富美
六万　ふみ　無所属　師・石根　元日揮会会員　金賞　特選　個展　京都　昭和12年
〒583-0024藤井寺市藤井寺一-八-一二

栗原幸彦
十三万　ゆきひこ　無所属　元院友　師・敏男　多摩美大卒　春展入　静岡　昭和26年
〒431-2101浜松市滝沢町二四七七　0534(28)3948

黒岩善隆
十二万　よしたか　創画会展出品　東京芸大大学院修　春季展入　双美会展　行人社展他出品　神奈川　昭和26年
〒210-0808川崎市川崎区旭町二-二-一二　044(233)3888

黒田年子
五万　としこ　創画会展入　嵯峨美短大卒　春季展賞　上野の森大賞展入　個展　愛知　昭和31年
〒464-0845名古屋市千種区南明町二-一二　052(762)4115

黒光茂明
十八万　しげあき　無所属　京都芸大卒　創画展入　春季展賞　セントラル大賞展招　個展　京都　昭和21年
〒520-0533大津市朝日一-二〇-七　077(594)2524

郡司伸一
四万　しんいち　無所属　元美術文化協会会員　新人賞　奨励賞　北関東展入　県芸術祭賞　栃木　昭和24年
〒329-2735那須塩原市太夫塚一-一九三　0287(36)0544

小泉智英
六十万　ともひで　無所属　師・操・又造　多摩美大卒　文化庁選抜展文部大臣賞　個展　福島　昭和19年
〒350-1103川越市霞ヶ関東四-一三-一二　0492(31)4003

小島和夫
十万　かずお　院展特待　東京芸大卒　奨励賞　春展奨励賞　セントラル大賞展招　個展　北海道　昭和20年
〒113-0022文京区千駄木五-四一-一六　03(3822)4350

小滝雅道
四万　まさみち　無所属　東京芸大大学院修　山種美術館賞展　形象展　個展　東京　昭和36年
〒270-2241松戸市松戸新田四九-三　0473(62)4655

小西通博
八万　みちひろ　創画会会員　京都芸大大学院修　創画会賞　京都　昭和30年
〒540-0033大阪市中央区石町二-一-七-1415　06(6946)0376

小林希光
八万　きこう　院友　春季展入　県展　市展出品　福島　昭和30年
〒243-0406海老名市国分北一-七-一八　0462(34)8880

小林　司
五万　つかさ　院友　秋田大卒　筑波大大学院修　上野森大賞展優秀賞　秋田　昭和43年
〒018-1523南秋田郡井川町坂本字三嶽下四六-三三一　018(874)3565

小林範之
六万 **のりゆき** 無所属 東京芸大大学院修 楽三展出品 個展 グループ展 千葉 昭和61年 〒103-0025中央区日本橋茅場町一-一-八 Gマークウェル気付

小林 済
十二万 **ひとし** 無所属 東京芸大大学院修 プランタン賞 個展(ドイツ他) 彫刻の森美術館収蔵 栃木 昭和16年 〒195-0061町田市鶴川二-一九-二 **042(736)6899**

小原祐介
四万 **ゆうすけ** 無所属 武蔵野美大大学院修 個展 グループ展 千葉 昭和53年 〒292-0065木更津市吾妻一-二-二三

小針あすか
四万 院友 東京芸大卒 奨励賞 春季展奨励賞 春の足立美術館賞 東京 昭和57年 〒114-0003北区豊島五-五-八-611 **03(3912)5472**

小巻久芳
五万 **ひさよし** 無所属 同志社大卒 日展入 日春展入 京展入 青垣日本画展入 個展 〒600-8311下京区若宮通五条下ル毘沙門町四八 **075(351)0029**

小宮絵莉
三万 **えり** 無所属 東京芸大大学院修 波濤の会展出品 グループ展 東京 昭和59年 〒103-0025中央区日本橋茅場町一-一-八 Gマークウェル気付

小谷野直己
八万 **なおき** 院友 師・下田義寛 東京芸大卒 県展特別奨励賞 埼玉 昭和38年 〒251-0027藤沢市鵠沼桜が岡一-一七-三七 **046(650)0719**

小山大地
三万 **だいち** 創画会会友 大阪芸大大学院修 上野の森美術館大賞展賞候補 個展 G展 三重 昭和60年 https://daichikoyama.jimdofree.com

小山美和子
四万 **みわこ** 無所属 京都芸術短大修 花鳥画展優秀賞 墨彩画展特選 京都 昭和46年 〒542-0041守山市勝部二-一二-二六 西嶋方 **077(575)5252**

古賀くらら
四万 院友 広島市立大大学院修 奈良 昭和57年

後藤順一
十五万 **じゅんいち** 院展特待 京都芸大卒 奨励賞 春季展奨励賞 日仏現代展三席 京都 昭和23年 〒603-8063京都市北区上賀茂今井河原町一〇-一〇 **075(722)0239**

後藤紳也
七万 **しんや** 院友 青林会日本画展 武蔵野会展 瑠璃会展出品 千葉 昭和36年 〒270-0111流山市江戸川台東三-二五六 **04(7154)5553**

江 雲
九万 **こううん** 無所属 上海芸大卒 東京国際アートエキスポ展出品 個展(日本橋東急他) 上海 1950 〒116-0003荒川区南千住八-八-一-526 **03(3807)7902**

幸田史香
三万 **ふみか** 無所属 京都造形芸大大学院修 東京コンテンポラリーアートフェア出品 福岡 昭和61年 〒602-8435京都市上京区元伊佐町二七〇-四〇一

幸山ひかり
二万 無所属 京都市立芸大大学院修 三菱商事アートゲートプログラム入 郷さくら美術館桜花賞展出 京都 平成5年 〒605-0073東山区祇園町北側三〇一-二 大雅堂気付 **075(541)7388**

国府 克
十二万 **かつ** 日展会友 師・印象 特選 日春賞 京展受賞 関展受賞 京都 昭和12年 〒610-1152京都市西京区大原野北春日町一〇六七-四 **075(331)2468**

國分敬子
五万 **けいこ** 日展会友 京都芸大卒 東丘社展京都府知事賞 第三文明展京都新聞社賞 香川 昭和23年 〒583-0868羽曳野市学園前四-一四-一-309 **072(958)8532**

越畑喜代美
四万 **きよみ** 無所属 多摩美大大学院修 日韓美術交流展 かわさき平和美術展 個展 神奈川 昭和35年 〒215-0035川崎市麻生区黒川六〇三 **044(987)0646**

今 美礼
三万 **みれい** 無所属 京都造形芸大卒 東京芸大大学院修 個展 グループ展 大阪 昭和58年 〒113-0031文京区根津二-一四-九-609

近藤隼次
六万 **じゅんじ** 創画会会友 東京芸大大学院修 東京芸大教育研究助手 東京 昭和55年 〒271-0062松戸市栄町七-五七一-四七-101

近藤 守

四万 まもる 院友 東京芸大卒 三菱商事アートゲートプログラム入 個展 埼玉 昭和59年 〒103-0025中央区日本橋茅場町一-一-八 Gマークウェル気付

さ

佐伯拓也

四万五千 たくや 院友 師・下田義寛 倉敷芸大大学院修 上野の森美術館大賞展賞候補 愛媛 昭和54年 〒791-0524西条市丹原町高松五九七

佐伯ちはる

三万五千 院展研究会員 師・下田義寛 倉敷芸大大学院修 上野の森美術館大賞展入 愛媛 昭和57年 〒791-0524西条市丹原町高松五九七

佐々木経二

七万 けいじ 無所属 師・武藤彰 京展受賞 セントラル大賞展招 京都府知事賞 第三文明展賞 個展 京都 昭和22年 〒607-8466京都市山科区上花山桜谷一-二-三〇一 **075(582)1358**

佐々木 曜

十万 よう 日展特別会員 師・申吾・辰雄 特選 日春賞 奨励賞 外務省買上 渡印 東京 昭和16年 〒195-0064町田市小野路町二五八〇-一 **042(735)1971**

佐藤可英

四万 かえ 無所属 武蔵野美大卒 日春展奨励賞 渺渺展出品 個展 〒194-0201町田市上小山田町二八六六-二 **042(797)1793**

佐藤 晨

十二万 しん 創画会会員 多摩美大卒 新作家賞 春季展受賞 岩手 昭和10年 〒255-0004神奈川県大磯町東小磯三六五

佐藤哲也

四万 てつや 無所属 多摩美大卒 春院展入 前田青邨記念大賞展奨励賞 個展 島根 昭和34年 〒181-0013三鷹市下連雀九-七-一九-302 **0422(71)4173**

西藤哲夫

十万 てつお 院展特待 師・忠一 金沢美大卒 奨励賞 春季展外務大臣賞 石川 昭和27年 〒933-0843高岡市永楽町八-一〇 牧野方 **0766(22)3629**

齋 正機

十万 まさき 無所属 東京芸大大学院修 新生展優秀賞 昭和会賞 21世紀展 福島 昭和41年 〒230-0015横浜市鶴見区寺谷一-一-二五

斎木真沙子

五万 まさこ 院展研究会員 愛知芸大卒 臥龍桜日本画大賞展入 中日展入 愛知 昭和39年 〒480-1116愛知郡長久手町杁ケ池一五二三

斉藤 和

十万 かず 無所属 京都市立芸大卒 京都美術工芸展大賞 京都府買上 前田青邨展奨励賞 昭和35年 art@saitoukazu.com **090(1146)0463**

斎藤典彦

八万 のりひこ 元創画会会員 東京芸大大学院修 創画会賞 春季展賞 山種美術館賞優秀賞 個展 昭和32年 〒254-0052平塚市平塚二-二九-七 **0463(34)9343**

斎藤博康

十五万 ひろやす 院展特待 師・郁夫 東京芸大大学院修 春季展賞 郁夫賞 奨励賞 埼玉 昭和16年 〒346-0037久喜市六万部五〇四 **0480(22)0480**

齋藤勝正

七万 かつまさ 院展特待 中央大出 奨励賞 春展奨励賞 文化庁地域文化功労者文科大臣表彰 福島 昭和19年 〒960-8165福島市吉倉字桜内三六-一 **024(546)7840**

齋藤満栄

二十万 みつえい 院展同人 師・南風 敏男 多摩美大卒 文科大臣賞 院賞大観賞 奨励賞 新潟 昭和23年 〒214-0023川崎市多摩区長尾六-三四-四 **044(877)0408**

齋藤ゆりあ

四万 院友 愛知芸大日本画研修生修 春院展外務大臣賞 ジュンヌアルク展 個展 埼玉 昭和57年 〒215-0005川崎市麻生区千代ケ丘三-二〇-一三

三枝美津子

十万 みつこ 無所属 多摩美大大学院修 創画会展入 個展 東京 昭和27年 〒194-0041町田市玉川学園五-三-四三 **042(729)3616**

坂井 昇

七万 のぼる 創画会展入 武蔵野美大卒 春季展入 伊美術賞展他出品 個展 京都 昭和25年 〒602-8124京都市上京区森中町五九五 **075(823)2511**

坂上楠生
十二万 なんせい 無所属 東京芸大卒 全国公募展入賞 招待 個展(西武 三越 日動他) 三重 昭和22年
〒197-0827 あきる野市油平一四一-七 042(558)5414

坂根輝美
六万 てるみ 院友 愛知芸大大学院修 奨励賞 勢の会展 風雅の会展 若鶉の会展出品 愛知
〒448-0001 刈谷市井ケ谷町下ノ瀬四九

阪本トクロウ
六万 無所属 VOCA展 日経日本画大賞展入 東京芸大卒 早見芸術学園卒 山梨 昭和50年
〒404-0042 甲州市塩山上於曽七七三

坂本藍子
六万 あいこ 無所属 多摩美大大学院修 臥龍桜展優秀賞 桜花賞展奨励賞 東京
〒180-0002 武蔵野市吉祥寺東町一-二三-二

坂本武典
四万 ぶでん 日展会友 日春展入 師・高山辰雄 日大芸術学部中退 個展 静岡 昭和51年
〒413-0014 熱海市渚町三-五 0557(85)8585

坂本幸重
十万 ゆきしげ 日展会員 師・川崎春彦 日春展奨励賞 山種美術館賞展大賞 五島記念文化賞 熊本 昭和29年
〒375-0014 藤岡市下栗須九六一-一 0274(37)1582

坂元洋介
八万 ようすけ 院友 師・田中青坪 早稲田大卒 春院展入 個展 岡山 昭和26年
〒270-0014 松戸市新松戸四-三二一-一-B1401 047(342)8164

酒井一
四万 はじめ 無所属 東京芸大卒 東京日本画新鋭選抜展出品 個展 G展 神奈川 昭和44年
〒103-0025 中央区日本橋茅場町一-一一-八 Gマークウェル気付

酒井弘子
五万 ひろこ 院友 多摩美大大学院修 上野の森美術展入 日仏現代展出 個展(玉川高島屋) 奈良

櫻井起邦
三万 かずくに 無所属 東京芸大卒 個展 兵庫 昭和48年
〒240-0111 神奈川県三浦郡葉山町一色五五四-三三 046(876)3475

桜井敬史
五万 けいし 院友 東京芸大卒 前田青邨記念大賞展大賞 尾道四季展銀賞 有芽の会展 群馬 昭和49年
〒131-0031 墨田区墨田四-三九-一

笹本正明
七万 まさあき 無所属 元院友 東京芸大大学院修 有芽の会展法務大臣賞 青峰会展他出品 東京 昭和41年
〒409-3892 中央市東花輪一三六四-二三 055(240)3065

定家亜由子
八万 あゆこ 日展入 京都市立芸大大学院修 高野山大本山寶壽院襖絵奉納 個展 G展 滋賀 昭和57年
https://www.sadaieayuko.com

澤野慎平
七万 しんぺい 日展特別会員 師・印象 金沢美大卒 特選 日春賞 奨励賞 昭和22年
〒615-8073 京都市西京区桂野里町五〇-三 075(392)1286

志田展哉
四万 のぶや 無所属 東京芸大大学院修 野村賞 個展 神奈川 昭和48年
〒110-0003 台東区根岸一-一-二 ㈱シバヤマ気付

志世都りも
三万 無所属 武蔵野美大大学院修 FACE展審査員特別賞 アダチUKIYOE大賞展大賞 長野 昭和42年
〒181-0015 三鷹市大沢一-一-一八

椎名保
十万 たもつ 院友 東京芸大大学院修 有芽の会展出品 千葉 昭和33年
〒124-0006 葛飾区堀切七-一一-三 03(3603)3343

塩崎顕
六万 けん 無所属 多摩美大大学院修 光明院山門天井画制作 個展 グループ展 東京 昭和47年
http://www.atelier-aun.com

鹿間麻衣
五万 まい 院友 東京芸大大学院修 春季展奨励賞 前田青邨顕彰中村奨学会中村賞 千葉 平成1年
https://www.shikamamai.com

重岡良子
十万 よしこ 無所属 日展特選 日春展入 京都府日本画新人展大賞 京都 昭和28年
〒616-8212 京都市右京区常盤山下町一-二-五 075(864)5660

篠﨑悠美子
五万 ゆみこ 無所属 師・田渕俊夫 東京芸大大学院修 個展 G展 神奈川 昭和32年 〒874-0844別府市火売八組三-C

篠田雅典
五万 まさのり 無所属 東京芸大卒 銀座大賞展三席 個展 埼玉 昭和39年 〒350-0838川越市宮元町一-一-五三 049(225)3554

芝 康弘
八万 やすひろ 院友 師・片岡球子 愛知芸大大学院修 春季展奨励賞 長湫会展 大阪 昭和45年 〒487-0005春日井市押沢台五-六-三 0568(95)3141

澁澤 星
五万 せい 院友 東京芸大大学院修 春季展奨励賞 東京 昭和58年

島田沙菜美
三万 さなみ 無所属 東京芸大大学院修 個展 グループ展 三重 平成2年 〒104-0061中央区銀座五-一四-一六 靖山画廊気付 03(3546)7356

島田智博
五万 ともひろ 無所属 臥龍桜日本画大賞展入 個展 日本水墨画百人展選出大賞 岐阜 昭和36年 〒509-2311下呂市乗政三九五二-一 0576(26)3273

清水 航
四万 こう 無所属 多摩美大大学院修 上野の森美術館大賞展優秀賞 神奈川 昭和58年 〒234-0051横浜市港南区日野九-一〇-一五 090(3234)2267

清水知道
四万 ちどう 無所属 師・清水規 人間総合科学大卒 了徳寺大美術学科中退 東京 平成4年 https://www.studio-asa.net

清水信行
十九万 のぶゆき 無所属 京都芸大卒 日展入 日春展入 日仏展二席 個展 京都 昭和25年 〒606-8312京都市左京区吉田上大路町一-一八 075(761)6751

清水 規
二十万 のり 無所属 創形美術学校卒 セントラル日本画大賞展招待 個展（日本橋三越） 東京 昭和37年 studioasa20211001@gmail.com

清水 操
七万 みさお 院展特待 東京芸大大学院修 奨励賞 セントラル大賞展優秀賞 有芽の会展 個展 東京 昭和30年 〒110-0001台東区谷中七-五-四 03(3821)5911

清水由朗
十二万 よしろう 院展同人 東京芸大大学院修 総理大臣賞 文科大臣賞 院賞大観賞 和歌山 昭和36年 〒192-0014八王子市みつい台一-二二-五 0426(92)0335

下島洋貫
七万 ひろみち 院展特待 師・土牛・英雄 武蔵野美大卒 長野 昭和17年 〒166-0004杉並区阿佐谷南三-一八-九 03(3392)5478

下重ななみ
三万 無所属 女子美大卒 アジア創造美術展特別芸術賞 五美術大学交流展 神奈川 平成7年 〒221-0825横浜市神奈川区反町二-一六-一-403

下田義寛
六十万 よしひろ 院展同人 理事 総理大臣賞 文部大臣賞 院賞大観賞 山種展大賞 富山 昭和15年 〒107-0061港区北青山三-一五-一三-205 03(3407)5590

下村 貢
八万 こう 院友 武蔵野美大大学院修 奨励賞 セントラル日本画大賞展他出品 鹿児島 昭和29年 〒185-0033国分寺市内藤一-二一-七-218 042(571)2984

霜鳥 忍
七万 しのぶ 無所属 師・清之・千波・松尾敏男 横浜国大美卒 春季創画展入 個展 大分 昭和22年 〒254-0823平塚市虹ヶ浜七-一-302 0463(57)7347

白井 進
十万 すすむ 院展特待 東京芸大大学院修 奨励賞 春院展外務大臣賞 日本画大賞展佳作賞 新潟 昭和17年 〒250-0045小田原市城山三-一〇-七

白石皓大
七万 あきひろ 院友 多摩美大卒 師・森田曠平 愛媛 昭和16年 〒793-0041西条市神拝甲四一〇 0897(56)6654

新恵美佐子
四万 みさこ 無所属 多摩美大大学院修 日展出品 天竜川絵画展準大賞 個展 G展 大阪 昭和39年 〒240-0105横須賀市秋谷一-一-一-207 0468(56)9566

新生加奈
四万 かな 院友 広島市立大大学院修 春季展奨励賞 個展 東京 昭和52年
〒230-0015横浜市鶴見区寺谷一-二五-二八

新山拓
八万 たく 無所属 多摩美大大学院修 前田青邨記念大賞展入 菅楯彦大賞展 個展 鳥取 昭和50年
〒220-0023横浜市西区平沼一-四-二八-5F 045(624)8404

宍道圭
五万 けい 院友 師・福井爽人 東京芸大大学院修 有芽の会展 新樹会展 福岡 昭和45年
〒271-0064松戸市上本郷三八六三 047(367)5535

重里香
四万 かおり 院友 師・荘司福 女子美大卒 奨励賞 龍生会会員 昭和30年

須恵朋子
三万 ともこ 創画会会友 女子美大学院修 同大学資料館作品収蔵賞 美術新人賞デビュー'16準グランプリ 東京 昭和50年
〒333-0866川口市芝四-一七-一六

須田健文
四万 たけひろ 院友 師松本哲男 東北芸工大大学院修 春季展賞 春院展外務大臣賞 奨励賞 山形 昭和51年
〒990-2464山形市高堂一-一一-三九 023(674)9793

須藤和之
六万 かずゆき 院友 多摩美大卒 東京芸大大学院修 前田青邨記念大賞展奨励賞 個展 群馬 昭和56年
〒371-0804前橋市六供町七四一-四

末永敏明
七万 としあき 無所属 上野の森大賞展大賞 菅楯彦大賞展佳作賞 個展 東京芸大大学院修東京 昭和39年
〒990-2422山形市中桜田一-八-八 toshisuenagakunst@gmail.com

菅原幸代
六万 さちよ 無所属 多摩美大卒 女流画家協会展 上野の森大賞展他出品 個展 東京 昭和39年
〒520-0247大津市仰木六-一一-二五 077(574)2916

菅原健彦
十万 たけひこ 創画会展入 多摩美大卒 日経大賞展大賞 上野の森美術館大賞展佳作賞 個展 東京 昭和37年
〒104-0061中央区銀座七-五-四Gためなが気付 www.tamenaga.com

菅原百佳
五万 ももか 無所属 多摩美大大学院修 臥龍桜日本画大賞展奨励賞 三渓日本画展大賞 個展 神奈川
〒605-0073東山区祇園町北側三〇一-二 大雅堂気付 075(541)7388

杉浦左知
六万 さち 院友 師・今野忠一 埼玉県展 さいたま市展受賞 個展 グループ展 北海道
〒336-0911さいたま市緑区三室七二一-七 048(876)1672

杉松儀一
十万 ぎいち 院友 師・今野忠一 多摩美大卒 外務省買上 東京 昭和30年

杉本洋
十万 ひろし 無所属 師・東一 東京芸大大学院修 個展 出雲大社襖絵制作 秋篠宮家扇面制作 東京 昭和26年
〒198-0063青梅市梅郷一-七四-一 0428(76)1620

杉山佳
四万 けい 創画会会友 東京芸大大学院修 卒業制作台東区長賞 松柏日本画大賞展優秀賞 奈良 昭和63年
〒247-0006横浜市栄区笠間

鈴木一正
八万 かずまさ 日展会友 京都芸術短大卒 日春展奨励賞 川端龍子展優秀賞 個展 晨鳥社 愛知 昭和39年
〒440-0004豊橋市忠興一-八-一七 0532(61)5561

鈴木紀和子
十万 きわこ 院友 東京芸大大学院修 個展 有芽の会展出品 東京 昭和32年
〒344-0062春日部市粕壁東五-一二-一二 048(754)1002

鈴木孝一
四万 こういち 無所属 新潟市展市長賞 新潟二科展金賞 銀座大賞展入 新潟 昭和24年
〒142-0041品川区戸越六-一-一三 正光画廊気付 03(6228)7047

鈴木紗綾
三万 さや 無所属 京都造形芸大大学院修 堂島リバーアワード特別賞 個展 平成2年
〒605-0073東山区祇園町北側三〇一-二大雅堂気付 075(541)7388

鈴木強
六万 つよし 創画会展入 多摩美大大学院修 グループ展他 静岡 昭和32年
〒259-0102神奈川県中郡大磯町生沢二八

鈴木靖代
三万 **やすよ** 院友 愛知芸大大学院修 個展 愛知 平成1年
〒464-0850名古屋市千種区今池一-二-五

関 菜穂子
五万 **なほこ** 無所属 京都精華大卒 臥龍桜日本画大賞展 三渓日本画賞展出品 個展 神奈川 昭和42年
〒220-0071横浜市西区浅間台二五-五-五三

関口 浩
五万 **ひろし** 院展研究会員 師・松尾敏男 多摩美大大学院修 春院展入 個展 グループ展 埼玉 昭和43年
〒338-0001さいたま市中央区上落合三-一-九-702 **048(858)5723**

関崎悦子
四万 **えつこ** 無所属 師・山田玉雲 中国工筆画研究 国際水墨芸術大展準大賞 G展 愛媛 昭和13年
〒164-0001中野区中野六-二八-一 **03(3362)6518**

関本麻己子
六万 **まきこ** 院友 東京芸大大学院修 野村賞 新樹会展出品 個展 グループ展 東京 昭和49年
〒064-0954札幌市中央区宮の森四条七-二-四〇 **090(2437)5064**

関谷 理
五万 **おさむ** 創画会会友 東京芸大大学院修 卒業制作主席 平山郁夫奨学金授与 個展 新潟 昭和57年
〒903-0812那覇市首里当蔵町一-一〇 パレスサイドヴィラ301

千住 博
二百万 **ひろし** **芸術院会員** **恩賜賞** 芸術院賞 東京芸大大学院修 ヴェネツィアビエンナーレ名誉賞 昭和33年
141 Tompkins Avenue Pleasantville. NY 10570 U.S.A

相馬 勉
八万 **つとむ** 北方のいのち会 倭板絵 師・棟方志功 佐藤米次郎 個展 青森 昭和30年
〒038-0042青森市新城山田三三一-六四四 **070(4154)3285**

染谷香理
七万 **かおり** 院展特待 東京芸大大学院修 奨励賞 春季展外務大臣賞 足立美術館賞 個展 島根 昭和52年
〒358-0006入間市春日町二-七-一二

楚里 清
六万 **きよし** 院友 愛知芸大大学院修 うづら会展 愛松会展 香流会展出品 広島 昭和27年
〒480-1131長久手市長湫字西浦四三-四 **0561(62)5468**

た

田尾憲司
六万 **けんじ** 創画会会友 東京芸大卒 春季創画展入 臥龍桜日本画展入 青垣日本画展入 広島 昭和42年
〒252-0234相模原市中央区共和四-二〇-二 **042(733)7026**

田口昌宏
八万 **まさひろ** 院友 愛知芸大卒 セントラル大賞展佳作賞 臥龍桜日本画展特別賞 個展 岐阜 昭和37年
〒508-0101中津川市苗木四二六八-一 **05736(5)3844**

田島周吾
六万 **しゅうご** 無所属 京都造形大卒 京都美術工芸展優秀賞 郷さくら美術館桜花賞展大賞 京都 昭和49年
〒636-0906奈良県生駒郡平群町菊美台五-八-二五

田島奈須美
十万 **なすび** 日展会員 師・万燿・明治 総理大臣賞 会員賞 日春展奨励賞 日春賞 神奈川 昭和18年
〒234-0053横浜市港南区日野中央三-二-二一 **045(833)3000**

田所 浩
十万 **ひろし** 日展会員 師・希望・元宋 総理大臣賞 特選 日月社賞 関展賞 奈良 昭和11年
〒248-0033鎌倉市腰越五-八-一〇 **0467(32)3798**

田中 隆
八万 **たかし** 無所属 京都芸大卒 アカデミー・デ・ボザール二席 春季創画展入 個展 京都 昭和27年
〒525-0072草津市笠山四-一二-一八 **077(565)6361**

田中博之
八万 **ひろゆき** 無所属 東京芸大大学院修 山種美術館賞展 日本画大賞展 個展 東京 昭和28年
〒132-0035江戸川区平井五-五七-二 **03(3611)1270**

田中裕子
四万 **ゆうこ** 院友 京都造形大大学院修 京展賞 栗和田榮一賞 康耀堂美術館賞 熊本 昭和57年
〒605-0073東山区祇園町北側三〇一-二 大雅堂気付 **075(541)7388**

田渕俊夫
百万 **としお** **芸術員会員** **文化功労者** **恩賜賞** 院展同人 理事長 東京芸大大学院修 総理大臣賞 昭和16年
〒151-0066渋谷区西原一-六-四

田村仁美

五万 **ひとみ** 無所属 大阪市立工芸高美術科卒 日府展新人賞 元展優秀賞 個展(大丸他) 大阪 昭和45年
〒590-0012 堺市堺区浅香山町二-七-一四 **072(233)5412**

高井美香

六万 **みか** 院展研究会員 東京芸大大学院修 安宅賞 個展 京都 昭和41年
〒270-2222 松戸市高塚新田五八四-三二 **090(4612)5824**

高崎昇平

五万 **しょうへい** 無所属 東京芸大大学院修 信州高遠の四季展大賞 三渓日本画展優秀賞 東京 昭和43年
〒230-0015 横浜市鶴見区寺谷一-二五-一八 **045(571)3362**

髙島圭史

十万 **けいし** 院展同人 東京芸大大学院修 院賞大観賞 奨励賞 春季展賞 個展 兵庫 昭和51年
〒933-0872 高岡市芳野一七〇

高橋久美

五万 **くみ** 院友 師・松尾敏男 多摩美大大学院修 上野森大賞展秀作 無名会日本画展 個展 東京 昭和34年
〒158-0094 世田谷区玉川一-一六-八-103 **03(3707)0155**

高橋新三郎

六万 **しんざぶろう** 院友 東京芸大大学院修 有芽の会展出品 セントラル大賞展入 東京 昭和30年
〒204-0022 清瀬市松山二-四-二〇-101 **0424(91)3895**

高橋天山

十五万 **てんざん** 院展同人 師・忠一 東京造形大卒 院賞大観賞 奨励賞 春展奨励賞 東京 昭和28年
〒203-0012 東久留米市浅間町三-一七-一四 **0424(21)2365**

髙橋浩規

七万 **ひろき** 無所属 東京芸大大学院修 サロン・ド・プランタン賞 神奈川 昭和46年
〒243-0418 海老名市大谷南三-二八-一〇-201

髙橋まり子

三万 **まりこ** 創画会会友 女子美大大学院修 春季創画会賞 個展 グループ展 神奈川 昭和58年
〒236-0033 横浜市金沢区東朝比奈一-二一-五

高増暁子

六万 **あきこ** 日展会員 師・三谷十糸子 女子美大卒 特選 日春展奨励賞 個展 広島 昭和16年
〒293-0057 富津市亀田二三七 **0439(66)0936**

髙山知也

六万 **ともや** 日本清興美術協会理事長 総理大臣賞 師・加倉井和夫 武蔵野美大卒 個展 東京 昭和26年
〒178-0061 練馬区大泉学園町四-一一-一五 **03(3922)6497**

滝沢具幸

十五万 **ともゆき** 創画会副理事長 東京芸大卒 創画会賞 新作家賞 春展賞 山種賞展優秀賞 長野 昭和16年
〒180-0023 武蔵野市境南町五-三-五 **0422(31)1822**

瀧下尚久

八万 **まさひさ** 院展特待 師・球子 愛知芸大卒 川端龍子賞展 セントラル日本画大賞展 三重 昭和27年
〒486-0901 春日井市牛山町一〇二九-三六 **0568(31)7662**

竹内浩一

五十万 **こういち** 無所属 元日展評議員 師・華楊 特選 山種美術館展大賞 京都 昭和16年
〒616-8201 京都市右京区宇多野北ノ院町二-三〇 **075(467)1310**

竹内滋祇

六万 **しげき** 院展特待 師・平山郁夫 東京芸大大学院修 愛知 昭和30年
〒257-0011 秦野市尾尻三八九-三 **0463(84)6376**

武井好之

六万 **よしゆき** 院友 東京芸大大学院修 有芽の会展出品 神奈川 昭和31年
〒253-0022 茅ヶ崎市松浪一-七-三五 **0467(26)1086**

武市斉孝

八万 **せいこう** 無所属 ル・サロン永久会員 銀賞銅賞 サロン・ドートンヌ連続入選三 個展 島根 昭和18年
〒660-0801 尼崎市長洲東通一-九-一八-803 **06(6487)1356**

武田州左

六万 **くにさ** 創画会会員 多摩美大卒 創画会賞 五島記念文化賞 日経大賞展入 個展 東京 昭和37年
〒185-0004 国分寺市新町二-八-一七 **042(321)7498**

武田修二郎

三万 **しゅうじろう** 日展会友 京都精華大大学院修 特選 日春展奨励賞 菅楯彦大賞展 個展 兵庫 昭和51年
〒606-0024 京都市左京区岩倉花園町三九〇-二 **090(6666)1608**

武田裕子

五万 **ひろこ** 無所属 東京芸大大学院修 院展入 春院展入 前田青邨記念大賞展入 個展 東京 昭和58年
〒113-0022 文京区千駄木二-四八-一八-501

武部雅子
七万 まさこ 院展同人 東京芸大大学院修 院賞大観賞 奨励賞 春季展賞 足立美術館賞 神奈川 昭和40年 〒251-0031藤沢市鵠沼藤ヶ谷一-二-二 0466(22)9864

只内寿則
五万 としのり 院友 東京芸大大学院修 松伯美術館花鳥画展大賞 有芽の会展 新樹会展 静岡 昭和42年 〒272-0826市川市真間五-八-三 047(373)8693

橘 泰司
六万 やすし 無所属 愛知芸大大学院修 名古屋城本丸御殿障壁画復元模写 個展 愛知 昭和35年 052(445)5789

辰巳 寛
十万 かん 日展会員 師・明治 特選 日春賞 奨励賞 個展(高島屋 大丸) 奈良 昭和21年 〒619-0214木津川市木津奈良道四六-一-一〇二 0774(72)5710

棚町宜弘
四万 よしひろ 日展準会員 多摩美大大学院修 特選 瀧冨士美術賞 個展 愛知 昭和46年 〒225-0014横浜市青葉区荏田西二-三四-二二 045(912)5237

谷 善徳
七万 よしのり 院展特待 師・今野忠一 金沢美工大卒 奨励賞 春院展奨励賞 個展 石川 昭和43年 〒921-8111金沢市若草町四-二 076(205)8473

谷井俊英
五万 しゅんえい 創画会理事 京都市立芸大卒 創画会賞 新制作出 京展栖鳳賞 京都 昭和24年 〒612-8018京都市伏見区桃山町丹後二-一 藤和桃山409 075(612)3022

谷川将樹
四万 まさき 日展会員 新日春展会員 武蔵野美大大学院修 臥龍桜大賞展奨励賞 個展 鳥取 昭和59年 〒103-0025中央区日本橋茅場町一-一-八 Gマークウェル気付

谷村能子
六万 よしこ 創画会会友 京都芸大卒 川端龍子賞展優秀賞 セントラル日本画展 個展 兵庫 昭和24年 〒569-1020高槻市高見台二-九 0726(88)3669

玉井伸弥
五万 しんや 院友 愛知芸大大学院修 有芽の会日本更生保護協会理事長賞 個展 G展 広島 平成6年 〒465-0013名古屋市名東区社口二-一-一〇二-103 090(1234)9240

伊達 良
十二万 りょう 院友 東京芸大大学院修 有芽の会展出品 香川 昭和37年 〒181-0001三鷹市井の頭一-一〇-三 0422(42)9328

千々岩 修
五万 おさむ 無所属 多摩美大大学院修 両洋の眼展 山種美術館賞展 VOCA展他 個展 熊本 昭和46年 〒215-0023川崎市麻生区片平三-七-一 044(328)9576

千野久美子
七万 くみこ 院友 東京芸大卒 有芽の会展出品 G展 東京 昭和38年 〒412-0008御殿場市印野一六二〇-五 0550(88)2524

千葉里織
二万五千 さおり 無所属 東京芸大大学院修 グループ展 東京 昭和62年 〒252-0141相模原市緑区相原一-二-二 相原ヒルズもも111

中條亜耶
二万 あや 無所属 東京芸大卒 A-TOM ART AWARD受賞 個展 神奈川 〒106-0061中央区銀座七-二-六創英G気付 080(1984)0081

中條理恵子
四万 りえこ 無所属 女子美大卒 銀座大賞展三席上野の森美術館大賞展入 昭和54年 〒142-0041品川区戸越六-一-三 正光画廊気付 03(6228)7047

津田親重
八万 ちかしげ 日展入 師・土屋礼一 日春展奨励賞 兵庫 昭和28年 〒462-0032名古屋市北区辻町一-四三-一曽根方 052(914)0751

塚下静湖
三万五千 せいこ 無所属 雅号静庵 師・里見米庵 円山四条派日本画研究 京都 昭和17年 〒460-0002京都市東山区東大路五条上ル西入 075(541)3806

塚本敏清
五万 としきよ 院友 愛知芸大卒 グループ展 熊本 昭和34年 〒465-0002名古屋市中区丸の内三-五-四-502

月館京子
四万 きょうこ 日展会友 日春展会友 多摩美大卒 日春展奨励賞 個展 神奈川 昭和38年 〒251-0861藤沢市大庭五五九六-一三 湯川方

土屋圀代
七万 **くによ** 院友 師・正男・逸男 金沢美工大卒 春季展奨励賞 個展 グループ展 福井 昭和21年
〒213-0012川崎市高津区坂戸三-一-一-306 **044(811)2468**

土屋聡
四万 **さとし** 無所属 東京芸大大学院修 個展 グループ展 神奈川 昭和42年
〒252-1122綾瀬市小園南一-二-一四 **0467(77)1384**

土屋雅裕
七万 **まさひろ** 無所属 元日府展理事 日府賞 努力賞 奨励賞 知事賞 個展 愛知 昭和14年
〒470-0526豊田市西細田町横吹二 **0565(65)2008**

土屋禮一
二十五万 **れいいち** **芸術院会員** 芸術院賞 日展副理事長 武蔵野美大卒 文科大臣賞 特選 岐阜 昭和21年
〒185-0001国分寺市北町一-三-五 **042(322)0857**

辻紀子
四万 **のりこ** 院友 師・松尾敏男 春院展奨励賞 女流画家協会展入 長崎 昭和23年
〒306-0023古河市本町四-七-一 四番館1202 **0280(31)5055**

辻野宗一
四万 **そういち** 日展準会員 晨鳥社 京都市立芸大大学院修 大阪 昭和42年
〒603-8214京都市北区紫野雲林院八二パークシティ北大路127

辻村和美
四万 **かずみ** 院友 師・松尾敏男 多摩美大卒 奨励賞 春院展奨励賞 無名会展出品 東京 昭和41年
〒152-0003目黒区碑文谷六-九-二 **03(3713)5009**

角田信四郎
八万 **のぶしろう** 院友 師・法琳・高橋常雄 奨励賞 春季展賞 群馬県美術会員 個展 群馬 昭和19年
〒379-0221群馬県松井田町新堀一五八八-五 **027(380)3077**

坪谷幸作
六万 **こうさく** 創画会準会員 創画会賞 春季展賞 新潟 昭和28年
〒959-1300加茂市一区二組 **0256(52)2902**

手塚華
三万 **さやか** 日本美術院研究会員 愛知芸大大学院修 個展 若鶉会展 風雅の会展出品 愛知 昭和63年
〒500-8355岐阜市六条片田一-一五-三 後藤方

手塚恒治
五万 **ひさはる** 日展会員 師・元宋 多摩美大卒 日春展入 神奈川 昭和26年
〒251-0002藤沢市大鋸三-六-一三 **0466(25)0748**

手塚雄二
八十万 **ゆうじ** 院展同人 業務執行理事 師郁夫 東京芸大大学院修 総理大臣賞 文部大臣賞 神奈川 昭和28年
〒110-0002台東区上野桜木一-一五-三 **03(3828)5885**

寺田正
七万 **ただし** 無所属 師・上村淳之 京都芸大大学院修 創画会展 日展入 ガラス絵個展 京都 昭和24年
〒520-0016大津市比叡平一-三-一二 **077(529)0386**

寺村里香
四万 **りか** 無所属 京都精華大卒 尖展 京都日本画新展 個展 G展 京都 昭和38年
〒611-0043宇治市伊勢田町浮面一四-四

土岐佳子
四万 **よしこ** 日展会友 金沢美工大大学院修 日春展奨励賞 青垣日本画展大賞 個展 愛知 昭和39年
〒520-0529大津市和邇春日三-八二七-一 **077(594)6411**

戸屋勝利
七万 **かつとし** 無所属 東京芸大大学院修 ターナーアワード優秀賞 歴史装画 挿絵 東京 昭和40年
〒110-0004台東区下谷一-一三-五-701

外山寛子
四万 **ひろこ** 無所属 京都造形芸大卒 日本芸術センター金賞 琳派選抜展日経新聞京都支社賞 宮崎 昭和59年
〒605-0073東山区祇園町北側三〇一-二 大雅堂気付 **075(541)7388**

當川伸一
四万 **しんいち** 院友 師・松岡政信 齋藤満栄 個展 グループ展 大阪 昭和52年
〒586-0009河内長野市木戸西町三-一-一-604

東儀恭子
五万 **きょうこ** 院友 東京芸大大学院修 三渓日本画大賞展大賞 損保ジャパン選抜展出品 新生展大賞 静岡
〒259-0314神奈川県足柄下郡湯河原町宮上七六〇-七五

遠田いっせい
六万 無所属 師石正雄 県展 府展知事賞 個展 ユネスコカード作品採用 得意花鳥・風景 別号一成 新潟 昭和37年 **075(392)3144**

遠山幸男
十万 ゆきお 無所属 創画会展入 春展入 セントラル大賞展入 日仏現代展入賞 個展 岐阜 昭和15年 〒509-7201恵那市大井町二六九六-八二 0573(26)0158

冨田典子
四万 のりこ 無所属 師・中島千波 東京芸大大学院修 太宰府天満宮へ天神縁起ご奉納 新生展入 個展 G展 東京 〒107-0062港区南青山五-四-三〇新生堂気付 03(3498)8383

冨田保和
八万 やすかず 東方美術協会創立会員 師・龍子 元青龍社社人 奨励賞 個展 愛知 昭和5年 〒464-0094名古屋市千種区赤坂町一-三八-二 052(711)0950

圡手朋英
十二万 ともひで 創画会会員 京都美大卒 創画会賞 春季展賞 現代美術選抜展出 京都 昭和19年 〒603-8062京都市北区上賀茂藪田町一八-三 075(722)1764

堂野夢酔
八万 むすい 無所属 大阪工業大卒 個展(銀座三越他) 兵庫 昭和19年 〒679-4321たつの市新宮町段之上三七四 0791(75)0407

鳥山武弘
七万 たけひろ 創画会会友 嵯峨美短大卒 青垣日本画展受賞 京都美術工芸展優秀賞 個展 大阪 昭和38年 〒665-0807宝塚市長尾台二-二二-一七 072(743)3172

鳥山玲
十五万 れい 無所属 東京芸大大学院修 安宅賞 日本画裸婦大賞展佳作賞 神奈川 昭和31年 〒142-0053品川区中延六-四-二 03(3781)7793

な

名古屋剛志
七万 たかし 無所属 東京芸大大学院修 桜花賞展優秀賞 佐藤太清賞公募美術展特選 個展 埼玉 昭和53年 http://nagoyatakashi.com

名取初穂
七万 はつほ 院友 師・今野忠一 武蔵野美大卒 奨励賞 春院展奨励賞 三渓賞佳作 東京 昭和49年 〒193- 八王子市東浅川町七七〇-三八 0426(67)2536

那須勝哉
十二万五千 かつや 日展会員 師・辰雄 武蔵野美大卒 総理大臣賞 会員賞 特選 愛知 昭和11年 〒185-0031国分寺市富士本町三-一〇-一二 042(574)0538

那波多目功一
五十万 こういち 芸術院会員 芸術院賞 院展同人 代表理事 師・敏男 総理大臣賞 文部大臣賞 院賞大観賞 茨城 昭和8年 〒114-0024北区西ケ原一-六四-七 03(3910)8433

内藤五琅
十万 ごろう 院展特待 師・善彦 東京芸大卒 双美会展出 東京 昭和23年 〒330-0063さいたま市浦和区高砂四-一六-五 048(837)9375

中井香奈子
五万 かなこ 院友 師・松本哲男 春院展奨励賞 愛知 昭和49年 〒990-2464山形市高堂一-一一-三九 須田方 023(674)9793

中尾博恵
四万 ひろえ 無所属 京都市立芸大卒 個展 グループ展 福岡 昭和61年

中尾誠
三万 まこと 無所属 個展 G展 福岡 昭和30年 〒253-0001茅ケ崎市赤羽根九四 0467(40)5026

中神敬子
五万 けいこ 院友 愛知芸大大学院修 トリエンナーレ豊橋優秀賞 郷さくら桜花賞展優秀賞 愛知 昭和49年 calaojp@ybb.ne.jp

中川脩
十万 おさむ 無所属 東京芸大大学院修 セントラル日本画大賞展招 個展 神奈川 昭和21年 〒180-0001武蔵野市吉祥寺北町二-一〇-一八

中川槙
八万 まき 院友 東京芸大大学院修 春院展奨励賞 新樹会展 有芽の会展出品 東京 昭和55年

中川雅登
四万 まさと 無所属 愛知芸大中退 個展 グループ展 愛知 昭和43年 〒441-8133豊橋市大清水町字大清水二九-三 0532(25)4010

中川幸彦

八万　ゆきひこ　無所属　東京芸大大学院修　個展　神奈川　昭和21年

中沢　勝

四万　まさる　院友　師・田中青坪　個展　グループ展　千葉　昭和18年
〒285-0846佐倉市上志津一七七八-一八五　**0434(89)9750**

中島千波

八十万　ちなみ　無所属　東京芸大大学院修　院展奨励賞　春展奨励賞　山種美術展優秀賞　長野　昭和20年
〒108-0071港区白金台二-一六-一七　**03(5475)5488**

中嶌虎威

七万　とらたけ　無所属　東京芸大卒　シェル美術展二等　次代への日本画展他出品　個展　東京　昭和18年
〒305-0034つくば市小野崎七三　**0298(51)8350**

中出信昭

八万　のぶあき　日展会員　金沢美工大大学院修　特選　日春賞　青垣日本画展大賞　石川　昭和39年
〒520-0529大津市和邇春日三-八二七-一　**077(594)6411**

中西佐織

五万　さおり　日展入　金沢美工大大学院修　日春展奨励賞　個展　グループ展　兵庫　昭和53年
〒920-0919金沢市南町六-一-1F

中庭隆晴

五万　たかはる　院展特待　師・中村貞以　長谷川青澄塔映会　青陽会主宰　昭和20年
〒636-0813奈良県生駒郡三郷町信貴が丘一-九-一六　**0745(31)2874**

中野邦昭

三万　くにあき　創画会展入　京都市立芸大卒　道展会員　新人賞　佳作賞　セントラル大賞展入　北海道　昭和23年
〒063-0002札幌市西区山の手二条六丁目　**011(611)5478**

中野昌子

五万　まさこ　院友　女子美大卒　春院展入　外務省買上　個展　東京　昭和30年
〒227-0051横浜市青葉区千草台三八-十八-103

中野嘉之

二十万　よしゆき　無所属　芸術選奨　多摩美大卒　岡田茂吉賞　新作家賞　京都　昭和21年
〒216-0026川崎市宮前区初山一-三八-二　**044(977)6548**

中堀慎治

十五万　しんじ　無所属　多摩美大卒　創画会展入　川端龍子展入　東京　昭和31年
facebook.com/shinji.nakabori/

中村あや子

三万　あやこ　無所属　ＦＡＣＥ展2021オーディエンス賞　個展・グループ展（日本・パリ・台北）　大阪
〒222-0032横浜市港北区大豆戸町九五六-四〇六

中村賢次

七万　けんじ　日展会員　師・英雄　金沢美大卒　会員賞　特選　熊本　昭和37年
〒862-0911熊本市東区健軍三-一七-一　**090(2104)2399**

中村貴弥

六万　たかや　無所属　師・千住博　京都造形大卒　日独芸術交流展出品　グループ展　京都　昭和57年
〒606-0914京都市左京区松ヶ崎今海道町一五　**075(721)2015**

中村豪志

十万　つよし　院友　師・忠一　創形美術卒　太平洋美術協会賞　個展　熊本　昭和34年
〒321-1102日光市板橋一〇六八-四　**0288(26)9055**

中村哲叡

二十五万　てつえい　無所属　太平洋美術展入　比叡山延暦寺障壁画制作　千葉　昭和35年
〒460-0007名古屋市中区新栄二-一-四八　三F**052(243)6665**

中村　徹

八万　とおる　日展会員　師・元宋　金沢美工大卒　特選　日春賞　奨励賞　石川　昭和27年
〒921-8013金沢市新神田五-一一八　**076(251)2982**

中村妃佐子

五万　ひさこ　無所属　師・球子・硬・俊夫　愛知県立芸大大学院修　個展（松坂屋・京王他）　和歌山
〒297-0027茂原市中部二-一三　jabiina7@gmail.com

中村英生

六万　ひでお　無所属　東京芸大大学院修　新生展大賞　個展　香川　昭和52年
〒145-0071大田区田園調布一-一八-四-102　**090(1578)4928**

中村ひろみ

五万　院友　師・今野忠一　東京造形大卒　個展　神奈川
〒321-1102日光市板橋一〇六八-四　**0288(26)9055**

中村文子
八万 ふみこ 日展会員 京都芸大卒 特選 日春賞 奨励賞 京展市長賞 兵庫 昭和26年
〒603-8035 京都市北区上賀茂朝露ヶ原二五-二-304 075(711)5608

中村宗弘
二十五万 むねひろ 日展会友 師・岳陵・魁夷 特選 白寿賞 日春展 奨励賞 神奈川 昭和25年
〒151-0066 渋谷区西原一-六-六 03(3485)5055

中村桃子
三万 ももこ 無所属 東京芸大大学院修 グループ展 東京 平成4年
〒165-0032 中野区鷺宮六-二〇-二一-202 03(6755)7383

中村祐子
五万 ゆうこ 無所属 東京芸大大学院修 絵の現在第40回選抜展銅賞 アートフェア東京出品 東京 昭和52年
〒154-0023 世田谷区若林三-一〇-一-606

中村　譲
十万 ゆずる 院展同人 東京芸大大学院修 院賞大観賞 奨励賞 春院展奨励賞 足立美術館賞 香川 昭和39年
〒722-0038 尾道市天満町一七-二一-七-907 0848(24)1951

中山千明
三万 ちあき 日春展入 新生展入 名古屋芸大大学院修 千葉
〒154-0017 世田谷区世田谷一-一六-九

仲林敏次
六万五千 としつぐ 新美術協会会員 光琳大賞 会員秀作賞 協会賞 創造展都知事賞 個展 三重 昭和17年
〒274-0822 船橋市飯山満町三-一五八二-一一-103 047(767)1838

永井健志
十万 たけし 院友 東京芸大大学院修 師・手塚雄二 個展 グループ展 東京 昭和54年
〒340-0035 草加市西町一九七-五

永岡郁美
四万 いくみ 院展研究会員 多摩美大卒 東京芸大大学院修 個展 グループ展 島根 昭和62年
〒270-2241 松戸市松戸新田四三三-一九 ツインコート稔台一号

永森一郎
十万 いちろう 無所属 東京芸大卒 ZEN展理事長 院展他出 個展 大阪 昭和24年
〒389-1227 上水内郡飯綱町高坂一三〇〇-五五 090(1054)9818

長澤耕平
五万 こうへい 創画会準会員 東京芸大大学院修 春季展賞 奨励賞 野村美術賞 安宅賞 東京 昭和60年

並木　功
八万 いさお 院友 師・片岡球子 愛知芸大大学院修 春季展入 個展 長野 昭和31年
〒385-0003 佐久市下平尾五四六-七 0267(67)1546

並木秀俊
十五万 ひでとし 院展特待 東京芸大大学院博士後期修 奨励賞 天心記念茨城賞 春季展外務大臣賞 奨励賞 有芽の会展法務大臣賞 千葉 昭和54年

楢原　環
四万 たまき 院友 師・松尾敏男 多摩美大卒 無名会日本画展 奄美日本画大賞展 神奈川 昭和41年
〒272-0835 市川市中国分三-一五-九 A-5 047(375)5204

仁木寿美子
四万 すみこ 無所属 師・林茂守 京都女子大卒 青垣日本画展 川端龍子展出品 個展 京都 昭和26年
〒606-8284 京都市左京区北白川下池田町九五-一 075(711)5632

仁礼郁子
四万 いくこ 無所属 師・佐々木裕而 元創作画人協会会員 努力賞 銀座大賞展入 愛知 昭和20年
〒270-2223 松戸市秋山三七三-五七 047(392)4905

丹羽貴子
八万 たかこ 日展会員 特選 日春賞 奨励賞 山種美術賞展優秀賞 京展市長賞 大阪 昭和16年
〒606-0863 京都市左京区下鴨東本町二五 Wダック702 075(781)4595

新美葉子
四万 ようこ 新美術協会会員 師・一穂 女子美大卒 会員秀作賞 名古屋市長賞 昭和11年
〒473-0924 豊田市花園町才兼七三-一 0565(52)3698

西澤秀行
五万 ひでゆき 院展特待 佐賀大卒 佐賀県展文部大臣奨励賞 長崎県展西望平和賞 長崎 昭和39年
〒857-0861 佐世保市峰坂町二-二〇-102 0957(22)5799

西嶋豊彦
八万 とよひこ 無所属 京都芸術短大専攻科修 京都市芸術新人賞 NEXT出品 個展 滋賀 昭和41年
〒524-0041 守山市勝部一-一-二六 077(575)5252

西田俊英
四十五万 しゅんえい 芸術院会員 芸術院賞 院展同人 理事 師土牛 武蔵野美大卒 総理大臣賞 三重 昭和28年
www.nishida-shunei.com

西田眞人
十二万 まさと 日展会員 京都市立芸大卒 会員賞 特選 菅楯彦大賞 個展 兵庫 昭和27年
〒651-1233神戸市北区日の峰四-二-六 078(583)6387

西野陽一
十五万 よういち 無所属 京都市立芸大卒 創画会展出品 セントラル日本画大賞展出品 京都 昭和29年
〒603-8072京都市北区上賀茂竹鼻町三五 075(791)7271

西村光人
七万 こうじん 日展会友 師・華楊 晨鳥社会員 京展関展入 個展 滋賀 昭和17年
〒611-0042宇治市小倉町南浦二-一六四 0774(20)3695

根岸嘉一郎
二万五千 かいちろう 現代日墨画協会理事長 現代水墨画協会理事 全国水墨画美術協会理事 長野 昭和19年
〒193-0841八王子市裏高尾町一二三三 アトリエえん気付

野口満一月
五万 みつき 院友 東京芸大大学院修 菅楯彦大賞展 有芽の会展 暁螢の会展 個展 東京 昭和40年
〒247-0063鎌倉市梶原三-二〇-一六 046(791)2732

野地美樹子
八万 みきこ 院友 東京芸大大学院修 妙高四季彩芸術展大賞 北の大地展佳作 個展 奈良 昭和53年
〒337-0042さいたま市見沼区中野二五八-一〇

野村京香
三万 きょうか 無所属 師・千住博 京都造形大卒 京都花鳥館賞奨学金 個展 富山 平成4年
〒107-0062港区南青山五-四-三〇 新生堂気付 03(3498)8383

能島和明
十二万 かずあき 芸術院賞 日展会員 師・元宋 文科大臣賞 特選 宮城県芸術選奨 宮城 昭和19年
〒246-0035横浜市瀬谷区下瀬谷三-三一-二七 045(301)6506

は

八谷真弓
四万 まゆみ 院友 東京芸大大学院修 郷さくら美術館桜花賞展大賞 佐賀 昭和57年

八田哲
十万 てつ 無所属 元日展会友 師・遥邨 特選 京展関展受賞 個展(池袋西武) 京都 昭和18年
〒603-8071京都市北区上賀茂北大路町二五-二 075(701)4059

羽柴正和
十二万 まさかず 無所属 東京芸大卒 創画会展出 イタリア留学 個展 G展 福島 昭和24年
〒365-0077鴻巣市雷電一-一-五五 048(541)2086

長谷川雅也
七万 まさや 日展特別会員 晨鳥社代表 京都造形大大学院修 臥龍桜日本画大賞展大賞 個展 京都 昭和49年
〒605-0841京都市東山区大和大路通五条下ル山崎町三六一

長谷川喜久
十万 よしひさ 日展特別会員 金沢美工大大学院修 文科大臣賞 都知事賞 川端龍子賞展大賞 岐阜 昭和39年
〒500-8233岐阜市蔵前三-一一-六-二 058(247)6787

箱崎睦昌
十万 むつまさ 無所属 京都市立芸大卒 シェル美術展佳作賞 山種美術館展招 個展 大分 昭和21年
〒611-0002宇治市木幡南山九-五一 0774(33)2360

橋岡昭男
八万 あきお 院友 東京芸大大学院修 有芽の会展出品 大和六瓢能舞台制作 東京 昭和34年
〒146-0082大田区池上一-二〇-六 03(3754)3868

橋本弘安
八万 こうあん 日展会員 師・明治 東京芸大卒 特選 日春展奨励賞 大阪 昭和28年
〒167-0032杉並区天沼一-四〇-五 03(3220)5927

秦誠
七万 まこと 院友 愛知芸大大学院修 春季展入 兵庫 昭和25年
〒489-0964瀬戸市上之山町二-一七一-三七 0561(85)5057

畠中光亨

十五万　こうきょう　無所属　京美大卒　パンリアル美術協会員　セントラル日本画大賞展大賞　奈良　昭和22年
〒606-8414 京都市左京区浄土寺真如町一七七-二八　**075(761)4304**

服部憲幸

五万　のりゆき　院友　師・片岡球子　愛知芸大大学院修　長秋会展　雄雄会展　個展　愛知　昭和38年
〒480-1116 愛知郡長久手町杁ヶ池一五一三　**0561(62)9461**

服部由空

三万　ゆうく　無所属　京都造形芸大大学院修　日本の絵画入　美術新人賞デビュー入　滋賀　平成3年年
〒605-0073 東山区祇園町北側三〇一-二大雅堂気付　**075(541)7388**

花岡哲象

十万　てっしょう　創画会展出品　東京学芸大大学院修　個展　グループ展　長野　昭和25年
〒394-0044 岡谷市湊三-七-一九　澄神洞　**0266(22)5396**

濱田昇児

二十五万　しょうじ　日展会員　師・竹喬　京美専　特選　日春賞　奨励賞　京展審　個展　京都　昭和2年
〒603-8341 京都市北区小松原北町六七　**075(462)3473**

浜田泰介

三十万　たいすけ　無所属　京都美大大学院修　大覚寺・醍醐寺・東寺障壁画制作　個展　愛媛　昭和7年
〒520-0016 大津市比叡平一-二一-二二　**077(529)0065**

林和緒

十五万　かずお　日展会員　師・径・太清　武蔵野美大卒　特選　日春展奨励賞　外務大臣賞　長野　昭和6年
〒395-0003 飯田市上郷別府三三三三-一六　**0265(23)3788**

林孝二

六万　こうじ　無所属　京都精華大卒　多摩美大大学院修　創画会展入　日経日本画大賞展　個展　兵庫　昭和35年
〒610-0343 京田辺市大住大欠一六-九二　**0774(65)3102**

林樹里

三万　じゅり　院友　東京芸大大学院修　東京芸大COI拠点特任助手　大阪　平成1年
https://www.julie884.com/

林真

六万　しん　日展会友　名古屋芸大大学院修　特選　新日春展新日春賞　臥龍桜日本画大賞展大賞　岐阜　昭和47年
〒500-8241 岐阜市領下三-三七-二　**058(227)4156**

林潤一

十万　じゅんいち　無所属　京美大卒　創画会展入　シェル美術展二等　京展市長賞　京都　昭和18年
〒616-8363 京都市右京区嵯峨柳田町三六-四　**075(872)8512**

林智基

五万　ともき　院友　愛知芸大卒　香流会展　知の会展出品　個展　愛知　昭和32年
〒464-0014 名古屋市千種区御影町二-一一-一　**052(712)1847**

林美枝子

六万　みえこ　院友　東京芸大大学院修　日仏現代美術展　有芽の会展　東の会展　個展　愛知　昭和24年
〒253-0026 茅ヶ崎市旭が丘二-一-八　**0467(86)9316**

速水敬一郎

八万　けいいちろう　院展特待　東京芸大大学院修　安宅賞　個展　東京学芸大教授　静岡　昭和34年
〒331-0045 さいたま市西区内野本郷三四三-三　**048(624)7342**

原誠二

四万　せいじ　無所属　多摩美大大学院修　セントラル日本画大賞展佳作　個展　長野　昭和34年
〒370-0864 高崎市石原町三四九三-三六　**027(324)7299**

原宏之

七万　ひろゆき　無所属　外務省買上　個展　福島　昭和36年
〒359-1111 所沢市緑町三-四-一〇-六　**042(926)5790**

原田隆志

四万　たかし　無所属　東京芸大大学院修　文化庁新進芸術家海外留学制度研修員　個展　G展　佐賀　昭和44年
〒194-0201 町田市上小山田町二八六六-二　**042(797)1793**

馬場伸子

六万　のぶこ　無所属　東京学芸大大学院修　閑々居・柴田悦子画廊他個展　アートフェア東京出品　長崎　昭和49年
〒857-0143 佐世保市吉岡町一三七五　**0956(40)5437**

馬場弥生

六万　やよい　院友　愛知芸大大学院修　奨励賞　春院展入　愛知　昭45年
〒453-0844 名古屋市中村区小鴨町八〇

伴戸玲伊子

三万　れいこ　創画会准会員　女子美大大学院修　創画会賞　京都　昭和49年
〒333-0807 川口市長蔵三-二三-三　藤木方

番場三雄
十万 みつお 院展同人 師・今野忠一 院賞大観賞 奨励賞 春展奨励賞 足立美術館賞 個展 新潟 昭和28年 〒999-3244上山市石曽根一七三一二 0236(73)5292

日比野拓史
五万 たくし 無所属 多摩美大大学院修 アートアワード・ネクスト準大賞 岐阜 昭和56年 〒731-0136広島市安佐南区長束西三-四-一七

肥谷珠湖
三万 たまこ 無所属 東京芸大大学院修 臥龍桜日本画大賞展 日仏現代美術世界展入 東京 昭和46年 〒156-0054世田谷区桜ヶ丘五-一五-七-103 03(3426)8778

東園基昭
七万 もとあき 無所属 多摩美大大学院修 個展（アートフェア東京）東京 昭和50年 〒146-0091大田区鵜の木一-三九-一-505 03(3757)4485

菱沼明子
六万 あきこ 院展入 師・福井爽人 東京芸大大学院修 サロン・ド・プランタン賞 個展 神奈川 昭和44年 〒212-0054川崎市幸区小倉一-三三一 044(588)3326

曳地聡美
五万 さとみ 院友 東京芸大大学院修 愛知 昭和63年

平岩洋彦
十万 ひろひこ 無所属 元創画会会友 東京芸大大学院修 創画会賞 春季展賞 長野 昭和18年 〒254-0821平塚市黒部ヶ丘一六-一六 0463(32)4435

平子真理
十二万 まり 院友 東京芸大卒 個展 有芽の会展出品 東京 昭和37年 〒251-0875藤沢市本藤沢二-一五-一九 0466(84)9399

平田望
五万 のぞみ 院友 師 松村公嗣 愛知芸大大学院修 個展（阪急うめだ本店他）愛知 昭和63年 〒277-0841柏市あけぼの四-七-二やまとM303 090(1285)4237

平林貴宏
四万 たかひろ 院友 愛知芸大卒 春季展外務大臣賞 奨励賞 前田青邨記念大賞展 個展 秋田 昭和54年 〒509-0221可児市広眺ヶ丘六-一三三 090(4231)4941

平山英樹
八万五千 ひでき 創画会会員 東京芸大大学院修 創画会賞 菅楯彦大賞 二人展 山口 昭和31年 〒903-0804那覇市首里石嶺町四-三五七-一四 098(887)7273

広田郁世
三万 いくよ 無所属 大阪芸大大学院修 創画会展入 春季展賞 青垣日本画展佳作賞 個展 富山 昭和38年 〒939-0256射水市広上一〇八〇 0766(52)0497

廣瀬佐紀子
三万 さきこ 日展会友 多摩美大卒 臥龍桜大賞展優秀賞 星野真吾賞展入 渺渺展出品 神奈川 〒104-0031中央区京橋二-六-一六 林田画廊気付 03(3567)7778

廣瀬貴洋
六万 たかひろ 院友 東京芸大大学院修 奨励賞 春季展賞 有芽の会展法務大臣賞 個展 千葉 昭和49年 〒247-0062鎌倉市山ノ内一二五五-一

廣田晴彦
六万 はるひこ 院友 愛知芸大大学院修 奨励賞 個展 風雅の会日本画展 壱萬会展 兵庫 昭和41年 http://h2aru.g2.xrea.com

フクシマサトミ
三万 無所属 京都造形芸大卒 師・千住博 康耀堂美術館賞 熊本 昭和56年 〒605-0073東山区祇園町北側三〇一-二 大雅堂気付 075(541)7388

傅益瑶
六万 ふえきよう 無所属 師平山郁夫・塩出英雄 南京師範大卒 文化庁長官表彰 大原三千院襖絵他多数奉納 中国 〒190-0011立川市高松町二-二七-一三-703 042(524)3008

福井江太郎
三十万 こうたろう 無所属 多摩美大大学院修 文化庁買上 春の叙勲・紺綬褒章 岡田美術館壁画制作 東京 〒112-0012文京区大塚三-四〇-三 ギャラリーKOH気付

福井爽人
三十万 さわと 院展同人 顧問 師郁夫 東京芸大卒 院賞大観賞 奨励賞 青邨賞 春展賞 北海道 昭和12年 〒177-0041練馬区石神井町四-九-一六 03(3997)7370

福井時子
七万 ときこ 院展特待 東京芸大卒 春季展入選 北海道 昭和18年 〒177-0032練馬区谷原五-一八-八 03(3996)6119

福井良宏

七万 **よしひろ** 無所属 アジアンドリーム2000優秀作品賞 個展(横浜高島屋) 昭和30年
〒248-0007鎌倉市大町三-四-三 **0467(22)5208**

福王寺一彦

百三十万 **かずひこ** **芸術院会員** 芸術院賞 院展同人 評議員 師・法林 総理大臣賞 東京 昭和30年
〒181-0002三鷹市牟礼一-一〇-一二 **0422(43)1467**

福永明子

五万 **あきこ** 無所属 京都芸術短大卒 東方展入 上野の森美術館大賞展入 個展 東京 昭和43年
〒277-0085柏市中原一-二五-一〇 **04(7172)1697**

福本正

十二万 **ただし** 無所属 東京芸大卒 上野の森美術館大賞展出品 個展 G展 東京 昭和39年
〒176-0004練馬区小竹町一-三五-九 **03(5966)3706**

福本百恵

四万 **ももえ** 日展会友 特選 名古屋芸大大学院修 奈良県万葉日本画大賞展入 香川 昭和59年
〒767-0013三豊市高瀬町下麻一〇六四-一 **0875(74)6511**

藤井智美

五万 **さとみ** 創画会会員 師・上村淳之 京都市立芸大大学院修 創画会賞 奨励賞 春季展賞 兵庫 昭和34年
〒675-1307小野市菅田町七三九-二三五 **0794(63)6938**

藤井美加子

六万 **みかこ** 創画会会友 多摩美大大学院修 春季展賞 セントラル日本画大賞展入 個展 G展 広島 昭和40年
〒154-0016世田谷区弦巻五-一七-二一-501 **03(5477)0891**

藤井康夫

十万 **やすお** 院展特待 東京芸大大学院修 春展奨励賞 毎日現代展出品 東京芸大講師 愛知 昭和14年
〒167-0042杉並区西荻北二-四-五 **03(3395)9115**

藤岡雅人

五万 **まさと** 創画会展入 京都精華大卒 春季展賞 京展市長賞 青垣日本画展大賞 京都 昭和35年
〒612-8016京都市伏見区桃山町養斉八-二三 **075(601)4082**

藤崎いづみ

五万 東京芸大大学院修 修了制作芸大資料館買上 雪舟国際美術協会展特選 桜美林大教授 個展 東京 昭和37年
〒157-0073世田谷区砧七-一-一〇-408 https://izumirin.com/

藤城正晴

五万 **まさはる** 院友 愛知芸大大学院修 松伯美術館花鳥画展優秀賞 前田青邨記念大賞展入 愛知 昭和58年
〒270-0152流山市前平井三〇-A202

藤田志朗

六万 **しろう** 創画会常務理事 東京芸大大学院修 創画会賞川端龍子賞展優秀賞 筑波大教授 京都 昭和26年
〒305-0012つくば市中根四五九-七 **0298(57)7230**

藤田哲也

五万 **てつや** 院友 愛知芸大大学院修 臥龍桜大賞展奨励賞 松伯美術館花鳥展優秀賞 滋賀 昭和53年
〒511-0912桑名市星見ヶ丘九-一三〇四-一 **0594(32)2336**

藤田時彦

十二万 **ときひこ** 院友 師・敏男 春季展入 グループ展他 東京 昭和22年
〒248-0003鎌倉市浄明寺六-八-一八 **0467(22)7688**

藤谷和春

七万 **かずはる** 日展会友 師・加藤東一 東京芸大卒 日春展奨励賞 個展 G展 群馬 昭和29年
〒261-0011千葉市美浜区真砂二-一五-五-705 **043(307)8044**

藤野直也

八万 **なおや** 院友 愛知芸大大学院修 春季展入 福岡 昭和30年
〒489-0035瀬戸市紺屋田町二-一八〇 **0561(87)1035**

藤原郁子

七万 **いくこ** 日展会友 師・遙邨 日春展 京展市長賞 関西展招 個展 岡山 昭和17年
〒569-1046高槻市塚原六-二七-一六 **072(693)0957**

藤原郁子

五万 **いくこ** 創画会会友 日本美術家連盟会員 松柏日本画展入賞 個展 兵庫 昭和45年
〒663-8113西宮市甲子園口一-一〇-一三 **0798(67)0180**

藤原重夫

十万 **しげお** 京都墨彩画壇副理事長 高野山画僧 贈法眼位 僧名祐寛 個展 大阪 昭和15年
〒594-1104和泉市万町一四〇-一 **0725(55)2328**

藤原敏行

十万 **としゆき** 創画会展出品 京都市立美大卒 中国紀行三人展 個展 京都 昭和17年
〒616-8427京都市右京区嵯峨二尊院門前善光寺山町六 **075(861)3710**

藤原裕之
四万 ひろゆき 無所属 京都造形芸大卒 京都日本画新展出品 京都 昭和54年 〒616-8427 右京区嵯峨二尊院門前善光寺山町六 075(861)3710

藤原まどか
六万 院友 東京芸大大学院修 新樹会展 瑞樹の会展 菅楯彦大賞展出品 福島 昭和42年 〒271-0064 松戸市上本郷三八六三 047(361)1821

藤本克美
五万 かつみ 無所属 師・浜田昇児 全関西美術展入選 堺市長賞 個展 G展 大阪 昭和15年 〒580-0026 松原市天美我堂四-五-五 0723(31)5627

二木一郎
七万 いちろう 院展入 師・野村義照 東京芸大大学院修 春院展入 長野 昭和31年 〒270-0027 松戸市二ツ木一九〇一-二〇九 047(315)2673

渕田邦明
四万 くにあき 院友 師・松本哲男 富嶽ビエンナーレ展準大賞 川越を描くビエンナーレ大賞 熊本 昭和27年 〒350-0158 埼玉県比企郡川島町井草二〇七-六

筆谷 等
六万 ひとし 無所属 玉川大卒 ロングビーチ大大学院卒 春院展 新制作展出品 個展 神奈川 昭和24年 〒104-0028 中央区八重洲二-一〇-五 西邑画廊気付

船橋穏行
七万 やすゆき 創画会展入 京都芸大卒 新制作展出 中日展出 個展(名古屋松坂屋) 愛知 昭和25年 〒463-0027 名古屋市守山区弁天ケ丘四〇五 052(798)1896

船水徳雄
十万 のりお 無所属 元日展評議員 師・太清 会員賞 特選 日春賞 奨励賞 東京 昭和24年 〒190-0034 立川市西砂町五-五三-一二 042(531)2732

古澤洋子
六万 ようこ 日展会員 金沢美工大大学院修 特選 日春展会員 外務大臣賞 石川県文化奨励賞 個展 石川 〒921-8115 金沢市長坂台八-一五

古田年寿
七万 としひさ 院友 愛知芸大大学院修 春院展奨励賞 松伯美術館花鳥画展優秀賞 個展 愛知 昭和41年 〒470-1152 豊明市前後町仙人塚一七三九-七 0562(95)4806

古屋麻里奈
三万五千 まりな 無所属 世界絵画大賞展入 個展 グループ展 神奈川 昭和63年 〒225-0021 横浜市青葉区すすき野三-六-二-一-504 045(902)5209

赫舎里暁文
七万 へせりしゃおうぇん 国立中国美術学院 アジア創造美術展銀賞 国際書画展大賞 個展 中国 昭和39年 〒285-0034 佐倉市千成一-七-四 080(5384)3704

べリーマキコ
三万五千 無所属 成安造形大卒 京都日本画新展大賞 藝文京展優秀賞 個展 G展 京都 昭和50年 〒621-0834 亀岡市篠町広田一-二-五

北條正庸
七万 まさつね 無所属 元創画会員 武蔵野美大卒 創画会賞 新制作入 春展賞 栃木 昭和23年 〒320-0043 宇都宮市桜五-一-三〇 028(636)7100

星野哲弘
十万 てつひろ 創画会会員 師・平川敏夫 愛知芸大卒 創画会賞 個展 愛知 昭和20年 〒486-0811 春日井市東山町四-五-二

星野友利
六万 ともとし 院展特待 玉川大卒 有芽の会展出品 G展 東京 昭和36年 〒247-0062 鎌倉市山ノ内一二七九-一八 0467(25)2396

細川良治
五万 りょうじ 院友 師・福王寺法林 一彦 濤林会会員 秋田県展特選 奨励賞 個展 秋田 昭和22年 〒014-1114 仙北市田沢湖神代字戸伏松原三四

堀 泰明
十万 たいめい 日展会員 師・華楊 京美大卒 特選 日春展奨励賞 山種美術展優秀賞 京都 昭和16年 〒606-8156 京都市左京区一乗寺松原町三-二 075(711)5633

堀江春美
五万 はるみ 日本南画院理事長 東京女子大卒 文部大臣賞 個展 〒601-0121 城陽市寺田深谷七-六三 0774(53)1074

堀川えいこ
十二万 えいこ 無所属 師・又造 多摩美大大学院修 春季創画展入 個展 東京 昭和29年 〒251-0027 藤沢市鵠沼桜が岡二-九-一〇 0466(26)6609

堀越保二
十万 やすじ 創画会会員 東京芸大卒 創画会賞 新作家賞 春展賞 日本画大賞展大賞 東京 昭和14年
〒299-4403 千葉県長生郡睦沢町上市場一三三二-二 **04754(4)2207**

堀田淑支
六万 としえ 院友 愛知芸大卒 春院展入 香流会展出品 愛知 昭和35年
〒496-0856 津島市瑠璃小路二-一 **080(3613)2243**

本多功身
十万 いさみ 日展会員 特選 日春展入 青塔社所属 京都 昭和25年
〒602-8447 京都市上京区紋屋町303 **075(451)8327**

本多久美子
五万 くみこ 創画会展入 東京芸大大学院修 個展 東京 昭和51年

本多翔
四万 しょう 院友 東京芸大大学院修 有芽の会展 燦の会展出品 千葉 昭和61年
〒103-0025 中央区日本橋茅場町一-二-八 Gマークウェル気付

ま

マコト・フジムラ
十二万 無所属 東京芸大大学院修 山種美術館賞展 両洋の眼 VOCA展出品 個展(高島屋) 米国 昭和35年
〒158-0081 世田谷区深沢六-四-一三 濤画廊気付 **03(3703)6255**

マツダジュンイチ
四万 無所属 京都精華大卒 京都日本画新鋭選抜展 日経日本画大賞展特別賞 個展 京都 昭和40年
〒616-8203 京都市右京区宇多野柴橋町一

真野尚文
八万 たかふみ 日本表現派委員 名古屋芸大卒 日本の自然を描く展銀賞 銀座大賞展入 愛知 昭和31年
〒448-0001 刈谷市井ケ谷町西境前山一八八-一

間島秀徳
五万 ひでのり 無所属 東京芸大大学院修 山種美術館賞展出品 個展 G展 茨城 昭和43年
〒300-0201 かすみがうら市柏崎一五四六-一四

前川伸彦
七万 のぶひこ 院友 師・松本哲男 春院展入 岐阜県展賞 市展賞 個展 G展 岐阜 昭和20年
〒501-2114 山県市高富町佐賀三六八-一四 **0581(22)3658**

前田和子
三万 かずこ 無所属 京都造形大大学院 師・千住博 兵庫 昭和61年
〒605-0073 東山区祇園町北側三〇一-二 大雅堂気付 **075(541)7388**

前田力
六万 ちから 院展同人 東京芸大大学院修 文科大臣賞 院賞大観賞 奨励賞 春季展賞 千葉 昭和46年

前田正憲
六万 まさのり 無所属 東京芸大卒 安宅賞 川端龍子賞展入 星野眞吾賞展入 個展 宮崎 昭和39年
〒300-1204 牛久市岡見町二六一-一 **029(871)7211**

前田有加里
三万 ゆかり 無所属 京都造形大卒 個展(東京 京都 金沢) 石川 昭和56年
instagram.com/yukari_nihonga **076(262)6880**

前野萃周
四万 すいしゅう 無所属 第三文明展出品 個展 母娘展 宮城 昭和21年
〒984-0826 仙台市若林区若林三-五-二〇 **022(286)5273**

前原満夫
十二万 みつお 院展同人 師・敏男 院賞大観賞 外務大臣賞 足立美術館賞 静岡芸術祭大賞 静岡 昭和19年
〒427-0018 島田市旭一-二-一五 **0547(37)5601**

前本利彦
十二万 としひこ 無所属 多摩美大大学院修 裸婦大賞展優秀賞 セントラル大賞展優秀賞 北海道 昭和23年
〒240-0111 神奈川県葉山町一色二三九二-五二一 **0468(75)9657**

牧進
六十万 すすむ 文化功労者 無所属 元青龍社社友 山種美術館展優秀賞 個展 伊勢神宮奉納 東京 昭和11年
〒187-0032 小平市小川町二-一三五五-六 **042(344)8854**

牧田宏之
五万 ひろゆき 院友 愛知芸大大学院修 うづら会展 雄雄会展 葵会展 静岡 昭和47年
〒470-2361 知多郡武豊町多賀二-二-三一

牧野一泉
七万　いっせん　創画会会員　師・一穂　東京芸大大学院修　創画会賞　十美会日本画21世紀展グランプリ　長野　昭和26年
〒410-1115 裾野市千福が丘四-二〇-三　0559(93)6611

牧野　環
六万五千　たまき　院友　愛知芸大大学院修　奨励賞　雪舟の里墨彩画展雪舟大賞　個展　愛知　昭和49年
tamaki-makino.jimdofree.com　090(8469)5673

牧野伸英
八万　のぶひで　院展特待　師・松尾敏男　多摩美大大学院修　奨励賞　春季展賞　長野　昭和42年
〒384-0025 小諸市相生町一-二-九　0267(48)6418

曲子明良
十二万　あきら　日展会員　師・英雄　特選　日春展入関展　京展受賞　京都　昭和22年
〒603-8346 京都市北区等持院北町一九-二　075(464)6610

増田貴司
四万　たかし　創画会会友　京都精華大卒　春季創画展入　松伯美術館花鳥画展大賞　優秀賞　広島　昭和36年
〒639-1066 生駒郡安堵町西安堵二四-二　0743(57)3693

桝田隆満
五万　たかみつ　無所属　多摩美大大学院修　セントラル大賞展入　福島　昭和46年
〒297-0027 茂原市中部一六-一五　0475(26)1048

町田泰宣
十万　たいせん　日本南画院理事長　文部大臣賞　上野の森大賞展　個展　京都　昭和18年
〒602-0852 京都市上京区寺町広小路上ル　075(231)0355

松井和弘
十万　かずひろ　創画会理事　東京芸大大学院修　創画会賞　春季展賞　個展　愛知　昭和14年
〒457-0036 名古屋市南区若草町七四　052(811)5885

松井周子
四万　ちかこ　創画会会友　京都市立芸大卒　春季展賞　京都日本画選抜展優秀賞　個展　京都　昭和31年
〒610-0313 京田辺市三山木天神山一一-一二　谷川方

松生　歩
十一万　あゆみ　無所属　京都市立芸大大学院修　山種美術館展大賞　京展大賞　京展紅賞　大阪　昭和34年
〒603-8433 京都市北区紫竹北栗栖町一七-五

松生春山人
六万　しゅんさんじん　無所属　師・春芳・貞以　春院展入　個展(三越　大丸他)　大阪　昭和23年
〒537-0012 大阪市東成区大今里一-三-七　06(6981)4694

松浦主税
七万　ちから　院友　愛知芸大卒　奨励賞　臥龍桜日本画展　青垣日本画展　雪舟の里墨彩画展　愛知　昭和43年
〒480-1158 長久手市東原山二五-五〇八　080(5104)4933

松尾夢佳
三万　ゆめか　無所属　愛知芸大美術学部日本画専攻西部伝統工芸展入　熊本県美術協会展入　熊本　平成8年
〒112-0012 文京区大塚三-四〇-三　ギャラリーKOH気付

松岡　歩
十万　あゆむ　院展特待　東京芸大大学院修　奨励賞　春季展賞　郁夫賞　外務大臣賞　神奈川　昭和53年
〒274-0068 船橋市大穴北三-一九-六

松倉茂比古
十万　しげひこ　創画会会員　多摩美大卒　創画会賞　セントラル大賞展大賞　山種展出品　静岡　昭和24年
〒100-0014 千代田区永田町二-一七-九-4F　03(3591)2557

松崎和実
七万　かずみ　無所属　ISAM展　エスキース展出品　個展　宮崎　昭和44年
〒186-0005 国立市西一-九-一-801　090(8434)3258

松崎十朗
五万　じゅうろう　日展会員　金沢美工大大学院修　総理大臣賞　会員賞　特選　日春賞　石川　昭和35年
〒182-0012 調布市深大寺東町五-二九-二七　0424(41)8063

松下明生
六万五千　あきお　院友　師・片岡球子　愛知芸大大学院修　長湫会展　日本画新鋭作家展出品　愛媛　昭和39年
〒489-0051 瀬戸市下陣屋町四七-一八　0561(87)0823

松下順子
六万　じゅんこ　院友　東京芸大大学院修　有芽の会展出品　東京　昭和23年
〒113-0034 文京区湯島二-三-七　03(3831)9541

松下宣廉
十五万　のりゆき　無所属　元創画会会友　多摩美大卒　新作家賞　春季展賞　福井　昭和21年
〒177-0041 練馬区石神井町一-二六-一二　03(3996)6583

松下雅寿
十万 まさとし 院友 東京芸大大学院修 師・手塚雄二 個展 グループ展 宮城 昭和53年
〒270-0032 松戸市八ヶ崎六-二七-一八

松原亜実
四万 あみ 院友 東京芸大大学院修 松伯美術館花鳥画展優秀賞 郷さくら美術館桜花賞展大賞 東京
〒141-0032 品川区大崎三-二三-一〇 03(3491)7897

松村公嗣
三十万 こうじ 院展同人 理事 愛知芸大大学院修 総理大臣賞 院賞大観賞 奨励賞 外務大臣賞 奈良 昭和23年
〒464-0016 名古屋市千種区希望ヶ丘一-七-一 052(752)2501

松村公太
六万 こうた 院友 東京芸大大学院修 奨励賞 春季展奨励賞 個展 グループ展 愛知 昭和53年
〒121-0055 足立区加平二-六-二

松本啓
八万 けい 無所属 旧姓森茂 京都美専卒 個展 兵庫 昭和2年
〒600-8306 京都市下京区新町通北小路上ル 075(371)6853

松本高明
十五万 たかあき 院展同人 師・敏男 静岡大卒 院賞大観賞 奨励賞 春展奨励賞 三重 昭和20年
〒426-0011 藤枝市平島六二五-一七 054(643)2814

松本勝
三十万 まさる 院展特待 師・土牛 武蔵野美大卒 山種美術館買上 外務省買上 個展 東京 昭和18年
〒235-0021 横浜市磯子区岡村七-二八-一四 045(752)1929

松本祐子
六万 ゆうこ 創画会会員 京都教育大卒 創画会賞 春季展賞 京展新人賞 山種美術館展 大阪 昭和32年
〒612-0802 京都市伏見区深草南明町一九-五 075(525)4135

松谷千夏子
五万 ちかこ 創画会准会員 多摩美大大学院修 創画会賞 菅楯彦大賞展大賞 個展 神奈川 昭和34年
〒247-0063 鎌倉市梶原二-二一-二 0467(46)0001

丸岡雄道
六万 ゆうどう 無所属 師下田舜堂 個展(三越 大丸他) 望郷譜シリーズ・富士連作 佐野美術館講師 香川 昭和9年
〒244-0001 横浜市戸塚区鳥が丘六一-一二 石川方

丸山円
四万 まどか 無所属 金沢美工大大学院修 日展入 日春展入 現代美術展入賞 石川 昭和56年
〒112-0012 文京区大塚三-四〇-三 ギャラリーKOH気付

丸山友紀
六万 ゆき 創画会展入 早稲田大卒 臥龍桜日本画大賞展入 東京 昭和50年
〒259-0102 神奈川県中郡大磯町生沢二四八-九

みやじまゆういち
三万 無所属 金沢美工大卒 IAG AWARDS東武百貨店賞 '20伊藤忠商事カレンダー原画制作 個展 石川 昭和57年
〒252-0243 相模原市中央区上溝一〇三八-八-102

三浦ひろみ
六万 無所属 多摩美大卒 多摩秀作美術展佳作賞 朝日チューリップ展秀作賞 個展 G展 宮城
〒244-0815 横浜市戸塚区下倉田町四五六-HG宮谷E201

三浦理絵
四万 りえ 日展入 日春展入 女子美大卒 河北展東北放送賞 個展 宮城 昭和37年
〒271-0094 松戸市上矢切四〇四-二-509 047(367)9384

三上俊樹
五万 としき 創画会展入 武蔵野美短大卒 日仏現代展セントラル日本画展入 個展 東京 昭和24年
〒180-0001 武蔵野市吉祥寺北町三-一-二 0422(55)6661

三神慎一朗
五万 しんいちろう 無所属 東京芸大大学院修 師・宮田亮平 個展 グループ展 埼玉 昭和52年
〒116-0003 荒川区南千住六-二九-一〇

三縄健
十二万 けん 無所属 東京芸大大学院修 山種美術展入 双美会展入 個展 神奈川 昭和22年
〒241-0801 横浜市旭区若葉台一-五-603 045(921)1169

三森貴公
三万 きこ 無所属 京都造形大大学院修 グループ展 熊本 平成6年
〒860-0844 熊本市中央区水道町一五-二〇-701

三輪晃久
十二万 あきひさ 日展会員 師・印象 京美大卒 特選 日春賞 奨励賞 京展審 個展 京都 昭和9年
〒603-8321 京都市北区平野鳥居前町七六 075(463)8875

水島 篤

三万五千 **あつし** 無所属 東京芸大卒 プラチナアート大賞展ホルベイン賞 個展（銀座三越他）G展 東京 平成2年
〒344-0046春日部市上蛭田七-一-D503

水谷興志

八万 **こうじ** 院友 愛知芸大大学院修 セントラル日本画大賞展佳作賞 個展 三重 昭和27年
〒811-3423宗像市野坂一九〇八-二 **090(5733)2919**

水谷 雄

六万 **ゆう** 無所属 愛知芸大大学院修 創画会展創画会賞・春季展賞 山種美術館賞展 個展 愛知 昭和30年
〒460-0021名古屋市中区平和二-一〇-六 **052(321)0431**

水登麻里子

二万五千 **まりこ** 無所属 広島市立大大学院修 師倉島重友 全日本アートサロン絵画大賞展優秀賞 個展 広島
〒733-0002広島市西区楠木町二-一一-五 **090(7992)3049**

水野淳子

五万 **じゅんこ** 院展特待 東京芸大大学院博士後期修 院賞大観賞 都知事賞 足立美術館賞 愛知 昭和55年
https://www.jun-mizuno.com/

宮いっき

十万 創画会会員 東京芸大卒 創画会賞 春季展賞 現代美術選抜展出品 個展 東京 昭和31年
〒182-0024調布市布田五-四三-一 **042(426)7311**

宮川佑介

四万 **ゆうすけ** 院友 東京芸大大学院修 福岡 昭和58年

宮北千織

二十五万 **ちおり** 院展同人 東京芸大大学院修 総理大臣賞 文科大臣賞 院賞大観賞 足立美術鑑賞 春院展奨励賞
〒194-0041町田市玉川学園三-二八-一〇 **042(726)6543**

宮廻正明

六十万 **まさあき** 院展同人 東京芸大大学院修 総理大臣賞 文部大臣賞 院賞大観賞 島根 昭和26年
〒105-0011港区芝公園二-九-一二 **03(5401)7530**

宮下真理子

八万 **まりこ** 院友 東京芸大大学院修 有芽の会展 新樹会展出品 東京 昭和50年
〒193-0944八王子市館町一八四四-四

宮野孝司

五万 **こうじ** 院友 愛知芸大大学院修 春院展奨励賞 雄雄会日本画展 長湫会日本画展出品 岐阜 昭和50年
〒480-1103長久手市岩作琵琶ヶ池五六-三 **0561(56)4419**

京都絵美（みやこ）

五万 **えみ** 院友 東京芸大大学院修 Seed山種美術館日本画アワード大賞 福岡
info@miyakoemi.jp

武蔵原裕二

五万 **ゆうじ** 院友 愛知芸大大学院修 うずら会展 雄雄会展 香流会展出品 岐阜 昭和51年
http://musashihara.com

村井慶一郎

四万 **けいいちろう** 無所属 春光展努力賞 美協展佳作賞 得意風景 人物
〒654-0023神戸市須磨区戎町四-一-六-1001

村居正之

十五万 **まさゆき** **芸術員会員** **恩賜賞** 芸術院賞 日展理事 師・遥邨 文科大臣賞 特選 日春展奨励賞 京都 昭和22年
〒565-0851吹田市千里山西五-一七-一六 **06(6384)1556**

村岡貴美男

二十万 **きみお** 院展同人 東京芸大大学院修 文科大臣賞 院賞大観賞 奨励賞 春季展賞 京都 昭和41年
〒180-0003武蔵野市吉祥寺南町一-二七-一-308 **0422(42)5316**

村上裕二

三十五万 **ゆうじ** 院展同人 評議員 東京芸大大学院修 総理大臣賞 院賞大観賞 足立美術館賞 東京 昭和39年
〒177-0051練馬区関町北五-一六-一-315 **03(5991)5559**

村越由子

七万 **ゆうこ** 創画会研究会員 多摩美大大学院修 山種美術館賞展優秀賞 個展 グループ展 東京 昭和41年
〒248-0034鎌倉市津西一-二一-八 **0467(31)0287**

村田晴彦

八万 **はるひこ** 無所属 東京芸大卒 師・珙中 院展入個展 東京 昭和11年
〒657-0026神戸市灘区弓木町三-二一-701 **078(761)0462**

村田美和

三万 **みわ** 院友 東京芸大大学院修 有芽の会全国更生保護婦人連盟会長賞 埼玉 昭和50年
〒166-0013杉並区堀ノ内一-八-二三-301 **03(5378)1029**

村田林藏
十五万 りんぞう 院展特待 師・郁夫 東京芸大卒 外務省買上 個展(日本橋三越他) 岩手 昭和29年
〒248-0027鎌倉市笛田五-二二-一〇 **0467(39)1260**

村松詩絵
四万 しえ 創画会展入 東京芸大大学院修 奨励賞 春季展賞 菅楯彦大賞展佳作賞 個展 東京 昭和45年
〒103-0025中央区日本橋茅場町一-二-八 Gマークウェル気付

室井佳世
五万五千 かよ 創画会会員 東京芸大大学院修 創画会賞 春季展賞 個展 G展 兵庫 昭和37年
〒273-0048船橋市丸山二-二-八 植田方 **047(438)1664**

目黒祥元
六万 よしゆき 創画会会員 東京芸大大学院修 創画会賞 春季展賞 文化庁現代美術選抜展 東京 昭和32年
〒116-0002荒川区荒川四-二七-二 **03(3801)8545**

妻鳥(めんどり)　健
六万 たけし 院友 師・福王寺法林 一彦 奨励賞 武蔵野会展 瑠璃色会展 個展(祇園画廊) 香川 昭和24年
〒763-0082丸亀市土器町東二-二八

茂木隼一
三万 じゅんいち 無所属 師松林史耿(安田靫彦内弟子) 個展(画廊宮坂) グループ展 群馬 昭和25年
〒227-0033横浜市青葉区鴨志田四四一-九

茂木辰也
八万 たつや 院友 東京芸大卒 グループ展 栃木 昭和27年
〒328-0071栃木市大町三七-六 **0282(22)5613**

本地裕輔
四万 ゆうすけ 院友 師松村公嗣 愛知芸大大学院修 個展(名古屋松坂屋) 愛知 昭和55年
https://www.motoziyusuke.com

森　桃子
三万 ももこ 京都市立芸大大学院博士修 日展会友 青塔社全関西美術展第一席 個展 北海道 昭和52年
〒606-8105京都市左京区高野上竹屋町一〇-三五

森下麻子
三万 あさこ 院友 愛知芸大大学院修 松伯美術館花鳥画展優秀賞 前田青邨記念大賞展奨励賞

森田和彦
五万 かずひこ 院友 東京芸大大学院修 春院展入 有芽の会展出品 埼玉 昭和45年
〒221-0811横浜市神奈川区斎藤分町二七-一六 **045(413)0167**

森田りえ子
六十万 無所属 京都芸大大学院修 創画会春季展賞 川端龍子賞展大賞 個展 兵庫 昭和30年
〒603-8081京都市北区上賀茂岡本町五〇-一 **075(723)9597**

森本政文
六万 まさふみ 創画会会友 京都市立芸大大学院修 春季展賞 京展奨励賞 個展 大阪 昭和36年
〒567-0827茨木市稲葉町四-二 **0726(37)8568**

森山知己
十二万 ともき 無所属 東京芸大大学院修 個展 セントラル日本画大賞展出品 岡山 昭和33年
〒709-2344岡山県加茂川町上野三八〇-九三 **0866(56)8844**

森脇正人
十五万 まさと 日展会員 師・元宋 多摩美大卒 文科大臣賞 特選 日春賞 中日賞 愛知 昭和25年
〒177-0034練馬区富士見台一-三-八 **03(5241)5928**

諸星美喜
七万 みき 日展会員 京都造形芸大卒 特選 日春賞 晨鳥社会員 臥龍桜日本画大賞展奨励賞 福島 昭和44年
〒710-0834倉敷市笹沖八〇-五-101

や

八木幾朗
十二万 いくろう 無所属 元創画会会友 多摩美大卒 創画会賞 春季賞 個展 G展 静岡 昭和30年
〒606-0811京都市左京区下鴨中川原町八七 **075(723)0385**

八木恵子
三万 けいこ 院展研究会員 筑波大卒 美術新人賞デビュー2019準グランプリ 筑波の絵画賞奨励賞 佐賀 昭和61年
https://www.yagikeiko.com/

八幡幸子
三万 ゆきこ 無所属 師・平松礼二 多摩美大大学院修 日展入 上野森美術館大賞展入 個展 新潟 昭和38年
〒241-0022横浜市旭区鶴ヶ峰一-一 **045(952)0789**

矢吹沙織
六万　さおり　無所属　京都芸術短大卒　青垣日本画展入　春日水彩画展入　個展　広島　昭和53年
〒154-0005世田谷区三宿一-一七-一七

谷中武彦
七万　たけひこ　院展特待　師・善彦　東京芸大卒　個展　現代展出品　茨城　昭和18年
〒167-0052杉並区南荻窪一-七-六　03(3333)9813

安井彩子
三万　あやこ　院友　愛知芸大大学院修　桜花賞展館長賞　若鶴会展　個展　愛知　昭和59年
〒465-0024名古屋市名東区本郷一-一三　052(776)5283

安居由紀夫
十万　ゆきお　創画会展入　京都芸大卒　新制作入　京都日本画美術展大賞　個展　京都　昭和25年
〒602-8453京都市上京区笹屋町千本西入　075(462)5415

安川眞慈
二万五千　しんじ　無所属　佛教大卒　奈良県展知事賞　魚象派展　開運福猫展　個展　大阪　昭和35年
〒639-1056大和郡山市泉原町四五-一　0743(52)5525

安田育代
十五万　いくよ　無所属　京都芸大卒　創画会展出品　春季展賞　京展奨励賞　女流画家展出品　個展　大阪　昭和24年
〒662-0075西宮市五月丘一-一-二　0798(74)6034

安永省三
六万　しょうぞう　無所属　師・吉田善彦　東京芸大大学院修　個展　G展　愛媛　昭和27年
〒790-0952松山市朝生田一-一二-三　089(934)5352

柳沢正人
十八万　まさと　無所属　東京芸大大学院修　五島記念文化賞　菅楯彦大賞展大賞　個展　長野　昭和30年
〒157-0072世田谷区祖師谷四-九-一〇　03(3484)3432

柳沢優子
三万　ゆうこ　院友　愛知芸大大学院修　松伯美術館花鳥画展大賞　臥龍桜日本画大賞展優秀賞　長野　昭和57年
〒464-0035名古屋市千種区橋本町一-一〇-三　090(4159)6212

山浦めぐみ
三万　院展特待　広島市立大大学院修　奨励賞　春季展奨励賞　初音会賞　個展　広島　昭和56年
〒731-3161広島市安佐南区沼田町伴八五八四-三-302

山影広野
三万　ひろの　無所属　京都造形芸大大学院修　日本の絵画千住博賞　美術新人賞デビュー入　平成3年
〒605-0073東山区祇園町北側三〇一-二　大雅堂気付　075(541)7388

山上洋典
八万　ようすけ　院友　師・法林　春院展入　歴程グループ展出品　個展　福岡　昭和16年
〒238-0016横須賀市深田台一八　0468(25)2731

山口暁子
五万　あきこ　無所属　東京芸大大学院修　個展　レスポワール展　菅楯彦大賞展出品　東京　昭和49年
〒187-0022小平市上水本町一-一六-一〇　042(312)4327

山口貴士
六万　たかし　院友　師・松村公嗣　愛知芸大卒　院展奨励賞　個展　愛知　昭和57年
〒461-0023名古屋市東区徳川町五一二

山口裕子
三万五千　ゆうこ　院友　東北芸工大大学院博士単位取得退学　臥龍桜日本画大賞展大賞　JASSO優秀賞　東京　昭和57年
〒990-1442朝日町宮宿二三〇六-一四　青木方　0237(84)6196

山﨑佳代
六万　かよ　院友　東京芸大大学院修　奨励賞　有芽の会展法務大臣賞　個展　千葉　昭和40年
〒270-1436白井市七次台三-四七-三

山﨑啓次
十五万　けいじ　日展会員　師・太清　京都美大卒　文科大臣賞　会員賞　特選　個展　大阪　昭和12年
〒171-0044豊島区千早町一-九-六　03(3973)9322

山﨑隆夫
十五万　たかお　**芸術院会員　恩賜賞**　日展理事　師・昭　特選　奨励賞　新潟　昭和15年
〒612-0057京都市伏見区桃山長岡越中東町九八-四　075(601)8586

山﨑有美
四万　ゆみ　院友　愛知芸大大学院修　師・松村公嗣　個展（大丸松坂屋　岐阜高島屋）　愛知　昭和57年
〒462-0037名古屋市北区志賀町四-六〇-二-18-506　052(912)6732

山﨑鈴子
六万　れいこ　京都芸術大学大学院博士修了　京都花鳥館賞'11優秀賞　公募日本の絵画'12大賞　東京
reikoiycdi@gmail.com

山下孝治

五万　たかはる　院友　愛知芸大大学院修　院展入　三渓日本画大賞展優秀賞　熊本　昭和49年
〒480-1103長久手市岩作向田二四-二　**0561(76)2980**

山下まゆみ

六万　創画会展入　多摩美大大学院修　春季創画展入　上野の森大賞展出品　グループ展　神奈川　昭和32年
〒232-0043横浜市南区蒔田町一〇一　**045(721)0286**

山下保子

十万　やすこ　日展会員　師・十糸子　女子美大卒　総理大臣賞　都知事賞　特選　日春展奨励賞　東京　昭和21年
〒225-0002横浜市青葉区美しが丘二-五六-一三　**045(901)7895**

山田伸

十二万　しん　院展同人　師・平山郁夫　東京芸大大学院修　院賞大観賞　奨励賞　春季展賞　宮城　昭和35年
〒606-1115京都市左京区岩倉幡枝町一一三一　**075(741)8015**

山田隆量

六万　たかかず　院友　愛知芸大大学院修　香流会展　知の会展出品　愛知　昭和32年
〒509-0144各務原市鵜沼大伊木町四-一三八　**0583(70)2081**

山田毅

五万　つよし　日展会員　金沢美工大卒　特選　青垣日本画大賞展大賞　臥龍桜日本画展奨励賞　兵庫　昭和41年
〒616-8437右京区嵯峨鳥居本仙翁町五-一八　**075(871)7007**

山田ひかり

四万　院友　師・後藤純男　多摩美大卒　個展(松坂屋)　グループ展　東京　昭和37年
〒175-0092板橋区赤塚七-一一-一三-203

山田真澄

五万　ますみ　院展研究会員　東京芸大大学院修　有芽の会展出品　神奈川　昭和39年
〒639-1162大和郡山市東奈良口町二〇

山田美知男

四万　みちお　院友　師松本哲男　東北芸工大大学院修　前田青邨記念大賞展優秀賞　秋田　昭和53年
〒014-0053大仙市大曲花園町二四-一七

山田雄貴

五万　ゆうき　院友 東京芸大大学院修　春院展奨励賞 有芽の会展法務大臣賞　松柏美術館花鳥画展大賞　東京　平成1年
yukiyamada.0604@gmail.com

山田りえ

五万　無所属　多摩美大卒　個展(G和知)　G展　京都　昭和36年
〒250-0875小田原市南鴨宮三-三八-一八　**0465(47)3112**

山本敦史

五万　あつふみ　無所属　師・山口華楊　京都美大卒　日展入　日春展入　個展　滋賀　昭和7年
〒612-0031京都市伏見区深草池ノ内町三-217　**075(642)1469**

山本真也

十万　しんや　院展特待　東京芸大大学院修　昭和世代日本画展出品　山形　昭和21年
〒300-1243茨城県稲敷郡茎崎町大井二九八-九　**0298(72)2877**

山本隆

六万　たかし　日展会員　師・英雄　金沢美工大卒　特選　日春賞　京展市長賞　関展賞　石川　昭和24年
〒612-0806京都市伏見区深草開土町七七-八　**075(645)7196**

山本直彰

八万　なおあき　無所属　元創画会会員　愛知芸大大学院修　創画会賞　芸術選奨文科大臣賞　神奈川　昭和25年
〒247-0061鎌倉市台一四一七-一

山本宏幸

四万　ひろゆき　無所属　金沢美工大大学院修　日展入　日春展入　個展　石川　昭和40年
〒920-0841金沢市浅野本町二-二六-二四

山本真澄

五万　ますみ　無所属　京都造形大卒　佐藤太清賞公募美術展日本画の部特選　京都日本画新展大賞　岐阜　昭和60年
〒569-1146高槻市赤大路町四四UR２棟302　**090(4182)8927**

山本雄教

三万　ゆうきょう　無所属　京都造形大大学院修 京都日本画新展京都市長賞　トリエンナーレ豊橋準大賞　京都　昭和63年
〒603-8312京都市北区紫野中柏野町二三-一四　**080(5350)6032**

楊暁閩

五万　やんしゃおみん　無所属　北京中央美術学院修　和光大芸術専攻修　現代中国絵画展　菅楯彦大賞展　中国
〒195-0074町田市山崎町二三〇〇　**042(793)6370**

湯口絵美子

五万　えみこ　無所属　女子美大卒　春院展入　セントラル日本画展入　個展　G展　東京　昭和35年
〒431-3101浜松市豊町二六五六-六　**053(435)6299**

湯山 東

八万 あずま 院友 東京芸大大学院修 有芽の会展出品 静岡 昭和34年
〒412-0008 御殿場市印野一六二〇-五 **0550(88)2524**

由里本 出

十万 いづる 日展特別会員 師・印象 金沢美工大卒 会員賞 特選 奨励賞 京都 昭和14年
〒602-0801 京都市上京区高徳寺町三五四-五 **075(231)7883**

姚 旭燈

三十六万 ようきょくとう 無所属 拓殖大卒 台湾文化奨章 全世界傑出青年章 個展（三越他）台湾 1958
〒107-0052 港区赤坂九-五-一九-207 **03(3915)5715**

依田万実

六万 まみ 日展入 多摩美大大学院修 日春展奨励賞 山種美術賞展 菅楯彦大賞展出品 個展 東京 昭和33年
在米

横尾英子

八万 えいこ 院友 東京芸大大学院修 有芽の会展全国更生保護婦人連盟賞 東の会展出品 東京 昭和35年
http://eiko.yokoo-art.com/wp/

横山タケ子

四万 たけこ 無所属 創画会春季展 伊豆美術祭展優秀賞 日本芸術センター記念展金賞 個展 広島
〒267-0066 千葉市緑区あすみが丘三-六三-四

吉井東人

十二万 はると 院展特待 師・青坪 奨励賞 春展奨励賞グループ展 東京 昭和17年
〒277-0063 柏市西山一-一一-七 **0471(74)7949**

吉岡三樹子

四万 みきこ 無所属 師・斎藤真成 早稲田大卒 上野の森美術館展入 個展 兵庫 昭和18年
〒589-0023 大阪狭山市大野台二丁一〇-四 **0723(66)6526**

吉川 優

十万 ゆう 院友 愛知芸大卒 春季展入 山種賞展優秀賞 知の会出品 山口 昭和33年
〒395-0302 下伊那郡阿智村伍和七五六五 **0265(43)4097**

吉澤光子

三万 みつこ 院友 東京芸大大学院修 有芽の会日本更生保護女性連盟理事長賞 個展（G和田）埼玉 平成1年
〒104-0061 中央区銀座七-二-六 創英ギャラリー **03(6274)6698**

吉田 潤

四万 じゅん 無所属 東京芸大大学院修 アダチUKIYOE大賞展大賞 個展 グループ展 東京 昭和57年
〒103-0025 中央区日本橋茅場町一-二-八 Gマークウェル気付

吉田多最

二十万 たもつ 無所属 元日展会友 武蔵野美大卒 特選 日春賞 神奈川 昭和22年
〒413-0033 熱海市熱海一八〇〇-二六七 **0557(85)1500**

吉田真美

四万 まみ 無所属 女子美大大学院修 春季創画展入 平塚市展大賞 個展 グループ展 神奈川 昭和61年
〒248-0034 鎌倉市津西一-二七-五 **0467(31)7486**

吉田眞理子

五万 まりこ 無所属 京都精華大大学院修 桜花賞展奨励賞 京都日本画新展 個展 京都 昭和44年
89jmariko@gmail.com **090(8122)8273**

吉田美樹子

四万 みきこ 無所属 東京芸大大学院修 安宅賞 サロンドプランタン賞 平山郁夫奨学金賞 新潟 昭和55年
〒103-0025 中央区日本橋茅場町一-二-八 Gマークウェル気付

吉原慎介

十二万 しんすけ 院展特待 師・郁夫 東京芸大大学院修 春展奨励賞 外務大臣賞 福岡 昭和30年
〒722-0022 尾道市栗原町四五六四-五 **0848(24)2474**

吉村誠司

三十万 せいじ 院展同人 監事 師・郁夫 爽人 東京芸大大学院修 総理大臣賞 院賞大観賞 福岡 昭和35年
〒252-0303 相模原市南区相模大野二-一七-一四 **042(741)5528**

吉村佳洋

六万 よしひろ 院展特待 師・片岡球子 愛知芸大大学院修 院賞大観賞 春季展賞 奨励賞 大阪 昭和39年
〒480-1117 長久手市喜婦嶽一八〇二 **0561(64)6250**

芳澤一夫

八万 かずお 無所属 上野の森美術館日本画大賞展入 個展（成川美術館）成川美術館収蔵 神奈川 昭和29年
〒250-0045 小田原市城山一-六-一五 **090(7607)6795**

米谷清和

十二万 きよかず 日展会員 多摩美大大学院修 特選 山種美術館優秀賞 日本画大賞展招 福井 昭和22年
〒181-0051 三鷹市大沢六-一〇-一 **042(33)4028**

米蒸千穂

三万 **ちほ** 創画会会友 早見芸術学園日本画塾卒 県展入 ＦＡＣＥ展入 個展 神奈川 昭和59年
chiho6890@yahoo.co.jp

わ

和田雄一

三万 **ゆういち** 無所属 東京芸大大学院修 臥龍桜日本画大賞展知事賞 青垣日本画展入 個展 埼玉 昭和43年
〒166-0002杉並区高円寺北三-三七-二〇

若佐慎一

四万六千 **しんいち** 無所属 広島市立大大学院修 個展 グループ展 広島 昭和57年
https://www.shinichiwakasa.com/

若狭悌尚

四万 **よしたか** 無所属 京都造形芸大卒 続京都日本画新展大賞 光展 個展 石川 昭和47年
〒603-8217京都市北区紫野上門前町二七-四

渡辺章雄

十一万 **あきお** 創画会会員 創画会賞 京都教育大専攻科修 川端龍子賞展大賞 個展 大阪 昭和24年
〒631-0025奈良市学園新田町三二九-三六 **0742(44)6484**

渡辺悦子

四万 **えつこ** 無所属 東京芸大卒 滌展出品 グループ展 東京 昭和53年
〒146-0085大田区久が原一-三七-一五 **03(3751)2516**

渡辺　薫

四万 **かおる** 創画会展入 多摩美大大学院修 上野の森美術館展佳作賞 菅楯彦大賞展入 神奈川 昭和30年
〒216-0033川崎市宮前区宮崎五-一一-八二 **044(567)6568**

渡辺信喜

十万 **のぶよし** 日展理事 師・華楊 京美大卒 総理大臣賞 特選 日春賞 奨励賞 京都 昭和16年
〒621-0824亀岡市篠町見晴五-九-五 **0771(24)0751**

綿引はるな

五万 院友 東京芸大大学院修 万葉日本画大賞展大賞 前田青邨記念大賞展入 個展 千葉 昭和55年
〒103-0025中央区日本橋茅場町一-一一-八 Gマークウェル気付

亘　征子

三万五千 **せいこ** 無所属 師・林美枝子 武蔵野美大卒 英国取材 個展(東武 京王他) 東京 昭和19年
〒253-0026茅ヶ崎市旭が丘二一-一八 **0467(86)9316**

藁谷剛巳

六万 **たけみ** 院友 東京芸大大学院修 奨励賞 春展奨励賞 有芽の会展出品 千葉 昭和35年
〒271-0063松戸市北松戸二-三-二三 **047(361)0618**

藁谷　実

十万 **みのる** 院展同人 東京芸大大学院修 院賞大観賞奨励賞 春季展賞 奨励賞 足立美術館賞 千葉 昭和31年
〒733-0802広島市西区三滝本町二-一六-二〇B-2 **082(239)1776**

日本画家価格推移表

(単位　千円)

作　家　名	'19	'20	'21	'22	'23	'24
阿　部　　穰	80	80	80	80	80	80
青　山　亘　幹	150	150	150	150	150	150
浅　野　信　康	150	150	150	150	150	150
浅　野　　均	150	150	150	150	150	150
荒　井　　孝	150	150	150	150	150	150
井　手　康　人	120	120	120	120	120	120
伊　藤　　彬	200	200	200	200	200	200
伊　藤　はるみ	100	100	100	100	100	100
伊　藤　髟　耳	200	200	200	200	200	200
伊　藤　深游木	150	150	150	150	150	150
家　本　佳生琉	70	70	70	70	70	70
生　田　宏　司	60	100	100	100	100	100
池　内　璋　美	100	100	100	100	100	100
石　踊　紘　一	120	120	120	120	120	120
石　踊　達　哉	300	300	300	300	300	300
磯　部　茂　亀	80	80	80	80	80	80
市　原　義　之	100	100	100	100	100	100
猪　熊　佳　子	80	80	80	80	80	80
今　井　珠　泉	120	120	120	120	120	120
岩　崎　　宏	150	150	150	150	150	150
岩　田　壮　平	120	150	150	200	200	250
岩　永　てるみ	80	100	100	100	100	100
岩　波　昭　彦	120	120	150	150	150	150
烏頭尾　　精	120	120	120	120	120	120
上　田　勝　也	100	100	100	100	100	100
上　村　淳　之	800	800	800	800	800	800
梅　原　幸　雄	250	250	250	250	250	250
小　川　国亜起	70	70	70	70	70	70
小田野　尚　之	200	200	200	200	200	200
大　坪　由　明	80	80	80	80	80	80
大　沼　憲　昭	70	70	70	70	70	70
大　野　逸　男	150	150	150	180	180	180
大　野　俊　明	120	120	120	120	120	120
大　野　廣　子	90	90	90	90	90	90
大　矢　十四彦	200	200	200	200	200	200

作　　家　　名	'19	'20	'21	'22	'23	'24
大　矢　　　紀	250	250	250	250	250	250
岡　　　信　孝	250	250	250	250	250	250
岡　田　眞　治	100	100	100	100	100	100
岡　村　桂三郎	130	130	130	130	130	130
荻　原　季美子	150	150	120	120	120	120
加　来　万　周	150	150	150	150	150	150
片　岡　宣　久	120	120	120	120	120	120
角　島　直　樹	120	120	120	120	120	120
川　島　睦　郎	180	180	180	180	180	180
川　嶋　　　涉	80	80	80	80	80	80
川　田　恭　子	80	80	80	80	80	80
河　嶋　淳　司	400	400	400	400	400	400
木　下　育　應	100	100	100	100	100	100
木　村　惠　子	80	80	80	80	80	80
木　村　圭　吾	550	550	550	550	550	550
木　村　光　宏	120	120	120	120	120	120
喜　多　祥　泰	70	70	70	70	70	70
岸　野　　　香	120	120	120	120	120	120
岸　野　圭　作	150	150	150	150	150	150
北　田　克　己	200	200	200	200	200	200
絹　谷　香菜子	50	50	60	70	70	80
久　保　嶺　爾	150	150	150	150	150	150
釘　町　　　彰	120	150	150	150	150	150
国　司　華　子	150	200	200	200	200	200
倉　島　重　友	200	200	200	200	200	200
栗　原　幸　彦	130	130	130	130	130	130
黒　岩　善　隆	120	120	120	120	120	120
黒　光　茂　明	180	180	180	180	180	180
小　泉　智　英	600	600	600	600	600	600
小　林　　　済	120	120	120	120	120	120
後　藤　順　一	150	150	150	150	150	150
国　府　　　克	120	120	120	120	120	120
佐々木　経　二	70	70	70	70	70	70
佐々木　　　曜	100	100	100	100	100	100
佐　藤　　　晨	120	120	120	120	120	120
西　藤　哲　夫	120	120	120	120	120	100
齋　　　正　機	80	80	80	80	80	100

作　家　名	'19	'20	'21	'22	'23	'24
斎藤　和	90	90	90	100	100	100
斎藤博康	150	150	150	150	150	150
齋藤満栄	200	200	200	200	200	200
坂上楠生	120	120	120	120	120	120
坂本幸重	100	100	100	100	100	100
椎名　保	100	100	100	100	100	100
清水信行	160	180	190	190	190	190
清水　規	200	200	200	200	200	200
下田義寛	600	600	600	600	600	600
白井　進	100	100	100	100	100	100
杉本　洋	100	100	100	100	100	100
鈴木紀和子	100	100	100	100	100	100
千住　博	1,400	1,400	1,400	1,750	2,000	2,000
田渕俊夫	1,000	1,000	1,000	1,000	1,000	1,000
髙島圭史	80	80	100	100	100	100
高橋天山	150	150	150	150	150	150
滝沢具幸	150	150	150	150	150	150
竹内浩一	500	500	500	500	500	500
武市斉孝	70	80	80	80	80	80
辰巳　寛	100	100	100	100	100	100
伊達　良	120	120	120	120	120	120
土屋禮一	250	250	250	250	250	250
手塚雄二	800	800	800	800	800	800
玉手朋英	120	120	120	120	120	120
那須勝哉	125	125	125	125	125	125
那波多目功一	500	500	500	500	500	500
内藤五琅	100	100	100	100	100	100
中島千波	800	800	800	800	800	800
中野嘉之	200	200	200	200	200	200
中堀慎治	150	150	150	150	150	150
中村豪志	100	100	100	100	100	100
中村　徹	80	80	80	80	80	80
中村宗弘	250	250	250	250	250	250
中村　譲	100	100	100	100	100	100
永森一郎	100	100	100	100	100	100
並木秀俊	60	80	80	100	100	150
西嶋豊彦	80	80	80	80	80	80

作　家　名	'19	'20	'21	'22	'23	'24
西田俊英	400	400	400	400	450	450
西田眞人	120	120	120	120	120	120
西野陽一	150	150	150	150	150	150
八田哲	100	100	100	100	100	100
羽柴正和	120	120	120	120	120	120
長谷川喜久	100	100	100	100	100	100
畠中光享	150	150	150	150	150	150
花岡哲象	100	100	100	100	100	100
濵田昇児	300	300	250	250	250	250
浜田泰介	300	300	300	300	300	300
林潤一	100	100	100	100	100	100
番場三雄	100	100	100	100	100	100
平子真理	120	120	120	120	120	120
平山英樹	85	85	85	85	85	85
福井江太郎	200	200	200	200	200	300
福井爽人	300	300	300	300	300	300
福王寺一彦	1,300	1,300	1,300	1,300	1,300	1,300
福本正	120	120	120	120	120	120
藤田時彦	120	120	120	120	120	120
藤原敏行	100	100	100	100	100	100
船水徳雄	100	100	100	100	100	100
堀泰明	100	100	100	100	100	100
堀川えい子	120	120	120	120	120	120
本多功身	100	100	100	100	100	100
前原満夫	120	120	120	120	120	120
牧進	600	600	600	600	600	600
牧野伸英	80	80	80	80	80	80
曲子明良	120	120	120	120	120	120
町田泰宣	100	100	100	100	100	100
松生歩	110	110	110	110	110	110
松下宣廉	150	150	150	150	150	150
松下雅寿	80	100	100	100	100	100
松村公嗣	300	300	300	300	300	300
松本高明	150	150	150	150	150	150
松本勝	400	400	300	300	300	300
三輪晃久	120	120	120	120	120	120
宮いつき	100	100	100	100	100	100

作　家　名	'19	'20	'21	'22	'23	'24
宮北千織	200	200	250	250	250	250
宮廻正明	600	600	600	600	600	600
村居正之	120	120	120	150	150	150
村岡貴美男	150	150	150	200	200	200
村上裕二	350	350	350	350	350	350
茂木辰也	80	80	80	80	80	80
森田りえ子	500	500	600	600	600	600
森山知己	120	120	120	120	120	120
八木幾朗	120	120	120	120	120	120
安田育代	150	150	150	150	150	150
柳沢正人	180	180	180	180	180	180
山崎啓次	150	150	150	150	150	150
山崎隆夫	150	150	150	150	150	150
山下保子	70	70	70	90	90	100
山田　伸	100	100	100	120	120	120
山本真也	100	100	100	100	100	100
湯山　東	80	80	80	80	80	80
横尾英子	80	80	80	80	80	80
吉川　優	100	100	100	100	100	100
吉田多最	200	200	200	200	200	200
吉村誠司	300	300	300	300	300	300
吉原慎介	120	120	120	120	120	120
渡辺章雄	110	110	110	110	110	110
渡辺信喜	100	100	100	100	100	100

Memo

市場ギャラリー

Shijou Gallery

洋　画

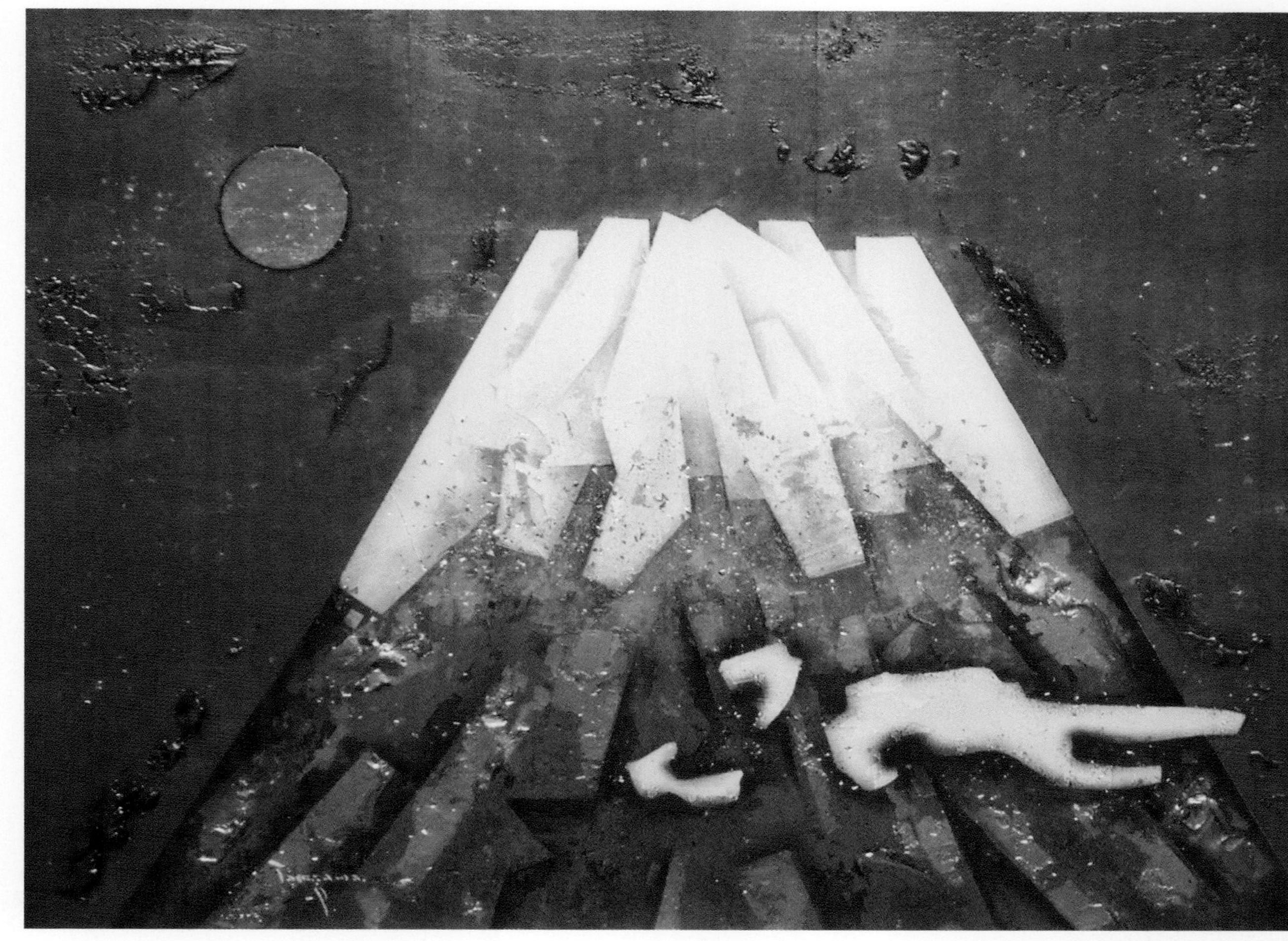

谷川泰宏「不二」6号

高野元孝「飛雪 - 弘前城 - 」50号

羽田 裕「早春の白鳥城」10号

藤原秀一「山の桜」8号

玉有万範「あるき遍路道・太龍寺道脇の小さな滝」100号

ロジェ・ボナフェ「無造作に生けた花とピカソのカレンダー」油彩40号

矢代夕稀「Avant le réveil -目覚め-」54.5×73.5cm
水彩・パステル・アクリルガッシュ

清水 源「cutain call」80号

渡邉祥行「天空の白い世界(ペルーの塩田)」100号

井上直久「蒼空の友」4号

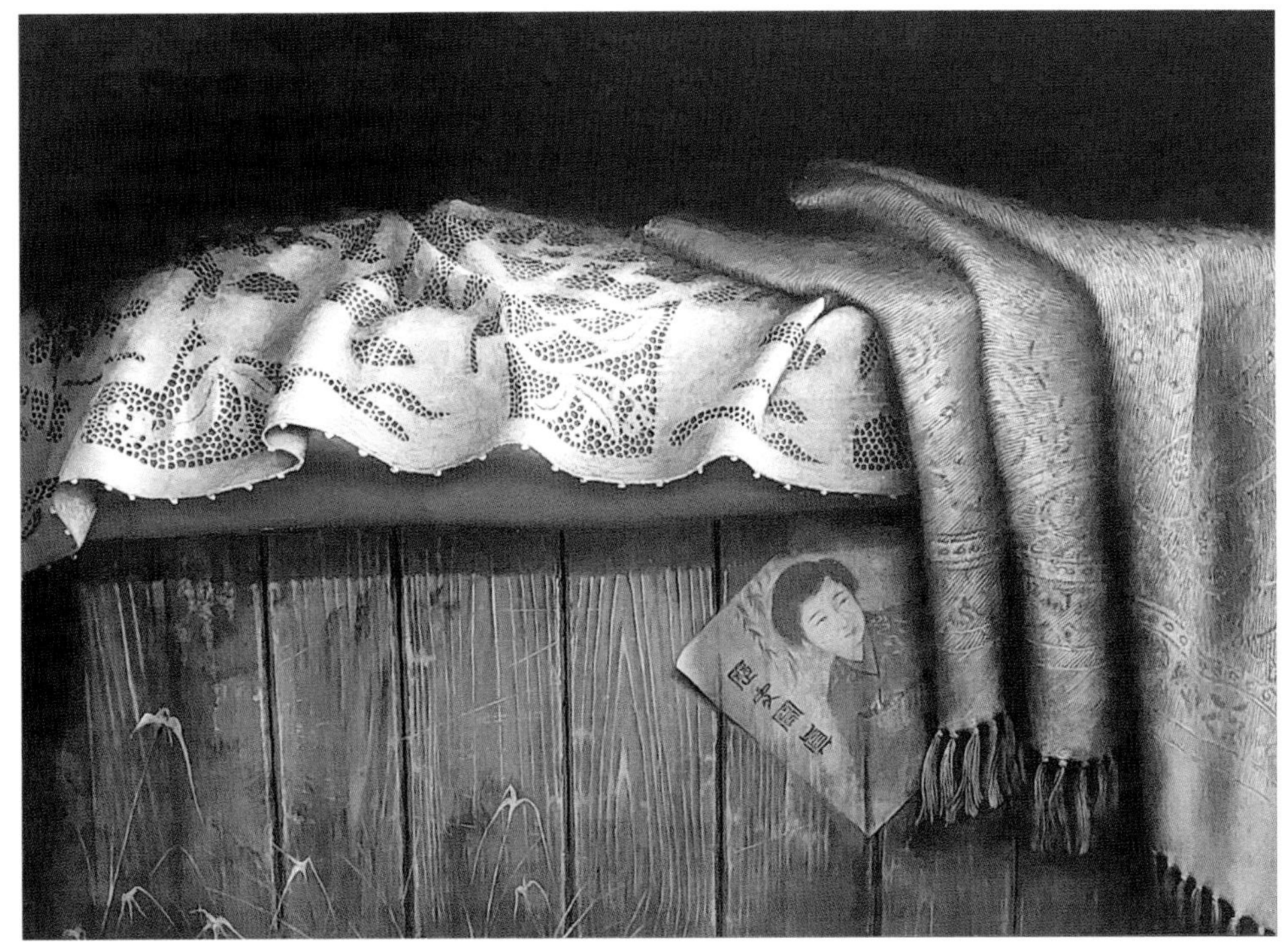

奥田敏雄「敷かれたレース」50号

猪爪彦一「異郷にて」8号

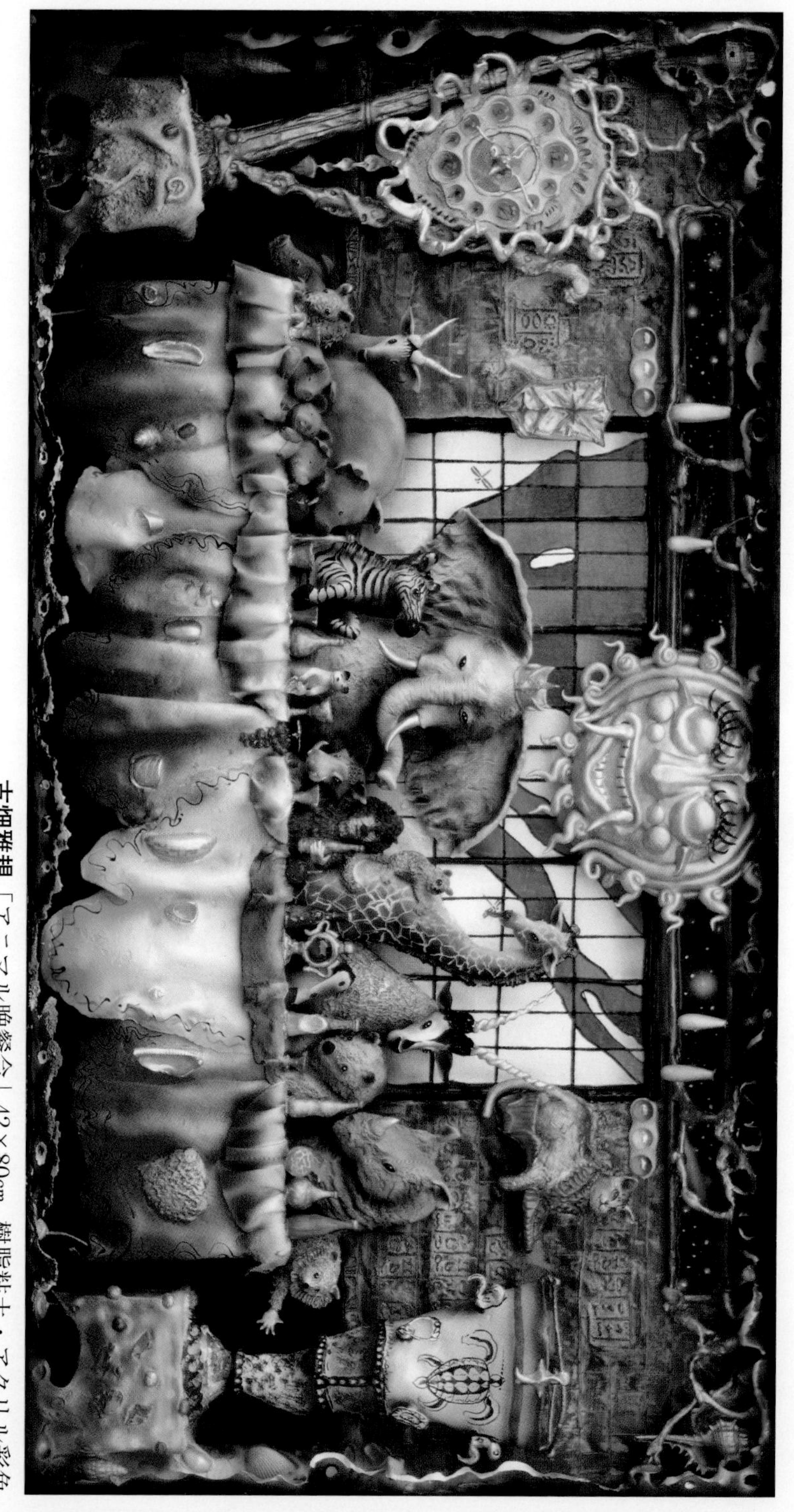

古畑雅規「アニマル晩餐会」42×80cm 樹脂粘土・アクリル彩色

岩崎弘子「Melancolie」10号

中上誠章「ヒイロ」15号

山田啓貴「夜の波音を聞く」30号

藤田勇哉「YF891」40号S

山下 徹「レースと苺」0号

宝永たかこ「月を育てる人」12号

阿邑隆策「レース前」M12号

阿邑隆策「群馬疾走」M20号

阿邑 隆策 個展

2024年6月3日～6月8日（AM 11：00～PM 7：00）
ギャルリ・シェーヌ　TEL. 03(6264)2951
東京都中央区銀座6－13－4　銀座S2ビル1F

洋画家

10号を基準とした1号あたりの標準発表価格を掲載しています。

あ

アンドリュー・プライス
四万五千 英国アカデミー展ゴールド賞他多数受賞 ウエストイングランド大卒 個展 イギリス 1955 在英

アンヘレス・セレセダ
十三万 個展（スペイン ベルギー 日本） グループ展 地中海自由学校修 スペイン 1962 〒152-0034目黒区緑が丘二-二四-二三-201 黒川美術気付

安食慎太郎
八万 無所属 元太平洋美術常任委員 文部大臣賞 独立展入 個展 壁画制作 武蔵野美大卒 島根 昭和21年 〒563-0341大阪府豊能郡能勢町宿野三六八 **0727(34)2411**

安達博文
六万 国画会員 国画賞 安井賞展特別賞 伊藤廉記念大賞 個展 東京芸大大学院修 富山 昭和27年 〒930-0882富山市五艘二九二-二五 **076(433)3582**

安益耕平
十万 無所属 浅井忠記念賞展入 セントラル油絵大賞展入 個展 兵庫 昭和21年 〒572-0008寝屋川市菅相塚町七-二六 **072(832)3377**

安西大
八万 無所属 前田寛治大賞展佳作賞 市民賞 昭和会展日動火災賞 個展 東京芸大大学院修 埼玉 昭和45年 〒178-0065練馬区西大泉四-九-三 **03(5935)9013**

安西弥生子
四万 無所属 朔日会展奨励賞 マイメリ賞 日本風景美展入 女子美短大専攻科卒（入江観教室） 兵庫 昭和32年 tico1572@hotmail.com

安藤公一
五万 白日会会員 会友奨励賞 名爽会展 明日の白日展出品 個展 愛知芸大大学院修 岐阜 昭和27年 〒466-0012名古屋市昭和区小桜町二-三一 **052(731)9689**

足立慎治
三万五千 新世紀美術協会会員 昭和会展優秀賞 損保ジャパン選抜奨励展 個展 武蔵野美大卒 兵庫 昭和48年 〒669-3464丹波市氷上町石生一四〇二-三 **090(1591)8543**

阿方稔
十万 白日会顧問 総理大臣賞 個展（日本橋三越） 東京芸大卒 アムステルダム国立美校修 静岡 昭和11年 〒192-0913八王子市北野台三-三七-一〇 **0426(35)7209**

阿辺隆
四万 白日会会員 高田賞 砧会展他出品 武蔵野美大卒 東京 昭和29年 〒201-0004狛江市岩戸北一-二三-八-105 **080(3381)4498**

阿部穣
八万 無所属 レスポワール展 個展 サロン・ド・プランタン賞 東京芸大大学院修 東京 昭和50年 〒278-0033野田市上花輪八一六-七 **04(7128)6910**

阿部良広
四万五千 日展準会員 特選 白日会会員 人間讃歌大賞展優秀賞 北陸中日美術展準大賞 宮城 昭和36年 〒607-8451京都市山科区厨子奥若林町一五-三 **075(595)3904**

阿邑隆策
十万 無所属 個展 外遊 師宮本三郎 東京教育大卒 秋田 昭和15年 〒271-0062松戸市栄町六-四四五-503 **080(5489)1192**

相笠昌義
八万 無所属 芸術選奨新人賞 安井賞 日本青年画家展優秀賞 個展 東京芸大卒 東京 昭和14年 〒228-0023座間市立野台三-二五-一五 **0462(54)0279**

相田幸男
五万 独立会員 独立賞 児島賞 安井賞展 現代の裸婦展準大賞 東京芸大大学院修 福島 昭和23年 〒195-0061町田市鶴川一-二五-九 **042(735)0760**

青江鞠
四万五千 無所属 童画芸術協会新人賞 個展（近鉄・大丸他） 京都精華大卒 大阪 昭和36年 〒540-0035大阪市中央区釣鐘町一-六-六-101 天勇画廊気付

青木恵美子
三万 無所属 シェル美術賞他 個展 グループ展 多摩美大大学院修 埼玉 昭和51年 〒369-0121鴻巣市吹上富士見一-一〇-一二-四 **048(548)6905**

青木敏郎
五十万 無所属 安井賞展賞候補 セントラル大賞展佳作賞 個展 欧州留学 東京造形大卒 京都 昭和22年 〒606-0063京都市左京区上高野大明神町三三-五 **075(711)9176**

青木芳昭 **五万** 無所属　ル・サロン名誉賞　アカデミア・プラトニカ代表　京都造形大教授　個展　茨城　昭和28年　〒311-0134 那珂市飯田二五七四-一　**029(298)8700**

赤木範陸 **十二万** 無所属　テンペラの今日展他出品　個展　東京芸大大学院修　ミュンヘン国立アカデミー修　ディプロム取得　マイスター称号　大分　昭和36年　**在ドイツ**

赤塚一三 **五万** 写実画壇会員　主体美術展佳作賞　個展(パリ・名古屋画廊)　愛知芸大大学院修　岐阜　昭和31年　〒255-0001 神奈川県中郡大磯町高麗二-三-五五

赤堀尚 **十万** 立軌会同人　安井賞展　現代日本美術展出品　個展　東京芸大卒　静岡　昭和2年　〒194-0041 町田市玉川学園五-一-一四　**042(732)8101**

秋吉由紀子 **六万** 無所属　現代童画展新人賞　個展　G展　女子美大卒　東京　昭和34年　〒180-0023 武蔵野市境南町三-二-一八　武蔵野アート気付

明山應義 **九万** 新制作協会会員　新作家賞　日本青年画家展優秀賞　天理ビエンナーレ大賞　個展　青森　昭和20年　〒034-0001 十和田市三本木並木西二六四-四　**0176(23)4719**

浅香良太 **四万** 無所属　個展(東京大丸　伊勢丹他)　明治大卒　群馬　昭和25年　〒298-0254 夷隅郡大多喜町平沢一六四八-七五　**0470(84)0231**

浅川慎一郎 **三万** 日本イラストレーター協会会員　千修イラストレーションコンテスト最優秀賞　成安造形大卒　千葉　昭和56年　〒270-1359 印西市木刈一-一-四-403　**0476(45)1417**

浅村理江 **三万** 白日会会員　新生展新生賞　リアリズム・コンプレックス展　個展　愛知芸大卒　愛知　昭和62年　〒491-0846 一宮市牛野通り一-五四

朝日夏実 **四万** 白日会会員　関西画廊賞　ギャラリー大井賞　関西展ホルベイン賞　奈良芸術短大修　愛媛　平成3年　〒534-0001 都島区毛馬二-一-三六-1203　uwayukidaruma@gmail.com

朝森武 **四万** 白日会会員　白日賞　浅井忠記念賞展出品　京都精華大卒　武蔵野美大大学院修　岡山　昭和40年　〒270-1313 印西市小林北六-五-三

東奈緒 **四万** 無所属　師辻真砂　真砂賞　個展(札幌三越　小倉井筒屋他)　長崎県立外語短大卒　山口　昭和45年　〒565-0851 吹田市千里山西三-六-六　**080(1432)6305**

東直樹 **四万五千** 春陽会会員　新人展　中日賞　安井賞展入　個展　G展　師出岡実　大阪　昭和23年　〒468-0075 名古屋市天白区御幸山一八一九　**052(836)8746**

遊馬賢一 **五万** 立軌会同人　日展入　日洋展　日仏現代展　セントラル油絵大賞展　愛知芸大大学院修　埼玉　昭和25年　〒347-0107 北埼玉郡騎西町正能四九三-二六　**0480(73)6828**

雨宮英夫 **四万五千** 無所属　日本水彩画展受賞　個展　民家を描く　昭和24年　〒381-0101 長野市若穂綿内七八〇五　**0262(82)5098**

綾部伸孝 **四万** 無所属　個展　師豊福孝行　九州産業大大学院修　福岡　昭和45年　〒815-0083 福岡市南区高宮一-一-一二　**092(521)5358**

新井隆 **五万** 一水会会員　朝の会展グランプリ　新人賞　サの会展出品　個展　阿佐谷美専卒　埼玉　昭和34年　〒350-1115 川越市野田町二-一六-五　**0492(44)5655**

新井延彦 **六万** 国画会会員　国画賞　新人賞　セントラル大賞展入　個展　東京芸大大学院修　新潟　昭和22年　〒350-0824 川越市石原町一-四三-一三　**0492(25)3449**

荒木孝介 **三万** 無所属　F4GP準グランプリ　FUKUIサムホール展優秀賞　個展　九州産業大卒　長崎　昭和30年　〒193-0841 八王子市裏高尾町三三三　アトリエえん気付

荒木淳一 **六万** 無所属　新作家展招　個展(三越　高島屋)　仏留学　愛知大卒　千葉　昭和30年　〒333-0844 川口市上青木一-二-一八　**048(254)2011**

荒木淑子
四万 二科展入 貫井会会員 多摩の美展他出品 個展 東京 昭和12年
〒182-0011 調布市深大寺北町四-二六-三 0424(86)0203

有田 巧
十万 白日会常任委員 総理大臣賞 文部大臣奨励賞 林武賞展佳作賞 個展 東京芸大大学院修 鳥取 昭和27年
〒198-0024 青梅市新町一-四-一八 042(878)0161

有馬和彦
四万 無所属 元中美会員 新人賞 個展 スペイン留学 愛知 昭和29年
〒441-8048 豊橋市西小池町一四 フルール206 0532(35)6981

イーダ・ヴァリッキオ
十万 アメリカ合衆国二百年祭芸術展招待画家 サンタマルゲリータ病院壁画 ユニセフカードデザイン イタリア 1923
〒336-0023 さいたま市南区神明一-一-二 ㈱トレードウインド

イワイヨシコ
三万 関西水彩画会会員 モダンアート協会準会員 個展（リーガロイヤルG・Gムサシ） FUKUIサムホール展優秀賞
〒570-0017 守口市佐太東町一-三五-一三-202 090(7109)2552

いろは
三万 無所属 二科展入 きらめくプロジェクト会員 絵本作家 東京 昭和57年
〒399-8301 安曇野市穂高有明七八七八-三 080(1246)7706

井口由多可
八万 無所属 ル・サロン会員 現代洋画精鋭選抜展金賞 個展 師樋口加六 慶大卒 福岡 昭和22年
〒241-0816 横浜市旭区笹野台一-四八-二 045(363)8010

井阪 仁
五万 白日会会員 白日賞 中部白日賞 伊藤廉記念賞展 安井賞展他 三重 昭和26年
〒515-0344 三重県多気郡明和町養川三七二-一 0596(55)3169

井澤幸三
五万 独立会員 新人賞 安井賞展 日本青年画家展他出 個展 京都芸大卒 奈良 昭和31年
〒651-1213 神戸市北区広陵町五-三六 078(581)0085

井藤雅博
四万 日洋会会員 奨励賞 日展入 山総美術展優秀賞 師小灘一紀 大阪 昭和32年
〒651-2277 神戸市西区美賀多台四-一五-一〇 078(961)1039

井上直久
八万 無所属 講談社絵本新人賞 絵本「イバラードの旅」（講談社）刊行 個展（東武・阪急） 金沢美工大卒 昭和23年
〒567-0813 茨木市大住町一〇-一九

井上秀樹
十万 無所属 元白日会会員 前田寛治大賞展佳作賞 日大芸卒 スペイン国立美大修 神奈川 昭和27年
〒245-0012 横浜市泉区中田南一-二五-一 045(802)0281

井上 司
四万 無所属 川の絵画大賞展大賞 美浜美術展準大賞 Nボザール特別賞 個展 グループ展 岡山 昭和30年
〒360-0835 熊谷市大麻生九四-一六 048(533)5376

井上 護
六万 二紀会理事 文科大臣賞 宮本賞 安田火災奨励賞 現代の裸婦展奨励賞 滋賀大卒 岡山 昭和21年
〒185-0012 国分寺市本町四-一五-七 042(326)4927

伊熊義和
四万 無所属 真砂美塾展真砂賞 個展（三越・阪急他） 長崎大卒 日本デザイナー学院卒 福岡 昭和53年
https://www.kumaazu.com

伊藤清和
五万 独立美術会員 独立賞 50周年記念賞 安井賞展入 個展 愛知芸大大学院修 三重 昭和27年
〒514-2328 津市安濃町草生三二四九-二

伊藤光悦
四万五千 二紀会委員 北海道支部長 会員賞 同人賞 道展会員 北海道学芸大卒 北海道 昭和17年
〒061-1114 北広島市東共栄一-一四-三 011(372)0863

伊藤純子
四万 二科展入 女流画家展入 師西村龍介 東京女子大卒 東京 昭和10年
〒140-0014 品川区大井三-一四-七 03(3771)1982

伊藤晴香
五万 無所属 雪梁舎フィレンツェ大賞・オーディエンス賞 二紀展宮永賞・女流画家奨励佐伯賞 愛知 昭和47年
〒444-0051 岡崎市本町通一-二-一1F アートリンクギャラリー気付

伊藤知秋
三万 無所属 白日会展出品 グループ展 明治学院大卒 兵庫 昭和49年
〒530-0047 大阪市北区西天満四-五-七 瀧川画廊気付

伊藤尚尋
三万 一水会会員 新人賞 佳作賞 日展入 新生絵画賞展大賞 大阪芸大卒 和歌山 昭和54年
〒590-0117 堺市南区高倉台三-二-四-906

伊藤晴子
十二万 日展会員 特選 白日会常任委員 総理大臣賞 個展 東京芸大卒 師伊藤清永 東京 昭和19年
〒166-0016 杉並区成田西四-一一-六 03(3393)3711

伊藤正宏
六万 無所属 アートグラフ芸術大賞 エコール・フランセーズ賞 個展 武蔵野美短大卒 宮城 昭和35年
〒987-0513 宮城県登米郡迫町北方字舟橋前三八-一〇 0220(22)8455

居島春生
九万 無所属 昭和会展出品 全道展入 毎日デザイン賞特選 個展 北海道 昭和23年
〒157-0073 世田谷区砧六-一四-一二 03(3417)2131

猪爪彦一
五万 行動美術会員 行動美術賞 安井賞展入 文化庁県展選抜展 個展 新潟 昭和26年
〒950-2151 新潟市西区内野西三-一-三五 025(262)2123

飯島二朗
三万 無所属 入選（日展 白日会展 トーキョーワンダーウォール 新生展他）東京造形大入学 埼玉 昭和50年
〒330-0071 さいたま市浦和区上木崎四-一-三三-101

飯田和彦
五万 白日会会員 明日の白日会展出品 師早乙女政巳 栃木 昭和41年
〒321-4304 真岡市東郷五〇四-二 0285(82)1844

飯塚六郎
五万 新日本美術協会委員 文部大臣賞 特選 会員賞 佳作賞 大賞 個展 茨城 昭和17年
〒338-0833 さいたま市桜区桜田三-六-五 048(864)3887

生島　浩
四十万 白日会会員 総理大臣賞 文科大臣賞 白日会個展 京都精華大卒 大阪 昭和33年
〒581-0081 八尾市南本町七-一-二九

池口史子
十二万 **芸術院会員** **恩賜賞** 立軌会同人 安井賞展 個展 師山口薫 東京芸大大学院修 大連 昭和18年
〒150-0001 渋谷区神宮前四-一三-一六 03(5771)2300

池尻育志
三万 無所属 個展（三越 アートフェア東京） グループ展 昭和46年
〒104-0061 中央区銀座五-一四-一六 靖山画廊気付 03(3546)7356

池田清明
十万 日展特別会員 審査員 特選 一水会運営委員 一水会賞 文部大臣奨励賞 大阪芸大卒 岡山 昭和26年
〒248-0035 鎌倉市西鎌倉四-一五-七 0467(84)7737

池田誠史
四万 一水会会員 新人賞 佳作賞 しんわ美術展金賞 奨励賞 大阪芸大専攻科修 奈良 昭和46年
〒585-0025 南河内郡河南町さくら坂二-一-五 0721(93)8688

池田靖史
四万五千 無所属 ドービル国際美術展風景画部門最優秀賞 ル・サロン展銀賞 佳作賞 バルドール美術展風景画部門最優秀賞 個展 東京 昭和30年 **在仏**

池田洋子
五万五千 ル・サロン会員 銀賞 銅賞 個展多数 女子美大卒 神奈川 昭和19年
〒225-0024 横浜市青葉区市ケ尾町一六一-一-B2 045(974)2511

池田良則
七万 日展会員 特選 白日会常任委員 総理大臣賞 二科展入 個展 金沢美大中退 師高光一也 京都 昭和26年
〒606-0811 京都市左京区下鴨中川原町七一 075(781)2560

池野史明
四万五千 無所属 日仏展 伊美術展他出 奨励賞 個展（近鉄他） 大阪 昭和14年
〒586-0077 河内長野市南花台三-三-二四-802 0721(63)1447

悳　俊彦
六万 風土会員 国際青年美術家展出品 元示現会 日水彩出品 個展 武蔵野美大卒 東京 昭和10年
〒165-0027 中野区野方三-一五-一九 03(3385)3321

石井　行
四万 無所属 藤沢美術家協会賞 県展 個展 多摩美大卒 神奈川 昭和23年
〒251-0053 藤沢市本町一-二-一 0466(26)7049

石井康彦
三万 一水会展入 神奈川県展 県議会議長賞 個展（ギャラリー枇杷） 日本医科大卒 神奈川 昭和27年
〒231-0003 横浜市中区海岸通四-二三-702 045(212)2812

石岡　剛
九万　無所属　ル・サロン入　個展（横浜そごう他）　外遊　武蔵野美大卒　北海道　昭和20年
〒075-0041芦別市本町三八　**0124(22)3065**

石川　茂
三万五千　春陽会会員　奨励賞　現代日本美術展　熊谷守一大賞展出品　栃木　昭和40年
〒327-0823佐野市植上町一六二七-三

石川世始子
四万　二元会副会長　文科大臣賞　奨励賞　個展　G展師大泉米吉　昭和14年
〒535-0021大阪市旭区清水一-八-三〇　**06(6954)2675**

石川理恵
二万　無所属　八十周年記念創元展一般部門柏賞　文星芸大大学院修　茨城　平成11年
〒306-0023古河市本町三-一九-八

石倉かよこ
二万　二科会同人　ACTアート大賞展佳作　ARTIST NEW GATE 2nd finalist　個展　武蔵野美大卒　広島
〒135-0043江東区塩浜二-五-二三-1102　**090(7718)3700**

石坂仁良
五万　無所属　元大洋会会員　日洋展入　個展　G展　渡欧　東京　昭和25年
〒272-0802市川市柏井町二-七三三-二　**047(338)4672**

石田淳一
六万　無所属　白日会展新人賞　準会員奨励賞　全日本アートサロン大賞展優秀賞　個展　日大卒　埼玉　昭和56年
〒331-0823さいたま市北区日進町二-五八-三

石谷徳仁
五万　無所属　元白日会会友　朝の会展グランプリ賞　フィラン大賞展入　個展　香川　昭和40年
〒165-0027中野区野方一-五-一七-201　**03(3388)6561**

石野紀美子
六万　無所属　個展　グループ展　二人展　師津田周平　京都市立美大卒　兵庫　昭和15年
〒569-0055高槻市西冠一-一八-五　**072(674)1549**

石野容三
六万　無所属　独学　個展（近鉄百貨店他）　ル・サロン展　夫婦二人展　京大卒　兵庫　昭和9年
〒569-0055高槻市西冠一-一八-五　**072(674)1549**

石橋久美
五万　無所属　個展　グループ展　東京芸大大学院修　福岡　昭和34年
〒780-0983高知市中久万三〇三-一　**088(873)7393**

石原章吾
五万　国画会会員　個展　グループ展　武蔵野美大卒　静岡　昭和14年
〒194-0041町田市玉川学園四-一五-一七　**042(726)6577**

石原延啓
六万　無所属　フィラン大賞展　上野森美術大賞展　個展　慶応大卒　スクール・オブ・ビジュア・アーツ卒
〒982-0003仙台市太白区郡山六-六-二-306　敷島画廊気付

石原靖夫
十三万　無所属　イタリア政府給費留学生　個展多数　東京芸大卒　京都　昭和18年
〒330-0804さいたま市大宮区堀の内三-二〇七　**048(643)3487**

石村勝宣
十万　無所属　現代洋画精鋭選抜展銀銅賞　上野の森大賞展他出品　個展（井筒屋）　山口　昭和24年
〒742-2301山口県大島郡周防大島町久賀五三九-一　**0820(72)0171**

石森　寛
四万　無所属　個展（伊勢丹）　グループ展　文化女子大教授　東京芸大大学院修　岩手　昭和30年
〒194-0212町田市小山町四〇五一-六

石山かずひこ
四万　立軌会同人　個展（アートもりもと）　グループ展　東京芸大大学院修　福島　昭和23年
〒965-0812会津若松市慶山一-五-一七　**0242(26)1368**

石山義秀
八万　無所属　日仏友好芸術祭受賞　個展　エクサン・プローバンス美校卒　阿佐谷美術専　熊本　昭和28年
〒751-0815下関市本町一-一-七　**0832(31)1492**

板谷モア
六万　無所属　個展　グループ展　フェリス女学院短大卒
〒191-0062日野市多摩平七-一〇-三　**042(587)6805**

市川光鶴
四万　独立準会員　損保ジャパン財団賞　現創展大賞　個展（三越・東急他）　武蔵野美大大学院修　愛知　昭和58年
〒261-0011千葉市美浜区真砂二-一五-一-417

稲垣考二
四万 国画会会員 伊藤廉記念賞 現代の裸婦展大賞 昭和会展優秀賞 愛知芸大大学院修 愛知 昭和27年
〒467-0056名古屋市瑞穂区白砂町三-四六-三 052(831)3422

稲垣草児
三万 無所属 YAG美術会展 ニューゼネレーション展出品 個展 愛知芸大卒 愛知 昭和39年
〒491-0913一宮市中町二-九-三三 0586(43)8059

稲垣龍雄
六万 無所属 小磯良平大賞展入 21会展出品 武蔵野美大卒 大阪 昭和27年
〒592-8348堺市西区浜寺諏訪森町中一-一-二 072(262)8996

今井武志
三万 第一美術協会会員 佳作賞 上野の森自然を描く展出品 千葉県展入 東京 昭和9年
〒270-0234野田市日の出町二九-一八 047(129)6243

今井充俊
四万 二紀会委員 文科大臣賞 宮本賞 安田火災奨励賞 昭和会展日動美術財団賞 個展 群馬 昭和32年
〒371-0084前橋市田口町二二〇五-四四 027(232)2084

今泉尚樹
五万五千 無所属 平山郁夫奨学金賞 個展 G展 師大藪雅孝 東京芸大大学院修 茨城 昭和45年
〒302-0126守谷市鈴塚二九七-二 0297(37)4889

今川和男
五万 無所属 昭和会展招 青年画家展招 日仏展賞 安井賞展 個展 武蔵野美大卒 青森 昭和15年
〒039-1166八戸市根城馬場頭二九-一七 0178(44)5487

今関アキラコ
四万 無所属 元新世紀会員 協会賞 奨励賞 女流展入 個展 武蔵野美短大卒 京都
〒187-0003小平市花小金井南町二-一二-二三 0424(62)3575

今関健司
五万 土日会会員 平塚美術館賞 日大芸術卒 師糸園和三郎 神奈川 昭和25年
〒254-0051平塚市豊原町一〇-二五 0463(32)5130

今永清玄
五万 無所属 昭和会展日動火災賞 上野の森大賞展大賞 安井賞展賞候補 個展 多摩美大卒 大分 昭和38年
〒870-0022大分市大手町三-八-六-1101 097(507)7687

入江観
十万 春陽会会員 宮本三郎記念賞 安井賞展 国際形象展招 昭和会優秀賞 東京芸大卒 栃木 昭和10年
〒253-0054茅ヶ崎市東海岸南五-二-五二 0467(86)3517

岩井美津子
四万 無所属 上野の森自然を描く展佳作 大和路風景絵画展 四季の花展出品 個展 京都市立美大卒 奈良
〒575-0013四條畷市田原台八-八-一三 0743(71)1320

岩岡航路
四万 国画会会員 新人賞 昭和会展東京海上日動賞 損保ジャパン美術賞 東京芸大大学院修 東京 昭和33年
〒631-0006奈良市西登美ヶ丘一-二一-一五

岩崎弘子
七万 Societaire de la societe des Artistes independants フランス artiste de la communaute europeenne
〒349-0134蓮田市駒崎二七六-三〇 048(766)9229

岩下正芙美
四万五千 国際美術協会員 個展 グループ展 師桑原福保 武蔵野美大卒 山梨 昭和12年
〒350-1133川越市砂五一-一二 0492(43)2162

岩谷最子
三万 旺玄会会員 旺玄会賞 牧野虎雄賞 日展入 安井賞展入 女流画家協会展出品 個展 女子美大卒
〒152-0023目黒区八雲三-六-三 03(3724)2862

岩端啓輔
二万五千 無所属 個展（西武他） 月光荘画室人気投票一位数回 師福本正 静岡 昭和61年
〒410-0822沼津市下香貫前原一四七九-三 055(933)3795

岩見健二
七万 主体美術会員 安井賞展入 国際形象展出 個展 武蔵野美大卒 大阪 昭和22年
〒655-0896神戸市垂水区中道一-一-五 078(753)5292

印田洋子
三万五千 一水会会友 個展（近鉄百貨店他） 渡米 渡欧 奈良教育大大学院修 三重
〒595-0072泉大津市松之浜町一-二-一三根来方 sea45email@yahoo.co.jp

ウット・エルマン
十万 レインバッハデザイン高等スクール レイン・シーク美術アカデミー パリ アメリカ留学 ドイツ 1969
〒112-0005文京区水道一-八-二 ㈱アデカ気付 03(5848)8605

うさ

宇賀正人
二万 無所属　個展　愛知県
〒283-0031 東金市薄島二五七-六 090(6506)3008

宇田喜久子
二万五千 白日会関西支部　日本の自然を描く展入　しんわ美術展入　個展（上本町近鉄）　大阪　昭和32年
〒579-8022 東大阪市山手町九-四 072(982)7685

宇野孝之
十五万 無所属　フィレンツェ国際ビエンナーレ受賞　サロン・ドートンヌ入　個展　京都精華大卒　京都　昭和28年
〒621-0007 亀岡市河原林町河原尻東垣内六一-一 0771(25)5266

卯野和宏
四万五千 白日会会員　日展特選　兵庫　昭和34年
〒651-0055 神戸市中央区熊内橋通五-一-四・2F北 078(291)0217

上葛明広
八万 無所属　前田寛治大賞展　アヴニール展　個展　武蔵野美大大学院修　茨城　昭和53年
〒343-0033 越谷市恩間五一-五九

上杉一道
四万五千 無所属　個展（飛騨市美術館他）　東京芸大大学院修　岐阜　昭和24年
〒180-0002 武蔵野市吉祥寺東町二-二三-一九 0422(22)5605

上杉吉昭
四万 無所属　モダンアート展出品　群馬青年美術展奨励賞　個展　武蔵野美大卒　群馬　昭和33年
〒370-0871 高崎市上豊岡町一〇六九-一 027(343)4604

上田哲也
八万 無所属　ブロードウェイ新人展賞　エコールドTOKYO展招　個展　東京芸大卒　愛媛　昭和10年
〒259-1313 秦野市松原町六-三一 0463(88)4860

上原結子
八万五千 無所属　コックピットアート　元JALフライトクルー　笹倉鉄平賞　NY国連展　マイアミIF画廊常設個展（大丸・三越他）　cockpitart@jimdo.com　在ホノルル

三万 無所属　個展（大津西武　池袋東武他）　成安造形大デザイン科卒　滋賀大大学院修　滋賀　昭和52年
〒180-0023 武蔵野市境南町三-二二-一八 武蔵野アート気付

上本佳明
四万 無所属　真砂美塾　真砂美塾展　選抜展　成安造形大卒　岡山　昭和49年
〒567-0888 茨木市駅前四-六-七-203 072(624)6497

植野綾
二万五千 白日会会員　白日賞　佐賀大大学院修　熊本　平成7年
〒869-0301 熊本県玉名郡玉東町稲佐五二

魚谷洋
五万 無所属　現代洋画精鋭選抜展銅賞　銀賞　20回記念大展銀賞　ヨーロッパ取材　スイス滞在　島根　昭和30年
〒652-0047 神戸市兵庫区下沢通六-一-一六 078(575)1757

牛尾一路
三万五千 無所属　個展　嵯峨美短大卒　京都　昭和51年
〒180-0023 武蔵野市境南町三-二二-一八　武蔵野アート気付

潮田和也
六万 白日会展入　個展　ホキ美術館大賞展特別賞　個展　Figurativas2023 大賞（スペイン欧州近代美術館）　栃木　昭和58年
〒321-4332 真岡市大谷新町一五-五 090(7197)3767

薄井義
四万 無所属　第一美術展新人賞　個展　カリフォルニア美工大卒　スペイングラナダ大大学院卒　東京　昭和38年
〒273-0132 鎌ヶ谷市粟野八四三-二 047(442)3123

内山節子
三万 二科会会友　特選　上野の森美術館大賞展優秀賞　茨城　昭和12年
〒312-0026 ひたちなか市勝田本町一六-六 029(272)6003

内山懋
七万 無所属　ルツカ国際展銀賞　個展　グループ40結成　東京芸大大学院修　東京　昭和15年
〒157-0072 世田谷区祖師谷五-二-七 03(3482)3032

内山直樹
四万 無所属　真砂美塾　白日会展入　個展　武蔵野美大卒　福岡　昭和44年
〒618-0015 大阪府三島郡島本町青葉三-一-八-303 075(286)3036

内山芳彦
七万 白日会会員　総理大臣賞　文部大臣奨励賞　赫の会展出　東京芸大大学院修　長野　昭和34年
〒338-0812 さいたま市桜区神田四三-七 048(858)0706

梅野顕司
四万　独立会員　独立賞　安井賞展出品　安田火災美術財団奨励賞　個展　東京芸大卒　千葉　昭和37年
〒289-1223 山武郡山武町埴谷六四-二四　0475(89)4400

浦野資勞
五万　第一美術審査員　65回記念賞　安田奨励賞　三彩大賞　多摩美大卒　長野　昭和27年
〒398-0601 長野県坂城町大字坂城八九三八-一　0268(81)3345

エラン・パルトウシュ
四万　パリ・クレティユアートスクール卒　個展（世界各国）　イスラエル　1965
在イスラエル

江越佳代子
四万　無所属　日本風景美展優秀賞　日仏現代美術展　現代精鋭美術展入賞　個展　千葉　昭和23年
〒270-0017 松戸市幸谷八六一-八　047(345)1898

江村眞一
四万　創元会理事　中野和高賞他　日本山岳画協会代表理事　個展（松屋銀座他多数）　山梨大卒　東京　昭和18年
〒167-0041 杉並区善福寺一-一-三　03(3396)5548

遠藤彰子
十万　二紀会常務理事　芸術選奨　女流画協委員　昭和会展林武賞　安井賞　武蔵野美大卒　東京　昭和22年
〒229-0012 相模原市西大沼二-一三-七　0427(45)3417

小笠原千賀子
四万　無所属　基の会同人　大調和展　一線展他出品　個展　グループ展　岩手　昭和29年
〒358-0014 入間市宮寺二七九九-二　042(934)4300

小笠原亮一
五万　無所属　基の会代表　師樋口加六　個展　実在派事務局　渡仏　岩手　昭和27年
〒358-0014 入間市宮寺二七九九-二　042(934)4300

小川和也
五万　無所属　個展　グループ展　東京芸大卒　神奈川　昭和46年
〒246-0031 横浜市瀬谷区瀬谷四-六-二

小川馨生
四万　無所属　元汎美運委　二紀展入　個展（東武・そごう他）コレクター選展グランプリ賞　東京　昭和11年
〒362-0013 上尾市上尾村一二八八-一-208　048(637)0774

小川恒雄
三万五千　行動美術会会友　安井賞展佳作賞　大阪芸大卒　秋田　昭和34年
〒019-0509 横手市十文字町梨木羽場字家東一〇五　0182(42)1284

小川浩
四万　白日会会員　一線美術展　上野の森大賞展入　個展　武蔵野美大卒　神奈川　昭和29年
〒254-0061 平塚市御殿一-六-一　0463(34)6839

小川泰弘
十五万　無所属　個展（Gためなが他）　渡伊　東京芸大卒　和歌山　昭和28年
〒642-0014 海南市小野田一六二〇-五六　0734(87)4990

小木曽誠
八万　無所属　元白日会会員　総理大臣賞　文科大臣賞　白日賞　昭和会賞　東京芸大大学院修　奈良　昭和50年
https://ogisomakoto.com

小口卓也
五万　無所属　彫刻の森美術館賞　昭和会展日動火災賞　上野の森美術館大賞展　長野　昭和22年
〒256-0802 小田原市小竹八九六-一三　さつきが丘11-3　0465(43)2896

小熊麻紗子
三万　無所属　ル・サロン　スペイン美術賞展　イタリア美術賞展入　個展　玉川大卒　東京　昭和42年
〒167-0041 杉並区善福寺一-四-一三　03(5577)5586

小澤一正
十二万　無所属　元自由美術会員　安井賞展出品　スペイン美術賞展出品　個展　大阪　昭和23年
〒584-0071 富田林市藤沢台一-一-三二一-403　0721(28)0713

小野彩華
三万五千　白日会準会員　関西画廊賞　中山アカデミーアートアワード特別賞　東京造形大卒　千葉　平成8年
〒222-0033 横浜市港北区新横浜二-二-一　メイツ新横浜606

小尾修
十五万　無所属　元白日会会員　総理大臣賞　前田寛治大賞展準大賞　個展　武蔵野美大大学院修　神奈川　昭和40年
〒350-1153 川越市下松原五七五-一　049(247)2893

尾崎浩美
三万　白日会会員　個展（近鉄・三越・丸善他）上野の森美術館展入　師林朝路　宝塚大卒　和歌山　昭和29年
〒619-0213 木津川市市坂中山三七-二　0774(72)1834

尾出川カズヤ
八万 無所属 アクリル画 SPデザイナー イラストレーター Aディレクター 個展・G展多数 新潟 昭和28年
〒162-0842 新宿区市谷砂土原町三-四-一-520

尾身周三
六万五千 無所属 日本の民家展 日本風景美展出品 新宿造形美術卒 新潟 昭和18年
〒116-0002 荒川区荒川五-二九-七 03(3892)2591

尾立晋祥
四万 新協美術会会員 奨励賞 個展 師上島一司・宮木薫 大塚敏雄 東京理科大大学院修 高知 昭和15年
〒270-1132 我孫子市湖北台一-一-一五 04(7188)1814

越智紀久張
七万 無所属 愛媛県展文部大臣奨励賞 北の大地展坂本直行記念館賞 個展 愛媛 昭和23年
〒798-3361 宇和島市津島町北灘甲一三〇 0895(32)1018

織田きじ男
三万 無所属 個展（ギャラリー緒方） 文化学院大中退 東京 昭和44年
〒190-0023 立川市柴崎町四-六-七 090(9134)1029

織田泰児
三万 美術の祭典東京展運営委員 日仏現代美術展出品 個展 G展 東京大卒 岡山 昭和18年
〒104-0061 中央区銀座一-九-八奥野ビル202銀座ワン 090(8492)0332

織田ゆかり
三万 無所属 二科展入 上野の森美術館大賞展入 個展 師織田広喜 明治大卒 東京 昭和39年
〒215-0021 川崎市麻生区上麻生一-三五-一三 044(701)0476

織田義郎
六万 無所属 個展（銀座三越 心斎橋大丸 神戸大丸他） 関西学院大卒 東京 昭和15年
〒589-0023 大阪狭山市大野台五-三-一三 0723(66)6422

追立久雄
五万 無所属 サロン・ド・ロートレック正会員 ロートレック芸術大賞 会長賞 個展 画廊企画展 昭和23年
〒632-0071 天理市田井庄町二四一-二 0743(63)4197

大内田敬
六万 国画会会員 上野の森大賞特別優秀賞 安田美術財団奨励賞 個展 東京芸大大学院修 東京 昭和30年
〒161-0031 新宿区西落合三-二〇-一〇 03(3951)6448

大浦美知子
三万 モダンアート準会員 元新構造社長野県支部会員 グループ展（豊科近代美術館） 長野 昭和53年
〒385-0022 佐久市岩村田五二二〇 090(9843)5795

大川正
三万 無所属 個展（栗原画廊他） 東京芸大卒 神奈川 昭和27年
〒356-0013 ふじみ野市中福岡一九六-一四

大垣早代子
六万 無所属 個展（三越・そごう他） 渡欧 師石原靖夫 京都市立芸大卒 大阪
〒365-0054 鴻巣市大間四-一〇-一九

大木基彰
四万 日展会友 白日会会員 白日賞 日展入 明日の白日会展出品 大阪市立美術研究所修 兵庫 昭和36年
〒547-0003 大阪市平野区加美南一-三-三〇-403 06(6796)5136

大久保千尋
六万 無所属 個展（伊勢丹・阪急他） 聖母女学院卒 宝塚音楽学校卒 愛知
〒214-0036 川崎市多摩区南生田六-三三-一七 044(977)6733

大隈伸也
三万 無所属 世界絵画大賞展遠藤彰子賞 武蔵野美大卒 埼玉 平成5年
〒210-0847 川崎市川崎区浅田四-一四-一〇-503

大隈武夫
六万 二科会名誉理事 記念賞 会員努力賞 サロン・ドートンヌ招 個展 多摩美大卒 佐賀 昭和9年
〒271-0075 松戸市胡録台六六 047(363)3057

大澤包房
五万 無所属 元一創会運営委員 αアート主宰 個展（文春画廊） グループ展 埼玉 昭和19年
〒372-0823 伊勢崎市今井町四一-二 0270(26)3377

大沢武
五万 無所属 スペイン美術展受賞 モナコ国際美術展出品 芦屋芸術学院卒 兵庫 昭和28年 在仏

大島康紀
六万 無所属 碓氷峠ビエンナーレ大賞 現代童画大賞 北野美術館賞 個展 武蔵野美大卒 長野 昭和25年
〒384-0809 小諸市滋野甲四四九〇 天耕房 0267(25)1901

大城真人
七万 無所属 仏国内具象・抽象アートフェスティバル最高賞 個展(東急他) 東京学芸大卒 富山 昭和33年
〒107-0062港区南青山五-一七-二-1F ギャラリーアルトン気付

大路　誠
五万 白日会会員 雪梁舎フィレンツェ賞展優秀賞 損保ジャパン財団奨励賞 広島市立大大学院修 大阪 昭和51年
〒661-0033尼崎市南武庫之荘三-三五-一〇-302 **090(806)5219**

大須賀　勉
五万 無所属 第一美術損保ジャパン奨励賞 第一美術協会賞 佳作賞 東洋美術学校卒 秋田 昭和55年
〒015-0864由利本荘市大鍬町一八-三 brpwx916@yahoo.co.jp

大竹克幸
四万 無所属 個展 グループ展 多摩美大卒 栃木 昭和51年
〒326-0048足利市助戸大橋町一九四九

大竹山　規
七万 無所属 昭和会展招 山総美術公募展大賞 ミニチュア大賞展大賞 個展 長崎 昭和26年
〒300-1266つくば市自由ヶ丘七九一-三八 **029(876)1692**

大津英敏
三十万 **芸術院会員** 芸術院賞 独立会員 安井賞 東郷青児美術館大賞 東京芸大大学院修 熊本 昭和18年
〒248-0015鎌倉市笹目町八-二 **0467(25)1496**

大津通臣
四万 無所属 元新槐樹社準委員 都民美術運営委員 日本風景美展金賞 寛永寺坂美研修 鹿児島 昭和2年
〒120-0005足立区東綾瀬二-七-2-210 **03(3605)8091**

大槻　透
四万 無所属 東京ワンダーウォール公募2003審査委員長賞 個展(三越・パリ・台湾) 東京芸大大学院修 福島 昭和48年
https://toru-o.wixsite.com/toru-art

大友義博
六万 日展特別会員 文科大臣賞 都知事賞 白日会常任委員 総理大臣賞 東京芸大大学院修 熊本 昭和40年
〒179-0076練馬区土支田一-二七-二 **03(3977)94956**

大西敦子
六万 無所属 安宅英一賞 個展 グループ展 師大藪雅孝 東京芸大大学院修 茨城 昭和42年
〒158-0094世田谷区玉川一-九-五-四二 **03(3708)2774**

大西浩二
三万五千 二元会委員 大阪府知事賞 努力賞 個展 グループ展 師大泉米吉 大阪 昭和30年
〒551-0031大阪市大正区泉尾四-一〇-四 **06(6551)2004**

大沼紘一朗
三万 白日会会員 ホキ美術館大賞 日展入 個展 日本の自然を書く展入 日大芸術卒 山形 昭和63年
facebook.com/koichiro.com

大沼映夫
三十万 国画会会員 国画賞 宮本三郎記念賞 東郷青児美術館大賞 東京芸大卒 東京 昭和8年
〒161-0035新宿区中井二-二五-一〇 **03(3951)6741**

大根田　真
四万 無所属 イタリア・メラヴィリア国際賞 JRA馬の絵展奨励賞 カンヌ芸術祭国際芸術賞 宇都宮大卒
instagram.com/makoto.ohneta/ **090(5826)1312**

大野　登
五万五千 無所属 元日展会友 元一水会会員 会員佳作賞 個展 師根岸敬 高田誠 埼玉 昭和10年
〒368-0034秩父市日野田町二-一二-一 **0494(22)3437**

大野　彩
五万 無所属 安井賞展入 伊豆美術祭グランプリ 天展道友社賞 個展 東京芸大大学院修 東京 昭和28年
〒143-0025大田区南馬込四-一八-三 **03(3771)6535**

大畑稔浩
十二万 白日会会員 総理大臣賞 文部大臣奨励賞 白日賞 個展 東京芸大大学院修 島根 昭和35年
〒311-3512茨城県行方郡玉造町甲二七五一 **0299(55)3337**

大場再生
五万五千 独立美術会員 独立賞 奨励賞 文化庁現代美術選抜展 個展 多摩美大卒 富山 昭和27年
〒194-0041町田市玉川学園一-一-三一 **042(722)1167**

大渕繁樹
四万 日展会員 特選 示現会理事 文科大臣賞 示現会賞 個展 師樋口洋 東京 昭和28年
〒223-0051横浜市港北区箕輪町二-四-三〇-302 **045(563)7110**

大前博士
十万 無所属 アーティスト・フランセーズ受賞 サロンドートンヌ招待出品 個展 広島 昭和13年
〒733-0813広島市西区己斐中二-一〇-五六 **082(273)3366**

大見　伸
六万　立軌会同人　個展(日本橋三越他)　上野の森美術館大賞展フジテレビ賞　愛知芸大大学院修　愛知　昭和26年
〒165-0027中野区野方六-三八-三　03(3338)2633

大森祥吾
七万　無所属　大橋賞　朝の会　悠環会他出品　個展　欧遊　東京芸大大学院修　長野　昭和22年
〒197-0833あきる野市渕上三五八-一八　042(559)2966

大矢英雄
四十万　無所属　昭和会賞　シェル賞展佳作賞　東京芸大卒　東京　昭和29年
〒274-0072船橋市三山一-二四-七　047(475)6911

大谷喜男
五万　日展会員　会員賞　特選　光風会会員　寺内萬次郎賞　師杉山吉伸　武蔵野美短大卒　栃木　昭和25年
〒329-1225栃木県塩谷郡高根沢町石末二四四四　028(675)3913

大山富夫
六万　白日会会員　赫の会展出品　個展　G展　東京芸大大学院修　ウィーン留学　福島　昭和31年
〒338-0014さいたま市中央区上峰一-一五-二〇　048(677)4333

大輪信雄
八万　第一美術会員　努力賞　五元美術展韓国文化院賞　現代の裸婦展出品　駒沢大卒　福島　昭和26年
〒322-0344鹿沼市西沢町三三五二　0289(77)3818

太田國廣
五万　元新制作会員　新作家賞　安井賞展　仏市民大賞展大賞　東京芸大大学院修　東京　昭和17年
〒154-0017世田谷区世田谷三-一一-八-305　03(3426)5641

太田成子
三万　蒼騎会会員　JSAA日本スケッチ画会会員　個展　グループ展　小説カバー挿画作成　山梨　昭和25年
〒339-0031さいたま市岩槻区飯塚一〇二〇-一七　048(798)6849

王前一馬
四万五千　二元会委員　二元会賞　個展　グループ展　兵庫　昭和26年
〒661-0026尼崎市水堂町四-一八-二六-303　06(6433)6546

岡　宏
六万　無所属　川の絵画大賞展協賛団体特別賞　個展　東京フォルム洋画研究所修　愛媛　昭和12年
〒651-1131神戸市北区北五葉七-一-一七-206　078(593)1823

岡　義実
十万　ナショナル・ボザール会員　サロン・ドートンヌグランプリ賞　ル・サロン金賞他　個展　福岡　昭和20年
〒248-0032鎌倉市津六〇二-一四三　0467(32)7605

岡﨑昭弘
三万　白日会会員　個展　福山美術館買上　渡欧　金沢美工大卒　京都　昭和34年
〒520-0016大津市比叡平三-三五-八　077(529)1180

岡田　諭
四万　無所属　Hudson Valley Art Association Prize NY　The Art Students League of NY 絵画専攻修　渡欧　埼玉　昭和53年
www.satoshiokada.com　contact@satoshiokada.com

岡田高弘
四万　白日会会員　文科大臣奨励賞　個展　東京芸大大学院修　東京　昭和34年
〒300-0838土浦市摩利山新田二九六-三　0298(41)1550

岡田肇彦
七万　無所属　現代の裸婦展優秀賞　新世代展招　個展　仏国際花の万博展　文化学院卒　新潟　昭和14年
〒359-1131所沢市久米三三三-二　042(928)3083

岡田征彦
七万　日展会員　会員賞　特選　日洋会理事　記念賞奨励賞　ドートンヌ入　福岡　昭和19年
〒830-0047久留米市津福本町六〇-一　0942(32)8443

岡野浩二
十万　無所属　安宅賞　卒業制作サロンドプランタン賞　個展　東京芸大大学院修　岡山　昭和21年
〒277-0923柏市塚崎二八六-五〇　04(7192)0896

岡野忠広
六万　新制作展入　二科展入　昭和会展入　ブロードウェイ新人展奨励賞　個展　G展　静岡
〒123-0841足立区西新井三-二四-二二-105　03(3899)7719

岡野　博
七万　無所属　武蔵野美大卒　仏国立装飾美校壁画科卒　個展(銀座柳画廊)　広島　昭和24年
〒290-0024市原市根田一-六-五　0436(22)4087

岡部　忍
三万　無所属　シェル美術賞展　グループ展　東京芸大大学院修(大藪雅孝研究室)　昭和50年
〒103-0025中央区日本橋茅場町一-一一-八　Gマークウェル気付

岡村敦子
五万 二科展入　ル・サロン会員　銅賞　ドートンヌ入　女流画家協会展出品　京都　昭和12年
〒162-0843新宿区市谷田町二-四一-二-305　**03(3269)0882**

岡村順一
四万 一陽会会員　特待賞　奨励賞　朝日アバンテ展入　個展　熊本　昭和26年
〒290-0007市原市菊間二〇八二-三六-404　**0436(43)6578**

岡本正尹
四万 無所属　日刊工業新聞カレンダー部門金賞　個展　香川　昭和23年
〒573-0043枚方市村野南町三-一九-409

沖津信也
五万 日展会友　白日会会員　ル・サロン永久会員　ホキ・プラチナ展連続入選　三越個展　山形大卒　山形　昭和22年
〒992-0058米沢市木場町七-一　**0238(23)2550**

荻野幹
六万 無所属　信州美術会常任委員　長野県展運営委員　知事賞　個展　早稲田大卒　長野　昭和17年
〒386-0001上田市上田一九五三-一六　**0268(26)6800**

奥秋由美
四万 無所属　新美術協会展奨励賞新人賞　昭和会展　台東区コレクション展　個展　東京芸大卒　東京　昭和42年
〒202-0015西東京市保谷町六-一〇-二六

奥江一太
五万 無所属　個展　グループ展　京都市立芸大卒　大阪　昭和41年
〒606-0827京都市左京区下鴨西半木町四二-五　**075(703)2868**

奥田敏雄
六万 無所属　元二科会会友　特選　昭和会展招　個展　昭和24年
〒729-5125庄原市東城町川西九四九-六　**090(4101)0120**

奥谷博
七十万 **文化勲章**　**文化功労者**　**芸術院会員**　芸術院賞　独立会員　芸術選奨　東京芸大卒　高知　昭和9年
〒240-0113神奈川県葉山町長柄一六四二-199　**046(875)8386**

奥西健吾
四万五千 無所属　真砂美塾　真砂美塾展大井賞　同志社大卒　大阪　昭和56年
〒604-0063京都市中京区西大黒町三三四-二-307

奥西賀男
八万 無所属　新制作展出　個展　東京芸大卒(小磯教室)　パリ美大修　岐阜　昭和20年
〒248-0002鎌倉市二階堂二四七-一六　**0467(23)9215**

奥村晃史
五万 無所属 世界絵画大賞展優秀賞　岐阜県芸術文化奨励表彰　個展(三越・東武他)　福井大学大学院修　岐阜　昭和47年
〒504-0927各務原市上戸町四-五三　https://okumura1.com

長田まさと
五万 世紀会運営委員　世紀会大賞　ルーヴル展創造の自由賞　Sペテルブルグ市芸術大賞　山梨　昭和30年
〒400-0125甲斐市長塚二九六　**055(277)2909**

長船善祐
三万五千 白日会会員　日展入　県美展NHK大分放送局長賞　奨励賞　個展　静岡大卒　大分　昭和57年
〒103-0004中央区東日本橋二-一八-一三港屋気付　**03(3865)1555**

納健
六万 無所属　元二紀会同人　努力賞　朝日新人展他出　個展(阪急他)　兵庫　昭和12年
〒662-0976西宮市宮西町九-三　**0798(36)1513**

乙黒久
六万 白日会特別会員　総理大臣賞　中沢賞　日本山林美術協会委員　個展　山梨　昭和3年
〒354-0013富士見市水谷東一-一〇-四　**0492(51)3256**

乙丸哲延
六万 独立会員　独立賞　日伯展日伯賞　グループ展　東京芸大卒　パリ美術学校修　東京　昭和23年
〒102-0075千代田区三番町二〇　**03(3261)1248**

鬼沢泰治
六万 無所属　人間賛歌大賞展優秀賞　油絵大賞展出品　東京芸大大学院修　茨城　昭和35年
〒241-0816横浜市旭区笹野台一-三八-五　**045(367)4984**

折本美禰子
六万 無所属　元一創会員　受賞　二科展入　個展　欧遊　師西村龍介　神奈川　昭和4年
〒193-0832八王子市散田町二-三三-五

か

カネコミホ
五万 無所属 デニーズアートコンテスト最優秀賞 個展 東京芸大大学院修 埼玉 昭和49年
〒103-0025中央区日本橋茅場町一-一-八 Gマークウェル気付

カルロス・ベリョスタ
五万 ローマ近代芸術アカデミー金メダル バルセロナ応用美術学校修 マッサーナ美術学校卒 スペイン 1963
〒152-0034目黒区緑が丘二-二四-二三-201 黒川美術気付

加國哲二
五万 無所属 ドービル国際画家大賞展受賞 コートダジュール国際画家大賞展 ドートンヌ出品 大阪芸大卒 アカデミージュリアン修 大阪 昭和35年
在仏

加藤 照
十一万 無所属 正安寺障壁画展 個展 グループ展 武蔵野美大大学院修 熊本 昭和23年
〒277-0841柏市あけぼの一-七-二四 **04(7174)0020**

加藤裕生
四万 白日会会員 京都精華大卒 兵庫 昭和43年
〒658-0025神戸市東灘区魚崎南町四-二-五五 **078(451)6811**

開田風童
九万 無所属 個展(近鉄・大丸他) 東京デザイナー学院卒 福岡 昭和25年
〒818-0124太宰府市梅香苑一-一九-一四 **092(922)9584**

開原通人
十五万 無所属 渡欧 個展(ローマ・広島・東京) アートフェア出品(米・スイス・独 他) 広島 昭和18年
〒720-0832福山市水呑町四八二三-一〇三 **084(956)4518**

柿崎 覚
二万 主体美術協会会員 上野の森美術大賞展入 FACE展入 武蔵野美大大学院修 東京 昭和56年
〒182-0022調布市国領町一-八-一四 プレヴィジョン画廊気付

柿沼直文
五万 無所属 ブロードウェイ新人展第一席 上野の森美術館展入 筑波大大学院修 群馬 昭和39年
〒352-0006新座市新座一-一五-一〇-201 **048(479)6642**

柿森悦子
三万五千 無所属 日本の自然を描く展入 信州伊那高遠の四季展入 個展 京都 昭和36年
〒619-0202木津川市山城町平尾東古川四九 **0774(86)4548**

筧 本生
十二万 無所属 安井賞展佳作賞 昭和会展優秀賞 個展(西武) 東京造形大卒 福岡 昭和26年
在仏

掛川和彦
四万 無所属 アート公募98大賞 個展 多摩美大大学院修 東京 昭和41年
〒195-0064町田市小野路町二三三四-六八

笠井誠一
十五万 立軌会同人 東郷青児美術館大賞 個展 東京芸大卒 デ・ボザール修 北海道 昭和7年
〒193-0833八王子市めじろ台三-三四-一〇 **0426(63)7033**

笠原宏隆
三万 無所属 未来抽象芸術展 今日の反核反戦展 個展 東京芸大卒 埼玉 昭和52年
〒355-0332埼玉県比企郡小川町増尾五五-一

樫原隆男
六万 三軌会審査員 文部大臣賞 損保ジャパン秀作賞 京都教育大卒 兵庫 昭和25年
〒536-0017大阪市城東区新喜多東一-三-二八-1F 北紫気付

柏本龍太
七万 二紀会会員 昭和会展日動美術財団賞 長崎美術学院修 長崎 昭和48年
〒851-2121西彼杵郡長与町岡郷五六五-二 **090(5476)7441**

糟野勝美
五万 元二紀会同人 関西二紀展佳作賞 二紀展選抜展出品 個展 京都 昭和17年
〒612-8205京都市伏見区横大路三栖大黒町一八 **075(611)9435**

片岡恒夫
三万 無所属 元新槐樹社 個展 武蔵工業大卒 長野 昭和14年
〒356-0008ふじみ野市元福岡一-六-一 **049(264)0646**

片桐聖子
八万 無所属 卒業制作デザイン賞 サロン・ド・プランタン賞 個展(三越・イタリア他) 東京芸大大学院修 神奈川 昭和42年
〒248-0026鎌倉市七里ヶ浜二-二〇-一四 **0467(33)2393**

片山 司
三万 新世紀美術協会会員 佳作賞 個展 G展 国学院大卒 兵庫 昭和35年
〒186-0001国立市北一-三三-一〇-105 042(573)9544

片山みやび
三万 無所属 現代日本美術展兵庫県立近代美術館賞 個展 京都市立芸大大学院修 兵庫
http://www.poolcompany.com/miyabi/

葛 皓
七万 国際造形作家会員 トウール国際ビエンナーレ ユネスコ主催展 シルクロ・ドス展出 個展 パリ国立美校卒 在仏 大阪 昭和22年

勝呂隆光
五万 光陽会会員 個展 G展 アカデミーグラン・デ・シュミエール修 静岡 昭和18年
〒161-0034新宿区上落合一-一八-七-601 03(3950)5559

角坂優子
四万五千 白日会会員 白日賞 ギャラリー大井賞 第一美術展佳作賞 個展精華大卒 京都 昭和34年
〒618-0015大阪府三島郡島本町青葉一-四-一六 075(961)8045

金井訓志
五万 独立会員 独立賞 奨励賞 安井賞展出品 大平洋美術学校卒 群馬 昭和26年
〒371-0045前橋市緑ヶ丘二六-九 027(231)0583

金井良勝
三万五千 白日会会員 上野の森美術館大賞展一次賞候補 師李暁剛 京都精華大卒 兵庫 昭和49年
〒666-0122川西市東多田三-一六-二九 072(793)0631

金子 滇
六万 立軌会同人 フォルムスクエアー展出 G展 個展 東京芸大大学院修 群馬 昭和21年
〒344-0011春日部市藤塚二二九一-六 0487(36)8231

金子琢磨
四万 無所属 個展 ペンシルバニア州ティエル美術大卒 イタリアフローレンスアカデミー修 埼玉 昭和55年
〒399-8301安曇野市穂高有明九〇二四-一

金子 亨
六万 独立美術会員 サロン・ドートンヌ会員 日本青年画家展優秀賞 東京芸大大学院修 栃木 昭和23年
〒328-0134栃木市宮町四四一-一 0282(31)1808

金子直弘
五万 無所属 ブロードウェイ新人展特別賞 HUKUIサムホール美術展入 個展 師西村俊郎 長野 昭和28年
〒391-0211茅野市湖東五四一六-三 0266(77)2619

金子文雄
五万 新制作会員 新作家賞 国際形象展他出 個展 G展 東京芸大大学院修 群馬 昭和19年
〒179-0072練馬区光ヶ丘三-八-一-405 03(3976)8434

金崎秀利
十万 無所属 バレンシア市賞 個展 師小林和作 スペイン国立美校卒 昭和17年
〒240-0115神奈川県葉山町上山口一八七八-一 0468(78)7861

金沢湧洙
三万五千 白日会会員 ギャラリー大井賞 瀧川画廊賞 兵庫 昭和27年
〒544-0034大阪市生野区桃谷一-九-二三 06(6712)0979

金丸悠児
八万 無所属 C-DEPOT代表 個展 グループ展 東京芸大大学院修 神奈川 昭和53年
〒174-0063板橋区前野町一-四-一-1F

金光 緑
四万五千 日展会友 白日会会員 特別賞 佳作賞 個展 G展 師柳沢淑郎 高知大卒 鳥取 昭和15年
〒176-0002練馬区桜台六-一-五 03(3992)1760

金森宰司
十二万 新制作会員 新作家賞 昭和会展優秀賞 具象現代展大賞 個展 東京芸大大学院修 長野 昭和24年
〒251-0033藤沢市片瀬山三-二-二 0467(22)1704

金森 毅
三万 元二元会会員 大阪府知事賞 市長賞 中日新聞社賞 武蔵野美短大卒 昭和22年
〒591-8022堺市北区金岡町一六五〇-一三 072(285)8960

金森良泰
八万 独立会員 林武賞 児島賞 安井賞展 千葉大教授 個展 東京芸大大学院修 奈良 昭和21年
〒344-0031春日部市一の割四-一七-九 048(735)9581

壁下 孝
七万 無所属 東京朝日カルチャーセンター講師 東京芸大大学院修 昭和17年
〒180-0023武蔵野市境南町三-二-一八 武蔵野アート気付

上條真三留
四万　白日会会員　個展（日本橋三越・東武）　グループ展　長野　昭和27年
〒390-1301長野県山形村山形村一円四三五九-五　026(398)4167

亀本よし子
二万五千　元二科会会友　上野の森大賞展入　日本芸術会賞受賞　個展　G展
〒142-0041品川区戸越六-一-三　正光画廊気付　03(6228)7047

亀山裕昭
四万　白日会会員　文科大臣賞　SOMPO美術館賞　河北美術展文科大臣賞　広島市立大大学院修　宮城　昭和54年
〒214-0037川崎市多摩区西生田一-二〇-一-207

仮屋美紀
五万　無所属　一陽会展奨励賞　画廊協会展出品　個展　玉川大卒
〒113-0033文京区本郷一-五-七-505リアルワン気付　03(5800)2441

川口紘平
四万　無所属　欧美国際公募キューバ美術賞展優秀賞　個展　大阪デザイナー専門学校卒　大阪　昭和54年
〒541-0046大阪市中央区平野町三-二-七　06(6227)0056

川口久敏
五万　無所属　長崎新美術展大賞　青木繁大賞展受賞　英展選抜出品　長崎　昭和27年
〒854-0202諫早市森山町慶師野一七六三　0957(35)2564

川島タカフミ
五万　二紀会会員　同人優賞　安田火災奨励賞　現代美術選抜出品　個展　G展　東京芸大卒　群馬　昭和31年
〒238-0021横須賀市富士見町一-三七-二三　070(6657)6138

川島未雷
四万五千　無所属　浅井忠記念大賞展入　亜細亜現代美術展入　個展（日本橋三越他）　上海大卒　上海　1958
〒353-0002志木市中宗岡一-五-三三　090(6340)0952

川名雅子
三万　無所属　亜細亜美術賞展奨励賞　ワールドピースアート展平和賞　個展　聖心女子大卒　東京
〒104-0032中央区八丁堀四-一三-五　幸ビル1F　美岳画廊気付

川野昌子
四万　日展会友　白日会会員　師南政善・坪内正・伊東晴子　坪内絵画研究所修　石川　昭和10年
〒166-0016杉並区成田西二-一三-九　03(3398)3316

川村悦子
六万　無所属　京都美術文化賞　日本国際展佳作賞　日仏現代展ソワール賞　京都芸大卒　滋賀　昭和28年
〒573-0084枚方市香里ヶ丘三-一八-二五　今井方　072(852)3124

河合びこう
六万　無所属　個展（アベノ近鉄・阪急）　G展　真砂美塾師範代　京都　昭和31年
〒626-0023宮津市宮本四九七　0772(22)3437

河島紀子
四万　ル・サロン会員　二科展入賞　個展　G展　師西村龍介　プレラ美大卒　海外在住20年以上　兵庫　昭和15年
〒270-2231松戸市稔台三-二四-一七　047(367)4356

河原朝生
十二万　無所属　カラブリア異色作家展他出　ヴァレンティア賞　渡伊　ローマ国立美校修　東京　昭和24年
〒156-0054世田谷区桜丘四-一三-一六　03(3428)5375

河村純一郎
六万　行動美術会員　田中忠雄賞　奨励賞　安井賞展　現代日本絵画展出品　個展　和光大中退　山口　昭和23年
〒745-0851周南市徳山福田寺原四七五七　0834(21)8770

菅野夏子
四万　無所属　新世代展招待出品　個展　グループ展　東京芸大大学院修　東京造形大卒
〒333-0815川口市北原台一-一一-一三　048(296)0380

木津文哉
七万　独立会員　独立賞　安井賞展佳作賞　昭和会展優秀賞　個展　東京芸大大学院修　静岡　昭和33年
〒336-0911さいたま市緑区三室六九-四七　048(874)5584

木下敏彦
七万　無所属　個展　グループ展　渡欧　渡米　師神野立生　兵庫　昭和36年
〒661-0012尼崎市南塚口町三-九-一三-403　06(6429)5232

木原和敏
九万　日展会員　特選　白日会会員　総理大臣賞　デッサン大賞展優秀賞　広島　昭和33年
〒731-5101広島市佐伯区五月が丘四四-一七　0829(41)2229

木村章子
四万五千　無所属　渡仏　個展（パリ　ニューヨーク　京都　東京）　京都　昭和33年
〒612-0846京都市伏見区深草大亀谷万帖敷町一二七-二五

木村秀夫
四万 無所属 コレクター選展グランプリ 個展（東武他） グループ展 独学 東京 昭和29年
〒197-0823 あきる野市野辺二五四-一四

木村正紀
三万 無所属 童謡 童話人物画 個展 外遊 大阪芸大卒 群馬 昭和25年
〒585-0002 南河内郡河南町一須賀六〇六-一 **0721(93)6744**

木村優博
三万 無所属 国際美術大賞展 佳作賞 個展 京都造形大卒 神奈川 昭和32年
〒231-0043 横浜市中区福富町仲通三五-第二霜田ビル **045(261)3083**

木村睦郎
五万 白亜美術委員 文科大臣賞 白亜会委員賞 ル・サロン銀賞 個展 師吉野正明 熊本 昭和11年
〒594-0076 和泉市肥子町二-三-八 **0725(41)7084**

木脇康一
三万五千 無所属 元示現会会員 日展入 日洋展入 画廊企画展 個展(小田急・松坂屋・三越) 東京 昭和15年
〒253-0045 茅ヶ崎市十間坂三-二〇-1-305 **0467(82)9494**

紀井利臣
四万 レオナルド・キイ 無所属 跡見学園女子大名誉教授 東京芸大卒 福岡 昭和26年
〒340-0023 草加市谷塚町八八四-六

城戸久務
十万 現代創造美術運営委員 協会賞 奨励賞 新人賞 現代洋画精鋭展入 九州産業大卒 福岡 昭和31年
〒812-0018 福岡市博多区住吉二-六-二 **092(291)8421**

鬼頭恭子
四万 二科会会員 特選 ル・サロン会員 優秀賞 シャルルドゴールエドワード賞 日伊現代精鋭アーティスト賞
〒181-0004 三鷹市新川五-一-三 **0422(48)5665**

鬼頭 勝
六万 無所属 元白日会会員 奨励賞 佳作賞 個展(三越) 奈良 昭和17年
〒635-0034 大和高田市東三倉堂町一〇-二-一 **0745(52)5844**

喜多尾ボンタン礼子
七万 無所属 ルサロン銀賞銅賞 ミレー友好協会展協会優秀賞 ホキ美術館プラチナ大賞入 個展 東京 昭和25年
〒104-0061 中央区銀座五-一-七-3F 銀座柳画廊気付

菊池潤子
四万 無所属 純生展佳作賞 個展 グループ展 武蔵野美短大卒 北海道 昭和34年
〒078-8312 旭川市神楽岡一条七丁目三-一三 **0166(65)5866**

菊池 満
五万 無所属 個展(小田急他) グループ展 阿佐谷美研修 岩手 昭和29年
〒203-0033 東久留米市滝山六-一-二六-404 **0424(72)5900**

岸 宏士
六万 新制作協会会員 新作家賞 神奈川県展M賞 個展 千葉大卒 神奈川 昭和10年
〒211-0954 川崎市幸区小倉三七四 **044(588)5205**

北 浩二
七万 無所属 個展 現代の裸婦展入 京都美術短大卒 大阪 昭和34年
〒655-0000 神戸市垂水区伊川谷町潤和一八〇〇

北川宗親
三万 無所属 上海大田芸術企画展 個展（近鉄） 師大橋利一 熊本 昭和19年
〒546-0022 大阪市東住吉区住道矢田九-一六-一七 **090(8828)0853**

北沢 計
五万 日展会友 日洋会委員 大久保作次郎賞 刑部人賞 個展 紺綬褒章 茨城県展委員 昭和10年
〒317-0077 日立市城南町五-一〇-七 **0294(21)1761**

北野弓子
三万五千 旺玄会会員 元二元会会員 会員佳作賞 中日賞 大阪府教育委員会賞 個展 師横尾靖 東京
〒194-0031 町田市南大谷二二九四-六 **042(724)9805**

絹谷幸二
百五十万 **文化勲章** **文化功労者** **芸術院会員** 芸術院賞 独立会員 安井賞 東京芸大卒 奈良 昭和18年
〒157-0066 世田谷区成城四-六-一五 **03(3483)3993**

君島しょうたろう
二万五千 無所属 個展 グループ展（豊科近代美術館・上田サントミューゼ他） 舞台美術 長野 昭和60年
〒380-0826 長野市大字南長野北石堂町一一九七-二 **090(4395)8461**

君島龍輝
三万 無所属 木版画(裏彩色) 個展 渡米 ロックフェラービル・曹洞宗大本山総持寺収蔵 栃木 昭和31年
〒733-0802 広島市西区三滝本町二-二三-一六 **082(962)3904**

桐生照子
八万　日展会員　光風会評議員　安井賞展　昭和会展優秀賞　日洋展三越賞　新鋭選抜展　個展　新潟　昭和12年
〒248-0011鎌倉市扇ヶ谷二-九-一六　0467(24)0307

クリスチーナ・セッラ
四万　風景画　バルセロナ・マサナ美術学校修　美術職業学校修　スペイン　1956
〒152-0034目黒区緑が丘二-二四-一三-201　黒川美術気付

工藤和男
十万　日展会員　特選　創元会会長　安井賞展　昭和会展招　個展　武蔵野美大卒　大分　昭和8年
〒874-0037別府市大観山町八組

久住敏之
五万　無所属　ジャポニズム展ウィーン芸術大賞　シエナ美術館作品収蔵　個展　多摩美大卒　神奈川　昭和27年
〒349-0105蓮田市藤ノ木一-一二-七　048(769)1925

久保尚子
三万　白日会会員　企画展（福井県立美術館）　ホキ美術館大賞展　個展（近鉄本店）　福井　昭和57年
〒915-0825越前市南三-一-一五

久保博孝
五万　日展会員　特選　一水会会員　小山敬三賞　人間賛歌大賞展優秀賞　多摩美大卒　東京　昭和26年

久保三代子
二万五千　新構造社本部会員　長野県展知事賞他　きらめくプロジェクトメンバー　個展　G展　長野　昭和29年
〒384-0071小諸市大久保一三五五-一二五　090(5440)2208

久保田裕
五万　国画会会員　会友優作賞　中部国画賞　記念賞　安井賞展入　個展　愛知芸大大学院修　広島　昭和21年
〒731-5137広島市佐伯区美の里一-二-一七　082(922)1515

九鬼三郎
八万　無所属　パリ芸術大賞　小磯大賞展　伊ピエナ美術館日伊美術教授　グランショミエール修　兵庫　昭和26年
〒665-0886宝塚市山手台西二-一-一三-一　0797(88)7090

口澤弘
二万五千　日展会友　白日会会員　美岳画廊賞　県展千葉県教育長賞　浅井忠記念賞展入　個展　秋田　昭和22年
〒286-0011成田市玉造五-四三-一六

朽木真
六万　無所属　昭和会展　日本の絵画新世代展　セントラル油絵大賞展招待出品　武蔵野美大中退　東京　昭和26年
〒259-1134伊勢原市八幡台一-二-一五　0463(96)1633

沓間宏
四万　春陽会会員　春陽会賞　中川一政賞　安井賞展　個展　東京芸大大学院修　山梨　昭和29年
〒194-0211町田市相原町五九七-二四五　042(774)3655

國包和良
四万　無所属　銀座大賞展入　二元展入　個展（正光画廊）グループ展　大阪　昭和23年
〒142-0041品川区戸越六-一一-二　正光画廊気付　03(6228)6752

国広富之
七万　無所属　個展（全国百貨店）　京都学園大卒　京都　昭和28年
http://tomiyuki-kunihiro.com/art_work.html

國村睦吉
六万　無所属　現代洋画精鋭選抜展銅賞　銀座大賞展二席　登龍会展佳作賞　個展　富山　昭和29年
〒604-0024京都市中京区下妙覚寺町一八五-1002　075(255)0835

熊谷有展
七万　日展会員　特選　白日会常任委員　総理大臣賞　白日会賞　G大井賞　武蔵野美大大学院修　長崎　昭和41年
〒860-0004熊本市新町一-一五-二〇-801　096(356)2864

熊倉雄二
三万五千　新調和美術代表　大調和会常任理事　武者小路賞　モンゴル絵画交流　個展100　新潟　昭和14年
〒354-0044埼玉県入間郡三芳町北永井八四五-六一　049(258)0433

熊坂行夫
四万　白亜美術会員　白亜会賞　優秀賞　沖田稔賞　現代精鋭選抜展銅賞　銀座大賞展入　福島　昭和24年
〒973-8404いわき市内郷内町前田九四-一二　0246(26)2810

倉重栄二
九万　無所属　東京セントラル油絵大賞展出　個展　ニューヨーク・スチューデント修　福岡　昭和28年
在米

倉田和夫
五万　無所属　林武賞展優秀賞　人間讃歌大賞展奨励賞　小磯良平大賞展　浅井忠記念賞展出　広島　昭和25年
〒301-0043竜ケ崎市松葉五-一七-二九　0297(66)8091

倉林愛二郎
六万 日展会員 特選 創元会常務理事 文部大臣奨励賞 創元会賞 ベストコレクション 個展 埼玉 昭和19年
〒369-1305秩父郡長瀞町長瀞一三九七-三 0494(66)1595

栗田広敏
四万 無所属 0号の世界絵画展 赫の会展出品 個展 常葉学園卒 静岡 昭和43年
〒185-0022国分寺市東元町二-一五-二五-101

黒木トモ子
四万 無所属 元新世紀美術協会員 新世紀奨励賞 個展 山口
〒185-0021国分寺市南町一-一一-一六 042(323)8801

黒木普子
四万五千 サロン・ドートンヌ会員 アンデパンダ会員 師織田広喜 武蔵野美大卒 山形 在仏

黒木宏
五万 無所属 日本の画家サロン優秀賞 個展(三越・松坂屋他) 東京芸大卒 東京 昭和32年
〒247-0055鎌倉市小袋谷一-一五-二五 0467(44)7059

黒木雅彦
四万 無所属 ミニチュア大賞展優秀賞 佳作賞 油絵大賞出品 文化学院卒 神奈川 昭和34年
〒204-0023清瀬市竹丘一-一一-三八-601

黒澤信男
八万 日展会友 白日会特別会員 総理大臣賞 安井賞展 国際秀作展 師伊藤清永 東京芸大卒 埼玉 昭和5年
〒167-0032杉並区天沼一-一五-一 03(3391)7351

黒田悦子
六万 実生会創立委員 大調和会展 文部大臣賞 大調和賞 武者小路賞 個展 女子美大卒 宮城 昭和24年
〒188-0013西東京市向台町四-一-五 0424(61)6733

黒田進
四万五千 無所属 サロン・デ・オトーニョ展入 個展 渡欧 新潟大卒 新潟 昭和22年
〒194-0041町田市玉川学園八-一八-三 042(723)6966

桑野純平
四万五千 無所属 サロン・ドートンヌ入三 新日本美術院展新人賞 立教大卒 フィレンツェ大留学 東京 昭和49年
〒116-0012荒川区東尾久三-四-一 090(8017)6322

桑畑和生
五万 無所属 伊豆美術祭佳作 人間讃歌大賞展佳作賞 セントラル大賞展入 伊藤廉記念賞展入 岩手 昭和26年
〒026-0043釜石市新町一-五四 0193(23)1157

郡司静雄
五万 二元会常任委員 総理大臣賞 大阪府知事賞 個展 茨城 昭和6年
〒655-0864神戸市垂水区塩屋台三-一一-一〇 078(751)4422

コパーニャ
八万 無所属 ポーランド国立映画演劇大卒 ポーランド 1949
〒104-0061中央区銀座七-二-六 創英G気付 03(6274)6698

小泉憲治
六万 無所属 個展(洛陽美術館) 中国洛陽東方文化創産学院教授 多摩美大卒 岡山
〒706-0153玉野市滝一四三九-二 090(1013)9318

小泉元生
八万 一水会常任委員 文科大臣奨励賞 優賞 佳作賞 外遊 個展 師中村琢二 神奈川 昭和3年
〒248-0013鎌倉市材木座五-五-一三 0467(22)1668

小泉守邦
十五万 無所属 現代洋画展招 個展(三越・東急本店他) 師倉田三郎 東京学芸大学卒 東京 昭和9年
〒514-0065津市河辺町三〇八六-一〇 059(222)7384

小磯育央
二万五千 無所属 中央美術学園卒 埼玉 昭和53年
〒175-0045板橋区西台三-三五-一三 サンス気付 03(3931)1599

小菅光夫
四万 主体美術協会会員 個展 武蔵野美術短大卒 埼玉 昭和25年
〒368-0101埼玉県秩父郡小鹿野町下小鹿野二五一-六 0494(75)1346

小杉小二郎
五十万 無所属 東郷青児美術館大賞 青年画家展優秀賞 日大卒 東京 昭和19年
〒153-0051目黒区上目黒五-二七-一四 03(5725)4833

小永井聖子
二万五千 無所属 日本の自然を描く展入 ボザール展入 個展 女子美大卒 群馬 昭和14年
〒112-0015文京区目白台一-六-二三-305 ほうよう美術気付

小林和栄
四万五千 無所属 新制作展入 現代日本美術展入 個展 大阪 昭和21年
〒546-0033大阪市東住吉区南田辺三-一八-一六 06(6695)3911

小林さと枝
七万 二科展連入 日本芸術作家賞 仏セザール賞 北見市文化奨励賞 個展46回 師吉井淳二 北海道
〒003-0022札幌市白石区南郷通二丁目南四-五-106 070(4785)0134

小林章三
五万 アンデパンダン会員 仏芸術協会会員 ドートンヌN ボザール他出 グランショミエール修 東京 昭和23年
在仏

小林聡一
三万五千 白日会会員 イタリア・フィレンツェ留学 Accademia belladi Arte 福島 昭和50年
〒182-0022調布市国領町一-八-一四-1Fプレヴィジョン画廊気付

小林哲郎
四万 無所属 フィレンツェ大賞展佳作賞 上野の森美術館大賞展出品 個展 武蔵野美大卒 愛媛 昭和33年
〒244-0003横浜市戸塚区戸塚町五四五-一五 045(881)7476

小林英且
五万 無所属 アーティストグループ風入選 師中島千波 東京芸大大学院修 長野 昭和45年
〒274-0065船橋市高根台六-四一-一六-101 047(462)3349

小林大彦
四万 無所属 ドーヴィル国際グランプリ展銀賞 個展 アカデミーグランショミエール修 静岡
〒301-0042龍ケ崎市長山七-一三-一 0297(95)6944

小林雅英
四万 無所属 昭和会展優秀賞 個展 愛知芸大大学院修 愛知 昭和27年
〒483-8226江南市赤童子町大間二五二-二 0587(54)6285

小林　学
三万五千 無所属 栃木県芸術祭賞 ラ・フォンテ洋画展出品 一陽展会友賞 個展 北海道 昭和24年
〒329-4213足利市寺岡町六四一-三 0284(91)2828

小牧真緒
六万 無所属 昭和会展入 女流画家協会展入 0号の世界絵画展出品 個展 女子美大卒 北海道 昭和21年
〒272-0825市川市須和田一-八-一四-203

小森隼人
七万 白日会会員 白日賞 会友奨励賞 明日の白日展 奈良芸術短大卒 島根 昭和60年
https://komori-art.jimdofree.com/

小柳省三
三万 無所属 元ノリタケ(旧日本陶器)絵師 元重要文化財複製師 個展 海外アートフェア招待出品他 愛知 昭和36年
〒464-0076名古屋市千種区豊年町一-一〇-601

小柳幸代
四万五千 二科展入 昭和会展招 現代の裸婦展他出品 個展 師西村龍介 福岡 昭和15年
〒819-0015福岡市西区愛宕一-二三-四 092(891)35534

児島新太郎
三万五千 日展会員 特選 光風会監事 文科大臣賞 個展 金沢美工大大学院修 愛知 昭和48年
〒920-0967金沢市菊川一-二三-四二 090(6505)1963

児玉健二
五万 日展会員 白日会関西支部支部長 損保ジャパン美術財団奨励賞 日展特選 佐賀 昭和32年
〒604-8182京都市中京区大阪材木町六九五 075(211)3698

古宇田公仁
五万 無所属 人気新人作家展 現代リアリズム展 三越有名作家展 個展 茨城 昭和29年
〒304-0076下妻市前河原五九八-一五 0296(44)0061

古賀　充
三万 無所属 大分けんしん美術展大賞 アート台北出品 大分県立芸術文化短大卒 長崎 昭和62年
〒104-0061中央区銀座一-一一-一八 ギャラリーシーク気付

五味文彦
三十五万 無所属 元白日会会員 総理大臣賞 T賞 国展出品 個展 G展 武蔵野美大卒 長野 昭和28年
〒270-1515印旛郡栄町安食台三-一七-一八 0476(95)6730

後藤英雄
五万 無所属 個展(東武・松坂屋他) 東京芸大大学院修 栃木 昭和22年
〒329-2723栃木県那須郡西那須野町南町九-四 0287(37)1601

後藤裕貴
三万 無所属 パリ国際サロン創立会員 朝の会展 二科展 ル・サロン入 阿佐谷美卒 熊本 昭和36年
〒869-1233熊本県菊池郡大津町大津二八二-四 096(293)5148

甲田裕子
三万五千　無所属　チリ・ドイツ・スペイン美術賞展入　日本の自然を描く展入　個展　師西村龍介　千葉　昭和24年
〒155-0032世田谷区代沢一-二九-二四　03(3422)7308

肥沼　守
四万　国画会会員　国画賞　上野の森大賞展　赫の会展出品　個展　多摩美大大学院修　神奈川　昭和43年
〒253-0073茅ヶ崎市中島八一九-二　0467(88)1677

今野恵一
五万　無所属　個展（東武他）　G展　東京芸大卒　山形　昭和25年
〒260-0032千葉市中央区登戸五-八-七　043(241)9589

今野樹里恵
二万五千　無所属　ACTアート大賞展優秀賞　IAG AWARDS入　版画協会展入　造形美術学校卒　埼玉　平成8年
〒350-1131埼玉県川越市岸町二-二八-四-103

近藤友恵
三万　無所属　日本の自然を描く展出品　個展　G展　武蔵野美短大卒　埼玉　昭和55年
〒175-0045板橋区西台三-三五-一三サンス気付　03(3931)1599

近藤雅信
五万　無所属　二科展上野の森美術館奨励賞　銀座大賞展大賞　現代洋画精鋭選抜展銅賞　東京　昭和25年
〒142-0041品川区戸越六-一-二　正光画廊気付　03(6228)7047

近藤峯子
三万　無所属　個展（銀座　青山　神戸　所沢　東松山他）　桑沢デザイン研究所修　宮崎　昭和23年
〒355-0064東松山市毛塚八六三-四　0493(34)5587

さ

さくらようこ
四万　無所属　個展　グループ展　きらめくプロジェクト参加　武蔵野美大中退　長野　昭和48年
〒381-0043長野市吉田三-一九-一三サロンN2Y気付　090(1057)4539

佐々木和子
四万　日展会友　白日会会員　筧の会ビエンナーレ　レ・プレジャデ展　レ・ピュティア展　個展　群馬　昭和21年
〒666-0137川西市湯山台二-三九-二　072(792)3732

佐々木澄江
五万　無所属　元一創会会員　二科展入　G展　師西村龍介　徳島　昭和11年
〒242-0007大和市中央林間三-一四-一五　0462(74)6713

佐々木敏光
三万五千　無所属　現代洋画精鋭選抜展金賞　セントラル油絵大賞展出品　道立美術館秀作展連続出品　東京　昭和26年
〒060-0051札幌市中央区南三条西二丁目　北海道画廊気付

佐々木　麦
五万　無所属　北の大地ビエンナーレ大賞展佳作　個展　京都精華大卒　京都　昭和38年
〒524-0033守山市浮気町三〇〇-一五-3-1016　077(583)7030

佐々木真由
三万　旺玄会会員　個展　グループ展　純心女子短大卒　東京　昭和34年
〒062-0041札幌市豊平区福住一条七丁目七-一六　011(854)2585

佐々木康夫
三万五千　一水会会友　佳作賞　河北美術展河北賞　個展　師中村琢二　鈴木正紀　宮城　昭和24年
〒982-0804仙台市太白区鈎取一-二-三五　070(5479)8156

佐々木　友
四万　新日本美術協会員　受賞　一水会展他入　KFS銀賞　個展　師中尾不二夫　岩手　昭和13年
〒270-1132我孫子市湖北台七-六-一-106　0471(87)6134

佐々木　豊
十五万　国画会会員　国画賞　安井賞展　東郷青児美術館大賞　現代の裸婦展賞　東京芸大卒　愛知　昭和10年
〒240-0063横浜市保土ヶ谷区鎌谷町三三-三八　045(335)5979

佐藤顯彦
四万　無所属　二科展建設大臣賞　花の万博公式ガイドマップ表紙　ふるさと切手原画　個展　山梨　昭和27年
〒402-0011都留市井倉四六一

佐藤　渓
二万　無所属　グループ展　東京芸大工芸科彫金専攻　東京　平成10年
〒104-0061中央区銀座七-二-六　創英G気付　080(7012)9194

佐藤辰作
五万　無所属　朝の会　個展（西武・十字屋・井筒屋）　G展　欧遊　阿佐谷美術卒　山形　昭和27年
〒283-0012東金市下武射田二七〇〇-六　0475(58)4988

佐藤泰生
十二万　新制作会員　国際形象展　昭和会賞　セントラル大賞優秀賞　東京芸大大学院修　大連　昭和20年
〒249-0001逗子市久木三-九-三三　伊藤方　0468(73)6557

佐藤隆春
六万　個展（三越　松坂屋名古屋　東急本店　大丸）カメイ美術館所蔵（仙台）　宮城　昭和26年
〒981-3351宮城県黒川郡富谷町鷹乃杜二-四-一〇

佐藤　哲
十万　芸術院会員　芸術院賞　日展副理事長　文科大臣賞特選　東光会理事長　個展　大分　昭和19年
〒413-0001熱海市泉二三六-二九〇　0465(62)8190

佐藤秀人
七万　無所属　個展（そごう・西武・東武・京王他）　渡韓渡印　静岡　昭和23年
〒254-0821平塚市黒部ヶ丘一六-三四　0463(33)1447

佐藤弘光
四万　新作家美術協会委員　奨励賞　上野の森美術館大賞展佳作賞　個展　武蔵野美大大学院修　東京　昭和31年
〒144-0034大田区西糀谷二-一七-一二　03(3742)5540

佐藤美江子
四万　二紀会委員　同人賞　二紀賞　奨励賞　佐伯女流画家奨励賞　昭和会展出品　個展　武蔵野美大卒　北海道
〒104-0032中央区八丁堀四-一三-五　幸ビル1F　美岳画廊気付

佐藤美希
三万　無所属　個展　グループ展　国際テクニカルデザイン専門学校卒　栃木　昭和48年
〒170-0005豊島区南大塚三-四-四-２F　アートキューブ気付

佐藤瑞玲
四万　無所属　全国水彩展ＯＨＡＲＡ奨励賞　ロータリアン賞展最高賞　個展　シャンソン歌手　大分
〒413-0001熱海市泉二三六-二九〇　0465(62)8190

佐藤祐治
四万　日展会員　示現会会員　示現会賞　樗原賞　安田火災美術財団奨励賞　師成田禎介　北海道　昭和19年
〒182-0022調布市国領町一-八-一四-1F　プレヴィジョン画廊気付

佐藤陽也
二万五千　白日会会員　損保ジャパン美術財団賞　昭和会展松村謙三特別賞　明治大卒　福島　昭和56年
〒151-0073渋谷区笹塚一-二九-一〇　プレジール笹塚701

佐藤義光
四万五千　元二元会委員　元大調和会委員　会員努力賞　会員佳作賞　師内田晃　東京　昭和10年
〒359-1145所沢市山口一〇八〇-三八　042(924)9358

佐野金継
三万　無所属　上野の森美術館大賞展入　現代洋画精鋭選抜展入　銀座大賞展入　個展　G展　静岡　昭和24年
〒142-0041品川区戸越六-一-一二正光画廊気付　03(6228)7047

佐野京子
三万　無所属　二紀展入　サロン・ドートンヌ入　上野森大賞展入　個展　グランショミエール修　埼玉　昭和30年
〒166-0003杉並区高円寺南一-四-一五　03(3312)8062

才村　啓
二万五千　日展会友　一水会会友　研水会準委員　アートサロン大賞展入　師池田清明　大阪芸大卒　大阪　昭和50年
〒586-0068河内長野市北青葉九-一八　090(6207)9662

斉藤　要
二万五千　無所属　元二元会会員　新人賞　努力賞　ヨーロッパ賞　個展　グループ展　師川田茂　兵庫　昭和28年
〒666-0024川西市久代一-二-七　関西アート気付　072(757)9231

斎藤茂男
六万　無所属　元白日会会員　安井賞展入　セントラル大賞展佳作賞個展　欧州留学　東京造形大卒　茨城　昭和26年
〒300-4205つくば市安食二一八五　0298(65)1140

齋藤　将
四万　独立美術会員　独立賞　新人賞　前田寛治大賞展昭和会展　個展　多摩美大大学院修　東京　昭和45年
〒206-0021多摩市蓮光寺三-五八-一〇-306

斎藤千川予
六万　白亜美術委員　白亜会賞　関西白亜賞　個展　女子美大卒　福岡
〒666-0129川西市緑台一-一-六九　0727(93)7568

斎藤　功
四万　ＩＦＡ国際美術協会常務理事　国務大臣賞　奨励賞個展　グループ展　ＫＦＣ修　栃木　昭和27年
〒321-2711日光市日向九三-三　0288(97)1872

斎藤秀夫
六万　日展理事　総理大臣賞　特選　白日会副会長　白日賞　文部大臣賞他　師伊藤清永　福島　昭和18年
〒185-0011国分寺市本多三-一二-一二-202　042(324)2693

斉藤秀雄
十万 日本彩美会会長 サロン・ドートンヌ会員 ル・サロン会員 サロン・ド・メ招待 日大卒 群馬 昭和12年
〒371-0024前橋市表町二-二三-九 **027(221)2084**

斎藤由比
四万五千 無所属 個展(銀座松屋) 師佐藤敬 仏国立美術大学 東京 昭和27年
〒168-0062杉並区方南一-二六-五 **03(6755)0829**

斉藤良夫
十万 無所属 元新槐樹社委員長 総理大臣賞 文部大臣奨励賞 新槐樹社賞 個展 福島 昭和11年
〒283-0803東金市日吉台六-二二-二 **0475(52)2640**

坂口久斗
四万五千 無所属 各展出品 個展 グループ展 東京造形大卒 大阪 昭和44年

坂田哲也
十五万 無所属 伊藤廉展記念賞 セントラル大賞展大賞 安井賞展出品 東京芸大大学院修 福岡 昭和27年
〒270-0023松戸市八ケ崎七五六-一B406 **047(343)8481**

坂野昭文
五万 無所属 元具現美術会員 受賞 個展 広島 昭和14年
〒590-0932堺市堺区錦之町東一-二-六 **072(232)9435**

坂部隆芳
十五万 無所属 サロン・デ・フランセ展受賞 ラ・セル・サンクル市展最優秀賞 日大卒 昭和28年
〒541-0045大阪市中央区道修町二-四-二大千気付 **06(6201)1337**

坂元忠夫
五万 白日会会員 個展(そごう・大丸) グループ展 大阪教育大卒 大阪 昭和41年
〒563-0356豊能郡能勢町平通一〇一-511 **090(2102)2713**

阪脇郁子
五万 日展会員 無鑑査 特選 白日会会員 ギャラリー大井賞 関西美術院理事 京都市立美術大卒 京都
〒600-8074京都市下京区東前町三九九-一五 **075(341)5515**

酒井健吉
三万五千 無所属 元新構造社会員 和歌山県美術家協会会員個展 和歌山 昭和13年
〒640-8322和歌山市秋月九八-一四 **0734(71)7300**

酒井章帆
三万五千 写実画壇会員 日伯現代美術展優秀賞他 昭和会展 個展 愛知県立芸大卒 愛知 昭和35年
〒472-0012知立市八ッ田町曲六-一 **0566(81)2729**

酒井信義
十万 無所属 新制作展出品 新作家賞 大橋賞 G賞 東京芸大大学院修 神奈川 昭和19年
〒151-0053渋谷区代々木五-二四-一 田方 **03(3465)0933**

酒井一
四万 無所属 東京日本画新鋭選抜展出品 個展 グループ展 東京芸大卒 神奈川 昭和44年
〒103-0025中央区日本橋茅場町一-一二-八 Gマークウェル気付

酒井英利
八万 無所属 関西二科賞 京展入 京都画廊選抜展フェスティバル賞 個展 京都 昭和23年
〒600-0005京都市左京区岩倉南池田二二六 **075(722)4531**

酒井優行
五万 無所属 元白日会会員 佳作賞 個展 G展 京都大大学院修大阪 昭和25年
〒569-0051高槻市八幡町二-一二 **072(661)2796**

境貴史
三万 無所属 風サムホール展努力賞 三嶋哲也油彩画講座受講 東洋美術学校卒 神奈川 昭和56年
〒175-0045板橋区西台三-三五-一三 サンス気付 **03(3931)1599**

桜井志保
三万 無所属 河北美術展 日本水彩展 日本の自然を描く展出品 ユタ州立大卒 愛知 昭和47年
〒982-0003仙台市太白区郡山六-六-二 敷島画廊気付

櫻井孝美
十万 土日会代表 安井賞 昭和会賞 東京セントラル油絵大賞展大賞 個展 日大芸術卒 埼玉 昭和19年
〒403-0004富士吉田市下吉田三-三〇-三 sakuraitakayoshi.net

桜井陽彦
五万 無所属 日展他 彫刻の森美術館・ベルギー大使館 神戸海洋博物館他蔵 京都市立芸大卒 兵庫 昭和5年
〒569-1029高槻市安岡寺町二-一-二八 **072(688)3140**

櫻井幸雄
十二万 無所属 元新構造社会員 文部大臣奨励賞 三村賞 安井賞展出品 個展 新潟 昭和23年
〒946-0071魚沼市七日市二-三三-二 **025(792)2527**

桜田晴義
十二万　無所属　スペイン最優秀作家グランプリ賞　日本油絵大賞展出品　武蔵野美大卒　旧満州　昭和22年　在スペイン

桜庭優
十五万　無所属　個展　東京芸大大学院修　仏政府給費留学　パリ国立高等美術学校　神奈川　昭和16年　在仏

笹沢純雄
五万　無所属　個展　中国各地取材旅行　南米各地スケッチ旅行　日大卒　東京　昭和23年
〒154-0005世田谷区三宿一-一八-一二

澤田光春
十万　無所属　ヨーロッパ国際コンクール展グランプリ　個展　ブリュッセル王立美大卒　大阪　昭和22年
〒661-0011尼崎市東塚口町一-七-一-425　06(6427)6840

三箇大介
四万　白日会会員　ギャラリー大井賞　小磯良平大賞展入　京都造形芸大卒　兵庫　昭和51年
〒663-8184西宮市鳴尾町一-一三-七　0798(41)0488

シモン・ブロー
十八万　アンデパンダン展グランプリ　テイラー賞グランプリ　オルレアン美術館等収蔵　国立パリ高等美術学校卒1970
〒112-0005文京区水道一-八-二㈱アデカ気付　03(5848)8605

四方道夫
三万五千　無所属　現洋展大阪府知事賞　茨木市展議長賞　個展　G展　師宮崎万平　細川進　京都　昭和22年
〒573-0013枚方市星ヶ丘一-一二-一五　072(849)4486

四竈公子
六万　無所属　女流画家協会会展　朱葉会展出品　個展（フィリア美術館）武蔵野美短大卒　茨城　昭和10年
〒350-1328狭山市広瀬台一-一四-一　04(2953)6860

志賀詠
六万　無所属　ル・サロン金賞　個展（北京・ニューヨーク）女子美大卒　アートスチューデントリーグ修　昭和17年
〒177-0044練馬区上石神井三-三〇-六　03(3928)4184

志水和司
四万　白日会会員　日展入　個展　グループ展　立命館大卒　兵庫　昭和32年
〒671-2514宍粟市山崎町田井六四五-三六　0790(62)3449

志水堅二
八万　無所属　かわさき市美術展最優秀賞　前田寛治大賞展　個展　東京芸大大学院修　愛知　昭和46年
〒358-0004入間市鍵山一-十三-九-1F

志村敏子
六万　無所属　元新制作協会会友　作家賞　昭和会展招待　武蔵野美大卒　神奈川　昭和29年
〒182-0022調布市国領町一-八-一四-1F　プレヴィジョン画廊気付

志村好子
三万五千　無所属　個展　グループ展　欧州取材旅行　師斉藤三郎　東京　昭和15年
〒315-0001石岡市石岡一三九四六-一　0299(24)5332

塩田清三郎
四万　無所属　近代美術協会展菊華賞　望月春江展特別賞　個展　武蔵野美大卒　島根　昭和10年
〒213-0002川崎市高津区二子四-一八-二四

塩田満男
四万六千　無所属　現代洋画精鋭選抜展金賞　記念大展優秀賞　日仏現代美術展入　個展　東京　昭和16年
〒343-0832越谷市南町一-一-二〇-501　048(989)7250

塩谷亮
二十万　一紀会同人　個展（日本橋三越）文化庁芸術家在外研修員　武蔵野美大卒　東京　昭和50年
〒240-0115三浦郡葉山町上山口八三四-一　046(895)6934

鹿山栄子
四万五千　無所属　金沢ガラス絵創作研究会代表　個展　石川
〒815-0036福岡市南区筑紫丘一-一三-九-1207　DDCグループ気付

渋谷重弘
五万　無所属　昭和会展招待　日仏現代展　日洋展出品　青森県展奨励賞　個展　岩手大卒　秋田　昭和21年
〒010-0041秋田市広面字広面七八-一　018(835)7581

島崎庸夫
七万　創元会顧問　文部大臣賞　安井賞展　ソフィアトリエンナーレ展　個展　武蔵野美大卒　群馬　昭和8年
〒370-0836高崎市若松町四三-七　052(932)9211

島田三郎
十万　無所属　アンデパンダン賞　サロン・ドートンヌ　ル・サロン他受賞　ドーヴィルグランプリ受賞　東京　昭和18年　在仏

島津豪亮
六万五千 無所属 個展（日本橋東急 横浜高島屋） 師横地康国 武蔵野美大卒 神奈川 昭和14年
〒259-0201神奈川県真鶴町真鶴二〇五-五 **0465(68)1999**

嶋津俊則
八万 二元会名誉会長 総理大臣賞 文部大臣奨励賞 ル・サロン銀賞 個展 師鈴木博尊 大阪 昭和16年
〒550-0015大阪市西区南堀江一-一六-二三-1101 **06(6543)2446**

嶋中俊文
四万 白日会会員 佳作賞 富田賞 創形美術学校卒 東京 昭和40年
〒207-0003東大和市狭山三-一二〇〇-四 **042(567)0575**

島根 清
四万 無所属 元光陽会評議員 光陽会賞 青年作家賞他7回 紺綬褒章 師奥龍之介 東京 昭和20年
〒341-0038三郷市中央三-四〇-四 **048(953)1930**

島村信之
四十万 白日会会員 前田寛治大賞 個展（銀座柳画廊） 武蔵野美大大学院修 埼玉 昭和40年
〒255-0004神奈川県大磯町東小磯四七六-七 **0463(61)0185**

清水悦男
十五万 無所属 独立美術展 神奈川美術展出品 個展 多摩美大卒 長野 昭和28年
〒386-0032上田市諏訪形二三九-七 **0268(24)4974**

清水新也
六万 無所属 サロン・ド・パリ会員 カンヌ国際栄誉グランプリ金賞 個展 名古屋芸大卒 徳島 昭和43年
〒108-0023港区芝浦三-四-二-GP1203 **03(5440)4566**

清水亟㥏
五万 モダンアート会員 シェル賞展 県展文部大臣賞 精鋭選抜展銀銅賞 個展 多摩美大卒 徳島 昭和12年
〒770-0021徳島市佐古一番町四-一六 **0886(53)8758**

清水忠臣
三万五千 無所属 個展 グループ展 師大島益弘 渡伊 大阪高卒 大阪 昭和52年
〒530-0044大阪市北区東天満二-五-一〇-302 **090(3922)1622**

清水朋江
四万 無所属 新芸術展奨励賞 新洋画会展奨励賞 G展 岩手 昭和14年
〒176-0012練馬区豊玉北四-一八-二 **03(3991)7817**

清水 勝
六万 無所属 元独立会友 画廊企画展優秀賞 個展 G展 外遊 日本美術学校卒 島根 昭和17年
〒176-0005練馬区旭丘一-四六-七-一 **03(3951)2011**

清水 優
五万 日展会員 審査員 光風会理事 個展 茨城大卒 茨城 昭和22年
〒311-4145水戸市双葉台一-一七-八 **029(253)1583**

清水 源
七万 太陽美術協会会長 ル・サロン最高名誉メダル（日本人唯一）ル・サロン金メダル アメリカ大使館壁画制作
〒346-0115久喜市菖蒲町小林四五〇二 **0480(85)5985**

下園由莉
五万 無所属 元元陽会委員 文科大臣奨励賞 元陽会賞 25周年記念賞 宮廷芸術会員 個展 石川
〒562-0027箕面市石丸三-一六-二 **0727(29)2895**

下関正義
四万 無所属 一水会展入 示現会展入 日本の自然を描く展入 個展 G展 慶応大卒 東京 昭和22年
〒154-0016世田谷区弦巻五-一-八-740 **03(5451)2771**

下村正二
五万 無所属 二紀展入 日伯展入 個展（三越他） 青森 昭和30年
〒031-0023八戸市是川字長根二-一

庄司 守
六万 無所属 日伯展入 ブロードウェイ新人賞第3席受賞 油絵大賞展入 個展（伊勢丹他） 岩手 昭和22年
〒027-0373宮古市田老字向新田一二一-一七 **0193(87)5533**

戎 鳴 岐
五万 無所属 二科展特選 太平洋展入 新芸術展奨励賞 日本の自然を描く展入 個展 中国 1957
〒103-0025中央区日本橋茅場町一-一一-八 Gマークウェル気付

ジャン・フェルナン
五万 ドーヴィル市金賞 パリ市金賞 モワニ・スーレコール市金賞 ヴェールデトレノン美術館収蔵 フランス 1948
〒336-0023さいたま市南区神明一-一-一二 ㈱トレードウインド

ジャン・ゴダン
十五万 国立美術協会会員 レオナルド・ダビンチ賞 エネ美術館等収蔵 国立アンジェ美術学校卒 1943
〒112-0005文京区水道一-八-二 ㈱アデカ気付 **03(5848)8605**

ジャン・モワラス

十万 クレモン＝フェラン・シャマリエールより特別表彰　大回顧展（仏ヴァル城）個展（銀座他）フランス 1945
〒167-0051 杉並区荻窪四-二九-八 オザオビル1F　ギャラリー萠気付

ジョアン・ゲレロ

八万 油絵具にマーブルパウダー　直線的コンポジション　マサナ美術学校　バルセロナ美大卒　スペイン 1957
〒336-0023 さいたま市南区神明一-一-二二 ㈱トレードウインド

ジンG・カム

十万 壁画制作（バーンスタイン財団他多数）マイルス・デイビスミュージアム収蔵　鎮江美術大卒　上海 1953
〒336-0023 さいたま市南区神明一-一-二二 ㈱トレードウインド

上代　誠

五万 無所属　日本風景美展入　精鋭選抜展銀賞　大賞　個展　島根　昭和28年
〒675-0062 加古川市加古川町美乃利四〇九-二九　三交美商気付

城　康夫

八万 国画会会員　国画賞　会友優作賞　シェル賞展入　文化庁現代展他出　個展　京都　昭和18年
〒619-1152 木津川市加茂町里小田七〇-四　**0774(76)7637**

白井不二子

四万 無所属　二科展入　創造美術展　二元展受賞　銀座大賞展入　昭和41年
〒142-0041 品川区戸越六-一-一二　正光画廊気付　**03(6228)7047**

白井洋子

四万 水彩連盟会委員　荒谷直之介賞　春日部たすく賞　ハマ展読売新聞社賞　損保ジャパン美術財団奨励賞　福島
〒240-0113 三浦郡葉山町長柄一四二三-一四八　**0468(76)3633**

白石裕三

四万 無所属　サロン・デ・ボザール入　個展　G展　渡仏　立命館大卒　愛媛　昭和31年
〒790-0964 松山市中村四-九-一　**089(921)0022**

白鳥十三

五万 無所属　個展（サエグサ画廊他）渡欧　早稲田大卒　新潟　昭和24年
〒151-0071 渋谷区本町二-三九-一〇　**03(3374)6585**

白鳥未行

三万 無所属　赫の会展出品　個展　東京芸大大学院修　東京
〒420-0866 静岡市葵区西草深町二三-一六-二

白鳥龍介

二十万 無所属　サロン・ド・フィナール会員　仏国際大賞展三位　個展　愛媛
〒791-8016 松山市久万ノ台一〇三九　**089(922)9660**

代田盛男

六万 無所属　元大調和会代表　文部大臣賞　会員努力賞　佳作賞　新鋭選抜展出品　個展　欧遊　昭和16年
〒196-0001 昭島市美堀町二-二七-二　**042(544)4850**

スガミオコ

四万 太陽美術協会准理事　ル・サロン入　アンデパンダン出　ベルリーナリステ出　抽象・心象　北海道　昭和30年
〒060-0003 札幌市中央区北三条西二三丁目-三-505　**011(281)3997**

スナイナ　タクー

三万 個展（ネパール　インド　アメリカ　日本）1985
〒103-0015 中央区日本橋箱崎町一六-一　ギャラリー双鶴気付　**在ネパール**

須藤けい子

四万 無所属　真砂美塾選抜展　女流展　五人展　師辻真砂　山形県立酒田商業工業高校卒　秋田　昭和15年
〒540-0037 大阪市中央区内平野町一-一-六-1104　**06(6942)6598**

菅井　豊

三万 無所属　元白日会会員　佳作賞　個展（大丸他）文化学院卒　千葉　昭和24年
〒194-0013 町田市原町田一-二二-三　帯金荘2-1　**042(725)8075**

菅沼光児

四万 無所属　新制作展　新鋭作家展出品　個展　東京芸大大学院修　埼玉　昭和35年
〒158-0083 世田谷区奥沢一-二二-一〇　**03(3727)7558**

菅野瑠衣

三万 無所属　白日会展入　個展　グループ展　日本大卒　中央美術学園卒　埼玉　昭和59年
〒530-0047 大阪市北区西天満四-五-七　瀧川画廊気付

杉浦幹男

六万 第一美術名誉会員　文部大臣奨励賞　協会賞他　昭和会展　安井賞展出　武蔵野美大卒　山形　昭和24年
〒274-0807 船橋市咲が丘一-五-三　**047(448)6697**

杉本澄男

六万 無所属　新制作協会展出品　小泉賞　岩手大特設美術科卒　静岡　昭和23年
〒020-0114 盛岡市高松一-一四-五〇　**019(661)4823**

杉山吉伸
十万 日展会員 特選 審査員 光風会名誉会員 文部大臣賞 辻永記念賞 県文化功労者 師寺島龍一 昭和12年
〒329-1311 さくら市氏家二七七三 028(682)3183

鈴木和道
六万 無所属 セントラル大賞展佳作賞 個展 東京芸大大学院修 ウィーン国立応用芸大卒 東京 昭和30年
〒192-0363 八王子市別所二-一六-三-601 0426(75)5963

鈴木清仁
四万 無所属 小田原市展記念大賞 二人展 グループ展 武蔵工業大卒 静岡 昭和33年
〒231-0013 横浜市中区住吉町㈶関内ホール併設ギャラリー枇杷

鈴木節子
四万 無所属 個展（東武池袋 松屋銀座他多数） 二人展（ロンドン Anise Gallery） グループ展 東京芸大卒 山口
instagram.com/setsu_ko_suzuki

鈴木延雄
五万 風土会員 安井賞展 個展（小田急他） 師林武 東京芸大卒 東京 昭和7年
〒187-0043 小平市学園東町一-二一-一三 042(341)0789

鈴木益躬
八万 日展会友 特選 元一水会常任委員 文科大臣奨励賞 ミニチュア大賞展優秀賞 多摩美大卒 東京 昭和7年
〒274-0815 船橋市西習志野町三-一七-六 047(464)1979

鈴木美登里
四万 無所属 名古屋芸大卒 茨城 昭和51年
〒106-0032 港区六本木七-五-一七ユニ六本木7FD 03(3405)0533

鈴木裕見子
五万五千 無所属 現代日本絵画展入 個展 G展 蒼洋展出品 東洋美術学校卒 栃木 昭和32年

住吉久志
四万 無所属 精鋭選抜展入 個展（銀座美術館・伊勢丹他） 広島 昭和22年
〒675-0062 加古川市加古川町美乃利四〇九-二九 三交美商気付

セキ・トシ
五万 無所属 個展（NY・CHINOH ARTギャラリー 大丸・三越） 北海道 昭和30年
〒250-0016 藤沢市弥勒寺四-一八-一五 080(1136)2390

世良静夫
六万 無所属 ブロードウェイ新人展一席 個展 G展 渡欧 多摩美大卒 山口 昭和10年
〒939-8073 富山市大町一区中部一二一 076(425)8474

瀬尾一嘉
九万 無所属 元独立会友 ボザール展総理大臣賞 鎌倉美術展最高賞 師糸園和三郎 日大芸術卒 京都 昭和13年
〒247-0074 鎌倉市城廻三九四-二七 0467(81)5542

瀬川智貴
四万 無所属 個展（伊勢丹・阪急・三越） グループ展 東京芸大卒 東京 昭和35年
〒248-0031 鎌倉市鎌倉山二-一四-三 0467(95)7008

清家文博
六万 無所属 独立展新人賞 関西独立賞 前田寛治大賞展入 京展市長賞 個展 G展 愛媛 昭和27年
〒573-0022 枚方市宮之阪四-二三-五 072(849)0576

関口正人
四万 無所属 朝の会展 新人大賞 サの会展 個展 阿佐谷美卒 群馬 昭和34年
〒370-1206 高崎市台新田町二九 0273(46)6704

関口雅文
四万 白日会会員 文科大臣賞 会友奨励賞 安田火災美術財団奨励賞 個展 東京芸大大学院修 新潟 昭和45年
〒143-0023 大田区山王二-一八-五-805 03(5709)1023

関根吉亜木
三万 新象美術協会準会員 元一線美術会委員 都知事賞 上野の森大賞展入 武蔵野美短大卒 埼玉 昭和26年
〒355-0327 比企郡小川町腰越五九七-一〇 0493(74)2331

設和幹
十万 無所属 元一線美術会委員 一線美術賞 安井賞展 日洋展 個展 仏留 山梨 昭和17年
〒400-0031 甲府市丸の内一-三一-一九-201 055(233)8088

妹尾宏行
六万 無所属 個展 グループ展 東京芸大卒 岡山 昭和29年
〒270-2267 松戸市牧の原一-三-八 047(383)1615

曽根茂
六万 無所属 昭和会展優秀賞 個展（京都大丸） 京都大卒 三重 昭和46年
keishikiron2@yahoo.co.jp

園田郁夫
五万 元二科会員 銀賞 特別賞 デンマーク賞 エジプト・アルジェリア展招 北海道 昭和5年
〒082-0016北海道河西郡芽室町東六条六-一-二 01556(2)5116

園山幹生
十二万 無所属 毎日現代展出 個展（小田急・リオデジャネイロ他） 島根 昭和23年
〒338-0001さいたま市中央区上落合八-六-一六 048(857)6180

孫家珮
十一万五千 無所属 国際公募連展総理大臣賞 文部大臣賞 昭和会展招待 個展 上海交通大修 中国 1958
〒157-0066世田谷区成城八-二〇-二-401 03(3483)3838

た

たかたのりこ
四万 無所属 挿絵 年賀葉書 切手イラスト 個展（全国百貨店） 北海道
〒047-0012小樽市天狗山

田口貴久
四万 立軌会同人 主体美術展 G展 愛知芸大大学院修 名古屋芸大卒 愛知 昭和28年
〒485-0058小牧市小木二-二五〇-一 0568(73)9858

田﨑英昭
五万 無所属 西日本美術展優秀賞 田川市美術館大賞展佳作賞 長崎大卒 長崎 昭和15年
〒854-0004諫早市金谷町一七-二 0957(23)7269

田中愛一郎
三万五千 白日会会員 奈良県美術協会会員 武蔵野美大卒 奈良 昭和38年
〒631-0805奈良市右京三-一五-五 0742(72)3465

田中章夫
五万 無所属 個展（三越各店 ハラパ市他） 立正大卒 メキシコベラクルス大留学 群馬 昭和20年
〒014-0311仙北市角館町田町上丁一四-一 0187(55)1152

田中いっこう
六万 国画会会員 国画賞 明日への具象展 杜の会展 国際形象展出品 東京芸大大学院修 滋賀 昭和26年
〒520-2144大津市大萱三-一-五 077(543)0779

田中清
五万五千 無所属 林武賞展佳作賞 現代精鋭選抜展銀賞 北の大地展佳作賞 個展 新潟 昭和25年
〒940-0824長岡市高町四-八五八-三二五 0258(33)9669

田中賢一郎
五万 写実画壇会員 布施信太郎賞 チェリトン賞 個展 武蔵野美大卒 神奈川 昭和22年
〒246-0034横浜市瀬谷区南瀬谷一-六五-四 045(303)0917

田中重光
三万五千 無所属 越後湯沢全国童画展特別賞 元陽会展 新槐樹社展 現展 創展 千葉 昭和39年
〒329-4309栃木市岩舟町畳岡九一-四 0282(55)6938

田中進
四万 元日洋会委員 元新道展会員 HBC賞 旺玄会展船岡賞 日洋展出品 個展（三越） 北海道 昭和9年
〒002-8071札幌市北区あいの里一条三丁目八-三 011(778)9755

田中善明
六万 無所属 独立展 春陽展出品 市新人展招 個展 欧留 神奈川 昭和21年
〒231-0806横浜市中区本牧町一-一七五-一

田中孝知
三万五千 白日会会員 個展（あべのハルカス近鉄本店） グループ展 京都嵯峨美大卒 福井 昭和59年
〒612-0856京都市伏見区桃山町正宗五-二-105 090(2034)8329

田中秀敏
三万 白日会準会員 グループ展 大阪芸大大学院修 大阪 昭和60年
〒599-8127堺市東区草尾七三-二 090(2105)1307

田中秀典
三万五千 無所属 日本風景美術展優秀賞 銀座大賞展入得意奥入瀬渓流 東京 昭和17年
〒142-0041品川区戸越六-一-二 正光画廊気付 03(6228)7047

田中芳照
六万 無所属 昭和会展 安井賞展 21会展出品 個展（梅田大丸他） 大阪芸大卒 京都 昭和29年
〒603-8415京都市北区紫竹西大門町一七 075(491)4325

田辺阿希
四万 無所属 大阪芸大中退 岡山 昭和57年
〒815-0036福岡市南区筑紫丘一-二三-九-1207 DDC気付

田畑和高
六万 無所属 二科展連入 新鋭選抜展 個展 G展 師西村龍介 山口 昭和21年
〒184-0015小金井市貫井北町二-六-二三

田伏 勉
六万 独立会員 独立賞 上野の森大賞展佳作賞 京展市長賞 安井賞展他 個展 大阪 昭和24年
〒575-0021四條畷市南野二-六-五七 0720(76)1416

田村鎮男
八万 無所属 個展 グループ展 師小磯良平・牛島憲之 滞仏 東京芸大卒 島根 昭和17年
〒112-0014文京区関口三-三-一 03(3944)9797

田村能里子
四十万 無所属 昭和会展優秀賞 現代の裸婦展大賞 日本青年画家展優秀賞 個展 愛知 昭和19年
〒154-0016世田谷区弦巻二-三三-二〇-406 03(3427)6900

多田博一
六万 無所属 風土展同人 欧州 印度 中近東 中国 南米取材 香川 昭和11年
〒299-4624千葉県夷隅郡岬町鴨根七二四-一 0470(87)8165

高岡香苗
五万 無所属 個展 グループ展 東京芸大大学院修 サロンドプランタン賞 千葉 昭和44年
〒121-0816足立区梅島二-四-一

高木貴理子
四万 無所属 文科大臣賞 女流画家展入 個展（三越大丸他） 女子美大卒 東京 昭和40年
〒144-0055大田区仲六郷三-一七-四 03(3736)7757

高木英章
五万 立軌会同人 東京芸大大学院修（野見山暁治教室） 佐賀 昭和25年
〒358-0053入間市仏子二二〇-三 04(2932)4835

髙木弘子
四万 無所属 個展 師嶋本昭三 聖和大卒 兵庫 昭和19年
〒662-0912西宮市松原町六-九 0798(23)1906

高木 博
四万 無所属 ル・サロン会員 アンデパンダン会員 コロンブス500年展銀賞 個展（パリ・横浜そごう他） 青森 昭和27年 **在仏**

髙瀬 誠
六万 無所属 個展（伊勢丹・阪急・三越） グループ展 東京芸大卒 東京 昭和25年
〒277-0072柏市つくしが丘三-七-三

高瀬竜二
四万 無所属 個展（佐賀 熊本 福岡他百貨店） 武蔵野美大卒 福岡 昭和32年

高田明義
十万 無所属 現代の裸婦展大賞 師小磯良平 東京芸大大学院修 東京 昭和14年
〒289-1214山武市森一四六六-三 0475(88)0913

髙田龍子
四万 無所属 個展（三越 東急 東武他） 師石原靖夫 札幌大谷短大卒 北海道 昭和38年
〒141-0031品川区西五反田二-一五-一三-103 加藤画廊気付

高梨芳実
七万 日展会員 白日会常任委員 総理大臣賞 文部大臣奨励賞 中沢賞 佳作賞 個展 北海道 昭和29年
〒410-2122伊豆の国市寺家五二二-一 0559(49)8554

高根沢晋也
四万 白日会会員 M賞 U賞 安田火災美術財団奨励賞 東京造形大卒 秋田 昭和41年
〒231-0806横浜市中区本牧町一-四四-一-205 045(623)7716

髙野元孝
百万 **絵画特許** 無所属 日仏一席 埼玉近美 青森県美 今治市美 山形県美 百貨店253NY個展5 東京 昭和15年
〒343-0806越谷市宮本町二-二三 048(963)6370

高橋明子
三万五千 無所属 真砂美塾選抜展 花組展 真砂賞 大井賞 師辻真砂 大阪 昭和36年
〒663-8111西宮市二見町一四-一八-八四五 0798(64)2610

高橋正一
三万 創元会会員 花と女性美展入 日本の民家油絵展出品 東京 昭和23年
〒125-0052葛飾区柴又四-一一-一八 03(3671)4741

高橋 勉
六万 二紀会会員 奨励賞 フィレンツェ賞展ビアンキ賞 河北美術展文部大臣奨励賞 宮城 昭和36年
〒985-0804宮城郡七ケ浜町東宮浜吉子六〇-四 022(362)3497

高橋哲夫
六万 無所属 元大洋会会員 個展(京成百貨店他) 北海道 昭和10年
〒061-0212 石狩郡当別町字金沢三六-三 **0133(22)1255**

髙橋雅史
四万 独立美術会員 独立賞 中山賞 奨励賞 前田寛治大賞展大賞 個展 精華大卒 大阪 昭和41年
〒537-0002 大阪市東成区深江南一-一五-二七-304 **06(6972)8532**

高橋益之
四万 元陽会会員 ル・サロン Nボザール入 個展 北海道 昭和19年
〒002-0854 札幌市北区屯田四条一丁目三-二 **011(839)0434**

高橋道夫
五万 無所属 ブザンソン芸術祭招待出品 ボザール大大学院修 東京 昭和28年 **在仏**

高橋行雄
六万 無所属 スイス・ローザンヌ会員 個展 画廊企画展 G展 岩手 昭和21年
〒180-0023 武蔵野市境南町三-二-一八 武蔵野アート気付

高橋幸彦
六万 無所属 大橋賞 個展 日本秀作美術展 O氏記念展出品 東京芸大大学院修 福島 昭和22年
〒359-0001 所沢市下富二五七-九 **042(943)7651**

高畑雅一
七万 無所属 上野の森美術館日本の自然を描く展佳作賞 金沢美工大卒 京都造形大大学院修 大阪 昭和37年
〒573-1103 枚方市楠葉野田一-三八-二 **072(857)4044**

高畑幸伸
三万五千 無所属 個展 グループ展 京都造形大卒 大阪 昭和45年
〒590-0115 堺市南区茶山台二-三-四-408

高松秀和
十二万 無所属 安井賞展入 ウェンリー賞 東京芸大大学院修 大橋賞 東京 昭和39年
〒250-0051 小田原市北窪四六六 サンブエール103

高見和秀
五万 無所属 小磯良平大賞展入 丹波美術大賞展入 川の絵画大賞展入 多摩美大卒 愛媛 昭和42年
〒791-8092 松山市由良町八七三-一-A4棟 **080(4039)4486**

高山博子
六万 日展会友 光風会会員 光風会会友賞 損保ジャパン美術財団賞 個展 大阪芸大卒 広島 昭和33年
〒734-0005 広島市南区翠二-一八-二〇 **082(253)4747**

高山章亮
四万 二科会会員 特選 日本の自然を描く展優秀賞 個展 G展 師吉井淳二 東京 昭和16年
〒142-0041 品川区戸越六-一-二 正光画廊気付 **03(6228)6752**

滝 辰夫
四万 二紀会会員 会員賞 同人賞 二紀展奨励賞 選抜展出 師宮永岳彦 静岡 昭和27年
〒162-0815 新宿区筑土八幡町六-一五 宮永方 **03(3260)0859**

滝沢直次
三万五千 中央美術協会会員 文部大臣奨励賞 中美展新人賞 協会賞 安井賞展 埼玉 昭和24年
〒360-0832 熊谷市小島八八八 **0485(21)3005**

瀧下和之
十万 無所属 日経日本画大賞展入 個展(熊本市現代美術館) 東京芸大大学院修 師中島千波 熊本 昭和50年
〒107-0062 港区南青山五-四-三〇 新生堂気付

瀧田 彩
三万 無所属 愛媛県展特選 横浜美術短大卒 徳島 昭和62年
〒101-0046 千代田区神田多町二-一一-二七 友美堂気付

滝浪文裕
三万 三軌会会員 佳作賞 奨励賞 優賞 個展(池袋東武 上野松坂屋他) 師市川元晴 静岡 昭和40年
〒272-0823 市川市東菅野三-二八-五 ギャラリー坂和気付

竹内康行
八万 無所属 昭和会展招待出品 個展 多摩美大卒 大阪 昭和26年
〒590-0453 泉南郡熊取町南山ノ手台三-八 **0724(52)9355**

竹内洋子
二万五千 新構造社会員 審査員 長野県展知事賞 きらめくプロジェクトメンバー 師奈良本守正 長野 昭和19年
〒381-0081 長野市西三才一九二-五六 **026(296)8281**

竹尾文夫
六万 無所属 元大潮会会員 特選 安井賞展 昭和会展 個展 愛知 昭和20年
〒440-0031 豊橋市北岩田一-六-二 **0532(66)0917**

武井　清
五万　山岳画協会会員　日本山岳会員　山岳画　個展(小田急他)　渡欧　東京　昭和6年
〒182-0022 調布市国領町一-八-一四-1F プレヴィジョン画廊気付

武井　誠
六万　無所属　個展　グループ展　渡仏　師坂下広吉　東洋美術学校卒　神奈川　昭和48年
〒231-0013 横浜市中区住吉町㈶関内ホール併設ギャラリー枇杷気付

武井政之
七万　無所属　新鋭三人展　洋画八人展　個展　G展　武蔵野美大卒　長野　昭和21年
〒589-0023 大阪狭山市大野台四-一五-一　090(2241)1057

武生弘子
七万　無所属　日本の抒情歌を描く展代表　個展(三越　高島屋)　G展　武蔵野美大卒　パリ国立高等美術学校修
〒206-0824 稲城市若葉台一-三三-二　一番館101　042(331)1188

武田　茂
六万　近代美術協会会員　ル・サロン銅賞　AIルテス展賞　個展(東武他)　東京　昭和24年
〒242-0002 大和市つきみ野八-七-一九　0462(75)5716

武田優作
三万　無所属　美術新人賞デビュー入選作品展入　横浜国立大大学院修　山形　平成1年
https://www.yusakutakeda.site/

武宮秀鵬
八万　無所属　現代洋画精鋭選抜記念展大賞　セントラル大賞展入　個展　東京芸大卒　東京　昭和31年
〒243-0406 海老名市国分北三-一五-三七

武本はる根
十万　二紀会会員　昭和会賞　安井賞展入　具象絵画ビエンナーレ招　京都府買上　個展　大阪　昭和14年
〒432-8002 浜松市富塚町三三二-一〇二　053(475)8883

立川広己
四万五千　自由美術協会会員　佳作賞　日伯展受賞　上野の森大賞展受賞　武蔵野美大卒　東京　昭和24年
〒344-0064 春日部市南三-一八-七〇　048(734)8834

立花　博
七万　日展会員　特選　白日会会員　総理大臣賞　中沢賞　伊藤賞　ル・サロン銀賞　個展　岡山　昭和17年
〒706-0011 玉野市宇野八-二九-二八　0863(21)5337

谷川泰宏
二十万　無所属　セントラル大賞展大賞　東京芸大大学院修　大橋賞　師彼末宏　徳島　昭和32年
〒106-0046 港区元麻布一-三-三七-211

谷口和正
五万五千　無所属　全国サムホール公募展大賞　個展　信州大卒　兵庫　昭和32年
〒567-0810 茨木市宮元町五-一-105　072(623)0306

種房ひさ子
七万　元日展会友　元示現会監事　文科大臣賞　個展(イタリア他)　武蔵野美大卒　静岡　昭和7年
〒153-0051 目黒区上目黒四-二七-三　03(3712)5112

玉有万範
十万　サロン・デュ・ブラン美術協会委員　ブロードウェイ新人展賞　渡欧　中美卒　徳島　昭和26年
〒773-0023 小松島市坂野町字楠塚六-一　0885(37)2368

玉田健二
六万　一陽会会員　青麦賞　特待賞　現代洋画展銀賞　個展　金沢美工大卒　大分　昭和22年
〒350-1335 狭山市柏原四二六七

民谷多都子
三万五千　無所属　真砂美塾　女流油絵五人展　大谷女子短大卒　師辻真砂　大阪　昭和27年
〒540-0005 大阪市中央区上町一-一五-三七-902　06(4304)1219

丹　良行
六万　創元会会員　創元展賞　日展入　師朝比奈文雄　北海道　昭和22年
〒911-0034 勝山市滝波町一-七四〇-一　077(988)3326

丹野清悟
五万　無所属　ル・サロン入　サロン・ドートンヌ入　Nボザール展入　個展(東京梅田画廊他)　宮城　昭和23年
在仏

ダニエル・クチュール
十五万　サロン・ドートンヌ会員　フランス芸術協会会員　国立パリ高等応用芸術学校卒　個展(日本橋三越他)　1930
〒112-0005 文京区水道一-八-二　㈱アデカ気付　03(5848)8605

智内兄助
十九万　無所属　安井賞展特別賞　日仏展フィガロ賞　シェル賞展佳作賞　東京芸大大学院修　愛媛　昭和23年
〒104-0061 中央区銀座七-五-四ギャルリーためなが www.tamenaga.com

崔 恩景（ちぇ うん ぎょん）
四万 無所属 両洋の眼現代絵画展河北倫明賞 VOCA展出品 東京芸大大学院修 韓国 昭和33年

竹馬のりこ
二万五千 無所属 個展 グループ展 早見芸術学院卒 師川口起美雄 埼玉 昭和47年
〒343-0045 越谷市下間久里四四七-一 **048(976)7109**

張 媛媛
三万 無所属 上野の森美術館大賞展絵画大賞 公募日本の絵画2022優秀賞 東京芸大大学院修 横浜国立大大学院修 中国 1984
https://zhangyuanyuan.art/

津端 泰
九万 白日会会員 安田火災美術財団奨励賞 M賞 東京造形大卒 新潟 昭和33年
0835(23)1300 在スペイン

塚越かじん
三万 無所属 サロン・ドートンヌ入 全日本芸術公募展佳作 日美展審査員奨励賞 東京 昭和53年
〒155-0033 世田谷区代田六-一五-一四-203 **090(7284)0763**

塚越仁慈
十二万 無所属 元太平洋会員 総理大臣賞 文部大臣賞 日西芸術祭最優秀賞 個展(スペイン) 静岡 昭和23年
〒379-1205 利根郡昭和村川額三七一六-三五七 **0278(21)2325**

塚田 清
四万 新洋画会理事 文部大臣奨励賞 60周年記念特別賞 師横山義雄 太平洋美校修 茨城 昭和11年
〒267-0065 千葉市緑区大椎町一一八八-三五四 **043(294)6276**

塚原貴之
四万五千 白日会会員 元主体美術協会会員 佳作作家賞 全道展奨励賞 佳作賞 東京芸大中退 北海道 昭和42年
〒069-0821 江別市東野幌町一-九 B-923 **011(555)1717**

塚本 聰
五万 独立美術会員 野口賞 独立賞 安田火災東郷青児美術館収蔵 個展 多摩美術大学大学院修 福岡 昭和33年
〒352-0032 新座市新堀三-一-二一-203 **042(446)9586**

続橋 守
四万 主体美術協会会員 現代美術選抜展出品 個展 G展 東京学芸大卒 北海道 昭和18年
〒259-0122 神奈川県二宮町富士見が丘一-一一-二六 **0463(72)4843**

土屋文明
六万 日本水彩画展総理大臣賞 会員奨励賞 安井賞展入 国際美術大賞展優秀賞 個展 広島 昭和26年
〒722-0017 尾道市門田町二〇-六 **0848(22)4810**

辻 真砂
十万 無所属 真砂美塾塾長 関西美術院院長代理 スペイン国立美術学校修 大阪 昭和26年
〒567-0892 茨木市並木町五-四 **0726(32)4737**

筒井直子
四万 二科展連入 ミニチュア大賞展優秀賞 女流画家展出品 県展特選 個展 師斉藤三郎 東京 昭和28年
〒330-0073 さいたま市浦和区元町二-二六-一〇 **048(886)4649**

堤あすか
三万 「ARTIST IN ROOM」(パークホテル東京客室ペイント) C-DEPOT 加入(G展多数) 武蔵野美大卒 茨城 昭和51年
〒170-0005 豊島区南大塚三-四-四-210 アートキューブ気付

堤 岳彦
四万 無所属 個展 グループ展 東京芸大大学院修 神奈川 昭和50年
〒214-0039 川崎市多摩区栗谷一-九-二-BF ttmbox@ebcenter.jp

角田 守
四万 無所属 桜花芸術祭 銀座大賞展 ブロードウェイ新人展 太平洋展入 個展 東京 昭和23年
〒343-0023 越谷市東越谷一-八-二四 **090(9848)6562**

椿野浩二
五万 無所属 小磯良平大賞展大賞 ル・サロン銀賞 安井賞展 昭和会展出品 兵庫 昭和27年
〒679-3403 朝来市立脇七六 **079(678)0337**

寺井力三郎
八万 一水会運営委員 一水会賞他 黒土会結成 安井賞展 欧遊 個展 東京芸大卒 東京 昭和5年
〒348-0058 羽生市中央三-六-二六 **0485(61)0506**

寺門由紀
三万五千 無所属 二科茨城支部展新人賞 個展 国際テクニカルデザイン専門学校卒 茨城 昭和59年
〒170-0005 豊島区南大塚三-四-四-201 アートキューブ気付

寺久保文宣
五万 日展会員 特選 白日会常任委員 総理大臣賞 文科大臣賞 個展 東京芸大大学院修 埼玉 昭和39年
〒362-0001 上尾市上一五八〇-二 **048(777)2955**

寺田眞

五万 二科会会員 会友賞 特選 成蹊大卒 東京 昭和34年
〒168-0082杉並区久我山三-二〇-九 **03(3333)7254**

照沼光治

五万 無所属 茨城県芸術祭優秀賞一席 個展 グループ展 茨城大卒 茨城 昭和25年
〒180-0023武蔵野市境南町三-二二-一八 武蔵野アート気付

照沼彌彦

十五万 白日会会員 総理大臣賞 白日賞 U賞 個展 東京造形大卒 広島 昭和37年
〒739-2125東広島市高屋町中島一〇七二-六五 **082(439)1080**

デイヴィッド・クレイン

十万 個展(チェルシー アイルランド オーストラリア NY フロリダ 全国百貨店) 絵画教則本執筆 イギリス 1946
〒336-0023さいたま市南区神明一-一-二二 (株)トレードウインド

トマサ・マルティン

八万 ココ・シャネル賞 サロンデボザール金賞 グアルタ市賞金賞他多数受賞 トマサイエロー スペイン 1955
〒336-0023さいたま市南区神明一-一-二二 (株)トレードウインド

十時孝好

六万 無所属 安井賞展出品 個展(西武・名古屋三越) 東京芸大大学院修 福岡 昭和23年
〒418-0047富士宮市青木平一八九七-五七一

土井久幸

四万 独立美術準会員 奨励賞 新人賞 関西独立賞 昭和会展昭和会賞 和歌山市文化奨励賞 和歌山 昭和51年
〒640-8262和歌山市湊通丁北三-一〇 **073(460)5521**

土井原崇浩

八万 日展会員 特選 白日会会員 白日賞 大橋賞 個展 東京芸大大学院修 岡山 昭和35年
〒783-0983高知市中久万三〇三-一 **088(873)7393**

土橋佐喜子

五万 無所属 日仏現代美術展出品 個展 グループ展 宮城学院女子大卒 東北大美学科修 大阪
〒249-0008逗子市小坪五-二三-一〇-209 **0467(22)7395**

戸狩公久

六万 二科会会員 特選 昭和会展入 個展 G展 師西村龍介 日美卒 青森 昭和16年
〒176-0001練馬区練馬二-一七-一四 **03(3948)6846**

戸田勝久

十万 無所属 個展 G展 関西学院大卒 嵯峨美大卒 兵庫 昭和29年
〒658-0063神戸市東灘区住吉山手六-八-八 **078(842)5605**

當間久夫

十三万 無所属 ドービル国際展審査員賞 コート・ダジュール国際展審査員賞 個展 師林武 東京 昭和20年
〒168-0072杉並区高井戸東四-一二-三七豊美M **03(3335)6789**

遠峯嗣典

四万 元日展会友 元白日会会員 富田賞 砧会展 個展 日大芸術卒 愛知 昭和25年
〒243-0406海老名市国分北二-一-二三 **0462(53)2489**

徳善正

十万 無所属 タヒチの画家 ベルリン国際美術展 パリ現代美術展出品 個展 ヨーロッパ・タヒチ外遊 徳島
〒545-0002大阪市阿倍野区天王町南一-三-一九-212 **06(6627)1937**

徳田則子

四万 示現会委員 日展入 安田火災美術財団奨励賞 個展 G展 武蔵野美大卒 東京 昭和12年
〒272-0834市川市国分二-一六-三 **047(372)3393**

徳田宏行

七万 無所属 元白日会会員 現代の裸婦展奨励賞 個展 武蔵野美大卒 千葉 昭和13年
〒359-0025所沢市上安松九七六-三三 **042(993)6093**

徳永陶子

五万 無所属 サロン・ド・ボザール入 個展(パリ他) 武蔵野美大卒 東京 昭和42年 **在仏**

徳永光子

三万 無所属 白日展出品 ゆーむ会展 女流三人展 パステル展 個展 G展 千葉 昭和10年
〒271-0064松戸市上本郷二七七七-四 **047(364)4921**

歳嶋洋一朗

六万 日展会員 会員賞 特選 日洋会理事 特選 奨励賞 昭和会賞 個展 東京芸大卒 熊本 昭和27年 **在伊**

富谷一明

五万 無所属 精鋭選抜展金賞 同記念大展銀賞 個展(伊勢丹・そごう他) 島根 昭和21年
〒699-0101松江市東出雲町揖屋一九八三-八 **0852(52)6121**

道原 聡
五万五千 無所属 個展(広島三越等) 京都芸大大学院修 フィレンツェ美術学校卒(伊政府給費留学) 広島 昭和34年
在イタリア・フィレンツェ s_dobara@hotmail.com

道本 勝
三万五千 白日会準会員 ギャラリー大井賞 個展 グループ展 京都精華大卒 和歌山 昭和36年
〒649-2102 和歌山県西牟婁郡上富田町岩田八九 **0739(47)5312**

な

奈良晋裕
六万 無所属 個展 G展 渡欧 訪中 東京芸大大学院修 東京 昭和30年
〒154-0022 世田谷区梅丘一-四八-一 **03(3426)8329**

奈良本守正
五万 無所属 きらめくプロジェクト顧問 元新構造社審査員 長野県支部長 仏美術研修 長野 昭和14年
〒381-2226 長野市川中島町今井一八四四-三 **026(286)2312**

名香山直子
二万五千 一陽会会員 奨励賞 きらめくプロジェクト事務局長 個展 グループ展 新潟大卒 長野 昭和31年
〒389-1313 長野県上水内郡信濃町古間九八三-五 **090(6956)5540**

名和智明
六万 無所属 アカデミア・ディ・アルティ ミラノ政府奨学金留学 東京芸大大学院修 山形 昭和51年
〒999-3727 東根市野川四三一-二

中尾公紀
七万 日本表現派会員 日仏現代美術展入 アートフェアNY展 ドイツ展 パリ展出品 大阪 昭和34年
〒583-0871 羽曳野市野々上五-五-一三 **072(937)8027**

中上誠章
五万 無所属 個展(阪急) G展 京都市立芸大卒 京都 昭和36年
〒617-0816 長岡京市西の京二三-三 **075(874)2097**

中佐藤 滋
五万 無所属 元一線美術会委員 ミニチアール大賞展優秀賞 昭和会展招待出品 安井賞展出品 東京 昭和22年
〒286-0201 富里市日吉台六-九-一六 **0476(92)7877**

中澤知子
四万 無所属 元日展会友 元光風会会員 千葉県美術会理事 個展グループ展 渡欧 山形 昭和16年
〒274-0813 船橋市南三咲二-二五-一 **047(449)1354**

中島健太
十二万 日展準会員 特選 白日会会員 中山アカデミーアワード大賞 武蔵野美大卒 東京 昭和59年
〒211-0053 川崎市中原区上小田中一-三七-五アトラスアリーナ1101

中島康正
五万 無所属 個展(飯田画廊・東京大丸) イラストレータ 愛知 昭和2年
〒273-0866 船橋市夏見台一-二〇-一三-404 **047(439)6491**

中田和彦
四万五千 無所属 レスポワール展 中径展出品 グループ展 東京芸大大学院修 埼玉 昭和49年
〒299-4502 いすみ市岬町中原四九二 **090(7266)0069**

中田 誠
四万 第一美術会員 協会賞 安田火災美術財団奨励賞 個展 多摩美大卒 東京 昭和29年
〒302-0105 守谷市薬師台一-二一-四 **0297(44)8601**

中谷 晃
六万五千 白日会常任委員 損保ジャパン奨励賞 美術賞 伊藤賞 個展 東京芸大大学院修 鳥取 昭和27年
〒270-0021 松戸市小金原六-七-四-406 **047(344)2780**

中谷雄大
十五万 無所属 2022セントラルS年間最優秀賞 Gデザイナー Aディレクター 個展・G展多数 新潟 昭和28年
〒162-0842 新宿区市谷砂土原町三-四-一-520

中司満夫
七万 無所属 真砂美塾展出品 個展 真砂美塾師範代 京都市立芸大卒 山口 昭和41年
〒666-0131 川西市矢問一-一五-一〇 **072(743)3547**

中西優多朗
六万 無所属 第三回ホキ美術館大賞 15th ARC Salon Finalist 個展予定(銀座柳画廊) 京都市立芸大卒 京都 平成12年
〒619-0238 京都府相楽郡精華町精華台一-三四-六

中西 良
五万 無所属 昭和会展昭和会賞 個展(東京 ミラノ) 東京芸大大学院修 安宅賞 長野 昭和39年
〒248-0014 鎌倉市由比が浜二-七-二七

中根和美
三万 無所属 個展（栗原画廊 ニューヨーク他） グループ展（埼玉県立近代美術館他）
〒277-0885 柏市西原一-八-三九

中野淳也
四万 無所属 個展（大阪高島屋） グループ展 広島市立大大学院博士後期課程満期退学 奈良 昭和58年
〒541-0046 大阪市中央区道修町二-四-二 大千気付 06(6201)1337

中野光
四万 無所属 きらめくプロジェクトメンバー 個展 グループ展（21世紀美術館他） 長野 昭和27年
〒389-0207 長野県北佐久郡御代田町一八八三 090(5397)3215

中野浩明
五万 無所属 個展 G展 野外モニュメント制作 東京造形大卒 大阪 昭和40年
〒192-0916 八王子市みなみ野三-二-六

中原脩
五万 無所属 現代の裸婦展招 個展（松屋他） 東京芸大大学院修 神奈川 昭和21年
〒180-0001 武蔵野市吉祥寺北町二-一〇-八 0422(22)1656

中道佐江
四万 白日会会員 個展（あべのハルカス） 京都嵯峨芸大卒 京都 昭和62年
〒614-8361 八幡市男山指月二-二 075(981)8013

中村加壽子
三万 無所属 スペイン国際芸術祭 オアシス展出品 個展 師桜井陽彦 昭和17年
〒569-1115 高槻市古曽部町四-一-二 072(683)0684

中村幸枝
三万五千 日展会友 白日会会員 富田賞 徳山市美術展大賞 個展 九州女子短大卒 福岡 昭和19年
〒743-0102 光市三輪八三九-一 0820(48)3281

中村彰吾
三万 白日会準会員 関西展ホルベイン賞 心光寺美術作品展作品寄贈 大阪芸大大学院 鳥取 平成4年
〒585-0004 大阪府南河内郡河南町山城662-107

中村輝行
十万 主体美術創立会員 現代新人作家展 日動展他出品 個展 師糸園和三郎 福岡 昭和5年
〒187-0011 小平市鈴木町二-八四六-一-一〇九 042(384)5522

中村朋子
三万 無所属 京都精華大デザイン学部卒 岡山 昭和60年
〒103-0015 中央区日本橋箱崎町一六-一 ギャラリー双鶴気付

中村のりゆき
五万 無所属 元新構造社会員 会員賞 きらめくプロジェクト実行委員長 多摩芸術学園卒 長野 昭和38年
〒382-0074 須坂市春木町一〇九二 026(248)7584

中村晴信
三万 無所属 白日会展入 天竜川しんわ美術展奨励賞 市民賞 個展 師竹内重行 静岡 昭和41年
〒432-8065 浜松市南区高塚四六四一-四

中村光幸
五万 独立美術会員 損保ジャパン美術財団奨励賞 小島賞 新人賞 大阪芸大卒 香川 昭和25年
〒761-8078 高松市仏生山町甲三四〇-二 087(889)5263

中谷幸雄
二万五千 無所属 行動美術展入 個展 グループ展 日本通信美術学園修 石川 昭和17年
〒666-0126 川西市多田院一-一〇-二 072(793)1014

中山忠彦
二百万 **芸術院会員** 芸術院賞 日展顧問 白日会会長 総理大臣賞 師伊藤清永 福岡 昭和10年
〒272-0827 市川市国府台六-一四-八 047(372)7914

仲瀬輝明
三万 無所属 新作作家展優秀賞 青木繁大賞展優秀賞 安宅賞 新生堂展 東京芸大卒 島根 昭和51年
〒192-0915 八王子市宇津貫町一四七二 080(1010)9157

長井朋人
五万 無所属 一水会展 季風会展出品 個展（東京・広島・スペイン他） 東京 昭和15年
〒184-0004 小金井市本町三-二-九 042(381)1001

長井寛明
四万 無所属 元日洋会会員 新日美会員 特選 会長賞 個展（伊勢丹他） 熊本 昭和10年
〒344-0032 春日部市備後東二-一九-二七 048(737)5629

長尾浩一
六万 白日会会員 白の会展出品 関西白亜展白亜賞 個展 兵庫 昭和35年
〒666-0005 川西市萩原一-九-二三 B-103 072(755)8526

長岡　卓

四万　無所属　独立美術展入　大分県展知事賞　現代精鋭選抜展銅賞　個展(京阪百貨店他)　大分　昭和24年

長門和恵

三万五千　新日美術協会会員　馬専門　個展(そごう他)　青森　昭和34年

長縄眞兒

六万　無所属　セルタメン・デ・ピントゥーラコンクール展第一席　サロン・ド・ジュンヌピントーレ選抜展出品　個展(銀座柳画廊)　愛知　昭和24年　在スペイン

長縄拓哉

三万　無所属　モダンアート展入選　愛知　昭和57年

〒104-0061 中央区銀座七-二-六　創英ギャラリー　**03(6274)6698**

永井夏夕

三万五千　無所属　Artist Group-風-大作公募展入　個展　グループ展　東京芸大大学院修　神奈川　昭和53年

http://www.nagaikayu.com/

永井弘子

三万五千　無所属　個展(池袋東武・吉祥寺東急他)　師斉藤信也　共立女子大卒　埼玉　昭和21年

〒337-0042 さいたま市見沼区南中野五五七-二　**048(686)2004**

永山裕子

五万　無所属　大橋賞　個展(泰明画廊他)　G展　東京芸大大学院修　東京　昭和38年

〒170-0005 豊島区南大塚一-三九-九　タナカビル5F　**03(3946)2570**

七海　広

三万　無所属　二元展　上野森美術館展　グループ展(そごう　東武百貨店他)　福島　昭和38年

〒336-0931 さいたま市緑区原山二-一七-三　竹田美術気付

七森和昭

四万　無所属　昭和会展日動美術財団賞　東京芸大大学院修　東京　昭和36年

〒874-0919 別府市石垣東一-六-二-306　**097(723)3961**

鍋島正一

四万　新制作会員　新作家賞　皐月会展　俊洋展他出品　武蔵野美大卒　兵庫　昭和30年

〒248-0033 鎌倉市腰越三-二六-八

成澤隆吉

四万五千　現展会員　損保ジャパン奨励賞　個展(パリ他)　中央美術学園修　中央大卒　昭和15年

〒194-0045 町田市南成瀬一-一-二-2F　ギャルリー成瀬17気付

成澤　司

三万　一水会準会員　個展　グループ展　長野　昭和7年

〒142-0041 品川区戸越六-一-二　正光画廊気付　**03(6228)7047**

成田　康

五万　無所属　三軌会展受賞　県展奨励賞　個展　G展　東京芸大卒　秋田　昭和40年

〒017-0043 大館市有浦四-九-三　**0186(342)4256**

成田禎介

十五万　日展会員　会員賞　特選　示現会理事　安井賞展　国際形象展出　個展　東京　昭和13年

〒252-0303 相模原市南区相模大野二-二三-二　**0427(42)8244**

南條千恵

三万　新槐樹社会員　会員優賞　清瀬美術家会会員　ヴェリエの会ガラス絵展出品　師根岸正　北海道　昭和16年

〒274-0825 船橋市前原西二-五-四　ギャラリー大澤気付

ニコル・クレマン

十万　サロン・ド・コロンブ会長　水彩画・デッサン展副会長　パリ市展賞　クラマール賞金賞　1943

〒112-0005 文京区水道一-八-二　㈱アデカ気付　**03(5848)8605**

西浦慎吾

四万　白日会会員　師生島浩　甲南大卒　大阪市立美術館付設美術研究所卒　兵庫　昭和48年

〒660-0083 尼崎市道意町五-三〇-四七　**06(6419)8088**

西川克己

五万　無所属　絵の現在選抜展銀賞　しんわ美術展銀賞　個展　G展　東京芸大卒　埼玉　昭和45年

045(973)4802

西川正美

七万五千　無所属　フィナール国際展金賞　昭和会展招待出品　個展　神奈川　昭和26年

〒255-0005 神奈川県大磯町西小磯四三六　**0463(61)6761**

西川洋一郎

六万　無所属　日本版画協会会員　日仏現代美術展出品　個展　多摩美大大学院修　佐賀　昭和34年

〒215-0025 川崎市麻生区五力田四六-一-D　**044(989)1612**

西澤知江子
四万 無所属 元新作家美術協会委員 奨励賞 女流美術協会展出品 個展 京都市立芸大修 大阪 昭和24年
〒543-0043 大阪市天王寺区勝山一-七-三 06(6771)3329

西田藤夫
五万 無所属 個展(梅田画廊・フジヰ画廊・高島屋) 金沢美術工芸大卒 兵庫 昭和25年
在伊

西田洋子
三万 無所属 元新世紀美術協会所属 個展 グループ展 兵庫 昭和18年
〒669-1131 西宮市清瀬台五-一七 0797(61)0130

西田陽二
四万 日展会員 光風会評議員 文科大臣賞 損保ジャパン美術財団選抜奨励展秀作賞 昭和27年
〒005-0801 札幌市南区川沿一条四丁目二〇-三二 011(571)2684

西谷之男
四万 日展会員 特選 白日会会員 個展 G展 阿佐谷美術専門学校卒 静岡 昭和33年
〒421-0304 静岡県榛原郡吉田町神戸七五七-一八 0548(32)3713

西塚　弘
四万 元独立美術会友 河北美術展宮城県芸術賞 日韓国際交流展出品 宮城教育大大学院修 宮城 昭和33年
〒981-4337 宮城県加美郡加美町字長檀四一 0229(67)3061

西房浩二
七万 日展会員 光風会理事 文科大臣賞 前田寛治大賞展大賞 日大卒 石川 昭和35年
〒923-1122 石川県能美郡寺井町東任田イ九-六四 0761(57)4742

西村達也
十万 無所属 ナショナル・デ・ボザール特別賞 師浅田進 東京理科大卒 渡欧米 熊本 昭和28年
〒154-0011 世田谷区上馬二-二三-六-901 03(6805)2462

西村直之
五万 第一美術委員 文部大臣賞 アカデミージュリアン修 東京 昭和24年
〒253-0021 茅ヶ崎市浜竹四-三-五〇 0467(82)1812

西山　徹
三万五千 無所属 個展 師西山翠嶂 京都 昭和17年
〒610-1101 京都市西京区大枝北沓掛町五 075(333)1410

西脇　恵
二万五千 白日会準会員 白日会関西展近鉄百貨店賞 嵯峨美大大学院修 京都 平成6年
〒616-8322 京都市右京区嵯峨野芝野町一-三 090(1963)2736

額賀加津己
三十万 無所属 安井賞展 政府買上 個展(Gぬかが他) 東京芸大卒(中谷泰教室) 神奈川 昭和25年
〒194-0035 町田市忠生三-一四-一九 042(793)3922

額田晃作
六万 独立美術会員 独立賞 児島賞 現代美術展招待出品 個展(三越) 大阪 昭和10年
〒579-8023 東大阪市立花町六-一九 0729(84)3729

沼尾雅代
四万五千 無所属 フランス国際親善賞 日仏現代美術展入 個展(阪急他) 関西女子美短大卒 東京 昭和28年
〒534-0013 大阪市都島区内代町一-一五-三 06(6952)2256

根岸洋子
四万 無所属 昭和会展招待 ふるさと風景展大賞 多摩総合美術展大賞 前田寛治大賞展出品 多摩美大卒
〒253-0073 茅ケ崎市中島八一九-二

根萩斎門
四万 無所属 元元陽会会員 JIAS会員 独立展入 個展 武蔵野美大中退 東京 昭和28年
〒166-0001 杉並区阿佐谷北二-一〇-一六 03(3338)2923

ノブ・サチ
四万 無所属 ドーヴィル国際展 フィナール国際展モナコ国際展出品 個展 大阪芸大卒 兵庫 昭和43年
〒815-0036 福岡市南区筑紫丘一-二三-九-1207 DDC気付

ノブ・ハイハラ
四万 無所属 元The Portrait Society of America NYアートエキスポ出品 福岡県展・市展入 福岡 昭和34年
〒263-0023 千葉市稲毛区緑町一-二六-一三 アートエミュウ気付

野口俊介
三万 光風会会員 都知事賞 前田寛治大賞展招 個展 金沢美工大大学院修 北海道 昭和57年
〒920-0276 石川県河北郡内灘町緑台一-七五 090(3778)2488

野田弘志
九十万 無所属 元白日会会員 総理大臣賞 東郷青児美術館大賞 宮本三郎賞 個展 東京芸大卒 広島 昭和11年
〒052-0106 北海道有珠郡壮瞥町立香二四五 0142(25)8222

野津清太郎
五万 独立会友 関西独立展入 二科展入 鳥取県展市長賞 鳥取の四季展銀賞 個展 師林俊治 鳥取 昭和26年
〒680-0851鳥取市大杙二六二-一〇 0857(24)1135

野村昭雄
七万五千 元新制作会員 安井賞展出品 個展 武蔵野美大卒 北海道 昭和6年
〒610-1151京都市西京区大枝西長町一-二四〇 075(332)3584

能島芳史
五万 無所属 富嶽ビエンナーレ展大賞 個展(石川県立美術館 松屋銀座) 金沢美工大卒 ゲント美大留学 富山 昭和23年
〒930-0801富山市中島一-七-四二 076(444)8834

は

ハウメ・ムレット
五万 個展(バルセロナ・アルミラルサロン他) グループ展 バルセロナ美術学校修 スペイン 1956
〒152-0034目黒区緑が丘二-二四-一三-201 黒川美術気付

はしぐちみよこ
十万 無所属 元二科会会員 特選 会員努力賞 個展 宮崎 昭和4年
〒181-0015三鷹市大沢四-八-四〇 0422(32)9736

芳賀啓
四万 無所属 個展(サンフランシスコ)サンフランシスコアートカレッジ卒 神奈川 昭和51年
〒101-0046千代田区神田多町二-一一-二七 友美堂気付

羽田裕
十五万 元春陽会会員 十騎会員 現代日本美術展他 個展G展 渡欧留学 東京芸大大学院修 神奈川 昭和14年
〒226-0005横浜市緑区竹山一-六-五-一六〇五-五四三

長谷川一郎
四万 無所属 レイコフ・アート・アワード銀賞 セオリー・アート賞銀賞 個展 嵯峨芸大学院修 大阪 昭和53年
〒573-0071枚方市茄子作三-一一-一

長谷川健司
八万 無所属 青年画家展 ブロードウェイ新人展第一席 個展 G展 東京芸大大学院修 新潟 昭和28年
〒335-0002蕨市塚越七-一七-七-306 0484(41)1657

長谷川資朗
十万 無所属 東京セントラル油絵大賞展入選 ワールドアート・ドバイ招待出品 武蔵野美大卒 宮城 昭和31年
〒981-3134仙台市泉区桂一-九-九 022(371)7807

畑晩菁
五万 無所属 国画会展入 熊谷守一大賞展入 個展(埼玉県立美術館他) 長崎 昭和25年
〒357-0023飯能市岩沢六八六-四 0429(73)0797

畑中博
五万 大調和常任委員 大調和賞他 仏美術賞展 シェル美術展 個展(大丸他) 静岡 昭和22年
〒259-0202足柄下郡真鶴町岩四九七

畑中優
八万 行動美術会員 行動美術賞 セントラル大賞展佳作賞 安井賞展 東京芸大大学院修 岐阜 昭和25年
〒194-0004町田市鶴間一五四-三 042(799)4797

服部和三郎
五万 新制作協会会員 新作家賞 協会賞 日本画廊協会賞展奨励賞 個展 師内田巌 竹谷富士雄 兵庫 昭和5年
〒214-0033川崎市多摩区東三田二-七-六

花巻碧
二十万 日展会友 ル・サロン会員 優秀賞 ドートンヌ会員 個展 師浮田克躬 東京 昭和22年
〒337-0053さいたま市見沼区大和田一-九六六 048(684)1390

塙珠世
五万 二科会常務理事 総理大臣賞 会員賞 上野の森美術館賞 個展 師鶴岡義雄 原良次 東京 昭和34年
〒202-0006西東京市栄町二-六-八 0424(58)6338

濱岡朝子
五万 無所属 多摩総合美術展佳作 個展 グループ展 東京芸大大学院修 東京 昭和47年
asa-181@jk9.so-net.ne.jp

濱口清
七万 無所属 日仏現代展入 個展(水彩・油彩) G展 中央大卒 大阪 昭和25年
〒354-0041入間郡三芳町藤久保八一八-一八 049(259)0745

濵本久雄
六万 日展会員 特選 白日会会員 G展 東京芸大卒 師伊藤清永 愛媛 昭和22年
〒384-0000小諸市高峰三四-八 0267(25)2823

早川桃代
二万五千 無所属 個展 グループ展 女子美大卒 千葉 昭和56年
〒175-0045板橋区西台三-三五-三 03(3931)1599

林昭子
五万 元陽会委員 総理大臣賞 大賞 個展 武蔵野美大卒 東京 昭和19年
〒389-0111長野県軽井沢町長倉三六〇五-五 0267(45)8250

林敬二
十五万 独立会員 新鋭選抜展優賞 安井賞展 具象現代展大賞 東京芸大卒 神奈川 昭和8年
〒140-0014品川区大井四-二九-二五 03(3772)1280

林孝三
五万 無所属 ル・サロン銅賞 サロン・ドートンヌ入 個展 同志社大卒 岡山 昭和26年
〒659-0082芦屋市山芦屋町二九-一〇 0797(38)1919

林哲夫
六万 無所属 むさしの展 新作展（ロッテ美術館）出品 個展 武蔵野美大卒 香川 昭和30年
〒600-8388京都市下京区坊門町八二-一〇 075(200)1541

林正己
五万五千 独立会友 日本の自然を描く展彫刻の森美術館賞 十美会展優秀賞 個展 大阪 昭和17年
〒564-0043吹田市南吹田二-八-二五 06(6383)8330

原尚子
五万 無所属 画廊企画個展多数 欧遊 子供 静物 花 肖像画 東京芸大卒 兵庫 昭和19年
〒339-0005さいたま市岩槻区東岩槻四-三-六-13-502 048(756)1819

原秀樹
七万 無所属 昭和会展招 ルッカ国際具象派展賞 安井賞展賞候補 企画個展多数 東京芸大卒 東京 昭和18年
〒339-0005さいたま市岩槻区東岩槻四-三-六-13-502 048(756)1819

原雅幸
三十万 無所属 個展（飯田画廊） 安井賞展出 多摩美大卒 大阪 昭和31年
〒598-0092大阪府泉南郡田尻町吉見一〇四六 0724(65)2729

原田郁夫
五万 無所属 朝の会会員 小磯良平大賞展招待 師橋本博英 武蔵野美短大卒 阿佐谷美専卒 山口 昭和29年
〒744-0027下松市南花岡二-八-六 0833(43)9606

半田強
十二万 国画会会員 ギリシャ美術賞佳作賞 山梨美術館大賞 個展 山梨 昭和23年
〒400-0065甲府市貢川一-八-一二 0552(35)3367

伴清一郎
十万 無所属 京展新人賞 安井賞展出品 個展（西武） 精華短大中退 滋賀 昭和25年
〒248-0005鎌倉市雪ノ下一-八-五 0467(23)9764

潘憲生
五万 無所属 中国舞台美術家学会会員 日美展優秀賞 個展（京成・東武・伊勢丹・三越） 中国1954
〒319-1543北茨城市磯原町豊田一二〇七 0289(60)7268

日賀野兼一
四万 無所属 谷尾美術展大賞 個展 渡欧 九州産業大学院修 茨城 昭和44年
〒820-0068飯塚市片島一-四-一 0948(25)5369

日高昭二
五万 新槐樹社委員長 総理大臣賞 文部大臣賞 新槐樹社賞 個展 千葉 昭和16年
〒124-0023葛飾区東新小岩五-一-一三-504 03(3694)4139

日高康志
六万 無所属 元二紀会同人 個展 グループ展 師宮永岳彦 大阪市立工芸高卒 宮崎 昭和26年
〒344-0056春日部市新方袋一八-一六 048(755)5120

日南孝志
三万 無所属 独学 心の旅路を描く港の風景画家 個展 福岡 昭和17年
〒171-0021豊島区西池袋三-三三-二四 栗原画廊気付

日野みどり
二万五千 無所属 美虹会会員 個展 外遊取材 師林朝路 宮崎 昭和27年
〒573-1161枚方市交北三-九-二-605 072(867)0868

樋口豊子
五万 二科会会員 特選 現代の裸婦展 昭和会展出品 女子美大卒 埼玉 昭和18年
〒167-0053杉並区西荻南三-一六-一二 03(3332)3636

檜山友希
三万 無所属 個展（池袋西武・玉川高島屋他） 佐久市近代美術館収蔵 広島 昭和52年
〒736-0081広島市安芸区船越三-一六-一六 082(823)2015

東　進市

五万　無所属　朝の会展グランプリ賞　個展　G展　師橋本博英　阿佐谷美術学園卒　鹿児島　昭和27年
〒895-0044薩摩川内市青山町五三六六　0996(22)7477

東　俊光

六万　モダンアート協会会員　協会賞　個展　師山口薫　東京芸大卒　東京　昭和17年
〒422-8017静岡市駿河区大谷三八〇〇-一〇四　0542(36)1425

疋田正章

四万　無所属　たま駅長肖像画制作　個展（池袋東武他）　立命館大卒　京都　昭和53年
〒252-0814藤沢市天神町一-一八-一　サンヒルズ天神306

左　時枝

三万　創作画人協会会員　評論家賞　文部科学大臣賞　創展大賞　富山　昭和22年
〒156-0051世田谷区宮坂一-三七-一-103　03(3427)4926

櫃田伸也

八万　新制作会員　安井賞　名古屋市芸術奨励賞　個展　東京芸大大学院修　東京　昭和16年
〒470-0103日進市北新町福井一八二-三七　0561(72)3629

平井利明

七万　一水会常任委員　優賞　研水会委員　個展　渡欧　師中畑艸人　昭和22年
〒635-0822奈良県広陵町平尾二三六-四　0745(55)0593

平尾泰子

四万　二科会会友　会友賞　日本美術協会賞　個展　群馬　昭和18年
〒371-0036前橋市敷島町二五〇-六　027(232)7766

平倉靖子

二万五千　無所属　神奈川県展入　個展　画廊企画展　グループ展　東京　昭和19年
〒192-0014八王子市みつい台一-一五-一　042(692)1327

平澤重信

六万　自由美術協会会員　安井賞展　昭和会展　日本国際展他出品　日大卒　長崎　昭和23年
〒183-0057府中市晴見町二-八-一三　042(362)3854

平田英子

四万　無所属　元白日会会員　佳作賞　爽蒼美術協会委員　個展　鴨沂学園卒　東京
〒221-0005横浜市神奈川区松見町三-九四〇-二二　045(431)4599

平松賢太郎

三万　無所属　小磯良平大賞展大賞　日仏現代展優秀賞　リキテックスビエンナーレ奨励賞　東京　昭和42年
在米

平薮　健

三万　無所属　雪梁舎フィレンツェ賞展入　青木繁記念大賞展入　AFAF AWARD2019入　佐賀大大学院修　佐賀　平成2年
〒840-0036佐賀市鍋島大字森田四二三-一六

開　光市

五万　国画会会員　昭和会展優秀賞　安田美術賞　安井賞展入　金沢美工大大学院修　石川　昭和33年
〒924-0005白山市一塚町六四八-一三　076(275)6698

蛭田　均

五万　新制作協会会員　新作家賞　安井賞展　前田寛治大賞準大賞　嵯峨美短大卒　栃木　昭和32年
075(953)8734

広田　稔

七万　白日会常任委員　総理大臣賞　文部大臣奨励賞　ハマ展大賞　個展　東京芸大大学院修　広島　昭和34年
〒231-0837横浜市中区滝之上六-一-106　0045(621)9160

廣田真知子

三万五千　無所属　個展　グループ展　京都造形大卒　広島市立大大学院修　京都　昭和51年

ピエルマテオ

十万　フランス国立美術協会会員　青年画家展金賞　国際ライオンズクラブ展金賞　芸術の泉展金賞　フランス　1963
〒112-0005文京区水道一-八-二　㈱アデカ気付　03(5848)8605

ピラール・テリ

六万　ジョレットデマールねこ美術館展金賞　リオハワインラベルデザイン　サン・ジョルディ美大卒　スペイン　1950
〒336-0023さいたま市南区神明一-一-二　㈱トレードウインド

フェルミン・コロメール

五万　風景画　舞台芸術　師ホセ・コロメール・コマス　スペイン　1962
〒152-0034目黒区緑が丘二-二四-二三-201　黒川美術気付

フランシスコ・トレガッサ

四万　独学　静物画　ラ・カイシャ展出品　個展　スペイン　1954
〒152-0034目黒区緑が丘二-二四-二三-201　黒川美術気付

フランシスコ・ボッシュ
八万 アメリカンプリンツ展 東京現代美術展出 チャリティ絵画展多数 サン・ジョルディ美大卒 スペイン 1948
〒336-0023さいたま市南区神明一-一-二 ㈱トレードウインド

フルイミエコ
三万 無所属 個展(神戸大丸他) 臨床美術士 京都市立芸大大学院修 大阪 昭和43年
〒180-0023武蔵野市境南町三-二-一八 武蔵野アート気付

府川 貢
六万 一陽会会員 日本アフガニスタン協会会員 現代精鋭選抜展銀賞 個展 東京美術研究所 昭和11年
〒250-0042小田原市荻窪三四一 0465(34)3878

深沢昭明
十二万 無所属 連展金賞 ル・サロン銅賞 個展(高島屋・パリ) 師高岡徳太郎 山梨 昭和12年
〒191-0043日野市平山六-三九-一七 042(591)1865

福井欧夏
八万五千 日展会員 特選 白日会会員 文科大臣賞 白日賞 多摩美大卒 武蔵野美大大学院修 広島 昭和43年
〒187-0002小平市花小金井七-二五-一

福井良佑
七万 無所属 日本青年画家展出品 両洋の眼展 個展 G展 東京芸大大学院修 東京 昭和30年
〒240-0112神奈川県葉山町堀内七四三-二 0468(75)9857

福岡通男
六十万 無所属 個展(泰明画廊・小田急他) G展 東京芸大大学院修 福岡 昭和24年
〒270-1123我孫子市日秀二九-八 0471(88)4555

福沢 一
二万五千 無所属 信州梓川賞展金賞 松本市芸術文化祭賞 一水会展入 日本彩美会会員 長野 昭和13年
〒390-0303松本市浅間温泉三-二七-四五 0263(46)2441

福島二三
六万 無所属 元独立会友 関西独立展賞 上野の森大賞展優秀賞 個展 京都 昭和23年
〒602-0801京都市上京区高徳寺町三五五-四三 075(251)7017

福田建之
八万 無所属 宮本三郎賞展推薦 秀作展 個展 渡仏 武蔵野美大卒 東京芸大大学院修 福岡 昭和22年
〒174-0071板橋区常盤台四-二九-三 03(3932)9303

藤 祥州
五万 無所属 二科展 日洋展入 ドートンヌ入 ブロードウェイ新人賞 渡仏 大分 昭和26年

藤井一代
五万 無所属 元白亜会会員 鈴木マサハル賞 内田晃賞 個展 G展 師深沢昭明 白百合女子大卒 東京
〒145-0071大田区田園調布三-四四-二 03(3722)7435

藤井忠行
四万五千 二紀会展出品 賞候補 昭和会展招待出品 武蔵野美大大学院修 神奈川 昭和52年
〒241-0801横浜市旭区若葉台一-八-308 045(921)1946

藤井 誠
四万 無所属 雪梁舎フィレンツェ賞展佳作賞 二紀展入 埼玉大卒 埼玉 昭和59年
〒606-0806京都市左京区下鴨蓼倉町五二-七 090(8686)4294

藤井祐二
五万 無所属 元風子会会員 都知事賞 ドーヴェル国際グランプリ展マーション賞 筑波大卒 福岡 昭和31年
〒300-1204牛久市岡見町二三二一-一 0298(71)1280

藤川茂登子
六万 無所属 二科展入 彩象展会員 朝日新聞社賞 個展 G展 師西村龍介 東京 昭和11年
〒300-4215つくば市杉木九 029(886)8485

藤崎孝敏
八万 無所属 東京セントラル油絵大賞展入 個展 熊本 昭和30年
〒733-0032広島市西区東観音町七-一 中本方 082(233)2391

藤澤千丈
七万 無所属 サロンドメイ招待 フィナール国際美術展入賞 個展 愛媛大卒 愛媛 昭和15年
〒790-0911松山市桑原六-五-四

藤田勇哉
四万四千 無所属 個展 グループ展 アートフェア東京 東京造形大卒 埼玉 昭和49年
instagram.com/fujitayuya

藤田遼子
二万 無所属 世界絵画大賞展優秀賞 個展 武蔵野美大大学院油絵コース修 北海道
〒104-0061中央区銀座七-一一-六 創英G気付 080(6070)6182

藤谷 進

四万五千 二科会会員 特選 関西二科賞 奨励賞 会員賞 会友賞 上野の森大賞展入 個展 京都 昭和17年
〒605-0923 京都市東山区清閑寺池田町二-九 **075(531)2308**

藤友なほみ

三万 無所属 個展(池袋東武 新宿小田急 東急本店) 師立川広己 文化女子短大卒 東京 昭和32年
〒272-0823 市川市東菅野三-二八-五 ギャラリー坂和気付

藤永俊雄

七万 元国画会年功会員 安井賞展 山口県文化功労賞 県芸術選奨 多摩美大卒 師香月泰男 山口 昭和15年
〒746-0084 周南市夜市的場二五二 **0834(62)3248**

藤沼啓子

十万 亜細亜美術協会準会員 ネパールカトマンズ市国際展賞 個展 立教大卒 師藤沼朝保 東京 昭和35年
〒153-0043 目黒区東山二-九-五 **03(3713)3336**

藤沼多門

六万 春陽会会員 中川一政賞 オギサカ大賞展優秀賞 小磯良平記念展出品 武蔵野美大卒 栃木 昭和26年
〒141-0031 品川区西五反田二-一五-一三-103 加藤画廊気付

藤村恒雄

四万 二科展入 二科会商美部特選 奨励賞 師西村龍介 近畿大中退 山口 昭和11年
〒350-1305 狭山市入間川一四六九-一二 **04(2957)1990**

藤本絢子

二万五千 無所属 うたづアートアワード大賞 松蔭芸術賞 個展 京都造形芸大大学院修 大阪 昭和60年

藤森兼明

二十万 **芸術院会員** 芸術院賞 日展顧問 総理大臣賞 光風会理事 金沢美工大卒 富山 昭和10年
〒464-0015 名古屋市千種区富士見台三-六六-四 **052(721)7366**

藤森悠二

三万五千 無所属 元一創会会員 個展(東武・そごう他) サンフェルナンド修 東京 昭和22年
〒244-0805 横浜市戸塚区川上町四九七-二一二 **045(823)9940**

藤原亜南

六万 無所属 個展(ニューヨーク・パリ日本文化会館) 愛知芸大大学院修 大分 昭和26年
〒501-2104 山県市東深瀬一〇二-一 **058(132)9585**

藤原秀一

十五万 無所属 個展 二人展 G展 東京芸大大学院修 広島 昭和38年
〒738-0514 広島市佐伯区杉並台一二-三 **0829(86)1612**

舟木誠一郎

七万 無所属 元白日会会員 S美術賞 個展G展 東京 昭和33年
〒222-0002 横浜市港北区師岡町二六二-四七 **045(544)4543**
artist_seiichiro

舟山 海

二万五千 白日会展入 自然美術協会会員 会長賞 個展 グループ展 師三森桂 愛知 昭和38年
〒175-0083 板橋区徳丸六-一三-二五-202 **03(3559)7278**

舟山一男

十二万 無所属 サロン・ド・ドートンヌ他出品 独立展出品 個展 パリ国立美術学校修 山形 昭和27年
〒333-0866 川口市芝三-五-一〇 **048(268)2827**

古川みどり

三万五千 西部水彩画協会会友 会友賞 水彩連盟展奨励賞 佐賀県展奨励賞 九州大卒 佐賀 昭和30年
〒840-0054 佐賀市水ケ江六-七-七 **0952(22)4742**

古田帯川

八万 無所属 作品四九二点東京芸大収蔵 個展 滞欧 東京芸大卒 画集(主婦の友社) 東京 昭和9年
〒191-0033 日野市百草九九九-二七六-一〇二 **042(592)8564**

古畑雅規

五万 無所属 クレイアート 伊藤廉記念賞展入 個展(三越 伊勢丹他) 名古屋芸大卒 長野 昭和43年
〒399-0024 松本市寿小赤二六八八 **090(2329)2378**

武関一成

三万五千 無所属 森の会会員 森の会展出品 県展入選 銀座アート展賞 個展 師大森弘 栃木 昭和38年
〒321-0221 栃木県下都賀郡壬生町藤井二九四 **090(3047)9116**

ベンジャミ・マス

五万 個展(バルセロナ プエブラ NY 上海) ハバナメトロポリタン美術館展 オアハカ美大教授 スペイン 1966
〒336-0023 さいたま市南区神明一-一-一二 ㈱トレードウインド

保ケ渕静彦

六万五千 元二元会常任委員 総理大臣賞 大阪府知事賞 昭和会展招待 安井賞展出品 個展 G展 昭和19年
〒666-0014 川西市小戸一-八-一二 **072(757)1568**

宝永たかこ

六万 無所属 イラストコンクール佳作賞 絵本出版（小学館） 絵本原画展（沼田絵本美術館） 大阪 昭和33年
〒135-0063江東区有明三-七-二六 アートスペース気付 **03(6399)8885**

星合博文

六万 無所属 彼の会展出品 グループ展 東京芸大大学院修 京都 昭和35年
〒600-8401京都市下京区燈籠町五六一 **075(341)1827**

星野 歩

三万五千 無所属 三菱アートゲートプログラム入選 東京芸大大学院修 千葉 昭和60年
〒267-0066千葉市緑区あすみが丘五-六〇-一六 Gアンアート気付

細川 尚

五万 一陽会会員 青麦賞 シェル賞展入 産経大賞 浅井忠展入 花と女性美展優秀賞 北海道 昭和19年
〒292-0402君津市西原五〇二-一 **0439(35)2849**

細越富彦

三万 無所属 サマーアートエキシビジョン出品 個展（松屋 東急本店） 日大卒 東京 昭和36年
〒104-0032中央区八丁堀四-一三-五 幸ビル1F 美岳画廊気付

細迫 諭

九万（**10㎝×10㎝**） 無所属 個展 グループ展 東京造形大卒 東京芸大大学院修 広島 昭和41年
〒302-0023取手市新町白山八-九-四六

細田早苗

三万 無所属 大潮展入 個展 東京染色美術学院卒 東京 昭和35年
〒409-0112山梨県上野原町三二四八 **0554(62)4214**

細馬千佳子

七万 無所属 芦屋市展市長賞 個展 師嶋本昭三 京都教育大卒 兵庫 昭和36年
〒561-0801豊中市曽根西町三-九-一九G嶋ノ内気付 **06(6152)8248**

堀 千里

七万 無所属 純展新人賞 現代童画展新人賞 現代童画福井地区展審査員特別賞 師斉藤良夫 上野学園短大卒
〒299-3241大網白里市季美の森南四-一〇-八 **0475(51)0120**

堀井 聰

五万 白日会会員 ギャラリー大井賞 伊藤廉記念賞展個展 京都市立芸大大学院修 兵庫 昭和39年
〒600-8319下京区若宮通七条上ル竹屋町六八一-四 **075(344)4501**

堀内 朗

五万 無所属 個展 画廊企画展 G展 武蔵野美術学園卒 福岡 昭和31年
〒180-0023武蔵野市境南町三-二二-一八 武蔵野アート気付

堀江史郎

七万 無所属 朝の会展グランプリ 個展（西武他） G展 阿佐谷美術学園卒 東京 昭和32年
〒258-0112神奈川県山北町岸三五五〇-五 **0465(75)2666**

堀江 孝

七万 無所属 個展 グループ展 渡欧 東京芸大大学院修 福岡 昭和36年
〒112-0005文京区水道二-一九-一-401 **03(5689)7217**

堀川理万子

八万 無所属 個展（相模屋美術店 和光） 東京芸大大学院修 サロン・ド・プランタン賞 東京 昭和40年
〒150-0042渋谷区宇田川町一九-五-1103 **03(5459)0278**

本田和博

四万 無所属 NAU美術連立展特別賞 創形美術学校卒 熊本 昭和34年
〒186-0023国立市東三-二一-二一-E21-101 **042(577)9278**

本田希枝

四万五千 独立会員 安井賞 セントラル油絵大賞展佳作賞 個展 東京芸大大学院修 神奈川 昭和20年
〒215-0023川崎市麻生区片平四-一五-四 **044(987)2179**

本田年男

六万 日展会友 特選 東光会会員 森田賞 人間賛歌大賞展奨励賞 個展 大阪芸大卒 熊本 昭和25年
〒590-0946堺市堺区熊野町東丁四-一-一三 **072(233)0551**

本間哲郎

五万 無所属 元白日会会員 文部大臣賞 昭和会展出品 個展 グループ展 新潟 昭和22年
〒350-0232坂戸市中富町七五-六 **0492(83)3463**

ま

マキシー・バームガードナー

三万 アート・インスティチュート・オブ・シアトル卒 アメリカ 1977 在米

マニュエル・リュバロ
十万 フランス国立美術協会会員 春のサロン金賞 エヴリ市展金賞 アルジャントゥーユ市展名誉招待作家 1958
〒112-0005 文京区水道一-八-二 ㈱アデカ気付 03(5848)8605

真渕健輔
四万 無所属 神戸二紀展 関西二紀展 個展 グループ展 大阪芸大卒 昭和52年
〒655-0052 神戸市垂水区舞多聞東三-二-七 078(784)4506

前川雅幸
五万 無所属 現代洋画精鋭選抜展金賞 登龍展入 個展 奈良 昭和28年
〒576-0035 交野市私部南二-二六-一 072(892)6986

前田舜敏
六万 春陽会会員 春陽会賞 安井賞展 形象展出品 師 加山四郎 東京芸大卒 宮崎 昭和7年
〒248-0006 鎌倉市小町一-一〇-二四 0467(22)8071

前田俊幸
四万五千 無所属 元光陽会会友 辻真砂美塾 個展(川端康成文学館) 大阪 昭和25年
〒669-1506 三田市志手原八六二-六九 0795(62)1688

前田伸子
四万 無所属 北の大地ビエンナーレ展優秀賞 東京芸大大学院修 北海道 昭和30年
〒157-0072 世田谷区祖師谷六-一七-四 03(3483)7010

前田麻里
五万 創作画人協会会員 文科大臣賞 努力賞 奨励賞 朝日チューリップ展大賞 神奈川
〒290-0506 市原市本郷一-四五六 0436(52)2507

前田利昌
八万 無所属 杜の会展 現代形象展 国際形象展 具象現代展出品 個展 東京芸大大学院修 宮崎 昭和18年
〒389-0111 長野県軽井沢町長倉二九〇六-三 0267(46)2727

前原秀雄
五万 無所属 個展 G展 東京芸大大学院修 ベルギー王立美術学院国費留学 広島 昭和31年
〒733-0844 広島市西区井口台三-三五-三-303 082(276)0524

槇 利光
五万 第一美術協会会員 審査員 安田火災美術財団奨励賞 現代洋画選抜展銅賞 北海道 昭和32年
〒142-0041 品川区戸越六-一-一二 正光画廊気付 03(6228)7047

槇原慶喜
六万 無所属 ひろしま美術大賞展大賞 小磯良平大賞展佳作賞 中ノ島美術学院卒 広島 昭和28年
〒731-0301 安芸高田市八千代町土師黒瀬二〇三一-一 0826(52)4310

増田常徳
九万 無所属 昭和会展林武賞 安田火災美術財団新作優賞 現代の裸婦展準大賞 長崎 昭和23年
〒197-0825 あきる野市雨間一九三七-五六 042(558)3755

増田信敏
八万 無所属 二科展入 西日本美術展入 夏木静子著「茉莉子」表紙絵 個展(薔薇画廊) 福岡 昭和22年
〒824-0005 行橋市中央三-五-二九 0930(22)0784

増本憲樹
十万 無所属 日本選抜美術展優秀賞 銀座大賞展奨励賞 二科展入 個展 佐賀 昭和24年
〒814-0111 福岡市城南区茶山六-一六-六五-102 092(823)1765

待井健一
三万 無所属 個展(京都大丸 東京大丸他) 京都芸大卒 大阪 昭和47年
〒180-0023 武蔵野市境南三-二二-一八 武蔵野アート気付

松井茂樹
五万 日洋会委員 国領經郎賞 優秀賞 日本青年館選抜展招 個展 師中谷泰 東京芸大卒 滋賀 昭和25年
〒330-0072 さいたま市浦和区領家一-一二-二 048(885)5013

松井慎一
三万 三軌会会友 個展 グループ展 師清水錬徳 東洋美術学校卒 石川 昭和29年
〒352-0034 新座市野寺三-一一-一四 048(481)2424

松井典子
三万 無所属 行動展出品 個展 グループ展 師清水錬徳 池田幹雄 東洋美術学校卒 北海道 昭和30年
〒352-0034 新座市野寺三-一一-一四 048(481)2424

松井通央
五万 独立会員 個展 東京芸大卒 福岡 昭和24年
〒194-0046 町田市西成瀬一-六-一四 042(722)6886

松井由紀子
五万 サロン・ドートンヌ会員 二科展入 ル・サロン会友 個展 師西村龍介 静岡 昭和5年
〒336-0021 さいたま市南区別所四-七-一五 048(861)7050

松井ヨシアキ
十万 無所属 昭和会賞 個展（日動画廊他） G展 福井 昭和22年
〒194-0044町田市成瀬二七二一-二 042(726)7670

松浦安弘
十万 新制作会員 昭和会展林武賞 安井賞展 個展 神奈川県知事賞 渡欧 武蔵野美大卒 福岡 昭和12年
〒248-0002鎌倉市二階堂六六九 0467(25)5804

松尾文隆
五万 白日会会員 安田火災美術財団賞 ギャラリー大井賞 安井賞展 日展 大阪芸大卒 徳島 昭和33年
〒584-0005富田林市喜志町五-四-二七 0721(24)3442

松岡滋子
六万 モダンアート協会会員 女流画家協会委員 文化庁現代美術選抜展選出 広島 昭和23年
03(3381)1204

松川耕太
二万五千 無所属 独学 ペン画 色鉛筆画 京都 昭和60年
〒021-0851一関市関が丘八五-一〇

松沢真紀
四万五千 無所属 女子美術大学パリ賞 Next Art展入選 個展（銀座柳画廊） 神奈川 昭和57年
〒242-0025大和市代官三-一五-一-402

松田憲一
五万 水彩人同人 日展入 昭和会展優秀賞 安田火災美術財団奨励賞 個展 G展 岩手 昭和23年
〒252-0224相模原市中央区青葉一-五-一二 042(755)8860

松田高明
四万 国際現代美術家協会会長 杜人会員 神奈川県美術家協会会長 日本美術学校卒 神奈川 昭和21年
〒234-0052横浜市港南区笹下四-三-三八 045(843)7440

松田 環
六万 立軌会同人 日洋展日洋賞 日展中日賞 具象現代展 個展 G展 愛知芸大大学院修 北海道 昭和24年
〒270-1114我孫子市新木野四-三-二四 0471(87)6773

松野 行
五万 日展会員 特選 日洋会理事 委員賞 上野の森大賞展優秀賞 個展 師日野耕之祐 栃木 昭和33年
〒329-1575矢板市大槻二三二八-七八 090(3311)7750

松原 潤
四万 独立会員 独立賞 前田寛治大賞展 新鋭作家展出品 個展 多摩美大大学院修 東京 昭和34年
〒192-0044八王子市富士見町二四-一 0426(42)0785

松原政祐
五万 行動美術会員 行動美術賞 40周年記念大賞 前田寛治賞展大賞 武蔵野美術学園卒 兵庫 昭和26年
〒675-1111兵庫県加古郡稲美町印南一六四二-二 0794(95)5910

松村和紀
五万 無所属 元国画会会員 国画賞 Art Zurich出品 個展 武蔵野美大卒 大阪 昭和34年
〒592-8349堺市西区浜寺諏訪森町東二-二三三-一 072(262)6051

松本善造
六万 二紀会委員 会員賞 同人優賞 熊谷守一大賞展大賞 青木繁大賞展優秀賞 小磯良平大賞展入 三重 昭和21年
〒510-8102三重県三重郡朝日町小向二〇五三 059(377)3526

松本貴子
四万 日展会員 日展特選 白日会会員 瀧川画廊賞 中山アカデミーアワード奨励賞 女子美大卒 東京 昭和51年
〒630-0257生駒市元町一-一二-一三

松本剛一
五万 無所属 国際現代美術家協会インターナショナル賞 二科展特選 個展 三重 昭和28年
〒363-0027桶川市川田谷五六二〇 048(729)8149

松本実桜
二万 白日会会員 富田賞 損保ジャパン美術財団賞 佐賀大大学院修
〒849-5122唐津市浜玉町横田下九〇七-一

円池 茂
八万 無所属 シェル美術賞展三席 滞仏 個展 東京芸大卒 東京 昭和16年
〒173-0011板橋区双葉町四一-二 03(5248)2069

丸山隆子
二万五千 無所属 個展 グループ展 ル・サロン展 サロン・ドトーヌ展出品 東京
〒359-0047所沢市花園二-二四一〇-一〇

丸山 勉
九万 日展会員 特選 白日会常任委員 富田賞 平松賞 東京造形大卒 栃木 昭和38年
〒158-0097世田谷区用賀一-七-一四-301 03(3700)3361

丸山美香

二万五千 無所属　グループ展（上田サントミューゼ他）　長野　平成2年
〒381-0043長野市吉田三-一九-一三-1C　サロンN2Y気付

ミカミまこ

三万 無所属　個展　小説挿絵　表紙絵　女流画家協会展出品　宝仙学園短大卒　東京
〒176-0021練馬区貫井一-四三-一二　新田美術店気付　**03(3998)6328**

ミズテツオ

十三万 自由美術会員　自由美術賞　具象美術コンクール特別賞(ローマ)　東京　昭和19年
〒299-4611千葉県夷隅郡岬町和泉四五八六-九 **0470(87)8450**

ミッシェル・ボナン

十五万 フランス国立美術協会会員　アカデミーフランセーズ賞　テイラー賞受賞　国立高等工芸学校　1935
〒112-0005文京区水道一-八-二　㈱アデカ気付 **03(5848)8605**

ミッシェル・マルグレイ

十万 フランス国立美術協会会員 仏芸術家協会会員 仏芸術家協会賞　芸術・科学・文化賞　個展（仏 米 日本） 1938
〒112-0005文京区水道一-八-二　㈱アデカ気付 **03(5848)8605**

三浦明範

八万 春陽会会員　新人賞　安井賞展　昭和会展出品　東京学芸大卒　秋田　昭和27年
〒270-0015松戸市小金上総町一一-二 **047(344)5416**

三浦 泉

六万 無所属　元光風会会員　新道繁賞　安井賞展佳作賞　個展　金沢美工大大学院修　石川　昭和33年
〒921-8163金沢市横川四-五 **076(241)8090**

三浦賢一

八万 無所属　個展(名古屋松坂屋　東急本店他)　武蔵野美大卒　ペルージャ国立美術学院　大阪　昭和31年
在ウィーン

三浦裕之

五万 無所属　土日会展　東京セントラル油絵大賞展出品　個展　G展　秋田　昭和22年
〒181-0001三鷹市井の頭五-七-一 **0422(48)1007**

三木はるな

三万 無所属　白日会展一般佳作　個展　グループ展　広島市立大大学院修　岡山　昭和56年

三國芳郎

五万 新＊童画代表　大調和展　都知事賞　文部大臣賞　個展　武蔵野美大中退　北海道　昭和20年
〒111-0023台東区橋場一-三六-一一-403 **03(5603)6007**

三阪雅彦

十万 一陽会委員　日本最大念仏宗総本山無量寺天上画障壁画　肖像画　奈良芸短大卒　師河村運平　昭和24年
〒630-0247生駒市光陽台二五八-六 **07437(3)7713**

三塩雅博

四万 無所属　基の会同人　安井賞展出品　個展　グループ展　多摩美大卒　佐賀　昭和13年
〒413-0232伊東市八幡町一七四一-二三三　H83 **0557(54)4700**

三嶋哲也

十万 無所属　元中央美術協会会員　優秀賞　個展　中央美術学園卒　長野　昭和47年
〒167-0022杉並区下井草五-一〇-一二 **03(5382)3481**

三田村和男

三万五千 無所属　サロン・ドートンヌ　シカゴ国際アートコンペティション　個展（西武他）福井　昭和18年
〒915-0857越前市四郎丸町五八-一 **0778(24)1751**

三谷祐資

十二万 無所属　シェル賞展佳作賞　行動美術T氏賞　170m超大作絵画　個展　三重　昭和21年
〒669-1504三田市小野二六四-二九七 **0795(66)0020**

三原它休身

八万 一陽会会友　奨励賞　特待賞　セントラル油絵大賞展優秀賞　個展　G展　北海道　昭和28年
〒090-0831北見市西富町二-一四-一八 **090(3899)2345**

三村あずさ

二万 無所属　デビュー展準グランプリ　IAG AWARD2019入選　個展　グループ展　多摩美大大学院修
〒104-0061中央区銀座七-一二-一六創英ギャラリー **070(4356)4596**

三宅洋子

四万 無所属　AU会員　伊ミラノ現代芸術AU国際展招待　師嶋本昭三　関西女子美短大卒　和歌山　昭和27年
〒641-0013和歌山市内原一六七八-五八 **073(446)2986**

三輪 修

六万 白日会員　白日賞　個展（日動画廊他）　愛知　昭和33年
〒491-0918一宮市末広二-七-一〇-B-102 **0586(43)7419**

身野友之

四万 無所属　俊英写実作家展出　個展　師辻真砂　関西美術院　神戸大卒　兵庫　昭和46年
〒678-0054 相生市那波西本町一九-一七 **0791(22)1320**

水口裕務

六万 独立展出品　安井賞展出品　京展受賞　個展　京都芸大卒　徳島　昭和33年
〒617-0004 向日市鶏冠井町大極殿六三-二九 **075(932)4482**

水嶋靖博

四万 示現会委員　佳作賞　個展　G賞　慶応大卒　師大内田茂士　東京　昭和15年
〒192-0371 八王子市南陽台三-一〇-四 **0426(78)0934**

水野一

五万 二紀会会員　会員賞　功労賞　関西美術院理事　個展　関西美術院卒　京都　昭和6年
〒602-0041 京都市上京区中御霊図子町一一七 **075(451)5697**

溝部聡

十万 無所属　東京セントラル油絵大賞展招待出品　個展　グループ展　東京芸大大学院修　大分　昭和35年
〒811-0321 福岡市東区西戸崎二-一-二九-307

光元昭弘

六万 白日会準会員　個展　グループ展　北九州市立大大学院修　香川　昭和58年
〒244-0812 横浜市戸塚区柏尾町七四九　プリムローズテラス101

南口清二

七万 二紀会理事長　文科大臣賞　田村賞　宮本賞　黒田賞　東京芸大大学院修　大阪　昭和22年
〒193-0941 八王子市狭間町一三八九-一四六 **0426(66)0180**

南田昌康

七万 無所属　国際展出　個展　G展　スペイン国立アカデミー修　岡山　昭和11年
〒255-0005 神奈川県中郡大磯町西小磯三八二-一七 **0463(61)9877**

宮先雅之

二万五千 無所属　角川文庫「トンコ」「チャリオ」表紙装画　立命館大卒　京都　昭和49年
info@miyakd.com

宮下純郎

四万 無所属　岡山「セイキ会」設立に参加　各展出品　京都市立美大卒　岡山
〒815-0036 福岡市南区筑紫丘一-二三-九-1207　DDC気付

宮下幸江

五万 無所属　県教育委スペイン留学　日仏現代作家招　昭和会展招　個展　群馬　昭和39年
〒375-0001 藤岡市中島三〇九 **0274(42)7722**

宮代道子

五万五千 大洋会常任委員　大洋会賞　日本山林美術委員　日洋展　新日洋展入　個展　学習院大卒　神奈川　昭和22年
〒253-0021 茅ケ崎市浜竹三-一-一四 **0467(82)7405**

宮島弘行

三万 無所属　熊日展出品　個展　師宮島達司　熊本　昭和33年
〒861-4200 熊本県下益城郡城南町東安高三三七-九 **0964(28)7334**

宮田圭

八万 無所属　個展(横浜高島屋・大阪高島屋他)　東京芸大卒(脇田和教室)　神奈川　昭和20年
〒222-0013 横浜市港北区錦が丘二一-一六 **045(401)0849**

椋野茂美

三万 美術文化協会会員　佳作賞　奨励賞　努力賞　愛・地球博覧会EXPO'05グランプリ　岡山
〒140-0001 品川区北品川四-九-一八-502 **03(5848)6023**

村井宏二

三万 無所属　京展入　個展　G展　京都教育大卒　京都　昭和22年
〒523-0807 近江八幡市中之庄町五七八-五

村井由美子

三万五千 無所属　京都市展市長賞　個展　G展　京都教育大卒　京都　昭和21年
〒523-0807 近江八幡市中之庄町五七八-五

村井洋子

四万 無所属　二紀会展　独立展入　上野の森自然を描く展受賞　個展　奈良　昭和18年
〒620-0333 福知山市大江町二箇二一八七 **0773(57)0751**

村岡顕美

五万 無所属　リキテックスビエンナーレ大賞　京展大賞　日本海美術展大賞　個展　滋賀　昭和27年
〒611-0033 宇治市大久保町北の山一四-三一 **0774(43)5449**

村岡岳

六万 無所属　日本の自然を描く展入賞　花と女性展入賞　個展　鹿児島　昭和24年
〒216-0033 川崎市宮前区宮崎五-一二-一三〇 **044(854)4418**

村上征生
八万 無所属　産経児童出版文化賞美術賞　個展(文芸春秋画廊他)
〒422-8017 静岡市大谷三〇〇-二三 **054(238)0377**

村社由起
七万 無所属　個展(そごう・大丸)　グループ展　京都精華大卒　大阪　昭和46年
〒561-0801 豊中市曽根西町三-九-一九G嶋ノ内気付 **06(6152)8248**

村山隆信
八万 無所属　二紀会展　コルドバビエンナーレ他出　個展　千葉商科大卒　東京　昭和25年
〒371-0106 勢多郡富士見村大字市之木場一五六-四 **027(288)7462**

モニーク・ジュルノー
十万 ローマ賞　エルミタージュ美術館展　ルサロン会長等歴任　ボジョレーヌーボーラベルデザイン　フランス　1935
〒336-0023 さいたま市南区神明一-一-一二 ㈱トレードウインド

茂木紘一
四万 無所属　元創元会員　日展入　昭和会展招　シェル賞佳作　渡欧　群馬　昭和17年
〒379-2154 前橋市天川大島町一-一七-一 **027(224)7126**

持田よし子
三万 春陽会会友　個展　グループ展　群馬　昭和21年
〒379-2147 前橋市亀里町六〇三 **027(265)1377**

本松進一
四万 無所属　個展(梅田大丸他)　大阪市立美術研究所修　東京　昭和12年
〒614-8038 八幡市八幡園内三一-一八 **075(981)4830**

元木秀彦
四万 無所属　朝の会展出品　素の会展出品　阿佐谷美術専門学校卒　香川　昭和38年
〒761-8045 高松市西山崎町八八六-一五 **0878(21)4133**

元村平
十万 無所属　日本新人五人展　国内外個展　カンヌ・ビエンナーレ展招　武蔵野美大卒　熊本　昭和13年
在仏

百川良
三万五千 無所属　独学　絵ガラス彫刻絵画　個展(三越・高島屋・ながの東急他)　新潟　昭和27年
〒370-0064 高崎市芝塚一八四二-一三-101 **027(387)0749**

百瀬智宏
七万 無所属　昭和会賞　前田寛治大賞展市民賞　個展　多摩美大大学院修　愛知　昭和32年
〒150-0022 渋谷区恵比寿南三-一-一四 **03(3710)6353**

百田潤一
三万 白日会会友　大洋美術家協会文科大臣賞　ビエンナーレ枕崎佳作賞　東京芸大卒　福岡　昭和18年
〒533-0004 大阪市東淀川区小松三-八-七 **06(6323)8049**

森勝彦
三万 無所属　独立美術展入　個展(大丸他)　東京造形大卒　佐賀　昭和30年
〒355-0072 東松山市石橋一〇二四 **0493(22)6637**

森一浩
七万 無所属　風の芸術展大賞　個展　海外美術展多数　東京芸大大学院博士後期満期退学　ブラジル　昭和24年
〒289-1145 八街市みどり台二-九-八 **043(444)3804**

森慎司
四万 主体美術協会会員　佳作賞　京展紫賞　現代美術選抜展　個展　京都市立芸大卒　昭和36年
〒630-8044 奈良市六条西五-一五-五三 **0742(44)6306**

森實
三万 無所属　県美術作家連盟会長　春の叙勲　宇都宮大卒　グランショミール研修　栃木　昭和9年
〒321-0983 宇都宮市御幸本町四八六三-一三三一 **028(661)0292**

森康次
五万 行動美術会員　行動美術賞　個展　同志社大卒　福井　昭和8年
〒610-1125 京都市西京区大原野上里勝山町一一-一三 **075(331)1060**

森嘉一
三万 無所属　勤労者美術展秀作賞　日本画廊協会展　個展　G展　師橋本博英　阿佐谷美専卒　神奈川　昭和38年
〒211-0041 川崎市中原区下小田中三-一四-四 **044(777)2509**

森岡謙二
四万 一科会会員　個展　師鷹山宇一　日大芸卒　東京　昭和21年
〒115-0045 北区赤羽二-一-二〇 **03(3901)3697**

森崎修太
八万 無所属　ドートンヌ入　ル・サロン入　国際展出　仏美大留学　個展　佐賀　昭和23年
〒299-3234 大網白里市みずほ台一-三-六 **0475(73)2553**

森下一夫

四万 無所属 精鋭選抜展記念大賞展銅賞 京展入 個展 渡欧 京都 昭和23年
〒624-0831舞鶴市字女布七九一-二七

森下 武

六万 ル・サロン会員 金賞 昭和会展優秀賞 日伯展入 石川 昭和20年
〒238-0316横須賀市長井五-一-一二 0468(57)6928

森田和子

六万 無所属 四季彩会展 女流作家展 日本の風景を描く展 個展（大丸 近鉄他）G展 大阪 昭和35年
080(5311)0838

森田健一

四万 無所属 新日本美術展佳作 マスターズ大賞優秀賞 日本の自然を描く展佳作 埼玉 昭和26年
〒142-0041品川区戸越六-一-三 正光画廊気付 03(6228)7047

森田マヨ

四万 無所属 個展（表参道ヒルズギャラリー80他） 女子美大に学ぶ 大阪 昭和57年
090(7960)8552

森本克彦

六万 日展会友 白日会会員 ギャラリー大井賞 現代パステル協会運営委員 大阪市立美術研究所 兵庫 昭和22年
〒520-0845大津市若葉台二九-一二

森本計一

五万 東光会会員 奨励賞 個展 師岡本肇 早稲田大卒 岡山 昭和15年
〒665-0831宝塚市米谷一-二五-一 0797(87)6513

森本宏起

四万 無所属 新世代展出品 個展 グループ展 東京芸大大学院修 昭和37年
〒340-0023草加市谷塚町四二-一三

森本幹生

三万五千 無所属 国画水墨院常任理事 名誉会長賞 個展 武蔵野美大卒 長野 昭和24年
〒211-0062川崎市中原区小杉陣屋町一-六-八 044(733)0267

森谷 繁

四万五千 無所属 都民美術展奨励賞 双樹会展銅賞 白日会展入 日本の自然を描く展入 東京 昭和21年
〒335-0031戸田市美女木二-二-四 048(421)0679

森吉 健

四万 新作家美術協会委員 協会賞 奨励賞 前田寛治大賞 多摩大賞展大賞 武蔵野美大大学院修 昭和44年
〒133-0056江戸川区南小岩六-一三-九 03(5668)1179

守屋麻美

二万五千 独立美術準会員 佳作賞 女子美短大卒 東京芸大大学院修 静岡 平成3年
〒166-0012杉並区和田一-八-四 千修館

や

ヤマタニタエコ

二万五千 無所属 個展（京都大丸 神戸大丸他） 成安造形大卒 京都 昭和59年
〒180-0023武蔵野市境南町三-二-一八 武蔵野アート気付

八木正夫

四万 創造美術会会友 元日本選抜美術家協会委員 師西村龍介 横浜市立大卒 東京 昭和7年
〒333-0811川口市戸塚三-三-一〇-222 090(4547)7962

八木田隆子

三万 無所属 個展 女流油絵5人展 師辻真砂 大阪
〒569-1022高槻市日吉台六-七-一五 072(689)2624

八木原由美

六万 新作家美術協会委員 会員奨励賞 群馬版画協会会員 個展 G展 女子美大卒 東京 昭和25年
〒194-0031町田市南大谷五〇九 042(726)5637

八田大輔

四万 無所属 ステンドグラス工房アトリエ・ロッシュ設立 渡仏 東京芸大卒 神奈川 昭和54年
〒170-0005豊島区南大塚三-四-四-201 アートキューブ気付

矢倉弘資

八万 無所属 元白日会会員 安田美術財団奨励賞 個展(梅田画廊) アカデミーグランドショミエール修 大阪 昭和21年
〒606-0067京都市左京区上高野東山一〇六 075(791)0537

矢代夕稀

九万 Société Nationale des Beaux Arts 会員 ル・サロン・デ・ボザールルーブル美術館カルッセル展銀賞 京都芸術大卒 大阪 在仏
http://www.youkiss.art/ ギャラリーら・む～気付

矢部　明
五万　無所属　個展　G展　福島　昭和30年
〒283-0103山武郡九十九里町田中荒生三六〇-三　0475(76)0329

安岡亜蘭
四万　無所属　トーキョーワンダーシード入選　個展　グループ展　東京芸大卒　神奈川　昭和53年
〒107-0062港区南青山五-四-三〇　新生堂気付　03(3498)8383

安田早苗
二万五千　無所属　秋田美術作家協会展最高賞　奨励賞　秋田公立美工短大卒　秋田　昭和61年
〒011-0931秋田市将軍野東二-一九-一七

安田隆亮
五万　二元会常任委員　文部大臣奨励賞　博尊賞　三重県文化賞奨励賞　個展　三重　昭和15年
〒511-0035桑名市東野鎌堀三三-五　0594(21)3574

安田正弘
四万五千　白日会会員　損保ジャパン美術財団奨励賞　日展入　明日の白日会展　武蔵野美大卒　大阪　昭和32年
〒532-0005大阪市淀川区三国本町三-一三-一二　06(6391)4394

安田祐三
五万　無所属　サロン・ドートンヌ入　ル・サロン優秀賞　日伯現代美術展奨励賞　山形大卒　北海道　昭和26年
〒004-0815札幌市清田区美しが丘五条五-三-六　011(886)1320

安冨洋貴
五万　一陽会会友　一陽賞　損保ジャパン美術財団奨励展秀作賞他　個展　京都造形芸大大学院修　香川　昭和53年
〒761-8072高松市三条町一〇六-八-605

柳瀬俊泰
五万　日展会員　特選　美幌博物館学芸協力員　上野の森大賞展特別優秀賞　個展　東京　昭和30年
〒152-0032目黒区平町一-五-二　03(3723)0267

柳瀬雅夫
三万　無所属　元白日会会員　佳作賞　中部白日会展中日新聞賞　個展　名古屋芸大大学院修　静岡　昭和46年
〒481-0011北名古屋市高田寺出口八二　0568(25)6097

柳田晃良
三万　無所属　上野の森美術館大賞展特別優秀賞　昭和会展　個展(日本橋三越)　栃木　昭和36年
〒326-0025足利市寿町二〇-九　0284(44)0240

柳田　補
十万　無所属　個展(愛媛県立美術館分館他)　アカデミーグラン・ショミエール修　愛媛　昭和23年
〒790-0014松山市柳井町一-一二-四　089(900)2414

箭野かおり
二万五千　無所属　個展(京都大丸他)　成安造形大卒　高知　昭和60年
〒180-0023武蔵野市境南三-二一-八　武蔵野アート気付

藪野　健
十二万　**芸術院会員**　芸術院賞　二紀会副理事長　文部大臣賞　サンフェルナンド美校卒　愛知　昭和18年
〒183-0055府中市府中町一-二五-四　042(368)5674

籔原幸子
三万　二紀会準会員　東海大卒　徳島　昭和31年
〒770-0047徳島市名東町三-三三七-二　088(631)1334

山内和則
六万　独立会員　独立賞　高畠賞　昭和会展優秀賞　安井賞展入　個展　武蔵野美大卒　静岡　昭和24年
〒206-0802稲城市東長沼一八三三　042(378)5383

山内光吉
三万　無所属　パステル　第三文明展入　創造展奨励賞　個展　和歌山　昭和24年
〒644-0044和歌山県日高郡美浜町一四二〇-六　0738(24)1144

山内滋夫
六万五千　写実画壇委員　個展　G展　師里見勝蔵　パリ国立美校卒　大阪　昭和22年
〒251-0033藤沢市片瀬山五-三〇-一二　0466(26)0345

山内大介
四万五千　白日会会員　日展特選　損保ジャパン美術賞展　個展名古屋芸大大学院修　三重　昭和56年
〒497-0040愛知県海部郡蟹江町城一-一九六-101　090(2133)3993

山岡康子
四万五千　無所属　個展　画廊企画展　G展　京都芸大卒　京都　昭和23年
〒180-0023武蔵野市境南町三-二一-八　武蔵野アート気付

山神　敦
二万五千　白日会会友　入選　かわうそ新人賞佳作　大阪芸大版画専攻卒　coin美術院生島教室在籍　香川　平成9年
〒765-0073善通寺市中村町三-八-一　090(3461)6978

山川由美子
三万 新世紀会員 新世紀賞 多摩支部賞 多摩総合美術展特賞 女流展入 個展 画廊企画展 大阪
〒187-0045小平市学園西町二-二二-二五-302 042(341)5096

山口和男
五万五千 無所属 元新日洋会会員 日洋展奨励賞 個展 G展 お茶の水美院卒 神奈川 昭和25年
〒257-0003秦野市南矢名三-二五-二 0463(77)8450

山口貢史
五万 双樹会運営委員 奨励賞 元日輝会員 二紀他入 欧遊 武蔵野美大卒 岐阜 昭和16年
〒289-1143八街市八街い-九九-一七 043(440)0128

山口真功
五万 無所属 国際美術大賞展入 花の美術大賞展入 個展 大阪芸大卒 熊本 昭和35年
〒570-0028守口市本町二-五-一三 06(6991)2362

山口進治
四万 二科展入 特選 個展 G展 師久保繁造 群馬 昭和26年
〒371-0215前橋市粕川町深津一九-一 0272(85)5451

山口精之助
五万 元国画会会友 国展入 九州国展受賞 個展 公立バルセロナ美校修 福岡 昭和20年
〒819-1303糸島市志摩野北一九八二-一 092(332)2161

山口ひろみ
十万 無所属 元白日準会員 特別賞 セントラル大賞展招待出品 個展(高島屋) 山梨 昭和23年
〒305-0856つくば市観音台一-五-一三 080(6605)1513

山口正人
六万 二科展連入 特選 ル・サロン 個展 G展 渡欧 師西村龍介 佐賀 昭和9年
〒184-0014小金井市貫井南町五-一-一九 042(383)6521

山崎 明
五万 二科展入 個展 G展 師久保田九一 西村龍介 長野 昭和9年
〒187-0023小平市上水新町二-二五-二三 042(345)7055

山崎茂行
三万 無所属 日本医科歯科大学他所蔵 独学 個展(夢見る魚音楽家の肖像他) 埼玉 昭和26年
〒331-0071さいたま市西区高木二三一-四三 048(624)7740

山崎伸子
五万 元光風会会友 奨励賞 日展入 女流画家協会展 個展 京都
〒573-1112枚方市楠葉美咲二-一-二二 072(857)0451

山下貞治
五万五千 無所属 元日現展理事 総理大臣賞 日展入 日洋展入 個展 師刑部人 長野 昭和4年
〒380-0957長野市安茂里大門六三二-一 026(227)6834

山下恒子
五万 無所属 元等迦会委員 美術文化協会展受賞 岡山県展受賞 個展 G展 岡山 昭和7年
〒135-0063江東区有明三-七-二六 アートスペース気付 03(6379)8885

山下 徹
十二万 無所属 個展 G展 東京芸大大学院修(彼末教室) 大阪 昭和27年
〒144-0052大田区蒲田五-二三-二六駅前ハイツ404 03(3735)3817

山下三千夫
六万 無所属 個展(大阪 福岡 東京他) フランス留学 児玉美術館蔵 鹿児島 昭和23年
〒891-0107鹿児島市希望ケ丘一-三 090(2851)5567

山田啓貴
六万五千 無所属 個展 グループ展 アートフェア東京 多摩美大学院修 北海道 昭和53年
〒007-0804札幌市東区東苗穂四条一-一六-二-202

山田宗輔
五万 二元会委員 文部科学大臣賞 二元会賞 個展 師鈴木博尊 日美絵画研究所修 佐賀 昭和11年
〒581-0875八尾市高安町南四-三-九 0729(22)5805

山田ゆかり
二万 無所属「奥美大会(オリンピック)東京2020へ向けて」栄誉賞 國學院大卒 東京
〒158-0081世田谷区深沢七-一三-四 03(5758)8181

山田嘉彦
十五万 立軌会同人 国際形象展 十騎会展出品 個展 リュミニイ芸学修 東京芸大大学院修 東京 昭和15年
〒164-0003中野区東中野五-一五-一四 03(3361)9254

山高 徹
三万五千 無所属 イタリア美術賞展 上野森美術館大賞展他出品 個展 東京芸大大学院修 千葉 昭和47年
〒167-0054杉並区松庵一-七-四 03(3331)5050

山中雅彦
二十万　無所属　元白日会会員　佳作賞　奨励賞他　個展　すいどーばた美修　岩手　昭和30年
〒136-0072 江東区大島一-一-四-906　03(3636)8455

山根須磨子
四万　独立美術会員　日伯展入　女流画家展　京の四季展他出品　個展　京都芸大卒　京都　昭和22年
〒520-0016 大津市比叡平一-四〇-一　077(529)2163

山羽斌士
十万　無所属　独立展　現代日本新人作家展他　個展　東京芸大大学院修　愛知　昭和19年
〒411-0931 駿東郡長泉町東野一三七-一九七　055(988)5807

山村博男
五万　国画会会員　会友優作賞　新人賞　昭和会賞　名古屋芸術創造賞　愛知芸大大学院修　愛知　昭和25年
〒460-0008 名古屋市中区栄三-二七-七-1102　052(264)3855

山本明比古
七万　無所属　上野の森大賞展特別優秀賞　前田寛治記念賞展大賞　個展　武蔵野美大大学院修　愛知　昭和25年
〒252-0312 相模原市南区相南四-五-一〇　0427(42)9432

山本篤史
五万　元陽会委員　東和瑠会会員　九州産業大芸術学部　昭和21年
〒142-0041 品川区戸越六-一-一二　正光画廊気付　03(6228)7047

山本周
三万　白日会会員　記念展一般佳作賞　日本人物画協会ホルベイン賞　奨励賞　師生島浩　大阪芸大大学院修　大阪　平成3年
〒599-0201 阪南市尾崎町七-一UR泉南尾崎2-502　090(5069)9719

山本恭平
三万　日洋会会員　会員賞　アントワープ王立美術アカデミー修　広島市立大大学院修　広島　昭和56年
〒736-0081 広島市安芸区船越五-二七-五　080(1633)2888

山本桂右
六万　白日会会員　日本版画協会会員　昭和会展優秀賞　個展　金沢美工大大学院修　大阪　昭和36年
〒612-8141 京都市伏見区向島二ノ丸町六八-六三　075(601)7464

山本貞
三十万　**芸術院会員**　芸術院賞　二紀会会長　文部大臣賞　宮本三郎記念賞　武蔵野美大卒　東京　昭和9年
〒222-0004 横浜市港北区大曾根台一-一七　045(541)5636

山本大貴
十五万　白日会会員　文科大臣賞　昭和会展優秀賞　千葉県立美術館個展　武蔵野美大大学院修　千葉　昭和57年
〒107-0062 港区南青山五-四-三〇　新生堂気付　03(3498)8383

山本寛
三万　無所属　小山敬三記念展マンズワイン・藤花賞　東方国際美術展特選　日美展奨励賞　個展　長野　昭和8年
〒343-0032 越谷市袋山二〇四八

山本文彦
二十万　**芸術院会員**　**恩賜賞**　二紀会常務理事　安井賞　宮本三郎記念賞　総理大臣賞　東京　昭和12年
〒300-1222 牛久市南二-一〇-二〇　0298(73)6648

山本正英
十万　無所属　両洋の眼展　G展　個展多数　名古屋造形大名誉教授　愛知芸大大学院修　山梨　昭和23年
〒177-0053 練馬区関町南四-一五-五-610　03(6671)5706

山本満洲男
四万五千　無所属　元一科会会員　特選　サロン・ド・パリ大賞　パリ市民賞　個展（阪神）　満州　昭和16年
〒615-0012 京都市右京区西院高山寺町一-四　075(313)1507

山本靖久
四万　主体美術協会員　銀座大賞展大賞　神奈川県展大賞　安井賞展　個展　武蔵野美大大学院修　昭和38年
〒176-0012 練馬区豊玉北五-六-一

山本幸雄
六万　二元会会長　総理大臣賞　桂冠賞　二元会賞　個展　師川田茂　兵庫　昭和22年
〒653-0043 神戸市長田区駒ヶ林町五-一二-一六　078(631)6482

楊紹良
十二万　無所属　個展（日本橋三越他）　広東省美術学校卒　武蔵野美大卒　中国　1961　在米

湯山俊久
八万　芸術院賞　日展理事　総理大臣賞　特選　元白日会常任委員　総理大臣賞　個展　多摩美大卒　静岡　昭和30年
〒235-0045 横浜市磯子区洋光台一-一一-三三　045(833)5654

結城唯善
二万五千　日展会友　光風会会員　会員賞　ＳＯＭＰＯ美術館賞　武蔵野美大大学院修　東京　平成2年
〒187-0003 小平市花小金井南町一-六-二-506　080(5657)1431

遊・仁
五万　無所属　日展出品　個展　福岡　昭和19年
〒352-0034新座市野寺三-九-二七

よねざきゆきえ
二万五千　無所属　個展　グループ展　東京ＧＥＩＳＡＩ
勤労者美術展　嵯峨美術短大卒　徳島　昭和55年
〒263-0023千葉市稲毛区緑町一-二六-一三　アートエミュウ気付

よりかなゑ
三万五千　元二科会同人　パリ賞　現代美術選抜展　個展
師東郷たまみ　大分
〒168-0062杉並区方南一-五一-一九　03(6884)8500

余村　展
十万　無所属　個展（三越本店・松坂屋本店他各地百貨店）
G展　渡欧　群馬　昭和24年
〒299-3263大網白里市柳橋一〇四三-一七　0475(72)7610

横江逸美
四万　国画会会員　新人賞　伊藤廉記念賞展奨励賞　個展
G展　愛知芸大大学院修　愛知　昭和38年
〒465-0076名古屋市名東区扇町一-一五　052(782)2929

横田瑛子
四万　現代美術家協会会員　会員賞　現代美術日韓展損保
ジャパン美術財団奨励賞　個展　武蔵野美短大卒
〒252-0216相模原市清新一-一三-五　042(755)8616

横田美晴
四万　国際幻想芸術協会会員　個展（大丸他）九州産業大
卒　岡山　昭和36年

横森幹男
八万　立軌会同人　和の会招待　独立展出品　仏政府給費
留学　東京芸大大学院修　東京　昭和19年
〒216-0011川崎市宮前区犬蔵二-三三-二-二七　044(976)4052

横山和男
三万五千　無所属　ミレー友好協会最優秀賞　凱旋門賞
新人奨励賞　個展（近鉄　東武　そごう他）高知　昭和12年
〒590-0504泉南市信達市場四五一-一-403　0724(85)1663

横山申生
八万　無所属　ル・サロン金賞　日展　日洋展賞　個展（日
本橋三越）師繁二郎　武蔵野美大卒　福岡　昭和7年
〒257-0031秦野市曽屋五三八九-二　0463(81)7716

横山優子
二万五千　一陽会会員　特待賞　個展　グループ展（豊科近
代美術館　上田サントミューゼ他）師柳沢春吉　昭和48年
〒381-0041長野市徳間一-一四-一〇-二　026(217)5721

吉岡健二
六万　無所属　インターナショナルサロンドリュテス（パリ）
展金賞　個展（パリ・ドイツ・日本）愛媛　昭和23年
〒790-0038松山市和泉北一-一七-一〇　089(931)3701

吉岡耕二
九万　サロン・ドートンヌ会員　個展（阪急・東急他）大阪
工芸校卒　パリ国立美大留学　大阪　昭和18年
〒151-0053渋谷区代々木三-一三-一　03(3375)5941

吉岡正人
八万　二紀会常務理事兼事務局長　文科大臣賞　会員優賞
前田寛治大賞展大賞　武蔵野美大卒　大阪　昭和28年
〒350-0407入間郡越生町上谷一〇二三-七　0492(92)6689

吉川順子
五万　無所属　真砂美塾　アトリエ吉川主宰　大阪芸大卒
大阪　昭和24年
〒567-0848茨木市西駅前町一〇-1110　0726(25)3044

吉川　龍
五万　無所属　昭和会展優秀賞　雪梁舎フィレンツェ賞展特
別賞　東京芸大大学院修　栃木　昭和46年
〒210-0848川崎市川崎区京町二-一三-八

よしだ　茂
四万五千　無所属　ロスアンゼルスアートエキスポ他出品
個展　東京　昭和26年
〒410-2132伊豆の国市奈古谷河原洞二二二三　0559(44)0338

吉田伊佐
六万　無所属　日展特選　元白日会会員　U賞　準会員奨
励賞　個展　京都市立芸大卒　京都　昭和34年
〒621-0044亀岡市千代川町日吉台一-一　0771(24)9183

吉田直未
三万　白日会会員　日展入　水墨画個展　龍谷大卒　関西
美術院　師矢倉弘資　滋賀　昭和24年
〒606-0032京都市左京区岩倉南平岡町一　075(701)6568

吉田文子
五万　無所属　昭和会展招待出品　女流画家協会展入　上
野森大賞展出品　個展　東京　昭和27年
〒343-0022越谷市東大沢一-二六-三　048(974)6598

吉田　緑

三万　無所属　絵画大賞展入　日本の自然を描く展出　個展　G展　武蔵野美短大中退　京都　昭和34年
〒621-0044亀岡市千代川町日吉台二-一　**0771(24)9183**

吉武研司

五万　独立会員　独立賞　奨励賞　安田火災奨励賞　現代形象展出品　個展　東京芸大大学院修　佐賀　昭和23年
〒338-0805さいたま市浦和区針ケ谷四-一-三-五-108　**048(831)7122**

吉武弘樹

四万　無所属　昭和会賞　シェル美術展オーディエンス賞　東京芸大大学院修　福岡　昭和57年
〒839-0862久留米市野中町九〇八-一　九州藍胎漆器㈱気付

吉野　勉

六万　無所属　セントラル油絵大賞展招待出品　個展(泰明画廊)　東京芸大大学院修　島根　昭和34年
〒692-0026安来市吉佐町五五一　**0854(22)4198**

吉野友佳子

三万五千　無所属　二科展入　たちかわアートギャラリー展金賞日仏現代世界美術展優秀賞　世界絵画大賞展入
〒170-0005豊島区南大塚三-四-四-201　アートキューブ気付

米津福祐

五万　二紀会委員　同人賞　会員賞　鍋井賞　日本水彩画会賞　師吉野純　上田高卒　長野　昭和12年
〒386-0012上田市中央二-一六-二六　**0268(22)5943**

米村太一

三万　無所属　元白日会会友　個展　グループ展　佐賀大大学院修　熊本　昭和60年
〒104-0061中央区銀座一-一一-一八　ギャラリーシーク気付

頼住美根生

四万　日展会友　白日会会員　河北美術展秋田県知事賞　岩手県知事賞　神奈川　昭和19年
〒983-0825仙台市宮城野区鶴ケ谷北一-一-一二　**022(252)1642**

寄本祐司

三万　無所属　ル・サロン　デボザール出　個展(町田小田急・鹿児島三越)　日大芸術卒　東京　昭和16年
〒194-0022町田市森野五-二九-二　**042(729)0018**

ら

リン・ゲルテンバック

十二万　オイルペインターズオブアメリカ金賞　カーネギー美術館展　プレンエアペインターズオブアメリカ理事　アメリカ　1940
〒336-0023さいたま市南区神明一-一-一二　㈱トレードウインド

李　景朝

八万　無所属　韓国最優秀芸術家　最優秀画家賞　二紀展昭和会展入　個展(阪急　西武他)　韓国　1936
〒544-0033大阪市生野区勝山北五-一二-二　**06(6717)6833**

李　暁剛

二十万　日展会員　特選　白日会会員　総理大臣賞　文科大臣賞　個展　北京解放軍芸術大卒　北京　1958
〒669-1143西宮市名塩ガーデン一二-九　**0797(62)2805**

ロジェ・ボナフエ

十六万五千　個展(国連本部・東京芸術劇場・三越他)　成熟の赤　フランス　1932
〒167-0051杉並区荻窪四-二九-八　オザオビル1F　ギャラリー萠気付

ロッポ・マルチネス

十万　ローマ賞　ホワイトハウス収蔵　画集「En Plein Reves」　エスチエンヌパリ卒　フランス　1952
〒336-0023さいたま市南区神明一-一-一二　㈱トレードウインド

領家裕隆

三万五千　無所属　文化庁在研会　静岡大卒　兵庫　昭和28年
〒662-0915西宮市馬場町一-二一　サンク西宮305　**090(8366)3750**

六反田英一

五万　二紀会準会員　現代美術展美術文化大賞　個展　金沢美工大卒　石川　昭和32年
〒921-8116金沢市泉野出町二-六-九　**076(243)0882**

わ

ワタベカズ

三万　無所属　ワンダーシード入選　個展(銀座三越他)　グループ展　沖縄県立芸大卒　千葉　昭和50年
〒277-0941柏市高柳一六四三-一　**090(6510)7242**

和田　晶
四万五千 群炎美術協会会員　個展　画廊企画展　グループ展　東京芸大卒　山形　昭和5年
〒167-0022杉並区下井草四-一八-一〇　**03(3396)3903**

和田直樹
四万 白日会会員　一般佳作賞　安田火災美術財団奨励賞　三洋美術奨励賞　個展　多摩美大卒　茨城　昭和44年
〒270-0023松戸市八ヶ崎二-一三-一-403

和田春奈
四万 光彩会会員　グループ展　きらめくプロジェクト実行委員長代理　長野　昭和42年
〒399-6462塩尻市洗馬二六八〇-六三　**0263(51)0107**

和田義郎
七万 無所属　日仏現代美術展一席　コレ選展グランプリ　個展(銀座三越他)　青山学院大卒　北海道　昭和23年
〒270-1168我孫子市根戸五七三-六九　**04(7182)9611**

輪島進一
五万 独立会員　小島賞　安井賞展　日本青年画家展　明日への具象展他出品　個展　北海道　昭和26年
〒041-0801函館市桔梗町四〇三-二三八　**0138(46)0955**

若井良一
六万 無所属　元三軌会会員　文部大臣奨励賞　努力賞他　セントラル油絵大賞展入　個展　栃木　昭和15年
〒350-1152川越市砂久保一六二-五〇　**0492(43)5801**

若麻績敏隆（わかおみ）
四万 無所属　個展　東京芸大大学院修　長野　昭和33年
〒380-0831長野市東町二〇一-一

若林俊男
三万 旺玄会会員　努力賞　佳作賞　現代洋画精鋭選抜展銀賞　銅賞　個展　東京　昭和9年
〒120-0001足立区大谷田四-三-三　**03(3605)6105**

若山　茂
六万 無所属　フランス芸術家協会会員　サロン・ドートンヌ入　ナショナルボザール入　個展　明治大卒　熊本　昭和29年　**在仏**

分部佳英
八万 サロンデベール特別会員　ピカソ美術館・シャガール美術館特別会員　大阪　昭和26年
〒551-0031大阪市大正区泉尾七-一六-七　**06(6551)8918**

鷲森秀樹
六万 無所属　個展(川上画廊他)　渡仏　多摩美大中退　長野　昭和37年
〒389-2254飯山市南町二六-一七　**0269(62)2129**

渡壁公義
四万 無所属　ひろしま美術大賞展佳作賞　明日の備後作家展　個展　松山商科大卒　広島　昭和36年
〒175-0045板橋区西台三-三五-一三　サンス気付　**03(3931)1599**

渡辺聖二
三万 無所属　朝の会新人賞　大王大賞展秀作賞　G展　個展　阿佐谷美術専門学校卒　福岡　昭和35年
〒299-3211山武市大網白里町細草九八七-五六　**0475(77)5330**

渡邉祥行
九万 近代日本美術協会理事長　総理大臣賞　フランス大使館賞　個展　愛媛　昭和21年
〒790-0943松山市古川南一-二-三〇　**089(958)2073**

渡辺美香子
六万 無所属　色鉛筆画　個展（大丸・近鉄）大阪　昭和35年
〒550-0015大阪市西区南堀江一-一〇-一二　西谷ビル一-一六　(株)Wグラフィックス&アーツ気付　**090(1138)1456**

渡辺ムサシ
十万 無所属　日本国際美術展入　オランダ美術賞展入　サロンドメ出　師鈴木マサハル　静岡　昭和26年
〒410-0306沼津市大塚一二七〇-一二　2号棟405　**090(8868)5506**

渡部明夫
三万五千 無所属　朝の会展　萌の会展出品　個展（小田急他）　師橋本博英　阿佐谷美術学園卒　新潟　昭和29年
〒272-0831市川市稲越町七三-七　**047(373)2951**

渡部耿賛
五万 無所属　ル・サロン会員　ナショナルボザール会員　フランス風景画家協会会員　サロン・ドートンヌ他出品　個展　広島　昭和21年　**在仏**

渡部　香
三万五千 無所属　ル・サロン入　スペイン美術賞展入　個展　東京理科大卒　兵庫　昭和44年
〒272-0021市川市八幡三-二〇-一三

渡部吟子
五万 日洋会委員　井手宣通記念賞　日展入　県展選抜展　文部大臣賞　個展　師国領經郎　岩手　昭和9年
〒021-0891一関市桜木町一-一五　**0191(23)6466**

渡部　満

八万　無所属　小磯良平大賞　日伯現代美術展安田美術財団奨励賞　日仏現代展他出品　個展　青森　昭和28年

Memo

洋画家価格推移表

（単位　千円）

作　家　名	'19	'20	'21	'22	'23	'24
アンヘレス・セレセダ	70	70	70	80	100	130
安食慎太郎	80	80	80	80	80	80
安益耕平	100	100	100	100	100	100
安西大	80	80	80	80	80	80
阿部穣	80	80	80	80	80	80
阿邑隆策	60	60	60	60	60	100
青木敏郎	500	500	500	500	500	500
赤木範陸	120	120	120	120	120	120
赤堀尚	100	100	100	100	100	100
明山應義	90	90	90	90	90	90
有田巧	100	100	100	100	100	100
井口由多可	80	80	80	80	80	80
井上直久	80	80	80	80	80	80
井上秀樹	100	100	100	100	100	100
伊藤晴子	120	120	120	120	120	120
居島春生	90	90	90	90	90	90
生島浩	400	400	400	400	400	400
池口史子	120	120	120	120	120	120
池田清明	100	100	100	100	100	100
石岡剛	90	90	90	90	90	90
石原靖夫	130	130	130	130	130	130
石村勝宣	100	100	100	100	100	100
石山義秀	80	80	80	80	80	80
入江観	100	100	100	100	100	100
岩崎弘子	70	70	70	70	70	70
宇田喜久子	150	150	150	150	150	150
上田哲也	85	85	85	85	85	85
内山懋	70	70	70	70	70	70
遠藤彰子	100	100	100	100	100	100
小川泰弘	150	150	150	150	150	150
小澤一正	120	120	120	120	120	120
越智紀久張	70	70	70	70	70	70
大内田敬	60	60	60	60	60	60
大城真人	70	70	70	70	70	70
大竹山規	70	70	70	70	70	70

作　家　名	'19	'20	'21	'22	'23	'24
大津英敏	300	300	300	300	300	300
大沼映夫	300	300	300	300	300	300
大畑稔浩	120	120	120	120	120	120
大前博士	100	100	100	100	100	100
大森祥吾	70	70	70	70	70	70
大矢英雄	400	400	400	400	400	400
岡　義実	100	100	100	100	100	100
岡野浩二	100	100	100	100	100	100
岡野　博	70	70	70	70	70	70
奥谷　博	700	700	700	700	700	700
奥西賀男	80	80	80	80	80	80
折本美禰子	60	60	60	60	60	60
加藤　照	110	110	110	110	110	110
開原通人	150	150	150	150	150	150
筧　本生	120	120	120	120	120	120
笠井誠一	150	150	150	150	150	150
金丸悠司	60	60	60	60	80	80
金森宰司	120	120	120	120	120	120
金森良泰	80	80	80	80	80	80
河原朝生	120	120	120	120	120	120
木津文哉	70	70	70	70	70	70
木原和敏	90	90	90	90	90	90
城戸久務	70	100	100	100	100	100
絹谷幸二	1,300	1,300	1,300	1,300	1,400	1,500
桐生照子	80	80	80	80	80	80
工藤和男	100	100	100	100	100	100
九鬼三郎	70	70	70	70	70	80
熊谷有展	70	70	70	70	70	70
倉重栄二	90	90	90	90	90	90
黒澤信男	80	80	80	80	80	80
小泉守邦	150	150	150	150	150	150
小杉小二郎	500	500	500	500	500	500
五味文彦	130	130	130	130	350	350
佐々木　豊	150	150	150	150	150	150
佐藤泰生	120	120	120	120	120	120
佐藤　哲	100	100	100	100	100	100
斉藤秀雄	100	100	100	100	100	100

作　家　名	'19	'20	'21	'22	'23	'24
斉藤良夫	80	80	100	100	100	100
坂田哲也	150	150	150	150	150	150
坂部隆芳	150	150	150	150	150	150
酒井信義	100	100	100	100	100	100
櫻井幸雄	120	120	120	120	120	120
桜田晴義	120	120	120	120	120	120
桜庭　優	150	150	150	150	150	150
志水堅二	70	70	70	70	70	80
塩谷　亮	150	200	200	200	200	200
島田三郎	100	100	100	100	100	100
嶋津俊則	80	80	80	80	80	80
島村信之	300	300	400	400	400	400
清水悦男	150	150	150	150	150	150
清水　源	70	70	70	70	70	70
庄司　守	60	60	60	60	60	60
ジャン・モワラス				85	85	100
城　康夫	80	80	80	80	80	80
杉山吉伸	100	100	100	100	100	100
瀬尾一嘉	90	90	90	90	90	90
園山幹生	120	120	120	120	120	120
孫　家珮	115	115	115	115	115	115
田村鎮男	80	80	80	80	80	80
高梨芳実	70	70	70	70	70	70
髙野元孝	150	200	200	300	300	1,000
高松秀和	90	120	120	120	120	120
瀧下和之	80	80	100	100	100	100
竹内康行	80	80	80	80	80	80
武宮秀鵬	80	80	80	80	80	80
武本はる根	100	100	100	100	100	100
谷川泰宏	200	200	200	200	200	200
玉有万範	100	100	100	100	100	100
塚越仁慈	100	100	100	100	100	120
辻　真砂	100	100	100	100	100	100
寺井力三郎	80	80	80	80	80	80
照沼彌彦	150	150	150	150	150	150
土井原崇浩	80	80	80	80	80	80
戸田勝久	100	100	100	100	100	100

作　　家　　名	'19	'20	'21	'22	'23	'24
當間久夫	130	130	130	130	130	130
徳善　正	100	100	100	100	100	100
中谷雄大	100	120	120	130	130	150
中司満夫	70	70	70	70	70	70
中山忠彦	2,000	2,000	2,000	2,000	2,000	2,000
西村達也	100	100	100	100	100	100
額賀加津己	300	300	300	300	300	300
野田弘志	900	900	900	900	900	900
羽田　裕	150	150	150	150	150	150
長谷川健司	80	80	80	80	80	80
長谷川資朗	100	100	100	100	100	100
花巻　碧	200	200	200	200	200	200
林　敬二	150	150	150	150	150	150
原　尚子	50	50	50	50	50	50
原　秀樹	70	70	70	70	70	70
原　雅幸	300	300	300	300	300	300
半田　強	120	120	120	120	120	120
伴　清一郎	100	100	100	100	100	100
櫃田伸也	80	80	80	80	80	80
広田　稔	70	70	70	70	70	70
深沢昭明	120	120	120	120	120	120
福井欧夏	60	80	80	85	85	85
福井良佑	70	70	70	70	70	70
福岡通男	500	550	550	550	550	600
藤澤千丈	70	70	70	70	70	70
藤沼啓子	100	100	100	100	100	100
藤森兼明	180	200	200	200	200	200
藤原秀一	150	150	150	150	150	150
舟山一男	120	120	120	120	120	120
古田帯川	80	80	80	80	80	80
増田常徳	90	90	90	90	90	90
松井ヨシアキ	100	100	100	100	100	100
丸山　勉	90	90	90	90	90	90
ミズテツオ	130	130	130	130	130	130
三浦明範	80	80	80	80	80	80
三阪雅彦	100	100	100	100	100	100
三嶋哲也	80	80	100	100	100	100

作　家　名	'19	'20	'21	'22	'23	'24
三谷祐資	120	120	120	120	120	120
溝部　聡	100	100	100	100	100	100
南田昌康	70	70	70	70	70	70
宮田　圭	80	80	80	80	80	80
村社由起	70	70	70	70	70	70
元村　平	100	100	100	100	100	100
森崎修太	80	80	80	80	80	80
矢倉弘資	80	80	80	80	80	80
柳田　補	100	100	100	100	100	100
藪野　健	120	120	120	120	120	120
山内和則	60	60	60	60	60	60
山口ひろみ	100	100	100	100	100	100
山下　徹	120	120	120	120	120	120
山田嘉彦	150	150	150	150	150	150
山中雅彦	200	200	200	200	200	200
山羽斌士	100	100	100	100	100	100
山本　貞	300	300	300	300	300	300
山本大貴	80	100	100	100	150	150
山本文彦	200	200	200	200	200	200
湯山俊久	80	80	80	80	80	80
余村　展	100	100	100	100	100	100
横山申生	80	80	80	80	80	80
李　暁剛	200	200	200	200	200	200
ロジェ・ボナフェ	135	135	135	135	135	165
渡邉祥行	90	90	90	90	90	90

Memo

日本画家
掛軸部門

尺五立物作品の標準発表価格を掲載しています。
なお、表装の仕様、共箱の材質により価格が異なる場合があります。

あ

安達晃麗
十七万　こうれい　無所属　師・春光　新興展入　墨画個展　水墨山水　花鳥　東京　昭和3年
〒270-0021松戸市小金原六-九-一〇-201　**0473(42)4463**

安達静岳
十五万　せいがく　無所属　個展　得意山水画　岐阜　昭和20年
〒106-0032港区六本木三-二-一九-602

安藤華鳳
十万　かほう　京日画会同人　各展入選受賞　個展　得意山水　花鳥　昭和14年
〒605-0000京都市東山区東大路通五条上西入　**075(541)3806**

安野恵美
二十万　えみ　無所属　師・木村元　個展　得意人物　舞妓　山口　昭和16年
〒530-8223大阪市北区梅田一-一三-一三-8F　古悦堂気付

赤井春水
十一万　はるみ　日展会友　日春展入　師・万象　個展　東京　昭和2年
〒108-0075港区港南三-九-五〇-1012

浅井新明
十万　しんめい　無所属　師・春彰　個展　各展入選　得意花鳥　風景　昭和12年
〒460-0024名古屋市中区正木三-一三-九　**052(321)8080**

井川輝華
五万四千　てるか　無所属　師・東人　グループ展　得意山水　花鳥　東京　昭和29年
〒166-0014杉並区松ノ木一-二-一四　**03(3313)5852**

井戸玲邦
十二万　れいほう　東京水墨画研究会会員　個展　グループ展　得意風景　昭和29年
〒162-0062新宿区市谷

井上秀城
三十五万　しゅうじょう　無所属　師・洪中　元院友　院展入　春展入　昭和16年
〒187-0011小平市鈴木町一-二五-三〇

井元　宏
二十三万　こう　無所属　師・荻浦　京都IN美校卒　京都産業美術展入　個展　京都　昭和19年
〒612-8491京都市伏見区久我石原町一-七九　**075(934)2746**

五十川正康
二十七万　まさやす　無所属　個展　県市展出品　得意虎風景　岐阜
〒503-2425岐阜県池田町六井

伊藤香川
十五万　こうせん　無所属　幸清会　各展出品　個展　得意風景　花鳥　岐阜
〒500-8355岐阜市六条片田一-一五-三　**058(274)6055**

池上翠月
十二万　すいげつ　無所属　紫雲会　各展出品　個展　油絵　風景
〒500-8388岐阜市今嶺一-一六　**058(272)4311**

池田翠宝
十八万　すいほう　無所属　京展入選　京都伝統美術展入選　嵯峨美大卒　京都　昭和24年
〒605-0051京都市東山区三条栗田口

池長香禮
六万五千　こうれい　無所属　各展出品　グループ展　得意花鳥　大阪　昭和46年
〒530-8223大阪市北区梅田一-一三-一三-8F　古悦堂気付

池野扶其子
三十五万　ふきこ　院友　師・月岡栄貴　個展　グループ展　静岡　昭和18年
〒167-0054杉並区松庵三-四〇-九-302

石井拓川
二十万　たくせん　彩描会所属　元京都府日本画協会員　奨励賞　優秀賞　個展　グループ展　京都　昭和3年
〒500-8185岐阜市元町三-九　伏屋方　**058(265)1455**

石井六華
二十一万　りっか　無所属　県展入　市展入　個展　グループ展　得意風景　花鳥　仏画　昭和15年
〒501-6018岐阜県羽島郡岐南町下印食三-一〇　**058(277)8838**

石神蘭佳
十三万五千　らんけい　無所属　師・頼石・玉鳳　TBS・ACA会員　個展　得意虎　昭和16年
〒453-0021名古屋市中村区松原町五-一-三　**052(481)5295**

石田晃谿
十万五千　こうけい　無所属　春院展入　ミニチュア大賞展入　個展　得意風景　水墨
〒501-2100岐阜県高富町二五三六-一

石塚青篁
七万　せいこう　無所属　玉堂系　師・晃溪　山水　花鳥　東京　昭和14年
〒197-0823あきる野市野辺五六〇-一　0425(59)3664

石野香峰
七万　こうほう　無所属　師・映方　風景　鯉　静岡　昭和25年
〒432-8065浜松市南区高塚町

石原華扇
十一万　かせん　創画会展入　春季展入　京展入　セントラル大賞展出品　個展　京都　昭和16年
〒611-0031宇治市広野町宮谷

石原拓雄
十万　たくお　創画会展入　春展連入　京展入　個展　京都　昭和16年
〒611-0031宇治市広野町宮谷四四-五　0774(43)2935

市原秀人
六十五万　ひでと　無所属　師・元宋　日展入　院展入　日月社受賞　グループ展　個展　広島　昭和7年
〒739-0141東広島市八本松町飯田字向原二〇一-二

稲垣浩秀
十一万　こうしゅう　無所属　元院展　師・朝風・杉風　得意花鳥　山水　昭和6年
〒151-0053渋谷区代々木二-三七-五

稲垣雅彦
二十万　まさひこ　無所属　師・龍秋方　大綜美会理事　大美展入賞　現代展特賞　個展　得意花鳥　昭和30年
〒452-0941愛知県西春日井郡清洲町西市場

稲川秋山
七万五千　しゅうざん　無所属　師・光風　狩野派　水墨山水研究　東京　昭和18年
〒277-0066柏市中新宿二-五-一三　0471(73)8729

今井武久
十九万　たけひさ　院友　師・小松均　中日作家賞　名古屋美術倶楽部賞　愛知　昭和15年
〒484-0894犬山市羽黒字根比敷二〇-五四　0568(67)6598

今西美峰
十三万二千　びほう　無所属　市展入　個展　得意山水　虎　花鳥　岐阜　昭和6年
〒500-8088岐阜市四ツ屋町二五　058(262)0905

今村鳶良
三十五万　いちろう　日春展入　湖国を描く絵画展入　てんびんの里を描く展入　滋賀　昭和27年
〒462-0032名古屋市北区辻町一-四三-一　曽根方052(914)0751

今村大雪
十三万　だいせつ　無所属　紫雲会　各展出品　個展　水墨山水　岐阜
〒500-8364岐阜市本荘中の町一〇-三七-三　光陽社　058(272)4311

岩井喜陽
十一万　きよう　無所属　日本画研究会理事　関西日本画展特選　墨人会圏外社優秀賞　個展　大阪　昭和7年
〒544-0025大阪市生野区生野東三-五-一〇　06(6712)7187

岩井雪秋
十二万　せっしゅう　無所属　師瑞鳳　市展入　大美展賞　市長賞　得意仏画　俳画　花鳥　昭和11年
〒562-0025箕面市粟生外院七-二六七

岩崎蒼波
二十三万　そうは　無所属　師・小高一草　元染色画家　伝統美術展特選　個展　新潟　昭和28年
〒615-0806京都市右京区西京極町一六

宇野正二
七万五千　まさじ　無所属　師・自然　日展入　日春展入　他展賞　市買上　愛知　昭和9年
〒444-2108岡崎市奥殿町桃木五五　0564(45)7197

上村朝山
五十万　ちょうざん　無所属　師・朝風　院展入　得意花鳥　山水
〒210-0916川崎市幸区南幸町三-一三　大石方

上村鳳堂
六十万　ほうどう　無所属　師・栄一　日春展入　日本画会展入　福岡　昭和20年
〒891-0402指宿市十町一九六七

内海春光
二十四万　しゅんこう　無所属　帝国美術協会　山水南画展他入　東京
〒274-0813船橋市南三咲三-一七-一二　0474(48)2319

江戸真紀子
二十万　まきこ　無所属　師・松本勝　小林五浪　グループ展
〒252-0826藤沢市宮原三六四一-一〇七　0466(48)3860

閻勝利
六十万　えんしょうり　無所属　北派中国画会会長　国際美術交流協会会長　得意肖像画　仏画　風景　昭和29年
〒547-0026大阪市平野区喜連西四-七-四一　佐野方

遠藤晃
十五万　あきら　別号瑞桂　日春展　京展入　京都教育大卒　屏風制作　兵庫　昭和23年
〒615-0915京都市右京区梅津南町三一-三　075(864)4504

遠藤恵三
十五万　けいぞう　無所属　煌彩美術会　県展入　各展受賞　花鳥群馬　昭和5年
〒113-0031文京区根津二-二一-五　03(3821)4229

遠藤春岳
十一万　しゅんがく　無所属　武蔵野美大卒　紅樹会委員　各展入　山水　花鳥　新潟　昭和5年
〒164-0002中野区上高田一-三三-一〇　03(3389)1036

小川啓文
三十万　けいぶん　無所属　師・良文　画業42年　東京　昭和3年
〒419-0122静岡県函南町上沢五二一-一〇一　0559(78)6798

小川石舟
十万　せきしゅう　無所属　幸清会　各展出品　グループ展　得意花鳥　風景
〒500-8222岐阜市琴塚一-一二　後藤方　058(245)5212

小川朝陽
三十二万　ちょうよう　無所属　各展受賞　得意花鳥　山水　人物　京都　昭和60年
〒605-0000京都市東山区東大路五条上ル西入ル　長谷川方

小木曾瑞雲
八万五千　ずいうん　無所属　師・翠雲　日本美術協会入選　他入賞　大正5年
〒211-0002川崎市中原区上丸子山王町二-一三三四-一　石原方

小沢秋月
九万　しゅうげつ　無所属　師・碧宇　各展入　得意花鳥風景
〒601-8415京都市南区西九条南田町二　宇野方

小田朔以
二十万　さくい　無所属　得意山水　富士　日本百景　虎鶴　鯉　秋田　昭和47年
〒502-0935岐阜市萱場東五丁目一六　058(294)2081

小野蕉麗
六万五千　しょうれい　無所属　師・智久牛　国藝会会員　各展出品　得意山水
〒110-0001台東区谷中三-一一-二　03(3828)6369

小野翠香
十二万　すいこう　無所属　元日本画院　横浜美術協会員　各展出品　東京　昭和5年
〒167-0054杉並区松庵三-四〇-九-302

小山天遊
十五万　てんゆう　無所属　紫雲会　各展出品　水墨山水　着色山水　岐阜
〒500-8364岐阜市本荘中の町一〇-三七-三　光陽社　058(272)4311

尾上晩翠
九万　ばんすい　春院展入　県市展審　個展　得意花鳥　山水　昭和6年
〒500-8222岐阜市琴塚三-一六-六　長屋方　058(246)2418

尾高秋保
三十五万　しゅうほ　無所属　東京デザイナー学院修　イラストレーター　毎日広告デザイン賞特選二席　朝日広告賞　昭和25年
〒462-0032名古屋市北区辻町一-四三-一　曽根方　075(914)0751

大石雅山
十五万　がざん　無所属　師・碧宇　日春展入　墨彩画　兵庫　昭和30年
〒621-0007亀岡市河原林町河原尻北垣内三八　中沢方

大熊嵐雪
二十五万　らんせつ　京洛障壁画研究院常任理事　師山本紅雲　京展入　県展賞　個展　大和絵　人物　岡山
〒617-0004向日市鶏冠井町北井戸三九　五十棲方

大倉玉雲
十五万　ぎょくうん　無所属　邦画会理事長　指導主事　各展評議員　特選　秀作賞　山水画
〒500-8474岐阜市加納本町七-一四　058(272)0420

大沢景月
六万　けいげつ　無所属　師・幸雪　個展　得意人物　山水　岐阜　昭和31年
〒501-2800岐阜県武儀郡洞戸村

大沢溪石
九万　けいせき　無所属　幸清会　グループ展　得意風景　岐阜
〒500-8222 岐阜市琴塚一-一二　後藤方　058(245)5212

大竹　卓
五十万　すぐる　無所属　武蔵野美大卒　筑波大大学院修　創画会展入　個展　得意風景　昭和33年
〒176-0022 練馬区向山三-九-三二

大谷園泉
十八万九千　えんせん　無所属　師・野田九浦　中央美展　日本画連展入賞　鯉　風景　千葉
〒299-5245 勝浦市興津二五-二

大津春水
六万五千　しゅんすい　無所属　各展出品　得意山水　竹　書　昭和11年
〒655-0852 神戸市垂水区名谷町字寺池

大西寿海
十五万　じゅかい　一雅会会員　各展入選　古画研究　得意山水　花鳥　岐阜　昭和48年
〒500-8245 岐阜市上川手一五三

大西瑞鳳
九万五千　ずいほう　無所属　大綜美会員　市展入　各展入　個展　得意花鳥　風景　人物　昭和8年
〒605-0000 京都市東山区東大路五条上ル西入　長谷川方

大西東清
八万　とうせい　院展入　師・土牛　京展入　関展入　得意花鳥　山水
〒605-0000 京都市東山区東大路五条上ル西入　長谷川方

大野逸男
百五十万　いつお　院展同人　師・青坪・法林　奨励賞　春院展外務大臣賞　個展　埼玉　昭和16年
〒346-0105 埼玉県菖蒲町新堀一九三-二　0480(85)1263

大野紅節
七万　こうせつ　清和美術協会会員　墨友会会員　師・小出陽祐　県展入　市展入　得意花鳥　俳画　昭和26年
〒483-8222 江南市赤童子町藤宮一八九

大野草思
二十万　そうし　無所属　師・春堂　春季創画展入　臥龍桜日本画展優秀賞　得意花鳥　風景　埼玉　昭和47年
〒336-0902 浦和市大東三-一七-九　兼杉ビル2F　048(883)2844

大野真純
三十万　ますみ　無所属　師・春堂　臥龍桜日本画展優秀賞　得意花鳥　風景　埼玉　昭和47年
〒167-0054 杉並区松庵三-四〇-九-302

大野　道
三十五万　みち　無所属　師・吉井春堂　個展　グループ展埼玉　昭和27年
〒336-0909 浦和市瀬ケ崎一-二五-二　048(887)9099

大森隆史
三十万　たかし　無所属　東京芸大卒　新生展入　個展　グループ展　東京　昭和43年
〒167-0054 杉並区松庵三-四〇-九-302

大山昭夫
十四万　あきお　無所属　黒龍江省書画院創作研究室副主任　JC国際美術交流会会長　京都教育大卒　昭和29年
〒547-0026 大阪市平野区喜連西四-七-四一　佐野方　06(6704)5081

太田春海
六万五千　しゅんかい　無所属　多摩美大卒　各展入賞　山水　千葉　昭和12年
〒270-2242 松戸市仲井町一-一三〇　吉井方

岡川義真
十万　ぎしん　無所属　師・蓬春　県市展入　個展　グループ展　得意山水
〒603-8225 京都市北区紫野南船岡町八六-八　藤沢方　075(432)2043

岡本春江
三十万　しゅんこう　無所属　師・靫彦　春院展入　得意花鳥　山水
〒204-0022 清瀬市松山一-六-四五　土居方

荻原季美子
百五十万　きみこ　無所属　愛知芸大卒　セントラル日本画展　山種美術館展出品　個展　長野　昭和22年
〒236-0031 横浜市金沢区六浦三-二〇-九　C-703　045(785)9631

奥村風子
七万　ふうし　清和美術協会会員　市展　公募展入　得意人物　花鳥　昭和28年
〒500-8317 岐阜市島田西町五九　058(253)5026

か

加藤秋光
十二万 **しゅうこう** 無所属 個展 各展出品 得意花鳥風景 岐阜
〒500-8222岐阜市琴塚一-一二 後藤方 **058(245)3212**

加藤松峰
二十五万 **しょうほう** 無所属 日本画作家協会会員 日画会同人佳作賞 努力賞
〒563-0023池田市井口堂三-四-三五 **0727(63)5373**

加藤智
六十万 **とも** 日展会員 師・奥田元宋 特選 日春賞 東京 昭和22年
〒275-0014習志野市鷺沼四-二-一〇 **047(452)5269**

加野秋谿
十五万 **しゅうけい** 無所属 師・五鈴 昭耀 県市展出品 個展 アトリエ理事 昭和27年
〒501-3107岐阜市加野小額一四七九

加野誠
三十六万 **まこと** 無所属 日本現代美術家連盟賞 文部大臣奨励賞 パリ国際サロン出品 岐阜 昭和29年
〒500-8355岐阜市六条片田一-一五-三 後藤方 **058(274)6055**

加納秀石
十二万 **しゅうせき** 無所属 県市展出品 グループ展 得意花鳥 昭和18年
〒500-8355岐阜市六条片田一-一五-三後藤方 **058(274)6055**

加納祥仙
十三万 **しょうせん** 無所属 幸清会 各展入選 得意人物 花鳥 山水 昭和38年
〒502-0006岐阜市粟野西五-三四一

景丘治彌
十五万 **はるや** 無所属 良寛画家 個展(三越) 新潟市墨彩会講師 新潟 昭和10年
〒940-0044長岡市住吉町二-六-二〇 **0258(36)5639**

片桐素哉
三十二万 **そさい** 無所属 師・静苑 各展入選 外遊 得意人物 花鳥 岐阜 昭和53年
〒503-2400岐阜県揖斐郡池田町

片山白樹
三十万 **はくじゅ** 一雅会会員 グループ展 外遊 得意仏画 愛知 昭和6年
〒501-6241羽島市竹鼻町六

勝高峰
五十万 **こうほう** 無所属 師・春堂 院展入 個展 得意山水 花鳥 千葉 昭和18年
〒258-0843佐倉市中志津三-二四-四

金子春雪
八万四千 **しゅんせつ** 無所属 煌彩美術会 師・春堂 中美卒 山水 花鳥 昭和8年
〒246-0037横浜市瀬谷区橋戸三-四四-一 **045(301)4821**

唐沢玄堂
二十万 **げんどう** 無所属 師・春堂 山水 花鳥 熊本 昭和6年
〒211-0002川崎市中原区上丸子山王町一-一三三四-一 石原方

川井勝美
十五万 **かつみ** 院友 師・月岡栄貴 鎌倉会展出品 個展 千葉 昭和16年
〒240-0102横須賀市荻野六-一 **0468(56)7789**

川口穂村
十五万 **すいそん** 無所属 煌彩美術会 師・中村丘陵 山水 花鳥 人物 東京 昭和10年
〒113-0031文京区根津二-三七-一 **03(3821)4405**

川口栖香
八万 **せいこう** 無所属 師・箕輪翠香 日本広告美術学校卒 得意花鳥 山水 昭和12年
〒104-0032中央区八丁堀三-一三-一 鈴木方 **03(3551)5438**

川崎光春
十三万 **こうしゅん** 無所属 師・彰 個展 県市展他出品 得意山水 岐阜 昭和11年
〒500-8355岐阜市六条片田一-一五-三

川崎光則
十二万 **みつのり** 無所属 師・岱糸 東西美術顧問 県市展入 個展 得意山水 花鳥 昭和6年
〒500-8474岐阜市加納本町七丁目 寺島方 **058(272)0420**

川島利行
十八万 **としゆき** 無所属 幸清会 各展出品 グループ展 個展 得意山水 昭和38年
〒500-8355岐阜市六条片田一-一五-三

川島麦庵
四十五万 **ばくあん** 無所属 師・昭治 文部大臣奨励賞 日本現代美術家連盟賞 連展金賞 個展 岐阜 昭和29年
〒500-8136 岐阜市雪見町二-一八 **058(247)8826**

川島正行
十五万 **まさゆき** 無所属 師・明治・信作 水墨協理事 連展金賞 国際展入賞 個展 昭和27年
〒501-3107 岐阜市加野小嶺一四七九-三七

川島楽正
三十万 **らくせい** 無所属 白峰会文部大臣奨励賞 高遠の四季展秀作賞 臥龍桜日本画展入 岐阜 昭和29年
〒500-8185 岐阜市元町三-九 伏屋方 **058(265)1455**

川西良子
十万 **よしこ** 院展入 春季展入 各展出品 長野 昭和13年
〒243-0421 海老名市さつき町一-五-一〇八

川人勝延
七十万 **かつのぶ** 元日展会員 師・佐藤太清 特選 日春賞 個展 得意風景 花鳥 大正11年
〒574-0014 大東市寺川五-五-三五 **072(873)8723**

河原進
五十四万 **すすむ** 無所属 師・龍子・操 青龍社賞 現代展 日展入 仏賞展入 福井 昭和8年
〒336-0903 浦和市山崎一-一七-三 **048(874)1507**

木下武
四十万 **たけし** 無所属 師・玉城 京都府知事賞 京都市長賞 京都 昭和19年
〒605-0845 京都市東山区東大路通五条上西入 **075(541)3806**

木村閑流
十万 **かんりゅう** 無所属 師・凌雲 雲林社同人 南画 水墨画 新潟 昭和12年
〒606-0802 京都市左京区下鴨宮崎町四一-二 **075(701)0023**

木村翠紅
十万 **すいこう** 無所属 得意美人画 茨城 昭和11年
〒311-1311 茨城県大洗町大貫町前原下

木村亮平
十二万 **りょうへい** 無所属 西濃彩画協会主宰 得意花鳥 人物 鹿児島 昭和33年
〒501-0461 岐阜県本巣郡真正町上真桑二三五八-四二

紀伊川宗圓
十八万 **そうえん** 無所属 師・楠本宗平 個展 得意人物 花鳥 大阪 昭和17年
〒543-0052 大阪市天王寺区大道三-三-一三

北野華山
八万 **かざん** 無所属 個展 各展受賞 グループ展 宮崎 昭和29年
〒462-0032 名古屋市北区辻町一-四三-一 曽根方 **052(912)1495**

北村草山
九万 **そうざん** 無所属 師・浩一郎 院展 春院展入 得意花鳥
〒116-0001 荒川区西尾久六-二-七

衣笠玉関
十万 **ぎょっかん** 無所属 師・厳如春 市展入 個展 外遊
〒616-8033 京都市右京区花園良北町二五-一

清田紫穂
十万八千 **しすい** 無所属 師・希望 元日月社 受賞 東京 昭和3年
〒167-0054 杉並区松庵三-四〇-九-203 **03(3334)8800**

桐山六郎
二十万 **ろくろう** 無所属 師・松崎良太 日展出品 日春展奨励賞 得意花鳥 能画 徳島 昭和30年
〒503-2124 岐阜県不破郡垂井町宮代 **058(265)1455**

工藤梢嶺
十八万 **しょうれい** 無所属 師・玉雲 日本墨絵会出品 県展入 得意山水 青森 昭和7年
〒615-8212 京都市西京区上桂北の口町四-二 多和田方 **075(392)3144**

久芳道信
四十五万 **どうしん** 院友 師・千靫 春季展入 県市展審 山口 昭和8年
〒500-8207 岐阜市日野榎一七九 **058(246)5831**

久芳白映
十五万 **はくえい** 無所属 師・久芳道信 久芳冬斧 グループ展 得意鶴 花鳥 岐阜 昭和12年
〒500-8487 岐阜市加納長刀堀一-一五 **058(265)1455**

久保田成一
二十万 **せいいち** 日本画院会員 師・高松登 上野森自然を描く展入 県芸術祭展入 個展 昭和31年
〒301-0806 竜ケ崎市半田町一〇二六-一

久保田青風
十二万　せいふう　無所属　各展入　個展　グループ展　昭和29年
〒113-0031 文京区根津二-二-五　丹羽方　03(3821)4229

久保田菁甫
六万五千　せいほ　群炎美術協会員　中美研　水墨画　洋画　個展　G展　東京　昭和9年
〒115-0041 北区岩渕二六-二七　03(3902)1613

葛岡　宏
八万　ひろし　無所属　各展入選　個展　グループ展　得意風景　花鳥
〒500-8865 岐阜市昭和町一-二

響田幸恵
二十万　ゆきえ　無所属　師・白鳳　嵯峨美短大卒　仏ムージャン市入　得意花鳥　風景　京都　昭和40年
〒615-8231 京都市西京区御陵溝浦町二八-九　075(381)5817

窪田正廣
二十三万　まさひろ　無所属　京都市立芸大大学院修　奈良市長賞　個展　奈良　昭和32年
〒605-0845 京都市東山区東大路五条上西入　075(541)3806

熊崎辰星
三十万　しんせい　無所属　師・朝風　各展出品　鯉研究　人物画　岐阜　大正14年
〒615-8212 京都市西京区上桂北の口町一四-二　多和田方

黒沢正治
十五万　しょうじ　無所属　植物画　西協市動植物生態研究グループ　兵庫　昭和10年
〒679-1113 兵庫県多可郡中町中村町四〇九-一　0795(32)0106

小出陽祐
二十万　ようすけ　無所属　師・山川利夫　県市展入　グループ展　得意人物　高砂　昭和3年
〒462-0032 名古屋市北区辻町一-四三-一　曽根方052(912)1495

小島光径
五十万　こうけい　無所属　師・広文　多摩美大卒　創元会賞　栃木　昭和6年
〒211-0002 川崎市中原区上丸子山王町二-一三三四-一　石原方

小島大成
十万　たいせい　無所属　各展出品　個展　グループ展　得意花鳥　風景　昭和50年
〒462-0032 名古屋市北区辻町一-四三-一　曽根方 052(914)0751

小島　昇
三十万　のぼる　院展特待　師・青邨　郁夫　東京芸大卒　神奈川　昭和8年
〒220-0054 横浜市西区境之谷七六　045(242)0377

小谷春風
十五万　しゅんぷう　無所属　師・草丘　各展出品　得意花鳥
〒275-0026 習志野市谷津二-一八-四-105

小谷苔明
十五万　たいめい　無所属　師・秀畝　美校卒　元江戸浮世絵研究会員　花鳥　山水　個展
〒182-0014 調布市柴崎一-四五-二　042(482)5620

小林希光
六十万　きこう　院友　院展入選　春季展入選　各展出品　福島昭和30年
〒243-0405 海老名市国分北一-七-一八　0462(34)8880

小林翠月
十二万　すいげつ　無所属　師・桂月　個展　県市展出品　得意花鳥　昭和38年
〒500-8355 岐阜市六条片田一-一五-三

小林宋江
十八万　そうこう　無所属　院展入　師・耕人　県展受賞　G展　埼玉　昭和19年
〒330-0801 大宮市土手町一-一九九　048(666)9138

小林　司
五十万　つかさ　院友　秋田大卒　筑波大大学院修　院展入　上野森美術館展優秀賞　秋田　昭和43年
〒018-1523 南秋田郡井川町坂本字三嶽下四六-三二　018(874)3565

小林桃李
三十五万　とうり　無所属　日本南画院展奨励賞　優秀賞　日本墨相会展入　兵庫　昭和30年
〒462-0032 名古屋市北区辻町一-四三-一　曽根方

小林　康
十五万　やすし　無所属　師・一雄　京都伝統工芸美術協会賞　京都商工会賞　京都市長賞　静岡　昭和19年
〒605-0845 京都市東山区東大路通五条上西入　075(541)3806

小森松映
十万　しょうえい　無所属　個展　グループ展　各展出品　得意風景　花鳥　昭和20年
〒500-8355 岐阜市六条片田一-一五-三　058(274)6055

小柳種世
十五万 たねよ 日本南画院 文化賞 院賞 読売新聞社賞 フラン・サワーレ賞 日仏現代展 個展
〒331-0045大宮市内野本郷一二〇-101 048(622)7518

小谷野直己
五十万 なおき 院友 東京芸大卒 神奈川県展特別奨励賞 個展 埼玉 昭和38年
〒251-0027藤沢市鵠沼桜が丘一-一七-三七 046(650)0719

小山春泉
十万 しゅんせん 無所属 各展出品 紫雲会 山水研究 風景
〒500-8385岐阜市下奈良五-四〇 中島方 058(273)0516

郡 賜泉
十五万 しせん 無所属 師・土牛 院展入 個展多数 花鳥 風景 水墨山水 兵庫
〒610-0102城陽市久世下大谷二〇-一八 大西方 07745(3)1793

紺 敏
百二十万 とし 無所属 本名敏子 得意能画 仏画研究 第一人者 昭和13年
〒500-8136岐阜市雪見町二-一八 明日香美術気付 058(247)8826

紺野苔青
十二万 たいせい 無所属 師・英二 第三文明展 新美術協展 個展 得意山水 昭和15年
〒344-0023春日部市大枝八-九-三-一四-三〇三 0487(36)5663

後藤桂月
十二万 けいげつ 無所属 個展 県市展出品 得意風景 水墨山水 岐阜
〒500-8355岐阜市六条片田一-一五-三 058(274)6055

後藤正幸
十万 せいこう 無所属 各展出品 紫雲会 古代画研究 人物 花鳥 山水
〒500-8364岐阜市本荘中の町一〇-三七-三 光陽社 058(272)4311

さ

佐々木愛日
十二万 あいにち 無所属 師・信作 県市展出品 個展 得意花鳥 山水 昭和31年
〒420-0956静岡市南三八〇-二 涌林ハイツA3号 054(46)0736

佐藤映丘
十二万 えいきゅう 無所属 紫雲会 各展入 得意山水 花鳥
〒500-8364岐阜市本荘中の町一〇-三七-三 中島方 058(272)4311

佐藤景月
十二万 けいげつ 無所属 幸清会 各展出品 グループ展 得意風景 昭和38年
〒502-0006岐阜市粟野西七-三三-二

佐藤大泉
十二万 だいせん 無所属 幸清会 各展出品 個展 得意風景 岐阜
〒500-8355岐阜市六条片田一-一五-三 058(274)6055

佐藤隆良
百二十万 たかよし 院展特待 師・平山郁夫 グループ展 福島 昭和25年
〒248-0033鎌倉市腰越五-一二-九-102 0467(32)8936

佐藤卓也
十三万 たくや 無所属 各展出品 個展 得意人物 花鳥 昭和14年
〒500-8222岐阜市琴塚一-一二 後藤方

佐藤陽石
十三万 ようせき 無所属 県市展出品 紫雲会 個展 得意猛虎 山水
〒500-8385岐阜市下奈良五-四〇 058(273)0516

佐藤良一
十一万 りょういち 無所属 別号純吉 日春展入 墨彩会理事 得意花鳥 風景 画賛 人物 徳島 昭和30年
〒501-0461岐阜県本巣郡真正町上真桑二三五八-四二

佐野硯水
三十万 けんすい 日本水墨画協会会員 個展主義 三重墨彩会幹事 三重 昭和2年
〒513-0831鈴鹿市庄野町三-二五〇 0593(78)0905

斎藤栄昌
十万 えいしょう 無所属 県市展出品 グループ展 花鳥研究 爽床会 得意花鳥 昭和20年
〒504-0438岐阜県本巣郡北方町平成七-三三

坂口久斗
十八万 ひさと 無所属 東京造形大卒 グループ展 各展出品 得意動物 花鳥 大阪 昭和44年
〒620-1444福知山市三和町友渕一-六二 0773(58)2958

坂本翠邦
十万　すいほう　無所属　各展入選　グループ展　得意人物　仏画　昭和23年
〒501-0461岐阜県本巣郡真正町上真桑二三五八-四二

阪本明芳
四十万　めいほう　無所属　水墨画会主宰　文部大臣賞　京都市長賞　イタリア美術展優秀賞　大阪　昭和19年
〒605-0845京都市東山区東大路通五条上西入　075(541)3806

坂元雪埜
四十万　ゆきの　無所属　師・青坪　早稲田大卒　院展入個展　岡山　昭和26年
〒270-0034松戸市新松戸七-二八三-105　047(342)8164

榊原嘉鳳
三十万　かほう　無所属　大美卒　春光展入　大阪府教育委員会賞　美協展特選　佳作賞　得意風景
〒655-0892神戸市垂水区平磯三-三-二三-305

桜井正信
十一万　まさのぶ　院友　師・数慶・利之　春院展入選　県市展賞　岐阜　昭和24年
〒500-8081岐阜市啓運町一-一　058(264)2382

桜井基晴
十二万　もとはる　無所属　師・運渓　各展入　個展　山口　昭和3年
〒536-0001大阪市城東区古市一-一四-六-404　06(6933)5265

笹田光治
十三万　こうじ　無所属　師正泉　日本絵画研究会理事　関西展入　個展　得意花鳥　山水　人物画　昭和19年
〒547-0011大阪市平野区長吉出戸二-一-二五

沢田光志
九万五千　こうし　無所属　院展入　大日展　県展他入　兵庫
〒338-0004与野市本町西二-九-一八

沢田素仙
十万　そせん　無所属　幸清会　県市展出品　得意風景　仏画　岐阜
〒500-8355岐阜市六条片田一-一五-三　058(274)6055

沢村聖観
十三万　せいかん　無所属　元霹靂社同人　個展　ペルー大統領献画　花鳥　山水　仏画　東京　昭和2年
〒206-0812稲城市矢野口二〇一　042(377)5746

塩垣天人
三十万　てんじん　院展入　春院展入　得意花鳥　鯉　兵庫　昭和6年
〒116-0011荒川区西尾久六-二-一二

塩川水燕
十五万　すいえん　無所属　各展出品　紫雲会　得意山水
〒500-8388岐阜市今嶺一-一六　058(272)4311

塩川高志
三十万　たかし　無所属　師・正浪　頼峰　日本動物画研究会理事　兵庫　昭和27年
〒501-0515岐阜県揖斐郡大野町桜大門五七六-四

塩田祥恒
二十万　しょうこう　無所属　独立　各展入選　受賞　山水
〒211-0002川崎市中原区上丸子山王町一-一三三四-一　石原方

重村華堂
十三万　かどう　無所属　師・重村春光　各展出品　昭和23年
〒889-1201宮崎県児湯郡都農町川北四八九八-四

篠田清澄
十四万　せいちょう　無所属　師・春彰　県文化特別賞　県展入　得意仏画　人物
〒500-8141岐阜市月丘町四-三-一　058(247)8820

篠田雅典
四十万　まさのり　無所属　東京芸大卒　銀座大賞展三席　個展　埼玉　昭和39年
〒350-0838川越市宮元町一-五三　049(225)3554

篠原隆一
三十万　りゅういち　無所属　墨彩会理事　得意花鳥　人物　昭和30年
〒501-0461岐阜県本巣郡真正町上真桑二三五八-四二

島田一慧
五十万　いちえ　無所属　臥龍桜日本画展入　個展　水墨百人展大賞　昭和36年
〒509-2311下呂市乗政三九五二-一

島田隆夫
四十五万　たかお　無所属　別号瑞晃　各展　海外展受賞　個展　G展　画塾主宰　得意風景　花鳥　昭和36年
〒500-8483岐阜市加納東丸町一-九九-一　杉山方

島田稔明
三十五万 **としあき** 無所属 国内外展入賞 個展 G展 寺院襖絵 得意花鳥 風景 仏画 岐阜 昭和36年
〒615-8212京都市西京区上桂北ノ口町一六八 多和田方

島津華山
二十二万 **かざん** 無所属 師・映丘・五雲・竹堂 晨鳥社員 日文帝 国際展 市展
〒602-0812京都市上京区寺町今出川上ル紫住山町 **075(221)4614**

嶋本順
十五万 **じゅん** 無所属 県展入 市展入 個展 グループ展 得意花鳥 風景 熊本 昭和43年
〒462-0032名古屋市北区辻町一-四三-一曽根方 **052(914)0751**

清水栄一
十六万 **えいいち** 無所属 師・栄三 日展入 日春展入 各展入 昭和18年
〒611-0002宇治市木幡内畑二三-一七 **0774(33)9666**

清水景仙
二十万 **けいせん** 無所属 師・元人 玉峰 院展入 春院展入 得意虎 龍 山水 昭和23年
〒653-0882神戸市長田区長田天神

清水憲
七万二千 **けん** 無所属 臥龍桜展入選 得意山水 花鳥 昭和30年
〒501-1200岐阜県本巣郡本巣町 宝殊ハイツ

清水微笑
十八万 **みしょう** 無所属 師・五鈴 昭耀 個展 インド遺跡旅行 昭和28年
〒603-8225京都市北区紫野南舟岡町八六-七

下島洋貫
六十万 **ひろみち** 院展特待 師・土牛・英雄 武蔵野美大卒 長野 昭和17年
〒166-0004杉並区阿佐谷南三-一八-九 **03(3392)5478**

下條詩仙
十万 **しせん** 無所属 師・信作 県市展出品 個展 得意人物 花鳥 山水 昭和28年
〒933-0319高岡市荒屋敷新庄三八〇

白玉五郎
六万五千 **ごろう** 無所属 グループ展 各展出品 得意山水 花鳥 愛媛 昭和42年
〒596-0835岸和田市流木町二-二 **072(457)6255**

聖空東嶺
六十万 **とうりょう** 無所属 仏画・書研究 来光寺住職 京都
〒603-8322京都市北区平野宮本町三五 ㈱東錦方 **075(463)3812**

杉原大栖
十二万 **たいせい** 無所属 東日画会会主 東美協同人 各展受賞 花鳥 山水 鯉 東京 昭和18年
〒270-0141流山市松ケ丘五-七二 **0471(45)1520**

鈴木華月
十万 **かげつ** 無所属 白士会展入 清美展入 各公募展入 花鳥 昭和32年
〒489-0045瀬戸市陶本町三-九 **0561(82)2023**

鈴木孝詞
八万 **こうし** 無所属 県市展入選 各展入選 グループ展 得意山水
〒467-0026名古屋市瑞穂区陽明町 **052(831)0506**

鈴木皎三
十五万 **こうぞう** 無所属 県展 市展出品 得意人物 風景 昭和6年
〒500-8355岐阜市六条片田一-一五-三

鈴木繁夫
十五万 **しげお** 別号香葉 一水会員 瑞浪市美術展審査員 瑞浪市文化センター講師 個展
〒509-6101瑞浪市土岐町栄町

鈴木春峰
十万 **しゅんぽう** 無所属 師・春堂 各展出品 山形
〒211-0002川崎市中原区上丸子山王町二-一三三四-一 石原方

鈴木武夫
三十万 **たけお** 院友 師・法林 号憩舟 春展 画院展入 山形 昭和7年
〒225-0025横浜市青葉区鉄町一六八〇 **045(971)5603**

鈴木桃水
七万 **とうすい** 無所属 師・聴雨 院展入 山水 千葉
〒270-0005松戸市大谷口八二 吉井方

鈴木光彦
十二万 **みつひこ** 無所属 別号万里 師・如春 各展入選 美術研究会主任 得意人物 花鳥
〒116-0014荒川区東日暮里一-三五-七-503 **03(3803)7878**

鈴子輝月
二十万　きげつ　無所属　師・春堂　個展　グループ展　花鳥　山水　東京　昭和29年
〒026-0025釜石市大渡町三-三-七　0193(22)5589

関井清彦
十八万　きよひこ　無所属　幸清会　各展入選　個展　昭和38年
〒501-2102山県市伊佐美四三-一

関崎悦子
二十万　えつこ　無所属　師・山田玉雲　中国工筆画研究　国際水墨芸術大展準大賞　愛媛　昭和13年
〒164-0001中野区中野六-二八-一　03(3362)6518

た

田上溪山
十三万　けいざん　無所属　県市展出品　グループ展　幸清会　得意風景　花鳥　岐阜
〒500-8355岐阜市六条片田一-一五-三

田上丹生
六万五千　たんせい　無所属　師・忠作　日展入　得意山水　岐阜　昭和24年
〒182-0001調布市深大寺一七三二

田上俊春
十八万　としはる　無所属　幸清会　各展入選　得意人物　昭和11年
〒500-8355岐阜市六条片田一-一五-三

田上芳泉
十二万　ほうせん　無所属　各展出品　得意花鳥　人物　旧号裕美
〒501-2100岐阜県山県郡高富町

田中岳推
七万　がくすい　創造美術会員　各展賞数回　一路会運委　現代作家展　高松宮家収蔵　個展　富山
〒193-0824八王子市長房町三四一-四五-四〇三　0426(62)5806

田中松甫
九万　しょうほ　無所属　師・雪江・玉甫　市展入　グループ展他　得意水墨　彩墨　東京　昭和9年
〒270-0023松戸市八ヶ崎九三三-三　0473(43)8638

田中松里
五万五千　しょうり　無所属　師・松甫　グループ展他　得意水墨山水　埼玉　昭和16年
〒270-0023松戸市八ヶ崎九三三-三　0473(43)8638

田中昭耀
十五万　しょうよう　無所属　師・坪内節太郎　県展文部大臣賞　国際展受賞　個展　昭和2年
〒503-2414岐阜県池田町下東野二七-一　058(545)4118

田中静水
十八万　せいすい　一雅会会員　師・雪草　各展入選　得意山水　花鳥　三重　昭和23年
〒500-8457岐阜市加納青藤町

田中青甫
二十五万　せいほ　無所属　岐阜県水墨画協会理事　協会賞　連展入賞　個展　得意人物画　仏画　新潟　昭和17年
〒500-8185岐阜市元町三-九　伏屋方　058(265)1455

田中宗平
三十五万　そうへい　無所属　茜美会会員　俳画研究　各展入選　得意俳画　人物画　岐阜　昭和19年
〒503-2200岐阜県山県郡美山町

田中基美
三十五万　もとよし　院友　師・松尾敏男　東京芸大卒　個展　得意花鳥　風景　東京　昭和12年
〒156-0043世田谷区松原四-三一-一六　03(3328)0059

田之上稲川
十万二千　とうせん　無所属　日展入　日春展入　県展入　奨励賞　岐阜　昭和24年
〒167-0054杉並区松庵三-四〇-九-三〇二　03(3334)8800

田畑大吾
八万　だいご　無所属　水墨画秀作展入　個展　グループ展　得意花鳥　人物　山水　愛知　昭和56年
〒462-0032名古屋市北区辻町一-四三-一　曽根方

高木信一
十一万　しんいち　無所属　個展　県展他出品　渡欧　得意山水　岐阜　昭和22年
〒500-8355岐阜市六条片田一-一五-三　058(274)6055

高木瑞香
十五万　ずいこう　無所属　各展出品　得意人物　花鳥　昭和11年
〒500-8355岐阜市六条片田一-一五-三

高木梅荘
十三万 **ばいそう** 無所属 師・寒浪 県展入 個展 得意人物 花鳥 京都 昭和19年
〒606-0057京都市左京区上高野池ノ内町九-三 山本方 **075(701)6333**

高野勝
五十万 **まさる** 無所属 多摩美大卒 サロンドメ招待ミロ国際展 佐倉市屏風画制作 個展 福岡 昭和32年
〒196-0024昭島市宮沢町五-五-二-209 **042(544)6823**

高橋晨
三十万 **しん** 院友 師・法林 本名・健 香川 昭和15年
〒171-0042豊島区高松二-一-七 美芳荘 **03(3955)4404**

高橋新三郎
四十万 **しんざぶろう** 院友 東京芸大大学院修 有芽の会展出品 セントラル大賞展入 東京 昭和30年
〒204-0022清瀬市松山二-八-二五-203

高橋白川
十二万 **はくせん** 無所属 幸清会 各展出品 個展 得意花鳥 岐阜
〒500-8355岐阜市六条片田一-一五-三

高松邦夫
五十万 **くにお** 無所属 県市展出品 師・森田玉仙 得意虎 龍 山水 昭和32年
〒501-0633岐阜県揖斐郡揖斐川町小島八五六 **0585(22)1316**

高松石華
十六万 **せっか** 無所属 師・高松邦夫 得意虎 龍 風景 岐阜 昭和40年
〒501-0633岐阜県揖斐郡揖斐川町小島八五六 **0585(22)1316**

竹内勝源
十五万 **しょうげん** 無所属 師・紫光 県展入 得意山水 動物 書 京都 昭和8年
〒615-8294京都市山科区大塚野溝町八四

竹角華北
十二万 **かほく** 無所属 日春展入 紫雲会 各展入選 山水名手
〒500-8385岐阜市下奈良五-四〇 中島方 **058(273)0516**

竹角南風
十五万 **なんぷう** 無所属 紫雲会 日春展入 日本画指導 各展出品 得意山水 風景
〒500-8388岐阜市今嶺一-一六

竹中和
二十五万 **かず** 無所属 嵯峨美大卒 創画会展 京展入 京都 昭和38年
〒605-0845京都市東山区東大路通五条上西入 **075(541)3806**

玉置華山
十万 **かざん** 無所属 師・頼石 紫雲会 各展出品 花鳥 岐阜
〒500-8385岐阜市下奈良五-四〇 中島方 **058(273)0516**

千村俊二
六十万 **しゅんじ** 院友 愛知芸大大学院修 香流会展出品 長野 昭和21年
〒486-0833春日井市上条町一-二五八 栄林ビル **0568(83)5465**

津隈大泉
十万 **だいせん** 無所属 院展入選 各展入選 紫雲会 得意山水
〒500-8364岐阜市本荘中の町一〇-三七-三 光陽社 **058(272)4311**

津田象紅
十五万 **しょうこう** 無所属 日展入 日春展入 紫雲会 得意猛虎 山水
〒500-8385岐阜市下奈良五-四〇 **058(273)0516**

津田親重
五十万 **ちかしげ** 日展入 師・土屋礼一 日春展奨励賞 兵庫 昭和28年
〒462-0032名古屋市北区辻町一-四三-一 曽根方 **052(914)0751**

津田天親
百二十万 **てんしん** 本名親重 日展入 師・土屋礼一 日春展奨励賞 中日賞 兵庫 昭和28年
〒462-0032名古屋市北区辻町一-四三-一 曽根方 **052(914)0751**

塚下秀峰
十万 **しゅうほう** 無所属 師・幸野豊一 里見米菴 京都染織デザイナー協会記念展大賞 山水 花鳥 昭和17年
〒542-0086大阪市中央区西心斎橋一-四-一三 Gたけやま気付

椿天遊
三十万 **てんゆう** 無所属 師・橋本明治 日本現代美術家連盟賞 文部大臣奨励賞 京都 昭和29年
〒615-8212京都市西京区上桂北ノ口町一六八

手中道子
十万 **みちこ** 院展入 師・小林五浪 日本清興美術展奨励賞 新人賞 個展 女子美短大卒 神奈川 昭和24年
〒242-0021大和市中央二-一-三-二七-603

出口華凰
四十万　かおう　無所属　師・竹林愛作　円山・四条派日本画研究　個展　三重　昭和24年
〒605-0845京都市東山区東大路通五条上西入　075(541)3806

寺沢圭介
十二万　けいすけ　無所属　各展出品　個展　グループ展　得意花鳥　風景　昭和45年
〒462-0032名古屋市北区辻町一・四三・一　曽根方　052(914)0751

寺島泰二
十万　たいじ　無所属　師・葆光　各展入選　優秀賞　得意仏画　花鳥　三重　昭和5年
〒519-2500三重県多気郡宮川村

寺田一晃
十八万　いっこう　無所属　円山四条派運筆日本画継承　京都市長賞　京都府知事賞　仏画　風景　昭和38年
〒605-0845京都市東山区東大路通五条上西入　075(541)3806

戸田碧
十万　みどり　無所属　女子美短大卒　院展入　春院展入　上野森美術館展大賞　得意人物　花
〒228-0024座間市入谷四・六・一

遠田一成
三十万　いっせい　無所属　師・石正雄　県展　府展知事賞　京都新聞社賞　個展　得意花鳥　新潟　昭和37年
〒615-8212京都市西京区上桂北ノ口町一六七　多和田方

時松光雲
十万　こううん　無所属　大分県美展入　中部日本画会入　個展　グループ展　大分　昭和33年
〒462-0032名古屋市北区辻町一・四三・一　曽根方

殿山雲川
十万　うんせん　無所属　師・象紅　紫雲会　各展出品　得意猛虎　山水
〒500-8364岐阜市本荘中の町一〇・三七・三　光陽社　058(272)4511

富永千泉
十万　ちせん　無所属　各展出品　個展　紫雲会　得意動物画　岐阜
〒500-8385岐阜市下奈良五・四〇　058(273)0516

豊田崇悦
二十五万　そうえつ　無所属　日春展入　県展入　個展　昭和28年
〒462-0032名古屋市北区辻町一・四三・一　曽根方

な

中尾瑞應
二十二万　ずいおう　無所属　師・昭治　県市展出品　得意人物
〒501-3722美濃市常盤町

中尾晴峰
八万七千　せいほう　無所属　師・春光　各展入選　得意山水　東京　昭和16年
〒209-0117市原市青葉台一・一五・一九　0463(62)4863

中川是真
二十五万　ぜしん　一雅会会員　毎日展入　中日書道展一科特選　県市展入　得意俳画　書　岐阜　昭和30年
〒500-8865岐阜市昭和町三

中川槙
八十万　まき　院友　東京芸大大学院修　春院展奨励賞　有芽の会　新樹会出品　個展
〒167-0054杉並区松庵三・四〇・九・302

中川幸彦
八十万　ゆきひこ　無所属　東京芸大大学院修　個展　神奈川　昭和21年
〒167-0054杉並区松庵三・四〇・九・302

中澤幸峰
八万　こうほう　無所属　師・栄一　水墨画展出品　得意風景
〒158-0083世田谷区奥沢六・八・二三　小島方

中沢樹芳
十五万　じゅほう　無所属　師・春堂　歴程美術会員　グループ展　昭和16年
〒285-0843佐倉市中志津一・二四・一五　0434(89)9750

中沢勝
四十万　まさる　無所属　師・春堂　院展入選　個展　山水　花鳥　千葉　昭和18年
〒285-0846佐倉市上志津一七七八・一八五

中嶋幸泉
八万　こうせん　無所属　師・園泉　動物画研究会　得意鯉　風景　千葉　昭和24年
〒501-6006岐阜県羽島郡岐南町伏屋三・二三八

中谷薫堂
十万 くんどう 無所属 各展出品 個展 グループ展 得意花鳥 風景 熊本 昭和44年
〒462-0032 名古屋市北区辻町一-四三-一 曽根方 052(914)0751

中谷渓人
八万 けいじん 無所属 得意山水 東京 昭和11年
〒271-0064 松戸市上本郷二六七九 047(362)7856

中野契介
三十万 けいすけ 無所属 京都市立美術工芸学校卒 個展主義 花鳥画・動物画研究 京都 昭和49年
〒605-0845 京都市東山区東大路通五条上西入 075(541)3806

中村桜将
二十一万 おうしょう 日本南画院無鑑査 師・華邦 特賞 山水名手
〒500-8388 岐阜市今嶺一-一六 058(272)4311

中村琴水
十五万 きんすい 無所属 個展 県市展出品 渡欧 得意山水 昭和11年
〒500-8222 岐阜市琴塚一-一二 058(246)4827

中村渓雲
十万 けいうん 無所属 各展出品 個展 グループ展 得意花鳥 岐阜 昭和36年
〒501-0438 岐阜県本巣郡北方町平成七-一三三

中村松雲
十三万 しょううん 無所属 紫雲会 各展出品 得意花鳥 岐阜
〒500-8364 岐阜市本荘中の町一〇-三七-三 光陽社 058(272)4311

中村祥仙
十万五千 しょうせん 清和美術協会員 公募展入 県市展入 得意花鳥 人物 昭和16年
〒502-0812 岐阜市八代二-六 末次第2アパート501 058(294)2234

中村南舟
十一万 なんしゅう 無所属 紫雲会 各展出品 得意花鳥 動物
〒500-8385 岐阜市下奈良五-四〇 中島方 058(273)0516

中村義行
七万 よしゆき 清和美術協会会員 奨励賞 新美術展奨励賞 公募展入 花鳥 昭和36年
〒501-0222 岐阜県本巣郡穂積町別府北町四七 0583(27)6939

中森長江
十一万 ちょうこう 無所属 各展入選 個展 墨彩会 得意山水 花鳥
〒501-0461 岐阜県本巣郡真正町真桑二三五八-四二

仲田龍安
十万 りゅうあん 無所属 県展知事賞 各展入賞 得意人物 仏画 動物 花鳥
〒500-8385 岐阜市下奈良五-四〇 058(273)0516

永田耕治
三十五万 こうじ 院友 師・郁夫・爽人 東京芸大大学院修 有芽の会展出品 新珠会展出品
〒167-0054 杉並区松庵三-四〇-九-302 03(3334)8800

永田朱雀
十二万 すざく 無所属 清美会員 清美展入 市展入 得意花鳥 昭和34年
〒501-0522 岐阜県揖斐郡大野町相羽一〇六六 05853(4)3067

永武哲彌
五十万 てつや 無所属 東京芸大大学院修 彩美会展出品 個展 大阪 昭和30年
〒253-0062 茅ケ崎市浜見平三-三-一〇三 0467(83)5303

長尾千舟
二十万 せんしゅう 無所属 春院展入 県市展入 得意花鳥 水墨山水 岐阜 昭和25年
〒500-8481 岐阜市加納沓井町七-三 058(272)6778

長持梅生
十二万五千 ばいせい 無所属 師閣勝利 日中書画研究学会会長 日秋展特賞 各展受賞 個展 大阪 昭和12年
〒547-0026 大阪市平野区喜連西四-七-四 佐野方 06(6704)5081

丹羽陽春
十五万 ようしゅん 無所属 幸清会 個展 グループ展 得意風景 岐阜
〒500-8355 岐阜市六条片田一-一五-三 058(274)6055

新村富美
七万 ふみ 無所属 師・小林五浪 神奈川水墨画展入 朝日新聞社賞 多摩美展入 個展 得意花鳥 昭和14年
〒243-0413 海老名市国分寺台一-一六-八 0462(32)5293

西脇紫光
十五万 しこう 無所属 個展 グループ展 各展出品 得意風景
〒500-8355 岐阜市六条片田一-一五

西脇繁華
二十二万 **はんか** 日本南画院 サロン・デ・ボザール入 元墨人会員 各展受賞 個展 水墨山水 岐阜
〒500-8225岐阜市岩地四-九-一〇 **058(245)4461**

根本江季
十万 **こうき** 無所属 各展出品 紫雲会 グループ展 得意水墨山水 花鳥
〒500-8388岐阜市今嶺一-一六 **058(272)4311**

野田契鳳
十五万 **けいほう** 無所属 彩描会 各展入 奨励賞 得意山水 風景
〒500-8187岐阜市吉津町一-一三 伏屋方 **058(262)3783**

野田雪邨
十八万 **せっそん** 無所属 師・映水 一雅会 各展入選 個展 山水 花鳥 愛知 昭和35年
〒491-0905一宮市平和町五

野村雪草
三十五万 **せっそう** 無所属 古画研究 日本画塾主宰 県展入選 花鳥 虎 人物 岐阜 昭和25年
〒500-8226岐阜市野一色六-七-二 村山方 **058(247)1639**

は

羽尻 昭
三十万 **てる** 無所属 師・市川義一 美人画研究 京都府知事賞 京都新聞社賞 京都 昭和17年
〒605-0845京都市東山区東大路通五条上西入 **075(541)3806**

羽多埜貞史
二十万 **さだふみ** 日展入選 師・万象 日春展入選 宮城 昭和17年
〒289-1325千葉県山武郡成東町島三六-一

萩尾久望
二十五万 **ひさのぶ** 無所属 個展多数 公募展出品多数 古画研究 得意山水 花鳥 昭和28年
〒462-0032名古屋市北区辻町一-四三-一 曽根方

長谷朱雀
十六万 **すじゃく** 無所属 県展入 市展入 個展 得意風景 花鳥 昭和10年
〒501-6018岐阜県羽島郡岐南町下印食三-一〇 **058(277)8838**

畑 和夫
十二万 **かずお** 無所属 師・畑晃春 斎内一秀 各展受賞 個展 京都 昭和9年
〒605-0845京都市東山区東大路通五条上西入 **075(541)3806**

英 保流
四十五万 **やする** 無所属 東京デザイナー学院卒 イラストレーター 広告電通賞 北海道 昭和25年
〒503-0806大垣市緑園九二-二-303 **0584(75)3441**

花村晄韵
十二万 **こういん** 無所属 県市展入選 紫雲会 得意動物 花鳥
〒500-8388岐阜市今嶺一-一六 **058(272)4311**

花村光観
十万 **こうかん** 無所属 師・紫光 紫雲会 各展出品 着色風景
〒500-8385岐阜市下奈良五-四〇 **058(273)0516**

花村梅泉
十万 **ばいせん** 無所属 師・花村晄韵 各展出品 得意人物 花鳥
〒500-8388岐阜市今嶺一-一六 **058(272)4311**

浜田松陽
十八万 **しょうよう** 無所属 師・陽愷 明石美協理事 個展 花鳥 鯉 山水 兵庫 昭和3年
〒669-5252兵庫県和田山町竹田二〇六九 **0796(74)2524**

浜田東紅
八万 **とうこう** 無所属 県展入 市展入 個展 得意風景 花鳥 大阪 昭和5年
〒501-6018岐阜県羽島郡岐南町下印食三-一〇 **058(277)8838**

林 かおる
二十万 無所属 新俳画社師範 墨絵 得意人物 動物 ピアニスト 岡山 昭和33年
〒606-8332京都市左京区岡崎東天王町三二

林 昂月
十二万 **こうげつ** 無所属 師・昭耀 寒浪会理事 県市展出品 得意花鳥 昭和31年
〒501-0461岐阜県本巣郡真正町

林 春雪
十二万 **しゅんせつ** 無所属 県市展出品 グループ展 風景 人物 花鳥
〒500-8355岐阜市六条片田一-一五-三

林 晶久
十三万 しょうきゅう 無所属 各展出品 得意風景 花鳥 岐阜
〒500-8355 岐阜市六条片田一-一五-三

林 道栄
十二万 どうえい 無所属 邦画会アトリエ会員 理事 師・照雲 得意人物 仏画 昭和28年
〒501-3941 関市小屋名八〇九-五

林 晴夫
十五万 はるお 無所属 幸清会 各展入選 個展 グループ展 得意風景 花鳥 昭和11年
〒502-0006 岐阜市粟野西七-三三一

林 梅石
十一万 ばいせき 無所属 旧号梅香 個展 各展出品 得意風景 人物 岐阜
〒501-2200 岐阜県山県郡高富町

林 萬城
四十五万 ばんじょう 一雅会会員 中部日本画会員 師・渓仙 動物画研究 山水 花鳥 岐阜 昭和20年
〒500-8015 岐阜市松山町一

林 森次
四十万 もりじ 日展入 師・日沙史・礼一 日春展入 中部日本画展受賞 得花鳥 風景 岐阜 昭和27年
〒500-8364 岐阜市本荘中の町一〇-三七-三 光陽社気付 058(272)4311

速水如泉
十一万四千 じょせん 日本南画院 師・華泉 文化賞 文芸賞院賞 会長賞
〒352-0033 新座市石神一-六-三 0484(77)6635

原 滄月
三十五万 そうげつ 無所属 師・井上清治 個展 グループ展 福島 昭和36年
〒167-0054 杉並区松庵三-四〇-九 03(3334)8800

原田晨志
二十二万 たつし 無所属 各展入選 個展 グループ展 得意風景 花鳥 昭和38年
〒501-0438 岐阜県本巣郡北方町平成七-三三

原田まち江
十二万 まちえ 中部日本画会会員 日春展入 各展入 グループ展 得意動物 花鳥
〒500-8388 岐阜市今嶺一-一六 058(272)4311

馬骨子才林
二十八万 しさいりん 無所属 墨彩画家 個展中心 煎茶道作家 得意山水 人物 京都
〒615-8294 京都市西京区松室地家町二〇-三

久枝翔風
十万 しょうふう 無所属 市展入 グループ展 得意風景 動物 昭和36年
〒501-0461 岐阜県本巣郡真正町真桑二三五八-四二

久枝友章
十五万 ゆうしょう 無所属 個展 市展入選 得意風景 宮崎 昭和36年
〒615-8212 京都市西京区上桂北ノ口町一四-二

平賀靖文
九万 やすふみ 無所属 県市展出品 グループ展 得意動物 花鳥
〒500-8865 岐阜市昭和町一-二

平田龍彦
十万 たつひこ 無所属 師・須田国太郎 京都市立美術専門学校卒 兵庫 昭和3年
〒462-0032 名古屋市北区辻町一-四三-一 曽根方

平野元舟
九万 げんしゅう 無所属 紫雲会 独学 個展 得意水墨山水
〒500-8385 岐阜市下奈良五-四〇 058(273)0516

平松耕一
九万 こういち 無所属 県市展出品 個展 得意風景 岐阜
〒501-0600 岐阜県揖斐郡揖斐川町

広森雄三
三十万 ゆうぞう 無所属 別号雄 墨彩会理事長 個展 得意花鳥 風景 画賛 人物 鹿児島 昭和30年
〒501-0461 岐阜県本巣郡真正町上真桑一三五八-四二

福井楽陽
十二万 らくよう 無所属 個展主義 一品画主体 昭和23年
〒509-0141 各務原市鵜沼各務原町四 058(247)8826

福田桂山
二十五万 けいざん 一雅会会員 各展入選 山水 古画研究 岐阜 昭和50年
〒500-8364 岐阜市本荘中ノ町一〇-四五-一

福田耕二
十五万　**こうじ**　無所属　師・翠雲　各展入選　受賞　得意山水　花鳥
〒211-0002 川崎市中原区上丸子山王町一-一三三四-一　石原方

福田素仙
三十五万　**そせん**　松風会会員　各展入選　個展　グループ展　得意仏画　風景　昭和25年
〒500-8364 岐阜市本荘中ノ町一〇-四五-一

福地百香
十二万　**ひゃっか**　無所属　各展入選　動物画研究　得意花鳥　動物　昭和18年
〒501-0461 岐阜県本巣郡真正町上真桑二三五八-四二

藤沢和彦
十二万　**かずひこ**　無所属　邦画アトリエ会理事　市展入個展　得意山水　花鳥
〒603-8225 京都市北区紫野南船岡町八六-八　**075(432)2043**

藤沢真二
十五万　**しんじ**　無所属　幸清会　各展出品　個展　グループ展　昭和38年
〒500-8355 岐阜市六条片田一-一五-三

藤沢露風
十八万　**ろふう**　無所属　師・幸雪　邦画アトリエ会理事　得意仏画　花鳥　岐阜　昭和11年
〒501-2114 山県市佐賀四四七-一〇

藤島墨久
三十五万　**すみひさ**　創画会展入　師・加山又造　東京芸大大学院修　個展　東京　昭和38年
〒229-0028 相模原市並木四-一一-二六　**0427(53)4717**

藤島梅軒
二十二万　**ばいけん**　無所属　師・信作　各展出品　得意人物　花鳥　昭和19年
〒420-0956 静岡市南三八〇-二

藤田映象
十万二千　**えいしょう**　無所属　師・昭耀　県水墨協会員　グループ展　人物　花鳥　昭和29年
〒500-8064 岐阜市米屋町一七

藤田真一
二十五万　**しんいち**　無所属　春光美術院展入　各展入受賞　得意花鳥　山水
〒113-0031 文京区根津二-一二-五　丹羽方　**03(3821)4229**

藤田芳月
二十万　**ほうげつ**　無所属　師・雲渓　日象展出品　グループ展　県展入　得意花鳥　愛知　昭和5年
〒615-8212 京都市西京区上桂北の口町一四-二　多和田方

藤吉晃裕
二十万　**あきひろ**　無所属　各展出品　得意人物　花鳥　昭和38年
〒500-8355 岐阜市六条片田一-一五-三　後藤方　**058(274)6055**

藤吉正勝
十五万　**まさかつ**　無所属　県市展出品　幸清会　グループ展　得意花鳥　風景　昭和38年
〒501-2573 岐阜市太郎丸諏訪二一九

藤原浩明
十二万　**こうめい**　無所属　各展出品　個展　グループ展　昭和21年
〒500-8355 岐阜市六条片田一-一五-三　後藤方　**058(274)6055**

二井栄太朗
五十万　**えいたろう**　無所属　師・二井榮逸　東海学園大卒　個展　三重　昭和55年
〒515-0073 松阪市殿町一四二一-三　**0598(26)3502**

二村心山
二十三万　**しんざん**　無所属　師・久人　県展入　市展入個展　グループ展　得意花鳥　昭和40年
〒500-8129 岐阜市鶴見町三三-一〇

船橋証智
二十万　**まさとも**　本名穏行　創画会展入　京都芸大卒新制作展　中日展出品　個展　愛知　昭和25年
〒462-0032 名古屋市北区辻町一-四三-一　曽根方

古田瑞光
十五万　**ずいこう**　無所属　師・巌如春　県文化賞　技術指導賞　市協展入　岐阜　昭和9年
〒500-8141 岐阜市月丘町四-三-一　**058(247)8820**

古田牧松
十万　**ぼくしょう**　無所属　師・孤峰　肖像画　人物　花鳥　昭和9年
〒501-3788 美濃市蕨生

古館興
二十万　**こう**　無所属　二科展入　毎日現代展入　個展　秋田　昭和19年
〒368-0111 埼玉県秩父郡小鹿野町飯田四三六　**0494(75)2988**

豊東良徳
八万七千　よしのり　無所属　清美展奨励賞　中部日本画会入　市展入　山水　花鳥　昭和33年
〒500-8362岐阜市西荘七〇二-四

紅山幸水
六十万　こうすい　無所属　師・堀史明　シェル美術賞展賞　日仏現代美術展出品　個展　京都　昭和16年
〒605-0011東山区三条通大橋東入四丁目七軒町　075(752)5305

星野翔映
二十五万　しょうえい　無所属　師・大空・一信　近代日本美術展奨励賞　個展　得意風景　花鳥
〒167-0054杉並区松庵三-四〇-九-302

細川久利
十万　ひさとし　無所属　市展入　グループ展　得意風景　昭和36年
〒501-0461岐阜県本巣郡真正町真桑二三五八-四二

堀江桜華
二十八万　おうか　無所属　師・素仙　各展入選　グループ展　動物画　花鳥　岐阜　昭和52年
〒500-8404岐阜市華陽町三

堀江京泉
十五万　きょうせん　無所属　各展出品　個展　紫雲会　花鳥　山水　岐阜
〒500-8388岐阜市今嶺一-一六　058(272)4311

堀江湖城
十万　こじょう　無所属　紫雲会　各展出品　グループ展　得意山水　風景
〒500-8388岐阜市今嶺一-一六　058(272)4311

本田江陽
十一万五千　こうよう　無所属　元美術文化会員　元新芸術会員　個展　得意水墨　墨彩　昭和28年
〒229-1124相模原市田名四ツ谷三三五八-三

ま

真島東紅
二十五万　とうこう　一雅会会員　個展　グループ展　得意山水　花鳥　岐阜　昭和20年
〒500-8305岐阜市沖ノ橋二

前川　修
四十五万　おさむ　日本表現派同人　新人賞　奨励賞　同人賞　表現派賞　京都　昭和12年
〒605-0845京都市東山区東大路五条上西入　075(541)3806

前川伸彦
三十万　のぶひこ　院友　師・松本哲夫　県市展入　個展　グループ展　岐阜　昭和20年
〒501-2114山県市高富町佐賀三六八-一四　0581(22)3658

前川峰水
十三万　ほうすい　無所属　県市展出品　個展　幸清会　得意風景　花鳥
〒500-8355岐阜市六条片田一-一五-三　058(274)6055

正木梅月
九万　ばいげつ　無所属　県市展出品　個展　グループ展　得意風景　花鳥
〒500-8222岐阜市琴塚一-二　058(245)5212

松浦晨潮
二十万　しんちょう　日展入選　日春展入選　得意花鳥　本名太一　昭和13年
〒235-0036横浜市磯子区中原三-一四-二二

松尾陽春
九万　ようしゅん　無所属　師・水月　得意山水　京都　昭和23年
〒621-0031亀岡市薮田野町太田　石野方

松沢江月
十二万　こうげつ　無所属　師・桂月　個展　県市展出得意花鳥　岐阜
〒500-8228岐阜市長森本町三

松田香邦
十二万　かほう　一雅会会員　各展入選　グループ展　得意山水　花鳥　岐阜　昭和21年
〒501-3933関市向山町三-一六

松永智彦
十二万　ともひこ　無所属　各展出品　個展　グループ展　得意花鳥　風景　熊本　昭和50年
〒462-0032名古屋市北区辻町一-四三-一曽根方　052(914)0751

松波松観
十万　しょうかん　無所属　各展入選　グループ展　得意山水　昭和8年
〒462-0032名古屋市北区辻町一-四三-一　曽根方

松原映水
十三万　えいすい　無所属　幸清会　各展出品　グループ展　得意虎　岐阜
〒500-8282岐阜市琴塚一-一二　後藤方　058(245)5212

松原秀麗
十八万　しゅうれい　無所属　各展入選　個展　山水花鳥　三重　昭和53年
〒502-0847岐阜市早田栄町二-三四

松村春景
二十三万　しゅんけい　無所属　独学　総合水墨画展京都新聞社賞　個展　得意花鳥　京都　昭和37年
〒615-8212京都市西京区上桂北ノ口町一四-一八　多和田方

丸山渓舟
十万　けいしゅう　無所属　各展出品　紫雲会　山水研究　岐阜
〒500-8385岐阜市下奈良五-四〇　058(273)0516

三浦成珠
十七万　せいじゅ　無所属　日春展入選　各展出品　紫雲会　風景
〒500-8385岐阜市下奈良五-四〇　中島方　058(273)0516

三浦晴堂
二十五万　せいどう　無所属　師・経　日展入　日春展入　昭和26年
〒202-0022西東京市柳沢一-一三-一二

三浦　亙
二十万　わたる　無所属　師・能島和明　日展入　日春展入　臥龍桜日本画展奨励賞　北海道　昭和28年
〒297-0005茂原市本小轡一二九-一三三

三田清晃
十二万　せいこう　無所属　グループ展　各展入選受賞　得意花鳥
〒151-0053渋谷区代々木一-三七-一五

三宅和光
二十一万　わこう　無所属　師・古関・紫光　元墨人会員　花鳥　山水　人物　昭和14年
〒501-3122岐阜市大洞紅葉が丘一-六　058(243)3762

水越由喜子
三十五万　ゆきこ　無所属　師・万象　日展入　日春展入　鎌倉会会員　千葉大卒　東京　昭和23年
〒216-0011川崎市宮前区犬蔵一-四-二四-205

水谷　雄
五十万　ゆう　元創画会准会員　愛知芸大大学院修　創画会賞　春季展賞　山種美術館賞展　個展　愛知　昭和30年
〒460-0021名古屋市中区平和一-一〇-六　052(321)0431

南谷大晄
十万　たいこう　無所属　本名具代　日展入　日春展入　紫雲会　各展入　県展最高賞　得意山水　花鳥
〒500-8385岐阜市奈良五-四〇　058(273)0516

峯島　薫
十二万　かおる　無所属　師・中沢勝　個展　グループ展　得意花鳥　昭和45年
〒285-0858佐倉市ユーカリが丘一-二八-一一　中沢方

箕輪虹游
十五万　こうゆう　無所属　女流画協入　県展知事賞　選抜展　人物　花鳥　埼玉　昭和16年
〒336-0022浦和市白幡二-一一-六　048(863)1488

箕輪翠香
三十万　すいこう　新興美術院会員　受賞　県美術家協会員　県市展受賞　水墨　風景　東京　昭和11年
〒336-0022浦和市白幡二-一一-六　048(863)1488

宮内紘子
十八万　ひろこ　無所属　師・皐臼　元日本南画院　文化賞　日春展入　日仏現代展入　個展　徳島　昭和15年
〒606-8232京都市左京区田中古川町一九M茶山201　075(701)3389

宮沢湖春
十四万　こしゅん　無所属　師・昭治　各展出品　得意人物　花鳥　山水　昭和33年
〒502-0013岐阜市中川原　山越方

宮臺玉英
六万六千　たまえ　無所属　師・山田玉雲　得意花鳥　山水　昭和20年
〒243-0414海老名市杉久保一八六五-三九　0462(38)0661

宮野慧凌
十七万　けいしゅん　無所属　紫雲会　各展出品　個展　得意花鳥
〒500-8388岐阜市今嶺一-一-六　058(272)4311

宮野太雅
十七万　たいが　無所属　清美展賞　県展入　個展　得意花鳥　昭和34年
〒871-0314大分県下毛郡本耶馬渓町西谷一五七八　09795(2)7438

宮本幹太
四十万 かんた 無所属 方言書画 個展 渡米 福岡 昭和29年
〒818-0121太宰府市青山二-一三-二〇 092(929)1157

武藤紅雲
二十万 こううん 無所属 西濃彩画協会主宰 得意花鳥 人物 仏画 岐阜 昭和34年
〒501-0461岐阜県本巣郡真正町上真桑三三五八-四二

村井慶一郎
三十万 けいいちろう 無所属 春光展努力賞 美協展佳作賞 得意風景 人物
〒654-0023神戸市須磨区戎町四-一-六-1001

村井湧泉
七万二千 ゆうせん 無所属 師・春堂 日本水墨画展出個展 山水 鯉 東京 大正14年
〒167-0051杉並区荻窪一-四四-一二 03(3391)0207

村上幹峰
八万 かんぽう 無所属 師・臥龍 仏絵師 仏教絵画研究 写経 長野
〒395-0051飯田市高羽町五-二

村山静苑
二十五万 せいえん 無所属 聖画会 師・妙子 各展受賞 花鳥山水 人物 福井 昭和60年
〒500-8226岐阜市野一色六-七-二二 058(247)1639

森　契雪
十万 けいせつ 無所属 幸清会 個展 各展出品 得意花鳥 鯉
〒500-8355岐阜市六条片田一-一五-三 058(274)6055

森川見林
八万 けんりん 無所属 師・昭耀 県市展出品 得意山水 花鳥 昭和28年
〒509-3300岐阜県大野郡朝日村上桑 05775(6)1135

森下桜谷
八万 おうこく 無所属 個展 グループ展 得意風景 花鳥 昭和37年
〒501-6018岐阜県羽島郡岐南町下印食三-一〇 058(277)8838

森下玄鳳
七十万 げんぽう 無所属 師・藤原祥峰 個展 得意源氏絵 花鳥 山水 人物 昭和15年
〒500-8364岐阜市本荘中の町一〇-三七-三 光陽社気付

森島清泰
三十万 きよやす 院友 師星光・数慶 春季展入 中美展賞 市文化功労賞 岐阜 昭和4年
〒500-8246岐阜市下川手一八一 058(271)3554

森島昂葉
十二万 こうよう 無所属 個展 県市展出品 得意風景 花鳥 岐阜
〒500-8355岐阜市六条片田一-一五-三 058(274)6055

森島三謙
十五万 さんけん 無所属 県展入 個展 得意仏画 人物 岐阜 昭和3年
〒503-0974大垣市久瀬川町一-五〇

や

矢嶋清風
十八万 せいふう 無所属 元希望門 各展出品 得意花鳥 山水 東京
〒178-0064練馬区南大泉四-一〇-八 03(3925)8823

矢山天人
十万 てんじん 無所属 日春展入選 紫雲会 県展出品 山水画 岐阜
〒500-8388岐阜市今嶺一-一六 058(272)4311

安田光僊
十五万 こうせん 無所属 京画展入 各展受賞 個展 京都 昭和19年
〒605-0000京都市東山区東大路五条上ル西入 長谷川方

安田伍峰
二十四万 ごほう 無所属 個展 京画展入 外遊 京都 昭和19年
〒621-0824亀岡市篠町見晴一-一三-七

柳　翠堂
八万四千 すいどう 無所属 美協展入 大日展入 各展受賞 得意山水
〒157-0064世田谷区給田町三-一一-四 栗田方

山川春水
十万 しゅんすい 無所属 個展 ダループ展 県市展出得意風景 花鳥 京都
〒500-8488岐阜市加納西丸町

山口茂二

三十万 **しげじ** 無所属 師・春彰 インド仏画展出品 各展入選 個展 昭和22年
〒116-0014荒川区東日暮里一-三五-七 **03(3803)7878**

山口梨句

十万 **りく** 無所属 師・茂二 県市展入選 個展 得意人物 花鳥 昭和22年
〒116-0014荒川区東日暮里一-三五-七 **03(3803)7878**

山越春紀

二十万 **はるき** 無所属 独学 県市展入賞 個展 人物仏画専門 昭和28年
〒616-8106京都市右京区太秦森ヶ西町三-一-509原方 **075(871)4091**

山崎啓次

百五十万 **けいじ** 日展会員 師・太清 京都美大卒 会員賞 特選 日春賞 奨励賞 個展 大阪 昭和12年
〒171-0044豊島区千早一-九-六 **03(3973)9322**

山崎太喜人

十六万 **たきと** 無所属 元染色画家 京展市長賞 朝日新聞社賞 個展 広島
〒615-8224京都市西京区上桂二の宮町九五

山下玄洋

九万六千 **げんよう** 無所属 師・坪内節太郎・山下松麗 花鳥 鯉 人物 仏画 山水 岐阜 昭和9年
〒500-8308岐阜市三橋町二七 **058(251)3370**

山下晃洋

十二万 **こうよう** 無所属 師・坪内節太郎 各展入賞 紫雲会 得意花鳥 人物 鯉
〒500-8385岐阜市下奈良五-四〇 **058(273)0516**

山下松風

十二万 **しょうふう** 無所属 別号翠紅 紫雲会 グループ展 得意俳画 花鳥 動物
〒500-8364岐阜市本荘中の町一〇-三七-三 光陽社 **058(272)4311**

山下滄明

八万 **そうめい** 無所属 師・坪内節太郎 各展入賞 得意花鳥 鯉 人物 仏画 山水 岐阜 昭和9年
〒500-8317岐阜市島田西町四二-七 **058(251)3370**

山下信貴

九万 **のぶたか** 無所属 本名信男 各展入選 個展 得意花鳥 風景 岐阜 昭和20年
〒500-8453岐阜市加納鉄砲町

山下芳泉

十万 **ほうせん** 無所属 各公募展出品 紫雲会 会長賞 得意花鳥 山水
〒500-8385岐阜市下奈良五-四〇 中島方 **058(273)0516**

山田恵美

七万 **えみ** 無所属 師・小林五浪 県展入賞 神奈川水墨画展特選 多摩美展選抜賞 G展 得意花鳥 昭和13年
〒243-0413海老名市国分寺台二-一八-一四 **0462(32)1086**

山田和志

十万 **かずし** 無所属 幸清会 個展 各展出品 得意人物 花鳥 岐阜
〒500-8232岐阜市前一色一-一三

山田 清

十四万四千 **きよし** 無所属 師・石川美鳳 得意花鳥 山水
〒462-0032名古屋市北区辻町一-四三-一曽根方 **052(912)1495**

山田端芳

二十五万 **ずいほう** 無所属 日展入選 紫雲会 各展入選 得意山水
〒500-8385岐阜市下奈良五-四〇 中島方 **058(273)0516**

山田典彦

十五万 **のりひこ** 無所属 各展出品 得意人物 花鳥 昭和38年
〒500-8222岐阜市琴塚一-一二 後藤方

山田白峰

十万 **はくほう** 無所属 幸清会 各展出品 得意山水 花鳥 岐阜
〒500-8355岐阜市六条片田一-一五-三

山田帆丘

三十三万 **はんきゅう** 無所属 師・十畝 読画会 得意花鳥 山水 東京
〒165-0032中野区鷺宮一-三〇-一二

山田麦秋

十万 **ばくしゅう** 無所属 元伝統美術準会員 県市展入 山水 虎 神奈川
〒238-0047横須賀市吉倉町一-六四

山本一輝

十万 **いっき** 無所属 県展入 個展 グループ展 得意花鳥 人物 山水 兵庫 昭和43年
〒462-0032名古屋市北区辻町一-四三-一 曽根方

山本真玖
二十五万　しんきゅう　無所属　師・玉城　京都市長賞　京都府知事賞　京都　昭和18年
〒605-0845京都市東山区東大路通五条上西入　075(541)3806

山本呂尚
十三万　ろしょう　無所属　独学　各展出品　個展　得意人物
〒462-0032名古屋市北区辻町一-四三-一　曽根方　052(912)1495

幸　政美
十五万　まさみ　無所属　幸清会　個展　各展出品　昭和38年
〒500-8355岐阜市六条片田一-一五-三

吉井秀苑
八万七千　しゅうえん　無所属　師・千靱　春季展入　各展入選　山花
〒270-0005松戸市大谷口八二-四〇三

吉井春堂
三十万　しゅんどう　無所属　師・英二　帝美卒　新興美術展　院展入　グループ展
〒153-0061目黒区中目黒五-二-一三　03(3793)5986

吉井大起
四十万　だいき　無所属　師・英二　各展出　個展　グループ展　得意山水　風景　東京　昭和17年
〒271-0005松戸市大谷口二-四〇三　0473(45)0876

吉川正彦
十二万　まさひこ　無所属　幸清会　県市展出品　個展　風景　虎　花鳥　岐阜
〒501-2100岐阜県山県郡高富町

吉田紫光
十八万　しこう　無所属　県市展出品　紫雲会　個展　得意人物
〒500-8388岐阜市今嶺一-一六　058(272)4311

吉村好古
九万　こうこ　無所属　院展入　県展特選　個展　渡欧　埼玉　昭和7年
〒363-0024桶川市鴨川一-一〇-四〇　筋野方　0487(86)1661

吉村卓司
六十万　たくじ　日展会員　師・元宋　多摩美大卒　日春賞　奨励賞　福岡　昭和32年
〒270-2201松戸市高柳新田二三-二六　047(386)7183

吉村舞堂
八万七千　ぶどう　無所属　師・佐藤耕寛・春篁　煌彩美術会　日本南画院　新興美術院出品　東京　昭和10年
〒113-0031文京区根津一-三七-一　03(3821)4405

わ

渡辺孝二
十五万　こうじ　無所属　グループ展　個展　幸清会　得意風景　岐阜　昭和38年
〒500-8355岐阜市六条片田一-一五-三　058(274)6055

渡辺松月
三十万　しょうげつ　無所属　師・栄一　日本画墨彩画各展入　鯉研究　大阪
〒600-8224京都市下京区東洞院仏光寺下ル　小沢方

渡辺芳文
十二万　ほうぶん　無所属　師・寒浪　東西美術院理事長　県市展入　個展　得意人物　花鳥　山水　昭和3年
〒504-0002各務原市尾崎北町四-三五　本田方0583(82)8780

渡辺緑雲
十二万　りょくうん　無所属　多摩美大卒　第三文明展入　個展　グループ展　山水　風景
〒211-0002川崎市中原区上丸子山王町二-一三三四-一　石原方

海童道亜文
六十五万　あぶん　無所属　京美大卒　弾墨山水海童道京都道場主　弾墨創始者　個展　長野　昭和18年
〒520-0241大津市今堅田二-二九-一九

資料

年齢早見表

令和６年用　満年齢

年　号	西暦	年齢	年　号	西暦	年齢	年　号	西暦	年齢
明治 44	1911	113	昭和 24	1949	75	昭和 62	1987	37
大正 1	1912	112	25	1950	74	63	1988	36
2	1913	111	26	1951	73	平成 1	1989	35
3	1914	110	27	1952	72	2	1990	34
4	1915	109	28	1953	71	3	1991	33
5	1916	108	29	1954	70	4	1992	32
6	1917	107	30	1955	69	5	1993	31
7	1918	106	31	1956	68	6	1994	30
8	1919	105	32	1957	67	7	1995	29
9	1920	104	33	1958	66	8	1996	28
10	1921	103	34	1959	65	9	1997	27
11	1922	102	35	1960	64	10	1998	26
12	1923	101	36	1961	63	11	1999	25
13	1924	100	37	1962	62	12	2000	24
14	1925	99	38	1963	61	13	2001	23
昭和 1	1926	98	39	1964	60	14	2002	22
2	1927	97	40	1965	59	15	2003	21
3	1928	96	41	1966	58	16	2004	20
4	1929	95	42	1967	57	17	2005	19
5	1930	94	43	1968	56	18	2006	18
6	1931	93	44	1969	55	19	2007	17
7	1932	92	45	1970	54	20	2008	16
8	1933	91	46	1971	53	21	2009	15
9	1934	90	47	1972	52	22	2010	14
10	1935	89	48	1973	51	23	2011	13
11	1936	88	49	1974	50	24	2012	12
12	1937	87	50	1975	49	25	2013	11
13	1938	86	51	1976	48	26	2014	10
14	1939	85	52	1977	47	27	2015	9
15	1940	84	53	1978	46	28	2016	8
16	1941	83	54	1979	45	29	2017	7
17	1942	82	55	1980	44	30	2018	6
18	1943	81	56	1981	43	令和 1	2019	5
19	1944	80	57	1982	42	2	2020	4
20	1945	79	58	1983	41	3	2021	3
21	1946	78	59	1984	40	4	2022	2
22	1947	77	60	1985	39	5	2023	1
23	1948	76	61	1986	38	6	2024	0

明治以降物故日本画家

あ

青木大乗（あおきだいじょう）
明治24年（一八九一）～昭和54年（一九七九）
大阪市に生れ、兵庫県川西市で歿。関西美術院で洋画を京都絵画専門学校で日本画を学んだ。昭和12年結城素明、川崎小虎と大日美術院を創立し、新しい日本画の創造に務めた。同27年大日美術院の解散後は無所属作家として活躍。初期は克明な写実描写と油絵の技法も加味し、晩年は水墨画に新境地を見せ、力強く奔放な大画面は日本画壇でも異色の存在であった。

穐月明（あきづきあきら）
昭和4年（一九二九）～平成29年（二〇一七）
和歌山県に生れ、三重県で歿。昭和8年から愛媛県西条市の実報寺で過ごした。同28年京都市立美術専門学校洋画科を卒業、同33年同校日本画専攻科を修了した。その後中国の清時代の画家金冬心に感銘し、独学で水墨画を追求した。個展を中心に作品を発表した。

秋野不矩（あきのふく）
明治41年（一九〇八）～平成13年（二〇〇一）
静岡県天竜市に生れ、京都で歿。静岡女子師範を卒業後、京都で石井林響、西山翠嶂に師事し日本画を学んだ。昭和11年帝展で特選。同13年文展で特選を受賞した。同23年上村松篁らと創造美術協会を結成した。同37年インドの大学に客員教授として招れ、インドを主題とする作品を多く発表するようになった。平成3年文化功労者、同11年文化勲章を受章した。創画会会員、京都市立芸大名誉教授も務めた。

麻田鷹司（あさだたかし）
昭和3年（一九二八）～昭和62年（一九八七）
京都に生れ、東京で歿。京都美術工芸学校を卒業した。創画会の創立に参加して会員になった。武蔵野美術大学の教授を務めた。

麻田辨自（あさだべんじ）
明治32年（一八九九）～昭和59年（一九八四）
京都に生れ、同地で歿。本名は弁次。大正10年京都市立絵画専門学校卒業。同年第3回帝展入選。西村五雲に師事した。昭和25年第6回日展特選。同28年日展審査員を務めた。同34年日展文部大臣賞、翌35年日本芸術院賞を受賞した。翌46年日展理事。同49年京都市文化功労者となり、同50年京都府美術工芸功労者に選ばれた。

荒井寛方（あらいかんぽう）
明治11年（一八七八）～昭和20年（一九四五）
栃木県塩屋郡に生れ、福島県郡山市で歿。本名は寛十郎。水野年方に歴史画を学ぶ。紅児会創立に参加。初期文展で度々受賞した後に日本美術院に出品し同人となる。大正5年インドに渡り、アジャンターの壁画などを模写。同7年に帰国後は院展に宗教画を出品。法隆寺金堂の壁画模写も手掛けた。

荒木寛畝（あらきかんぽ）
天保2年（一八三一）～大正4年（一九一五）
江戸に生れた。幼名は光三郎。名は吉。別号達庵。9歳の時文晁派の荒木寛快に学び、その後養子となる。明治23年内国勧業博覧会で二等妙技賞。同34年パリ大博覧会で金賞。同38年セントルイス万国博覧会で二等賞を受賞。同31年より同40年まで東京美術学校の教授を務めた。

荒木十畝（あらきじゅっぽ）
明治5年（一八七二）～昭和19年（一九四四）
長崎県大村に生れた。明治25年上京し荒木寛畝の門に入った。同38年日本美術協会展で銀賞。同41年から文展に出品した。同43年日英大博覧会で金牌を受けた。大正13年帝国美術院会員になった。

新井勝利（あらいしょうり）
明治28年（一八九五）～昭和47年（一九七二）
東京に生れた。15才で梶田半古に学んだ後に安田靫彦に師事した。院展に出品し昭和14年翌15年美術院賞を受賞した。院展評議員を務めた。多摩美術大学名誉教授も務めた。

在原古玩（ありはらこがん）
文政12年（一八二九）～大正11年（一九二二）
江戸小石川に生れた。名は重寿。別号鳩杖翁、昔男軒。荒井尚春に師事した。絵画共進会、内国勧業博覧会などに出品した。人物画を得意とした。

伊藤小坡（いとうしょうは）
明治10年（一八七七）～昭和43年（一九六八）
三重県伊勢に生れ、京都で歿。本名は佐登。最初は谷口香嶠に学び、後に竹内栖鳳に師事した。文展、帝展に出品した。人物を得意とした。

伊東深水（いとうしんすい）
明治31年（一八九八）～昭和47年（一九七二）
東京に生れ、同地で歿。本名は一（はじめ）。明治44年鏑木清方に師事した。翌年第12回巽画会入選。大正3年再興日本美術院第1回展で入選し、挿絵を描き始めた。翌4年郷土会結成に参加。大正5年木版画を始め、川瀬巴水らと絵・彫・摺分業による新版画運動に参加。昭和2年画塾を設立し、後に朗峯画塾と名付けた。同7年山口蓬春らと青々会を結成。同14年山川秀峰らと青衿会を結成。同23年日本芸術院賞受賞。同25年青衿会は児玉希望の国風会と合同して日月社となった。同33年日本芸術院会員。現代の女性風俗を艶麗に表現し、また木版画に遺した業績も大きかった。

伊東万燿（いとうまんよう）
大正10年（一九二一）～昭和45年（一九七〇）
東京府に生れ、同地で歿。伊東深水の子に生れ、父深水に師事した。昭和24年新文展で特選。同42年日展で総理大臣賞、同年日本芸術院賞を受賞した。日展評議員を務めた。

池上秀畝（いけがみしゅうほ）
明治7年（一八七四）～昭和19年（一九四四）
長野県高遠町に生れた。本名は国三郎。父秀華は四条派の画家。荒木寛畝の門に学んだ。明治41年第2回文展に初入選。同43年第4回文展『初冬』が三等賞。同44年第5回文展『谷間』が褒状。大正元年第6回文展『梢の秋』が三等賞。同2年第7回文展『五月霽』、同3年第8回文展『晴潭』がそれぞれ褒状を受け、同4年第9回文展『秋晴』が二等賞、同5年第10回文展『夕月』、同6年第11回文展『峻嶺雨後』、同7年第12回文展『四季花鳥』が連続して特選となった。同13年第5回帝展で委員となり、昭和8年第14回帝展で審査員を務めた。

池田幹雄（いけだみきお）
昭和3年（一九二八）～令和4年（二〇二二）
北海道函館市で生れ、埼玉県で歿。昭和22年多摩造形芸術専門学校に入学。翌23年に創造美術が結成され、翌年に新制作協会日本画部へと発展したので新しい日本画のうねりを感じながら学生時代を過ごす。同27年に卒業。翌28年「川沿いの家」が初入選、会員に推挙される。同48年山種美術館賞展「滄港の花」を推薦出品。翌49年新制作協会の日本画部が独立して創画会を結成。これ以後創画会を中心に作品を発表した。自由学園や女子美術大学（昭和56～平成7年）で教壇に立った。心象風景をモチーフにシュールレアリスムに接近した野心的な試みの作品を制作した。

池田道夫（いけだみちお）
大正14年（一九二五）～令和4年（二〇二二）
京都に生れた。京都市立絵画専門学校を卒業。昭和25年日展初入選、同32年・同35年に日展特選、同40年菊華賞を受賞した。父遥邨の死後、日本画塾青塔社を引き継ぎ主幹となった。同43年日展会員。平成3年京都府文化賞を受賞した。日展評議員。

池田遙邨（いけだようそん）
明治28年（一八九五）～昭和63年（一九八八）
岡山県に生れ、京都で歿。本名は昇一。明治45年松原三五郎の天彩画塾に入り洋画を学ぶ。大正3年第8回文展に水彩画で入選。同8年同郷の小野竹喬を頼り京都に出る。竹内栖鳳の竹杖会に入塾。同年第1回帝展に日本画で入選。同13年京都市立絵画専門学校卒業、研究科へ進む。同15年小野竹喬・鹿子木孟郎らと烏城会を結成。同年京都市立絵画専門学

校研究科を卒業。昭和3年第9回、同5年第11回帝展で特選。同年上村松篁・山口華楊らと水明会を結成。同28年青塔社を結成。同年日展評議員。同35年日本芸術院賞を受賞。同47年京都府美術工芸功労者。翌48年京都市文化功労者。同51年日本芸術院会員。同59年文化功労者。同62年文化勲章受章。

生田花朝女（いくたかちょうじょ）
明治26年（一八九三）～昭和53年（一九七八）
大阪に生れた。京都市立絵画専門学校を卒業した。後に池田遥邨・北野恒富らに師事した。大正15年帝展で特選、その後は日展に出品を重ねた。人物画を得意とした。

石井鼎湖（いしいていこ）
嘉永元年（一八四八）～明治30年（一八九七）
江戸に生れ、同地で歿。鈴木鵞湖の次男に生れた。父鵞湖に日本画を学び、彰技堂で国沢新太郎に洋画も学んだ。明治22年明治美術会創立に参加した。石井柏亭、石井鶴三は子息である。

石川晴彦（いしかわはるひこ）
明治34年（一九〇一）～昭和55年（一九八〇）
京都に生れた。名は利治。大正3年京都市立美術工芸学校に入学した。その後入江波光に師事し国画創作協会展に出品した。後に村上華岳に師事した。昭和3年新樹社の結成に参加した。晩年は主に仏画を描いた。

石崎光瑤（いしざきこうよう）
明治17年（一八八四）～昭和22年（一九四七）
富山県に生れた。本名は猪四一。山本光一・竹内栖鳳に師事した。大正3年文展で褒賞。同7年、翌8年特選。昭和4年帝展の審査員を務めた。

石田武（いしだたけし）
大正11年（一九二二）～平成22年（二〇一〇）
京都に生れ、神奈川県葉山で歿。昭和15年京都市立美術工芸学校卒業。同21年京都新制作研究所に学んだ。同24年頃より児童図書のイラストを描き始めた。同46年より日本画の制作を始めた。同48年山種美術館賞展で大賞を受賞した。以後個展を中心に作品を発表した。

石本正（いしもとしょう）
大正9年（一九二〇）～平成27年（二〇一五）
島根県に生れ、京都で歿。昭和19年京都市立絵画専門学校を卒業。同22年から日展に出品、同25年創造美術展に出品した。同34年横山操や加山又造と轟会を結成した。同46年芸術選奨文部大臣賞と日本芸術大賞を受賞した。同49年加山又造らと創画会の結成に参加して会員になった。京都市立芸大、京都造形芸大の教授を務めた。

磯田長秋（いそだちょうしゅう）
明治13年（一八八〇）～昭和22年（一九四七）
東京に生れた。最初は狩野派の芝永章に学び、後に小堀鞆音に師事した。明治31年安田靫彦や今村紫紅らと紅児会を創設し会員になった。文展に出品し入賞した。歴史人物画や風俗画を得意とした。

磯部草丘（いそべそうきゅう）
明治30年（一八九七）～昭和42年（一九六七）
群馬県に生れた。名は覚太。別号尺山子。川合玉堂に師事した。昭和9年帝展特選。上州の風景画を多く残した。

板倉星光（いたくらせいこう）
明治28年（一八九五）～昭和39年（一九六四）
京都に生れた。大正6年京都市立絵画専門学校を卒業し、菊池契月に師事した。在学中の同4年文展初入選。昭和4年、翌5年帝展で特選を受賞。清新さと華麗さを併せた美人画を描いた。

猪飼嘯谷（いかいしょうこく）
明治14年（一八八一）～昭和14年（一九三九）
京都に生れた。明治33年京都市立工芸学校を卒業した。その後谷口香嶠に師事した。人物・花鳥・動物を得意とした。

猪原大華（いのはらたいか）
明治30年（一八九七）～昭和55年（一九八〇）
広島に生れ、京都で歿。本名は寿。大正12年京都市立絵画専門学校卒業。昭和12年西村五雲に、後に山口華楊に師事した。同29年第10回日展で特選。同38年京都市立美術大学教授となった。同47年第4回日展で内閣総理大臣賞。翌48年日本芸術院賞恩賜賞を受賞する。精密な描写による写生画で知られ、花鳥を題材にした作品が多く、晩年は枯淡美を追求し続けた。京都市文化功労者。日展評議員。

稲元　実（いなもとまこと）
昭和21年（一九四六）～平成25年（二〇一三）
石川県に生れ、東京で歿。昭和44年武蔵野美大を卒業後、加藤東一に師事した。同46年日展初入選。同53年、同60年特選を受賞した。平成4年日展会員、同16年評議員になった。

今井映方（いまいえいほう）
明治34年（一九〇一）～平成9年（一九九七）
長野県に生れ、同地で歿。本名美武。大正8年第17代狩野家に入門し、同11年堅山南風に師事した。院展に出品を重ね特待となる。昭和42年日光東照宮内の天井画を奉納。同58年信濃美術館で回顧展を開催した。長野県芸術文化功労の表彰を受けた。

今井珠泉（いまいしゅせん）
昭和5年（一九三〇）～令和5年（二〇二三）
福岡県生れ、東京都で歿。東京藝術大学美術学部日本画科卒。前田青邨や須田珙中に師事し昭和31年に院展初入選。平成4年6年11年に日本美術院賞大観賞を受賞、同15年同人に推挙された。同21年文科大臣賞。同25年内閣総理大臣賞を受賞した。広島市立大学名誉教授・尾道市立大学名誉教授を務めた。

今尾景年（いまおけいねん）
弘化2年（一八四五）～大正13年（一九二四）
京都に生れ、同地で歿。本名は猪三郎。梅川東居、鈴木百年に師事した。京都府画学校に出仕し、帝室技芸員・帝国美術院会員となり京都画壇で重鎮をなした。写生に徹した花鳥画を描いた。

今村紫紅（いまむらしこう）
明治13年（一八八〇）～大正5年（一九一六）
横浜に生れ、東京で歿。本名は寿三郎。明治30年松本楓湖の画塾に入門。同34年安田靫彦らと紅児会を結成し、新日本画の創造に励んだ。日本美術協会・日本絵画共進会・国画玉成会・巽画会・文展にも出品、大胆な構図で生気の満ちた作品を発表した。大正3年赤曜会という研究会を設け、日本画界に常に進取的な画風を贈り新鮮な刺激を与えた。同年日本美術院同人に推挙された。

入江波光（いりえはこう）
明治20年（一八八七）～昭和23年（一九四八）
京都に生れ、同地で歿。本名は幾次郎。明治32年頃から森本東閣に四条派を学ぶ。同38年京都市立美術工芸学校卒業、同44年京都市立絵画専門学校卒業。大正7年国画創作協会の第1回展で国画賞受賞、会員となった。同11年渡欧、翌年帰国。昭和3年国画創作協会解散後は、絵画教育と仏画など古典研究に専念した。同11年京都市立絵画専門学校教授。同13年中国に、同15年朝鮮に旅行。翌16年以降は中村岳陵らと法隆寺壁画模写に没頭した。

岩倉　壽（いわくらひさし）
昭和11年（一九三六）～平成30年（二〇一八）
香川県に生れた。昭和34年京都市立美術大学を卒業後、晨鳥社に入塾し山口華楊に師事した。同36年同大学専攻科修了し、翌37年同大学教授に就任。同47年、同51年に日展特選、同57年日展会員、平成2年評議員となり、同年内閣総理大臣賞を受賞。同8年京都美術文化賞、同10年京都府文化賞功労賞を受賞した。同15年日本芸術院賞を受賞し、同18年日本芸術院会員となった。日展常務理事、京都市立芸大名誉教授を務めた。

岩澤重夫（いわさわしげお）
昭和2年（一九二七）～平成21年（二〇〇九）
大分県に生れ、京都で歿。昭和22年京都市立美術専門学校に入学した。同26年日展初入選。同29年東丘社に入塾し、堂本印象に師事した。同35年、翌36年日展で特選を受賞し、同47年日展会員になった。同60年山種美術館賞展大賞、日展で文部大臣賞を受賞した。平成5年芸術院賞を受賞し、同12年芸術院会員になった。同21年文化功労者に選ばれた。

岩田正巳（いわたまさみ）
明治26年（一八九三）～昭和63年（一九八八）

新潟に生れ、東京で歿。東京美術学校を卒業した。後に松岡映丘に師事した。昭和5年同9年帝展で特選を受賞。戦後日展にも出品し審査員を務め会員になった。昭和35年日本芸術院賞を受賞し同52年日本芸術院会員に選ばれた。日展顧問を務めた。

岩橋英遠（いわはしえいえん）
明治36年（一九〇三）～平成11年（一九九九）

北海道に生れ、神奈川県相模原で歿。上京して山内多門の塾で日本画を学んだ。昭和9年院展初入選。以後院展に出品を重ね、同25年、翌26年に院賞を受賞し、同28年院展同人に推挙された。同34年に文部大臣賞、同46年に芸術院賞を受賞し、同56年に芸術院会員になった。平成元年に文化功労者に選ばれ、同6年に文化勲章を受章した。東京藝大教授、院展理事も務めた。

宇田荻邨（うだてきそん）
明治29年（一八九六）～昭和55年（一九八〇）

三重県松阪に生れ、京都で歿。本名は善次郎。明治44年中村左洲に学び、大正2年京都に出で菊池芳文、菊池契月に師事。同6年京都市立絵画専門学校卒業。同8年第1回帝展以来連続して入選、同14年第6回展、翌15年第7回展と続けて特選を受けた。第7回展『淀の水車』（東京・大倉集古館）で帝国美術院賞を受賞した。昭和25年京都市立美術大学教授となる。戦後は日展で活躍し、清澄で古典的な作風を展開した。同36年日本芸術院会員に就任。

上原卓（うえはらたく）
大正15年（一九二六）～昭和61年（一九八六）

東京に生れ、京都で歿。昭和18年京都市立美術工芸学校を卒業。同23年京都市立美術専門学校を卒業した。翌24年創造美術展に初入選。以後毎年入選。同26年創造美術は新制作協会と合流し、新制作協会日本画部となり、その後は新制作協会展に出品を重ねた。同29年・同33年・同35年に新作家賞を受賞して翌36年新制作協会会員になった。同41年現代日本美術展で優秀賞を受賞した。同49年創画会の設立に参加して会員になった。翌50年より京都市立芸術大学の教授を務めた。

上村松園（うえむらしょうえん）
明治8年（一八七五）～昭和24年（一九四九）

京都に生れ、奈良県生駒郡で歿。本名は津禰（つね）。最初は京都府画学校に学び、鈴木松年・幸野楳嶺に師事、後に竹内栖鳳に師事した。内国勧業博覧会・日本青年絵画共進会・日本美術協会展で次々に受賞した。明治40年文展の創設と共に出品し三等賞受賞、大正5年無鑑査、同13年帝展審査員。昭和9年帝展『母子』（東京国立近代美術館）を出品し、帝展参与となった。翌10年春虹会の結成に加わった。同16年帝国芸術院会員。同19年帝室技芸員。同23年女性として初の文化勲章を受章した。格調高い近代美人画の完成者として知られた。

上村松篁（うえむらしょうこう）
明治35年（一九〇二）～平成13年（二〇〇一）

京都市に生れ、同地で歿。大正10年京都市立絵画専門学校在学中に帝展に初入選。以後日展に出品を重ねたが、昭和23年に日展を脱退し山本丘人らと創造美術の設立に参加した。昭和34年に芸術選奨文部大臣賞を受賞した。同41年芸術院賞を受賞して同56年芸術院会員になった。同58年に文化功労者、翌59年に文化勲章を受章した。母親の上村松園譲りの優美な色彩感覚で花鳥画を描いた。

浦田正夫（うらたまさお）

明治43年（一九一〇）～平成9年（一九九七）

熊本県山鹿市に生れ、東京で歿。最初は松岡映丘に師事し、東京美術学校を卒業した。日展に出品を重ね、昭和48年文部大臣賞を受賞した。同53年日本芸術院賞を受賞し、同63年日本芸術院会員になった。

江崎孝坪（えざきこうへい）

明治37年（一九〇四）～昭和38年（一九六三）

長野県高遠町に生れた。前田青邨に師事した。昭和2年帝展初入選。同15年文展で特選。同21年日展で特選。同25年日展審査員になった。歴史画が得意で、大和絵を現代化したような作風で注目された。また歌舞伎の舞台美術などでも活躍した。

小川芋銭（おがわうせん）

明治元年（一八六八）～昭和13年（一九三八）

江戸赤坂溜池に生れ、茨城県牛久沼畔で歿。幼名は不動太郎後に茂吉。明治14年頃本多錦吉郎の彰技堂で洋画を学び、また漢画を抱朴斎に手ほどきを受け、その後はほぼ独学で自らの画境を築く。同21年尾崎行雄の推薦で「朝日新聞」に時事漫画を掲載。以後は牛久に戻った。大正4年平福百穂らと珊瑚会を結成。同6年日本美術院同人。本格的な日本画への精進を始め、昭和10年帝国美術院参与。土地に根を下した生活者を通して、自然と一体となった農村風景を描き、独自の幻想的で明快闊達な世界を現出した。

小倉遊亀（おぐらゆき）

明治28年（一八九五）～平成12年（二〇〇〇）

大津市に生れ、鎌倉で歿。大正6年奈良女子高等師範学校を卒業。在学中の同9年から安田靫彦に師事した。昭和元年日本美術院展に初入選。同7年女性として初めて日本美術院同人になった。同37年「母子」で日本芸術院賞を受賞。同51年に日本芸術院会員になった。同53年文化功労者。同55年に文化勲章を受章した。平成2年から同8年まで日本美術院理事長を務めた。人物、花鳥、静物を得意とし、大胆な構図や明るい色彩で、日本画に近代感覚を取り入れた作品を多く描いた。

小野竹喬（おのちっきょう）

明治22年（一八八九）～昭和54年（一九七九）

岡山県笠岡に生れ、京都で歿。本名は英吉。明治36年京都に出て竹内栖鳳の門に入る。同42年京都市立絵画専門学校別科に入学、同44年卒業。文展・院展に出品し、大正7年土田麦僊らと国画創作協会を結成。一貫して日本の風景を主題に展開し、特に微妙に移りゆく自然を捉えた淡雅で清澄な画風は、芭蕉の自然観に到達し、真に新しい日本の風景画を確立した。昭和22年日本芸術院会員となり、同43年文化功労者。同51年文化勲章を受章した。

小茂田青樹（おもだせいじゅ）

明治24年（一八九一）～昭和8年（一九三三）

埼玉県川越市に生れ、神奈川県逗子市で歿。本姓は小島。幼名は茂吉。号は錦仙・空明・大河など。巽画会へ出品し受賞した。大正2年速水御舟らと京都南禅寺で仮寓や京洛風景を描き、古画を研究した。翌3年日本美術院の再興に参加し、今村紫紅の赤曜会にも加わった。大正10年日本美術院同人に推挙される。同14年杉立社を組織して後進の指導にあたった。鋭い自然観照の態度から生み出される写実とそこに漂う詩情性豊かな作風で知られた。

尾形月耕（おがたげっこう）

安政6年（一八五九）～大正9年（一九二〇）

江戸京橋に生れ、東京で歿。尾形光哉の家名を襲名。菊池容斎の画風や浮世絵を独学。明治初年には、蒔絵の下絵や浮世絵版画を描き、新聞、雑誌に挿絵を掲載した。日本青年絵画協会の設立に加わった。日本美術院会員。著書に『月耕漫画』がある。

大智勝観（おおちしょうかん）

明治15年（一八八二）～昭和33年（一九五八）

愛媛県今治市に生れた。名は恒一。明治35年東京美術学校を卒業。横山大観に指導を受けた。各種展覧会に出品し、大正2年第7回文展三等賞を受けた。翌3年日本美術院の再興と共に参加した。同年日本美術院同人として活躍し、戦後日展参事にもなったが、一貫して日本美術院の発展の為に尽くした。代表作に『爽涼』『薄春』などがある。

大野藤三郎（おおのとうざぶろう）

大正6年（一九一七）～平成20年（二〇〇八）

大阪に生れ、京都で歿。昭和12年金島桂華に師事した。同22年日展に初入選。その後も出品を重ね、同46年特選を受賞した。同年より高島屋各店で個展を開催した。同51年、57年に京展審査員を務めた。

大野俶嵩（おおのひでたか）

大正11年（一九二二）～平成14年（二〇〇二）

京都に生れ、同地で歿。昭和18年京都市立絵画専門学校を卒業。同23年現代美術展に招待出品、翌24年からパンリアル展、カーネギー国際展に出品を重ねた。平成元年京都府文化功労賞、同13年京都府文化賞特別功労賞を受賞した。京都市立芸術大学名誉教授も務めた。

大橋翠石（おおはしすいせき）

慶応1年（一八六五）～昭和20年（一九四五）

岐阜県大垣に生れ、兵庫県で歿。本名は宇一郎。明治19年東京に出て渡辺小華に師事した。画系から見れば南画家であるが、小華の歿後は帰郷し独学で動物画をよく描き、特に虎や獅子を得意とした。同28年第4回内国勧業博覧会で褒状、同33年パリ万国博覧会で金牌、同36年第5回内国勧業博覧会で二等賞を授賞した。大正7年神戸絵画協会を橋本関雪らと創立し、絵画の普及と研究に尽力した。

大山忠作（おおやまちゅうさく）

大正11年（一九二二）～平成21年（二〇〇九）

福島県二本松市に生れ、東京で歿。昭和18年東京美術学校を卒業。同21年日展初入選。同27年特選、同43年文部大臣賞を受賞した。同48年芸術院賞を受賞し、同61年芸術院会員になった。平成11年文化功労者、同18年に文化勲章を受章した。日展会長も務めた。

太田聴雨（おおたちょうう）

明治29年（一八九六）～昭和33年（一九五八）

仙台に生れた。明治41年上京し、翌42年内藤晴州についた。後に前田青邨に師事した。昭和5年院展に出品し日本美術院賞を受賞。同11年院展同人となった。東京藝術大学美術学部の助教授を務めた。

岡崎忠雄（おかざきただお）

昭和18年（一九四三）～平成14年（二〇〇二）

京都に生れ、同地で歿。昭和37年京都市立美術大学に入学、同41年卒業した。その後専攻科に進み同43年修了した。在学中から新制作展に出品を重ね、同46年春季展賞、同48年と翌49年春季展賞を受賞した。同51年創画会展で春季展賞を受賞した。明日への日本画展、次代への日本画展などに出品した。

岡橋萬帆（おかはしばんぽ）

大正13年（一九二四）～平成13年（二〇〇一）

奈良県に生まれ、同地で歿。大阪工業大学卒業後、矢野橋村に師事した。日展や関展に出品を重ねた。大美創立会員と日月社会員になったが、その後退会し、日仏国際展などにも出品したが、主に個展を中心に作品を発表した。青燈会を主宰して後進の指導にあたった。

奥田元宋（おくだげんそう）

大正元年（一九一二）～平成15年（二〇〇三）

広島県に生れ、東京で歿。昭和6年上京し、児玉希望に師事した。同11年文展に初入選。翌12年特選を受賞した。その後日展に出品を重ね、同24年特選、同37年文部大臣賞を受賞した。翌38年芸術院賞を受賞し、同48年芸術院会員になった。同56年文化功労者、同59年に文化勲章を受章した。日展理事長も務めた。

奥村土牛（おくむらとぎゅう）

明治22年（一八八九）～平成2年（一九九〇）

東京に生れ、同地で歿。明治38年梶田半古塾に入門し、小林古径の指導を受けた。大正12年日本美術院研究会員となった。昭和2年

第14回院展『胡瓜畑』が初入選。同4年日本美術院院友。同7年日本美術院同人に推挙された。同10年帝国美術学校の日本画家主任教授となった。同22年帝国芸術院会員になった。同34年第44回院展に現代日本画の最高傑といわれる『鳴門』を出品。同37年文化勲章を授章した。

落合朗風（おちあいろうふう）

明治29年（一八九六）～昭和12年（一九三七）

東京に生れ、同地で歿。本名は平次郎。小村大雲に師事し、文展、院展、帝展に出品した後に、青龍社に参加し同人となったが、大正9年青龍社を離れて、明朗美術連盟を創立した。

か

下保　昭（かほあきら）

昭和2年（一九二七）～平成30年（二〇一八）

富山県に生れ、京都で歿。昭和24年西山翠嶂に師事し、青甲社に入塾した。同25年日展初入選。同29年、同32年特選を受賞。同38年日展会員になった。同57年日本芸術大賞、同60年芸術選奨文部大臣賞を受賞した。

加倉井和夫（かくらいかずお）

大正8年（一九一九）～平成7年（一九九五）

神奈川県横浜市に生れ、山梨県で歿。昭和19年東京美術学校を卒業。その後山口蓬春に師事した。日展に出品を重ね、同33年と同36年に特選、同38年に菊華賞を受賞。同49年総理大臣賞を受賞した。同55年日本芸術院賞を受賞し、平成1年日本芸術院会員になった。日展常務理事も務めた。

加藤栄三（かとうえいぞう）

明治39年（一九〇六）～昭和47年（一九七二）

岐阜市に生れ、神奈川県葉山町で歿。昭和6年東京美術学校卒業。在学中の同4年第10回帝展初入選。結城素明に師事した。同11年新文展で文部大臣賞を受賞。同14年第3回文展特選を受けた。同22年第3回日展に出品した後、創造美術が結成された際、同人として参加。同25年創造美術を脱退して日展に復帰した。以後日展に所属し、たびたび審査員を務めた。同33年日本芸術院賞を受賞。

加藤東一（かとうとういち）

大正5年（一九一六）～平成9年（一九九七）

岐阜市に生れ、神奈川県藤沢で歿。昭和22年東京美術学校を卒業。翌年から山口蓬春に師事した。日展に出品し、同27年、同30年に特選。同45年に総理大臣賞を受賞した。同52年芸術院賞を受賞し、同59年芸術院会員になった。日展理事も務めた。

加山又造（かやままたぞう）

昭和2年（一九二七）～平成16年（二〇〇四）

京都に生れ、神奈川県横浜で歿。昭和19年京都市立美術工芸学校を修了後、東京美術学校に入学。同大学を卒業後山本丘人に師事した。同25年創造美術展に初入選。翌26年新制作展で新作家賞を受賞。同48年日本芸術大賞を受賞した。翌49年新制作日本画部が独立して創画会となり会員になった。同55年芸術選奨文部大臣賞を受賞。平成15年文化勲章を受章した。

梶原緋佐子（かじはらひさこ）

明治29年（一八九六）～昭和63年（一九八八）

京都に生れ、同地で歿。菊池契月に師事した。文展・帝展に出品した。昭和22年日展で特選を受賞。その後、日展評議員や参与を務めた。京都市文化功労賞を受賞した。

梶田半古（かじたはんこ）

明治3年（一八七〇）～大正6年（一九一七）

東京に生れ、同地で歿。本名は錠次郎。最初は四条派の鍋田玉英に師事し、後に鈴木華邨について学び、更に岡倉天心の日本美術院で研究を重ねた。日本青年絵画協会の創立に参加。写実的な風俗画を得意とし、また新聞小説などに挿絵などを描き、新鮮で優艶な作風で知られた。

片岡球子（かたおかたまこ）

明治38年(一九〇五)〜平成20年(二〇〇八)

札幌市に生れ、神奈川で歿。女子美術専門学校を卒業。昭和5年院展に初入選。その後安田靫彦に師事した。同27年院賞大観賞、同36年文部大臣賞を受賞した。同49年芸術院賞恩賜賞を受賞し、同57年芸術院会員になった。同61年文化功労者、平成元年文化勲章を受章した。大胆な構図と鮮やかな色彩で富士山などの作品を描いた。代表作は、歴史的人物を豊かな想像力と華麗な筆致で描いた『面構』シリーズ。

堅山南風（かたやまなんぷう）

明治20年(一八八七)〜昭和55年(一九八〇)

熊本に生れ、静岡県田方郡で歿。本名は熊次。明治43年上京して高橋広湖の門に入る。大正2年第7回文展『霜月頃』が初入選で二等賞、横山大観の激賞を受けた。翌3年横山大観に師事して、再興日本美術院に参加し、以後院展に出品した。同5年から翌6年にかけて画境の打開を求め、インドに渡った。同13年日本美術院同人に推された。昭和33年日本芸術院会員、同43年文化勲章受章。

勝田蕉琴（かつたしょうきん）

明治12年(一八七九)〜昭和38年(一九六三)

福島県に生れた。名は良雄。別号研思荘。明治38年東京美術学校日本画科を卒業後、橋本雅邦に師事した。文展・帝展・戦後の日展で活躍した。花鳥山水を得意とした。

勝田哲（かつたてつ）

明治29年(一八九六)〜昭和55年(一九八〇)

京都に生れた。京都市立絵画専門学校で学び後に東京美術学校を卒業した。山元春挙に師事した。昭和4年と同6年に帝展で特選。その後も日展に出品を重ね、審査員を務め会員になった。人物・花鳥を得意とした。

金島桂華（かなしまけいか）

明治25年(一八九二)〜昭和49年(一九七四)

広島県に生れ、京都で歿。本名は政太。明治39年大阪に出て、西家桂州につき、後に平井直水に師事したが、同44年竹内栖鳳の門に入る。大正7年第12回文展初入選。同14年第6回帝展特選、昭和元年第8回、第9回帝展で連続特選を受ける。同28年日本芸術院賞受賞。京都画壇の写生の伝統を踏まえ、自然の細やかな観察と緊張感に満ちた格調の高い作品を描いた。同34年日本芸術院会員。また画塾衣笠会を主宰した。

狩野芳崖（かのうほうがい）

文政11年(一八二八)〜明治21年(一八八八)

山口県長府に生れ、東京で歿。本姓は諸葛。幼名は幸太郎。父諸葛晴泉に手ほどきを受け、弘化3年木挽町の狩野雅信の門に入った。雪舟や雪村周継の作品に傾倒し、この頃から芳崖と称した。一時帰郷したが、明治12年再び上京、文人画全盛の中にあって狩野派の伝統を守った。同17年第2回内国絵画共進会に出品、フェノロサに認められ、以後フェノロサの理想とする新日本画創造に情熱を傾けた。狩野派の伝統を更に前進させ、西洋画の見方や豊富な色彩を取り入れて独特の新画風を開拓した。また東京美術学校の創立に尽力したが、開校を待たずに歿。

鏑木清方（かぶらぎきよかた）

明治11年(一八七八)〜昭和47年(一九七二)

東京都神田佐久間町で生れ、神奈川県鎌倉市雪ノ下歿。明治時代初めの戯作者で、東京日日新聞の創刊者として知られた条野採菊の子として生れる。本名は健一。明治24年水野年方に師事した。挿絵画家として明治風俗を情緒豊かに描いた。富岡永洗、梶田半古の影響も受け、同34年烏合会を同志と共に結成し、浮世絵から本格的絵画へ展開を計り『一葉女史の墓』のような清新な文学的作風を示した。文展開設以後は官展に出品し、また金鈴社を創立した。大正8年第1回帝展から審査員を務め、昭和4年帝国美術院会員、同19年帝室技芸員となる。同29年文化勲章を受章。

川合玉堂（かわいぎょくどう）

明治6年（一八七三）～昭和32年（一九五七）

愛知県葉栗郡に生れ、東京青梅市で歿。本名は芳三郎。明治20年京都に出て、望月玉泉・幸野楳嶺に円山四条派を学んだ。楳嶺の歿後、東京に移り、狩野派の橋本雅邦に師事した。日本絵画協会展、東京府勧業博覧会に出品、第1回文展以来審査員となった。四条派の親しみ深い作風と狩野派の品格と合わせ、詩情に満ちた自然観照によって、日本的で穏健な風景画を描いた。大正4年東京美術学校教授。翌5年帝室技芸員、同8年帝国美術院会員。昭和15年文化勲章を受章。

川北霞峰（かわきたかほう）

明治8年（一八七五）～昭和15年（一九四〇）

京都に生れた。最初は幸野楳嶺に学び、その後菊池芳文に師事した。明治40年から文展に出品を続けた。大正13年帝展委員になった。京都市立美術学校の教授も務めた。

川崎小虎（かわさきしょうこ）

明治19年（一八八六）～昭和52年（一九七七）

岐阜県に生れ、東京で歿。本名は中野隆一。祖父の川崎千虎に大和絵を学び、後に小堀鞆音に師事した。明治43年東京美術学校を卒業。日本画を下村観山・川端玉章らに学び、洋画を藤島武二・和田英作に学んだ。昭和18年東京美術学校教授。同36年日本芸術院賞恩賜賞受賞。同42年武蔵野美術大学名誉教授。

川崎千虎（かわさきせんこ）

天保6年（一八三五）～明治35年（一九〇二）

名古屋に生まれた。最初は四条派の沼田月斎に学び、その後京都の土佐光文に学んだ。明治15年絵画共進会に『佐々木高綱被甲図』を出品して褒状となる。歴史故実画の大家として有名になった。東京美術学校の教授も務めた。

川辺御楯（かわのべみたて）

天保9年（一八三八）～明治38年（一九〇五）

筑後に生れ、東京で歿。号は花陵。別号は鷺外、墨流亭・都多の舎・後素堂など。最初は父に学び、後に三善真琴・宝田通文・西原晃樹らに師事して、土佐派の画法を極めた。有職故実に精通し、歴史画を多く遺している。明治17年第2回内国絵画共進会、同28年日本美術協会展で受賞した。

川端玉章（かわばたぎょくしょう）

天保13年（一八四二）～大正2年（一九一三）

京都に生れ、東京で歿。本名は滝之助。最初は中島来章に円山派を学び、慶応2年江戸に移り、高橋由一に洋画を学んだ。第1・2回内国絵画共進会で受賞、岡倉天心に認められた。東京美術学校創設に伴い教授、明治29年帝室技芸員、次いで日本美術院会員。同42年川端画学校を設立して後進の指導に尽力した。円山派の伝統に立つ花鳥山水画を得意とした。代表作に『墨堤桜花』などがある。

川端龍子（かわばたりゅうし）

明治18年（一八八五）～昭和41年（一九六六）

和歌山市に生れ、東京で歿。本名は昇太郎。最初は水彩を学び白馬会洋画研究所に入る。明治39年更に太平洋画研究所で洋画を学んだ。油絵で文展に入選。大正2年渡米しボストン美術館で「平治物語絵巻」を観て強い感銘を受け、東洋の美術に開眼した。帰国後は日本画に転向。无声会に参加し、平福百穂らと珊瑚会を組織した。大正6年再興日本美術院同人。美術院の新古典的作風に対し、描きたい対象を描いた強烈な芸術的闘争心は、次第に院展の中で異端的な存在となった。昭和3年日本美術院同人を辞し、翌4年豪放な大作主義による「会場芸術」を標榜して青龍社を設立した。同10年帝国美術院会員に任命されたが、翌年これを辞し、在野性を貫いた。同34年文化勲章を受章。

川村曼舟（かわむらまんしゅう）

明治13年（一八八〇）～昭和17年（一九四二）

京都に生れ、同地で歿。本名は万蔵。明治31年円山派の流れを引く山元春挙門に入塾。同33年から新古美術品展に出品、二十代にして実力を認められた。明治41年第2回文展『黄昏』、同42年第3回文展『山村暮靄』、同43年第4回文展『夕月』と連続して三等賞を受け、大正3年第8回文展『比叡山三題』、翌4年第9回文展『連峰映雪』が連続して二等賞となった。翌5年第10回文展『竹生島』で特選を受けた。同8年第1回帝展から審査員を続けた。同11年京都市立絵画専門学校教授となった。昭和6年帝国美術院会員。同8年山元春挙の死去に伴い早苗会を継承した。同11年京都市立絵画専門学校の校長に就任して、後進の指導に当たった。

川本末雄（かわもとすえお）
明治40年（一九〇七）～昭和57年（一九八二）
熊本県に生れ、神奈川県鎌倉市で歿。昭和8年東京美術学校を卒業。松岡映丘に師事した。昭和23年第4回日展初入選。翌24年第5回日展特選、同46年再興第3回日展文部大臣賞受賞。同51年日本芸術院賞恩賜賞受賞。同52年日展理事。新興大和絵の流れを汲む優美な風景画を得意とした。

河鍋暁斎（かわなべぎょうさい）
天保2年（一八三一）～明治22年（一八八九）
茨城県古河に生れ、東京で歿。本名は陣之。号は惺々狂斎・画鬼・酒乱斎・猩々斎など。浮世絵を歌川国芳に、狩野派を前村洞和と狩野洞白に学んだ。明治14年第2回内国勧業博覧会で受賞。浮世絵と狩野派を折衷し、強烈な個性と縦横な奇想と諷刺によって異色の画家として活躍した。

木村斯光（きむらしこう）
明治28年（一八九五）～昭和51年（一九七六）
京都に生れ、同地で歿。京都美術工芸学校、京都市立絵画専門学校を卒業。後に菊池契月に師事した。昭和4年帝展特選。その後日展依嘱になった。

木村武山（きむらぶざん）
明治9年（一八七六）～昭和17年（一九四二）
茨城県笠間に生れ、東京で歿。本名は信太郎。川端玉章に師事し、東京美術学校に学んだ。日本絵画協会、日本美術院、同院の五浦移転、再興日本美術院と岡倉天心の理想に傾倒し、日本美術院の発展に貢献した。技法を駆使した壮麗な仏画で知られた。

菊川多賀（きくかわたか）
明治43年（一九一〇）～平成3年（一九九一）
北海道札幌に生れ、東京で歿。昭和4年清原斎に師事した。同22年清原斎の紹介で堅山南風の門下生となった。同23年第33回院展『閑日』が初入選。同27年第37回院展『朝』で最初の奨励賞を受け、同30年第40回院展から同35年第45回院展まで毎年奨励賞。翌36年第46回院展『祈』、翌37年第47回院展『森』、翌38年第48回院展『舞妓』が3回連続して日本美術院賞を受賞した。翌39年日本美術院同人に推挙。同47年第57回院展『鳴神想』が文部大臣賞を受賞した。同57年第67回院展『遙』が内閣総理大臣賞を受賞した。

菊川三織子（きくかわみおこ）
昭和19年（一九四四）～令和4年（二〇二二）
北海道札幌市で生れ、埼玉県で歿。本名は美緒子。日本画家の菊川多賀の姪。昭和49年～平成16年まで59～78回院展奨励賞、平成12年第85回院展で文部科学大臣賞受賞、同16年第89回院展で内閣総理大臣賞を受賞した。

菊池契月（きくちけいげつ）
明治12年（一八七九）～昭和30年（一九五五）
長野県中野に生れ、京都で歿。本名は完爾。旧姓は細野。明治30年菊池芳文の塾で学んだ。新古美術品展、全国絵画共進会展などで受賞。師菊池芳文の嗣子となり、明治40年第1回文展以来出品、受賞を重ね、審査員を務めた。大正14年帝国美術院会員、京都市立絵画専門学校校長。昭和9年帝室技芸員。四条派にやまと絵、唐画の手法を取り入れて、清澄で典雅な歴史画と人物画を描いた。

菊池芳文（きくちほうぶん）
文久2年（一八六二）～大正7年（一九一八）
大阪に生れ、京都市で歿。名は常次郎。字は広紀。旧姓は三原、後に菊池家の養子となった。最初は滋之芳園に学び、明治14年京都に出て、幸野楳嶺に師事した。同15年内国絵画共進会で受賞。同36年第5回内国勧業博覧会二等賞。同40年第1回文展から大正6年第11回文展まで、続けて審査員として活躍した。京都画壇の重鎮で、軽快な筆致の花鳥画で知られた。

岸　竹堂（きしちくどう）
文政9年（一八二六）～明治30年（一八九七）
彦根に生れ、京都で歿。幼名は米次郎。名は昌禄。最初は狩野永岳に学んだが、後に岸派の岸連山に師事した。連山の女婿となって岸派を継いだ。京都府画学校の設立に尽力し、また絵画共進会の審査員も務めた。明治29年帝室技芸員。岸派の得意とした動物画に巧みで、明治初期の代表的な画家であった。

岸浪百艸居（きしなみひゃくそうきょ）
明治22年（一八八九）～昭和27年（一九五二）
群馬県館林市に生れた。旧号静山。最初は父で南宗画家の岸浪柳渓に学び、後に小室翠雲に師事した。明治39年17才の時に日本美術協会で三等褒状になった。大正7年から文展や帝展に出品した。昭和8年日本南画院の同人になった。魚を得意として描いた。

北澤映月（きたざわえいげつ）
明治40年（一九〇七）～平成2年（一九九〇）
京都に生れ、東京で歿。本名は智子。大正12年上村松園の塾で人物画の手ほどきを受けた。昭和10年松園の紹介で土田麦僊の山南塾に入門した。雅号を映月とした。同13年第25回院展『朝』が初入選した。同16年第28回院展『静日』が日本美術院賞第三賞を受賞し、同人に推挙された。同36年日本美術院評議員となった。同45年第55回院展『ねゝ茶ゝ』が内閣総理大臣賞を受賞した。同55年第65回院展『朱と黒と』が文部大臣賞を受賞した。

北野恒富（きたのつねとみ）
明治13年（一八八〇）～昭和22年（一九四七）
金沢に生れ、大阪府三野郷村で歿。本名は富太郎。浮世絵系の稲野年恒に師事した。都路華香にも学び、富田溪仙とも親交があった。第5回文展に入賞。再興日本美術院展には創立以来出品し、大正6年同人となる。情感豊かな美人画を描いた。

吉川霊華（きっかわれいか）
明治8年（一八七五）～昭和4年（一九二九）
東京に生れ、同地で歿。本名は準。別号は瑞香堂。狩野良信に狩野派、山名貫義に土佐派を学び、後に冷泉為恭の大和絵を研究し、白描画を描いた。明治34年から日本美術協会に出品した。同44年第5回文展『菩提達磨』で褒状。同年京都方向寺の天井画を制作。大正5年鏑木清方らと芸術の自由な研究と個性の表現を目的とする金鈴社を結成した。同11年帝展審査員。

衣笠豪谷（きぬがさごうこく）
嘉永3年（一八五〇）～明治30年（一八九七）
岡山県倉敷に生れた。江戸に出て佐竹永海に学び、京都で中西耕石に師事した。明治30年日本南画協会を創立した。

清原　斎（きよはらさい）
明治29年（一八九六）～昭和31年（一九五六）
茨城県竜ヶ崎市に生れ、神奈川県藤沢市で歿。大正4年松本楓湖の内弟子となり、今村紫紅・速水御舟・小茂田青樹らの指導を受け、後に堅山南風の門下生となった。昭和5年第17回院展初入選、戦後同27年第37回院展奨励賞を受け、同29年第39回院展、翌30年第40回院展、翌31年第41回院展で続けて日本美術院賞を受賞。同31年同人に推挙された。

工藤甲人（くどうこうじん）
大正4年（一九一五）～平成23年（二〇一一）
青森県に生れ、神奈川県で歿。昭和10年川端画学校に入学。福田豊四郎に師事した。新制作展に出品し、昭和26年に新作家賞を受賞し、同39年会員になった。同63年芸術選奨文部大臣賞を受賞した。東京藝大教授も務めた。

久保田米僊（くぼたべいせん）
嘉永5年（一八五二）～明治39年（一九〇六）
京都に生れ、同地で歿。幼名は米吉。本名は満貫。鈴木松年・鈴木百年に師事。京都府画学校の設立に幸野楳嶺らと共に尽力した。明治23年国民新聞に入り、日清戦争の特派員となり、実景を写した報道画や挿絵に新境地を開拓した。

熊谷直彦（くまがいなおひこ）
文政11年（一八二八）～大正2年（一九一三）
京都に生れ、東京で歿。幼名は藤太郎。後に兵衛・季彦と称した。号は篤雅。最初は四条派の岡本茂彦の門に入り、茂彦歿後は独学した。明治維新の際には国事に奔走した。明治17年絵画展覧会優賞。以後、各展に出品し好評を博した。同37年帝室技芸員。

小泉勝爾（こいずみかつじ）
明治16年（一八八三）～昭和20年（一九四五）
東京に生れた。明治40年東京美術学校日本画科を卒業した。大正6年文展初入選。昭和6年帝展特選。同9年審査員を務めた。同13年日本画院の結成に参加し同人となった。

小泉淳作（こいずみじゅんさく）
大正13年（一九二四）～平成24年（二〇一二）
神奈川県鎌倉に生れ、同地で歿。昭和18年慶応大を中退し、東京美術学校に入学し山本丘人に師事した。同52年山種美術館賞展優秀賞を受賞した。鎌倉建長寺や京都建仁寺の天井画を描いた。平成22年奈良東大寺の本坊襖絵を完成させた。

小坂芝田（こさかしでん）
明治5年（一八七二）～大正6年（一九一七）
長野県上伊那町に生れた。中村不折の従弟。別号は寒松居・天恩居。児玉果亭に師事した。明治41年から文展に出品し毎回受賞した。

小嶋悠司（こじまゆうじ）
昭和19年（一九四四）～平成28年（二〇一六）
京都に生れ、同地で歿。昭和44年京都市立美術大を卒業。在学中の同43年新制作協会展で新作家を受賞。同48年山種美術館賞展で優秀賞を受賞した。翌49年創画会結成に参加して会員になった。平成12年芸術選奨を受賞した。

小杉放庵（こすぎほうあん）
明治14年（一八八一）～昭和39年（一九六四）
栃木県日光に生れ、新潟県新赤倉で歿。本名は国太郎。明治29年五百城文哉に学んだ。同32年小山正太郎の不同舎に入る。同35年太平洋画会員。この頃から未醒と号して出品。小川芋銭との交遊がはじまった。同38年石井柏亭らと雑誌「平旦」を創刊、同40年雑誌「方寸」が創刊され同人として参加。初期文展、再興院展に出品。大正11年春陽会の創立に加わった。翌12年放庵と改号。昭和2年漢字の勉強会を目的とした老荘会を発足させ、同4年華厳社を組織した。同10年帝国美術院会員。春陽会に所属しながら、絶えず日本画を制作し続けた。

小林柯白（こばやしかはく）
明治29年（一八九六）～昭和18年（一九四三）
大阪に生れた。明治45年今村紫紅に師事したが、紫紅歿後は安田靫彦に師事した。大正7年院展初入選。その後も連続入選し同13年同人になった。

小林古径（こばやしこけい）
明治16年（一八八三）～昭和32年（一九五七）
新潟に生れ、東京で歿。本名は茂。明治33年上京して梶田半古に学んだ。日本絵画協会展に出品すると共に、今村紫紅や安田靫彦らの紅児会に参加し、大正元年第6回文展『極楽井』（東京国立近代美術館）で認められた。同3年日本美術院が再興され、同展に出品、同人に推された。初期には『阿弥陀堂』（東京国立博物館）など華麗な色彩による浪漫的な歴史画や風俗画が多く、次第に清新な写生に打ち込み『罌粟』（東京国立博物館）に見られる、詩情溢れる作品を発表した。昭和10年帝国美術院会員、同19年東京美術学校教授、帝室技芸員、同25年文化勲章を受章した。

小林巣居人（こばやしそうきょじん）
明治30年（一八九七）～昭和53年（一九七八）
茨城に生れた。最初は小川芋銭に学び、後に平福百穂に師事した。昭和3年院展初入選、同6年院友となる。同12年院展を脱退して新興美術院を結成した。

小堀鞆音（こぼりともね）
元治元年（一八六四）～昭和6年（一九三一）
栃木県に生れた。別号弦廼舎。明治17年川崎千虎の門に入った。絵画共進会展、美術工芸品共進会展などに出品し受賞した。同30年東京美術学校の助教授になった。同30年日本美術院創立に参加した。大正6年帝国技芸員、同8年帝国美術院会員になった。昭和4年国宝保存会の委員も務めた。

小松　均（こまつひとし）
明治35年（一九〇二）～平成元年（一九八九）
山形県村山市に生れ、京都で歿。大正8年上京し、一時帰郷。翌9年再び上京、画業を志し、川端画学校へ入り、岡本葵園に学んだ。同13年第4回国画創作協会展に入選。翌14年京都へ出て、土田麦僊の門下となる。東山洋画研究所でデッサンを学ぶ。昭和3年国画創作協会日本画部解散後、帝展に出品。翌4年第10回展で特選。同5年第17回院展で初入選。同21年第31回院展で日本美術院賞を受賞し、同人に推挙された。同40年第50回院展『吾が窓より（夏山）』で文部大臣賞を受賞、同49年最上川の連作により芸術選奨文部大臣賞を受賞、同54年第64回院展『雪の最上川』で内閣総理大臣賞を受賞した。同61年文化功労者として表彰された。

小村雪岱（こむらせったい）
明治20年（一八八七）～昭和15年（一九四〇）
埼玉県川越に生れ、東京で歿。本名は安並泰輔。明治36年東京美術学校に入学し、下村観山の指導を受けた。同41年同校卒業。大正3年泉鏡花作「日本橋」の装丁や里見弴作「多情仏心」の挿絵などを担当し、以後、新聞、雑誌に数多く描いた。昭和10年国画会同人として活躍。

小村大雲（こむらたいうん）
明治16年（一八八三）～昭和13年（一九三八）
島根県平田町に生れた。京都に出て山元春挙・都路華香・森川曽文に師事した。大正元年から文展に出品した。代表作に『佐登』などがある。

小室翠雲（こむろすいうん）
明治16年（一八八三）～昭和20年（一九四五）
群馬県館林に生れ、東京で歿。本名は貞次郎。別号は長与山人・微人・佳麗庵など。明治22年田崎草雲に師事。同31年日本美術協会展に出品、以後同展で受賞を重ねた。同41年第2回文展で受賞し、以後同展で活躍した。大正10年矢野橋村らと日本南画院を創立。同13年帝国美術院会員。同19年帝室技芸員となる。その間日本南画の発展に尽力し、南画界の重鎮として活躍した。

小谷津任牛（こやつにんぎゅう）
明治34年（一九〇一）～昭和41年（一九六六）
東京四谷に生れた。幼少の頃から小林古径に学んだ。日本大学法学部を卒業後、本格的に絵を志し、昭和2年院展に初入選した。同5年院友になり、同17年日本美術院賞を受賞した。人物・花鳥・山水を得意とした。

木島桜谷（このしまおうこく）
明治10年（一八七七）～昭和13年（一九三八）
京都に生れた。本名は文治郎。別号竜池草堂主人・朧盧迂人。今尾景年に師事した。明治40年から文展に出品を続けた。大正9年から昭和2年まで帝展の審査員を務めた。

巨勢小石（こせしょうせき）
天保14年（一八四三）～大正8年（一九一九）
京都に生れた。最初は岸連山、後に中西耕石に師事し、南画を学んだ。東京美術学校の教授を務めた。代々仏画家の家に生れ仏画を得意とした。

児玉果亭（こだまかてい）
天保12年（一八四一）～大正2年（一九一三）
長野県高井郡に生れた。別号は果堂・果道人・迂果など。最初は佐久間雲窓に学んだが、後に京都に出て、田能村直入に師事した。明治18年絵画共進会で銀賞を受賞。仏画を得意としたが、自然観照の滲み出た山水花鳥を描き、気韻の高い画風で知られた。

児玉希望（こだまきぼう）
明治31年（一八九八）～昭和46年（一九七一）
広島県高田郡に生れ、東京で歿。本名は省三。大正7年川合玉堂に師事。同10年第3回帝展初入選。昭和3年第9回帝展、同5年第11回帝展で特選を受けた。同25年伊東深水らと日月社を結成。同27年日本芸術院賞受賞。同32年渡欧、パリ・ローマに滞在し、翌33年帰国。同年日本芸術院会員。水墨画の技法を伝承し、水墨画を確立する為に、大和絵・南画・浮世絵などを学び、更に抽象画にも関心を寄せ、多彩な作品を遺した。

幸野楳嶺（こうのばいれい）
天保15年（一八四四）～明治28年（一八九五）
京都に生れ、同地で歿。本名は直豊。中島来章に円山派を後に塩川文麟に四条派を学ぶ。後進の指導と育成に務め、明治初期の京都画壇の形成に貢献した。明治26年帝室技芸員となった。門下に竹内栖鳳・菊池芳文・川合玉堂らがある。

後藤純男（ごとうすみお）
昭和5年（一九三〇）～平成28年（二〇一六）
千葉に生れ、同地で歿。昭和21年山本丘人に師事、同24年田中青坪に師事した。院展に出品し、同40年と44年日本美術院賞を受賞し、同49年同人になった。同51年文部大臣賞。平成28年恩賜賞を受賞した。

郷倉和子（ごうくらかずこ）
大正3年（一九一四）～平成28年（二〇一六）
東京に生れ、同地で歿。郷倉千靱の長女。女子美術専門学校を卒業後、安田靫彦に師事した。院展に出品を重ね、昭和45年文部大臣賞、同59年総理大臣賞を受賞した。平成元年芸術院賞を受賞し、同9年芸術院会員になった。同14年文化功労者に選ばれた。

郷倉千靱（ごうくらせんじん）
明治25年（一八九二）～昭和50年（一九七五）
富山県射水郡に生れ、東京で歿。本名は与作。大正2年東京美術学校を卒業。寺崎広業に指導を受けた。後期印象派、特にセザンヌ、ゴッホ、ゴーギャンに傾倒し、大正5年渡米。同10年第8回院展初入選、同13年日本美術院同人に推挙。自然の一隅に目を向けた清新な自然観照が注目された。昭和7年帝国美術学校教授、同11年多摩造形芸術専門学校教授を務め、また画塾草樹社を率いて、長く後進の指導にあたった。同35年日本芸術院賞を受賞。同47年日本芸術院会員。

近藤浩一路（こんどうこういちろ）
明治17年（一八八四）～昭和37年（一九六二）
山梨県南巨摩郡に生れ、東京で歿。本名は浩。東京美術学校西洋画科に学ぶ。後に日本画に転向し、大正10年日本美術院同人となった。フランスに留学後は水墨画に光を取り入れた独自の画風を展開した。昭和11年日本美術院を離れ、同34年日展会員となる。

今野忠一（こんのちゅういち）
大正4年（一九一五）～平成18年（二〇〇六）
山形県天童市に生れ、埼玉県で歿。昭和9年上京し、児玉希望の画塾に入門した。同15年院展に初入選。その後郷倉千靱に師事した。同30年日本美術院賞・大観賞を受賞。同33年文部大臣賞を受賞し、翌34年同人に推挙され、同50年評議員になった。同52年総理大臣賞を受賞した。

さ

佐藤太清（さとうたいせい）
大正2年（一九一三）～平成16年（二〇〇四）
京都府福知山市に生れ、東京で歿。昭和7年児玉希望塾に入門した。同18年文展に初入選。同22年と同27年日展で特選を受賞。同41年文部大臣賞を受賞した。翌42年芸術院賞を受賞し、同55年日本芸術院会員になった。同60年から日展理事長を務めた。平成4年文化勲章を受章した。

西郷孤月（さいごうこげつ）
明治6年（一八七三）～大正元年（一九一二）
長野県松本に生れ、東京で歿。本名は規（めぐる）。最初は狩野友信に学ぶ。明治27年東京美術学校を卒業。在学中に橋本雅邦に認められ、卒業後は母校の助教授を務めた。また雅邦の女婿となる。明治31年岡倉天心に従って母校を去り、日本美術院の俊英として活躍した。しかし雅邦の娘と離別して各地を歴遊。洋風の自然描写で温雅な内にも強い浪漫性を示した。

酒井三良（さかいさんりょう）
明治30年（一八九七）～昭和44年（一九六九）
福島県大沼郡に生れ、東京で歿。本名は三郎。明治44年上京。坂内青嵐の指導を受け、後は独学。大正8年第2回国画創作協会展初入選。小川芋銭と出会う。同10年第8回院展初入選、同13年日本美術院同人に推挙される。昭和37年第47回院展文部大臣賞受賞。潤いを帯びた筆致と平明な面とで構成し、淡彩と墨彩の素直な表現で清新な詩情性のある作品を描いた。

榊原紫峰（さかきばらしほう）
明治20年（一八八七）～昭和46年（一九七一）
京都に生れ、同地で歿。本名は安造。明治40年京都市立美術工芸学校、同44年京都市立絵画専門学校を卒業。在学中から文展に入選し受賞した。大正7年土田麦僊らと国画創作協会を結成。昭和3年国画創作協会が解散、以後展覧会出品はしなくなり、独自の画境を築いた。同12年京都市立絵画専門学校教授。同37年日本芸術院賞恩賜賞を受賞した。

沢宏靱（さわこうじん）
明治38年（一九〇五）～昭和57年（一九八二）
滋賀県に生れた。名は日露支。大正9年西山翠嶂に師事した。昭和9年京都市立絵画専門学校を卒業する。文展・帝展に出品した。同23年創造美術協会に参加し、会員となった。

志村立美（しむらたつみ）
明治40年（一九〇七）～昭和55年（一九八〇）
群馬県高崎市に生れ、東京で歿。神奈川高等工業学校図案科を中退し、大正13年山川秀峰に師事した。山川秀峰や伊東深水らが主宰する青衿会に美人画を出品した。その後『婦女会』などの雑誌口絵などで名を馳せて岩田専太郎と並ぶ人気画家となった。出版美術家連盟会長などを努め、昭和51年作品集『美人百態』で日本作家クラブ賞を受賞した。

塩川文麟（しおかわぶんりん）
文化5年（一八〇八）～明治10年（一八七七）
京都に生れた。別号雲章・可竹斎・泉声斎・木仏居士・木仏道人。四条派の岡本豊彦の門人。抒情的な描写の山水画を得意とした。

塩出英雄（しおでひでお）
明治45年（一九一二）～平成13年（二〇〇一）
広島県福山市に生れ、東京で歿。昭和6年帝国美術学校に入学。同10年奥村土牛に師事し、同12年院展に初入選した。その後も院展に出品を重ね、同14年院友になった。同25年、同36年日本美術院賞を受賞し、同人に推挙された。同44年総理大臣賞を受賞。翌45年評議員になった。同59年から武蔵野美術大学の名誉教授を務めた。

柴田是真（しばたぜしん）
文化4年（一八〇七）～明治24年（一八九一）
江戸両国に生れ、東京で歿。幼名を亀太郎、後に順蔵。字は儃然。別号を令哉・対柳居・沈柳亭など。最初は古満寛哉に蒔絵を学び、後に四条派の鈴木南嶺に学んだ。天保元年に南嶺の紹介で京都の岡本豊彦についた。京都では香川景樹に国学を頼山陽に漢字を吉田宗意に茶道を学ぶなど、向学心が旺盛であった。漢字は是真一流を築いた。明治23年帝室技芸員となった。

柴田長俊（しばたながとし）
昭和24年（一九四九）～令和4年（二〇二二）
新潟県上越市西城町に生れ、長野県軽井沢町で歿。昭和54年多摩美術大学大学院を修了した。世界各地を旅し「祈り」をテーマに制作を行った。濃い青の空に浮かぶ月と雪景色を描いた日本画「High Moon」を始めステンドグラスでも数多くのパブリックアートを制作した。創画会会員であった。

澁澤卿（しぶさわけい）
昭和24年（一九四九）～平成24年（二〇一二）
京都市に生れ、神奈川県鎌倉市で歿。昭和49年東京藝大を卒業。同52年出家得度して日蓮宗僧侶となる。平成3年現代作家美術展、バルセロナ日本画美術展に出品した。同14年上海美術館で「日中国交正常化30周年記念」の個展を開催した。同19年中国政府より和平発展貢献賞を授与された。

島田墨仙（しまだぼくせん）
明治元年（一八六八）～昭和18年（一九四三）
福井県に生れた。円山派の父に学び、後に橋本雅邦の門に入った。明治40年文展に入選。大正14年帝展委員。昭和3年帝展審査員を務めた。同18年日本芸術院賞を受賞した。

島多訥郎（しまだとつろう）
明治31年（一八九八）～昭和58年（一九八三）
栃木県に生れ、同地で歿。最初は文学を志して早稲田大学文学部に入学したが、大正8年同校を中退して郷倉千靱の門に入った。同13年第11回院展で初入選。昭和25年第35回院展、翌26年第36回院展、翌27年第37回院展で連続して奨励賞を受賞した。同29年第39回院展で再び奨励賞を受賞。同32年第42回院展で日本美術院賞を受け、同人に推挙された。更に同44年第54回院展で文部大臣賞を受賞した。

嶋谷自然（しまたにしぜん）
明治37年（一九〇四）～平成5年（一九九三）
三重県鳥羽市に生れ、名古屋で歿。昭和4年帝展初入選。同25年日展特選、白寿賞を受賞。同54年文部大臣賞を受賞した。日展参与・名古屋芸術大学教授・中部日本画会理事長などを務めた。

清水達三（しみずたつぞう）
昭和11年（一九三六）～令和3年（二〇二一）
和歌山県に生れ、同地で歿。中村貞以・長谷川青澄に師事した。院展に出品を重ね、昭和60年から平成2年の間に奨励賞を6度受賞、翌3年日本美術院賞、同5年同人に推挙された。同10年院展文科大臣賞、同13年内閣総理大臣賞、同20年に日本芸術院賞恩賜賞、日本芸術院賞を受賞し、日本芸術院会員になった。

下村観山（しもむらかんざん）
明治6年（一八七三）～昭和5年（一九三〇）
和歌山市に生れ、横浜で歿。本名は晴三郎。狩野芳崖・橋本雅邦に師事し、東京美術学校の第1回生として学んだ。狩野派だけでなく古典を研究する事によって、大和絵の手法も習得した。岡倉天心に認められて卒業後は助教授に推された。日本美術院の創立に際して天心と行動を共にし教職を辞したが、後に教授として復職。穏健で気品のある画風で名声を得た。大正3年日本美術院を横山大観らと共に再興した。

荘司福（しょうじふく）
明治43年（一九一〇）～平成14年（二〇〇二）
長野県に生れ、神奈川県横浜市で歿。昭和7年女子美術専門学校を卒業。同21年院展に初入選。以後出品を重ね、同29年、36年奨励賞を受賞。翌37年翌38年美術院賞を受賞し、翌39年に同人に推挙された。同49年に総理大臣賞、同61年に芸術選奨文部大臣賞を受賞した。日本美術院評議員を務めた。

真道黎明（しんどうれいめい）
明治30年（一八九七）～昭和53年（一九七八）
熊本県に生れた。名は重彦。最初は太平洋画会研究所に学んだ。大正4年日本美術院研究会員になり、安田靫彦・堅山南風に師事した。同6年院展初入選。同10年同人になった。

昭和33年から評議員を務めた。

菅 楯彦（すがたてひこ）
明治11年（一八七八）～昭和38年（一九六三）
鳥取県に生れ、大阪で歿。本名は藤太朗。幼い時に大阪に移り、独力で土佐派などを学び、大和絵風の画風を独創し、大阪の庶民風俗を描いた。日展に出品。大阪市民文化賞、大阪府芸術賞などを受賞。昭和32年日本芸術院賞恩賜賞を受賞した。また同37年大阪市初の名誉市民となった。

杉山 寧（すぎやまやすし）
明治42年（一九〇九）～平成5年（一九九三）
東京に生れ、同地で歿。昭和8年東京美術学校日本画科を卒業。同年第14回帝展に出品して特選。その後、松岡映丘に師事。戦中から戦後にかけて肺結核を病んだが、昭和26年日展にギリシャ神話に取材した『エウロペ』を出品。以後日展に出品を続けた。厳しい観察に基づく優れた素描力と知的な構成が高い評価を得た。同32年『孔雀』で日本芸術院賞を受賞。同45年日本芸術院会員。同49年に文化勲章を受章した。

鈴木三朝（すずきさんちょう）
明治32年（一八九八）～平成9年（一九九七）
三重県津市に生れ、静岡県浜松市で歿。本名は朝松。20歳の頃上京し、最初は池上秋畝に学び、後に荒井寛方に師事した。昭和3年院展に初入選。以後も出品を重ね、同7年院友に推挙された。同15年から法隆寺金堂壁画模写事業に荒井寛方や中村岳陵らと共に参加した。同52年院展特待になった。

鈴木竹柏（すずきちくはく）
大正7年（一九一八）～令和2年（二〇二〇）
神奈川県に生れ、同地で歿。昭和11年中村岳陵に師事した。日展に出品を重ね、同37年菊華賞、同56年文部大臣賞を受賞した。同62年日本芸術院賞を受賞し、平成3年日本芸術院会員になった。同19年文化功労者として表彰された。

鈴木百年（すずきひゃくねん）
文政8年（一八二五）～明治24年（一八九一）
京都に生れ、東京で歿。名は世寿、字は子孝。俗称は図書、号は大椿翁などがある。岸岱・岸連山らに学び、山水画を得意とした。第1回および第2回内国絵画共進会で受賞。京都府画学校の教師を務めた。

須田珙中（すだきょうちゅう）
明治41年（一九〇八）～昭和39年（一九六四）
福島県岩瀬郡に生れ、東京で歿。昭和9年東京美術学校を卒業。松岡映丘に師事した。最初は帝展に属し、同17年新文展特選。映丘歿後は前田青邨に師事。同27年第37回院展初入選、以後、同31年第41回、翌32年第42回院展日本美術院賞受賞、同34年第44回、翌35年第45回日本美術院賞と連続して受賞した。同35年日本美術院同人に推挙された。

関 主税（せきちから）
大正8年（一九一九）～平成12年（二〇〇〇）
千葉県に生れ、同地で歿。東京美術学校を卒業。昭和23年結城素明に師事し、その後、中村岳陵に師事した。翌24年日展に初入選。同29年翌30年に特選。同43年総理大臣賞を受賞した。同61年に芸術院賞を受賞し、平成4年芸術院会員になった。日展理事長も務めた。

た

田崎草雲（たざきそううん）
文化12年（一八一五）～明治31年（一八九八）
江戸で生れ、栃木県足利市で歿。名は芸（うん）。号は梅渓・蓮岱山人・白石生などがある。四条派を学び、後に春木南溟に師事した。足利藩の御用絵師となった。明治15年の内国絵画共進会で銀賞を受賞。同23年帝室技芸員となる。

田近竹邨（たぢかちくそん）
元治元年（一八六四）～大正11年（一九二二）
大分県に生れた。名は岩彦。最初は藤野桂僊に学び、後に田能村竹田に師事し、京都府立画学校南宗画科を卒業した。明治41年から文展に出品を続けた。日本南画院の創立に参加した。

田中案山子（たなかあんざんし）

明治39年（一九〇六）〜昭和45年（一九七〇）

東京に生れ、同地で歿。大正11年田中以知庵に師事した。昭和4年院展初入選。同7年院友となる。同12年院展を脱退し、小林巣居・小林三季らと新興美術院を創立した。

田中以知庵（たなかいちあん）

明治26年（一八九三）〜昭和33年（一九五八）

東京本所松坂町で生れた。明治42年松本楓湖の門に入り、今村紫紅や速水御舟などと修業した。翌43年巽画会、美術研精会などに出品した。大正12年春陽会創立に客員として迎えられた。昭和4年日本南画院同人となる。同25年日展審査員も務めた。

田中青坪（たなかせいひょう）

明治36年（一九〇三）〜平成6年（一九九四）

群馬県前橋市に生れ、東京で歿。小茂田青樹に師事した。院展に出品し、昭和42年文部大臣賞を受賞した。院展理事・横山大観記念館理事長・東京藝大名誉教授を務めた。

田中頼璋（たなからいしょう）

明治元年（一八六八）〜昭和15年（一九四〇）

島根県に生れた。最初は森寛斎に学び、その後上京して川端玉章に師事した。明治41年から文展に出品を続け数多く受賞した。大正13年より帝展委員になる。日本美術協会日本画部評議員などを務めた。山水画を得意とした。

田南岳璋（たなみがくしょう）

明治9年（一八七六）〜昭和3年（一九二八）

三重県に生れた。最初は幸野楳嶺に学び、その後四条派の久保田米僊に師事した。大正元年から文展に出品した。花鳥山水を得意とした。

田能村竹田（たのむらちくでん）

安永6年（一七七七）〜天保6年（一八三五）

豊後竹田村に生れ、大阪で歿。名は孝憲。字は君彝。別号は田舎児・雪月書堂・九畳仙史・老画師。藩医の子で、最初は儒学を修めたが、後に詩や絵も学んだ。文化10年官を辞し、文人として自立した。京都に出て頼山陽・浦上玉堂・皆川淇園・青木木米など文人墨客の知遇を得た。また土佐派・狩野派の画風、元・明・清の諸家の筆法を研究し、殊に明の王淑明に私淑して一家をなした。竹田は南画の神髄は気韻が生命であると考えていた。幕末文人画壇を代表する作家の一人。

田能村直入（たのむらちょくにゅう）

文化11年（一八一四）〜明治40年（一九〇七）

豊後直入郡竹田町（大分県竹田市）に生れた。幼名は、はじめ松太、のち傳太。諱は、はじめ蓼、のち痴。字は、はじめ虚紅、のち顧絶。号は、はじめ小虎、のち直入。通称は小虎とした。別号に竹翁・忘斎・煌斎・芋仙・布袋庵・無声詩客など。本姓は三宮氏。田能村竹田の画法を学び、田能村姓を継いだ。明治の最初に京都に移り、京都府画学校の設立、開設に務め摂理兼教頭となった。多作で著作も多い。明治時代の京都南画壇の重鎮の一人として活躍した。

高島北海（たかしまほくかい）

嘉永3年（一八五〇）〜昭和6年（一九三一）

山口県阿武郡に生れ、東京で歿。本名は得三。明治5年工部省鉱山寮出仕となり、同18年から22年までフランスのナンシー森林高等学校に留学。帰国して農商務省林務官、福岡大林区署長を務めた。絵は独学で、留学中にエミール・ガレらと交遊した。明治32年から画業に専念して日本・ヨーロッパ・アメリカ各地の山岳風景を描いた。

高橋常雄（たかはしつねお）

昭和2年（一九二七）〜昭和63年（一九八八）

群馬県に生れ、神奈川県小田原市で歿。武蔵野美術学校日本画科を卒業後、田中青坪に師事した。昭和35年院展に初入選。以後毎年出品を重ね、同46年奨励賞、同47年春季展賞を受賞した。同50年、同55年院賞大観賞を受賞して、同60年日本美術院同人に推挙された。

高山辰雄（たかやまたつお）
明治45年（一九一二）～平成19年（二〇〇七）
　大分市に生まれ、東京で歿。昭和6年東京美術学校に入学。在学中に帝展に初入選をした。同21年に日展特選。同34年日本芸術院賞を受賞。同39年芸術選奨を受賞した。同47年日本芸術院会員になった。同57年文化勲章を受章した。母子像や風景を得意とし、独特の寂しさと暗さを漂わせた詩情あふれた作品を描いた。杉山寧・東山魁夷と日展三山として人気を博した。

滝和亭（たきわてい）
天保3年（一八三二）～明治34年（一九〇一）
　江戸千駄木に生まれた。名は謙。字は子直。別号蘭田。最初は大岡雲峰に師事した。その後長崎に渡り日高鉄翁に師事した。また中国人の陳逸舟や銭少虎などと交流し南宗画を極めた。明治維新後、絵画共進会などに出品した。山水・人物・花鳥画を得意とした。

竹内栖鳳（たけうちせいほう）
元治元年（一八六四）～昭和17年（一九四二）
　京都に生まれ、神奈川県湯河原で歿。本名は恒吉。土田英林に師事、後に四条派の幸野楳嶺の門に入り、早くから画才を認められた。新古美術会・日本青年絵画共進会など各種の展覧会に出品。明治22年京都府画学校、同32年京都市立美術工芸学校で教えた。棲鳳から栖鳳に号を改め、清新な写生的作風を展開した。画塾竹杖会を主宰し、同42年京都市立絵画専門学校教授として多くの優れた後進を育てた。大正2年帝室技芸員、同8年帝国美術院会員。昭和12年第1回文化勲章を受章した。

立石春美（たていしはるよし）
明治41年（一九〇八）～平成6年（一九九四）
　佐賀県に生まれ、神奈川県湯河原で歿。伊東深水に師事した。文展・帝展・日展に出品した。昭和21年と同26年日展特選を受賞した。日展参与を務めた。美人画を得意とした。

谷口香嶠（たにぐちこうきょう）
元治元年（一八六四）～大正4年（一九一五）
　大阪に生まれた。幸野楳嶺に師事し、菊池芳文・森川曽文・竹内栖鳳らと門下四天王と呼ばれた。明治40年に文展で三等賞。同43年と翌44年に審査員を務めた。京都市立美術学校、京都絵画専門学校の教授も務めた。

玉村善之助（たまむらぜんのすけ）
明治26年（一八九三）～昭和26年（一九五一）
　京都に生まれた。号方久斗。京都市立絵画専門学校を卒業し、菊池芳文に師事した。その後日本美術院研究生になった。院展に入選したが、大正13年院展を脱退し、三科造形美術協会、また単位三科を結成して前衛美術運動をした。

津田青楓（つだせいふう）
明治13年（一八八〇）～昭和53年（一九七八）
　京都に生まれ、東京で歿。本名は亀次郎。谷口香嶠に日本画を学び、後に関西美術院で洋画を鹿子木孟郎と浅井忠に師事。明治40年から同43年までパリに留学、ジャン＝ポール・ローランスに指導を受ける。帰国後の大正元年斎藤与里らとフュウザン会を結成。昭和3年石井柏亭らと二科会の創立に加わった。同8年二科会会員を辞すまで、同展で活躍し、河上肇の影響による左翼的傾向の作品を発表した。以後、日本画に転じ、画壇を離れて、独立独歩の道を歩んだ。

都路華香（つじかこう）
明治3年（一八七〇）～昭和6年（一九三一）
　京都で生れ、同地で歿。本名は辻宇之助。明治13年幸野楳嶺の門に入り、竹内栖鳳・谷口香嶠・菊池芳文と並んで四天王の一人。同23年第3回内国勧業博覧会で褒賞、同40年第1回文展、同44年第5回文展で三等賞、大正5年第10回文展で特選を受けた。円山・四条派の写生画から出発し、洋画風の浪漫的な表現主義的傾向から晩年の禅画味のある作風へと展開した。同14年帝国美術院会員。同15年京都市立絵画専門学校校長、美術工芸学校長を兼務した。

蔦谷竜岬（つたやりゅうこう）
明治19年（一八八六）〜昭和8年（一九三三）
青森県弘前に生れた。名は幸作。明治43年東京美術学校日本画科を卒業した。その後、寺崎広業に師事した。大正7年文展で特選。同9年、翌10年帝展で特選入賞。昭和2年から帝展審査員となる。風景画を得意とした。

土田麦僊（つちだばくせん）
明治20年（一八八七）〜昭和11年（一九三六）
新潟県佐渡に生れ、京都で歿。本名は金二。17歳で京都に赴き鈴木松年の門に入り、後に竹内栖鳳に師事した。明治42年京都市立絵画専門学校が設立されると共に入学、同44年第5回文展『髪』で注目された。大正7年国画創作協会を村上華岳・小野竹喬らと設立し『湯女』『三人の舞妓』など近代感覚に根差した清新な様式と大和絵の伝統様式を総合して新境地を求め、日本近代絵画史上大きな役割を果たした。同12年画塾山南会を設立。昭和3年国画創作協会解散後に帝展に復帰した。同9年帝国美術院会員。

常岡文亀（つねおかぶんき）
明治31年（一八九八）〜昭和55年（一九八〇）
兵庫県に生れた。大正11年東京美術学校を卒業し、結城素明に師事した。文展・帝展に出品し、昭和4年帝展で特選となった。同12年大日美術院の同人になった。その後日展に出品した。同19年東京美術学校教授を務めた。

坪内滄明（つぼうちそうめい）
昭和14年（一九三九）〜平成18年（二〇〇六）
愛知県江南市に生れ、神奈川県逗子市で歿。昭和38年中村岳陵の書生となり、同35年日展に初入選した。その後も日展に出品を重ね、同40年特選、白寿賞を受賞。同年山種美術財団賞も受賞した。翌41年日春展で日春賞を受賞した。

寺崎広業（てらさきこうぎょう）
慶応2年（一八六六）〜大正8年（一九一九）
秋田に生れ、東京で歿。別号は騰竜軒・天籟散人など。最初は小室秀俊に狩野派を学んだが、後に平福穂庵に師事した。日本美術院会員・東京美術学校教授・帝室技芸員などを務めた。

寺島紫明（てらしましめい）
明治25年（一八九二）〜昭和50年（一九七五）
兵庫県明石に生れ、兵庫県西宮市で歿。本名は徳重。大正2年上京し、鏑木清方の門に入った。翌3年巽画会で三等賞。昭和2年帝展初入選。同15年第4回文展、翌16年第5回文展で特選を受けた。清方の門下生らと共に清流会を結成。同45年日本芸術院賞恩賜賞を受賞した。従来の美人画と趣の異なる独自の描写で女性観を表現した。

登内微笑（とうちみしょう）
明治24年（一八九一）〜昭和40年（一九六四）
長野県に生れた。名は正吉。大正14年京都市立絵画専門学校を卒業。その後菊池契月・寺崎広業に師事した。昭和2年帝展で特選。同4年帝展審査員を務めた。

堂本印象（どうもといんしょう）
明治24年（一八九一）〜昭和50年（一九七五）
京都に生れ、同地で歿。本名は三之助。京都市立絵画専門学校の本科・研究科に学んだ。大正8年第1回帝展から出品し、同10年『調鞠図』で特選。同14年『華厳』（京都・堂本美術館）によって帝国美術院賞を受けた。昭和19年帝室技芸員、同25年日本芸術院会員。同36年文化勲章を受章した。

堂本元次（どうもともとつぐ）
大正12年（一九二三）〜平成22年（二〇一〇）
京都に生れ、同地で歿。堂本印象に師事した。京都市立絵画専門学校を卒業後、堂本印象に師事した。昭和22年日展初入選。同25年同27年特選を受賞。同

38年日展会員、同54年評議員になった。同57年総理大臣賞を受賞。同61年芸術院賞を受賞した。日展理事を務めた。

徳岡神泉（とくおかしんせん）
明治29年（一八九六）～昭和47年（一九七二）
京都市に生れ、同地で歿。本名は時次郎。竹内栖鳳の画塾に入り、大正6年京都市立絵画専門学校を卒業。大正15年・昭和4年と帝展特選。昭和25年『鯉』（東京国立近代美術館）で日本芸術院賞、同27年毎日美術賞を受賞、同32年日本芸術院会員。同41年文化勲章受章。写実を超えた象徴的画境に達し、東洋的な幽玄さを表出し、近代日本画の神髄を極めた。

富岡鉄斎（とみおかてっさい）
天保7年（一八三七）～大正13年（一九二四）
京都に生れ、同地で歿。名の最初は猷輔、後に百錬。号は最初は裕軒、後に鉄崖・鉄斎・鉄道人など。15歳頃から国学と漢学を学び、18歳頃から南画を窪田雪鷹・小田海仙に、大和絵を浮田一蕙に学んだ。幕末に勤皇学者として国事に奔走し、維新後は大和石上神宮少宮司などを務め、神道の復興に力を注ぐ一方、京都美術協会を中心に制作した。学者として、該博な漢籍、国学の知識と絶え間ない旅行に画の根拠を求めて、学問と画の世界に精進した。大正6年帝室技芸員。同8年帝国美術院会員。みなぎる豊かな実在感のある画境を確立し、質の高い文人画を生みだし、近代日本画の中で独自の位置を占めた。

富田溪仙（とみたけいせん）
明治12年（一八七九）～昭和11年（一九三六）
博多に生れ、京都で歿。本名は鎮五郎。最初は狩野派を学んだが、明治29年京都に出て、都路華香に四条派を学んだ。古画の研究に励み、キリスト教・老荘思想などを研究した。また仙崖や富岡鉄斎に傾倒し、観念的な画題主義から自由闊達な独自の画風を確立した。文展出品作が横山大観に認められ、再興日本美術院展に出品し、大正4年日本美術院同人に推挙された。昭和10年帝国美術会員となったが、翌11年平生再改組に反対して辞した。

富取風堂（とみとりふうどう）
明治25年（一八九二）～昭和58年（一九八三）
東京に生れた。名は次郎。明治38年松本楓湖に師事した。大正4年院展に入選し、同13年同人になった。昭和41年文部大臣賞を受賞した。

な

中路融人（なかじゆうじん）
昭和8年（一九三三）～平成29年（二〇一七）
京都に生れ、同地で歿。昭和29年山口華楊に師事し、日展に出品した。同31年特選。平成7年文部大臣賞を受賞した。同9年芸術院賞を受賞し、同13年芸術院会員になった。同24年文化功労者に選ばれた。日展常務理事・晨鳥社会長を務めた。

中島清之（なかじまきよし）
明治32年（一八九九）～平成元年（一九八九）
京都に生れ、東京で歿。本名は清。大正4年横浜の叔父を頼りに上京した。翌5年松本楓湖の安雅堂画塾で大和絵を学び、山村耕花にも教えを受けた。同13年第11回院展『桃の木』が初入選。昭和12年第24回院展『古画』、同14年第26回院展『黄街（七部作）』、同17年第29回院展『おん祭（七部作）』、同25年第35回院展『方広会の夜』がそれぞれ日本美術院賞を受賞した。同27年日本美術院同人となった。同36年日本美術院評議員となった。同43年第53回院展『天草灘』で文部大臣賞を受賞した。同45年横浜市文化賞、同51年神奈川県文化賞を受けた。同53年日本美術院理事となった。

中島多茂都（なかじまたもつ）
明治33年（一九〇〇）～昭和45年（一九七〇）
　静岡県沼津に生れた。本名は保。大正9年前田青邨に師事した。昭和4年院展初入選。同22年から3年連続して日本美術院賞を受賞した。同38年文部大臣賞を受賞した。

中野弘彦（なかのひろひこ）
昭和2年（一九二七）～平成16年（二〇〇四）
　山口県に生れ、京都で歿。昭和20年京都美術工芸学校を卒業。その後立命館大学哲学科に進み同32年に卒業した。同34年京都大学哲学科美学美術史専攻学部留学修了。同45年新制作展春季展賞、同49年創画会展春季展賞を受賞した。同53年京都美術展で大賞を受賞。翌54年山種美術館賞展で優秀賞を受賞した。平成2年第3回京都美術文化賞、同6年第12回京都府文化功労賞、同9年京都市文化功労賞を受賞した。成安造形大の教授も務めた。

中村岳陵（なかむらがくりょう）
明治23年（一八九〇）～昭和44年（一九六九）
　静岡県下田に生れ、神奈川県逗子で歿。本名は恒吉。最初は川辺御楯に師事し土佐派を学び、後に大正元年東京美術学校を卒業。同年第6回文展に『乳糜供養』を出品、同4年再興日本美術院の同人に推された。昭和10年帝国美術院改組に際して参与になり、以後新文展・日展に出品した。同22年日本芸術院会員、同36年朝日文化賞、毎日芸術大賞受賞。翌37年文化勲章を受章した。

中村大三郎（なかむらだいざぶろう）
明治31年（一八九八）～昭和22年（一九四七）
　京都に生れ、同地で歿。大正5年京都市立美術工芸学校を卒業して、同8年京都市立絵画専門学校を卒業。京都市立絵画専門学校在学中の同7年第12回文展『懺悔』が初入選。同9年第2回帝展『静夜聞香』、同11年第4回帝展『燈籠おとど』がそれぞれ特選となった。西山翠嶂の画塾青甲社に籍を置き、後翠嶂の女婿となり青甲社全盛期の中心的作家となった。同13年京都市立絵画専門学校教諭、翌14年京都市立絵画専門学校助教授となった。昭和3年第9回帝展では審査員を務めた。同10年京都市立絵画専門学校教授に就任した。

中村貞以（なかむらていい）
明治33年（一九〇〇）～昭和57年（一九八二）
　大阪に生れ、同地で歿。本名は清貞。北野恒富に師事した。院展に出品し、昭和11年同人となる。美人画の分野に新風を送り、独自の画境を切り開いた。同35年第4回院展で文部大臣賞を受け、同41年には日本芸術院賞を受賞した。

中村正義（なかむらまさよし）
大正13年（一九二四）～昭和52年（一九七七）
　愛知県豊橋市に生れ、神奈川県川崎市で歿。昭和21年中村岳陵に師事し、同年第2回日展で初入選。翌22年第32回院展に入選。同24年一采社同人。翌25年第6回日展『谿泉』で特選・朝倉賞を受け、また同27年第8回日展『女人』で特選・白寿賞を受賞。同35年中部日本文化賞を受賞した。翌36年蒼野社（中村岳陵門）を去り、同時に日展も脱退。翌37年第5回現代日本美術展出品。以後同展に出品を続けた。同39年写楽の研究を始め、同45年その成果として『写楽』を出版した。同49年从会を結成。翌50年東京展市民会議事務局長として奔走、同年東京展開催。人間の顔を生涯の主題として描いた。

長井雲坪（ながいうんぺい）
天保4年（一八三三）～明治32年（一八九九）
　越後沼垂に生れ、長野市で歿。幼名は元次郎。名は元。別号は桂山・呉江・瑞岩・蘭華山人など。喜永元年長崎に行き、日高鉄翁や木下逸雲に師事。慶応3年上海に渡り、徐雨亭・陸応祥らに学び、明治2年に帰国した後しばらく東京に居を構えた後、放浪の末に戸隠山に隠棲した。清貧にあまんじ文人的境涯に悠々自適の生活を送り、枯淡瓢逸な画を描き、また書も多く描いた。

長野草風（ながのそうふう）
明治18年（一八八五）〜昭和24年（一九四九）
東京に生れた。名は守敬。川合玉堂に師事した。安田靫彦・今村紫紅と紅児会を結成した。大正5年院展同人となった。

西内利夫（にしうちとしお）
昭和7年（一九三二）〜昭和56年（一九八一）
京都に生れた。昭和26年京都市立日吉ヶ丘高校日本画科を卒業し、同29年山口華揚に師事した。晨鳥社に属して日展に出品を重ねた。同54年晨鳥社を退会して無所属となった。

西村五雲（にしむらごうん）
明治10年（一八七七）〜昭和13年（一九三八）
京都に生れ、同地で歿。本名は源次郎。明治23年岸竹堂に師事した。同26年第6回日本美術協会展、同30年第1回、同32年第2回全国絵画共進会で受賞。竹堂の歿後は竹内栖鳳に師事。明治40年第1回文展受賞。同45年西村画塾を創設。大正2年京都市立美術工芸学校教諭を経て、同13年京都市立専門学校教授。昭和6年画塾を晨鳥社と改称。同8年帝国美術院会員、同12年帝国芸術院会員。

西山翠嶂（にしやますいしょう）
明治12年（一八七九）〜昭和33年（一九五八）
京都に生れ、同地で歿。本名は卯三郎。竹内栖鳳に学び、明治32年京都市立美術工芸学校を卒業。大正5年第10回文展『朱笄の女』、翌6年第11回文展『短夜』、翌7年第12回文展『落梅』が特選と数多く受賞を続けた。昭和4年帝国美術院会員。同8年京都市立絵画専門学校、京都市立美術工芸学校の校長として美術教育に尽力し、また栖鳳の女婿として京都画壇をリードした。同19年帝室技芸員、同32年文化勲章を受章した。

西山英雄（にしやまひでお）
明治44年（一九一一）〜平成元年（一九八九）
京都に生れ、同地で歿。大正14年西山翠嶂に師事し、画塾青甲社に入塾。昭和6年第12回帝展で初入選。同11年京都市立絵画専門学校専科を卒業。同22年第3回日展で特選を受ける。同29年京都学芸大学教授となる。同33年牧人社を結成。同年第1回日展で文部大臣賞を受賞、同36年日本芸術院賞を受賞した。同47年金沢美術工芸大学教授。同48年京都市文化功労者に選ばれた。同51年京都日本画家協会理事長となる。同55年京都府美術工芸功労者に選ばれ、同年日本芸術院会員となる。

のむら清六（のむらせいろく）
大正5年（一九一六）〜平成7年（一九九五）
山梨県に生れ、同地で歿。昭和8年川端画学校夜間部に入学。同26年水墨画の修行に入った。翌27年新興美術院に参加し、以後出品を重ねた。同33年新興美術院を退会して、岩崎巴人らと日本表現派を結成した。同50年日仏現代美術展で大賞を受賞した。翌51年演出家武智鉄二の企画によりのむら清六墨彩画展を開催した。

野田九甫（のだきゅうほ）
明治12年（一八七九）〜昭和46年（一九七一）
東京に生れ、同地で歿。明治28年上京し、寺崎広業に師事した。同29年東京美術学校日本画科に入学、同31年東京美術学校の騒動に際し退学して、日本美術院の研究生となった。同40年第1回文展『辻説法』が最高賞の二等賞となり注目された。大正6年第11回文展『妙見詣』が特選を受けた。同8年帝展創設に際し、如水会の反帝展運動に参加したが、間もなく離れた。同13年帝展委員となり、以後たびたび同展の審査員を務めた。昭和13年日本画院の創立に参加した。同22年帝国芸術院会員。同23年金沢美術工芸大学教授に就任した。

野長瀬晩花（のながせばんか）
明治22年（一八八九）〜昭和39年（一九六四）
和歌山県に生れ、東京狛江市で歿。本名は弘男。明治36年大阪に出で、中川蘆月に学び、同40年京都に出て、谷口香嶠に師事した。同42年京都市立絵画専門学校に入学したが翌年中退。同44年第16回新古美術品展で受賞。大正7年国画創作協会の結成に参加し、洋画技法を取り入れた斬新な画風で、量感を強調した陰影法と強烈な原色を用いた大胆な作品を発表した。

昇　外義（のぼりがいぎ）
大正14年（一九二五）〜平成7年（一九九五）
富山県高岡市に生れ、神戸で歿。昭和18年京都絵画専門学校に入り、小野竹喬、上村松篁に師事した。同39年夙川学院短大の教授を務めたが、同45年退職し、本格的に制作活動に入り、神戸芸術学林の創立に参加した。同63年兵庫県文化賞、平成2年神戸市文化功労賞を受賞した。

は

長谷川路可（はせがわろか）
明治30年（一八九七）〜昭和42年（一九六七）
神奈川県鵠沼に生れ、ローマで歿。本名は竜三。大正10年東京美術学校日本画科を卒業と同時に渡欧し、昭和2年に帰国した。帝展にキリスト教絵画を出品。フレスコ・モザイクの制作が多く、イタリア・チヴィタヴェッキアの日本聖殉教者聖堂内『日本二十六聖人殉教図』、長崎教会などの作品を遺した。同42年ローマ教皇より壁画制作の依頼を受けて、ローマに赴いたが客死。

馬場不二（ばばふじ）
明治39年（一九〇六）〜昭和31年（一九五六）
香川県高松市に生れ、東京で歿。本名は和夫。昭和3年東京美術学校を卒業。以後同8年まで小学校教諭を務めた。翌9年落合朗風主宰の明朗美術連盟の創立に参加した。また同12年歴程美術協会にも参加して新しいフォルムを追求した。翌13年頃から郷倉千靱に師事し、画塾草樹社の会員となり、同23年第33回院展、同28年第38回院展で佳作を受け、翌29年第39回院展、翌30年第40回院展、翌31年第41回院展で連続して日本美術院賞を受賞した。

橋口五葉（はしぐちごよう）
明治13年（一八八〇）〜大正10年（一九二一）
鹿児島市に生れ、東京で歿。版画家。本名は清。最初は日本画を橋本雅邦、洋画を黒田清輝に学び、明治38年東京美術学校西洋画科を卒業。同40年第1回文展『羽衣』入選。版画は大正4年『浴後裸女』（木版）を初めて公刊した。他に『化粧美人』『浴後の女』『着物をつける美人』など日本版画史上特筆すべき作品がある。また「ホトトギス」に寄稿したり、夏目漱石の「吾輩ハ猫デアル」など多くの装丁を遺したことでも知られている。

橋本永邦（はしもとえいほう）
明治19年（一八八六）〜昭和19年（一九四四）
東京に生れた。父の橋本雅邦に学び、後に下村観山に師事した。明治40年文展で三等賞。大正3年より日本美術院展に出品し、同10年同人になった。

橋本雅邦（はしもとがほう）
天保6年（一八三五）〜明治41年（一九〇八）
江戸木挽町狩野家の邸内で生れ、東京で歿。幼名は千太郎。本名は長郷。13歳のとき狩野勝川院雅信に学び、号は勝園雅邦と言い、別号は十雁斎・克己斎・酔月画生など。同門に狩野芳崖がいた。明治15年第1回内国絵画共進会で銀賞、同23年内国勧業博覧会で一等妙技賞を受けた。同年帝室技芸員・東京美術学校教授となった。同31年岡倉天心と共に日本美術院を創立して主幹となり、研究会を設けて後進の指導にあたった。狩野派の日本の伝統様式の中に新鮮な洋画風の作風を樹立した明治画壇の巨匠で近代日本画の祖。

橋本関雪（はしもとかんせつ）
明治16年（一八八三）〜昭和20年（一九四五）
神戸に生れ、京都で歿。本名は関一。竹内栖鳳の画塾竹杖会で学び、後に日本と中国の古画を研究して独自の画境を切り開いた。大正5年第10回文展『寒山拾得』、翌年第11回文展『倪雲林』と2年続けて特選。昭和9年帝室技芸員、翌10年帝国美術院会員となった。絵画研究のため、中国やヨーロッパをたびたび訪れた。『関雪随筆』『南画への道程』などの著作がある。

橋本明治（はしもとめいじ）

明治37年（一九〇四）～平成3年（一九九一）

島根県浜田市に生れ、東京で歿。昭和6年東京美術学校日本画科を卒業。同校卒業後、松岡映丘に師事した。東京美術学校在学中の同4年第10回帝展『花野』が初入選。同12年第1回新文展『浄心』、翌13年第2回新文展『夕和雲』が連続して特選を受けた。同23年創造美術の結成に参加した。同25年創造美術を退会、日展に復帰した。以後日展を中心に制作発表を続ける。同27年芸術選奨文部大臣賞を受賞。同30年日本芸術院賞を受賞した。同46年日本芸術院会員。同54年文化勲章を授章した。

服部有恒（はっとりありつね）

明治23年（一八九〇）～昭和32年（一九五七）

名古屋に生れた。大正4年東京美術学校日本画科を卒業し、松岡映丘に師事した。新興大和絵運動の国画院同人として活躍した。大正14年、昭和3年帝展で特選。その後文展・日展で審査員を務めた。大和絵風の人物画を得意とした。

羽石光志（はねいしこうじ）

明治36年（一九〇三）～昭和63年（一九八八）

栃木に生れ、東京で歿。安田靫彦に師事した。院展に出品をした。昭和21年から3年間続けて院賞を受賞。同30年大観賞、翌31年院次賞、同43年総理大臣賞を受賞した。院展理事を務めた。

濱田観（はまだかん）

明治31年（一八九八）～昭和60年（一九八五）

兵庫県姫路市に生れ、京都で歿。昭和4年京都に出て竹内栖鳳の門に入り、同11年京都市立絵画専門学校卒業。同14年第14回帝展初入選、同22年第3回日展、翌23年第4回日展と続けて特選。同38年日展文部大臣賞を受け、翌39年日本芸術院賞を受賞した。近代感覚と装飾性に富む、清麗な花鳥画を描いた。同50年京都市美術功労者賞を受賞。同59年日本芸術院会員。

濱田台児（はまだたいじ）

大正5年（一九一六）～平成22年（二〇一〇）

鳥取県に生れ、東京で歿。伊東深水・橋本明治に師事した。日展に出品を重ね、昭和51年総理大臣賞を受賞。同54年芸術院賞を受賞し、同63年芸術院会員になった。平成7年から同9年まで日展理事長を務めた。

速水御舟（はやみぎょしゅう）

明治27年（一八九四）～昭和10年（一九三五）

東京に生れ、同地で歿。旧姓は蒔田。本名は栄一。松本楓湖の安雅堂画塾に入門。最初は禾湖、後に浩然と改め、更に母方の速水姓を継いでから御舟と号した。巽画会や紅児会で頭角を顕し、大和絵風・琳派風の作品を発表した。再興日本美術院が設立されると今村紫紅の影響を受け『洛外六題』を出品し横山大観や下村観山らを驚嘆させ、同人に推挙された。徹底的に新画風を追求した。細密描写による厳密な写実主義、やがて幻想的や象徴的傾向を示し、更に中国院体画に迫る格調高い主観的な写実を求めた。

稗田一穂（ひえだかずほ）

大正9年（一九二〇）～令和3年（二〇二一）

和歌山で生まれ、東京で歿。東京美術学校を卒業後、山本岳人に師事した。昭和26年新制作協会が発足し会員に推挙された。同49年創画会を結成。同60年和歌山県文化賞、田辺市文化賞を受賞。同63年東京藝大名誉教授となった。平成3年芸術院賞恩賜賞を受賞。同13年文化功労者に選ばれた。

日高鉄翁（ひだかてつおう）

文化8年（一八一一）～明治4年（一八七一）

長崎に生れた。最初は石崎融思に学び、後に中国人江稼圃に文人画を学んだ。木下逸雲・

三浦梧門と長崎三大南画家といわれた。

樋笠数慶（ひがさすうけい）
大正5年（一九一六）～昭和61年（一九八六）
香川県に生れ、東京で歿。郷倉千靱に師事した。院展に出品し昭和32年、同36年大観賞、同47年総理大臣賞、同58年文部大臣賞を受賞した。後に院展同人になった。

東山魁夷（ひがしやまかいい）
明治41年（一九〇八）～平成11年（一九九九）
横浜に生れ、千葉県市川市で歿。昭和6年東京美術学校を卒業。後に結城素明に師事した。同8年から3年間ベルリン大学で美術史などを学んだ。帰国後、日展を中心に出品し、同22年『残照』で特選。同25年『道』を発表して高い評価を得た。同31年日本芸術院賞を受賞。同40年日本芸術院会員に選ばれた。同44年文化勲章を受章した。

菱田春草（ひしだしゅんそう）
明治7年（一八七四）～明治44年（一九一一）
長野県伊那郡飯田町に生れ、東京で歿。本名は三男治。最初は結城正明に師事し、明治23年東京美術学校に入学、橋本雅邦や川端玉章らの指導を受けた。同28年日本美術院の創立に参加し、日本画の伝統的な技法を深く研究すると共に、西洋絵画の技法を大胆に取り入れ、日本画の近代化を推進した。同36年横山大観と共にインドへ行き、翌37年から38年にかけて岡倉天心・大観と欧米へ旅行し、日本美術を再認識して帰国した。37歳という若さで短い生涯を閉じた。

平川敏夫（ひらかわとしお）
大正13年（一九二四）～平成18年（二〇〇六）
愛知県宝飯郡に生れ、同地で歿。昭和29年、同37年新制作展で新作家賞を受賞。同49年創画会会員となる。同55年中日文化賞を受賞。同58年愛知県教育委員会文化功労賞を受賞した。

平福穂庵（ひらふくすいあん）
弘化元年（一八四四）～明治23年（一八九〇）
秋田県角館に生れた。明治14年竜池会展に『乞食の図』を出品した。その後絵画共進会に出品した。動物画を得意とした。平福百穂は子。

平福百穂（ひらふくひゃくすい）
明治10年（一八七七）～昭和8年（一九三三）
秋田県角館町に生れ、秋田市で歿。本名は貞蔵。日本画家平福穂庵の子。最初は川端玉章の門に入り明治32年東京美術学校を卒業。翌33年无声会を結城素明らと組織し、同40年石井柏亭らと雑誌「方寸」を創刊、大正5年素明・鏑木清方らと金鈴社を興した。昭和5年帝国美術院会員。同7年東京美術学校教授。

平山郁夫（ひらやまいくお）
昭和5年（一九三〇）～平成21年（二〇〇九）
広島に生れ、神奈川県鎌倉で歿。昭和27年東京美術学校に入学し、前田青邨に師事した。翌28年院展初入選。同36年院賞大観賞、同39年文部大臣賞を受賞し同人になった。同53年総理大臣賞を受賞した。平成8年フランスのレジオン・ドヌール勲章、同10年文化勲章を受章した。東京藝大学長・日本美術院理事長を務めた。

広島晃甫（ひろしまこうほ）
明治22年（一八八九）～昭和26年（一九五一）
徳島に生れた。本名は新太郎。別号滉人。明治45年東京美術学校日本画科を卒業。大正8年、翌9年帝展で特選。昭和3年より帝展審査員を務めた。

広田多津（ひろたたづ）
明治37年（一九〇四）～平成3年（一九九一）
京都に生れ、同地で歿。最初は竹内栖鳳に学び、後に西山翠嶂に師事した。昭和14年文展で特選。同21年日展で特選を受賞した。同30年上村松園賞を受賞した。同49年創画会の創立会員になった。裸婦・舞妓などをモチーフに女性美を追求した。昭和53年京都市文化功労賞を受賞した。

福井江亭（ふくいこうてい）
慶応元年（一八六五）～昭和12年（一九三七）
江戸に生れた。川端玉章に師事し丸山派を学んだ。明治から大正にかけて新しい日本画の在り方を模索し、明治25年寺崎広業、梶田半古らと日本青年絵画協会を設立。同33年結城素明・平福百穂らと無声会を結成した。同41年東京美術学校教授になった。

福王寺法林（ふくおうじほうりん）
大正9年（一九二〇）～平成24年（二〇一二）
山形県米沢市に生れ、東京で歿。昭和11年上京し、田中青坪に師事した。院展に出品を重ね、同35年日本美術院同人になった。同44年総理大臣賞、同51年芸術選奨文部大臣賞を受賞した。同59年日本芸術院賞を受賞し、平成6年日本芸術院会員になった。同10年文化功労者、同16年文化勲章を受賞した。

福田豊四郎（ふくだとよしろう）
明治37年（一九〇四）～昭和45年（一九七〇）
秋田県小坂に生れ、東京で歿。本名は豊城。京都市立絵画専門学校を卒業。土田麦僊に師事した。昭和13年新美術人協会、同23年創造美術を創立し、同26年新制作協会日本画部へと発展した。

福田眉仙（ふくだびせん）
明治8年（一八七五）～昭和38年（一九六三）
兵庫県に生れた。久保田米僊・橋本雅邦に師事した。絵画共進会や内国勧業博覧会などに出品した。明治42年中国に渡り、南宋画の研究をした。山水風景を得意とした。

福田平八郎（ふくだへいはちろう）
明治25年（一八九二）～昭和49年（一九七四）
大分市に生れ、京都で歿。大正7年京都市立絵画専門学校を卒業。最初は円山四条派系の写生から、次第に清新な感覚の装飾的傾向となり、更に象徴性のある作品を発表した。帝国芸術院会員。後に日本芸術院会員。第1回毎日美術賞受賞。昭和36年文化勲章を受章した。

堀　文子（ほりふみこ）
大正7年（一九一八）～平成30年（二〇一八）
東京で生れ、神奈川県平塚市で歿。昭和15年女子美術専門学校を卒業。同49年創画会の結成に参画した。同年多摩美術大学の教授に就任した。日本画の他に装幀や随筆でも多くの作品を発表した。

ま

前田青邨（まえだせいそん）
明治18年（一八八五）～昭和52年（一九七七）
岐阜県中津川に生れ、東京で歿。本名は廉造。明治34年上京して梶田半古に師事した。安田靫彦・今村紫紅らの研究団体・紅児会に加わって、新傾向の研究に励み、大正元年第6回文展『御輿振』（東京国立博物館）によって画名を知られた。大正3年日本美術院が再興されると同展に出品して、同人に推された。明快暢達の筆致や手法によって、歴史画から肖像画・花鳥画と幅広い作域を示し、豊麗な画境を築いた。昭和12年帝国芸術院会員、同19年帝室技芸員、同26年から34年まで東京藝術大学教授を務め、同30年文化勲章を受章した。また法隆寺金堂壁画再現事業や高松塚古墳壁画描写の指導にもあたった。

松尾敏男（まつおとしお）
大正15年（一九二六）～平成28年（二〇一六）
長崎に生れ、神奈川で歿。昭和18年堅山南風に師事し、院展に出品を重ねた。同46年山種美術館賞展で優秀賞を受賞、翌47年芸術選奨文部大臣新人賞、同50年院展で文部大臣賞を受賞した。同54年芸術院賞を受賞して、平成6年芸術院会員になった。同12年文化功労者、同24年文化勲章を受章した。院展理事長を務めた。

松岡映丘（まつおかえいきゅう）
明治14年（一八八一）～昭和13年（一九三八）
兵庫県神崎郡に生れ、東京で歿。本名は輝夫。民族学者柳田国男の弟。狩野派を橋本雅邦に、住吉派を山名貫義に学び古典を研究した。明治37年東京美術学校を卒業し、昭和10年まで東京美術学校の教授を務めた。大正5年第10回文展から特選を3回続けて受賞した。同5年金鈴社を組織し、同10年新興大和絵を標傍して新興大和絵会を結成した。昭和4年第10回帝展に出品した『平治の重盛』で帝国美術院賞を受けた。翌5年帝国美術院会員。

松林桂月（まつばやしけいげつ）
明治9年（一八七六）～昭和38年（一九六三）
山口県萩に生れ、東京で歿。本名は伊藤篤。明治26年上京して野口幽谷に南画を学んだ。同29年日本美術協会展で受賞、同36年東京南宗画会委員、文展で受賞を重ね、後に帝展と文展の審査員となった。昭和7年帝国美術院会員。帝室技芸員、日本美術協会理事長・日展理事を務めた。同33年文化勲章受章。

松本哲男（まつもとてつお）
昭和18年（一九四三）～平成24年（二〇一二）
栃木県佐野市に生れ、宇都宮市で歿。最初は塚原哲夫に師事し、宇都宮大を卒業。その後、今野忠一に師事し院展に出品を重ねた。昭和49年・同51年日本美術院賞を受賞し、同58年同人になった。平成5年総理大臣賞を受賞した。

松本楓湖（まつもとふうこ）
天保11年（一八四〇）～大正12年（一九二三）
茨城県稲敷郡に生れ、東京で歿。本名は敬忠。別号は安雅堂。最初は江戸琳派の沖一峨の門に入り洋峨と号し、後に文晁派の佐竹永海に師事し、号を永峨と改めた。菊池容斎の「前賢故実」に影響され、容斎の画風を慕ってその門に入り楓湖と号した。明治14年宮内省出版の「幼学綱要」や同20年「婦女鑑」の挿絵も手がけ、明治期の挿絵界に大きな影響を与えた。東洋絵画共進会・内国勧業博覧会・文展などの審査員を務めた。同31年日本美術院の創立に加わった。

窯本一洋（まつもといちよう）
明治26年（一八九三）～昭和27年（一九五二）
京都に生れた。京都絵画専門学校を卒業。その後山元春挙・川村曼舟に師事した。昭和2年と翌3年帝展で特選。同8年より帝展審査員を務めた。大和絵・風景画を得意とした。

丸木位里（まるきいり）
明治34年（一九〇一）～平成7年（一九九五）
広島県に生れ、埼玉県で歿。田中頼璋、川端龍子に日本画を学び、水墨画に抽象的表現を持ち込んだ独自の画風を確立し、美術文化協会を中心に活躍した。昭和16年に洋画家の俊と結婚。原爆で父を失った広島に入り救援活動に参加した。同22年頃から、この惨状を後世に伝えようと、戦争を告発する「原爆の図」の制作を夫婦共同で始めた。連作は同57年に完成した「長崎」まで15部に及んでいる。

三谷十糸子（みたにとしこ）
明治37年（一九〇四）～平成4年（一九九二）
兵庫県神戸に生れ、東京で歿。女子美術専門学校を卒業し、西山翠嶂に師事した。昭和7年、翌8年帝展で特選をとった。同39年日展で文部大臣賞を受賞した。一貫して少女を描き、従来の美人画とは一線を画した清楚でモダンな人物画を得意とした。同44年日本芸術院賞を受賞した。女子美術大学学長も務めた。

三輪晁勢（みわちょうせい）
明治34年（一九〇一）～昭和58年（一九八三）
新潟に生れ、京都で歿。大正13年京都市立絵画専門学校を卒業。堂本印象に師事した。昭和2年第8回帝展初入選。同6年第12回帝展、同9年第15回帝展で特選。戦後東丘社に入り、印象歿後は東丘社を主宰した。同37年日本芸術院賞受賞。華やかな花鳥画家として知られているが、人物画から風景画まで幅広い作域を示した。晩年は静かな風景画の世界と同時に、装飾性の強い花鳥画の世界を展開

した。同54年日本芸術院会員。京都府美術工芸功労者、京都市文化功労者。

三輪良平（みわりょうへい）

昭和4年（一九二九）～平成23年（二〇一一）

京都に生れ、同地で歿。京都市立絵画専門学校を卒業後、山口華楊の晨鳥社に入塾した。日展に出品を重ね、昭和31年・同35年に特選。同37年に菊華賞を受賞した。一貫して花街の舞妓など女性の情感美を描いた。日展評議員を務め、平成5年京都府文化功労賞を受賞した。

水野年方（みずのとしかた）

慶応2年（一八六六）～明治41年（一九〇八）

江戸神田に生れた。本名は粂次郎。最初は月岡芳年の門に入り、歌川派の錦絵を学び、後に南画を柴田芳州に師事した。明治20年頃から、やまと新聞の挿絵を担当。同24年富山県絵画共進会で受賞。以後日本美術協会・初期日本美術院、日本画会などの評議員や審査員を務めた。人物画のほか草木景色を研究して風景画を描いた。

箕輪芳二（みわよしじ）

大正15年（一九二六）～令和4年（二〇二二）

岐阜県岐阜市に生れ、同市内で歿。昭和27年院展に初入選、同56年日本美術院特待に推挙される。平成3年に岐萠会を結成。日本画や水墨画を指導した。同6年に県芸術文化顕彰、翌7年に岐阜市民栄誉賞。岐阜県日本画協会理事や市展審査員を務めた。日本人の心の原風景に向き合い、詩情あふれる風景画を手掛け上高地や尾瀬などの高原風景画を得意とした。

武者小路実篤（むしゃのこうじさねあつ）

明治18年（一八八五）～昭和51年（一九七六）

東京に生れ、同地で歿。明治35年学習院中等科6年の時、初めて志賀直哉を知り、生涯親交を結んだ。この頃から美術に深い関心を寄せた。同39年東京帝国大学社会科入学、翌40年中退。以後、創作活動に入った。同41年「荒野」を処女出版した。同43年雑誌「白樺」を創刊。セザンヌ・ロダン・ゴッホなど西洋近代美術を日本に初めて紹介し、美術界に決定的な影響を与えた。翌44年小説「お目出たき人」を刊行した。同年岸田劉生の知遇を得た。大正6年白樺美術館設立の運動を起こす。翌7年新しき村の建設に着手した。昭和2年雑誌「大調和」を創刊した。同12年日本芸術院会員となった。同14年東の新しき村を創設。同15年小説「愛と死」で菊池寛賞を受賞した。同21年日本芸術院会員を辞任。同26年文化勲章を授章した。翌27年日本芸術院会員に再選された。

向井久万（むかいくま）

明治41年（一九〇八）～昭和62年（一九八七）

大阪に生れ、鎌倉で歿。京都高工芸図案科を卒業した。その後西山翠嶂に師事した。文展に出品し昭和16年・同18年・同19年と特選を受賞した。創画会の創立に参加して会員になった。

村上華岳（むらかみかがく）

明治21年（一八八八）～昭和14年（一九三九）

大阪に生れ、神戸で歿。旧姓武田。本名は震一。京都市立美術工芸学校、京都市立絵画専門学校を卒業。明治44年卒業制作の『二月の頃』（京都市立芸術大学）を第5回文展に出品褒状、大正5年第10回文展で『阿弥陀三尊』が特選。同7年土田麦僊・榊原紫峰らと国画創作協会を結成。山水と仏画を主題とした作品を多く描き、東西の様式を吸収しつつ更に宗教的境地から生れる芸術性の高い、神秘的な日本画を示した。

村松乙彦（むらまつおとひこ）

大正元年（一九一二）～昭和58年（一九八三）

愛知県北設楽郡に生れ、東京で歿。昭和10年日本美術学校を卒業。児玉希望に師事した。同15年から同17年まで海洋美術展で連続して受賞した。以後、日展に入選を続け、同25年第5回日展、同27年第7回日展で特選を受けた。日展会員、審査員を務めた。

村山　徑（むらやまけい）
大正6年（一九一七）～昭和62年（一九八七）
新潟県柏崎市に生れ、神奈川県湯河原で歿。昭和10年児玉希望に師事した。同18年第7回新文展で初入選、同33年第1回新日展、翌34年第2回新日展で続けて特選・白寿賞を受け、同36年第4回新日展で菊華賞を受けた。同39年日展審査員を務め、以後もたびたび日展審査員を務めた。同47年日展評議員。同53年第10回日展で内閣総理大臣賞を受賞。同59年『冠』で芸術院賞恩賜賞受賞。

望月金鳳（もちづききんぽう）
弘化3年（一八四六）～大正4年（一九一五）
大阪に生れた。幼年より森二鳳に円山派を学び、後に四条派の西山完瑛に師事した。明治41年から同47年まで文展の審査員を務めた。花鳥、動物画を主に描き、特に狸が得意であった。

望月春江（もちづきしゅんこう）
明治26年（一八九三）～昭和54年（一九七九）
山梨県西山梨郡に生れ、東京で歿。本名は尚（ひさし）。東京美術学校卒業。結城素明に師事。大正10年第3回帝展初入選、昭和3年第9回帝展、翌4年第10回帝展で特選を受けた。同12年近藤浩一路らと山梨美術協会結成に参加。翌13年川崎小虎らと日本画院を創立した。同33年日本芸術院賞受賞。同50年山梨県特別文化功労者に選ばれた。一貫して花鳥を主題とした作品を描いた。

守住貫魚（もりずみつらな）
文化6年（一八〇九）～明治25年（一八九二）
徳島に生れた。渡辺広輝につき、その後、住吉派の住吉弘貫に師事した。明治15年絵画共進会に出品した。同17年同会に『宇治川先陣図』などを出品して金賞となった。紫宸殿の賢聖障子に『朝賀の図』を描き有名になった。同23年帝室技芸員になる。

守屋多々志（もりやただし）
大正元年（一九一二）～平成15年（二〇〇三）
岐阜県大垣市に生れ、神奈川県鎌倉で歿。昭和5年上京し、前田青邨に師事した。同11年東京美術学校を卒業。同16年院展に初入選。以後院展を中心に活躍した。平成8年文化功労者。同13年文化勲章を受章した。空海・天草四郎ら日本の歴史上の人物を題材に徹底した時代考証を行って描いた。

森　寛斎（もりかんさい）
文化11年（一八一四）～明治27年（一八九四）
長門萩（現山口県萩市）に生れた。幼名は幸吉。名は公粛。旧姓は石田。大阪に出て森徹山に師事し、後に養子となって寛斎と号した。幕末に勤皇討幕の運動に参加。維新後は円山派の重鎮として活躍し、円山四条派の正流を後世に伝えた。また京都府画学校教授を務めるなど教育者としても優れていた。明治23年帝室技芸員。

森　白甫（もりはくほ）
明治31年（一八九八）～昭和55年（一九八〇）
東京に生れ、同地で歿。本名は喜久雄。荒木十畝に師事して読画会に入った。大正14年第6回帝展初入選、昭和6年第12回帝展、同8年第14回帝展で特選。同13年から審査員を歴任し、日展参与。同33年日本芸術院賞を受賞。特に花鳥画を得意とした。同53年日本芸術院会員。同25年から多摩美術大学教授を務め、後進の指導に尽くした。著書に『日本画の新技法』がある。

森田曠平（もりたこうへい）
大正5年（一九一六）～平成6年（一九九四）
京都に生れ、横浜で歿。最初は関西美術院で洋画を学んだ。昭和15年小林柯白に師事し日本画を学ぶ。同18年院展初入選。同年安田靫彦の門下となる。同40年、同43年日本美術院賞大観賞を受賞し、同人になった。歴史や古典に主題を求め、舞妓・大原女など独自の画風の作品を発表した。

森田沙伊（もりたさい）
明治31年（一八九八）～平成5年（一九九三）
北海道に生れ、東京で歿。東京美術学校を

卒業後、帝展・新文展に出品した。昭和20年頃から日展に出品を続けた。同34年日本芸術院賞を受賞。同50年日本芸術院会員になる。日展顧問を務めた。

森田恒友（もりたつねとも）
明治14年（一八八一）〜昭和8年（一九三三）
埼玉県に生れ、千葉市で歿。小山正太郎の不同舎で学んだ後に明治39年東京美術学校を卒業。石井柏亭・山本鼎と共に美術雑誌「方寸」を創刊し、多くの挿絵を発表する傍らに文展にも出品した。大正3〜4年にかけてヨーロッパ留学し、セザンヌの影響を強く受け、帰国後は日本美術院洋画部同人となり、同部解散後は春陽会の創立に加わった。中期以降は、多くの水墨の田園風景を描いた。

や

矢沢弦月（やざわげんげつ）
明治19年（一八八六）〜昭和27年（一九五二）
長野県に生れた。名は貞則。明治44年東京美術学校日本画科を卒業した。その後寺崎広業に師事した。大正8年帝展で特選。同13年帝展委員になり、審査員も務めた。

矢野橋村（やのきょうそん）
明治23年（一八九〇）〜昭和40年（一九六五）
愛媛県越智郡に生れ、大阪府豊中市で歿。本名は一智、別号に知道人がある。永松春洋に南画を学んだ。文展に出品。大正8年直木三十五らと美術文芸研究を目指す主潮社を興した。同13年大阪美術学校を設立。昭和36年日本芸術院賞を受賞した。

安田半圃（やすだはんぽ）
明治22年（一八八九）〜昭和22年（一九四七）
新潟県に生れた。最初は児玉果亭、姫島竹外に学び、後に水田竹圃に師事した。文展、帝展に入選した。大正10年日本南画院の創立に参加して同人となった。山水画を得意とした。

安田靫彦（やすだゆきひこ）
明治17年（一八八四）〜昭和53年（一九七八）
東京で生れ、神奈川県大磯で歿。本名は新三郎。小堀鞆音に師事。明治31年紫紅会を結成、同34年今村紫紅を加えて紅児会と改称した。同年東京美術学校を中退。最初は初期院展・文展に出品したが、同41年国画玉成会を組織し、その展覧会に『守屋大連』『夢殿』（東京国立博物館）などで歴史人物の個性的な新表現が注目を浴びた。日本美術院の再興にあたって同人として参加し、以後大正・昭和時代の画壇に多くの名作を発表して近代日本画の水準を示す存在となった。昭和9年帝室技芸員、翌10年帝国美術院会員、後に帝国芸術院会員、日本美術院会員となり、同19年から同26年まで東京美術学校教授を務めた。同23年文化勲章を受章した。

山内多聞（やまうちたもん）
明治11年（一八七八）〜昭和7年（一九三二）
宮崎県に生れた。最初は狩野派の中原南渓に学んだ。明治32年上京し橋本雅邦につき、後に川合玉堂に師事した。同36年日本絵画協会展に出品。同40年より文展に出品した。大正9年から帝展の審査員を務めた。

山岸純（やまぎしじゅん）
昭和5年（一九三〇）〜平成12年（二〇〇〇）
京都で生れ、同地で歿。昭和28年京都市立美術大学を卒業。同30年専攻科を修了し、徳岡神泉に師事した。同36年同40年日展特選。同50年文部大臣賞を受賞。平成4年芸術院賞を受賞し、同11年芸術院会員になった。日展常務理事を務めた。

山口華楊（やまぐちかよう）
明治32年（一八九九）〜昭和59年（一九八四）
京都で生れ、同地で歿。本名は米次郎。西村五雲に師事し、大正5年京都市立絵画専門学校選科に入り、同年文展に初入選した。以後官展に出品を続け、動物を主題とした多くの秀作を発表した。昭和46年日本芸術院会員となり、同56年文化勲章を受章した。

山口蓬春（やまぐちほうしゅん）
明治26年（一八九三）〜昭和46年（一九七一）
　北海道松前に生まれ、神奈川県葉山で歿。本名は三郎。東京美術学校洋画科から転じて日本画科を卒業。松岡映丘に師事し、大和絵運動に参加。福田平八郎・木村荘八らと共に結成した《六潮会》時代には写生を追求。昭和25年日本芸術院会員となり、同40年文化勲章を受章した。

山下関城（やましたかんじょう）
明治43年（一九一〇）〜平成3年（一九九一）
　香川県に生れ、京都で歿。本名関太郎。昭和13年京都市立絵画専門学校を卒業後、山元春挙・高橋秋華に師事した。団体や塾に所属せず、個展を中心に作品を発表した。鯉の絵を得意とした。

山田敬中（やまだけいちゅう）
明治元年（一八六八）〜昭和9年（一九三四）
　東京浅草に生れた。名は忠蔵。別号可得。川端玉章に師事し、岡倉天心の日本青年絵画会や日本美術院創立に参加した。明治42年から文展に出品した。大正14年帝展委員になった。東京美術学校教授、金沢工業学校教授・川端学校教授などを務めた。

山田申吾（やまだしんご）
明治41年（一九〇八）〜昭和54年（一九七九）
　東京に生れ、同地で歿。昭和6年東京美術学校卒業。研究科に進み、結城素明に師事した。在学中の昭和5年第11回帝展初入選、同25年第6回帝展、同28年第9回日展特選、同35年第3回新日展文部大臣賞を受賞。この間、日展審査員・会員・評議員を務めた。昭和38年日本芸術院賞を受賞した。同44年日展理事。

山村耕花（やまむらこうか）
明治19年（一八八六）〜昭和17年（一九四二）
　東京に生れ、同地で歿。本名は豊成。最初は尾形月耕に学び、後に東京美術学校を卒業した。文展に出品、大正5年院展同人となった。以後、風俗人物画に新境地を開き活躍。また版画や舞台美術も手掛け、未開拓であった中国古陶の美を逸早く認めた。

山本丘人（やまもときゅうじん）
明治33年（一九〇〇）〜昭和61年（一九八六）
　東京下谷に生れ、神奈川県大磯町で歿。本名は正義。大正13年東京美術学校卒業。木の華社に入門して松岡映丘に師事。新興大和絵運動に参加。昭和3年帝展初入選、同11年文展特選。同23年上村松篁らと共に創造美術協会を結成し、後に新制作派協会と合流。同49年新制作協会を退会し、創画会を設立した。この間一貫して日本画の革新運動の指導者的立場として活躍した。同39年日本芸術院会員。同52年文化勲章を受章した。

山元櫻月（やまもとおうげつ）
明治20年（一八八七）〜昭和60年（一九八五）
　滋賀県大津に生れ、東京で歿。明治36年叔父山元春挙に師事した。最初は春汀と号した。大正3年文展に初入選。翌4年文展で褒状を受けた。同6年以降文展・帝展に入選を重ねた。昭和8年師春挙の歿後、櫻月に号を改めた。同10年帝展を退会し、展覧会出品から離れ、主に富士山を描き続けた。東京国立近代美術館・ルーブル美術館・宮中新宮殿などに収蔵されている。

山元春挙（やまもとしゅんきょ）
明治5年（一八七二）〜昭和8年（一九三三）
　滋賀県膳所に生れ、京都で歿。本名は金右衛門。野村文挙・森寛斎に円山派を学んだ。京都画壇では竹内栖鳳と並び称せられ、風景画を得意とし、円山派の写生に洋画の手法を取り入れた山水画を描いた。京都市立絵画専門学校教授を務め、帝室技芸員・帝国美術院会員となった。

山本倉丘（やまもとそうきゅう）
明治26年（一八九三）〜平成5年（一九九三）
　高知県に生れ、京都で歿。京都市立絵画専門学校を卒業後、堂本印象に師事した。大正

15年帝展初入選。昭和41年日本芸術院賞を受賞。同63年京都府文化賞特別功労者賞を受賞した。東丘社を率い、四条派の伝統の上に近代的な様式を加えた花鳥画を描いた。

結城素明（ゆうきそめい）
明治8年（一八七五）～昭和32年（一九五七）
　東京に生れ、同地で歿。本名は貞松。川端玉章に入門、後に東京美術学校を卒業。自然主義を標榜し、无声会を結成、また金鈴社を創立した。文展・帝展で活躍し、早くから日本画に洋画の手法を導入した。大正14年帝国美術院会員、後に帝国芸術院会員・日本芸術院会員となった。著書に『東京美術家墓所誌』などがある。

横山大観（よこやまたいかん）
明治元年（一八六八）～昭和33年（一九五八）
　水戸に生れ、東京で歿。旧姓酒井、本名は秀麿、後に母方の横山姓を継ぐ。最初は東京英語学校に学び、明治22年東京美術学校に第一期生として入学し、橋本雅邦・岡倉天心の指導を受けた。同26年卒業制作の『村童観猿翁』は好評だった。同28年京都市美術工芸学校教諭、翌29年東京美術学校教授。同31年天心と共に東京美術学校を辞職し、日本美術院の創立に参加した。大正3年日本美術院を再興し、天心の遺志実現に務めた。昭和6年帝室技芸員。同10年帝国美術院会員、後に帝国芸術院、日本芸術院会員となり、同25年同会員を辞退。同12年文化勲章を受章した。

横山操（よこやまみさお）
大正9年（一九二〇）～昭和48年（一九七三）
　新潟県西蒲原郡に生れ、東京で歿。昭和14年川端画学校に学び、翌15年青龍社展に入選。同年応召、同25年復員。以後青龍社に『炎々桜島』（新潟県美術博物館）、『塔』（東京国立近代美術館）などを出品、大胆な構図で新風を吹きこんだ。同37年青龍社を脱退、同40年多摩美術大学教授。

吉岡堅二（よしおかけんじ）
明治39年（一九〇六）～平成2年（一九九〇）
　東京に生れ、東京で歿。大正10年野田九浦に師事した。昭和元年帝展初入選。同5年第11回帝展、同8年第14回帝展で特選となる。一方で日本画革新運動に加わり、新日本画研究会や新美術人協会などを結成。第二次大戦後の同23年創造美術を結成し日展を離れた。同26年第2回毎日美術賞、芸術選奨文部大臣賞を受賞する。同34年から同44年まで東京藝術大学教授。同41年東京藝術大学中世オリエント遺跡学術調査団の一員として派遣された。同46年日本芸術院賞を受賞する。

吉田登穀（よしだとうこく）
明治16年（一八八三）～昭和37年（一九六二）
　千葉県に生れた。最初は岡田華亭に学んだが大正2年松林桂月に師事した。昭和21年日展で入選。同27年日展審査員になり、同34年評議員になった。

吉田善彦（よしだよしひこ）
大正元年（一九一二）～平成14年（二〇〇二）
　東京に生れ、同地で歿。昭和4年速水御舟に師事し、後に小林古径に学んだ。同13年院展に初入選。同28年安田靫彦に師事し、同32年に院展奨励賞を受賞。同37年に美術院賞を受賞した。同39年同人に推挙された。同48年文部大臣賞、同56年総理大臣賞を受賞した。翌57年毎日芸術賞・日本芸術院恩賜賞を受賞した。東京藝大教授・日本美術院理事を務めた。

渡辺省亭（わたなべしょうてい）
嘉永4年（一八五二）～大正7年（一九一八）
　江戸に生れ、東京で歿。本名は良助。菊池容斎に師事した。明治11年パリ万国博覧会などで受賞。花鳥画を得意とし、特に『花鳥画譜』はよく知られている。

Memo

明治以降物故洋画家

あ

安食一雄（あじきかずお）
昭和11年（一九三六）～平成27年（二〇一五）
東京に生れ、埼玉県所沢で歿。昭和28年東郷青児に師事した。二科展に出品を重ね、同45年会員になった。同51年二科展青児賞を受賞した。同54年サロン・ドートンヌ会員になった。

安宅安五郎（あたかやすごろう）
明治16年（一八八三）～昭和35年（一九六〇）
新潟市に生れ、明治45年東京美術学校を卒業。在学中から文展に出品し入選を重ねた。大正元年第6回文展、翌2年第7回文展で褒状を受け、同9年第2回帝展、同11年第4回帝展で特選となった。以後、審査員をたびたび務めた。

足立源一郎（あだちげんいちろう）
明治22年（一八八九）～昭和48年（一九七三）
大阪に生れ、神奈川県鎌倉市で歿。明治38年京都市美術工芸学校に入学。翌39年関西美術院開設と共に浅井忠に学んだ。同41年上京して太平洋画会研究所に学んだ。大正11年春陽会の創立に参加。以後、春陽会会員として活躍。同11年日本山岳画協会を創立。人物画、静物画を得意とした。

足立真一郎（あだちしんいちろう）
明治37年（一九〇四）～平成6年（一九九四）
栃木県足利市に生れ、神奈川県鎌倉で歿。昭和8年帝展初入選。光風会展で受賞。同11年日本美術学校を卒業。同21年光風会会員になる。山岳画家として、日本各地の山に登り足跡を残した。特に北アルプスを愛し、長野県白馬村にアトリエを構え、制作をした。光風会名誉会員・日本山岳画協会名誉会員となった。

阿部展也（あべのぶや）
大正2年（一九一三）～昭和46年（一九七一）
新潟県に生れ、ローマで歿。独学で絵画を習得。最初に前衛写真を撮っていたが、次第に超現実主義的絵画を描いた。昭和2年独立美術協会に初入選、以後同会展に作品を発表した。同13年創紀美術協会に参加。翌14年美術文化協会の結成に加わったが、同27年に退会。同34年イタリアに定住した。幾何学的抽象画を制作した。

靉光（あいみつ）
明治40年（一九〇七）～昭和21年（一九四六）
本名は石村日郎。広島県壬生町に生れ、上海で歿。大正12年大阪に出て、天彩画塾に学ぶ。靉川光郎と名乗った。同14年上京し、太平洋画会研究所に入り、画友と自由な生活を謳歌しながらマチス・ゴッホ・ルオーなどの影響を受け、宋元画にも傾いていった。同15年二科展に『静物』が初入選、以後二科展・太平洋画会展・中央美術展・一九三〇年協会展・独立美術協会展などに出品。昭和4年グループ洪原会を結成。宋元画を基調とする細密描写はシュールレアリズム風の性格を見せ、暗い時代の不安と危機の意識の反映を表現した『眼のある風景』（東京国立近代美術館）を発表した。同18年新人画会を結成して『自画像』（東京国立美術館）を出品した。同19年召集を受け、上海で戦病死。

相原求一朗（あいはらきゅういちろう）
大正7年（一九一八）～平成11年（一九九九）
埼玉県川越市に生れ、同地で歿。昭和23年猪熊弦一郎に師事し、同25年新制作展に初入選した。同38年新作家賞を受賞。同43年新制作協会会員になった

青木繁（あおきしげる）
明治15年（一八八二）～明治44年（一九一一）
久留米市に生れ、福岡市で歿。上京して不同舎で小山正太郎の指導を受け、明治33年東京美術学校の洋画科選科に進んだ。明治36年第8回白馬会展『黄泉比良坂』（東京藝術大学）で第1回白馬会賞を受賞。翌37年東京美術学校を卒業。『海の幸』（東京・ブリヂストン美術館）を同年白馬会展に出品。同40年東京府勧業博覧会に『わだつみのいろこの宮』（ブ

リヂストン美術館）を出品し、三等賞を受けた。その美しい色調と浪漫的な作風は、当時の画壇では受け入れられず、戦後になって評価されるようになった。

青山熊治（あおやまくまじ）
明治19年（一八八六）～昭和7年（一九三二）

兵庫県生野町に生れる。本名は熊次。明治36年岡田三郎助に学び、翌37年東京美術学校入学。在学中の同40年東京府勧業博覧会で二等賞、同43年卒業制作の『アイヌ』を第13回白馬会展に出品して白馬会賞を受賞したが、病のため東京美術学校を中退。同15年第7回帝展で特選。帝国美術院賞受賞。帝展審査員を務め、重厚にして清楚な画境を展開した。昭和4年第一美術協会を創立した。

青山文治（あおやまぶんじ）
大正15年（一九二六）～令和元年（二〇一九）

千葉県船橋市で生れ、奈良県天理市で歿。昭和22年武蔵野美術学校で三岸節子に学び、その後、国画会会員の椿貞雄に師事した。平成11年近代美術協会展で国際芸術栄誉賞を受賞。白日会展に出品を重ねた。

青山義雄（あおやまよしお）
明治27年（一八九四）～平成8年（一九九六）

神奈川県に生れ、同地で歿。明治44年日本水彩画会研究所に学んだ。大正10年フランスに渡りマティスに師事した。平成5年中村彝賞を受賞した。国画会客員でもあった。

赤城泰舒（あかぎやすのぶ）
明治22年（一八八九）～昭和30年（一九五五）

水彩画家　静岡県駿東郡に生れ、東京で歿。明治39年大下藤次郎の内弟子となり、太平洋画会研究所・日本水彩画研究所で学んだ。文展・帝展・日展・二科展・光風会展などに出品し、文展審査員を務めた。大正2年日本水彩画会を改組。光風会会員にもなった。平明な自然描写で秀作を遺した。

赤松麟作（あかまつりんさく）
明治11年（一八七八）～昭和28年（一九五三）

岡山県津山市に生れ、大阪で歿。山内愚僊に学び、後に黒田清輝に師事した。明治33年東京美術学校卒業。同40年赤松洋画塾を開設。この間、第2回白馬会展より出品し、第6回白馬会展で白馬会賞を受賞。同41年からは文展に出品。大正7年光風会会員。同12年大阪市美術協会会員。昭和12年関西女子美術学校校長などを務め、後進の育成にも尽力した。

朝井閑右衛門（あさいかんうえもん）
明治34年（一九〇一）～昭和58年（一九八三）

大阪に生れ、神奈川県鎌倉市で歿。法政大学文学部を卒業し、独学で油絵を研究した。昭和元年第13回二科展初入選。同9年光風会展入選。同11年文展『丘の上』で文部大臣賞を受賞。同13年新文展審査員、同22年光風会を退会し、新樹社を結成した。同37年国際形象展が組織され、同人となった。

朝比奈隆（あさひなたかし）
昭和7年（一九三二）～令和3年（二〇二一）

広島県広島市で生れ、千葉県で歿。昭和26年中央大学に入学も在学中に行動展出品、渡米。昭和34～36年 ART STUDENT OF N.Y（HARRY STINEBERRG 教室）修了しニューヨーク州祭典大賞・知事買上賞受賞。同37年 PRATT INSTITUTE 版画工房でセリグラフ（シルクスクリーン）を制作開始。同43年フランスのムック画廊他で個展。その後シアトル美術館永久コレクション買上げ、ボストン版画展、アメリカ版画協会展他で活躍。同46年渡仏。平成元年から睦沢町にアトリエを構え在住。他に、洋画作品を原本としてインクジェットプリンターで限定制作するジークレー版画を制作した。

朝比奈文雄（あさひなふみお）
大正3年（一九一四）～平成4年（一九九二）

東京で生れ、同地で歿。昭和8年光風会展初入選。同17年日展初入選。同24年特選。同35年菊華賞を受賞。同43年評議員になる。同56年小絲源太郎門下生らで絲門会を結成した。写実主義及び現場主義を最後まで押し通した。

浅井　忠（あさいちゅう）
安政3年（一八五六）～明治40年（一九〇七）
江戸に生れ、京都で歿。号は黙語・木魚。佐倉藩の画家の黒沢槐山に付いて日本画を学び、明治8年彰技堂で国沢新九郎の指導を受け、同9年工部美術学校に入学、アントニオ・フォンタネージに薫陶を受けた。同31年東京美術学校教授となり、同33年フランスに留学、同35年帰国した。同年京都高等工芸学校教授となり京都に移った。関西洋画界はにわかに活気を呈した。聖護院洋画研究所を設け、後に関西美術院に発展して院長となった。詩情あふれる自然主義の作風で知られ、また教育家としても優れていた。

芦田芳生（あしだよしお）
大正14年（一九二五）～平成22年（二〇一〇）
京都に生れ、同地で歿。昭和27年光風会展入選、同34年日展入選。以後出品を重ね、同38年光風会会員、同51年日展会友になった。同54年光風会を退会し、個展を中心に作品を発表した。

麻生三郎（あそうさぶろう）
大正14年（一九二五）～平成22年（二〇一〇）
東京に生れ、同地で歿。同舟舎絵画研究所・太平洋美術学校で学んだ。昭和13年渡欧し、フランス・ベルギー・イタリアを巡歴した。翌14年美術文化協会を結成。同22年自由美術会に参加した。日本国際美術展などにも出品した。同37年芸術選奨を受賞。同39年自由美術会を退会し、その後は個展を中心に作品を発表した。

荒谷直之介（あらたになおのすけ）
明治35年（一九〇二）～平成6年（一九九四）
富山市に生まれた。大正3年画家を志し上京。同7年赤城泰舒に水彩画を学んだ。同9年葵橋洋画研究所に入り、黒田清輝に師事した。昭和11年新文展に入選。同14年から一水会展にも出品した。翌15年小堀進らと水彩連盟を結成した。日展参与、一水会常任委員を務めた。

有岡一郎（ありおかいちろう）
明治33年（一九〇〇）～昭和41年（一九六六）
京都に生れ、神奈川で歿。本郷洋画研究所で学び、岡田三郎助に師事した。大正8年第一回帝展から入選を重ね、昭和9年特選を受賞した。日展でも出品を重ねたが、同25年退会し立軌会会員になった。

有島生馬（ありしまいくま）
明治15年（一八八二）～昭和49年（一九七四）
横浜に生れ、神奈川県鎌倉で歿。本名は壬生馬（みぶま）。学習院在学中より文学に親しんだ。明治37年東京外国語学校イタリア語科を卒業と同時に藤島武二に師事した。同39年パリに赴き、ラファエル・コランやブリネーらの指導を受けた。この間に後期印象派の影響を受けた。同43年帰国、雑誌『白樺』の創刊に参加し、小説を発表する一方、画家としても滞欧作を纏めて発表し精力的な活動を開始した。大正2年二科会の創立に参加。昭和10年帝国美術院会員となった。同12年一水会の創立に尽力。同年帝国芸術院会員。同39年文化功労者に選ばれた。作風は終生おおらかな写実を基調とし、調和を重んじる作風だった。

有元利夫（ありもととしお）
昭和21年（一九四六）～昭和60年（一九八五）
岡山県津山市に生れ、東京で歿。昭和48年東京藝術大学デザイン科卒業。在学中の同46年初めての海外旅行で、イタリアの伝統芸術フレスコ画に出会い、日本の仏画に共通する物を見出して岩絵具や箔の技法を学んだ。同52年『誕生』（箱根・彫刻の森美術館）を発表、翌53年『花降る日』『古曲』で第21回安井賞特別賞を受賞。同56年『室内楽』（東京国立近代美術館）で第24回安井賞を受賞。同59年第1回青年画家展優秀賞を受賞。

井手宣通（いでのぶみち）
明治45年（一九一二）～平成5年（一九九三）
熊本県で生れ。東京で歿。昭和5年東京美術学校西洋画科に入学。小絲源太郎に師事。

在学中に帝展と光風会展に出品した。同10年卒業。同年彫刻科に再入学し、朝倉文夫・北村西望に師事した。同22年朝井閑右衛門らと新樹会も創立した。人物画、風景画を経て、同37年頃から「祭シリーズ」を描き高い評価を得た。同39年第7回日展で文部大臣賞。同41年日本芸術院賞を受賞。同44年日本芸術院会員になった。同52年日洋展を創立し、運営委員長に就任。平成2年文化功労者に選ばれた。同3年日展理事長に就任した。

井上覚造（いのうえかくぞう）
明治38年（一九〇五）～昭和55年（一九八〇）
大阪に生れ、同地で歿。小出楢重に師事して二科展に出品した。後に二科会会員になった。その間渡欧してサロン・ドートンヌにも出品し会員になった。二科会常務理事も務めた。

井上長三郎（いのうえちょうざぶろう）
明治39年（一九〇六）～平成7年（一九九五）
兵庫県神戸市に生れ、東京で歿。大正12年太平洋画会で学んだ。昭和元年より二科会展に出品したが、その後独立美術展に出品し、同6年独立美術賞を受賞して、同8年独立美術会員になった。同20年自由美術協会会員になり以後自由美術展に出品を重ねた。

伊勢正義（いせまさよし）
明治40年（一九〇七）～昭和60年（一九八五）
秋田県に生れ、東京で歿。東京美術学校を卒業。藤島武二に師事した。帝展で特選。昭和11年小磯良平・猪熊弦一郎らと新制作協会を創立して会員になった。

伊谷賢蔵（いたにけんぞう）
明治35年（一九〇二）～昭和45年（一九七〇）
鳥取市に生れ、京都で歿。大正13年京都工芸高等学校図案科を卒業。昭和元年黒田重太郎に師事した。同6年二科展二科賞を受賞。同14年二科展会友優秀賞を受け、同16年二科会会員となった。同20年行動美術協会を結成し、創立会員。同23年全関西行動美術展を結成。同27年から同40年まで京都学芸大学教授、同43年京都精華短期大学教授を務めた。

伊藤應久（いとうおうきゅう）
明治40年（一九〇七）～平成6年（一九九四）
岩手県に生れ、東京で歿。東京美術学校を卒業後、小絲源太郎に師事した。帝展・文展・日展に出品を重ね、特選を受賞。光風会展でレートン賞を受賞して会員になったが昭和41年退会した。翌42年からサロン・ドートンヌに出品し、同56年パリ賞一位金メダルを受賞して会員になった。

伊藤清永（いとうきよなが）
明治44年（一九一一年）～平成13年（二〇〇一）
兵庫県に生れ、東京で歿。昭和8年白日会10周年記念展に出品し、白日賞を受賞。同年帝展に初入選。同10年東京美術学校西洋画科を卒業。同11年文部選奨を受賞。白日会会員に推挙された。同22年23年日展で特選を連続受賞し、同51年総理大臣賞を受賞した。翌52年日展出品作が日本芸術院恩賜賞を受賞し、同59年日本芸術院会員に就任した。平成3年文化功労者に選ばれた。同8年文化勲章を受章した。日展顧問や白日会会長も務めた。

伊藤継郎（いとうつぐろう）
明治40年（一九〇七）～平成6年（一九九四）
大阪府に生れ、神戸で歿。大正10年天彩画塾に入り、後に赤松麟作に師事した。昭和5年二科展に入選。同22年から新制作展に出品を重ね会員になった。京都市立美大の教授を務めた。

伊藤快彦（いとうよしひこ）
慶応3年（一八六七）～昭和17年（一九四二）
京都で生れ、同地で歿。明治17年田村宗立に学び、同21年京都府立画学校を卒業後上京し小山正太郎・原田直次郎に師事した。関西美術院の経営に参加し、晩年には院長として後進の指導に力を尽くした。

伊藤　廉（いとうれん）
明治31年（一八九八）〜昭和58年（一九八三）
　名古屋に生れ、同地で歿。大正6年明治大学文学部、翌7年愛知県立医学専門学校に入学したが中退し、本郷絵画研究所に学んだ。同12年第10回二科展に初入選。同14年東京美術学校を卒業した。昭和5年第17回二科展に滞欧作が特別陳列され二科賞を受賞。また同年独立美術協会の創立に参加。同12年独立美術協会を退会。同18年国画会会員。同44年中日文化賞を受賞。

伊原宇三郎（いはらうさぶろう）
天保5年（一八九四）〜昭和51年（一九七六）
　徳島市に生れ、東京で歿。大正5年東京美術学校に入学し、藤島武二に師事した。同9年帝展に初入選し、昭和4年翌5年特選を受賞した。戦後は日展審査員を務めた。同24年日本美術家連盟の創立に参加して委員長を務めた。同35年フランス政府芸術文化勲章を受賞した。

飯塚隆雄（いいづかたかお）
明治43年（一九一〇）〜昭和61年（一九八六）
　愛知県豊橋市に生れ、千葉県船橋市で歿。昭和6年橋本八百二に師事し、油絵を志した。同25年日本水彩画会研究所に学び、同年第38回日本水彩展に初入選。同28年第41回日本水彩展白滝賞受賞。同30年第8回示現会展に初入選。同32年第13回日展初入選。同35年第48回日本水彩展文部大臣奨励賞を受賞し、会員となる。同38年以後日展に連続入選。同40年日展水彩作家協会に入会。同49年日本水彩画会評議員となる。

池田満寿夫（いけだますお）
昭和9年（一九三四）〜平成9年（一九九七）
　満州で生れ、静岡県熱海で歿。長野北高校を卒業後、画家を目指して上京。最初に油絵を描いたが、瑛九の勧めで銅版画を学んだ。昭和35年東京国際版画ビエンナーレ展で文部大臣賞。翌36年パリビエンナーレ展で優秀賞。同41年ベネチアビエンナーレ展で大賞を受賞した。同52年小説「エーゲ海に捧ぐ」で芥川賞も受賞した。

池部　鈞（いけべひとし）
明治19年（一八八六）〜昭和44年（一九六九）
　東京に生れ、同地で歿。東京美術学校を卒業した。昭和3年同5年帝展で特選。日展や一水会に出品した。日展評議員と一水会委員も務めた。昭和40年日本芸術院恩賜賞を受賞した。

石井鶴三（いしいつるぞう）
明治20年（一八八七）〜昭和48年（一九七三）
　東京で生れ、同地で没。石井鼎湖（ていこ）の三男。長兄は石井柏亭。明治37年不同舎に入塾し、小山正太郎に師事した。同年加藤景雲に木彫を学んだ。同43年東京美術学校彫刻科を卒業し、同校研究科に進む。翌44年第5回文展『荒川嶽』が褒状を受けた。大正2年東京美術学校研究科を修了。同4年日本美術院研究所で絵画、彫刻を追求。翌5年日本美術院同人。同年第3回二科展『行路病者』など水彩画を出品、二科賞を受賞。同10年日本水彩画会会員。翌11年春陽会が創立され、客員となる。同13年春陽会会員。同16年日本版画協会会長。同25年日本芸術院会員となる。

石井柏亭（いしいはくてい）
明治15年（一八八二）〜昭和33年（一九五八）
　東京で生れ、同地で歿。本名は満吉。父の日本画家石井鼎湖に日本画を学び、水彩画を独習し、明治31年浅井忠に師事した。明治美術会に水彩画を出品。中村不折に油絵の指導を受けて无声会員となった。同35年頃から「明星」に挿絵など寄稿。同37年東京美術学校選科入学、黒田清輝、藤島武二に師事。同42年第3回文展で受賞。翌43年渡欧、大正元年帰国。翌2年日本水彩画会を創立、翌3年二科会を結成した。昭和10年二科会を退会。同年帝国美術院会員。翌11年一水会を創立。同24年日本芸術院会員。

石垣定哉（いしがきさだや）
昭和22年（一九四七）〜令和5年（二〇二三）

三重県員弁郡東員町に生れ、同県で歿。昭和42年愛知県立芸術大学油絵専攻卒。昭和48年白日会展に初出品で中日賞を受賞、翌49年の白日会第50回記念展で文部大臣奨励賞を受賞。翌50年にニューヨークのプラット・インスティチュート版画科に留学、同56年に白日会展でT賞と準会員奨励賞を受賞。同61年に同展で総理大臣賞を受賞、翌62年白日会常任委員となる。平成6年三重県文化奨励賞を受賞。作品は強い色彩感覚と半抽象的なスタイルであった。

石川滋彦（いしかわしげひこ）
明治42年（一九〇九）〜平成6年（一九九四）

東京に生れ、同地で歿。父は水彩画家の石川欽一郎。昭和7年東京美術学校西洋画科を卒業し、岡田三郎助に師事した。同13年、翌14年文展特選。同22年新制作協会会員になる。同61年長谷川仁記念賞を受賞した。

石川寅治（いしかわとらじ）
明治8年（一八七五）〜昭和39年（一九六四）

高知県に生れる。明治24年上京して小山正太郎の不同舎に学んだ。同34年太平洋画会の創立に参加。同38年から2年間欧米に遊歴。同40年東京勧業博覧会で三等賞を受賞。第1回文展から出品し、官展作家して活躍した。また太平洋美術学校校長や東京師範学校教授などを務めた。昭和27年日本芸術院賞恩賜賞を受賞した。明治末から大正にかけて艶麗な美人画を多く描いたが、後年は鮮明な風景画で知られた。

糸園和三郎（いとぞのわさぶろう）
明治44年（一九一一）〜平成13年（二〇〇一）

大分県に生れ、東京で歿。昭和4年前田寛治写実研究所で学んだ。同6年より独立展に出品を重ねた。同15年美術文化協会の創立に参加した。同22年自由美術家協会に参加した。同39年無所属となり、個展や現代日本美術展等で作品を発表した。

猪熊弦一郎（いのくまげんいちろう）
明治35年（一九〇二）〜平成5年（一九九三）

香川県高松市に生れ、東京で歿。東京美術学校で藤島武二に師事。昭和11年小磯良平や内田巌らと新制作派協会を設立。渡欧中、マチスの影響を受け、明るく構成的なモダニズムの絵画を描いた。同13年渡米。ニューヨークを中心に制作を続け、幾何学的構成による新たな作風を打ち立てた。

今西中通（いまにしちゅうつう）
明治41年（一九〇八）〜昭和22年（一九四七）

高知県に生れる。本名は忠通。最初は高知絵画研究所に通った。昭和2年上京して川端画学校に入り、後に一九三〇年協会に参加。同5年独立美術協会研究所の前田寛治、里見勝蔵らに師事した。翌6年第1回独立展より出品。同10年第5回独立展でD氏賞を受賞。同16年郷里の坂出に戻る。同20年絵画研究所創設の為に福岡に移る。同22年第15回独立展に出品し、会員に推挙された。

岩田榮吉（いわたえいきち）
昭和4年（一九二九）〜昭和57年（一九八二）

東京に生れ、パリで歿。慶応大学工学部を卒業後、東京藝大に入学し、昭和32年同校専攻科を修了した。その後フランス政府給費留学生として渡仏し、パリ国立美術学校で学んだ。サロン・コンパレゾン等に出品した。同48年東京藝大非常勤講師を務めた。国際形象展、安井賞展、具象現代展等に出品した。幻想性を帯びた写実画を描いた。

印藤真楯（いんどうまたて）
文久元年（一八六一）〜大正3年（一九一四）

明治5年から10年まで川上冬崖の聴香読画館に学んだ。同9年工部美術学校に入学した。同11年工部美術学校を連袂退学して、浅井忠や小山正太郎らと共に十一会を結成した。同13年西洋画と図学の塾丹青舎を創設。翌14年第2回内国勧業博覧会『源平合戦』が褒状、同23年第3回内国勧業博覧会『古代応募兵団』が2等賞を受賞した。

上野山清貢（うえのやまきよつぐ）
明治22年（一八八九）～昭和35年（一九六〇）
北海道江別に生れ、東京で歿。明治45年上京し、太平洋画会に学んだ。大正13年第5回帝展初入選。翌14年第2回槐樹社展より3回連続して槐樹賞受賞。翌15年第7回帝展、昭和2年第8回帝展、翌3年第9回帝展と続けて特選を受けた。翌4年武蔵野洋画研究所を開設。同8年牧野虎雄指導によるグループで旺玄会を組織。同20年全道美術協会に参画した。同25年一線美術を同志達と創立。力強い筆致で対象に迫る独特の画風は、帝展の中でひときわ異彩を放った。

浮田克躬（うきたかつみ）
昭和5年（一九三〇）～平成元年（一九八九）
東京に生れ、東京で歿。昭和25年安井教室に学んで、東京美術学校を卒業。同29年田崎広助に師事。同29年第16回一水会展、同32年第13回日展で初入選。以後、一水会展や日展を中心に大作を発表する。翌33年第1回日展『丘の工場』が特選。翌34年一水会会員。同42年第10回新日展『サン・マルタン水路』が再び特選を受賞。翌43年昭和会賞。同51年日展会員。同56年第13回日展会員賞。同61年第4回宮本三郎記念賞、同63年第20回日展『海風の館』が内閣総理大臣賞を受賞した。具象絵画を代表する画家の一人として活躍した。

牛島憲之（うしじまのりゆき）
明治33年（一九〇〇）～平成9年（一九九七）
熊本に生れ、東京で歿。昭和2年東京美術学校を卒業。帝展や日展に出品を重ねたが、同24年須田寿らと立軌会を創立した。同44年芸術選奨文部大臣賞を受賞。同56年芸術院会員になった。翌57年文化功労者に選ばれ、翌58年文化勲章を受章した。東京藝大の教授も務めた。

内山孝（うちやまたかし）
大正11年（一九二二）～令和4年（二〇二二）
佐賀県唐津市に生れ、東京都で歿。佐賀師範学校から多摩造形芸術専門学校（現・多摩美大）卒。昭和29年に「立秋」で日展特選。昭和42年に渡欧しフランスの公募展「ル・サロン」で優秀賞を受賞。同45年に「夏の日」で日展菊花賞、同49年に日展会員となり評議員・参与等を歴任。日洋会顧問を務める。作風は「空と雲の画家」。代表作は唐津くんちや浜崎祇園祭など故郷を題材にした「唐津シリーズ」「佐賀シリーズ」等。

梅原龍三郎（うめはらりゅうざぶろう）
明治21年（一八八八）～昭和61年（一九八六）
京都市下京区に生れ、東京で歿。本名は良三郎。明治36年旧制府立二中を病のため中退、洋画家を志し浅井忠の聖護院洋画研究所に学ぶ。同41年フランスに渡り、アカデミー・ジュリアンに入学したが、ルノワールに傾倒し師事した。セザンヌ・ピカソ・ドガらとも交遊し、大正2年に帰国。翌3年二科会の創立に参加し、間もなく退会した。豊麗で明快な色彩と日本画家の伝統的な技法を摂取して独自の画境を築いた。安井曾太郎と並び梅原・安井時代と称された。昭和10年帝国美術院会員（同32年辞退）、同19年東京美術学校教授・帝室技芸員、同27年同校教授を辞任した。同27年文化勲章受章。日本画と洋画の境界を越え、奔放で豊かな情感で、日本の洋画を完成させた。

江藤純平（えとうじゅんぺい）
明治31年（一八九八）～昭和62年（一九八七）
大分に生れ、東京で歿。東京美術学校を卒業した。帝展に出品し昭和3年・翌4年・同8年に特選を受賞した。その後も日展や光風会展に出品を続けた。同44年日展で総理大臣賞を受賞した。光風会名誉会員になった。

瑛九（えいきゅう）
明治44年（一九一一）～昭和35年（一九六〇）
宮崎に生れ、東京で歿。本名は杉田秀夫。大正13年頃から執筆活動を開始。翌14年日本美術学校洋画科に入学。昭和2年美術評論も手掛けた。同年日本美術学校を中退。同5年フォトグラムの制作と写真評論を始める。同年瑛九の作家名でフォト・デッサンを発表。同新時代展同人となった。初めて個展を開く。同12年自由美術家協会の結成に参加したが、翌13年退会した。この頃、正座を初めて文人墨客の世界に沈潜。同15年美郷社を結成。戦後の同24年自由美術家協会に復帰。同26年デモクラート美術協会を結成した。リトグラフの制作も始める。翌27年久保貞次郎を中心に創造美育協会を設立し、中央委員となった。

蛯子善悦（えびこぜんえつ）
昭和7年（一九三二）～平成5年（一九九三）

北海道稚内に生れ、パリで歿。昭和32年武蔵野美術学校を卒業。同37年国画会展に出品。翌38年国画会賞を受賞。同41年国画会会員となる。同47年渡仏。同49年よりフランスに移り住み制作をした。同60年サロン・ドートンヌ会員になる。

海老原喜之助（えびはらきのすけ）
明治37年（一九〇四）～昭和45年（一九七〇）

鹿児島市に生れ、パリで歿。大正11年上京し、川端画学校に学んだ。翌12年より昭和8年まで滞仏。藤田嗣治に薫陶を受けながらサロンに出品を続け、エコール・ド・パリの新人として期待された。同10年独立美術展では最優秀賞受賞。同35年第1回毎日芸術賞受賞。同37年国際形象展同人として参加。同39年芸術選奨文部大臣賞受賞。爽快な独自のリリシズムを持ち、清新な作風で知られた。

オノサトトシノブ（おのさととしのぶ）
明治45年（一九一二）～昭和61年（一九八六）

長野県飯田市で生れ、群馬県桐生市で歿。本名は小野里利信。津田青楓画塾に学んだ。昭和10年二科展に入選。同12年自由美術家協会の創立に参加して同24年会員になった。同38年日本国際美術展で最優秀賞を受賞した。

小野　末（おのすえ）
明治43年（一九一〇）～昭和60年（一九八五）

新潟市に生れ、東京で歿。昭和8年新潟師範学校を卒業。安井曾太郎に師事した。同13年一水会展出品、同18年一水会展一水会賞、同23年一水会優賞を受賞した。また国際形象展などに出品。砂漠や岩山を重厚なマチュール（絵肌）で描いた。同26年一水会委員。同32年安井賞展運営委員会評議員などを歴任した。

小山田二郎（おやまだじろう）
大正3年（一九一四）～平成3年（一九九一）

中国安東県に生れ、東京で歿。昭和9年帝国美術学校に入学するが同11年に退学した。翌12年独立展、同14年美術文化展に出品した。同22年自由美術家協会の再建に参加し、会員になった。同27年より毎年個展を開催した。日本現代美術展、選抜秀作美術展、ブルックリン国際展などにも出品を重ねた。

大内田茂士（おおうちだしげし）
大正2年（一九一三）～平成6年（一九九四）

福岡県大福村に生れ、東京で歿。大正15年県立朝倉中学校に入学し、友人5人で絵を志す。昭和8年高島野十郎に師事し、同12年新宿絵画研究所で学んだ。同14年光風会展初入選。同21年日展初入選。同23年示現会創立会員になる。同25年青丘会を結成。同39年日展会員になり、同59年に総理大臣賞を受賞。同63年日本芸術院恩賜賞を受賞し、平成2年日本芸術院会員になった。日展常務理事・示現会理事長を務めた。

大久保作次郎（おおくぼさくじろう）
明治23年（一八九〇）～昭和48年（一九七三）

大阪市に生れ、東京で歿。大正4年東京美術学校を卒業。研究科に学びながら同4年から連続して3回文展特選。同12年フランスに留学し、昭和2年帰国。以後、帝展や新文展で審査員を務め、同34年日本芸術院会員。外光派的や印象派的写実主義とは異質の粘りのある荘重な筆致で対照を描いた。

大久保　泰（おおくぼたい）
明治38年（一九〇五）～平成元年（一九八九）

豊橋市に生れ、東京で歿。昭和3年早稲田大学を卒業。同年第一銀行に勤務。同6年欧米に留学、翌年帰国。帰国後は児島善三郎に師事。同22年独立賞、同24年岡田賞を受賞。

翌25年独立美術協会会員。洗練された写実技法による明快な色調の風景画で知られた。また美術評論にも優れた業績を残した。著書に『古式の笑』など数多い。

大沢昌助（おおさわしょうすけ）
明治36年（一九〇三）～平成9年（一九九七）
東京に生れ、同地で歿。昭和3年東京美術学校を卒業。翌4年二科展に初入選。同17年二科賞受賞。翌18年会員になった。日本国際美術展・国際形象展などに出品を重ねた。同29年から多摩美術大学の教授を務めた。同57年二科会を退会し、個展や美術館企画展などで作品を発表した。

大下藤次郎（おおしたとうじろう）
明治3年（一八七〇）～明治44年（一九一一）
水彩画家　東京に生れ、同地で歿。中丸精十郎に師事し、明治時代の中頃から水彩画に専念した。明治31年ヨーロッパに遊学、以後外光派の水彩画を確立し後進の指導にあたった。同34年『水彩画の栞』、同38年『みづゑ』誌を創刊。また同40年日本水彩画会研究所を設立した。

大野幸彦（おおのさちひこ）
安政6年（一八五九）～明治25年（一八九二）
鹿児島に生れ、東京で歿。旧姓は曾山。明治11年工部美術学校で学び、サンジョバンニに師事した。工部大学校の助教授となり、また私塾を設け、多くの人材を輩出した。死後同志らによって私塾は継承され、大幸館と称した。

大野隆徳（おおのたかのり）
明治19年（一八八六）～昭和20年（一九四五）
千葉県に生れた。東京美術学校で、和田英作と長原孝太郎に師事した。文展や帝展で特選。大正11年から渡欧し、サロン・ナショナル・ボザールに入選した。帰国後、光風会会員になった。

大藪雅孝（おおやぶまさたか）
昭和12年（一九三七）～平成28年（二〇一六）
京城に生れ、東京で歿。昭和17年帰国し、香川県で過した。同35年東京藝大を卒業。同37年シェル美術賞で佳作賞を受賞した。平成2年東京藝大教授になった。陶芸や彫刻なども制作した。同22年ロシアアートアカデミーの会員になった。同27年東京藝大名誉教授を務めた。

太田喜二郎（おおたきじろう）
明治16年（一八八三）～昭和26年（一九五一）
京都に生れた。明治41年東京美術学校西洋画科を卒業した。大正3年より文展に出品した。同8年帝展で審査員になる。戦後の日展でも審査員を務めた。京都絵画専門学校で美術教育に尽した。

岡鹿之助（おかしかのすけ）
明治31年（一八九八）～昭和53年（一九七八）
東京で生れ、同地で歿。岡田三郎助に師事。大正13年東京美術学校を卒業した。同年から昭和14年までフランスに滞在し、サロン・ドートンヌ会員となった。帰国後、春陽会会員となり、点描画法による筆致で独自の画風を展開した。同27年芸術選奨文部大臣賞、同32年毎日美術賞、同39年日本芸術院賞受賞。同44年日本芸術院会員。同47年文化勲章を受章した。

岡田謙三（おかだけんぞう）
明治35年（一九〇二）～昭和57年（一九八二）
横浜市に生れ、東京で歿。大正11年東京美術学校入学、中退、大正13年から昭和2年までフランスに留学した。同4年から二科展に出品、同12年二科会会員。同25年渡米、以後ニューヨークに住んだ。ヴェネツィアビエンナーレ展・サンパウロビエンナーレ展受賞。同42年毎日芸術賞。渡米後は叙情的な作風から日本的感性を盛り込んだ非具象的傾向へと変化し、ユーゲニズムとして高く評価された。

岡田三郎助（おかださぶろうすけ）
明治2年（一八六九）～昭和14年（一九三九）
佐賀県に生れ、東京で歿。幼名は芳三郎。

明治20年曾山幸彦の画塾に学んだ。同22年明治美術会会員。同27年黒田清輝、久米桂一郎の天真道場に入門し、黒田清輝の指導を受けた。同29年白馬会の創立に参加し、同年東京美術学校助教授。翌30年第1回文部省の留学生として渡仏、ラファエル・コランに師事して同35年に帰国。同年東京美術学校教授。同40年東京勧業博覧会で一等賞を受賞。同年第1回文展審査員を最初に、各展で審査員を務めた。同45年本郷美術研究所を創設し、多くの後進を育てた。大正8年帝国美術院会員。昭和9年帝室技芸員。同12年文化勲章を受章した。

岡田又三郎（おかだまたさぶろう）
大正3年（一九一四）～昭和59年（一九八四）
　東京に生れ、長野県軽井沢町で歿。昭和13年東京美術学校卒業。同21年第1回日展入選、同28年第9回日展特選を受け、同37年パリのル・サロン展で銀賞と金賞、同39年フランスアカデミー賞を受賞。同46年滞欧作が文部大臣賞を受け、同51年日本芸術院賞受賞。厳格な写実主義を制作の根本において風景を描いた。日展理事や光風会評議員などを務めた。

岡野　栄（おかのさかえ）
明治13年（一八八〇）～昭和17年（一九四二）
　東京に生れた。白馬会研究所で黒田清輝に学んだ。明治35年東京美術学校を卒業した。大正元年中沢弘光・三宅克巳らと光風会を創立した。

岡本一平（おかもといっぺい）
明治19年（一八八六）～昭和23年（一九四八）
　北海道函館に生れた。東京美術学校西洋画科を卒業。明治44年文展に入選。芸術性の高い風刺の効いた漫画を描いた。岡本太郎の父である。

岡本太郎（おかもとたろう）
明治44年（一九一一）～平成8年（一九九六）
　神奈川県川崎市で生れ、東京で歿。父は漫画家の岡本一平。母は小説家の岡本かの子。昭和4年東京美術学校に入学したが、半年で退学しフランスに渡った。パリ大学で人類学と哲学を学びながら美術に取り組んだ。カンディンスキーらとの交遊で抽象美術に目覚め、その後アンドレ・ブルトンらと交際し、シュールレアリスムの画風を築いた。

荻　太郎（おぎたろう）
大正4年（一九一五）～平成21年（二〇〇九）
　愛知県に生れ、東京で歿。昭和14年東京美術学校を卒業。新制作展に出品を重ね、同22年会員。日本国際美術展やカーネギー国際美術展などに出品した。同54年長谷川仁記念賞、同63年小山敬三美術賞を受賞した。

荻須高徳（おぎすたかのり）
明治34年（一九〇一）～昭和61年（一九八六）
　愛知県稲沢市に生れ、パリで歿。大正10年川端画学校に学び、翌11年東京美術学校に入学、藤島武二の指導を受けた。昭和2年同校を卒業。同年フランス留学、佐伯祐三に導かれてパリの下町を描いた。同26年サロン・ド・Xに招待出品。同28年ポピュリスト絵画賞、翌29年毎日美術賞受賞。同31年フランス政府からシュヴリエ・ド・レジオン・ドヌール勲章を授与。同37年国際形象展の創立に同人として参加。同47年中日文化賞受賞。翌48年パリ市からメダイユ・ド・ヴェルメイユを授与。同52年サロン・ナショナル・デ・ボザール会員。同56年文化功労者。同61年死後、文化勲章受章。

刑部　人（おさかべじん）
明治39年（一九〇六）～昭和53年（一九七八）
　栃木県に生れ、東京で歿。昭和4年東京美術学校を卒業。和田英作の指導を受けた。在学中の同3年第9回帝展で初入選。同21年第1回日展『冬の軽井沢』、同23年第4回日展『渓流』が特選となる。同33年新世紀美術協会委員として参加する。同43年日展会員となる。

織田広喜（おだひろき）
大正3年（一九一四）～平成24年（二〇一二）
　福岡県に生れ、東京で歿。昭和14年日本美術学校を卒業。翌15年二科展に初入選をした。同25年二科会会員になる。同43年総理大臣賞を受賞した。平成6年日本芸術院恩賜賞を受賞し、翌7年日本芸術院会員になった。二科会理事長を務めた。

恩地孝四郎（おんちこうしろう）
明治24年（一八九一）～昭和30年（一九五五）
　東京に生れ、同地で歿。明治42年葵橋洋画研究所に学んだ。翌43年東京美術学校に入学したがアカデミックな教育に反発し大正4年中退。翌5年室生犀星、萩原朔太郎と詩誌「感情」を創刊。翌6年朔太郎の詩集「月に吠える」の装丁と挿絵を担当。翌7年日本創作版画協会の創立に参加。昭和2年、第18回帝展入選。翌3年「北原白秋全集」などの装丁を手掛け、装本家としても知られた。同6年日本版画協会の創立に参加して常務委員となり同会の発展に尽くした。同11年国画会会員。日本の創作版画の振興に貢献し、また早くから版画による抽象表現の可能性を追求し続けた。

か

香月泰男（かづきやすお）
明治44年（一九一一）～昭和49年（一九七四）
　山口県大津郡に生れ、同地で歿。昭和11年東京美術学校卒業。藤島武二の指導を受けた。在学中から国画会展に出品、受賞。また文展で特選を受けた。昭和15年国画会展佐分賞を受賞して会員。同37年国画会退会。同44年第1回日本芸術大賞を受賞した。

葛西四雄（かさいよつお）
大正14年（一九二五）～平成2年（一九九〇）
　青森県に生れ、東京で歿。昭和38年奈良岡正夫の勧めで上京した。日展や示現会に出品を重ねた。前37年示現会展で奨励賞を受賞し翌38年会員になった。同46年同53年日展で特選を受賞し会員になった。

柏原覚太郎（かしわはらかくたろう）
明治34年（一九〇一）～昭和52年（一九七七）
　香川県高松市に生れた。大正12年東京美術学校を卒業。昭和2年二科展に入選し、その後も出品を重ねた。同12年二科会会友、同17年会員になった。同20年向井潤吉らと行動美術協会を創立し会員となった。

梶田達二（かじたたつじ）
昭和11年（一九三六）～平成23年（二〇一一）
　名古屋に生れ、東京で歿。帆船画家。昭和32年美術文化協会展に出品。同45年鈴木政輝に出会い、絵具の使い方や筆の事を学んだ。海洋画の為に海外視察を行う。他に航空機やSLなどの作品の個展を百貨店で開催した。

春日部洋（かすかべひろし）
昭和5年（一九三〇）～平成10年（一九九八）
　東京に生れた。昭和24年旧東京高等工芸（現千葉大学）を卒業後、独立展や水彩連盟展などに出品を重ね、同30年野口弥太郎に師事した。同36年渡欧してサロン・ドートンヌなどに出品した。同38年ル・サロンで受賞し、国際形象展に招待された。同45年からパリに定住して制作を続け、翌46年サロン・ドートンヌ会員、同54年サロン・デ・ボザール会員に推された。

片多徳郎（かただとくろう）
明治22年（一八八九）～昭和9年（一九三四）
　大分県に生れる。明治40年東京美術学校に入学、黒田清輝・岡田三郎助・長原孝太郎らの指導を受けた。在学中に第3回文展で初入選。第11回文展で特選を受けた。以後帝展・日本美術院展などに出品を重ねた。また帝展審査員なども務めた。

角　浩（かどひろし）
明治42年（一九〇九）～平成6年（一九九四）
　広島県府中市に生れ、東京で歿。昭和8年東京美術学校を卒業した。同12年渡仏し、サロン・ドートンヌなどに出品した。同14年帰国後、新制作展に出品し、新作家賞を受賞した。同28年新制作協会会員になった。

金沢重治（かなざわしげはる）
明治20年（一八八七）〜昭和35年（一九六〇）
　東京に生れ、同地で歿。明治45年東京美術学校を卒業。大正3年文展初入選。同13年熊岡美彦・牧野虎雄・斎藤与里らと槐樹社を結成した。昭和15年創元会の創立に参加して創立会員になった。

金山平三（かなやまへいぞう）
明治16年（一八八三）〜昭和39年（一九六四）
　神戸に生れ、東京で歿。明治42年東京美術学校を卒業。同45年ヨーロッパ留学。大正4年帰国。同5年第10回文展『夏の内海』が初入選で特選、翌年にも特選を受けた。以後文展や帝展に出品を続けたが、昭和10年の松田改組を機に画壇から離れ、孤高の作家として知られた。

金山康喜（かなやまやすき）
大正10年（一九二一）〜昭和34年（一九五九）
　富山市に生れ、東京で歿。東京大学経済学部を卒業。昭和24年フランスに留学。同26年頃から制作に入り、同28年サロン・ドートンヌに出品。パリ近代美術館買上げとなった。同33年帰国、新制作協会会員。自己の心象を表現した清澄な画風で将来を属望されたが、急死した。

鹿子木孟郎（かのこぎたけしろう）
明治7年（一八七四）〜昭和16年（一九四一）
　岡山に生れ、京都で歿。号は不倒。最初に松原三五郎に付き、後に小山正太郎の不同舎に学んだ。たびたび欧米に遊歴し、ジャンポール・ローランスに師事した。堅実な手法で肖像画や風景画を描いた。高等工芸学校講師・関西美術院院長を務めた。

彼末宏（かのすえひろし）
昭和2年（一九二七）〜平成3年（一九九一）
　東京に生れ、東京で歿。昭和21年北海道立小樽中学校を卒業。陸軍士官学校を経て東京美術学校油絵科（梅原教室）に入学し、同27年首席で卒業した。同29年東京藝術大学油絵科助手となる。同年国画会展に出品し、新人賞受賞。同32年国画会賞を受賞。翌33年西欧学芸研究所より奨学金を受け渡欧した。同35年国画会々友賞を受賞し、会員となる。

上島一司（かみじまいっし）
大正9年（一九二〇）〜平成6年（一九九四）
　高知県に生れ、奈良市で歿。昭和19年東京美術学校を卒業。同22年日展に初入選し、同24年特選。その後も日展や日洋展に出品を重ねた。同61年新日洋会を結成し、常任委員になった。同63年日展評議員になった。奈良教育大学名誉教授も務めた。

鴨居玲（かもいれい）
昭和3年（一九二八）〜昭和60年（一九八五）
　長崎に生れ、神戸で歿。昭和24年金沢美術工芸大学卒業。在学中に二紀展初入選、同24年二紀同人。同29年二紀展で同人努力賞、同33年二紀展同人賞受賞。翌34年から同36年までフランスに滞在。シェル賞や昭和会展で受賞を重ね、同44年安井賞受賞、同48年二紀展文部大臣賞を受けた。

川上澄生（かわかみすみお）
明治28年（一八九五）〜昭和47年（一九七二）
版画家　横浜市に生れ、宇都宮市で歿。青山学院高等科を卒業。カナダやアラスカへ游学、帰国後、英語の教師となった。同時に版画の制作も始め、大正13年以降は国画会展に出品し、国画会員となった。丸刀の明快な彫技を得意として活躍した。また詩作も多い。

川上冬崖（かわかみとうがい）
文政10年（一八二七）〜明治14年（一八八一）
　長野県松代に生れ、静岡県熱海で歿。18歳の時に江戸に出て、大西椿年に学び岸太年と称した。後に蘭学をもって幕府の蕃書調所に入り、絵画取調出役、画学局出役となって、西洋画法を研究しつつ後進を指導した。明治維新後、開成所・大学南校・文部省などに勤め、明治3年聴香読画楼を開設して西洋画法を教えた。また文人画家としても活躍した。同10

年第1回、同14年第2回内国勧業博覧会審査主任を務めた。近代洋画の先駆者として知られる。

川口軌外（かわぐちきがい）
明治25年（一八九二）～昭和41年（一九六六）
和歌山県有田郡に生れ、東京で歿。本名は孫太郎。明治44年上京して太平洋画会研究所で中村不折の指導を受けた。大正3年日本美術院研究所に移り、小杉未醒（放庵）に師事した。同6年第4回二科展初入選。同8年から昭和4年まで滞欧し、最初にアカデミー・ランソンでモーリス・ドニに学ぶ。翌5年独立美術協会の結成に参加し、戦後は国画会会員。幻想的で叙情性にあふれた作風で知られた。

川島理一郎（かわしまりいちろう）
明治19年（一八八六）～昭和46年（一九七一）
栃木県足利市に生れ、東京で歿。明治38年アメリカに渡り、同43年ワシントンのコーコラン美術学校を卒業。翌44年ニューヨークのナショナル・アカデミー・オブ・デザインを卒業。大正2年サロン・ドートンヌに入選。同11年サロン・ドートンヌ会員。同14年国画創作協会第二部同人として迎えられ、昭和3年同協会の解散に際し、梅原龍三郎らと国画会を創立した。以後新文展や日展で活躍。同23年日本芸術院会員。

川西英（かわにしひで）
明治27年（一八九四）～昭和40年（一九六五）
版画家　神戸に生れ、同地で歿。本名は英雄。独学で版画を習得して、大正12年日本創作版画展に初出品し、昭和3年以来国画会に出品した。圧倒するような原色を用いたが、爽やかな連作を展開した。また絵本やシルクスクリーンの効果を生かした商業デザインもある。

川村清雄（かわむらきよお）
嘉永5年（一八五二）～昭和9年（一九三四）
江戸麴町に生れ、奈良県天理市で歿。幼少の頃住吉内記に入門、大阪で田能村直入に師事したが、後に再び江戸に戻り、明治元年頃、川上冬崖の開成所に入り、西洋画を学んだ。同4年アメリカに留学、ランマンに師事した。翌5年フランスに渡り、更にイタリアへ移ってヴェネツィア美術学校に学んだ。同14年帰国。同22年明治美術会の創立に参加。同34年明治美術会解散後は、巴会の結成に加わった。

河合新蔵（かわいしんぞう）
慶応3年（一八六七）～昭和11年（一九三六）
大阪に生れた。最初は鈴木雷斎や前田吉彦に指導を受け、その後上京して五姓田芳柳の門に入った。後に小山正太郎の不同社で学んだ。明治34年渡仏し、満谷国四郎、丸山晩霞・鹿子木孟郎らとアカデミー・ジュリアンで学んだ。同40年大下藤次郎・丸山晩霞らと日本水彩画研究所を創設した。文展や関西美術展に出品した。

河井達海（かわいたつみ）
明治38年（一九〇五）～平成8年（一九九六）
岡山県津山市に生れ、大阪で歿。昭和4年帝展に初入選。その後も文展や東光会展に出品を重ね、同16年東光会会員になり、同18年文展で特選、同22年日展で岡田賞を受賞した。昭和24年から大阪学芸大教授、同42年から大阪教育大の教授を務めた。同56年大阪芸術賞を受賞した。東光会名誉会員・全関西美術展顧問も務めた。

木田金次郎（きだきんじろう）
明治26年（一八九三）～昭和37年（一九六二）
北海道に生れ、同地で歿。独学で絵を学んだ。明治43年有島武郎を訪問、激励されて画業への志しを抱き続けた。大正8年有島武郎主催で習作展を開催。昭和28年第一回個展を開催。翌29年北海道文化賞、同32年には北海道新聞文化賞を受賞した。厳しい漁師生活の中で北海道岩内周辺の自然を描き続け、既存の印象派や後期印象派のイズムで分類出来ない独自の画境を切り開いた。

木下　和（きのしたかず）
昭和17年（一九四二）〜令和5年（二〇二三）
広島県広島市に生れ、同県で歿。昭和47年新制作展新作家賞受賞し協友推挙。同61年同会会員推挙。平成元年ヒロシマアートグラント受賞。作風は繊細かつ迫力があり、代表作は「遺されしものへ—エジプト・ファラオの伝言」。最終作は「邂逅の郷ひろしま江波山桜・2022爛漫散華（未完）」

木下孝則（きのしたたかのり）
明治27年（一八九四）〜昭和48年（一九七三）
東京に生れ、神奈川県で歿。京都帝国大学経済学部に入学、在席中に東京帝国大学哲学科に入学して京大は中退、東大は命令退学となる。佐伯祐三や前田寛治らと交遊して影響を受け、大正10年二科展初入選。同年フランスに渡り、同13年帰国。同15年一九三〇年協会の設立に参加、春陽会会員に推された。同11年一水会の創立に参加。以後一水会を基盤として文展や日展に出品し、審査員・評議員・委員などを務めた。平明暢達で、健全な写実主義的作風で知られた。

木村荘八（きむらしょうはち）
明治26年（一八九三）〜昭和33年（一九五八）
東京に生れ、同地で歿。白馬会葵橋洋画研究所に学び、岸田劉生を知り、大正元年のフュウザンの結成に参加。後期印象派など新美術の紹介にも務めた。大正4年草土社を創立。二科会や日本美術院洋画部にも出品、同11年春陽会に招かれ会員として活躍した。また挿絵画家としても知られた。歿後、昭和34年日本芸術院賞恩賜賞を受賞。

木村忠太（きむらちゅうた）
大正6年（一九一七）〜昭和62年（一九八七）
高松に生れ、パリで歿。昭和11年上京し、洋画研究所に通った。翌12年第7回独立展で初入選。同18年高畠達四郎推薦で帝国美術学校に入学した。同23年独立美術協会会員となった。同28年フランスに渡った。同45年サロン・ドートンヌ会員となった。奔放な色彩と東洋と西洋を越えた抽象に近い独特な風景画は欧米で高い評価を受けた。またパリの隠れた巨匠として人気を得ていた。

鬼頭鍋三郎（きとうなべさぶろう）
明治32年（一八九九）〜昭和57年（一九八二）
愛知県名古屋市に生れ、同地で歿。大正12年光風会展初入選し、岡田三郎助の指導を受けた。同13年第5回帝展初入選し、辻永に師事した。昭和9年第15回帝展特選。同30年日本芸術院賞受賞。アカデミックな画風で舞妓を最初に、優れた描写力に支えられて自然のままに表現されている。同37年日本芸術院会員。日展顧問・審査員・光風会理事長などを務めた。

菊畑茂久馬（きくはたもくま）
昭和10年（一九三五）〜令和2年（二〇二〇）
長崎に生れた。独立展に出品し、その後前衛美術家集団「九州派」に参加した。戦争画や炭鉱画家山本作兵衛の研究で知られた。大作絵画「天動説」などを発表した。

岸田劉生（きしだりゅうせい）
明治24年（一八九一）〜昭和4年（一九二九）
東京に生れ、山口県徳山で歿。岸田吟香の四男。東京師範付属中学校を中退し、明治41年葵橋白馬会研究所で学んだ。第4回文展に初入選の『馬小屋』『若杉』は外光派的作風であったが、雑誌「白樺」などで紹介された後期印象派を知り、大正元年高村光太郎・斉藤与里らとフュウザン会を興した。しかし間もなく厳密鋭利なデューラーら北方ルネッサンス様式の影響を受け、克明な写実と深みのある精神表現を追求した。同4年草土社を主宰し、重苦しく克明な写実主義は画壇に大きな影響を及ぼした。草や土や石塊を一つ一つ描いた『切通しの写生』（東京国立近代美術館）、神秘的な静物画、後期の自分の娘をモデルとした一連の『麗子像』など多くの作品を発表した。同11年春陽会に客員として参加。大正末期から次第に初期肉筆浮世絵や宋元画に傾倒し、画風も東洋的な味わいを加えた。晩期には独自の鋭さのある日本画も制作する事も多くなった。

北　蓮蔵（きたれんぞう）
明治9年（一八七六）〜昭和24年（一九四九）
　岐阜県に生れた。上京して、明治22年に山本芳翠の生巧館画塾に学び、次いで天真道場で黒田清輝に師事し、更に同30年には東京美術学校に入学し、翌31年同校を卒業した。白馬会会員となり同展に作品を発表。また帝展や新文展にも出品して無鑑査となった。同43年から大正3年まで帝国劇場背景部主任として活躍した。

北川民次（きたがわたみじ）
明治27年（一八九四）〜平成元年（一九八九）
　静岡県に生れ、愛知県で歿。早稲田大学を中退し、大正2年アメリカに渡り、ニューヨークのアート・ステューデンツ・リーグでスローンに学んだ。同12年メキシコに移って、サン・カルロス美術学校を卒業し、ディエーゴ・リベーラ・オロスコ・シケイロスらと交遊。昭和12年第24回二科展に出品、二科会会員に推挙された。以後二科展を中心に活躍。同51年メキシコ政府よりアギラ・アステカ勲章を授与される。

北脇　昇（きたわきのぼる）
明治34年（一九〇一）〜昭和26年（一九五一）
　名古屋市に生れ、京都で歿。大正8年鹿子木孟郎の洋画塾で学んだが、昭和5年津田青楓の塾に入った。同7年二科展に初入選。同12年独立展に超現実主義傾向の作品を出品。同14年美術文化協会の創立に参加した。抽象と具象を同一画面に取り入れた作品を発表し、前衛画壇に大きな影響を与えた。

清原啓一（きよはらけいいち）
昭和2年（一九二七）〜平成20年（二〇〇八）
　富山に生れ、東京で歿。辻永に師事した。日展、光風会展に出品を重ねた。昭和34年日展特選、平成6年総理大臣賞を受賞した。同13年芸術院賞恩賜賞を受賞し、翌14年芸術院会員になった。日展顧問、光風会常務理事を務めた。

久保　守（くぼまもる）
明治38年（一九〇五）〜平成5年（一九九三）
　北海道札幌に生れた。昭和4年東京美術学校を卒業した。在学中から春陽会展に出品し、同2年初入選した。同5年渡欧。同7年から国画会展に出品し同12年同人、同18年会員となった。東京藝術大学教授を務めた。

久米桂一郎（くめけいいちろう）
慶応2年（一八六六）〜昭和9年（一九三四）
　佐賀県に生れ、東京で歿。明治17年藤雅三に学び、同19年フランスに留学し、黒田清輝と共にラファエル・コランに師事した。同26年帰国、天真道場を設け、白馬会の創立にも参加した。同31年東京美術学校教授となり、考古学・解剖学などを講じた。

国沢新九郎（くにさわしんくろう）
弘化4年（一八四八）〜明治10年（一八七七）
　土佐高知に生れ、東京で歿。明治3年ロンドンに留学して西洋画を学んだ。同7年帰国して、画塾影技堂を開いて後進の指導にあたった。また日本で最初の洋画展覧会を開催し、洋画の発展に尽くした。

国松　登（くにまつのぼる）
明治40年（一九〇七）〜平成6年（一九九四）
　北海道函館に生れ、東京で歿。昭和5年本郷洋画研究所に学ぶ。同8年独立展に初入選。同14年帝国美術学校を卒業。翌15年国画会展で岡田賞を受賞し、翌18年会員になった。同20年全道展創立に参加して会員になった。同34年北海道文化賞を受賞した。

国吉康雄（くによしやすお）
明治22年（一八八九）〜昭和28年（一九五三）
　岡山市に生れ、ニューヨークで歿。岡山市の工業学校で染織を学び、17歳で渡米。明治43年ニューヨークのインデペンデント・アート・スクールとアート・スチューデンツ・リーグに学んだ。昭和8年アート・スチューデンツ・リーグの教授となり、同18年カーネギー国際展『誰かが私のポスターを破った』が1等賞を受けた。アメリカ美術組合の初代会長、アメリカ美術家会議副議長を務めた。

熊岡美彦（くまおかよしひこ）
明治22年（一八八九）～昭和19年（一九四四）
茨城県新治郡に生れ、東京で歿。大正2年東京美術学校を卒業。同年第2回光風会展、同4年第9回文展、同7年第6回光風会展で受賞を重ねた。翌8年新洋画会を結成して参加。同10年光風会会員。同13年槐樹社を創立。昭和2年中近東を経てパリに滞在。同4年シベリア経由で帰国。翌5年第7回槐樹社展で滞欧作を発表。翌6年槐樹社解散、翌7年斉藤与里らと東光会を結成。熊岡洋画研究所を開設して後進の指導育成にあたった。

熊谷守一（くまがいもりかず）
明治13年（一八八〇）～昭和52年（一九七七）
岐阜県恵那郡に生れ、東京で歿。明治37年東京美術学校西洋画科選科を卒業。最初に文展に出品したが、大正4年から二科展に出品し、翌5年二科会会員となった。同22年二紀会の創立に参加。同26年からは無所属作家として世俗から離れ、自由に制作を楽しみながら、単純明快な形と色で独自の様式を確立した。

庫田叕（くらたてつ）
明治40年（一九〇七）～平成6年（一九九四）
福岡に生れ、東京で歿。本名倉田哲介。川端画学校で学び、国画会展に出品を重ねた。戦後国画会を退会し、個展を中心に作品を発表した。豊かな色彩と明快な造形の風景画を描いた。東京藝術大学教授も務めた。

倉田白羊（くらたはくよう）
明治14年（一八八一）～昭和13年（一九三八）
埼玉県浦和に生れた。浅井忠・黒田清輝に学び、明治34年東京美術学校を卒業した。大正9年足立源一郎、梅原龍三郎らと春陽会を結成した。主に田園風景を描いた。

栗原一郎（くりはらいちろう）
昭和14年（一九三九）～令和2年（二〇二〇）
東京に生れ、同地で歿。武蔵野美術学校（現武蔵野美術大学）を卒業。平成7年池田二〇世紀美術館で個展開催、同13年青梅市立美術館で回顧展開催、同27年紫綬褒章受章。両洋の眼、稜の会に出品。戦後を生きる人々や街の風景などを、独自の目線と個性溢れる筆致で描いた。立軌会同人。

栗原喜依子（くりはらきえこ）
昭和10年（一九三五）～平成21年（二〇〇九）
茨城県に生れ、同地で歿。昭和26年織田広喜に師事した。同31年二科展初入選。同33年女子美大を卒業。同42年二科展で特選を受賞した。同49年二科会会員になった。平成10年会員努力賞を受賞した。

栗原信（くりはらしん）
明治27年（一八九四）～昭和41年（一九六六）
茨城県に生れた。明治45年茨城師範を卒業。昭和3年から同6年まで渡欧した。翌7年二科会を退会し、二紀会の創立に参加し会員になった。

黒田久美子（くろだくみこ）
大正3年（一九一四）～平成7年（一九九五）
東京に生れ、同地で歿。昭和6年中村研一に師事し、同8年から光風会に出品した。同15年に会友、同20年会員になった。日展にも出品を重ね、同22年女流画家協会設立会員になった。

黒田重太郎（くろだじゅうたろう）
明治20年（一八八七）～昭和45年（一九七〇）
滋賀県大津に生れ、京都で歿。明治37年鹿子木孟郎の門に入り、後に浅井忠の関西美術院に学んだ。同43年土田麦僊らと黒猫会（翌年仮面会と改称）の結成に参加。文展を経て、大正3年二科会に出品。同8年第6回二科展で二科賞を受賞。同10年渡欧、アカデミー・モンパルナスでアンドレ・ロートに師事し、またロジェ・ビシエールにも学んで、同12年帰国した。翌13年小出楢重らと信濃橋洋画研究所を開設して後進を指導。印象派やキュビズムを摂取したが、後に流動的な線描で平明な写実する作風で知られた。昭和22年二紀会

を創立。同25年京都市立美術大学教授。同44年日本芸術院賞恩賜賞受賞。

黒田清輝（くろだせいき）

慶応2年（一八六六）～大正13年（一九二四）

鹿児島に生れ、東京で歿。伯父の子爵黒田清綱の養嗣子。最初に東京外国語学校に入学してフランス語を修め、明治17年法律研究のため渡仏し留学した。同21年法科大学を退いて、洋画の研究に転じてラファエル・コランに師事した。同26年帰国、翌年久米桂一郎と天真道場を創立して後進にフランス流の美術教育を施した。明治美術会に加わり、同29年白馬会を結成して、外光派風の明快な色調は洋画界に大きな影響を与えた。同年東京美術学校に西洋画科が新設される際に指導者に推された。同40年文展の創設に尽力して審査員として活躍した。同43年洋画家として最初の帝室技芸員を命ぜられた。大正2年国民美術協会会頭。同8年帝国美術院の創立に尽くし会員。翌9年貴族院議員となって、政治や海外との文化交流に尽くした。同11年森鷗外の後任として第二代帝国美術院院長を務めた。終始一貫して外光派的写実主義に徹し、典雅で多くの人々に親しまれている。

黒田頼綱（くろだよりつな）

明治42年（一九〇九）～平成10年（一九九八）

東京に生れ、同地で歿。昭和2年東京美術学校に入学し藤島武二に師事した。同8年光風会展で光風会賞を受賞して会友になり、帝展にも初入選した。同12年光風会会員になった。同22年朝井閑右衛門らと新樹会を設立し同人になる。その後、国際美術展・現代日本美術などにも出品した。同39年から女子美術大学の教授も務めた。洋画家黒田清輝の甥。

小泉　清（こいずみきよし）

明治33年（一九〇〇）～昭和37年（一九六二）

東京に生れ、同地で歿。小泉八雲の三男。大正10年東京美術学校を中退。昭和9年創作活動に入るが作品の発表はしなかった。同21年第1回新興日本美術展『向日葵』などで読売賞を受賞。翌22年初個展を開催した。翌23年第2回一燈美術賞を梅原龍三郎の推薦により受賞した。同25年小泉八雲生誕百年記念小泉清個展を松江市で開催した。同29年国画会会員。鮮烈な色彩や西洋と東洋の表裏一体となった精神世界を描いた。

小磯良平（こいそりょうへい）

明治36年（一九〇三）～昭和63年（一九八八）

神戸市に生れ、同地で歿。旧姓は岸上、大正14年小磯家の養子となる。昭和2年東京美術学校西洋画科を卒業。在学中の第6回帝展で初入選。大正15年第7回帝展『T嬢の像』が特選。昭和3年に渡仏し、同5年に帰国。同7年第13回帝展『裁縫女』が再び特選を受けた。同11年新制作派協会を結成、創立会員となる。同15年朝日文化賞を受賞。同年第1回帝国芸術院賞を受賞。同25年兵庫県文化賞を受ける。同54年文化功労者に選ばれる。同57年日本芸術院会員となる。翌58年文化勲章を受章した。

小出卓二（こいでたくじ）

明治36年（一九〇三）～昭和53年（一九七八）

大阪に生れ、同地で歿。金沢医科大学を卒業後、信濃橋研究所に入り、小出楢重に師事した。昭和2年に二科展に初入選。同17年会員になった。同20年向井潤吉らと行動美術協会を創立した。同35年大阪府芸術賞を受賞した。

小出楢重（こいでならしげ）

明治20年（一八八七）～昭和6年（一九三一）

大阪に生れ、兵庫県芦屋で歿。大正3年東京美術学校卒業。外光派に批判的で、暗渋な色調の風景画を文展に出品したが落選の憂き目を重ねた。大正8年第6回二科展『Nの家族』が樗牛賞、翌年『少女お梅の像』で二科賞を受賞。同12年二科会員となり、翌13年鍋井克之らと大阪に信濃橋洋画研究所を創立、関西洋画壇の指導者として活躍した。

小絲源太郎（こいとげんたろう）

明治20年（一八八七）～昭和53年（一九七八）

東京に生れ、同地で歿。本名は小糸源太郎。明治38年東京美術学校金工科に入学、傍ら白馬会菊坂研究所に学んだ。在学中の同43年第4回文展で初入選。翌44年金工科を卒業し、同年西洋画科に編入、大正3年病のため中退したが、制作活動は続け文展に出品。同7年第12回文展開催日に自作を誤解から破る事件を起し、同14年まで出品を自粛した。昭和29年日本芸術院賞を受賞。同34年日本芸術院会員。同40年文化勲章を受章した。

小島善太郎（こじまぜんたろう）

明治25年（一八九二）～昭和59年（一九八四）

東京で生れ、同地で歿。安井曽太郎に師事した。二科展に出品し、二科賞を受賞。後に審査員も務めた。昭和5年児島善三郎・里見勝蔵・林武らと独立美術協会を創立して会員になった。

小寺健吉（こでらけんきち）

明治20年（一八八七）～昭和52年（一九七七）

岐阜県大垣市に生れ、東京で歿。東京美術学校を卒業した。文展や帝展に出品し、昭和3年帝展で特選を受賞した。その後日展・光風会に出品し、光風会名誉会員になった。日展参与も務めた。

小林徳三郎（こばやしとくさぶろう）

明治17年（一八八四）～昭和24年（一九四九）

広島県福山市に生れ、東京で歿。幼名は藤井嘉太郎。明治42年東京美術学校を卒業。大正元年フュウザン会創立に参加。また翌2年島村抱月らの芸術座の舞台装飾を担当した。同15年春陽会会員。素朴で手堅いリアリズムの中に落ちついた画格で、自然の風物を描いた。

小林万吾（こばやしまんご）

明治3年（一八七〇）～昭和22年（一九四七）

香川県に生れ、神奈川県鎌倉で歿。最初に原田直次郎、後に黒田清輝に学んだ。明治31年東京美術学校を卒業。同36年第5回内国勧業博覧会、同40年第1回文展、同42年第3回文展で受賞。同44年渡欧してフランス・イタリア・ドイツに留学、大正3年帰国。同7年東京美術学校教授。以後白馬会や文展に出品した。昭和16年帝国芸術院会員。

小林和作（こばやしわさく）

明治21年（一八八八）～昭和49年（一九七四）

山口県吉敷郡に生れ、尾道で歿。京都市立絵画専門学校日本画科を卒業。在学中から文展に日本画が入選したが、大正9年洋画を志し、鹿子木孟郎の画塾で学び、同11年に上京して梅原龍三郎・中川一政らに指導を受けた。昭和2年春陽会会員。同9年独立美術協会会員。同33年芸術選奨文部大臣賞を受賞。

小堀進（こぼりすすむ）

明治37年（一九〇四）～昭和50年（一九七五）

水彩画家　茨城県行方郡に生れ、東京で歿。大正11年葵橋洋画研究所で黒田清輝に師事した。昭和15年水彩連盟を結成した。戦後、日展・白日会展に出品を重ね、同44年日展理事になった。翌45年日本芸術院賞を受賞し、同49年水彩画家として初めて日本芸術院会員になった。

小松崎邦雄（こまつざきくにお）

昭和6年（一九三一）～平成4年（一九九二）

東京に生れ、埼玉で歿。昭和29年東京藝術大学油画科を卒業。同年安宅賞・大橋賞を受賞。同31年同校専攻科を修了。同年一水会展一水会賞を受賞。同33年一水会会員となる。同44年昭和会展昭和会賞を受賞した。同57年東郷青児美術館大賞を受賞。平成3年第9回宮本三郎記念賞を受賞した。適確な写実表現にウィットを秘めた画風で活躍した。

小山敬三（こやまけいぞう）

明治30年（一八九七）～昭和62年（一九八七）

長野県小諸市に生れ、神奈川県茅ヶ崎で歿。大正5年慶応義塾大学を中退。川端画学校で藤島武二の指導を受ける。同9年渡仏。パリのアカデミー・コラロッシュでシャルル・

ゲランに師事し、油絵の基礎を徹底して学び、その画風の特質である堅固な造形性を養成。同13年春陽会会員。同15年サロン・ドートンヌ会員に推される。昭和8年春陽会を脱退、二科会に会員として迎えられる。同11年二科会を退会し石井柏亭・安井曾太郎・木下孝則・硲伊之助などと一水会を結成。以後一水会、日展を中心に活躍。同34年『初夏白鷺城』など一連の白鷺城に対して日本芸術院賞を受賞。翌35年日本芸術院会員。同45年文化功労者に選ばれ、同50年には文化勲章を受章した。

小山正太郎　（こやましょうたろう）

安政4年（一八五七）～大正5年（一九一六）

新潟県長岡に生れ、東京で歿。川上冬崖に学び、次いで工部美術学校ではフォンタネージに指導を受けた。明治美術会の創立に加わった。東京高等師範学校の教授を務めると共に不同舎を設置し、後進の指導にあたった。また明治40年に開催された第1回文展から7回展まで審査員。

古賀春江　（こがはるえ）

明治28年（一八九五）～昭和8年（一九三三）

福岡県久留米市に生れ、東京で歿。本名は亀雄。大正元年上京、太平洋画会研究所に学んだ。大正2年日本水彩画研究所に入り、石井柏亭に師事した。同5年日本水彩画会会員。翌6年二科展初入選。翌7年宗教大学を退学し、画業に専念。同11年第9回二科展二科賞を受賞、中川紀元らと前衛グループ・アクションを結成。昭和5年二科会員。

児島善三郎　（こじまぜんざぶろう）

明治26年（一八九三）～昭和37年（一九六二）

福岡市に生れ、千葉市で歿。岡田三郎助の本郷洋画研究所に入ったが、ほとんど独学。大正10年二科展入選。同13年から昭和3年まで滞欧。帰国後、二科展に滞欧作を発表、二科会員となったが、同5年退会して独立美術協会の創立に参加した。

児島虎次郎　（こじまとらじろう）

明治14年（一八八一）～昭和4年（一九二九）

岡山県成羽町に生れ、岡山市で歿。明治37年東京美術学校を卒業。同41年渡欧。大原孫三郎に依頼を受けて再度渡欧し、西洋美術品の蒐集にあたり、今日の倉敷・大原美術館の基礎を築いた。サロン・ナショナルなどの会員・帝展審査員を務めた。

児玉幸雄　（こだまゆきお）

大正5年（一九一六）～平成4年（一九九二）

大阪で生れ、東京で歿。昭和11年全関西洋画展入選。田村孝之介に師事。翌12年二科展入選。翌13年全関西美術展で全関賞を受賞。翌14年関西学院大学を卒業。同22年二紀会創立展に参加、同人となる。同25年二紀会展で同人賞を受賞。同27年二紀会展で同人優賞を受賞し委員となる。同32年初めて渡欧。同39年以降毎年渡欧しパリを中心にヨーロッパ風景を描き続けた。

五姓田芳柳・初代　（ごせだほうりゅう）

文政10年（一八二七）～明治25年（一八九二）

江戸に生れ、東京で歿。本名は浅田。しばしば改名して最後に五姓田と称した。最初に浮世絵と狩野派を学んだが、長崎で洋画に感じ西洋画法を独修し、独自の和洋折衷の画風を創り出した。幕末、横浜に住み風俗画や肖像画を描いた。明治6年東京に移り、明治天皇の肖像を宮内庁の依嘱により描いた。

五姓田芳柳・二世　（ごせだほうりゅう）

元治元年（一八六四）～昭和18年（一九四三）

茨城県に生れ、東京で歿。明治11年五姓田義松に師事し、その後ワーグマンに師事した。同13年工部美術学校でサン・ジョヴァンニに師事した。同年内国勧業博覧会に出品した。同22年明治美術会の創立に参加した。

五姓田義松　（ごせだよしまつ）

安政2年（一八五五）～大正4年（一九一五）

初代五姓田芳柳の次男として江戸に生れ、横浜で歿。ワーグマンに学び、工部美術学校に入学、明治13年パリに留学し、レオン・ボナに師事した。同21年帰国し、明治美術会の創立に参加した。

五味悌四郎　（ごみていしろう）

大正7年（一九一八）〜平成16年（二〇〇四）

東京に生れ、神奈川県で歿。川端画学校で学び、東京美術学校に入学した。昭和20年から日展に出品を重ね、同22年から一水会展にも出品した。同39年渡欧し、パリ・グランショミエールで学んだ。ル・サロン展で銀賞・銅賞を受賞した。同59年一水会委員に推挙されたが、同61年退会した。

合田佐和子　（ごうださわこ）

昭和15年（一九四〇）〜平成28年（二〇一六）

高知県高知市に生れ、神奈川県鎌倉市で歿。昭和38年武蔵野美術大学を卒業、同40年に初個展で「オブジェ人形」を発表し、以後定期的に個展を開催した。同44年唐十郎や寺山修司の舞台美術や宣伝美術を多く手掛けた。同46年彫刻家の三木富雄と再婚し、三木と共に渡米した。同60年娘とエジプトのアスワンに一年間移住、その後東京都世田谷区、神奈川県葉山町、同県鎌倉市と拠点を移した。映画俳優達のポートレートの油彩画等で注目されたが、エジプトでの滞在を機に平成以降は一転して光あふれるパステル調の作風へと変貌し、女性・薔薇・目などを描いた。

後藤よ志子　（ごとうよしこ）

昭和2年（一九二七）〜平成4年（一九九二）

中国青島に生れ、東京で歿。昭和22年共立薬科大学を卒業した。同33年より二紀展、翌34年より女流画家協会展に出品した。同47年安井賞展佳作賞を受賞した。同57年二紀展文部大臣賞を受賞。平成2年安田火災東郷青児美術館大賞を受賞した。主にヨーロッパ風景を描いた。

河野通勢　（こうのつうせい）

明治28年（一八九五）〜昭和25年（一九五〇）

群馬県伊勢崎に生れ、東京で歿。独学で油絵を習得し、第1回二科展から出品。大正7年草土社同人として活躍した。同13年春陽会賞受賞、同15年春陽会会員となったが、昭和2年退会し、同4年国画会会員となる。細密描写によって知られ、版画や挿絵も描いた。

高野三三男　（こうのみさお）

明治33年（一九〇〇）〜昭和54年（一九七九）

東京に生れ、同地で歿。本郷洋画研究所に学び、東京美術学校に入学。大正13年東京美術学校を中退し、渡仏し、藤田嗣治と親交を重ね、昭和15年帰国した。この間二科展に出品、二科賞受賞。後に一水会の創立に参加。戦後、日展参与・審査員なども務めた。綿密な描写による甘美で夢幻的な女性像を描きだした。

國領經郎　（こくりょうつねろう）

大正8年（一九一九）〜平成11年（一九九九）

横浜に生れ、同地で歿。昭和16年東京美術学校を卒業。同22年日展に初入選。同30年・44年・46年に特選。同51年会員になった。同55年会員賞を受賞。同58年宮本三郎記念賞、神奈川文化賞を受賞した。同61年日展で総理大臣賞。平成3年日本芸術院賞を受賞し、日本芸術院会員に選ばれた。日展常務理事を務めた。砂丘に人物・裸婦を配する幻想的な心象風景を描いた。

駒井哲郎　（こまいてつろう）

大正9年（一九二〇）〜昭和51年（一九七六）

東京に生れ、同地で歿。昭和9年日本エッチング研究所で銅版画を学んだ。同17年東京美術学校を卒業。在学中第4回文展に初入選、同23年日本版画協会展で受賞し、同協会会員に推挙された。同25年第27回春陽会展春陽会賞受賞、翌年春陽会会員。同28年関野準一郎、浜口陽三らと日本銅版画家協会を設立。翌29年渡仏し、パリ国立美術学校でビュランに学び、翌30年に帰国。同47年東京藝術大学教授となり後進の指導や育成に務めた。心理的イメージに詩情豊かな造形を与え続けた。

さ

佐伯祐三（さえきゆうぞう）
明治31年（一八九八）〜昭和3年（一九二八）
　大阪市に生れ、パリ郊外で歿。中学在学中から赤松麟作の画塾に通う。大正6年上京して川端画学校で藤島武二の指導を受けた。翌7年東京美術学校入学。後に画家となる佐伯米子と在学中に結婚。同12年美術学校卒業後、同級生らと薔薇門社を結成。同年渡仏。ヴラマンクを訪ねて強い刺激を受けた。滞欧中にサロン・ドートンヌに出品して入選。同15年帰国。一九三〇年協会を結成、第1回展を開催。同年第13回二科展に滞欧作を発表、二科賞を受賞。しかし日本の風景が自己の画風に合わず昭和2年再度渡仏。激情的で、メランコリックな感情あふれる筆致でパリの裏街や古い壁や郊外の建物や教会のある風景を描いた。

佐伯米子（さえきよねこ）
明治30年（一八九七）〜昭和47年（一九七二）
　東京に生れ、東京で歿。最初に川合玉堂に日本画を学ぶ。大正10年佐伯祐三と結婚して同12年渡仏。祐三と共にヴラマンクに師事。同14年サロン・ドートンヌで入選、パリから二科展に出品。昭和元年帰国し、翌2年再び渡仏。翌3年祐三の死に遭い帰国。同15年まで二科展に出品したが、戦後は二紀会同人となり、同24年二紀会理事。同42年第21回二紀展文部大臣奨励賞を受賞した。

佐田勝（さたかつ）
大正3年（一九一四）〜平成5年（一九九三）
　長崎で生れ、東京で歿。昭和14年東京美術学校油絵科を卒業し、藤島武二に師事した。同14年同年美術文化協会の創立に参加した。同14年より同23年まで芝浦工業専門学校建築科教授を務めた。同26年日本ガラス絵協会を創立した。

佐竹徳（さたけとく）
明治30年（一八九七）〜平成10年（一九九八）
　大阪で生れ、東京で歿。関西美術院・川端画学校で藤島武二に師事した。昭和4年翌5年帝展で特選。同15年創元会を結成し創立会員になった。同43年日本芸術院賞を受賞し、平成3年日本芸術院会員になった。日展顧問も務めた。

佐藤敬（さとうけい）
明治39年（一九〇六）〜昭和53年（一九七八）
　大分県大分市に生れ、別府市で歿。昭和6年東京美術学校を卒業。同5年から9年までフランスに滞在した。帰国後、官展に出品したが、同11年新制作派協会の結成にあたり参加し創立会員となった。昭和27年以降パリに住み、マチスやピカソの影響の下で独自の画風を築いた。

佐藤哲郎（さとうてつろう）
大正13年（一九二四）〜令和5年（二〇二三）
　宮城県仙台市に生れ、千葉県習志野市で歿。フジヰ洋画研究所に学び、中央美術学園卒業。児玉善三郎・今泉篤男・郡山三郎に師事した。昭和53年渡仏し、フランス中世の古城をテーマとした古城シリーズを発表。平成2年朱鷺美術より画集刊行。この年より日本人らしい繊細な色調と細密な点描技法で、洋画と日本画の境界を越えた舞子シリーズの制作を続けた。外務省・郵政省・パリ市買上。モダンアート会員、サロン・ドートンヌ会員であった。

佐野繁次郎（さのしげじろう）
明治33年（一九〇〇）〜昭和63年（一九八七）
　大阪市に生れ、熱海市で歿。信濃橋洋画研究所で学び、昭和4年二科会展に初入選。同6年渡仏し、マティスに師事した。同22年二紀会展に招待出品し、委員になった。日本国際美術展・現代日本美術展などに出品した。

佐野ぬい（さのぬい）
昭和7年（一九三二）〜令和5年（二〇二三）
　青森県弘前市に生れ、東京都で歿。昭和30年女子美術大学芸術学部洋画科卒。新制作展や女流画家協会展に出品を続けた。青を基調とした柔らかな色面構成で「佐野ブルー」と呼ばれた。様々な「青」で大胆かつ繊細に形や線を描き重ねた青が唱和する画風であった。女流画家協会会員であり昭和44年に同協会展で日航賞を受賞し、同47年に婦人賞を受賞。女子美術大学の助手・講師・助教授・教授を歴任し、平成19年から23年まで女子美術大学学長を勤め同校名誉教授となった。平成14年損保ジャパン東郷青児美術館大賞。

佐分　真（さぶりまこと）
明治31年（一八九八）～昭和11年（一九三六）
名古屋市に生まれる。大正11年東京美術学校卒業。同15年白日会会員。翌年渡仏し、同国滞在中の昭和4年光風会会員となり、翌5年帰国。同年帝展で特選を受け、翌6年再び渡仏して翌7年に帰国。同10年・翌11年帝展で連続して特選を受賞した。その後は無所属となり独自の立場を守った。また随筆も書いた。歿後に佐分賞が設定された。

斎藤　清（さいとうきよし）
明治40年（一九〇七）～平成9年（一九九七）
版画家　福島県に生まれ、同地で歿。昭和10年油彩画で国画会展に初入選。翌11年日本版画協会展に初入選。翌12年国画会展版画部門で木版画を出品し入選した。同21年国画会版画部会友・日本版画協会会員になった。同23年サロン・ド・プランタン展で一等賞、同26年サンパウロビエンナーレ展でサンパウロ日本人賞を受賞した。同58年と同60年神奈川県立近代美術館で個展を開催。翌61年神奈川県文化賞を受賞した。平成7年文化功労者に選ばれた。

斎藤三郎（さいとうさぶろう）
大正6年（一九一七）～平成8年（一九九六）
埼玉県熊谷市で生まれ、浦和市で歿。昭和15年東京物理学校を中退し、独学で絵画を学んだ。同21年二科展に初入選。同23年特待賞、同25年二科賞を受賞。同29年二科会会員になった。同36年パリ賞、同44年青児賞、同47年総理大臣賞を受賞した。二科会評議員を務め、同58年埼玉県文化賞を受賞した。

斎藤真一（さいとうしんいち）
大正11年（一九二二）～平成6年（一九九四）
岡山に生まれ、東京で歿。昭和23年東京美術学校を卒業。同34年に渡仏し留学して、藤田嗣治らと親交を結んだ。同46年安井賞展で佳作賞を受賞。同48年日本エッセイストクラブ賞受賞。津軽地方の三味線を弾き語る『瞽女』を主題とする作品に取り組んだ。

斉藤長三（さいとうちょうぞう）
明治43年（一九一〇）～平成6年（一九九四）
山形県酒田市で生まれ、東京で歿。永地秀太に師事した。昭和6年独立展に入選し、以後出品を重ねた。翌7年東京高等工芸学校を卒業。同15年独立展で岡田賞を受賞し、翌16年会員になった。同31年から武蔵野美術大学の教授を務め、後に名誉教授になった。

斎藤与里（さいとうより）
明治18年（一八八五）～昭和34年（一九五九）
埼玉県加須に生まれ、東京で歿。本名は与里治。浅井忠や鹿子木孟郎に学ぶ。明治39年から同43年までフランスに滞在し、帰国後、後期印象派を日本に紹介した。フュウザン会の結成に参加し、明治末期から大正期の洋画の発展に大きく寄与した。大正8年大阪美術学校を創設。同13年槐樹社の創立に参加し、同社の解散後は東光会を結成し会頭となった。

斎藤義重（さいとうよししげ）
明治37年（一九〇四）～平成13年（二〇〇一）
東京に生まれ、横浜で歿。古賀春江・東郷青児らのアヴァンギャルド洋画研究所で学んだ。昭和11年二科展に初入選。同14年美術文化協会の結成に参加した。同35年現代日本美術展で最優秀賞、グッゲンハイム国際美術展で国際賞、翌36年サンパウロ・ビエンナーレで国際絵画賞など受賞を重ねた。同39年より多摩美術大学の教授を務めた。

坂田一男（さかたかずお）
明治22年（一八八九）～昭和31年（一九五六）
岡山県岡山市に生まれ、倉敷市で歿。川端画学校に学び、大正10年から昭和8年まで滞仏、レジェの研究所に学び、サロン・ドートンヌに出品。サロン・デ・テュイルリー会員。純粋な抽象絵画の確立を目指した。

坂本善三（さかもとぜんぞう）
明治44年（一九一一）～昭和62年（一九八七）
熊本県で生れ、同地で歿。昭和4年本郷洋画研究所に学ぶ。同6年独立展に入選、以後出品を重ね、同24年会員になった。同51年西日本文化賞、翌52年長谷川仁賞を受賞した。

坂本繁二郎（さかもとはんじろう）
明治15年（一八八二）～昭和44年（一九六九）
福岡県久留米市に生れ、八女市で歿。幼い頃から森三美に洋画を学び、明治35年青木繁と共に上京、不同舎に入った。初期文展で頭角を顕し、たびたび受賞した。大正3年二科会の創立に参加し、昭和18年二科会が解散するまで出品を続け、その間、フランスに滞在し、パリ郊外の風景を多く描いた。同28年に毎日美術賞を受けた。中央画壇から離れ、生涯高踏的な独自の画風を守った。

櫻田精一（さくらだせいいち）
明治43年（一九一〇）～平成11年（一九九九）
熊本県に生れ、千葉県で歿。昭和8年東京美術学校を卒業し、小絲源太郎に師事した。日展に出品し昭和38年菊華賞を受賞。同62年第2回小山敬三美術賞を受賞した。日展参与や日洋会副委員長も務めた。

笹島喜平（ささじまきへい）
明治39年（一九〇六）～平成5年（一九九三）
版画家　栃木県に生れ、同地で歿。東京青山師範在学中に油絵を始めた。卒業後教員生活をしていたが、陶芸家の浜田庄司の紹介で棟方志功に師事した。昭和15年国画会展に初入選。翌16年文展に入選。同27年棟方志功らと日本板画院を創立した。同42年サンパウロビエンナーレ展、同47年ミラノ現代国際木版画展などに出品した。版木に紙を当ててプレスする「拓刷り」の第一人者。

里見勝蔵（さとみかつぞう）
明治28年（一八九五）～昭和56年（一九八一）
京都に生れ、神奈川県鎌倉で歿。大正元年鹿子木孟郎にデッサンを学び、同8年東京美術学校卒業。在学中の大正6年第4回二科展・第4回院展に初入選。同10年渡欧し、ヴラマンクに師事。翌11年グラン・ショミエールで学び、同14年帰国。同年第12回二科展に滞欧作を発表、樗牛賞受賞。昭和元年一九三〇年協会の創立に参加。翌2年第14回二科展二科賞受賞。同4年二科会会員。翌5年二科会を脱会して独立美術協会の創立に参加。戦後の同29年国画会会員。

三田康（さんだやすし）
明治33年（一九〇〇）～昭和43年（一九六八）
滋賀県大津に生れた。大正11年東京美術学校西洋画科を卒業した後に藤島武二に師事した。昭和5年帝展で特選。同11年猪熊弦一郎や小磯良平らと新制作派協会を結成して会員になった。

芝田米三（しばたよねぞう）
大正15年（一九二六）～平成18年（二〇〇六）
京都に生れ、同地で歿。昭和20年独立美術京都研究所に入り、須田国太郎に師事した。同25年独立美術展で独立賞、サロン・ド・プランタン賞を受賞。同33年独立美術協会会員に推挙された。同38年安井賞を受賞した。平成元年京都府文化功労賞を受賞。同5年芸術院賞を受賞し、翌6年芸術院会員になった。

島田章三（しまだしょうぞう）
昭和8年（一九三三）～平成28年（二〇一六）
神奈川県横須賀市に生れ、名古屋市で歿。昭和29年東京藝大に入学し伊藤廉に師事した。同33年国画会会友、同36年会員になった。同42年安井賞、同55年東郷青児美術館大賞、平成2年宮本三郎賞を受賞。同11年芸術院賞を受賞し芸術院会員になった。同16年文化功労者に選れた。愛知県立芸大学長を務めた。

島野重之（しまのしげゆき）
明治35年（一九〇二）～昭和41年（一九六六）
　滋賀県に生れ、東京で歿。昭和2年東京美術学校を卒業し、岡田三郎助に師事した。光風会展や帝展に出品を重ね、昭和5年光風会会員になった。同12年新文展で特選を受賞した。日展で評議員を務めた。

島村三七雄（しまむらみなお）
明治37年（一九〇四）～昭和53年（一九七八）
　大阪に生れ、東京で歿。昭和3年東京美術学校を卒業。藤島武二に師事した。在学中の同3年帝展初入選。卒業後パリに留学し、サロン・デ・ザルチスト・フランセーに日本画家として初めて受賞した。帰国後は独立美術協会に属して活躍した。エミール・ベルナールからフレスコ、テンペラなどの古典画法を学んだ。同42年芸術院賞受賞。

嶋本昭三（しまもとしょうぞう）
昭和3年（一九二八）～平成25年（二〇一三）
　大阪に生れ、兵庫で歿。昭和22年吉原治良に師事し、同25年関西学院大を卒業。同29年具体美術協会の結成に参加した。「具体」という名の提案者になった。以後具体全展に出品を重ねた。瓶詰した絵具を画面上で炸裂させる手法を初めて用いて従来の美術の概念を越えた創作活動をした。

清水登之（しみずとし）
明治20年（一八八七）～昭和20年（一九四五）
　栃木県下都賀郡に生れ、同地で歿。明治39年東京成城学校を卒業、翌40年アメリカに渡り、アート・スチューデント・リーグに入り、ジョン・スーロン、ジョージ・ベローらに指導を受け、大正13年渡仏し、サロン・ドートンヌに出品、受賞。昭和元年イタリアを経て帰国。帰国後は二科展に出品し、同4年樗牛賞、翌5年二科賞受賞。同年独立美術協会の創立に参加した。

清水錬徳（しみずれんとく）
明治37年（一九〇四）～平成7年（一九九五）
　石川県に生れ、東京で歿。本名は貞吉。本郷洋画研究所に学び、昭和5年二科展に初入選。同7年独立展に入選し、以後出品を重ねた。同15年独立賞を受賞。同25年会員になった。

庄司榮吉（しょうじえいきち）
大正6年（一九一七）～平成27年（二〇一五）
　大阪に生れ、東京で歿。昭和11年赤松麟作に師事した。同13年大阪外国語学校を卒業後、東京美術学校に入学し、寺内萬次郎に師事した。新文展・光風会展に出品を重ねた。同56年光風会展で辻永記念賞、同62年日展で文部大臣賞を受賞した。平成12年恩賜賞・芸術院賞を受賞し芸術院会員になった。日展参事・光風会理事長を務めた。

白髪一雄（しらがかずお）
大正13年（一九二四）～平成20年（二〇〇八）
　兵庫県尼崎に生れ、同地で歿。昭和17年京都市立絵画専門学校に入学し、同23年卒業。同年より大阪市立美術研究所で学んだ。同27年「ゼロの会」の結成に参加。同29年吉原治良を中心に結成された具体美術協会の会員になった。同33年新しい絵画世界展、同40年日本の新しい絵画と彫刻展などに出品した。同46年比叡山延暦寺で修行し僧となった。

白滝幾之助（しらたきいくのすけ）
明治6年（一八七三）～昭和35年（一九六〇）
　兵庫県生野町に生れ、明治23年山本芳翠の塾に入り、後に黒田清輝に師事した。同31年東京美術学校卒業。内国勧業博覧会や白馬会展に出品した。同37年アメリカからヨーロッパ各地を歴游し、パリではラファエル・コランの指導を受け、同43年帰国した。翌44年第5回文展褒状、大正3年第8回文展二等賞を受賞。同13年第5回帝展以後たびたび審査員を務めた。昭和27年日本芸術院賞恩賜賞を受賞。

新道繁（しんどうしげる）
明治40年（一九〇七）～昭和56年（一九八一）
　福井県に生れ、東京で歿。大正10年に家族と上京。同13年東京府立工芸学校を卒業。翌14年第6回帝展『早春』（水彩画）が初入選。

昭和元年日本水彩画会会員。この頃に小林万吾主宰の同舟舎研究所に学んだ。同年第13回光風会展『温室のある風景』などが光風会賞を受賞。同2年鈴木千久馬の指導を受ける。同年第14回光風会展『松』が2年連続して光風会賞を受賞した。同9年光風会会員。同33年第1回新日展『スペインの水売』が文部大臣賞を受賞。同日本芸術院賞を受賞した。同50年日展常務理事となった。同54年光風会理事長に就任した。

進藤　蕃（しんどうばん）
昭和7年（一九三二）～平成10年（一九九八）

東京に生れ、同地で歿。昭和31年東京藝大を卒業。大橋賞を受賞。同33年から新制作協会展に出品した。同35年仏政府給費留学生として渡仏。仏国立美術学校でモーリス・ブリアンションに師事した。帰国後、個展を中心に作品を発表し、安井賞展・国際形象展・日本秀作美術展などにも出品した。

須田国太郎（すだくにたろう）
明治24年（一八九一）～昭和36年（一九六一）

京都に生れ、同地で歿。大正5年京都帝国大学文学部卒業。翌6年関西美術院に学んだ。同8年渡欧し、スペインに滞在。スペイン美術とヴェネツィアを研究。帰国後は京都帝国大学で教壇に立った。昭和9年独立美術協会会員。同22年日本芸術院会員となった。同25年京都市立美術大学教授、後に学長代理を務めた。

須田剋太（すだこくた）
明治39年（一九〇六）～平成2年（一九九〇）

埼玉県に生れ、兵庫県西宮市で歿。旧制熊谷中学校を卒業後、川端画学校に学んだ。昭和14年第2回文展『読書する男』で特選。翌15年光風会会員となってからも日展で特選を重ねた。翌16年国画会会員となり、光風会を離れた。同24年頃から激しい感情を込めた抽象画を描いた。日本国際美術展や現代日本美術展など国内展と海外展に出品。同32年サンパウロ・ビエンナーレでは日本代表の一人に選ばれた。

菅　創吉（すがそうきち）
明治38年（一九〇五）～昭和57年（一九八二）

兵庫県姫路市に生れ、東京で歿。大正14年上京し、雑誌の図版カットなどを描いた。昭和25年より新聞などの挿絵を描いた。同38年渡米しニューヨークで制作した。

菅井　汲（すがいくみ）
大正8年（一九一九）～平成8年（一九九六）

兵庫県神戸市に生れ、同地で歿。昭和27年渡仏し、リトグラフやシルクスクリーンや油絵の技法を駆使した抽象絵画を追求した。同36年日本国際美術展で優秀賞、翌37年ベネチア・ビエンナーレでデビッド・ブライト基金賞、同40年サンパウロ・ビエンナーレで最優秀外国作家賞を受賞するなど国際的に高い評価を得た。翌41年芸術選奨文部大臣賞を受賞した。パリを拠点に海外で活躍した。

菅野圭介（すがのけいすけ）
明治42年（一九〇九）～昭和38年（一九六三）

東京で生れ、同地で歿。京都帝国大学を中退後渡仏し、アンドレ・ドランやジュール・フランドンに師事した。昭和11年から独立展に出品し、同13年協会賞、同17年岡田賞を受賞し、翌18年会員になった。

菅野矢一（すがのやいち）
明治42年（一九〇九）～平成3年（一九九一）

山形に生れ、東京で歿。昭和11年文展初入選。その後、安井曽太郎に師事した。戦後は日展・一水会で活躍した。同54年日展で文部大臣賞を受賞。同57年日本芸術院賞を受賞した。同61年日本芸術院会員に選ばれた。初期は人物を描いていたが、晩年は主に風景を描いた。

杉全　直（すぎまたただし）
大正3年（一九一四）～平成6年（一九九四）

東京に生れ、同地で歿。昭和13年東京美術学校を卒業。翌14年独立展で独立賞を受賞したが、美術文化協会の創立に参加して会員になった。同28年退会し無所属となった。同33年現代日本美術展で優秀賞を受賞した。サンパウロ・ビエンナーレやベネチア・ビエンナーレなどにも出品した。同56年芸術選奨文部大臣賞を受賞した。多摩美術大学・東京藝術大学の教授も務めた。

杉本健吉（すぎもとけんきち）
明治38年（一九〇五）～平成16年（二〇〇四）

名古屋市に生れ、同地で歿。大正14年岸田劉生に師事し、文展・日展・国画会展に出品した。昭和17年新文展で特選、同21年日展で特選を受賞した。同23年中日文化賞を受賞した。

杉本哲郎（すぎもとてつろう）
明治32年（一八九九）～昭和60年（一九八五）

大津市で生れ、京都で歿。大正2年京都市立美術工芸学校で山元春挙に師事。同9年京都市立絵画専門学校卒業。同11年第4回帝展初入選。翌12年官展の作品傾向に疑問を抱き、同志と共に自由主義の美術研究会白光社を結成。春挙塾を破門された。昭和10年この頃から仏教美術の研究に着手した。同12年インドに渡りアジャンタの洞窟壁画を模写。以後たびたびインドや中近東を訪れた。

鈴木信太郎（すずきしんたろう）
明治28年（一八九五）～平成元年（一九八九）

東京に生れ、東京で歿。明治43年白馬会洋画研究所に入所、黒田清輝に学んだ。大正5年第10回文展で初入選。同11年第9回二科展で初入選。その後、石井柏亭に師事した。昭和元年第13回二科展で樗牛賞を受賞。同11年二科会会員となる。戦後は、二科展の再建に努力。同25年武蔵野美術大学教授、同28年多摩美術大学教授に就任した。同30年二科会を退会し、一陽会を結成した。同35年日本芸術院賞を受賞。同44年日本芸術院会員となる。同63年文化功労者に選ばれた。

鈴木千久馬（すずきちくま）
明治27年（一八九四）～昭和54年（一九七九）

福井市に生れ、東京で歿。大正10年東京美術学校を卒業。同年第2回帝展初入選、同14年第6回帝展から3年連続して特選を受けた。昭和16年創元会を大久保作次郎や中村和高らと結成。帝展や日展審査員を務めた。同32年日本芸術院賞受賞。同47年日本芸術院会員。

鈴木亜夫（すずきつぐお）
明治27年（一八九四）～昭和59年（一九八四）

大阪に生れ、東京で歿。東京美術学校を卒業した。後に藤島武二や石井柏亭に師事した。二科展に出品し会友になったが、昭和5年児島善三郎や里見勝蔵らと独立美術協会を創立し会員になった。

鈴木誠（すずきまこと）
明治30年（一八九七）～昭和44年（一九六九）

大阪に生れた。大正11年東京美術学校西洋画科を卒業した。翌12年からパリに留学し、グラン・ショミエールで学んだ。昭和4年帝展で特選。同11年猪熊弦一郎・小磯良平らと新制作派協会を創立し、会員になった。多摩美術大学教授を務めた。

鈴木保徳（すずきやすのり）
明治24年（一八九一）～昭和49年（一九七四）

東京に生れた。大正5年東京美術学校西洋画科を卒業した。昭和3年二科展で二科賞を受け会友となった。同5年児島善三郎・里見勝蔵・三岸好太郎らと独立美術協会を設立し会員になった。

鱸利彦（すずきとしひこ）
明治27年（一八九四）～平成5年（一九九三）

千葉に生れ、東京で歿。東京美術学校を卒業。藤島武二に師事した。文展や帝展に出品。二科展に出品し会員になった。後に一陽会の創立に参加して委員になった。

関根正二（せきねしょうじ）
明治32年（一八九九）～大正8年（一九一九）

福島県白河に生れ、東京で歿。大正元年小

学校を卒業後、伊東深水の紹介で東京印刷会社図案部に就職し、結城素明らを知った。最初は深水の勧めで日本画を描いたが、翌2年洋画に転じ、本郷洋画研究所に通った。同4年第2回二科展『死を思ふ日』で初入選。この時、特別陳列された安井曾太郎の滞欧作に感銘を受けて色彩に開眼した。同7年第5回二科展『信仰の悲しみ』(倉敷・大原美術館)『姉弟』『自画像』が入選し、樗牛賞を受賞した。

関根伸夫（せきねのぶお）

昭和17年(一九四二)～令和元年(二〇一九)

埼玉県で生れ、米カルフォルニアで歿。多摩美術大学大学院を修了。斎藤義重や高松次郎に師事した。昭和43年「位相・スポンジ」で長岡現代美術館賞展大賞を受賞した。李禹煥らと共に「もの派」と呼ばれ、注目を集めた。同45年ヴェネツィア・ビエンナーレで「空相」を発表した。同48年環境美術研究所を設立した。日米欧で作品を発表し、多数のパブリックコレクションがある。

関野準一郎（せきのじゅんいちろう）

大正13年(一九一四)～昭和63年(一九八八)

版画家　青森市に生れ、東京で歿。今純三に銅版と石版を学び、後に恩地孝四郎に師事した。昭和13年日本版画協会会員になり、同15年日本エッチング協会を創立した。国画会展にも出品し、同22年会員になった。同28年日本銅版画家協会の創立に参加した。同36年リュブリアナ国際版画展で特別賞。同50年芸術選奨文部大臣賞を受賞した。

曽宮一念（そみやいちねん）

明治26年(一八九三)～平成6年(一九九四)

東京に生れ、静岡県富士宮で歿。本名喜七。東京美術学校で学ぶ。在学中に文展入選。大正14年二科展で樗牛賞を受賞。戦後は国画会に出品し、奔放で大胆な色彩で自然を描いた作品を発表した。昭和46年緑内障で視力を失ってからは、短歌・随筆・書などを発表した。

た

田口省吾（たぐちせいご）

明治30年(一八九七)～昭和18年(一九四三)

秋田県に生れた。大正10年東京美術学校を卒業後、石井柏亭や安井曽太郎に師事した。昭和4年渡欧。同7年帰国し、二科会会員になった。

田崎広助（たざきひろすけ）

明治31年(一八九八)～昭和59年(一九八四)

福岡県八女郡に生れ、東京で歿。本名は広次。大正6年福岡師範学校を卒業。関西美術院に学び、坂本繁二郎・安井曾太郎に師事した。昭和7年から同10年まで滞仏、サロン・ドートンヌに出品。翌11年一水会展受賞、同14年一水会委員。同42年日本芸術院会員。同48年ブラジル政府最高名誉文化賞、同50年文化勲章を受章した。阿蘇の画家として知られた。

田中阿喜良（たなかあきら）

大正7年(一九一八)～昭和57年(一九八二)

大阪に生れ、パリで歿。昭和18年京都工芸学校を卒業。同23年行動美術協会展に出品、会員。同32年シェル美術賞展一等賞を受賞。翌33年渡仏。以後、フランスで制作活動を続けた。昭和36年サロン・ドートンヌ会員。国際展や国際形象展などに招待出品。

田中恭吉（たなかきょうきち）

明治25年(一八九二)～大正4年(一九一五)

版画家　和歌山市に生れ、同地で歿。号は未知・未知草。白馬会研究所を経て、東京美術学校日本画科を中退。大正3年恩地孝四郎らと雑誌「月映」を創刊し、版画と詩歌を発表。同6年刊の萩原朔太郎「月に吠える」の装画を描いた。

田中繁吉（たなかしげきち）

明治31年(一八九八)～平成6年(一九九四)

福岡に生れ、東京で歿。藤島武二に師事。大正10年東京美術学校卒業。翌11年帝展初入選。白日会展に出品を重ねたが、昭和16年創元会設立に参加した。創元会理事長・日展参与を務めた。甘美で艶やかな女性像を描いた。

田中善之助（たなかぜんのすけ）

明治22年（一八八九）～昭和21年（一九四六）

京都に生れた。当初は日本画を学んだが、聖護院洋画研究所で浅井忠に師事した。文展、関西美術院展に出品した。その後春陽会会員になり関西美術院で指導にあたった。昭和32年新興美術協会を創立した。

田中忠雄（たなかただお）

明治36年（一九〇三）～平成7年（一九九五）

札幌に生れ、東京で歿。大正13年京都高等工芸学校を卒業後、前田寛治に師事した。二科展に出品を重ね、昭和17年会員になった。同20年向井潤吉らと行動美術会を創立した。同35年現代日本美術展で優秀賞。同60年毎日芸術賞を受賞した。武蔵野美術大学教授も務めた。

田中　保（たなかやすし）

明治19年（一八八六）～昭和16年（一九四一）

埼玉県岩槻に生れ、パリで歿。中学校を卒業後、単身でアメリカに渡り、シアトルの画塾で油彩と素描を学んだ。サロン・ド・ラ・ナショナルやサロン・デ・ザンデパンダンやサロン・ドートンヌに出品を重ねた。大正11年第3回黒と白展に出品。ローランサンやマチスやヴァン・ドンゲンや藤田嗣治と親交を持った。サロン・デ・ザンデパンダン会員、サロン・ドートンヌ会員、サロン・デ・チュイルリ会員、昭和4年にはソシエテ・ナショナル・ボザールの会員に推挙された。

田辺　至（たなべいたる）

明治19年（一八八六）～昭和43年（一九六八）

東京生れ、鎌倉で歿。明治43年東京美術学校西洋画科を卒業。助手を経て、大正8年東京美術学校助教授となった。同11年文部省在外研究員として2年間西欧を游歴した。昭和2年第8回帝展『裸体』が帝国美術院賞を受けた。同3年東京美術学校教授に就任。同年二科会の創立に参加したが、翌4年脱退した。同19年東京美術学校教授を退官。この間、第1回文展より出品を続け、褒状や特選などを受けた。

田辺三重松（たなべみえまつ）

明治30年（一八九七）～昭和46年（一九七一）

北海道函館に生れ、東京で没。大正9年函館区立幸尋常小学校の代用教員となった。同15年北海道美術協会会員となった。昭和3年第15回二科展で初入選。同9年新美術協会会員となった。同11年第23回二科展『飛沫』『初秋大沼』で特選を受けた。同17年第29回二科展『岬の午後』などが二科賞を受賞し、二科会会員となった。同20年行動美術協会の創立に参加。翌21年北海道庁立函館高等女学校を退職し、画業に専念。同24年北海道文化賞を受賞。翌25年北海道新聞文化賞を受賞した。

田村一男（たむらかずお）

明治37年（一九〇四）～平成9年（一九九七）

東京に生れ、同地で歿。大正13年本郷研究所に学び、岡田三郎助に師事した。昭和3年帝展に初入選。光風会展にも出品を重ね、同15年会員になり、指導者として活躍した。同21年日展で特選を受賞。同38年芸術院賞を受賞して、同55年芸術院会員になった。平成4年文化功労者に選ばれた。日展顧問も務めた。

田村孝之介（たむらこうのすけ）

明治36年（一九〇三）～昭和61年（一九八六）

大阪に生れ、神奈川県藤沢市で歿。大正9年上京して太平洋画会研究所に学んだ。翌10年大阪に戻り、小出楢重に師事した。同13年信濃橋洋画研究所の創設と同時に同研究所に学んだ。同15年第13回二科展に初入選。昭和2年第1回全関西洋画展全関西賞を受賞。同12年二科会会員。同22年熊谷守一や宮本三郎らと共に二紀会を創立した。同30年兵庫県文化賞を受賞。同49年二紀会理事長に就任。同59年日本芸術院会員。同60年文化功労者に選ばれた。

田村宗立（たむらそうりゅう）
弘化3年（一八四六）〜大正7年（一九一八）
京都府園部に生れ、京都市で歿。号は月樵。最初に南画、次いで仏画を研究したが、陰影法に深く関心を持ち、ワーグマンに洋画を学んだ。京都府画学校で洋画を教え、また関西美術会の創立に尽力した。

高岡徳太郎（たかおかとくたろう）
明治35年（一九〇二）〜平成3年（一九九一）
大阪で生れ、東京で歿。最初に松原三五郎の天彩学舎で学び、上京後、本郷洋画研究所で岡田三郎助に師事した。大正13年大阪の信濃橋洋画研究所に入り、二科展に入選。昭和6年二科賞受賞。同11年会員になった。同30年鈴木信太郎らと一陽会を創立した。

高沢圭一（たかざわけいいち）
大正3年（一九一四）〜昭和59年（一九八四）
群馬県に生れ、東京で歿。日本大学芸術学部を中退。昭和14年聖戦美術展で朝日新聞社賞受賞。和装した女性の美しさを描き続けた。同50年から同57年まで雑誌「婦人公論」の表紙絵を担当していた事で知られた。また第1回日本随筆家協会賞を受賞するなどエッセーでも活躍した。

高島野十郎（たかしまやじゅうろう）
明治23年（一八九〇）〜昭和50年（一九七五）
福岡県に生れ、千葉県で歿。大正5年東京帝国大水産学科を卒業。昭和3年五味清吉や梶尾貫五らと黒牛会を結成した。その後は会派に属さず東京や福岡等で個展を中心に作品を発表した。

高田誠（たかだまこと）
大正2年（一九一三）〜平成4年（一九九二）
埼玉県浦和市に生れ、浦和で歿。旧制浦和中学4年に二科展初入選。在学中から安井曽太郎に師事。昭和12年一水会創立に参加した。20代に信州風景を描きながら点描画に開眼。その後は一貫して点描を追求した。明るく柔らかな光に満ち、親密さを讃えた画風を確立した。同46年日本芸術院賞を受賞。昭和53年日本芸術院会員。昭和62年文化功労者。

高塚省吾（たかつかせいご）
昭和5年（一九三〇）〜平成19年（二〇〇七）
岡山市に生れ、東京で歿。昭和26年東京藝大を卒業。同30年日本アンデパンダン展に出品した。映画美術や舞台衣装等を手がけ、「朝日ジャーナル」の挿画も描いた。個展を中心に作品を発表した。

高橋源吉（たかはしげんきち）
安政5年（一八五八）〜大正2年（一九一三）
江戸に生れる。高橋由一の次嗣子。最初に父由一の主宰する天絵学舎に学んだ。明治9年工部美術学校に入学し、フォンタネージの指導を受けた。同11年工部美術学校連袂退学し、十一会を結成。同13年天絵学舎内の白受社から我が国初の美術雑誌「臥遊席珍」を創刊。同18年「小学画帖」を浅井忠と共に出版。同22年明治美術会の創立に参加すると共に、明治美術会の設立した明治美術学校で教師として指導にあたった。

高橋由一（たかはしゆいち）
文政11年（一八二八）〜明治27年（一八九四）
江戸に生れ、東京で歿。号は藍川・華陰逸人。最初に狩野洞庭や吉沢雪菴に日本画を学んだが、西洋画の迫真性に魅せられて、文久2年蕃書調所の画学局に入り、川上冬崖の薫陶を受け、慶応2年ワーグマンに実技を学んだ。明治6年天絵楼後（後の天絵舎・天絵学舎）を設け、同17年まで多くの後進を指導した。

高畠達四郎（たかばたたつしろう）
明治28年（一八九五）〜昭和51年（一九七六）
東京に生れ、同地で歿。大正5年慶応義塾大学理財科を中退して画業に専念。同11年から昭和3年フランスに滞在し、パリのアカデミー・ラソンで学び、キスリングらのエコール・ド・パリの影響を受けた。帰国後は国画会展に出品したが、独立美術協会の創立に加わった。風景画に独自の境地を展開し、昭和26年毎日美術賞を受賞した。

高間惣七（たかまそうしち）
明治22年（一八八九）～昭和49年（一九七四）
東京に生れ、横浜市で歿。大正5年東京美術学校を卒業。在学中に和田英作に師事。同3年大正博覧会、第8回文展で受賞。同8年第1回帝展、翌9年第2回帝展、同11年第4回帝展、同13年第5回帝展と特選を重ねた。同13年牧野虎雄らと槐樹社を結成、昭和8年斎藤与里らと東光会を組織、同11年主線美術協会を創立し、同30年には官展を離れ、独立美術協会の創立に参加した。同34年第5回日本国際展優秀賞、翌35年横浜文化賞を受賞した。

高松次郎（たかまつじろう）
昭和11年（一九三六）～平成10年（一九九八）
東京に生れ、同地で歿。昭和29年東京藝大に入学し、小磯良平に師事した。同33年より読売アンデパンダン展に出品を重ねた。同37年中西夏之や川仁宏らとハプニングを行なう。翌38年赤瀬川原平や中西夏之と芸術集団ハイレッド・センターを結成し、数多くのパフォーマンスを実践した。

高光一也（たかみつかずや）
明治40年（一九〇七）～昭和61年（一九八六）
石川県金沢に生れ、同地で歿。大正14年石川県立工業学校図案絵画を卒業。小学校教師を経て、昭和7年第13回帝展『兎の静物』が初入選。光風会の中村研一に師事。同12年第1回文展『藁積む頃』で特選を受ける。同22年光風会会員。同30年金沢美術工芸大学教授。同38年第6回新日展『収穫』で文部大臣賞を受賞。同42年光風会理事。同46年日本芸術院賞を受賞。同52年日展理事。同54年日本芸術院会員。同61年文化功労者に選ばれた。

鷹山宇一（たかやまういち）
明治41年（一九〇八）～平成11年（一九九九）
青森県に生れ、東京で歿。昭和6年日本美術学校を卒業し、二科展に初入選。昭和25年会員努力賞、同42年総理大臣賞を受賞した。二科展理事を務めた。

竹谷富士雄（たけやふじお）
明治40年（一九〇七）～昭和59年（一九八四）
新潟県に生れ、東京で歿。昭和6年法政大学卒業。同7年渡欧し、ベルリンとパリに滞在、同10年帰国。翌11年二科展に初出品し、藤田嗣治に師事。同15年二科展で佐分賞。同22年新制作派展新作家賞、同41年国際形象展で愛知県美術館賞を受賞した。新制作協会会員として活躍した。

竹久夢二（たけひさゆめじ）
明治17年（一八八四）～昭和9年（一九三四）
岡山県邑久郡に生れ、長野県富士見高原療養所で歿。明治34年上京、早稲田実業学校に入学。詩や絵を描くのが好きで荒畑寒村の勧めで雑誌に盛んに投稿した。画家を志し、藤島武二や鏑木清方の影響を受け、叙情豊かな夢二式美人は、明治末から大正年間にかけて大いに流行し、特に青年子女の間で持て囃された。作品集『春の巻』を最初に、多くの画集と詩画集があり、異国情緒を湛えた甘い生活的哀愁の中に、近代絵画のデフォルマシオンを清新な感覚で展開した。昭和6年から同8年にかけて欧米を旅したが、帰国後、肺を病み歿した。また商業美術への興味から、どんたく図案社を設立したが、関東大震災のため挫折した。

武田範芳（たけだのりよし）
大正2年（一九一三）～平成元年（一九八九）
北海道旭川に生れ、東京で歿。昭和8年から上野山清貢や牧野虎雄に師事し、後に本郷研究所で学ぶ。同37年渡仏し、フランス国立美術研究所グランショミエールで学んだ。同38年からル・サロンに出品し、金賞・銀賞・銅賞を受賞。シュビジー国際招待最優秀作品賞、シュビジー賞などを受賞した。

鳥海青児（ちょうかいせいじ）
明治35年（一九〇二）～昭和47年（一九七二）
　神奈川県平塚に生れ、東京で歿。本名は正夫。昭和2年関西大学卒業。在学中から春陽会展に出品、『平塚風景』（神奈川県立近代美術館）が初入選。翌3年と翌4年に春陽会賞受賞。翌5年から8年までヨーロッパ各地を歴游した。帰国後、春陽会会員。同18年独立美術協会会員。重厚なマチエールや、色と形に独自の日本的感性を秘めた画風で知られた。同31年芸術選奨文部大臣賞、同34年第10回毎日美術賞を受賞。

辻　愛造（つじあいぞう）
明治28年（一八九五）～昭和39年（一九六四）
　大阪に生れた。最初は赤松麟作に学んだ。大正4年太平洋画研究所に入った。同15年国画会に出品し、昭和9年会員になった。同32年兵庫県文化賞を受賞した。

辻　永（つじひさし）
明治17年（一八八四）～昭和49年（一九七四）
　広島に生れ、東京で歿。明治39年東京美術学校卒業。岡田三郎助に師事した。山羊を描いた作品を文展に出品、山羊の画家として知られた。大正7年光風会会員。同9年から翌10年までヨーロッパに留学。光風会や帝展で活躍し、帝展では審査員を務めた。大正末期から平明で温和な風景画を発表した。昭和22年日本芸術院会員。同34年文化功労者。また同33年から同44年まで日展理事長。

椿　貞雄（つばきさだお）
明治29年（一八九六）～昭和32年（一九五七）
　山形県米沢市に生れ、千葉市で歿。大正3年上京し岸田劉生に師事した。巽画会展に出品し、後に草土社会員として活躍。同11年春陽会の創立に客員として参加したが昭和2年同会を離れ、大調和会の鑑査委員となり、更に国画会会員となった。

鶴岡政男（つるおかまさお）
明治40年（一九〇七）～昭和54年（一九七九）
　群馬県高崎市に生れ、東京で歿。大正4年上京し、同11年太平洋画会研究所に入り、靉光らと交遊した。昭和3年一九三〇年協会展に入選、一九三〇年協会展に出品した事で太平洋画会研究所を除名処分となり、洪原会を結成。同5年洪原会を解散。同年ＮＯＶＡ美術協会を創立。同12年ＮＯＶＡ解散。同18年靉光や松本竣介らと新人画会を結成。同22年自由美術家協会会員。日本国際美術展、現代日本美術展などに出品。同38年第7回日本国際美術展で最優秀賞を受賞した。

鶴岡義雄（つるおかよしお）
大正6年（一九一七）～平成19年（二〇〇七）
　茨城県土浦市に生れ、東京で歿。昭和16年日本美術学校を卒業。同年二科展初入選。同25年二科会会員になる。同49年総理大臣賞を受賞した。平成2年日本芸術院賞を受賞し、同6年日本芸術院会員になった。二科会理事長を務めた。

鶴田吾郎（つるたごろう）
明治23年（一八九〇）～昭和44年（一九六九）
　東京に生れ、同地で歿。明治38年倉田白羊に師事。翌39年白馬会研究所に入った。大正元年国民新聞社に入社。同年朝鮮に渡り、京城日報に移った。同6年満州やロシアを放浪し、同9年帰国。この頃から画家生活を始めた。同年太平洋画会『水先案内』で太平洋賞を受け、また第2回帝展『盲目のエロシェンコ』で初入選。同14年太平洋美術研究所で後輩の指導にあたった。同22年示現会の創立に参加したが、同26年示現会を退会。同30年日本スポーツ芸術協会会員。

寺内萬治郎（てらうちまんじろう）
明治23年（一八九〇）～昭和39年（一九六四）
　大阪に生れ、埼玉県浦和で歿。明治38年松原三五郎の天彩画塾に学んだ。同43年上京して白馬会に入り、黒田清輝の指導を受けた。大正5年東京美術学校西洋画科を卒業。同7年第18回文展で初入選した。以後文展・日展・光風会に出品を続けた。同11年金塔社を結成。

翌12年終生のテーマとなる裸婦像を描き初めた。同14年第6回帝展『裸婦』、昭和2年『インコと女』でそれぞれ特選を受けた。同4年光風会会員。同8年第14回帝展より審査員となり、以後もしばしば審査員となった。同18年東京藝術大学講師。同25年第6回日展『横臥裸婦』により、翌26年日本芸術院賞を受賞した。同35年日本芸術院会員となった。

寺田竹雄（てらだたけお）

明治41年（一九〇八）～平成5年（一九九三）

福岡に生れ、東京で歿。昭和7年カリフォルニア州美術専門学校を卒業。その後米政府の依頼で、サンフランシスコ市コイト記念塔内に壁画を描く。帰国後は二科展に出品。同51年内閣総理大臣賞を受賞。同54年日本美術家連盟理事長となる。同59年『朝の港』で日本芸術院賞を受賞。平成2年日本芸術院会員になる。二科会常務理事も務めた。

寺田政明（てらだまさあき）

明治45年（一九一二）～平成元年（一九八九）

福岡県に生れ、東京で歿。昭和5年太平洋美術学校に入学した。翌6年太平洋近代洋画研究会を結成した。翌7年第2回独立展『風景B』が初入選。翌8年太平洋美術学校を辞めた。翌9年初個展を開催した。同12年第7回独立展『美しい季節』『街の憂鬱と花束』で独立美術協会賞を受賞した。同14年美術文化協会の結成に参加。同18年新人画会を結成。翌19年中国を取材。同24年日本美術家連盟が発足し創立委員となった。同年美術文化協会を退会し、自由美術協会へ移った。

寺松国太郎（てらまつくにたろう）

明治8年（一八七五）～昭和18年（一九四三）

岡山県に生れた。最初は田村宗立門下の田中九衛に学び、明治33年上京し小山正太郎の不同社で学んだ。同43年文展で褒状、大正2年三等賞となった。その後関西美術院で後進の指導にあたった。

東郷青児（とうごうせいじ）

明治30年（一八九七）～昭和53年（一九七八）

鹿児島市に生れ、旅行中に熊本市で歿。本名は鉄春。青山学院中学を卒業後、有島生馬に師事した。第3回二科展『パラソルをさせる女』（福岡県清力美術館）で二科賞を受賞。大正10年から昭和3年まで渡仏、帰国後二科展に滞欧作を発表し認められる。戦後二科会の再建に努力し、長く同会の指導的な立場にあった。独創的で象徴的なイメージとしての裸婦像はよく知られる。昭和35年日本芸術院会員。

富田温一郎（とみたおんいちろう）

明治20年（一八八七）～昭和29年（一九五四）

石川県金沢に生れた。明治44年東京美術学校を卒業。大正2年文展初入選。同9年・昭和2年帝展で特選を受賞した。中沢弘光らと白日会を結成した。戦後の日展で審査員を務めた。

富山芳男（とみやまよしお）

明治43年（一九一〇）～平成12年（二〇〇〇）

富山県黒部市に生れ、同地で歿。昭和3年鹿子木孟郎のアカデミに入所。同11年新文展に初入選。同21年第1回日展に入選以来19回入選。同23年富田温一郎の招きにより白日会会員となる。同34年従来の写実画に疑問を持つようになり抽象画に移行し、終生のテーマである「存在についての習作」シリーズが始まる。昭和45年初個展。同51年絶展を創立。平成3年白日会展総理大臣賞を受賞。翌4年多摩美術大学美術参考資料館で富山芳男展が開催された。

な

中川一政（なかがわかずまさ）

明治26年（一八九三）～平成3年（一九九一）

東京に生れ、同地で歿。文学に関心を持つ一方、油絵を独学。大正3年初めて『酒蔵』を描いた。巽画会展に出品し受賞。同年第2回二科展『春光』などを出品した。同4年岸田劉生主宰の草土社に参加した。同10年第8回二科展『静物（一）（二）』などが二科賞を受賞した。同11年春陽会が設立されて、客員となった。同13年春陽会会員。昭和12年墨人倶楽部を結成した。同年第3回新文展審査員。同15年邦画一如会を結成した。同50年中国文化交流使節日本美術家代表団名誉団長として中国を訪問した。同年文化勲章を受章。

中川紀元（なかがわきげん）

明治25年（一八九二）～昭和47年（一九七二）

長野県上伊那郡に生れ、東京都田無市で歿。明治45年東京美術学校彫刻科に入学したが退学し、洋画に転じて石井柏亭と正宗得三郎に師事した。大正4年から二科展に出品した。同8年から同14年までフランスに留学してマチスの指導を受けた。同9年二科展樗牛賞、翌10年二科賞を受賞。同12年二科会会員となった。昭和22年二紀会を同志と共に結成。フォービスム（野獣派）的絵画から次第に日本の叙情的な作風へと変化していった。

中川力（なかがわりき）

大正7年（一九一八）～平成6年（一九九四）

和歌山県に生れ、東京で歿。昭和12年から同19年まで中之島洋画研究所で学んだ。その後有島生馬に師事し、日展や一水会展に出品を重ねた。同23年日展で特選。翌24年一水会賞を受賞し、翌25年一水会会員になった。同30年からパリのアカデミー・ジュリアンに学び、サロン・ド・ラールリーブルにて二等賞を受賞した。同38年に日展と一水会を退会し、その後は個展を中心に作品を発表した。

中沢弘光（なかざわひろみつ）

明治7年（一八七四）～昭和39年（一九六四）

東京に生れ、同地で歿。曾山幸彦・堀江正章・黒田清輝に学んだ。明治33年東京美術学校を卒業。白馬会の創立に加わり作品を多く発表した。同40年以来文展に出品し、たびたび受賞した。叙情的な画風で知られ、昭和5年帝国美術院会員、同9年帝室技芸員となった。

中谷泰（なかたにたい）

明治42年（一九〇九）～平成5年（一九九三）

三重県松阪に生れ、東京で歿。昭和4年川端画学校に入る。同6年春陽会洋画研究所に学び、春陽会展に出品を続けた。同13年春陽会賞受賞。翌14年文展で特選を受賞。同18年春陽会会員になる。同34年日本国際美術展で優秀賞を受賞した。同46年東京藝術大学油画科教授に就任した。

中西利雄（なかにしとしお）

明治33年（一九〇〇）～昭和23年（一九四八）

東京に生れ、同地で歿。大正13年東京美術学校在学中に第5回帝展で初入選。昭和2年東京美術学校西洋画科を卒業。翌3年渡仏し同6年までパリに滞在。この間に小磯良平とフランス・イギリス・イタリアを旅行した。同5年サロン・ドートンヌ展『トリエル・デュ・セーヌ』などが入選した。同9年第15回帝展『優駿出場』で特選を受けた。同11年新制作派協会の結成に参加した。日本の水彩画の開拓者と言われ、明快な色調と近代的な感覚を持つ独自の画境で知られている。

中野和高（なかのかずたか）

明治29年（一八九六）～昭和40年（一九六五）

愛媛県に生れた。大正3年白馬会研究所で黒田清輝に師事した。同10年東京美術学校西洋画科を卒業した。同12年から昭和2年までフランス留学。同2年から帝展で3年連続特選を受賞した。同16年創元会を創立した。同32年日本芸術院賞を受賞した。

中畑艸人（なかはたそうじん）

明治45年（一九一二）～平成11年（一九九九）

和歌山県海草郡に生れ、兵庫県で歿。昭和5年日本水彩画展に出品。同8年帝展に出品。同13年上京し、硲伊之助に師事して油彩画を始めた。翌14年より一水会展に出品を続け、同21年会員に推挙された。同28年一水会会員優賞を受賞した。同43年鴨居玲らと具象作家7人と赫土会を結成。馬の絵を得意として、中央競馬会馬事文化賞選考委員も務めた。

中間冊夫（なかまさつお）
明治41年（一九〇八）〜昭和60年（一九八五）
鹿児島県加世田市に生れ、東京で歿。大正12年上京し、昭和2年荻須高徳の勧めで川端画学校に入学。同4年一九三〇年協会に移り、中山巍・林武・里見勝蔵などの指導を受ける。同6年第1回独立展に出品、以後毎年出品。同11年独立賞を受賞し、会友に推挙され、同15年会員に推挙される。独立展の他に「鷹の会」「けやき会」「十果会」などを結成し活躍した。

中丸精十郎（なかまるせいじゅうろう）
天保12年（一八四一）〜明治29年（一八九六）
山梨県甲府に生れた。最初は京都で日根対山に南画を学んだ。明治初期に東京に出て川上冬崖の聴香読画館で洋画を学ぶ。その後工部美術学校に入学し、フォンタネージに師事した。門下に藤島武二、大下藤次郎などがいる。

中村研一（なかむらけんいち）
明治28年（一八九五）〜昭和42年（一九六七）
福岡県宗像町に生れ、東京で歿。大正3年京都に出て鹿子木孟郎の内弟子となる。同8年第8回光風会展初入選。翌9年東京美術学校を卒業。岡田三郎助に師事した。同9年第2回帝展初入選。同年大正博覧会で三等賞受賞。翌10年第3回帝展で特選を受けた。同12年フランスに渡り、昭和3年帰国。滞仏中の同2年にサロン・ドートンヌ会員となった。同4年帝国美術院賞受賞。同16年野間奨励賞を受賞。同25年日本芸術院会員。

中村清治（なかむらせいじ）
昭和10年（一九三五）〜平成23年（二〇一一）
神奈川県に生れ、同地で歿。昭和33年東京藝大を卒業。同41年初個展を開催した。同49年黎の会の結成に参加した。同60年より日本秀作美術展に出品した。その後、個展を中心に作品を発表した。

中村善策（なかむらぜんさく）
明治34年（一九〇一）〜昭和58年（一九八三）
北海道小樽市に生れ、東京で歿。大正5年小樽洋画研究所に学び、同13年上京し、川端画学校で安井曾太郎や石井柏亭に師事した。翌14年第12回二科展初入選、同年道展の創立に参加して会員となった。昭和12年第1回一水会展に出品し会員となった。同43年日展出品作で日本芸術院賞を受賞。一水会運営委員や日展参事として活躍した。澄んだ色彩で明るい風景画を描いた。

中村琢二（なかむらたくじ）
明治30年（一八九七）〜昭和63年（一九八八）
新潟県佐渡に生れ、鎌倉で歿。大正13年東京帝国大学経済学部を卒業。昭和5年第17回二科展に初出展。同年安井曽太郎に師事する。同12年第1回一水会展に出品。同14年一水会賞を受賞。同16年一水会が第4回新文展の初参加に伴い『女集まる』を出品、特選を受ける。翌17年一水会会員となる。同28年芸術選奨を受賞、同37年第5回日展で文部大臣賞を受賞する。翌38年日本芸術院賞を受賞する。同56年日本芸術院会員。近代的な感覚の写実に独自の画境を築いた。

中村彝（なかむらつね）
明治20年（一八八七）〜大正13年（一九二四）
水戸に生れ、東京で歿。明治34年名古屋陸軍幼年学校へ入学したが、病気で退学。洋画家を志して同39年白馬会研究所で黒田清輝の指導を受けたが、翌年太平洋画会研究所に移り、中村不折や満谷国四郎に学んだ。同43年太平洋画会展『風景』が宮内省買上。同年第4回文展『海辺の村』が三等賞、大正5年第10回文展『田中館博士の像』が特選となり、同9年第2回帝展『エロシェンコ氏の肖像』は賞讃を集めて肖像画の名作として知られる。

中村直人（なかむらなおんど）
明治37年（一九〇四）〜昭和56年（一九八一）
長野県上田に生れ、東京で歿。最初に彫刻家として吉田白嶺に師事した。日本美術院に所属し、大正15年第13回院展初入選。昭和5年第18回院展で日本美術院賞を受賞した。歴史的な人物像や鷹などをシャープに彫りあげた。同11年日本美術院同人。同15年第4回新文展で審査員を務めた。同年陸軍美術展陸軍大臣賞を受賞。同26年フランスに渡り、滞在中に藤田嗣治の影響を受け、日本画的描法を西洋画のグワッシュ（不透明絵具）を使い独特の画風を創作した。同39年に帰国。同41年第51回二科展に招待出品。同45年第55回二科展で努力賞、同55年第65回二科展で総理大臣賞を受賞した。

中村不折（なかむらふせつ）
慶応2年（一八六六）～昭和18年（一九四三）

江戸京橋に生れ、東京で歿。本名は鈼太郎。最初に南画を習っていたが、後に不同舎で小山正太郎や浅井忠に学んだ。明治美術会に出品していたが、明治34年フランスに留学し、コランやジャンポール・ローランスの指導を受け、同38年帰国した。文展の審査員を務め、太平洋画会の代表的作家として活躍した。後に太平洋美術学校校長。また書に対する造詣も深く、漢魏六朝風を研究して独特の個性ある筆法で多くの書を書いた。大正8年帝国美術院会員となった。昭和11年東京根岸の自邸に書道博物館を設立。

中村善種（なかむらよしたね）
大正3年（一九一四）～平成7年（一九九五）

和歌山に生れ、京都で歿。和歌山師範学校を卒業。昭和13年独立展に初入選。以後出品を重ね、同17年独立賞を受賞し、同24年会員になった。同61年京都市文化功労賞、翌62年和歌山市文化賞を受賞した。京都芸術大学教授を務めた。

中山巍（なかやまたかし）
明治26年（一八九三）～昭和53年（一九七八）

岡山市に生れ、東京で歿。明治44年葵橋洋画研究所に学んだ。大正9年東京美術学校卒業。藤島武二に師事。同11年から昭和3年まで滞欧、ヴラマンクに師事。帰国後、滞欧作を第15回二科展に出品、二科賞を受賞。一九三〇年協会会員。昭和5年二科会会友を辞し、里見勝蔵らと独立美術協会を結成。フォービスムの単純で軽妙な構図で人物像を描いた。同26年日本芸術院賞を受賞した。

仲田好江（なかだよしえ）
明治35年（一九〇二）～平成7年（一九九五）

大阪に生れ、東京で歿。大阪府立大手前高等女子学校を卒業後、信濃橋洋画研究所で学び、小出楢重に師事した。昭和2年上京し、安井曽太郎に師事した。一水会展に出品を重ね会員になった。女流画家協会の創立にも参加し委員となった。

仲村一男（なかむらかずお）
明治44年（一九一一）～昭和57年（一九八二）

大阪に生れ、同地で歿。信濃橋洋画研究所で学び、小出楢重に師事した。独立美術展に出品を重ね、独立賞を受賞。後に会員になった。

永瀬義郎（ながせよしろう）
明治24年（一八九一）～昭和53年（一九七八）

版画家 茨城県那珂郡に生れ、東京で歿。長原孝太郎・荒木十畝に師事。東京美術学校彫刻科を中退、後に京都市立絵画専門学校に学んだ。同人誌「仮面」の表紙を担当した。日本創作版画倶楽部を長谷川潔らと結成した。大正8年日本創作版画協会会員となった。

長原孝太郎（ながはらこうたろう）
元治元年（一八六四）～昭和5年（一九三〇）

岐阜県に生れ、東京で歿。本姓は竹中。号は止水。小山正太郎・原田直次郎に師事。最初に東京帝国大学理学部の技手として生物を写生したが、明治31年黒田清輝の推薦で東京美術学校の助教授となり、後に教授となった。白馬会会員となって白馬会展に出品し、また文展でも受賞を重ね、大正8年から昭和2年まで帝展審査員を務めた。

鍋井克之（なべいかつゆき）
明治21年（一八八八）～昭和44年（一九六九）

大阪に生れ、同地で歿。旧姓は田丸。大正

4年東京美術学校を卒業。同年第2回二科展『秋の連山』が二科賞受賞。同11年渡欧、翌年帰国して二科会会員となった。同13年小出楢重、黒田重太郎らと大阪に信濃橋研究所を設立した。昭和22年二紀会の結成に加わり、委員として活躍。同25年日本芸術院賞を受賞。

奈良岡正夫（ならおかまさお）
明治36年（一九〇三）～平成16年（二〇〇四）
青森県弘前市に生れ、東京で歿。昭和21年日展に初入選。翌22年示現会の結成に参加して創立会員になった。同29年日展特選。同38年日展会員になった。示現会会長、日展参与を務めた。

楢原健三（ならはらけんぞう）
明治40年（一九〇七）～平成11年（一九九九）
東京に生れ、同地で歿。昭和8年東京美術学校を卒業。同21年日展に出品。翌22年示現会の結成に参加して創立会員になる。同33年日展会員。同46年文部大臣賞を受賞。同54年示現会理事長に就任。同56年芸術院賞を受賞して、同63年芸術院会員になった。

南城一夫（なんじょうかずお）
明治33年（一九〇〇）～昭和61年（一九八六）
群馬県前橋に生れ、同地で歿。東京美術学校を卒業した。後に岡田三郎助に師事した。春陽会に出品し会員になる。フランスに12年間滞在し、サロン・ドートンヌや国際展などに出品した。

難波田龍起（なんばたたつおき）
明治38年（一九〇五）～平成9年（一九九七）
北海道旭川市に生れ、東京で歿。昭和2年早稲田大学を卒業後、太平洋画研究所で川島理一郎に師事した。同4年国画会展に初入選。同13年自由美術協会を結成して、会員になった。同29年現代日本美術展に出品。自由美術協会を退会後、現代の日本美術の歩み展、現代美術の動向展、日本秀作美術展などに出品した。

西村功（にしむらいさお）
大正12年（一九二三）～平成15年（二〇〇三）
兵庫に生れ、同地で歿。昭和23年帝国美術学校を卒業。西村孝之介に師事した。25年二紀展初入選。翌26年同人、同31年委員になった。同40年安井賞、同61年二紀展総理大臣賞を受賞した。

西村龍介（にしむらりゅうすけ）
大正9年（一九二〇）～平成17年（二〇〇五）
山口県に生れ、東京で歿。昭和16年東京美術学校を卒業。同31年二科展で特待賞を受賞し、その後出品を重ね、同34年金賞、翌35年二科会会員になった。同38年会員努力賞、同43年青児賞、同46年総理大臣賞を受賞した。同50年二科会委員長に就任した。平成元年芸術選奨文部大臣賞を受賞した。同13年二科会を退会して無所属となった。

西山真一（にしやましんいち）
明治39年（一九〇六）～平成元年（一九八九）
福井県鯖江市に生れ、東京で歿。福井県師範学校を卒業後、小学校の教師を務めながら画業を進め、昭和6年第18回光風会展、第12回帝展に初入選。同年鈴木千久馬、同22年辻永に師事。以後、光風会展、日展に出品し、同55年日本芸術院賞を受賞した。同59年日本芸術院会員となる。光風会常任理事や日展顧問などを務めた。

塗師祥一郎（ぬししょういちろう）
昭和7年（一九三二）～平成28年（二〇一六）
石川県に生れ、埼玉県で歿。昭和28年金沢美工大を卒業。小絲源太郎に師事した。在学中に日展や光風会展で初入選。平成9年日展で文部大臣賞を受賞。同15年芸術院賞を受賞して同年芸術院会員になった。日展顧問・日洋会理事長を務めた。

野口謙蔵（のぐちけんぞう）
明治34年（一九〇一）～昭和19年（一九四四）
滋賀に生れ、同地で歿。明治13年東京美術学校を卒業。在学中は黒田清輝・和田英作に師事した。卒業後、洋画について懐疑的となり、日本画を野口少蘋の娘少恵や平福百穂に学んだ。昭和3年第9回帝展『庭』で初入選。同6年第12回帝展『獲物』、同8年第14回帝展『閑庭』、翌9年第15回帝展『霜の朝』で特選を受けた。同年東光会会員。

野口弥太郎（のぐちやたろう）
明治32年（一八九九）〜昭和51年（一九七六）
東京に生れ、同地で歿。川端画学校に学んだ。大正11年二科展入選。同15年一九三〇年協会会員となった。昭和4年渡欧、サロン・ドートンヌに出品、同8年帰国して独立美術協会会員となり、同37年国際形象展同人となった。同39年『セビラの行列』で毎日芸術賞、同48年『那智の滝』で芸術選奨文部大臣賞を受賞した。

野田英夫（のだひでお）
明治41年（一九〇八）〜昭和14年（一九三九）
アメリカ・カリフォルニア州サンタ・クララに生れ、東京で歿。最初は熊本で過したが、大正15年渡米してカリフォルニア美術学校で学んだ。ディエーゴ・リベーラの壁画助手を務め、国吉康雄などの影響を受けた。アメリカで都会の街角や小市民の哀感を題材に、その数々のイメージを構成して郷愁を秘めた纎細な神経で独特な絵画世界を描いた。昭和9年と同11年に帰国して二科展に出品、翌12年新制作協会会員となった。

野間仁根（のまひとね）
明治34年（一九〇一）〜昭和54年（一九七九）
愛媛県に生れ、東京で歿。大正5年川端画学校に入る。大正13年第11回二科展で初入選。翌14年東京美術学校を卒業。昭和3年第15回二科展で樗牛賞を受け、翌4年第16回二科展で二科賞を受賞。同8年二科会員となる。同13年熊谷守一と共に個展を開催。同30年鈴木信太郎らと一陽会を結成し、二科会を脱会する。

野見山暁治（のみやまぎょうじ）
大正9年（一九二〇）〜令和5年（二〇二三）
福岡県飯塚市に生れ、同県で歿。東京美術学校に入学当時は故郷の炭鉱を制作の原風景とし、その後12年間のパリ生活を経て抽象画へと変化。帰国後は東京藝術大学で美術学部助教授・教授・同大名誉教授を歴任した。昭和21年西部美術展覧会で福岡県知事賞、平成4年芸術選奨文部大臣賞、同6年福岡県文化賞、同8年毎日芸術賞受賞、同12年文化功労者、同26年文化勲章を受章した。

野村守夫（のむらもりお）
明治37年（一九〇四）〜昭和54年（一九七九）
広島に生れ、東京で歿。藤島武二に師事した。二科展に出品し努力賞、青児賞などを受賞した。その間、国際展やサロン・ドートンヌなどにも出品した。昭和47年日本芸術院恩賜賞を受賞した。二科会常務理事を務めた。

は

萩谷巌（はぎのやいわお）
明治24年（一八九一）〜昭和54年（一九七九）
福岡県に生れた。東京美術学校西洋画科を卒業。後に黒田清輝に師事した。その後フランスに渡り、シャルル・ゲランに師事した。サロン・ドートンヌに出品し、会員になった。

硲伊之助（はざまいのすけ）
明治28年（一八九五）〜昭和52年（一九七七）
東京に生れた。明治44年日本水彩画研究所に入った。翌45年フュウザン会の結成に参加した。大正3年と同7年二科展で二科賞を受賞し会友、昭和8年会員となる。同年渡欧してマチスに学んだ。同10年二科会を退会した。翌11年石井柏亭や安井曽太郎らと一水会を創立し委員となった。

橋本博英（はしもとひろひで）
昭和8年（一九三三）〜平成12年（二〇〇〇）
岐阜県に生れ、東京で歿。昭和33年東京藝大を卒業。同42年フランスへ渡り、パリアカデミージュリアンとグランド・ショミエールで学んだ。同43年帰国し、翌年新樹会展に招待出品をした。同49年黎の会を結成した。同52年具象現代展に同人として参加した。同54

年自選展を開催。個展も数多く開催した。

長谷川　潔（はせがわきよし）
明治24年（一八九一）～昭和55年（一九八〇）
版画家　横浜市で生れ、パリで歿。白馬会の研究所で藤島武二や岡田三郎助に師事。雑誌「仮面」の同人として木版画を手掛け、長く版画活動に情熱を傾けた。大正7年渡仏し、以後パリで制作を続けた。昭和10年レジオン・ドヌール勲章を受章。『南仏古村』『オランジュと葡萄』などの作品を遺した。

長谷川三郎（はせがわさぶろう）
明治39年（一九〇六）～昭和32年（一九五七）
山口県長府に生れ、サンフランシスコで歿。昭和4年東京帝国大学文学部を卒業。信濃橋研究所で小出楢重に師事した。同年欧米游歴、帰国して二科展に出品。同9年グループ新時代、同12年自由美術家協会を結成した。同25年渡米、以後カリフォルニア美術大学などで東洋美術や禅を講義。戦前から抽象絵画を制作し、日本の抽象美術を海外に紹介。また著書も多い。

長谷川利行（はせがわとしゆき）
明治24年（一八九一）～昭和15年（一九四〇）
京都に生れ、東京で歿。大正10年、時折上京し、講談雑誌に小説を書いた。同10年第1回新光洋画会展に初入選、昭和2年第14回二科展樗牛賞、翌3年一九三〇年協会展一九三〇年協会賞を受賞した。同7年浅草、千住や三河島付近を放浪する生活が始まり、浅草に集まった詩人・小説家・芸人などのグループ超々（シュルシュル）会に加わった。同11年、翌12年、翌13年に渡り個展を精力的に開催した。

長谷川　昇（はせがわのぼる）
明治19年（一八八六）～昭和48年（一九七三）
福島県に生れ、東京で歿。東京美術学校を卒業した。大正9年院展洋画部を脱会して、小杉方庵や森田恒友らと春陽会を結成して会員になった。その後春陽会を退会した。日展に出品を続け、昭和32年日本芸術院会員に選ばれた。日展顧問を務めた。

長谷川潾二郎（はせがわりんじろう）
明治37年（一九〇四）～昭和63年（一九八八）
北海道に生れ、東京で歿。大正13年上京し、川端画学校で学んだ。昭和6年渡仏。翌7年二科会展に初入選。その後日動画廊等で個展を中心に作品を発表した。

服部正一郎（はっとりしょういちろう）
明治40年（一九〇七）～平成7年（一九九五）
茨城県竜ヶ崎市に生れ、取手市で歿。昭和4年日本美術学校洋画科を卒業。同年二科展に初入選。同11年宮本三郎・田村孝之介・田崎廣助らと新美術家協会に参加した。翌12年二科会会友、同16年会員、同18年評議員に推挙された。同27年会員努力賞を受賞。同43年第52回二科展出品作「水郷」で日本芸術院賞を受賞し、同62年日本芸術院会員になった。同53年から二科会常務理事を務めた。サロン・ドートンヌ会員でもあった。

服部　保（はっとりたもつ）
大正4年（一九一五）～平成9年（一九九七）
岐阜県で生れ、名古屋で歿。関西美術院・川端画学校・本郷研究所で学んだ。昭和33年渡欧。同35年一水会会員になったが同年退会して以後は無所属で制作を続け、日本橋高島屋や梅田画廊などで個展を中心に作品を発表した。

塙　賢三（はなわけんぞう）
大正5年（一九一六）～昭和61年（一九八六）
茨城県土浦市に生れ、東京で歿。電機学校卒業後、塙電業社を興しモーター会社を運営する傍ら、妻フミの勧めでアンデパンダン展に出品し入選。昭和21年、同郷の鶴岡義雄の勧めで復興二科展に出品し入選。会社を畳み上京して二科展を舞台に活動。同33年から翌年末にかけロード展（伊賀）と米国や欧州各国に発表の場を求めて放浪した。心の底にまで降りて行く優しさと根気から生まれる道化には定評があった。安井賞候補の「サーカス」

には詩人の谷川俊太郎が一遍の詩を贈った事で知られる。二科会理事。

浜口陽三（はまぐちようぞう）
明治42年（一九〇九）〜平成12年（二〇〇〇）
版画家　和歌山県に生れ、東京で歿。東京美術学校の彫刻科に入学したが中退して渡仏した。フランスで油彩・水彩・銅版画などを学び、昭和12年長谷川三郎・村井正誠らと自由美術協会の結成に参加した。同57年東京国際版画ビエンナーレで東京国立近代美術館賞、サンパウロビエンナーレでグランプリを受賞した。カラーメゾチント技法による独自の世界を生み出した。

浜田知明（はまだちめい）
大正6年（一九一七）〜平成30年（二〇一八）
版画家　長崎に生れ、同地で歿。昭和8年16歳で東京美術学校洋画科に入学、同14年卒業。その後入隊した。戦後上京し銅版画制作を始めた。同31年ルガノ白と黒国際展で「初年兵哀歌」を発表した。同35年現代日本美術展で優秀賞を受賞した。

早川義孝（はやかわぎこう）
昭和11年（一九三六）〜平成24年（二〇一二）
東京に生れ、千葉県柏市で歿。昭和27年、翌28年全日本学生油絵コンクールで文部大臣賞を受賞した。同37年新槐樹社会員になる。翌38年新槐樹社賞。同44年文部大臣賞を受賞、同61年総理大臣賞を受賞した。新槐樹社名誉会長。

林喜市郎（はやしきいちろう）
大正8年（一九一九）〜平成11年（一九九九）
千葉県野田市に生れ、東京で歿。昭和21年シベリア抑留。同25年帰国し、制作を始めた。同46年から一水会展に出品し、入選を重ねた。日伯現代美術展やブラジル展にも出品した。民家を描き続け、個展を中心に作品を発表した。

林重義（はやししげよし）
明治29年（一八九六）〜昭和19年（一九四四）
神戸に生れた。大正3年京都府立絵画専門学校に入学して日本画を学ぶ。同5年同校を中退し、関西美術院に移り、鹿子木孟郎に学んだ。同12年二科展に初入選。昭和元年二科展『緑陰』などで二科賞を受賞した。同年日本水彩画会展に初出品、会員となった。同5年独立美術協会の創立に参加した。翌6年第1回独立展に新しい精神に基づく写実を主張する作品を発表した。同12年独立美術協会を退会。退会後は文展に出品した。同17年国画会会員となった。一貫して絵画の純粋写実主義を主張した。

林倭衛（はやししずえ）
明治28年（一八九五）〜昭和20年（一九四五）
長野県上田市に生れ、埼玉県浦和市で歿。苦学しながら油絵を習得。大正5年二科展初出品、翌6年二科展樗牛賞、翌7年二科賞受賞、翌8年二科展『出獄の日のO（大杉栄）氏』は治安を乱したという理由で撤回を命ぜられた。同10年渡欧、同15年帰国し、春陽会会員。昭和3年再渡欧、翌年帰国。同9年春陽会退会。同12年文展で審査員、同17年委員も務めた。明快な色調と叙情的な詩趣を特徴としている。

林武（はやしたけし）
明治29年（一八九六）〜昭和50年（一九七五）
東京に生れ、同地で歿。本名は武臣。最初に文学を志して東京歯科医専門学校を中退し、後に絵画に転向、大正9年日本美術学校に入学、同年退学した。翌10年と翌11年に二科展樗牛賞と二科賞受賞。同15年一九三〇年協会に加わり、昭和5年独立美術協会結成に参加した。同9年渡仏、翌年帰国。同24年毎日美術賞。同26年から38年まで東京藝術大学教授を務め、後進の指導にあたった。同42年朝日賞と文化勲章を受章した。

原精一（はらせいいち）
明治41年（一九〇六）〜昭和61年（一九八六）
神奈川に生れ、東京で歿。川端画学校で学

び、万鉄五郎に師事した。国画会会員であったが、後に退会し、国際形象展同人になった。

原　撫松（はらぶしょう）

慶応2年（一八六六）〜大正元年（一九一二）

　岡山市に生れ、東京で歿。明治17年京都府画学校を卒業。小山三造や田村宗立に師事した。肖像画を研究し、岩崎弥太郎・伊藤博文・西園寺公望などの肖像画を描いた。明治37年渡英し、ロンドンのナショナルギャラリーでレンブラントなどを摸写した。

原田直次郎（はらだなおじろう）

文久3年（一八六三）〜明治32年（一八九九）

　江戸小石川に生れ、小田原で歿。明治14年東京外国語学校を卒業。山岡成章、高橋由一に学んだ。同17年ドイツに留学してガブリエル・マックスに師事し、滞在中に森鷗外と親交を結んだ。同20年帰国、私塾鐘美館を開設した。明治美術会の創立に参加し、大作を発表。

百武兼行（ひゃくたけかねゆき）

天保13年（一八四二）〜明治17年（一八八四）

　佐賀に生れ、同地で歿。明治4年佐賀藩主鍋島直大の英国留学に従ってロンドンに滞在し、洋画を学び、ロイヤル・アカデミー展に出品。同11年パリに移りボナに師事し、帰国。同13年公使館の書記官として再度渡欧し、ローマでマッカーリに学んだ。同15年帰国。農商務省商務局次長となった。明治初期に本格的に西洋画法を修得し、日本の洋画に影響を与えた。

平賀亀祐（ひらがかめすけ）

明治22年（一八八九）〜昭和46年（一九七一）

　三重県志摩町に生れ、パリで歿。明治39年三重県移民として渡米、サンフランシスコ美術学校に入学。大正14年フランスに渡り、アカデミー・ジュリアンに入り、ルシアン・シモンに師事した。翌15年ル・サロン入選、昭和13年ル・サロン銀賞、同29年ル・サロン金賞、並びにコロー賞を受賞し、会員に推された。同45年フランス政府よりジョノール勲章を受ける。翌46年国際美術協会副会長に推挙された。

平澤　篤（ひらさわあつし）

昭和36年（一九六一）〜平成30年（二〇一八）

　福島県に生れ、東京で歿。昭和63年東京造形大大学院を修了した。白日会展に出品し、平成2年会員になった。同27年総理大臣賞を受賞した。

平沢喜之助（ひらさわきのすけ）

大正8年（一九一九）〜平成6年（一九九四）

　長野県に生れ、東京で歿。帝国美術学校を卒業し、後に中川紀元・朝井閑右衛門に師事した。昭和38年から大調和会委員を務めた。

平田峻三（ひらたしゅんぞう）

大正元年（一九一二）〜平成11年（一九九九）

　奈良県橿原市に生れ、同地で歿。昭和5年帝国美術学校（現武蔵野美術大学）に入学。彫刻家清水多嘉示に立体的なデッサンを学んだ。同10年卒業後、新興美術展に出品したが、同17年から独立美術展に出品し、高畠達四郎に師事した。同32年より春陽会展に出品を重ね同40年会員になった。奈良芸術短期大学の教授も務めた。

平野　遼（ひらのりょう）

大正14年（一九二五）〜平成4年（一九九二）

　福岡に生れ、同地で歿。独学で絵を学び、昭和24年新制作展に初入選。自由美術協会会員を経て同39年主体美術協会の創立に参加。同50年同会を退会して無所属となり、北九州市小倉を拠点に制作を続けた。

平松　譲（ひらまつゆずる）

大正3年（一九一四）〜平成25年（二〇一三）

　東京都三宅島に生れ、八王子で歿。東京芸大を卒業。中沢弘光に師事し、日展・白日展に出品を重ねた。昭和25年日展特選、同60年文部大臣賞を受賞した。平成3年芸術院賞を受賞し、同7年日本芸術院会員になった。

広瀬勝平（ひろせかつへい）
明治10年（一八七七）～大正9年（一九二〇）
　兵庫県に生れた。最初は山本芳翠に学び、後に黒田清輝に師事した。東京美術学校を卒業し、明治30年頃から白馬会展に出品した。後に白馬会の後身である光風会の会員になった。文展にも出品を重ねた。

深澤孝哉（ふかざわたかや）
昭和12年（一九三七）～令和元年（二〇一九）
　横須賀市に生れた。昭和36年東京藝大を卒業。林武に師事した。同40年フランス国立パリ高等美術学校留学。同46年白日会展に出品し、会員になった。同48年昭和会展昭和会賞、同53年白日会展で総理大臣賞を受賞した。

深沢紅子（ふかざわこうこ）
明治36年（一九〇三）～平成5年（一九九三）
　岩手県に生れ、山梨で歿。大正12年女子美術学校を卒業。同14年より二科展に出品。昭和12年一水会の創立に参加し、同16年一水会賞、同21年会員になった。女流画家協会の創立にも参加した。

深沢幸雄（ふかざわゆきお）
大正13年（一九二四）～平成29年（二〇一七）
　版画家　山梨県に生れ、千葉県で歿。昭和24年東京藝大を卒業。同29年独学で銅版画を始めた。同32年日本版画協会展に初入選し、協会賞を受賞した。同47年フィレンツェ国際版画ビエンナーレ展でバンコ・デ・ローマ賞を受賞した。同61年多摩美大教授になった。平成4年山梨県文化功労賞を受けた。同14年日本版画協会名誉会員になった。

福井良之助（ふくいりょうのすけ）
大正12年（一九二三）～昭和61年（一九八六）
　東京に生れ、神奈川県鎌倉で歿。昭和19年東京美術学校鋳金部を卒業。同21年太平洋画会展で一等賞を受賞する。同29年第18回自由美術家協会展で佳作賞を受けた。以後、美術団体展を離れ、ほぼ毎年のように個展を開くと共に、日本国際美術展・現代日本美術展・東京国際版画ビエンナーレ展・国際形象展などを主な作品の発表の場とした。

福沢一郎（ふくざわいちろう）
明治31年（一八九八）～平成4年（一九九二）
　群馬県富岡市に生れ、東京で歿。旧制二高から東京帝大文学部へ進んだが、彫刻を志して中退し、朝倉文夫に師事。24歳で帝展初入選。大正13年渡欧し、ヨーロッパの古典画に接し絵画に転じた。滞欧中に二科展と独立展に出品したシュールレアリスム調の絵画が大きな反響を呼んだ。帰国後、独立美術・美術文化協会に属し、新しい絵画思潮の普及に努めた。平成3年文化勲章受章。

福島金一郎（ふくしまきんいちろう）
明治30年（一八九七）～平成6年（一九九四）
　岡山県に生れ、東京で歿。信濃橋洋画研究所で学び、大正13年二科展に入選。昭和3年フランスに渡り、アカデミー・ランソンでビシェールに師事した。サロン・ドートンヌなどに出品した。同16年二科会会員。同48年青児賞、同56年総理大臣賞を受賞した。サロン・ドートンヌの会員でもあった。

福本　章（ふくもとしょう）
昭和7年（一九三二）～平成23年（二〇一一）
　岡山に生れた。東京藝大大学院を修了。林武に師事した。昭和34年国土会の結成に参加した。同40年昭和展で昭和会賞を受賞した。同42年渡仏して以後はパリを拠点として制作した。平成9年小山敬三美術賞、同12年東郷青児美術館大賞を受賞した。

藤井　勉（ふじいつとむ）
昭和23年（一九四八）～平成29年（二〇一七）
　秋田県に生れ、岩手県で歿。昭和46年岩手大学を卒業した。同51年シェル美術賞展で佳作賞、翌52年昭和会展で優秀賞、同58年安井賞展佳作賞を受賞した。

藤島武二（ふじしまたけじ）
慶応3年（一八六七）～昭和18年（一九四三）
　鹿児島に生れ、東京で歿。最初に日本画を

学び、明治17年上京。同23年曾山幸彦を最初に松岡寿に付き、山本芳翠の生巧館で洋画の指導を受け、明治美術会に出品。同29年東京美術学校に西洋画科が新設されるに伴い助教授となった。同年白馬会の結成に加わり会員となった。一時期は黒田清輝や久米桂一郎の影響によって外光派風の技法を用いたが、次第にロマン的装飾画に独自の画風を開き、白馬会展『天平の面影』などを発表した。同38年フランスとイタリアに留学し、パリでフェルナン・コルモン、ローマでカロリュス・デュランの薫陶を受け、同43年帰国して東京美術学校教授となった。日本近代油彩画の最も正統的で、暢達な筆触で明るい色調の作風を展開させ、常に指導者的立場にあった。大正13年帝国美術院会員、昭和9年帝室技芸員、同12年文化勲章を受章した。

藤田嗣治（ふじたつぐはる）
明治19年（一八八六）〜昭和43年（一九六八）

東京に生れ、チューリッヒで歿。明治43年東京美術学校を卒業。大正2年フランスに渡り、ピカソ・キスリング・モジリアニなどと交遊し、激しい研鑽を重ねた。乳白色の地塗を施した画布に、日本画の伝統的な線描を生かした独自の技法を見い出し、同8年サロン・ドートンヌの会員に推され、エコール・ド・パリの有力な一員として脚光を浴びた。昭和9年二科会会員。同12年秋田で大壁画『秋田の行事』（秋田市平野政吉美術館）を制作した。同16年帝国芸術院会員。同18年朝日文化賞を受賞。同30年フランスに帰化した。同32年レジオン・ドヌール勲章を受章。同34年カトリックの洗礼を受け、レオナルド・フジタと改名。同34年ベルギー王立アカデミー会員。

藤田吉香（ふじたよしか）
昭和4年（一九二九）〜平成11年（一九九九）

福岡県に生れ、神奈川県逗子市で歿。昭和30年東京藝術大学を卒業。国画会展に出品し、同34年国画賞を受賞。同37年から同41年までスペインのサン・フェルナンド美術学校に留学した。同42年国画会会員に推挙された。同43年昭和会展で優秀賞、同45年安井賞を受賞した。国際形象展・明日への具象展などにも出品した。同56年宮本三郎記念賞を受賞した。京都造形芸術大学教授も務めた。

藤本東一良（ふじもととういちりょう）
大正2年（一九一三）〜平成10年（一九九八）

大阪で生れ、東京で歿。昭和6年川端画学校に入学。同10年東京美術学校に入学し、寺内萬治郎や藤島武二に師事した。同14年光風会展に初入選。同21年と翌22年日展で特選を受賞した。平成4年日本芸術院賞恩賜賞を受賞し、翌5年日本芸術院会員になった。日展顧問や光風会常任理事も務めた。

文田哲雄（ふみたてつお）
昭和8年（一九三三）〜令和4年（二〇二二）

鹿児島県大島郡天城町生れ、鹿児島市内で歿。結核療養の為に高校在学期間が長く美術部に在籍し、多摩美術大学に進学した。昭和35年より美術教師となり、同59年鹿児島県立短期大学教授となった。服飾美術や大島紬について研究し絵画制作にも努めた。同36年から平成10年まで二科展に出品、同37年に南日本美術展の県知事賞を受賞。昭和43年二科会会友に推挙されフランス留学をし同45年二科会会員に推挙、同53年鹿児島県芸術文化奨励賞。平成2年「白い船・少女・天使」で45回南日本美術展で記念大賞。同15年鹿児島市立美術館館長に就任し同23年まで務めた。二科会では、評議員・常務理事・参与を歴任した。同26年に南日本文化賞、同28年に鹿児島県民表彰を受けた。

古家新（ふるやしん）
明治30年（一八九七）〜昭和52年（一九七七）

兵庫県明石市に生れ、川西市で歿。大正9年京都高等工芸学校を卒業。翌10年大阪朝日新聞社に入社。同13年鍋井克之に師事した。昭和3年フランスに留学。パリで小磯良平らと交遊した。翌4年全関西洋画協会会員。同16年二科会会員。同20年行動美術協会の結成に参加、創立会員。同36年大阪市民文化賞、翌37年大阪府芸術賞を相次いで受賞した。

星野鐵之（ほしのてつゆき）
昭和14年（一九三九）～平成30年（二〇一八）
横浜に生れ、東京で歿。昭和38年東京藝大を卒業。林武に師事した。同42年美術集団「核展」結成出品した。同52年グループ「レアレテ'77」の結成に出品、平成3年和の会油絵展（和光）に招待出品をした。主に個展とグループ展で作品を発表した。

堀田清治（ほったせいじ）
明治31年（一八九八）～昭和59年（一九八四）
福井市に生れる。川端画学校に学んだ。大正11年帝展に初入選。昭和33年新槐樹社を結成した。その後代表となった。日展参与も務めた。

本多錦吉郎（ほんだきんきちろう）
嘉永3年（一八五一）～大正10年（一九二一）
江戸に生れ、東京で歿。号は契山。最初に慶応義塾に学び、明治7年国沢新九郎の門に入り、国沢の歿後も画塾彰技堂を継承し後進の指導にあたった。同10年から14年まで『団々珍聞』の挿絵を担当、また長く陸軍士官学校と幼年学校の教官も勤めた。明治美術会を創立し、幹事としてその運営に務め、作品も発表した。『日本名園図譜』の著作で、庭園設計家としても知られた。

ま

前川千帆（まえかわせんぱん）
明治22年（一八八九）～昭和35年（一九六〇）
版画家　京都に生れ、東京で歿。本名は重三郎。旧姓は石田。関西美術院に学び、浅井忠や鹿子木孟郎に師事した。南薫造の木版に影響を受けて創作版画に進んだ。日本創作版画協会展・帝展などに独自の木版活動を展開した。

前田寛治（まえだかんじ）
明治29年（一八九六）～昭和5年（一九三〇）
鳥取県北条町に生れ、東京で歿。白馬会葵橋洋画研究所に入り、大正10年東京美術学校を卒業。在学中は藤島武二に師事。同年第8回二科展と第3回帝展に入選。同11年渡仏。クールベの写実主義にその造形的な範例を求め婦人像や労働者を描く。里見勝蔵、佐伯祐三と交遊を深めた。同14年帝展『J・C嬢の像』が特選。翌15年一九三〇年協会の結成に参加した。また前田写実研究所も開設した。フランス絵画の伝統的な写実主義の理論を展開し、美術界に新鮮な感銘を与えた。昭和4年第10回帝展『海』で帝国美術院賞を受けた。

牧野邦夫（まきのくにお）
大正14年（一九二五）～昭和61年（一九八六）
東京に生れ、同地で歿。昭和23年東京美術学校を卒業。同34年東京で初個展を開催。以後、一貫して在野にあり、個展を中心に活躍を続けた。同37年第6回安井賞候補新人展に出品、同44年まで出品を続けた。この間の同41年に渡欧しオランダに滞在した。

牧野虎雄（まきのとらお）
明治23年（一八九〇）～昭和21年（一九四六）
新潟県高田に生れ、東京で歿。明治41年東京美術学校入学、黒田清輝や藤島武二に指導を受け、大正2年同校を卒業した。在学中に文展入選と受賞を重ねた。同8年新光洋画会を結成し、同13年田辺至・高間惣七・斎藤与里らと槐樹社を組織したが、昭和6年解散。翌7年旺玄社を創立、主宰し、専ら後進の指導にあたった。同4年帝国美術学校教授、同10年多摩美術学校の創立に参画した。

正宗得三郎（まさむねとくさぶろう）
明治16年（一八八三）～昭和37年（一九六二）
岡山県和気郡に生れ、東京で歿。明治40年東京美術学校を卒業。青木繁や坂本繁二郎らと交遊した。フランスに留学しマチスに指導を受けた。二科会の創立会員として活躍、戦後は二紀会の結成に参加した。また富岡鉄斎に傾倒し、晩年は鉄斎研究に専念した。

真下慶治（ましたけいじ）

大正3年（一九一四）～平成5年（一九九三）

山形に生れ、同地で歿。昭和9年文化学院を卒業後、石井柏亭に師事した。日展や一水会展に出品を続け、同17年一水会賞を受賞し同21年一水会会員となる。同46年日展審査員、同61年日展評議員になった。平成4年小山敬三美術賞を受賞した。

真野紀太郎（まのきたろう）

明治4年（一八七一）～昭和33年（一九五八）

名古屋に生れた。中丸精十郎や原田直次郎に師事した。後に水彩画を主に描いた。明治37年大下藤次郎らと日本水彩画研究所を設立した。大正2年石井柏亭らと日本水彩画会を結成した。

桝井一夫（ますいかずお）

明治41年（一九〇八）～平成3年（一九九一）

神戸に生れ、同地で歿。昭和6年より小磯良平に師事した。同8年から同15年まで光風会展や新制作展に出品した。同22年より一水会展に出品。同28年大潮展に『踊子』を出品し文部大臣奨励賞を受賞した。人物画や静物画を中心に制作した。

増田誠（ますだまこと）

大正9年（一九二〇）～平成元年（一九八九）

山梨県南都留郡に生れ、横浜市で歿。昭和13年旧制都留中学を卒業した後に、農業や看板業の傍ら絵を独学。同25年上野山清貢と出会う。同27年一線美術展に出品し、受賞を重ねた。同32年に渡仏。同35年シェルブール国際展に招待出品しグランプリを受賞した。サロン・ドートンヌ、サロン・ナショナル・デ・ボザールの会員となる一方でル・サロン金賞を受賞するなど、フランス画壇で活躍した。

俣野第四郎（またのだいしろう）

明治35年（一九〇二）～昭和2年（一九二七）

北海道に生れ、東京で歿。最初は林竹治郎に学んだ。大正10年三岸好太郎と上京し、東京美術学校建築科に入学したが絵画の制作に専念した。同14年春陽会展に初入選し、その後も出品を重ねた。

松井守男（まついもりお）

昭和17年（一九四二）～令和4年（二〇二二）

愛知県豊橋市に生れ、東京都で歿。昭和42年に武蔵野美術大学造形学部油絵科を卒業し渡仏してアカデミー・ジュリアンやパリ国立美術学校で学んだ。苦悩の中同60年面相筆を用いた「遺言」を発表し、「光の画家」としての地位を確立した。平成10年からコルシカ島に拠点を移し、同12年仏政府から芸術文化勲章、同15年にレジオン・ドヌール勲章を受章した。同20年より長崎県五島列島久我島にもアトリエを構え、コルシカと日本の二箇所を制作拠点とした。

松岡寿（まつおかひさし）

文久2年（一八六二）～昭和19年（一九四四）

岡山市に生れ、神奈川県逗子町で歿。川上冬崖の聴香読画楼で学び、明治9年工学部美術学校に入学、フォンタネージに師事。同11年に同志と十一会を組織。同13年イタリアに留学し、ローマ美術学校に学んだ。同21年パリを巡って帰国。同22年明治美術会の設立に参加。

松樹路人（まつきろじん）

昭和2年（一九二七）～平成29年（二〇一七）

北海道に生れ、東京で歿。昭和24年東京美術学校を卒業。独立展に出品を重ね、同29年独立賞を受賞した。同48年安井賞展佳作賞、同56年東郷青児美術館大賞、同62年宮本三郎記念賞、平成3年芸術選奨文部大臣賞を受賞した。武蔵野美大名誉教授を務めた。

松本竣介（まつもとしゅんすけ）

明治45年（一九一二）～昭和23年（一九四八）

東京に生れ、同地で歿。旧姓は佐藤。幼少時代を盛岡で過して、盛岡中学在学中に聴覚を失い、絵画を志した。昭和4年太平洋画会研究所に学んだ。二科展に出品し、前衛グループの九室会に属した。同18年靉光らと新人画会を結成し、同21年には自由美術家協会に参加し、抽象的傾向の作品を描いた。

松本富太郎（まつもととみたろう）

明治38年（一九〇五）～平成7年（一九九五）

大阪に生れ、東京で歿。昭和3年上京し、田辺至に師事した。翌4年帝展に初入選。その後も出品を重ね、同28年日展で特選を受賞した。同30年大久保作次郎や吉村芳松らと新世紀美術協会を結成した。翌31年新世紀展で黒田清輝賞、同36年川島理一郎賞を受賞。翌37年日展と新世紀美術協会を退会し、同40年同志10名と純粋制作を目標とした近代美術協会を結成した。

丸木　俊（まるきとし）

明治45年（一九一二）～平成12年（二〇〇〇）

北海道に生れ、埼玉県で歿。上京後、女子美術専門学校で洋画を学んだ。熊谷守一や寺田竹雄らと親交を結び二科展に出品した。その後、ヨーロッパやミクロネシアに長く滞在して素描に多くの時間を割いた。昭和16年丸木位里と結婚。美術文化展・前衛美術展・女流画家協会展に発表を続けた。多くの絵本も手掛けた。位里との共同制作『原爆の図』は世界に知られている。

丸山晩霞（まるやまばんか）

慶応3年（一八六七）～昭和17年（一九四二）

長野県に生れた。最初は動画学舎に学んだが、その後に国沢新九郎の彰技堂画塾に入った。明治32年太平洋画会の設立に尽した。同40年文展に入選した。また同年大下藤次郎らと日本水彩画研究所を設立した。

ミッシェル・アンリ（Michel Henry）

昭和3年（一九二八）～令和元年（二〇一六）

フランスのラングルに生れ、同国パリ郊外で歿。昭和22年パリ国立美術学校に入学し、同学主席としてアムステルダムに留学しデカルトの家賞、同34年マドリッドに留学しカサ・ドゥ・ベラスケーズ賞を受賞した。翌35年パレ・ロワイヤル賞、パリ市展銀賞を受賞、この年を境に戦後の暗い雰囲気の画風を離れ輝く色彩で描き始める。翌36年ファルマン賞、同40年国立美術協会青年画家大賞、同52年フランス芸術家協会金賞、同56年レジオン・ドヌール勲章受章。同61年パリ市特別賞受賞。翌62年日本において世界蘭博覧会で展覧会が開催された。翌63年ミッシェル・アンリ・ジャポン設立。平成3年サロン・ドートンヌ副会長就任、同11年仏大統領シラク氏の特別後援でフランスの古城シャトー・ド・ヴァルで展覧会があり三ヶ月の会期中に10万人の来場者を数えた。20世紀後半を代表するフランス画家で、明るく幸福感に満ちた画風で「幸福の画家」と呼ばれ、花の絵を多く描いた。

三尾公三（みおこうぞう）

大正13年（一九二四）～平成12年（二〇〇〇）

愛知県に生れ、京都市で歿。京都市立絵画専門学校日本画科を卒業後、洋画に転向した。昭和43年頃から、エアブラシを駆使した幻想的な作品を発表した。同54年東郷青児美術館賞、平成3年毎日芸術賞、同9年芸術選奨文部大臣賞を受賞した。

三岸好太郎（みぎしこうたろう）

明治36年（一九〇三）～昭和9年（一九三四）

札幌に生れ、名古屋で歿。独学で油絵を学び、大正12年第1回春陽会展で入選、翌13年第2回春陽会展春陽会賞を受けた。同年横堀角次郎らと麓人社を結成し、昭和5年独立美術協会の創立に参加。この間に中国を訪れて租界風景など上海のエキゾティシズムやサーカスは後に重要なモチーフとなった。豊かな叙情性と優れた色感を持ち鋭敏な感受性によって、フォービスム・線描画・シュールレアリズムと様々な様式を導入し、独特の画境を切り開いたが、画業半ばにして夭折した。

三岸黄太郎（みぎしこうたろう）

昭和5年（一九三〇）～平成21年（二〇〇九）

東京に生れ、神奈川県大磯町で歿。三岸好太郎・節子の長男。昭和28年渡仏。同31年新樹会会員となり毎回出品を重ねた。同33年から安井賞候補新人展に推薦出品する。同38年国際形象展、同41年昭和会展に招待出品をした。以降、太陽展・日動展・個展等で作品を発表した。

三岸節子（みぎしせつこ）
明治38年（一九〇五）～平成11年（一九九九）
　愛知県尾西市で生れ、神奈川県大磯で歿。16才で上京し本郷絵画研究所で岡田三郎助に師事した。大正13年女子美術学校を卒業。三岸好太郎と結婚。春陽展や新制作展などに出品を重ね、昭和14年新制作協会会員になった。同21年女流画家協会を結成した。同26年芸術選奨文部大臣賞を受賞。同43年よりフランスに渡り制作活動をした。平成6年文化功労者に選ばれた。

三雲祥之助（みぐもしょうのすけ）
明治35年（一九〇二）～昭和57年（一九八二）
　京都市に生れ、東京で歿。京都帝国大学東洋史学科を中退。大正14年渡欧、昭和10年帰国した。帰国後に春陽会展に出品、同18年春陽会会員。戦後は国際美術展・現代日本美術展・国際形象展に出品、同32年第4回日本国際美術展で佳作賞を受賞。モジリアニやパスキンなどの影響を受け、柔軟なフォルムと瑞々しい色調の裸婦像を描いた。

三宅克巳（みやけかつみ）
明治7年（一八七四）～昭和29年（一九五四）
　徳島県に生れた。大野幸彦・原田直次郎に師事した。その後エール大学美術学校に学んだ。明治45年中沢弘光・跡見泰などと光風会を創立した。大正15年帝展審査員になる。昭和25年日本芸術院恩賜賞を受賞した。

満谷国四郎（みつたにくにしろう）
明治7年（一八七四）～昭和11年（一九三六）
　岡山県吉備郡に生れ、東京で歿。五姓田芳柳・小山正太郎に学び、明治33年渡仏し、ジャンポール・ローランスに師事した。同34年帰国後、太平洋画会を同志と共に結成して、同40年第1回文展以来審査員を長く務めた。再度ヨーロッパと中国に遊学。写実的な画風から後期印象派の影響を受け、大正14年帝国美術院会員。

南薫造（みなみくんぞう）
明治16年（一八八三）～昭和25年（一九五〇）
　広島県に生れ、同地で歿。明治40年東京美術学校を卒業。英国に留学後、渡仏、同43年帰国。文展や帝展に出品すると共に審査員も務めた。昭和4年帝国美術院会員、後に帝室技芸員。同7年から同19年まで東京美術学校教授を務めた。

耳野卯三郎（みみのうさぶろう）
明治24年（一八九一）～昭和49年（一九七四）
　大阪に生れ、東京で歿。最初に葵橋洋画研究所に学んだ。大正5年東京美術学校を卒業。存学中の同3年第8回文展で初入選。昭和8年光風会会員となった。翌9年第15回帝展『庭にて』が特選を受ける。以後も文展・日展・光風会に出品を続け、審査員も務めた。同33年日展評議員。同37年第4回日展『静物』で日本芸術院賞を受賞した。同40年光風会を退会。同41年日本芸術院会員となった。

宮崎進（みやざきしん）
大正11年（一九二二）～平成30年（二〇一八）
　山口県に生れ、神奈川県で歿。昭和14年日本美術学校に入学した。同17年応召、同24年に帰国した。その後、日展や光風会展に出品した。同42年安井賞、平成10年芸術選奨文部科学大臣賞を受賞した。多摩美大名誉教授を務めた。

宮永岳彦（みやながたけひこ）
大正8年（一九一九）～昭和62年（一九八七）
　静岡県磐田郡に生れ、東京で歿。昭和11年名古屋市立工芸学校を卒業、在学中の同7年に名古屋市展に初入選。同17年横井礼以に師事し、同年第29回二科展に初入選。同展に入選後は正宗得三郎に師事した。同22年二紀創立展で褒賞を受け、同人に推挙される。同29

年第8回二紀展で同人努力賞を受けた。同32年二紀会会員に推挙された。同42年二紀会委員。翌43年現代水墨画会結成。同47年二紀会理事。同49年第28回二紀展で菊華賞を受賞。同年サン・フランシスコ最高勲章グラン・クルース章受章。翌50年二紀会副理事長。同54年日本芸術院賞を受賞した。

宮本三郎（みやもとさぶろう）
明治38年（一九〇五）〜昭和49年（一九七四）

石川県小松市に生れ、東京で歿。川端画学校で藤島武二に師事。昭和2年から二科展に出品し同11年二科会会員となる。『山下・パーシバル会見図』で、同18年帝国芸術院賞と同19年朝日文化賞を受賞。同22年に二紀会を創立、理事長となった。同41年日本芸術院会員。

向井潤吉（むかいじゅんきち）
明治34年（一九〇一）〜平成7年（一九九五）

京都で生れ、東京で歿。大正5年京都市立美術工芸学校を中退し、関西美術学院で学び、その後川端画学校・信濃橋洋画研究所で学んだ。昭和2年渡仏しグラン・シュミエールで西洋絵画研究に専念した。同11年二科会会員になった。同20年行動美術協会創立に参加して会員になった。この頃より全国各地を歩き古い民家を詩情あふれる写実画風に描き続けた。

棟方志功（むなかたしこう）
明治36年（一九〇三）〜昭和50年（一九七五）

版画家　青森市に生れ、東京で歿。昭和3年平塚運一を訪ね版画を最初に、同年帝展に油絵、日本創作版画協会展、春陽会展に木版画を出品、同5年から国画会に主要作品を発表した。独自の造形で自己の木版画を板画と呼び、また自ら倭絵と呼んだ肉筆画も描いた。『大和し美し』『善知鳥』『十大弟子』などで版画の古典を見直し、スイスのルガノ国際版画展『女人観世音』が受賞。同45年文化勲章を受章した。著書に『板極道』がある。

村上肥出夫（むらかみひでお）
昭和8年（一九三三）〜平成30年（二〇一八）

岐阜県に生れ、同地で歿。独学で絵を学び、20歳で上京した。制作を続け作品を路上販売し、彫刻家の本郷新に見出された。昭和38年銀座で個展を開き、林武や川端康成らに賞賛された。

村山槐多（むらやまかいた）
明治29年（一八九六）〜大正8年（一九一九）

横浜に生れ、東京で歿。少年時代は文学を志し、文芸や詩作に耽り、従兄の山本鼎（かなえ）の影響を受けた。小杉未醒（放庵）宅に寄寓し、大正の最初に二科展・再興日本美術院展に出品、院友となった。フォービスムを基調とした特異な画風で注目され、空想的で色調や構図に強い個性を表現した。

村山知義（むらやまともよし）
明治34年（一九〇一）〜昭和52年（一九七七）

東京に生れ、同地で歿。大正10年東京帝国大学文学部を中退してドイツに渡った。『あるユダヤ人の少女像』（東京国立近代美術館）などのコラージュを制作。同12年帰国して構成主義を日本に紹介し、マヴォを結成、前衛美術運動を展開した。また三科の結成にも参加した。後には劇作家や演出家として演劇運動に転じた。

元永定正（もとながさだまさ）
大正11年（一九二二）〜平成23年（二〇一一）

三重県に生れ、宝塚市で歿。上野商業学校を卒業。最初は漫画家を志したが、その後吉原治良に師事し、昭和30年具体美術協会に参加した。同41年渡米しアメリカ美術を学んだ。同58年日本芸術大賞、同63年仏政府より芸術文芸シュバリエ賞を受賞した。戦後日本の前衛美術をリードした。

百瀬郷志（ももせさとし）
昭和24年（一九四九）〜平成22年（二〇一〇）

長野県松本市に生れ、同地で歿。国画会展に出品を重ね、昭和49年新人賞、翌50年国画会賞を受賞した。同54年スペインに渡り、在スペイン日本人作家選抜展でグランプリを受賞した。

森　芳雄（もりよしお）
明治41年（一九〇八）～平成9年（一九九七）
　東京に生れ、同地で歿。本郷絵画研究所で学んだ。昭和6年渡仏し、帰国後自由美術展に出品した。同39年主体美術協会を結成して会員になった。同54年より日本秀作美術展に出品した。武蔵野美術大学の教授も務めた。

森崎　幸（もりさきこう）
大正14年（一九二五）～平成7年（一九九五）
　大阪で生れ、同地で歿。昭和17年関西独立展に初入選。翌18年独立展に初入選以後毎年出品を重ね、同40年奨励賞、翌41年と42年に連続して独立賞を受賞し、翌43年独立美術協会会員になった。

森田訓司（もりたくんじ）
昭和14年（一九三九）～昭和62年（一九八七）
　広島県福山市で生れ、横浜で歿。安井賞展や独立展などに出品を重ね、昭和49年グラン・ショミエールに学んだ。ル・サロンやカンヌ国際展にも出品した。主に個展を中心に作品を発表した。

森田　茂（もりたしげる）
明治40年（一九〇七）～平成21年（二〇〇九）
　茨城県に生れ、東京で歿。茨城県師範学校を卒業し、熊岡美彦に師事した。昭和13年文展で特選。同41年日展で文部大臣賞を受賞し、同44年芸術院賞を受賞し、同51年芸術院会員になった。平成元年文化功労者、同5年文化勲章を受章した。日展顧問や東光会会長を務めた。

森田元子（もりたもとこ）
明治36年（一九〇三）～昭和44年（一九六九）
　東京に生れた。岡田三郎助に師事した。大正13年女子美術学校を卒業後、フランスに留学した。同15年帰国。昭和12年と翌13年文展で特選となる。同35年日展文部大臣賞を受賞した。日展評議員や光風会会員として活躍した。女子美術大学教授を務めた。

森本草介（もりもとそうすけ）
昭和12年（一九三七）～平成27年（二〇一五）
　東京で生れ、千葉で歿。昭和39年東京藝大大学院を修了。大橋賞を受賞。国画会展に出品し、翌40年国画賞を受賞した。同44年国画会会員になった。翌45年昭和会展で優秀賞を受賞した。明日への具象展、日本秀作美術展などに出品した。

や

安井曾太郎（やすいそうたろう）
明治21年（一八八八）～昭和30年（一九五五）
　京都に生れ、神奈川県湯河原で歿。明治37年聖護院洋画研究所で浅井忠に師事し、後に関西美術院に移った。同40年渡仏しアカデミー・ジュリアンに入り、ジャン＝ポール・ローランスに学んだ。後に自由研究に向かいミレーやピサロ、殊にセザンヌに惹かれてその影響を強く受け、大正4年帰国した。翌5年第2回二科展に滞欧作を特別陳列し、一躍画壇に認められ、二科会会員となった。セザンヌの影響を示したこの滞欧諸作品は、日本洋画界に大きな影響を与えた。昭和10年帝国美術院会員となる。二科会会員を辞し、翌11年一水会を創立した。同19年帝室技芸員、東京美術学校教授に任ぜられ、同24年日本美術評論家連盟初代会長、同27年文化勲章を受章した。写生を根底にして、日本の風土に立脚した清爽堅実な写実的作風を確立した。

柳　敬助（やなぎけいすけ）
明治14年（一八八一）～大正12年（一九二三）
　千葉県君津に生れ、東京で歿。旧姓は山田。中学の時、堀江正章に洋画を学び、後東京美術学校に入学した。明治36年東京美術学校を中退した。黒田清輝の白馬会研究所に入った。同43年第4回文展『朱銅』が褒状を受けた。

大正3年二科会の創立に際し鑑査委員となったが、翌年には二科会を退会し、文展に復帰した。肖像画を得意とし、色彩に新しい感覚を示した。

柳瀬俊雄（やなせとしお）
明治43年（一九一〇）～昭和52年（一九七七）
　東京に生れ、同地で歿。中村研一に学び、昭和8年帝展に初入選。同26年日展で特選。光風会展にも出品を重ね、同29年評議員になった。同39年日展で菊華賞を受賞し、同41年日展会員になった。

柳瀬正夢（やなせまさむ）
明治33年（一九〇〇）～昭和20年（一九四五）
　松山に生れ、東京で歿。筆名は夏川八朗。大正3年日本水彩画会研究所に学び、日本美術院洋画部に出品し、同10年同人となった。未来派美術協会、マヴォなど前衛美術運動に参加。以後、プロレタリア美術へ傾倒し、グロスの影響を受けた。労働運動のポスターや政治漫画などを描いた。

山形八郎（やまがたはちろう）
昭和8年（一九三三）～令和4年（二〇二二）
　秋田県由利本荘市に生れ、宮城県仙台市で歿。昭和30年に秋田大学美術科を卒業し美術教師となる。同46年に二紀展に初出品し初入選、同57年二紀展同人推挙。同58年二紀会秋田支部結成。平成10年二紀展会員推挙、同11年県芸術選奨、同11～22年に県展運営委員と参与を務める。同29年には個人図録を作成。

山口薫（やまぐちかおる）
明治40年（一九〇七）～昭和43年（一九六八）
　群馬県箕輪町に生れ、東京で歿。昭和5年東京美術学校を卒業。在学中より帝展や国画会展に入選。同5年から8年までヨーロッパに留学。同9年集団新時代を同志と共に結成、同12年自由美術協会を創立。同25年モダンアート協会を設立した。同35年芸術選奨を受けた。

山口長男（やまぐちたけお）
明治35年（一九〇二）～昭和58年（一九八三）
　京城に生れ、東京で歿。昭和2年東京美術学校を卒業。同年フランスに留学し、佐伯祐三らと交遊。同6年帰国。二科展に出品。九室会に参加した。『作品（かたち）』連作など抽象絵画で内外の国際展でも活躍した。

山下菊二（やましたきくじ）
大正8年（一九一九）～昭和61年（一九八六）
　徳島に生れた。昭和12年香川県立工芸学校を卒業。同13年福沢一郎絵画研究所で学んだ。同15年美術文化展初入選し同22年会員になった。同26年より日本アンデパンダン展に出品を重ねた。同49年中村正義らと从会を結成した。

山下清（やましたきよし）
大正11年（一九二二）～昭和46年（一九七一）
　東京に生れ、同地で歿。3歳の時に重病となり軽い言語障害と知的障害を患う。昭和9年千葉県の八幡学園に入園し、独自の技法による貼絵を始めた。同14年銀座「青樹社」での作品展で、梅原龍三郎や安井曽太郎らの賞賛を受けた。翌15年より放浪の旅を始めた。同35年全国名勝絵はがきコンクールに『新東京十景』が選ばれた。貼絵の他に油絵・水彩画・陶磁路の絵付などの制作もした。

山下新太郎（やましたしんたろう）
明治14年（一八八一）～昭和41年（一九六六）
　東京に生れ、同地で歿。明治37年東京美術学校を卒業。翌38年から43年に渡欧。最初にラファエル・コランに後にエコール・デ・ボーザールやコルモンに指導を受けた。『靴の女』（東京国立近代美術館）などで注目され、大正3年二科会の創立に参加した。昭和6年再度渡仏。同10年帝国美術院会員。同11年一水会を創立。同30年文化功労者に選ばれた。

山下大五郎（やましただいごろう）
明治41年（一九〇八）～平成2年（一九九〇）
　神奈川県藤沢市に生れ、東京で歿。大正14年原精一の紹介で萬鐵五郎のアトリエを訪れる。昭和4年東京美術学校を卒業。在学中の同3年第9回帝展『卓上静物』が初入選。同7年東京に出て作家活動に専念する。同12年第1回文展『中庭の窓』、同14年第3回文展『おもて』がそれぞれ特選を受ける。同24年官展を離れて、牛島憲之や須田寿らと立軌会を結成する。同58年第7回長谷川仁記念賞を受賞する。

山田新一（やまだしんいち）
明治32年（一八九九）～平成3年（一九九一）
台北市に生れた。大正12年東京美術学校を卒業した。昭和3年渡仏しアマン・ジャンに師事した。帰国後、日展や光風会展に出品した。同23年光風会会員。同30年日展会員になった。京都工芸繊維大学の教授を務めた。同51年京都市文化功労者となった。

山本鼎（やまもとかなえ）
明治15年（一八八二）～昭和21年（一九四六）
愛知県岡崎に生れ、長野県上田で歿。明治39年東京美術学校を卒業。翌40年「方寸」を石井柏亭らと創刊。大正元年から同6年まで滞欧。帰国後、再興日本美術院洋画部同人となり、翌7年日本創作版画協会を創立して版画の発展に寄与した。翌8年には日本農民美術研究所を設立するなど多方面に功績を遺した。同11年春陽会の結成に加わり、重厚な画風で知られた。また版画家としても活躍。

山本日子士良（やまもとひこしろう）
明治43年（一九一〇）～平成5年（一九九三）
奈良に生れ、東京で歿。東京美術学校西洋画科を卒業後、和田英作に師事した。東光会に所属し、日展に出品を続け昭和42年菊華賞を受賞した。明るい色調の端正な女性像を多く描いた。

山本彪一（やまもとひょういち）
明治45年（一九一二）～平成11年（一九九九）
栃木県に生れ、神奈川県大磯で歿。猪熊弦一郎に師事した。日展・光風会展に出品を重ね、光風会展で、M氏賞とO氏賞を受賞し、会員になった。ヨーロッパ風景や薔薇を描いた。

山本芳翠（やまもとほうすい）
嘉永3年（一八五〇）～明治39年（一九〇六）
岐阜県恵那郡に生れ、東京で歿。最初に京都で南画を学び、後に五姓田芳柳に師事。工部美術学校に在学したが、明治11年パリに留学してレオン・ジェロームの影響を受け、同20年に帰国した。翌21年生巧館画塾を創立。明治美術会を結成、また白馬会の創立にも参加した。

山本森之助（やまもとものすけ）
明治10年（一八七七）～昭和3年（一九二八）
長崎県に生れた。明治28年浅井忠や山本芳翠などの明治美術会研究所で学んだ。翌29年東京美術学校西洋画科に入学し、黒田清輝に師事した。同40年より文展や帝展に出品し、審査員を務めた。同45年中沢弘光や三宅克巳らと光風会を創立した。

湯浅一郎（ゆあさいちろう）
明治元年（一八六八）～昭和6年（一九三一）
群馬県安中に生れ、東京で歿。同志社英学校を卒業後上京して、山本芳翠の生巧館画塾、後に天真道場で洋画を学び、明治31年東京美術学校選科を卒業、白馬会に参加。同38年から同43年までフランスに滞在し、ベラスケスの作品を研究した。大正3年二科会の創立に参加、温和な作風で知られる。

吉井淳二（よしいじゅんじ）
明治37年（一九〇四）～平成17年（二〇〇五）
鹿児島県に生れ、同地で歿。大正13年東京美術学校に入学。在学中に二科展に初入選。その後も二科展に出品を重ねた。昭和40年日本芸術院賞を受賞し、同51年日本芸術院会員になった。平成元年に文化勲章を受章した。昭和54年から平成10年まで二科会理事長を務めた。

吉田博（よしだひろし）
明治9年（一八七六）～昭和25年（一九五〇）
福岡県久留米市に生れ、東京で歿。明治23

年中学修猷館に入学。同26年田村宗立に師事した。翌27年上京し、小山正太郎の不同舎に入り、その後明治美術会の会員になった。同32年渡米し、デトロイト美術館で「日本画家水彩画展」を開催した。同34年帰国し翌35年太平洋画会の創立に参加した。同40年より文展に出品を重ね、審査員も務めた。昭和22年太平洋画会の会長となった。日展の審査員も務めた。自然と詩情を重視した作風で、風景画の第一人者として活躍した。

吉田正雄（よしだまさお）

昭和10年（一九三五）～平成10年（一九九八）

茨城県土浦市に生れ、同地で歿。昭和29年から二科展に出品を重ね、同31年二科展新人賞、翌32年二科賞を受賞して会友になった。同35年パリー賞を受賞。同39年二科会会員になった。同42年会員努力賞、同51年青児賞、平成5年総理大臣賞を受賞した。同8年より理事を務めた。

吉原治良（よしわらじろう）

明治38年（一九〇五）～昭和47年（一九七二）

大阪に生れ、同地で歿。昭和3年関西学院高商部を卒業、同専攻科に入る。この時期、上山二郎に師事した。後に独学で絵画を修得し、二科展に出品。同9年二科展初入選、同12年二科展二科特待賞を受賞。翌13年九室会を設立。同16年二科会会員。同23年芦屋市美術協会を結成して代表となった。同26年大阪府芸術賞受賞。同29年具体美術協会を創立し、前衛絵画の指導的役割を果たした。同42年第9回日本国際美術展で国内大賞を受賞。同46年第2回インド・トリエンナーレでゴールドメダルを受賞した。

万鉄五郎（よろずてつごろう）

明治18年（一八八五）～昭和2年（一九二七）

岩手県東和町に生れ、神奈川県茅ヶ崎で歿。早稲田中学在学中に白馬会研究所で長原孝太郎にデッサンを学び、渡米。明治45年東京美術学校を卒業。フュウザン会に参加。日本美術院洋画部や二科展に出品。以後個性的な作品を次々と発表した。

和気史郎（わけしろう）

大正14年（一九二五）～昭和63年（一九八八）

栃木県に生れ、大阪で歿。昭和19年栃木師範本科を卒業。同27年東京美術学校を卒業。安井曽太郎に学んだ。その後、関西に移り本格的な画家活動に入る。独立美術展に出品を重ねながら、関西の若手画家グループ鉄鶏会にも参加する。同31年関西独立展一席。翌32年独立美術展独立賞を受賞した。翌33年関西総合展一席となる。翌34年独立美術協会会員に推挙された。

和田英作（わだえいさく）

明治7年（一八七四）～昭和34年（一九五九）

鹿児島県肝属郡に生れ、清水市で歿。曾山幸彦や原田直次郎に学び、後に黒田清輝に師事した。明治30年東京美術学校を卒業。白馬会の創立に参加。同32年ドイツとフランスに留学して、ラファエル・コランに師事。同35年帰国、東京美術学校教授となり後進の指導に尽くした。大正8年帝国美術院会員、後に帝国芸術院会員・帝室技芸員・日本芸術院会員となった。昭和7年から東京美術学校の校長を務めた。同18年文化勲章を受章。

和田三造（わださんぞう）

明治16年（一八八三）～昭和42年（一九六七）

兵庫県生野町に生れ、東京で歿。白馬会研究所で黒田清輝の指導を受け、明治37年東京美術学校を卒業した。白馬会展で白馬賞、文展で受賞するなど活躍。同42年渡欧し留学、後にインドや東南アジアを回って大正4年に帰国。昭和2年帝国美術院会員。同7年から東京美術学校教授として工芸図案を担当し後進の指導にあたった。また色彩研究にも多大なる業績を遺した。

和田徹（わだてつ）

大正12年（一九二三）～平成7年（一九九五）

東京に生れ、横浜で歿。昭和22年近代絵画研究所でデッサンを学び、同25年田園調布純粋美術研究所で人体描写を学んだ。翌26年新制作協会展入選。同33年新作家賞を受賞し新制作協会協友となった。同44年立軌会展に招待出品し、翌45年立軌会会員になった。

脇田　和（わきたかず）
明治41年（一九〇八）〜平成17年（二〇〇五）
東京に生れ、同地で歿。大正12年ドイツに留学し、昭和5年ベルリン美術学校を卒業し帰国した。同11年小磯良平らと新制作派協会を設立した。同30年日本国際美術展最優秀賞を受賞した。同39から東京藝術大学教授を務めた。平成10年文化功労者に選ばれた。

渡辺武夫（わたなべたけお）
大正5年（一九一六）〜平成15年（二〇〇三）
東京に生れ。埼玉で歿。昭和13年東京美術学校在学中に新文展に初入選。同16年特選を受賞。同60年芸術院賞を受賞し、同63年日本芸術院会員になった。日展顧問や光風会名誉会長を務めた。

渡辺祐一郎（わたなべゆういちろう）
大正10年（一九二一）〜平成7年（一九九五）
北海道小樽に生れ、東京で歿。東京美術学校を卒業し、長谷川昇に師事した。日展や一水会展に出品を重ね、昭和23年に一水会賞、同27年に日展特選と朝倉賞を受賞した。日展評議員や一水会連営委員を務めた。

Memo

明治以降物故彫刻家

あ

朝倉響子（あさくらきょうこ）
大正14年（一九二五）〜平成28年（二〇一六）
東京に生れ、同地で歿。日展に出品し、昭和23年特選を受賞。同54年長野県野外彫刻賞、同57年中原悌二郎賞優秀賞を受賞した。父は彫刻家朝倉文夫。

朝倉文夫（あさくらふみお）
明治16年（一八八三）〜昭和39年（一九六四）
大分県に生れ、東京で歿。明治35年上京し、翌36年東京美術学校に入学した。同40年卒業し、研究科へ進み、朝倉塾を作り子弟の養成にあたった。昭和9年朝倉彫塑塾を作った。同10年帝国美術院会員、同12年帝国芸術院会員になった。同23年文化勲章を受章。同27年文化功労者に選ばれた。日本芸術院第一部長、日展顧問を務めた。

吾妻兼治郎（あづまけんじろう）
大正15年（一九二六）〜平成28年（二〇一六）
山形県に生れた。東京藝術大を卒業後、昭和31年政府給費留学生でイタリアへ留学した。ブレラ美術学校でマリノ・マリーニに師事した。高村光太郎賞・毎日芸術賞・平成11年に中原悌二郎賞を受賞した。

雨宮淳（あめのみやあつし）
昭和12年（一九三七）〜平成22年（二〇一〇）
東京に生れ、同地で歿。日大芸術学部を卒業。北村西望に師事した。昭和59年日彫展で西望賞、平成3年日展で総理大臣賞を受賞した。同9年芸術院賞を受賞して、同13年芸術院会員になった。日展常務理事を務めた。

雨宮敬子（あめみやけいこ）
昭和6年（一九三一）〜令和元年（二〇一九）
東京で生れ、同地で歿。日大芸術学部を卒業。父は雨宮治郎。昭和31年日展に入選した。同57年長野市野外彫刻賞、翌58年中原悌二郎賞優秀賞、同60年日展で総理大臣賞を受賞した。平成2年日本芸術院賞を受賞して、平成6年芸術院会員になった。同29年文化功労者に選ばれた。

雨宮治郎（あめのみやじろう）
明治22年（一八八九）〜昭和45年（一九七〇）
茨城県水戸市に生れ、東京で歿。大正9年東京美術学校を卒業。その後、帝展・文展・日展に出品を重ねた。昭和32年芸術院賞を受賞して、同39年芸術院会員になった。日展理事や日本彫塑会委員長を務めた。

イサムノグチ（いさむのぐち）
明治37年（一九〇四）〜昭和63年（一九八八）
ロサンゼルスに生れ、ニューヨークで歿。慶応大学教授で詩人の野口米次郎とアメリカ人の作家レオニー・ギルモアの長男として生れた。大正12年コロンビア大学医学部に入学するが、レオナルド・ダ・ヴィンチ美術学校の彫刻部に通い始めた。昭和2年グッケンハイム奨学金でパリに留学し、コンスタンティン・ブランクーシに師事した。金属や石を用いた抽象彫刻や舞台装置や庭園設計など幅広く活躍した。

井上武吉（いのうえぶきち）
昭和5年（一九三〇）〜平成9年（一九九七）
奈良県に生れた。昭和30年武蔵野美術学校を卒業。同37年現代日本美術展優秀賞、翌38年日本国際美術展優秀賞、同54年ヘンリー・ムーア大賞展で優秀賞を受賞した。平成3年中原悌二郎賞、同7年芸術選奨文部大臣賞を受賞した。箱根彫刻の森美術館・池田20世紀美術館の建築設計も手掛けた。

伊藤五百亀（いとういおき）
大正7年（一九一八）〜平成4年（一九九二）
愛媛県に生れ、東京で歿。多摩帝国美術学校で学び、吉田三郎に師事した。日展に出品し、昭和29年翌30年特選。同49年文部大臣賞を受賞。同57年芸術院賞を受賞した。日展理事・日本彫刻会理事を務めた。

飯田善國（いいだよしくに）
大正12年（一九二三）～平成18年（二〇〇六）
栃木県足利市で生れた。昭和23年慶応大を卒業後、東京藝術大学に入り、梅原龍三郎に師事した。同30年渡欧し、ローマでファッツィーニに師事し、彫刻制作に転じた。同35年帰国。同43年神戸須磨離宮公園現代彫刻展で大賞を受賞した。ステンレススチールによるモニュメントなどを制作した。

石井鶴三（いしいつるぞう）
明治20年（一八八七）～昭和48年（一九七三）
東京に生れ、同地で歿。石井柏亭の弟。明治37年不同舎で小山正太郎に洋画、加藤景雲に木彫を学んだ。同43年東京美術学校を卒業。大正4年日本美術院研究所に入った。同13年日本創作版画協会と春陽会の会員になった。昭和25年芸術院会員になった。

石黒鏘二（いしぐろしょうじ）
昭和10年（一九三五）～平成25年（二〇一三）
名古屋市に生れ、同地で歿。昭和33年東京藝術大学を卒業。同53年ヘンリー・ムーア大賞展佳作賞、同58年優秀賞、同60年彫刻の森美術館賞、同年現代日本彫刻展宇部市野外彫刻美術館賞を受賞した。平成1年愛知県芸術選奨文化賞を受賞。行動美術協会会員。名古屋造形芸術大学教授を務めた。

板津邦夫（いたづくにお）
昭和6年（一九三一）～令和5年（二〇二三）
北海道札幌市に生れ、同道旭川市で歿。昭和31年東京藝術大学彫刻専攻科を修了し、同36年北海道教育大学旭川校に着任した。同年自由美術展佳作を受賞し会員となった。同40年自由美術賞受賞、同55年第北海道現代美術館展優秀賞受賞、同61年旭川市文化奨励賞受賞、平成7年北海道教育大学名誉教授となった。同大旭川校の彫刻ゼミの卒業生らの彫刻グループ「青銅会」の設立と指導をした。独特なスタイルと深い洞察力により木の特性を生かした土俗的風合いを持った自由で斬新な木彫作品を残した。

市村緑郎（いちむらろくろう）
昭和11年（一九三六）～平成26年（二〇一四）
茨城県に生れ、埼玉県で歿。昭和37年東京教育大を卒業。在学中に日展初入選。その後日展・日彫展・白日展に出品を重ねた。平成15年日展で総理大臣賞。同18年芸術院賞を受賞し、同20年芸術院会員になった。日展常務理事・日本彫刻会理事長・埼玉大学教授を務めた。

岩野勇三（いわのゆうぞう）
昭和6年（一九三一）～昭和62年（一九八七）
新潟県高田市に生れ、東京で歿。昭和25年上京し、佐藤忠良に師事した。新制作展に出品し、同35年会員になった。同44年昭和会展で林武賞、同55年高村光太郎大賞展優秀賞、同61年中原悌二郎賞を受賞した。東京造形大教授を務めた。

植木茂（うえきしげる）
大正2年（一九一三）～昭和59年（一九八四）
札幌に生れた。最初は三岸好太郎に絵画を学んだ。独立美術研究所で里見勝蔵と林武に師事した。三岸の死後、彫刻に転向し、自由美術家協会展に出品した。昭和25年モダンアートを結成した。サンパウロビエンナーレ、ヴェネチアビエンナーレ等に出品した。

圓鍔勝三（えんづばかつぞう）
明治38年（一九〇五）～平成15年（二〇〇三）
広島県に生れ、東京で歿。大正10年石割秀光の内弟子となり、同15年京都市立商工専修学校、関西美術院で学んだ。昭和7年日本美術学校を卒業し、澤田政廣に師事した。日展に出品を重ね、同40年文部大臣賞を受賞した。翌41年芸術院賞を受賞し、同45年芸術院会員になった。同57年文化功労者、同63年文化勲章を受章した。

小田襄（おだじょう）
昭和11年（一九三六）～平成16年（二〇〇四）
東京に生れ、同地で歿。昭和37年東京藝術大学大学院修了。新制作協会展に出品を重ね、同39年会員になった。同50年長野市野外彫刻賞、同54年ヘンリー・ムーア大賞展優秀賞、同59年神戸須磨離宮公園現代彫刻展で大賞を受賞した。ステンレススチールによる独自の造形世界を展開した。多摩美大教授を務めた。

小畠廣志（こばたけひろし）
昭和10年（一九三五）～平成8年（一九九六）
　東京に生れ、同地で歿。東京藝術大学を卒業し、菊池一雄に師事した。昭和52年平櫛田中賞、同57年神戸須磨離宮公園現代彫刻展で群馬県立近代美術館賞を受賞した。

大内青圃（おおうちせいほ）
明治31年（一八九八）～昭和56年（一九八一）
　東京に生れ、同地で歿。大正11年東京美術学校を卒業し、高村光雲に師事した。昭和2年日本美術院同人になり同35年文部大臣賞を受賞した。同38年芸術院賞を受賞して、同44年芸術院会員になった。

大成　浩（おおなりひろし）
昭和14年（一九三九）～令和5年（二〇二三）
　富山県魚津市に生れ、東京都で歿。東京藝術大学大学院彫刻研究科を修了。昭和43年に国画会展で国画賞を受賞し翌44年に同会会員。同53年文化庁芸術家在外研修員としてイタリアや西ドイツ、アメリカに留学。同62年に中原悌二郎賞。同64年・平成27年長野市野外彫刻賞、同23年文化庁長官表彰。東京造形大学教授も務めた。風と蜃気楼にまつわる作品をよく手掛けた。思考・構造・材質・時間が空間と一つとなるように模索した。

岡崎和郎（おかざきかずお）
昭和5年（一九三〇）～令和4年（二〇二二）
　岡山県岡山市に生れ、東京都で歿。昭和31年早稲田大学大学院美術史専攻修了。同25年代より本格的に作家活動を開始し、同33年から読売アンデパンダンに出品。同30年代後半よりアルミニウムやポリエステル樹脂などによる小型オブジェを制作し独自の造形思想「御物補遺」を確立した。同52年から制作する「HISASHI」シリーズは、ひさし状の物体を壁に付着するように展示し有機的な形状をしている。

荻原碌山（おぎわらろくざん）
明治12年（一八七九）～明治43年（一九一〇）
　長野県安曇野に生れ、東京で歿。明治32年上京し、小山正太郎の不同舎で絵を学んだ。同34年渡米し、アートスチューデントリーグニューヨークで、翌35年ニューヨークスクールオブアートで学んだ。翌36年パリに渡り、オーギュスト・ロダンの影響を受け、同年彫刻を志し、アカデミー・ジュリアンの彫刻部に入学した。同40年ロダンに師事した。

か

加藤昭男（かとうあきお）
昭和2年（一九二七）～平成27年（二〇一五）
　愛知県に生れ、東京で歿。昭和28年東京藝術大学を卒業し、菊池一雄に師事した。新制作協会展に出品を重ね、新作家賞を受賞し、会員になった。平成6年中原悌二郎賞、同14年円空大賞を受賞した。武蔵野美大教授を務めた。

加藤顕清（かとうけんせい）
明治27年（一八九四）～昭和41年（一九六六）
　岐阜県に生れ、神奈川県で歿。大正4年東京美術学校彫刻科に入学し、高村光雲・白井雨山に師事した。同12年油絵科に再入学し、藤島武二・長原孝太郎に師事した。昭和4年、翌5年帝展で特選。同9年日本彫刻家協会を創立した。その後文展・日展に出品を重ねた。同27年芸術院賞を受賞した。日展常務理事、日本彫塑会会長を務めた。

木内　克（きのうちよし）
明治25年（一八九二）～昭和52年（一九七七）
　茨城県水戸市に生れ、東京で歿。明治45年海野美盛に彫刻を学び、大正3年朝倉文夫の彫塑塾に入った。同10年フランスに渡り、ブールデルに師事した。昭和10年帰国し、二科展や新樹会展などに出品した。同26年毎日美術賞、同45年中原悌二郎賞を受賞した。

木下繁（きのしたしげる）
明治41年（一九〇八）〜昭和63年（一九八八）
和歌山県に生れ、東京で歿。昭和3年建畠大夢に師事し、同8年東京美術学校を卒業。同22年日展特選、同44年文部大臣賞を受賞した。同49年芸術院賞を受賞し同52年芸術院会員になった。武蔵野美大教授を務めた。

菊池一雄（きくちかずお）
明治41年（一九〇八）〜昭和60年（一九八五）
京都に生れ、東京で歿。日本画家菊池契月の長男。最初は藤川勇造に彫刻、小林万吾にデッサンを学んだ。昭和7年東京帝大を卒業。同11年渡欧し、シャルル・デスピオ、ロベール・ブレリックに師事した。同15年新制作派協会展に招待出品して会員になった。同24年毎日美術賞を受賞した。東京藝術大学教授を務めた。

北村西望（きたむらせいぼう）
明治17年（一八八四）〜昭和62年（一九八七）
長崎県に生れ、東京で歿。明治36年京都市立美術工芸学校に入学。卒業後上京し、東京美術学校に入学した。大正4年文展で二等賞に入賞した。同5年建畠大夢らと「八手会」を結成した。同10年東京美術学校塑造部教授となる。昭和30年に5年の歳月をかけた長崎平和祈念像を完成させた。同33年文化功労者、文化勲章を受章した。

北村治禧（きたむらはるよし）
大正4年（一九一五）〜平成13年（二〇〇一）
長崎県に生れ、東京で歿。北村西望の長男。昭和12年東京美術学校を卒業。同41年日展で文部大臣賞を受賞。同43年芸術院賞を受賞し、同55年芸術院会員になった。日展理事長・日本彫刻会理事長を務めた。

清水九兵衛（きよみずきゅうべい）
大正11年（一九二二）〜平成18年（二〇〇六）
愛知県に生れ、京都で歿。昭和24年東京芸術大学に入学。在学中京焼六代清水六兵衛の養嗣子となった。その後陶芸に従事したが、イタリアの現代彫刻に関心を持ち、同42年陶芸を辞めて彫刻の制作を始めた。同51年毎日芸術賞、同54年ヘンリー・ムーア大賞展優秀賞、翌55年神戸須磨離宮公園現代彫刻展で大賞を受賞した。

国島征二（くにしませいじ）
昭和12年（一九三七）〜令和4年（二〇二二）
愛知県名古屋市港区に生れ、同県で歿。武蔵野美術大学で学び、ロサンゼルスを拠点に活躍。アルミニウムを何層も重ね、石やブロンズ等を組み込む「積層体」シリーズなど素材を探求した独自の造形世界を築いた。平成7年に帰国し同県岡崎市の山中にアトリエを構えた。名古屋市千種区の東山公園前にある彫刻「緑と風のフレーム」を始め、国内外の公園や公共施設の屋外彫刻も多数手掛けた。

桑原巨守（くわはらひろもり）
昭和2年（一九二七）〜平成5年（一九九三）
群馬県沼田市に生れ、東京で歿。昭和24年東京美術学校を卒業。関野聖雲に師事した。同38年二紀展に初入選し、同人になった。同57年高村光太郎大賞展で美ヶ原美術館賞、翌58年二紀展で文部大臣賞、平成元年宮本三郎賞を受賞した。女子美大名誉教授を務めた。

小森邦夫（こもりくにお）
大正6年（一九一七）〜平成5年（一九九三）
東京に生れ、同地で歿。構造社彫塑研究所に入り、斎藤素巌に師事した。日展に出品し、昭和55年文部大臣賞、同60年に芸術院賞を受賞して、平成元年芸術院会員になった。日展事務局長・日本彫刻会委員長を務めた。

古賀忠雄（こがただお）
明治36年（一九〇三）〜昭和54年（一九七九）
佐賀市に生れ、東京で歿。東京美術学校を卒業。帝展・新文展に出品。昭和18年芸術院賞を受賞し、同42年芸術院会員になった。日展常務理事・日本彫刻会理事長・陶彫会会長を務めた。

さ

佐藤助雄（さとうすけお）
大正8年（一九一九）～昭和62年（一九八七）
山形市に生れ、東京で歿。昭和11年上京し、後藤良の内弟子となり、その後北村西望・富永直樹に師事した。日展に出品し、同18年特選、同51年文部大臣賞を受賞。同54年芸術院賞を受賞した。日展理事・日本彫刻会委員長を務めた。

佐藤忠良（さとうちゅうりょう）
大正元年（一九一二）～平成23年（二〇一一）
宮城県に生れ、東京で歿。昭和7年川端画学校で学び、同9年東京美術学校彫刻科に入学。同14年舟越保武らと新制作派協会彫刻部の創設に参加した。同35年高村光太郎賞、同49年毎日芸術賞・芸術選奨文部大臣賞を受賞。翌50年中原悌二郎賞を受賞した。芸術院会員・文化功労者・文化勲章の候補に選ばれたが全て辞退した。

佐藤朝山（さとうちょうざん）
明治22年（一八八八）～昭和38年（一九六三）
福島県相馬郡に生れ、京都で歿。宮彫り師の家に生れ、幼い頃から木彫の技術を学んだ。明治39年山崎朝雲に師事した。大正3年日本美術院同人になった。同11年フランスに渡り、アントワーヌ・ブールデルに師事した。昭和10年帝国美術院会員、同12年帝国芸術院会員になった。

斎藤素巌（さいとうそがん）
明治22年（一八八九）～昭和49年（一九七四）
東京に生れ、同地で歿。東京美術学校を卒業。大正2年イギリスのロイヤル・アカデミーで彫刻を学んだ。同5年帰国し、文展に出品した。昭和元年構造社を結成した。同10年帝国美術院会員、同12年帝国芸術院会員になった。

桜井祐一（さくらいゆういち）
大正3年（一九一四）～昭和56年（一九八一）
山形県米沢市に生れ、東京で歿。昭和7年平櫛田中に師事し、同9年日本美術院彫塑研究所に入った。院展に出品し、同26年翌27年に院賞大観賞を受賞し、同30年同人になった。同38年国画会会員になった。同54年中原悌二郎賞、翌55年高村光太郎大賞展で優秀賞を受賞した。

澤田政廣（さわだせいこう）
明治27年（一八九四）～昭和63年（一九八八）
静岡県熱海市に生れ、東京で歿。大正2年山本瑞雲に師事した。同7年東京美術学校を卒業。昭和26年芸術選奨文部大臣賞、同28年芸術院賞を受賞し、同37年芸術院会員になった。同48年文化功労者、同54年文化勲章を受章した。日本彫塑会会長・日展顧問を務めた。

鹿田淳史（しかたあつし）
昭和33年（一九五八）～平成15年（二〇〇三）
京都に生れ、同地で歿。昭和56年金沢美工大を卒業後、メキシコ国立自治大大学院を修了した。平成元年ヘンリー・ムーア大賞展でエミリオグレコ特別優秀賞、近松モニュメント彫刻コンクールでグランプリを受賞した。

清水多嘉示（しみずたかし）
明治30年（一八九七）～昭和56年（一九八一）
長野県に生れ、東京で歿。大正12年パリに渡り、アントワーヌ・ブールデルに師事した。昭和3年帰国後、院展・国展・春陽会展に出品した。戦後は日展に出品を重ねた。同28年芸術選奨文部大臣賞、翌29年芸術院賞を受賞し、同40年芸術院会員になった。同55年文化功労者に選ばれた。日展顧問を務めた。

新海竹蔵（しんかいたけぞう）
明治30年（一八九七）～昭和43年（一九六八）
山形市に生れ、東京で歿。明治45年上京し、伯父の新海竹太郎の下で修業した。大正13年院展に初入選し、昭和2年同人になった。同29年芸術選奨文部大臣賞を受賞した。同36年彫刻家集団を結成し、同38年国画会彫刻部新設に伴い会員として参加した。

新海竹太郎（しんかいたけたろう）
慶応4年（一八六八）〜昭和2年（一九二七）
山形市に生れ、東京で歿。最初は後藤貞行に師事し、浅井忠にデッサン、小倉惣次郎に塑造を学んだ。明治33年ベルリンに渡りヘルテルに師事した。同35年帰国後、太平洋画会会員になった。大正8年帝国美術院会員になった。

進藤武松（しんどうたけまつ）
明治42年（一九〇六）〜平成12年（二〇〇〇）
東京に生れ、同地で歿。昭和4年構造社彫塑研究所に入り、斉藤素巌に師事した。日展に出品し、昭和42年文部大臣賞を受賞。同47年芸術院賞を受賞し、同58年芸術院会員になった。日本彫刻会常務理事・日展常務理事を務めた。

菅原安男（すがわらやすお）
明治38年（一九〇五）〜平成13年（二〇〇一）
奈良県に生れ、東京で歿。東京美術学校を卒業。日本美術院展に出品し、昭和16年院友になった。同21年院賞を受賞した。同29年新制作協会会員になった。

杉村孝（すぎむらたかし）
昭和12年（一九三七）〜令和5年（二〇二三）
静岡県藤枝市に生れ、同地で歿。石材店に生れ、北川薫に師事し、昭和67年富嶽文化賞展大賞。滝ノ谷不動峡の岩壁に彫り込んだ高さ10メートルの磨崖仏（まがいぶつ）は観光名所として知られる。茶文化発信施設「玉露の里」や巨石の森公園に作品が多数残る。

鈴木武右衛門（すずきぶえもん）
昭和24年（一九四九）〜平成26年（二〇一四）
千葉県に生れ、東京で歿。昭和48年東京造形大を卒業。翌49年新制作展に出品し新作家賞。同60年現代日本具象彫刻展大賞、翌61年ロダン大賞展美ヶ原高原美術館賞を受賞した。

砂澤ビッキ（すなざわびっき）
昭和6年（一九三一）〜平成元年（一九八九）
北海道に生れ、同地で歿。本名は恒雄。昭和28年阿寒湖畔に滞在し、土産物の木彫に従事した。同31年モダンアート展、同35年集団現代彫刻展などに出品した。巨木を素材にして独特な木彫作品を制作した。

澄川喜一（すみかわきいち）
昭和6年（一九三一）〜令和5年（二〇二三）
島根県鹿足郡吉賀町で生れた。東京藝術大学美術学部彫刻科卒。平櫛田中・菊川一雄に師事し同大卒業後は昭和42年より同大教員となり美術学部助教授・教授・学部長を歴任し、平成7年から同13年まで学長、同年から名誉教授であった。昭和54年より「そりのあるかたち」シリーズを制作。代表作は東京湾アクアライン「風の塔」、東京スカイツリーのデザイン監修があり、野外彫刻や環境造形が多数存在する。平成15年日本芸術院賞・恩賜賞、同16年芸術院会員となり、同20年文化功労者。令和2年文化勲章を受賞した。

関野聖雲（せきのせいうん）
明治22年（一八八九）〜昭和22年（一九四七）
神奈川県に生れた。明治38年高村光雲に師事した。同44年東京美術学校を卒業。大正9年10年と帝展で特選を受賞した。光雲直系の木彫家として高名であった。東京美術学校の教授を務めた。

た

田辺光彰（たなべみつあき）
昭和14年（一九三九）〜平成27年（二〇一五）
神奈川県に生れ、同地で歿。昭和36年多摩美大彫刻科を卒業。翌37年アメリカの彫刻家イサム・ノグチと出会い影響を受けた。同54年第1回ヘンリー・ムーア大賞展で特別優秀賞を受賞した。同62年頃より野生稲をモチーフにした巨大な作品を制作した。

高田博厚（たかたひろあつ）
明治33年（一九〇〇）〜昭和62年（一九八七）
石川県に生れ、神奈川県鎌倉市で歿。大正7年上京し、高村光太郎に師事した。昭和6

年フランスに渡り、アントワーヌ・ブールデルなどに師事した。以後30年フランスに滞在し、制作活動をした。昭和32年帰国後、新制作協会会員になった。

高橋　剛（たかはしごう）
大正10年（一九二一）〜平成3（一九九一）

山形県酒田市に生まれ、東京で歿。最初は父に師事して木彫を始めた。昭和21年東京美術学校を卒業。関野聖雲・北村西望に師事した。日展に出品して三年連続特選を受賞。同56年総理大臣賞、同61年芸術院賞恩賜賞を受賞した。日本彫刻会委員長を務めた。

高村光雲（たかむらこううん）
嘉永5年（一八五二）〜昭和9年（一九三四）

江戸下谷に生まれた。文久3年仏師高村東雲の徒弟となる。明治維新以後、衰退しかけていた木彫を写実主義を取り入れて復活させた。江戸時代までの木彫技術の伝統を近代に繋げる重要な役割を果した。明治23年東京美術学校の教授、帝国技芸員になった。

高村光太郎（たかむらこうたろう）
明治16年（一八八三）〜昭和31年（一九五六）

東京に生まれ、同地で歿。高村光雲の長男。明治30年東京美術学校に入学し、同35年に卒業した。同39年アメリカ、翌40年ロンドンに渡った。昭和28年十和田国立公園功労者記念碑を完成させた。

建畠覚造（たてはたかくぞう）
大正8年（一九一九）〜平成18年（二〇〇六）

東京に生まれ、同地で歿。建畠大夢の長男。昭和16年東京美術学校を卒業。同25年行動美術協会彫刻部の設立に参加した。同42年高村光太郎賞、同56年中原悌二郎賞、平成2年芸術選奨文部大臣賞を受賞した。同17年文化功労者に選ばれた。多摩美大教授を務めた。

建畠大夢（たてはたたいむ）
明治13年（一八八〇）〜昭和17年（一九四二）

和歌山県に生れた。明治40年東京美術学校に入学して、白井雨山に師事した。同44年文展に出品し三等賞を受賞した。大正9年東京美術学校教授に就任し、昭和2年帝国美術院会員になった。同12年伊藤博文銅像を制作した。

千野　茂（ちのしげる）
大正2年（一九一三）〜平成14年（二〇〇二）

新潟県に生れ、東京で歿。昭和14年日本美術院研究所に入り、新海竹蔵に師事した。同30年院展同人になった。同39年国画会会員になった。同56年長野市野外彫刻賞、翌57年中原悌二郎賞を受賞した。

辻　晋堂（つじしんどう）
明治43年（一九一〇）〜昭和56年（一九八一）

鳥取県に生れ、京都で歿。昭和6年上京し洋画を学んだが、独学で彫刻を始めた。同8年より日本美術院展に出品を重ね、同17年同人になった。同30年京都市立美術大学彫刻科教授になった。同32年サンパウロ・ビエンナーレ、翌33年ヴェネチア・ビエンナーレに出品し国際的な評価を得た。同52年京都市文化功労者に選ばれた。

土谷　武（つちたにたけし）
大正15年（一九二六）〜平成16年（二〇〇四）

京都に生れ、東京で歿。昭和18年京都市立美術工芸学校卒業。同24年東京美術学校卒業。同32年新制作協会会員になった。同48年長野市野外彫刻賞、同50年現代日本彫刻展で大賞、平成2年中原悌二郎賞、同6年芸術選奨文部大臣賞を受賞した。

戸張孤雁（とばりこがん）
明治15年（一八八二）〜昭和2年（一九二七）

東京に生れ、同地で歿。明治34年アメリカに渡り、ナショナル・アカデミーで学んだ。同43年太平洋画会研究所彫刻部に入った。大正5年日本美術院彫刻部研究会員になり、翌6年彫刻部同人になった。翌7年日本版画会を設立した。

富永直樹（とみながなおき）
大正2年（一九一三）～平成18年（二〇〇六）
長崎市に生れ、東京で歿。昭和15年東京美術学校を卒業。日展に出品を重ね、同43年文部大臣賞を受賞。同47年芸術院賞を受賞し、同49年芸術院会員になった。同59年文化功労者、平成元年文化勲章を受章した。日展理事長も務めた。

な

内藤　伸（ないとうしん）
明治15年（一八八二）～昭和42年（一九六七）
島根県に生れ、東京で歿。明治34年上京し、高村光雲に師事した。同37年東京美術学校を卒業。大正3年日本美術院同人になった。昭和2年帝国美術院会員、戦後は日展に出品し、日本芸術院会員になった。昭和27年日本木彫会を再興した。

中原悌二郎（なかはらていじろう）
明治21年（一八八八）～大正10年（一九二一）
北海道釧路に生れた。明治37年上京し、白馬会研究所・太平彫刻会研究所で学んだ。同43年新海竹太郎に師事した。大正5年日本美術院研究会員となり、佐藤朝山や平櫛田中らと共に研鑽を重ねた。同年院展で樗牛賞を受賞し院友になった。同7年院展同人に推挙された。

中村博直（なかむらひろなお）
大正5年（一九一六）～平成3年（一九九一）
神奈川県に生れ、東京で歿。昭和12年沢田政廣に師事して木彫を始めた。同21年日展入選。その後出品を重ね、同24年同35年特選。同57年文部大臣賞を受賞した。同61年芸術院賞を受賞した。日展理事・日本彫塑会理事を務めた。

長江録弥（ながえろくや）
大正15年（一九二六）～平成17年（二〇〇五）
愛知県瀬戸市に生れ、神奈川県川崎市で歿。多摩造形芸術専門学校を卒業。日展に出品し、昭和51年文部大臣賞、同59年高村光太郎大賞展で優秀賞を受賞した。平成3年芸術院賞を受賞して、同7年芸術院会員になった。日展常務理事・日本彫刻会理事を務めた。

流　政之（ながれまさゆき）
大正12年（一九二三）～平成30年（二〇一八）
長崎県に生れ、香川県で歿。立命館大を中退。戦後、独学で彫刻を学んだ。昭和39年ニューヨーク万国博覧会で壁画彫刻を発表した。その後、石彫や木彫などの作品を制作した。同53年中原悌二郎賞、平成6年長野市野外彫刻賞を受賞した。

西　常雄（にしつねお）
明治44年（一九一一）～平成23年（二〇一一）
東京に生れ、同地で歿。昭和13年東京美術学校を卒業。同18年新制作派協会展で新作家賞を受賞。同24年新制作派協会会員になった。同46年中原悌二郎賞を受賞した。多摩美大教授を務めた。

野々村一男（ののむらかずお）
明治39年（一九〇六）～平成20年（二〇〇八）
愛知県名古屋市に生れ、同地で歿。東京美術学校を卒業。日展に出品を重ね、昭和50年総理大臣賞を受賞。同56年芸術院賞を受賞して、同63年芸術院会員になった。

は

橋本堅太郎（はしもとけんたろう）
昭和5年（一九三〇）～令和3年（二〇二一）
東京に生れ、同地で歿。東京藝術大学で学び、平櫛田中に師事した。東京藝術大学教授として教壇に立ち、後に名誉教授。平成8年芸術院賞を受賞して、同年芸術院会員になった。平成12年日展理事長・日本彫刻会理事長に就任。平成23年文化功労者に選ばれた。

橋本平八（はしもとへいはち）
明治30年（一八九七）～昭和10年（一九三五）
三重県に生れ、同地で歿。最初は三宅正直

に師事した。大正8年上京し、佐藤朝山に入門。同11年日本美術院研究会員になり、同14年院友、昭和2年同人になった。

橋本裕臣（はしもとやすおみ）

昭和17年（一九四二）～平成26年（二〇一四）

東京に生れ、同地で歿。昭和47年東京藝術大学大学院修了。新制作展に出品し、同53年、同57年新作家賞、同60年新制作協会賞を受賞した。同63年ロダン大賞展で彫刻の森美術館賞、平成3年中原悌二郎賞優秀賞を受賞した。和光大学教授を務めた。

平櫛田中（ひらくしでんちゅう）

明治5年（一八七二）～昭和54年（一九七九）

岡山県井原市に生れ、東京で歿。明治26年大阪の人形師中谷省古に師事した。その後上京し、高村光雲の門下生となった。同40年第一回文展に出品。翌41年日本彫刻会展に出品した。大正3年再興院展に出品し同人になった。昭和12年帝国芸術院会員になった。同33年に22年の歳月をかけた『鏡獅子』を完成させた。同37年文化勲章を受章した。

平野富山（ひらのふざん）

明治44年（一九一一）～平成元年（一九八九）

静岡県に生れ、東京で歿。斎藤素巌に師事した。日展に出品し、昭和34年特選。太平洋美術展で文部大臣奨励賞を受賞した。彩色木彫が高く評価され、平櫛田中の作品の彩色を担当した。

晝間　弘（ひるまひろし）

大正5年（一九一六）～昭和59年（一九八四）

東京に生れ、同地で歿。昭和15年東京美術学校を卒業。北村西望に師事した。日展に出品し、同22年特選、同39年文部大臣賞を受賞した。同44年芸術院賞を受賞し、同55年芸術院会員になった。筑波大教授を務めた。

藤井浩佑（ふじいこうゆう）

明治15年（一八八二）～昭和33年（一九五八）

東京に生れ、同地で歿。最初は不同舎で満谷国四郎にデッサンを学んだ。明治40年東京美術学校を卒業し、文展に出品した。大正5年日本美術院展に出品し同人になった。昭和11年帝国美術院会員、翌12年帝国芸術院会員になった。戦後は日本芸術院会員になり、日展理事を務めた。

藤川勇造（ふじかわゆうぞう）

明治16年（一八八三）～昭和10年（一九三五）

香川県高松市に生れ、東京で歿。明治41年東京美術学校を卒業。翌42年フランスに渡りアカデミー・ジュリアンに入学した。同44年ロダンの助手となる。大正5年帰国後、二科会に出品し、昭和4年に開設された二科技塾で後進の指導にあたった。同10年帝国美術院会員になった。

舟越保武（ふなこしやすたけ）

大正元年（一九一二）～平成14年（二〇〇二）

岩手県に生れ、東京で歿。昭和14年東京美術学校を卒業。同14年佐藤忠良らと新制作派協会彫刻部の創設に参加した。同37年高村光太郎賞、同47年中原悌二郎賞、同53年芸術選奨文部大臣賞を受賞した。平成11年文化功労者に選ばれた。東京藝術大学教授、多摩美大教授を歴任した。

細川宗英（ほそかわむねひで）

昭和5年（一九三〇）～平成6年（一九九四）

長野県松本市に生れ、東京で歿。昭和31年東京藝術大学大学院修了。菊池一雄に師事した。同年新制作展で新作家賞を受賞し、同33年会員になった。同40年高村光太郎賞、同47年中原悌二郎賞を受賞した。東京藝術大学教授を務めた。

堀内正和（ほりうちまさかず）

明治44年（一九一一）～平成13年（二〇〇一）

京都市に生れた。昭和3年東京高等工芸学校に入学したが、中退し二科会の美術研究所に入り、藤川勇造に師事した。同4年から二科展に出品して同22年会員になった。同38年高村光太郎賞、同44年現代国際彫刻展で大賞を受賞した。京都市立美大の教授を務めた。

本郷　新（ほんごうしん）
明治38年（一九〇五）～昭和55年（一九八〇）
北海道札幌市に生れ、東京で歿。大正13年東京高等工芸学校入学。昭和3年高村光太郎に師事した。同14年柳原義達、佐藤忠良らと新制作派協会彫刻部創設に参加した。同28年日本平和文化賞、同34年日本国際美術展優秀賞を受賞した。

ま

増田正和（ますだまさかず）
昭和6年（一九三一）～平成4年（一九九二）
兵庫県に生れ、同地で歿。昭和30年京都市立美大を卒業。同32年より行動美術展に出品。同43年山口牧生、小林陸一郎と環境造形Qを結成した。同50年神戸須磨離宮公園現代彫刻展で宇部市野外彫刻美術館賞、同56年現代日本彫刻展で大賞を受賞した。

松田尚之（まつだなおゆき）
明治31年（一八九八）～平成7年（一九九五）
富山県に生れ、京都で歿。大正11年東京美術学校を卒業。昭和元年帝展で特選。同33年芸術院賞を受賞して、同43年芸術院会員になった。日展顧問、金沢美術工芸大教授を務めた。

松村外次郎（まつむらそとじろう）
明治34年（一九〇一）～平成2年（一九九〇）
富山県に生れ、東京で歿。大正9年上京し、吉田白嶺に師事し、同13年東京美術学校入学。昭和11年二科会会員になるが同19年退会した。同26年二紀会彫刻部を設立し委員になった。同42年副理事長、同51年名誉会員になった。

三木富雄（みきとみお）
昭和12年（一九三七）～昭和53年（一九七八）
東京に生れ、同地で歿。独学で制作を始めた。昭和32年から読売アンデパンダン展に出品。同38年アルミ鋳造による「耳」シリーズを発表した。同42年パリ青年ビエンナーレ展でアンドレ・シュス賞を受賞した。

三坂耿一郎（みさかこういちろう）
明治41年（一九〇八）～平成7年（一九九五）
福島県郡山市に生れ、東京で歿。昭和12年東京美術学校を卒業。日展に出品を重ね、同22年特選、同47年文部大臣賞を受賞した。同53年芸術院賞を受賞し、同61年芸術院会員になった。

宮脇愛子（みやわきあいこ）
昭和4年（一九二九）～平成26年（二〇一四）
静岡県熱海市に生れ、神奈川県横浜市で歿。昭和27年日本女子大を卒業後、同32年サンタモニカシティカレッジとカリフォルニア大で学んだ。同52年現代日本彫刻展で北九州市立美術館賞、同56年ヘンリー・ムーア大賞展でエミリオ・グレコ特別優秀賞を受賞した。

向井良吉（むかいりょうきち）
大正7年（一九一八）～平成22年（二〇一〇）
京都に生れ、東京で歿。洋画家向井潤吉の弟。昭和16年東京美術学校を卒業。同26年行動美術協会会員になった。同36年高村光太郎賞、同56年芸術選奨文部大臣賞、同59年中原悌二郎賞を受賞した。同63年武蔵野美大名誉教授に就任した。

や

矢崎虎夫（やざきとらお）
明治37年（一九〇四）～昭和63年（一九八八）
長野県茅野市に生れ、東京で歿。大正12年上京し、平櫛田中に師事した。昭和6年東京美術学校を卒業し、日本美術院展に出品した。同39年渡欧レオシップ・ザッキンに師事した。同41年日府展で文部大臣賞、同48年長野市野外彫刻賞を受賞した。

柳原義達（やなぎはらよしたつ）
明治43年（一九一〇）～平成16年（二〇〇四）
兵庫県神戸市に生れ、東京で歿。昭和11年東京美術学校を卒業後、朝倉文夫に師事した。同14年新制作派協会彫刻部創設に参加した。

同31年高村光太郎賞、同49年中原悌二郎賞を受賞した。平成8年文化功労者に選ばれた。

山口牧生（やまぐちまきお）
昭和2年（一九二七）～平成13年（二〇〇一）

広島県に生れた。京都大を卒業。その後、大阪市立美術研究所で彫刻を学んだ。昭和43年小林陸一郎、増田正和と集団Qを結成した。同53年神戸須磨離宮公園現代彫刻展で大賞、同58年中原悌二郎賞、同62年日本彫刻展で大賞を受賞した。

山崎　猛（やまざきたけし）
昭和5年（一九三〇）～平成10年（一九九八）

茨城県に生れ、同地で歿。昭和29年茨城大学を卒業。同46年イタリア政府奨学金留学生としてローマに留学し、ペリクレ・ファッツーニに師事し、蝋形手法を学んだ。同61年ロダン大賞展特別優秀賞、翌62年現代日本具象彫刻展で大賞を受賞した。

山崎朝雲（やまざきちょううん）
慶応3年（一八六七）～昭和29年（一九五四）

福岡県に生れた。明治17年高田又四郎に師事。同27年内国勧業博覧会に出品した。翌28年上京し、高村光雲に師事した。同40年平櫛田中、米原雲海らと日本彫刻会を結成した。昭和2年帝国美術院会員、同12年帝国芸術院会員になった。同27年文化功労者に選ばれた。

山田良定（やまだりょうじょう）
昭和6年（一九三一）～平成14年（二〇〇二）

滋賀県に生れ、同地で歿。昭和29年滋賀大を卒業。同37年富永直樹に師事した。日展に出品を重ね、平成2年文部大臣賞、同11年芸術院賞を受賞した。日展理事、日本彫刻会理事・滋賀大教授を務めた。

山本豊市（やまもととよいち）
明治32年（一八九九）～昭和62年（一九八七）

東京に生れ、同地で歿。大正6年戸張孤雁に師事した。同13年フランスに渡り、アリスティド・マイヨールに師事した。昭和28年毎日美術賞を受賞。同38年国画会会員になった。同42年愛知芸大教授、同43年東京藝術大学名誉教授を務めた。同58年文化功労者に選ばれた。

横山豊介（よこやまとよすけ）
昭和14年（一九三九）～令和5年（二〇二三）

富山県魚津市生れ、同県砺波市大窪で歿。昭和27年金沢美術工芸短期大学彫刻科卒。在学中の同24年日展初入選、同42年・43年日展特選、同45年同展で菊華賞受賞。平成3年地域文化功労者文科大臣表彰、同23年日展で文部科学大臣賞受賞。井波彫刻でも活躍し木彫・塑像・陶など多彩。代表作は「おおぞら」「ともだち」で人間の感情や関係性を巧みに表現した作品が多い。

吉田三郎（よしださぶろう）
明治22年（一八八九）～昭和37年（一九六二）

石川県金沢市に生れた。明治45年東京美術学校を卒業。大正7年文展で特選、翌8年帝展で特選を受賞した。昭和6年イタリア・北米に留学した。同25年芸術院賞を受賞し、同30年芸術院会員になった。日展常務理事・日本彫塑家倶楽部委員長を務めた。

淀井敏夫（よどいとしお）
明治44年（一九一一）～平成17年（二〇〇五）

兵庫県朝来市に生れ、東京で歿。昭和8年東京美術学校を卒業。二科展に出品を重ね、同26年会員になった。同47年第一回平櫛田中賞を受賞。翌49年二科展で総理大臣賞を受賞した。同52年芸術院賞を受賞し、同57年芸術院会員になった。平成6年文化功労者、同13年文化勲章を受章した。二科会理事長も務めた。

米坂ヒデノリ（よねさかひでのり）
昭和9年（一九三四）～平成28年（二〇一六）

北海道に生れ、同地で歿。昭和32年東京藝術大学を卒業。自由美術協会展に出品し、同36年会員になった。同52年北海道文化奨励賞、同57年北海道現代美術展北海道立近代美術館賞、平成17年北海道文化賞を受賞した。

わ

若林　奮（わかばやしいさむ）

昭和11年（一九三六）～平成15年（二〇〇三）

東京に生れ、同地で歿。東京藝術大学を卒業。二科展に出品した。昭和44年現代日本美術展で東京国立近代美術館賞、平成８年中原悌二郎賞、同14年芸術選奨文科大臣賞を受賞した。

脇田愛二郎（わきたあいじろう）

昭和17年（一九四二）～平成18年（二〇〇六）

東京に生れ、同地で歿。洋画家脇田和の二男。昭和39年武蔵野美大を卒業。同42年ブルックリン・アート・ミュージアムで学んだ。同58年平櫛田中賞、同61年東京野外現代彫刻展で大賞を受賞した。国内外で多数個展を開催した。

分部順治（わけべじゅんじ）

明治44年（一九一一）～平成７年（一九九五）

群馬県高崎市に生れ、東京で歿。東京美術学校を卒業。昭和７年帝展に初入選。同12年新文展で特選、同43年日展で総理大臣賞。同50年芸術院賞を受賞した。日展理事を務めた。

Memo

明治以降物故陶芸家

あ

阿部和唐（あべわとう）
昭和12年（一九三七）～令和5年（二〇二三）
東京都杉並区に生れ、東京都で歿。画家の阿部合成と人形作家で料理研究家の「なを」の長男。父から絵画と彫刻を母から人形制作の薫陶を受けた。両親のアトリエで芸術家達に囲まれて育った。昭和27・28年産経新聞人形展特選、同30年日展評議員安原喜明に師事、同35・37年朝日新聞現代人形展特選。同42年日本伝統工芸新作展奨励賞、同52年日本工芸会正会員。平成元年日本工芸会退会。同26年パリで個展を開催。丸く温かみのある作風であった。

會田雄亮（あいだゆうすけ）
昭和6年（一九三一）～平成27年（二〇一五）
東京に生れ、同地で歿。昭和31年千葉大を卒業後、宮之原謙に師事した。同36年渡米。同43年ファエンツァ国際陶芸コンペで金賞を受賞した。日本クラフトデザイン協会理事長、東北芸術工科大学学長を務めた。

青木龍山（あおきりゅうざん）
大正15年（一九二六）～平成20年（二〇〇八）
佐賀県有田町に生れ、同地で歿。日展と日本現代工芸美術展を中心に出品を重ねた。昭和40年頃より中国古来の黒色を基調とした独自の世界を展開し、その後天目釉の開拓に取組み高い評価を受けた。平成2年芸術院賞を受賞し、翌3年芸術院会員になった。同11年文化功労者、同17年文化勲章を受賞した。

浅蔵五十吉（あさくらいそきち）
大正2年（一九一三）～平成10年（一九九八）
石川県に生れ、同地で歿。昭和3年徳田八十吉に師事、同21年北出塔次郎に師事した。同年日展初入選。同52年総理大臣賞を受賞。同56年芸術院賞を受賞し、同59年芸術院会員になった。平成4年文化功労者、同8年文化勲章を受章した。

浅野陽（あさのあきら）
大正12年（一九二三）～平成9年（一九九七）
東京に生れ、同地で歿。昭和16年東京美術学校に入学。富本憲吉・加藤土師萌に師事した。同38年から日本伝統工芸展に出品を重ね、同42年日本工芸会正会員になった。食の造詣を研究して料理と器にこだわった作品を制作した。

浅見隆三（あさみりゅうぞう）
明治37年（一九〇四）～昭和62年（一九八七）
京都に生れ、同地で歿。大正12年京都美術工芸学校を卒業し、翌13年関西美術院で洋画を学んだ。二代浅見五郎助に陶芸を学び、昭和20年より楠部彌弌に師事した。日展に出品し翌21年、同26年特選、同39年文部大臣賞を受賞した。同42年芸術院賞を受賞した。日展参事を務めた。

荒川豊蔵（あらかわとよぞう）
明治27年（一八九四）～昭和60年（一九八五）
岐阜県土岐郡に生れ、岐阜県多治見市で歿。大正12年京都の宮永東山について作陶を修行した。昭和2年北大路魯山人の鎌倉・星岡窯に移った。同8年牟田洞に半地上式単室登窯を築き、志野・黄瀬戸・瀬戸黒の再現に専念した。同21年多治見市に水月窯を開窯。同27年志野の工芸技術無形文化財、翌28年瀬戸黒の無形文化財、同30年志野・瀬戸黒の重要無形文化財保持者に認定された。同46年文化勲章を受章。

荒田耕治（あらたこうじ）
昭和13年（一九三八）～令和4年（二〇二二）
北海道旭川市生れ、茨城県で歿。茨城県窯業指導所の第一期生で昭和43年に笠間市で築窯。精緻な幾何学文様の作風で同56年の日本陶芸展で「幾何文様花瓶」が文部大臣賞、平成29年ロンドンで「日本美術の発見」をテーマとした公募展で準大賞受賞。茨城工芸会の会長や顧問、笠間焼協同組合の理事長を務めた。

井上良斎（いのうえりょうさい）
明治21年（一八八八）～昭和46年（一九七一）
三代　横浜で生れ、東京で歿。江戸末期に浅草橋場町に窯を築いた初代良斎を継いで三代良斎を襲名。板谷波山に師事した。昭和35年日本芸術院賞を受賞。同40年日本芸術院会員に推された。現代工芸美術家協会副会長・日展顧問などを務め、工芸界の発展に尽力すると共に、後進の指導にもあたった。

伊勢崎満（いせざきみつる）
昭和9年（一九三四）～平成23年（二〇一一）
岡山県に生れ、同地で歿。昭和32年岡山大を中退し、父伊勢崎陽山に師事した。同39年日本工芸会正会員、同47年備前陶心会会長になった。同49年金重陶陽賞、平成10年茶の湯の造形展で大賞を受賞した。同年岡山県重要無形文化財に認定された。

伊勢崎陽山（いせざきようざん）
明治35年（一九〇二）～昭和36年（一九六一）
岡山県備前市に生れ、同地で歿。沼田一雅に陶彫を師事した。伊部姑耶山麓に平安窯を復元した。「高杉晋作像」「和気清麻呂像」など陶像の大作を制作した。昭和29年岡山県重要無形文化財に認定された。

伊東陶山（いとうとうざん）
弘化3年（一八四六）～大正9年（一九二〇）
山城愛宕郡粟田口に生れ、京都で歿。文久3年絵から陶芸に転向し、慶応3年京都の白川畔で開窯。明治6年山城朝日焼の復興に尽力。同17年粟田陶磁器組合長に推され、同29年京都陶磁器同業組合の頭取となって陶磁器試験場と伝習所を設立。大正6年帝室技芸員に任命された。同9年滋賀県膳所焼を復興した。

石黒宗麿（いしぐろむねまろ）
明治26年（一八九二）～昭和43年（一九六八）
富山県新湊に生れ、京都で歿。大正5年郷里の家で楽焼をし、陶芸に興味を持った。昭和10年京都市八瀬に開窯。同15年木の葉天目の焼成に成功した。翌16年商工展で商工大臣賞を受賞。同28年天目釉の再現技術で無形文化財に選定。同30年鉄釉陶器の重要無形文化財保持者に認定された。同年日本工芸会の結成に参加、理事に就任。

板谷波山（いたやはざん）
明治5年（一八七二）～昭和38年（一九六三）
茨城県下館市に生れ、東京で歿。本名は嘉七。明治27年東京美術学校彫刻科を卒業。同36年東京田無に築窯、波山と号し作陶の道に入った。同39年初窯焼成。昭和3年第9回帝展『彩磁草花文花瓶』が帝国美術院賞を受賞。翌4年帝国美術院会員。同9年帝室技芸員。同28年文化勲章を陶芸家として初めて受章した。同35年重要無形文化財保持者に認定されたがこれを辞退。白磁・青磁・磁彩など器形・文様・釉色から格調の高い名作を遺した。

今井政之（いまいまさゆき）
昭和5年（一九三〇）～令和5年（二〇二三）
大阪府大阪市生れ、京都府京都市で歿。昭和27年より京都に移り楠部彌弌に師事、翌28年青陶会創立に参画。同年日展初入選。同34年38年新日展で特選・北斗賞。同40年日展審査員、同51年評議員、同53年竹原豊山窯を築窯。平成5年京都府文化賞功労賞・紺綬褒章を受章。同7年毎日芸術賞、同10年「赫窯双蟹」で日本芸術院賞、日展理事に就任。同15年日本芸術院会員に選出された。同20年京都府文化賞特別功労賞。翌21年旭日中綬章を受章。同23年文化功労者。同30年文化勲章。日展常務理事・国際陶芸アカデミー会員、京都文化財団理事などを務めた。位階は従三位。苔泥彩と呼ばれる独特の技法を生み出し、花や魚の模様を象嵌する技法の第一人者として知られ、海外でも高い評価を受けた。

今泉今右衛門（いまいずみいまうえもん）
明治30年（一八九七）～昭和50年（一九七五）
十二代　佐賀県有田町に生れ、同地で歿。大正5年有田工業学校窯業科を卒業。父十一代今泉今右衛門の指導を受けた。昭和23年十二代今泉今右衛門を襲名。同27年色鍋島の技法により無形文化財に選定。同29年以降日本伝統工芸展に出品を重ねた。翌30年日本工芸会正会員。同33年ブリュッセル万国博覧会でグランプリを受賞。同45年色鍋島技術保存会を結成、翌46年同保存会に対して重要無形文化財の総合指定を受けた。

今泉今右衛門（いまいずみいまうえもん）
大正15年（一九二六）～平成13年（二〇〇一）
十三代　佐賀県有田町に生れ、同地で歿。昭和24年東京美術学校を卒業後、父十二代今右衛門に師事した。同40年日本伝統工芸展で日本工芸会会長賞を受賞し、正会員になった。同50年十三代目今泉今右衛門を襲名。翌51年日本陶磁協会賞、同56年日本陶芸展最優秀作品賞・秩父宮賜杯を受賞した。平成元年重要無形文化財保持者に認定された。

江崎一生（えざきいっせい）
大正7年（一九一八）～平成4年（一九九二）
愛知県常滑市に生れ、同地で歿。常滑陶器学校を卒業、地元製陶所で修業した。昭和31年独立し、古窯跡の高坂に築窯した。同38年日本伝統工芸展で最優秀賞、同44年文部大臣賞を受賞した。日本工芸会正会員になり、日本陶磁協会賞を受賞した。

永楽和全（えいらくわぜん）
文政6年（一八二三）～明治29年（一八九六）
京都に生れ、同地で歿。天保14年家督を相続し十二代善五郎を名乗る。嘉永5年御室の仁清窯跡に登窯を開窯し、作陶を続けた。明治6年より同9年まで愛知県岡崎に滞在して作陶。作風は赤・絵・祥瑞・金襴手など中国古陶磁の写しに妙技を発揮し、一方では仁清や乾山風の京焼色絵にも名品を残している。晩年は京都東山に菊渓窯を開窯し、同16年に耳を聾軒と号した。

小川文齋（おがわぶんさい）
昭和元年（一九二六）～平成24年（二〇一二）
五代　京都に生れ、同地で歿。昭和23年六代清水六兵衛に師事した。同37年日展で特選・北斗賞、同49年ヴァロリス国際陶芸展でグランプリを受賞した。平成元年五代文齋を襲名した。同4年日本新工芸展文部大臣賞、同19年総理大臣賞を受賞した。

大樋長左衛門（おおひちょうざえもん）
明治34年（一九〇一）～昭和61年（一九八六）
九代　金沢市に生れ、同地で歿。大正6年石川県立工業学校窯業科を卒業し、作陶を始めた。大正14年九代大樋長左衛門を襲名。翌15年紀元二千六百年にあたり、当時の内閣総理大臣近衛文麿より長左衛門の金印を贈られた。昭和33年日本伝統工芸展に出品して入選し、日本工芸会正会員となった。

岡部嶺男（おかべみねお）
大正8年（一九一九）～平成2年（一九九〇）
愛知県で生れ、同地で歿。昭和12年瀬戸窯業学校を卒業。翌13年東京物理学校に入学したが同15年中退した。同29年日展で北斗賞受賞。同32年日本工芸会会員になったが同38年退会し本格的に青瓷の研究に入った。同40年粉青瓷、同45年窯変米色瓷を完成した。平成19年から「青磁を極める―岡部嶺男展―」が全国主要美術館で開催された。

か

鹿児島寿蔵（かごしまじゅぞう）
明治31年（一八九八）～昭和57年（一九八二）
福岡に生れ、東京で歿。福岡高等小学校を卒業後、人形制作の道に入る。大正9年に上京し、昭和7年に「紙塑人形」の技法を完成させ、甲戌会を結成。同11年帝展に入選。同29年日本工芸会設立共に正会員となる。同36年重要無形文化財保持者に認定された。アララギ派の歌人でもある。

加藤景秋（かとうかげあき）
明治32年（一八九九）～昭和47年（一九七二）
岐阜県に生れ、同地で歿。昭和25年美濃焼陶祖十二代を継承した。同30年翌31年日本伝統工芸展に入選した。同33年岐阜県重要無形文化財に認定された。

加藤渓山（かとうけいざん）
大正2年（一九一三）〜平成7年（一九九五）
二代　京都に生れ、同地で歿。京都第二工業学校陶芸科を卒業。昭和6年から父初代渓山に師事した。同年五代清水六兵衛の新興工芸会に入り師事した。同30年京都伝統陶芸家協会設立会員になった。同38年二代を襲名した。

加藤孝造（かとうこうぞう）
昭和10年（一九三五）〜令和5年（二〇二三）
岐阜県端浪市生れ、同県多治見市で歿。幼少の時に彫刻家市之瀬広太の「竜門陶舎」で絵画や彫刻を学ぶ。岐阜県立多治見工業高校窯業科卒。荒川豊蔵に師事し岐阜県陶磁器試験場で主任技師として桃山美濃焼の再現に没頭した。昭和45年に退職し翌46年に岐阜県可児市に穴窯と登窯二基を築窯。昭和28年洋画において光風会展で入選、翌29年第十回日展入選。同38年美濃陶芸協会を設立し理事となる。同41年日本工芸会会員となり翌42年朝日陶芸展「鉄釉壺」優秀賞。翌43年日本伝統工芸展「鉄釉花器」優秀賞。翌44年第1回東海伝統工芸展最高賞。同60年日本陶磁協会賞。平成7年志野・瀬戸黒の技法で具府県指定重要文化財に認定。同10年中日文化賞。同21年日本陶芸協会賞金賞。同年から美濃陶芸協会名誉顧問。同22年「瀬戸黒」が重要無形文化財保持者に認定され、同24年旭日小綬章受章、翌25年瑞浪市の名誉市民、同27年地域文化功労者文科大臣表彰。志野は志野釉薬の鮮やかな紅色発色が特徴的で、瀬戸黒は鉄釉と形だけのシンプルで重厚な表現が特徴的。

加藤幸兵衛（かとうこうべえ）
明治26年（一八九三）〜昭和57年（一九八二）
五代　岐阜県多治見市に生れ、同地で歿。明治44年家業の幸兵衛窯を引き継ぎ、大正10年に五代目幸兵衛を襲名。昭和6年帝展に初入選。同31年日本工芸会正会員になった。同48年岐阜県重要無形文化財に認定された。翌49年より日本工芸会理事を務めた。

加藤舜陶（かとうしゅんとう）
大正5年（一九一六）〜平成17年（二〇〇五）
愛知県瀬戸市に生れ、同地で歿。昭和8年愛知県立瀬戸窯業学校を卒業。板谷波山に師事した。同30年日本陶芸展文部大臣賞、同34年ブリュッセル万博グランプリを受賞した。平成2年日本新工芸展、翌3年日展で総理大臣賞を受賞した。同5年愛知県無形文化財に認定された。

加藤釥（かとうしょう）
昭和2年（一九二七）〜平成13年（二〇〇一）
愛知県瀬戸市で生れ、同地で歿。昭和23年東京工業大学を卒業。日展に出品を重ね、同39年特選、同57年会員賞を受賞した。同61年日本工芸展で総理大臣賞を受賞した。日展評議員、瀬戸陶芸協会会長を務めた。

加藤卓男（かとうたくお）
大正6年（一九一七）〜平成17年（二〇〇五）
岐阜県で生れ、同地で歿。五代加藤幸兵衛の長男。昭和36年フィンランド工芸美術学校を修了した。同38年日展で北斗賞を受賞。同48年イラン・パーレヴィ王立大学付属アジア研究所に留学した。同58年岐阜県重要無形文化財、平成7年国指定重要無形文化財に認定された。

加藤唐九郎（かとうとうくろう）
明治31年（一八九八）〜昭和60年（一九八五）
愛知県瀬戸に生れ、名古屋で歿。少年時代より家業の製陶に従事した。大正3年築窯し、作陶生活に入ると共に、瀬戸古窯趾の調査し、伝統的陶技を研究した。昭和22年日本陶芸協会を設立、同25年日本陶磁協会の設立に参加。同35年永仁銘を施した作品が重要文化財に指定され、「永仁の壺事件」として騒がれた。これを期に全ての公職を辞した。同40年毎日芸術賞を受賞。

加藤土師萌（かとうはじめ）
明治33年（一九〇〇）～昭和43年（一九六八）
愛知県瀬戸に生れ、東京で歿。昭和2年帝展に初出品し、入選。同12年パリ万国博覧会でグランプリ受賞。同15年横浜日吉に築窯して独立。同26年『黄地紅彩』が重要無形文化財に指定。翌27年中日文化賞受賞。同32年上絵付の技術保存に指定された。同36年色絵磁器の重要無形文化財の保持者に認定された。

加守田章二（かもたしょうじ）
昭和8年（一九三三）～昭和58年（一九八三）
大阪に生れ、栃木県益子で歿。昭和30年新匠会にて佳作賞受賞。翌31年京都市立美術大学工芸科陶磁器専攻を卒業。同36年日本伝統工芸展に初入選。同39年日本工芸会正会員。同41年日本陶磁協会賞受賞。同42年高村光太郎賞を受賞した。同49年芸術選奨文部大臣新人賞を受賞した。

各務周海（かがみしゅうかい）
昭和16年（一九四一）～平成21年（二〇〇九）
岐阜県恵那市に生れ、同地で歿。昭和39年駒沢大学を卒業。同41年岐阜県立陶磁器試験場で学び、同43年五代加藤幸兵衛に師事した。翌44年独立し穴窯を築窯した。全国百貨店で個展を開催した。

金重素山（かねしげそざん）
明治42年（一九〇九）～平成7年（一九九五）
岡山県に生れ、同地で歿。父は金重楳陽、兄は金重陶陽。陶陽に師事した。昭和26年大本教主出口直日の招請により京都府亀岡市の花明山窯で制作を始めた。同40年桃山時代の緋襷を電気窯で再現した。主に茶陽を制作した。平成3年岡山県文化賞を受賞した。

金重陶陽（かねしげとうよう）
明治29年（一八九六）～昭和42年（一九六七）
岡山県伊部に生れ、岡山市で歿。大正5年耐火の棚板を使用して従来の窯詰の様式を変えた。同10年ドイツ式マップ窯を築窯。昭和2年窯変物の焼成に成功、更に同5年土の生成方法により、桃山時代の備前陶の土味を出すことに成功。同14年緋襷を出すことに成功。同17年技術保存資格者に認定される。同27年無形文化財となり、同31年備前焼の重要無形文化財保持者に認定された。

金重道明（かねしげみちあき）
昭和9年（一九三四）～平成7年（一九九五）
岡山県に生れ、同地で歿。父は金重陶陽。昭和31年金沢美工大を卒業。陶陽に師事した。翌32年から朝日現代陶芸展・日展・日本伝統工芸展に出品した。同44年日本工芸会正会員になった。同46年金重陶陽賞、同55年日本陶磁協会賞を受賞した。

川喜田半泥子（かわきたはんでいし）
明治11年（一八七八）～昭和38年（一九六三）
大阪に生れ、三重県津市で歿。早くから陶磁器に親しみ、大正元年津市千歳山で楽焼を試作。同2年蒲郡常盤館の楽焼窯でロクロによる花入を作成した。同14年津の庭内に石炭窯を築いた。数寄風流の作陶は、現代の茶陶の中にあって高く評価されている。

川尻一寛（かわじりいっかん）
昭和5年（一九三〇）～平成20年（二〇〇八）
三代京都市に生れ、同地で歿。京都市立美術専門学校を卒業。五代清水六兵衛に師事した。昭和59年・同63年日展特選、平成10年文部大臣賞を受賞した。平成13年芸術院賞を受賞した。

川瀬竹春（かわせちくしゅん）
大正12年（一九二三）～平成19年（二〇〇七）
二代京都に生れ、神奈川県大磯で歿。昭和14年京都市美術学校を卒業後、初代竹春に師事した。同24年初代竹春と共に神奈川県大磯三井城山窯に移住した。祥瑞染付や赤絵などを継承した。同35年古余呂窯を築窯して独立した。

河井寛次郎（かわいかんじろう）
明治23年（一八九〇）～昭和41年（一九六六）
島根県安来に生れ、京都で歿。大正3年東

京工業学校を卒業、京都市立陶磁器試験所で研究を積み、同9年清水六和の窯を譲り受け、鐘溪窯と名付けた。初めは中国・朝鮮の古陶磁の手法による物が多かった。大正15年「日本民藝美術館設立趣意書」が発表され、発起人として名を連ねた。以後柳宗悦、浜田庄司らと共に民芸運動の推進に力を尽くした。

河合誓徳（かわいせいとく）

昭和2年（一九二七）～平成22年（二〇一〇）

大分県に生れ、京都で歿。六代清水六兵衛に師事した。日展・新工芸展に出品を重ねた。昭和37年日展特選。同58年新工芸展で総理大臣賞を受賞。平成元年日展で総理大臣賞を受賞した。同8年芸術院賞を受賞し、同17年芸術院会員になった。日本新工芸家連盟の会長を務めた。

河村蜻山（かわむらせいざん）

明治23年（一八九〇）～昭和42年（一九六七）

京都に生れ、鎌倉で歿。本名は河村半次郎。明治41年京都市立陶磁器試験所を修了。最初に粟田口の父の陶業を継いだ。農商務省工芸展、商工省工芸展・帝展などで、近代的表現を標榜して積極的に活躍した。昭和13年千葉県我孫子市に築窯、更に同29年鎌倉に移り明月窯を開いた。染付・青磁・白磁・赤磁・金襴手を得意とし、新技法の研究と開発に務めた。同38年日本芸術院賞恩賜賞を受賞した。

北大路魯山人（きたおおじろさんじん）

明治16年（一八八三）～昭和34年（一九五九）

京都上賀神社の社家に生れ、北鎌倉で歿。明治26年頃竹内栖鳳に傾倒し、画家を志す。また篆刻や書に優れた天分を発揮した。同37年日本美術展書の部で一等賞。翌38年岡本可亭の内弟子となって、同年日本美術展で入選。同40年独立して福田鴨亭と号した。大正10年会員制の美食倶楽部を開設。同13年宮永東山の指導により青磁などを試みた。昭和元年北鎌倉に星岡窯を開窯。同21年東京銀座に火土火土美房を開き、窯場を魯山人雅陶研究所と称した。同30年重要無形文化財保持者に推されたが、辞退した。

北出塔次郎（きたでとうじろう）

明治31年（一八九八）～昭和43年（一九六八）

兵庫県に生れ、石川県で歿。大正11年九谷焼窯元北出家の養子となる。同15年大阪美術学校で矢野橋村に日本画を学んだ。昭和11年富本憲吉に師事した。新文展と日展で特選。同38年文部大臣賞を受賞。同43年芸術院賞を受賞した。

北出不二雄（きたでふじお）

大正8年（一九一九）～平成26年（二〇一四）

石川県に生れ、同地で歿。北出塔次郎の養子となり師事した。昭和25年金沢美術工芸専門学校を卒業。同62年日展で総理大臣賞、平成5年日本新工芸展で総理大臣賞を受賞した。同3年から同9年まで金沢美大大学長を務めた。

清水六兵衛（きよみずろくべい）

明治34年（一九〇一）～昭和55年（一九八〇）

六代　京都に生れ、東京で歿。大正12年京都市立絵画専門学校を卒業。五代六兵衛である父より製陶を習い、昭和20年六代六兵衛を襲名。同23年京都陶芸家クラブを結成。同25年全国陶芸展で文部大臣奨励賞を受賞。同31年日本芸術院賞を受賞した。同33年日展評議員。翌34年ベルギー博覧会においてグランプリを受賞。同37年日本芸術院会員に推挙され、日展理事も務めた。同51年文化功労者となった。

金城次郎（きんじょうじろう）

大正元年（一九一二）～平成16年（二〇〇四）

那覇市に生れる。大正12年新垣栄徳に師事し、壷屋の製陶に従事した。昭和21年濱田庄司、河井寛次郎に師事して、壷屋焼の伝統を守った。同32年国画会賞、同44年日本民芸館賞を受賞した。同60年琉球陶器技能で重要無形文化財に認定された。平成5年勲四等瑞宝章受章。

楠部弥弌（くすべやいち）

明治30年（一八九七）～昭和59年（一九八四）

京都に生れ、同地で歿。本名は弥一。大正

2年京都市立陶磁器試験所特別科に学んだ。同7年赤土社の結成に参加し、作陶生活に入った。同26年日展文部大臣賞受賞。同28年日本芸術院賞を受賞。同37年日本芸術院会員。44年日展常務理事。同47年毎日芸術賞を受賞し、同年文化功労者。同55年文化勲章を受章した。同57年日本新工芸家連盟会長に就任した。

小山冨士夫（こやまふじお）
明治33年（一九〇〇）～昭和50年（一九七五）
　岡山県浅口郡玉島町に生れ、岐阜県土岐市で歿。大正12年東京商科大学を中退し、瀬戸・京都で作陶を学び、同14年京都で独立し、作陶活動に入る。昭和42年日本工芸会理事長に就任。同47年土岐市に花の木窯を築窯した。翌48年東洋陶磁学会発足と共に委員長となった。

近藤悠三（こんどうゆうぞう）
明治35年（一九〇二）～昭和60年（一九八五）
　京都に生れ、同地で歿。大正6年京都市立陶磁器試験場付属伝修所ロクロ科を卒業、同10年富本憲吉が大和安堵村に築窯、助手となった。同13年京都に帰り、関西美術院洋画研究所に通うなど広く学び、同年作陶を始めた。昭和31年第3回日本伝統工芸展で日本伝統工芸会賞。翌32年ミラノ・トリエンナーレ展銀賞受賞。同40年京都市立美術大学学長に就任。同52年染付技法の重要無形文化財保持者としての認定を受けた。

さ

坂高麗左衛門（さかこうらざえもん）
明治45年（一九一二）～昭和56年（一九八一）
十一代　山口県豊浦郡に生れ、萩市で歿。本名は信夫。昭和16年帝国美術学校を卒業した。同23年十代坂高麗左衛門の二女と結婚、養父十代坂高麗左衛門に師事した。同33年十一代坂高麗左衛門を襲名。同46年日本工芸会正会員。同48年山口県芸術文化振興奨励賞を受賞した。同50年山口県指定文化財萩焼保持者に認定された。

坂倉新兵衛（さかくらしんべい）
大正6年（一九一七）～昭和50年（一九七五）
十四代　山口県長門市に生れ、同地で歿。本名は治平。昭和9年山口県立萩商業学校を卒業。同10年父・十二代坂倉新兵衛の作陶を手伝った。同21年長兄（十三代）の戦死が確認され、家業を継承し本格的な作陶生活に入った。同35年十四代坂倉新兵衛を襲名。同41年日本工芸会正会員。翌42年山口県芸術文化振興奨励賞を受賞した。同47年山口県芸術文化振興奨励賞を受けた。

酒井田柿右衛門（さかいだかきえもん）
明治39年（一九〇六）～昭和57年（一九八二）
十三代　佐賀県有田町に生れ、同地で歿。大正13年佐賀県立有田工業学校図案科を卒業。江戸中期より途絶えていた乳白手素地の研究を重ねて、昭和28年その復活に成功した。同30年無形文化財有資格者の記録選択を受けた。同38年十三代柿右衛門を襲名。同年日本伝統工芸展に入選、以後連続して入選した。翌39年日本工芸会正会員。同45年佐賀県陶芸協会会長に就任。翌46年重要無形文化財の総合指定を受けた。同50年西日本文化賞を受賞した。

酒井田柿右衛門（さかいだかきえもん）
昭和9年（一九三四）～平成25年（二〇一三）
十四代　佐賀県有田町に生れ、同地で歿。昭和33年多摩美大を卒業。十二代と十三代に師事した。同46年日本工芸会正会員になった。同57年十四代柿右衛門を襲名した。同59年日本陶磁協会賞を受賞した。平成12年有田陶芸協会会長に就任した。翌13年重要無形文化財に認定された。

島岡達三（しまおかたつぞう）
大正8年（一九一九）～平成20年（二〇〇八）
　東京に生れ、栃木県益子町で歿。組紐師の長男として生れた。昭和14年東京工業大学窯業学科に入学。同21年民芸の父と呼ばれた浜田庄司に師事した。同28年益子に窯を構え、地元の土と釉（うわぐすり）を用いて、組紐で模様を作る独特の縄文象嵌の技法を編みだした。同55年栃木県文化功労章を受章。平成8年重要無形文化財に認定された。

清水卯一（しみずういち）
大正15年（一九二六）～平成16年（二〇〇四）
京都に生れ、滋賀県志賀町で歿。石黒宗麿に師事し中国陶器を学んだ。昭和30年日本伝統工芸展に初入選。同33年ブリュッセル万博でグランプリ。同37年プラハ国際陶芸展で金賞を受賞した。同60年重要無形文化財保持者に認定された。

新開寛山（しんかいかんざん）
明治45年（一九一二）～平成23年（二〇一一）
京都に生れ、同地で歿。昭和5年京都市立美術工芸学校を卒業。同7年から五代清水六兵衛に師事した。同23年日展に出品。同26年特選、同49年文部大臣賞を受賞した。同55年芸術院賞を受賞した。翌56年より日展理事を務めた。

鈴木　治（すずきおさむ）
大正15年（一九二六）～平成13年（二〇〇一）
京都に生れた。昭和22年日展初入選。同23年八木一夫らと走泥社を結成した。同35年日本陶磁協会賞、同37年プラハ国際陶芸展金賞、同45年ヴァロリス国際陶芸ビエンナーレ展で金賞を受賞した。京都市立芸大の教授を務めた。

瀬戸　浩（せとひろし）
昭和16年（一九四一）～平成6年（一九九四）
徳島に生れ、栃木県益子町で歿。昭和39年京都市立美大を卒業後、益子に築窯した。同40年より伝統工芸新作展に連続入選。同58年日本陶芸展で外務大臣賞を受賞した。平成3年JR宇都宮駅前広場にオブジェを制作した。

田村耕一（たむらこういち）
大正7年（一九一八）～昭和62年（一九八七）
栃木県佐野市に生れ、同地で歿。昭和16年東京美術学校図案科を卒業。同21年京都の松風研究所に入所して富本憲吉の薫陶を受けた。同23年郷里の赤見窯の創業に参加。同年栃木県芸術祭で芸術祭賞を受け、浜田庄司に認められた。同28年佐野の自宅に登窯を築窯した。同31年と33年に日本現代陶芸展で朝日新聞社賞、日本陶磁協会賞を受賞した。同35年翌36年日本伝統工芸展で奨励賞を受賞。翌37年日本工芸会正会員。同42年イスタンブール国際陶芸展でグランプリ受賞。同61年重要無形文化財に認定された。

瀧　一夫（たきかずお）
明治43年（一九一〇）～昭和48年（一九七三）
福岡県に生れ、京都で歿。昭和13年東京美術学校彫刻科を卒業した。彫塑的表現を身に着けた陶芸家として特異な存在で、日展を最初に海外の展覧会で注目された。同19年京都に移り制作をつづけた。

武腰敏昭（たけごしとしあき）
昭和15年（一九四〇）～令和3年（二〇二一）
石川県に生れ、同地で歿。泰山窯三代目。金沢美術工芸大学を卒業した。昭和32年日展初入選、同38年日本現代工芸展初入選。平成8年日展評議員となり、同年北国文化賞を受賞した。翌9年日工会展内閣総理大臣賞。同13年日展内閣総理大臣賞。同17年金沢大学教授となり、後に名誉教授となる。同22年芸術院賞を受賞して、芸術院会員となった。翌23年より日展常務理事を務めた。

塚本快示（つかもとかいじ）
大正元年（一九一二）～平成2年（一九九〇）
岐阜に生れ、同地で歿。中国の北宋時代の白磁・青白磁に範を求め、40年に及ぶ研究の末、独自で再現に成功した。昭和58年重要無形文化財保持者に選ばれた。特徴は半乾きの内に彫花紋を加えた物で、中国からも高い評価をうけた。

月形那比古（つきがたなひこ）
大正12年（一九二三）～平成18年（二〇〇六）
新潟県に生れ、岐阜県土岐市で歿。日本大

学を卒業後、荒川豊蔵の作陶精神に傾倒し、陶芸を始めた。桃山古窯を科学的に究明した天正窯で志野焼を長時間焼成した「鬼志野」を発表した。昭和60年国際芸術文化賞、平成元年パリ芸術大賞を受賞した。

辻　清明（つじせいめい）
昭和2年（一九二七）～平成20年（二〇〇八）
東京で生れ、同地で歿。独学で陶芸を始め、その後富本憲吉・板谷波山に師事した。昭和39年日本陶磁協会賞、同58年日本陶磁協会金賞を受賞した。

徳田八十吉（とくだやそきち）
明治6年（一八七三）～昭和32年（一九五七）
二代石川県に生れ、同地で歿。明治23年荒木探令に絵画を学び、松本佐平の門に入って陶画を学んだ。研鑽の末、独立して陶画業を始めた。顔料釉薬の改良と創製に苦労を重ね、遂に青九谷釉を基調として、新鮮で明朗さを加えた釉薬を発明し、深厚釉と称した。古九谷風の彩画でよく知られた。昭和28年重要無形文化財に認定された。

坪井明日香（つぼいあすか）
昭和7年（一九三二）～令和4年（二〇二二）
大阪府大阪市に生れ、京都府で歿。陶芸家・彫刻家。自由学園を卒業後、京都の泉涌寺釉彩工房で陶芸を学ぶ。昭和29年から富本憲吉に師事し、新匠会展で新匠賞や富本賞などを受賞した。同32年女流陶芸を結成。同53年から帝塚山短期大学の教授となり後に名誉教授となった、同63年に京都美術文化賞を受賞、平成16年日本陶磁協会賞金賞を受賞、同26年京都府文化特別功労賞を受賞した。作品は「歓楽の木の実」などがある。

徳田八十吉（とくだやそきち）
昭和8年（一九三三）～平成21年（二〇〇九）
三代　石川県に生れ、同地で歿。金沢美術工芸大を中退後、初代と二代に師事した。昭和52年日本伝統工芸展初出品作で最優秀賞日本工芸会総裁賞を受賞。同63年三代八十吉を襲名した。平成2年国際陶芸展グランプリ、同9年MOA岡田茂吉賞大賞を受賞した。同年重要無形文化財に認定された。

富本憲吉（とみもとけんきち）
明治19年（一八八六）～昭和38年（一九六三）
奈良県生駒郡安堵村に生れ、大阪で歿。明治42年東京美術学校図案科を卒業。同44年バーナード・リーチと出会い、陶業を生涯の仕事とした。昭和2年東京祖師谷に本窯完成。色絵に金・銀彩を同時焼きつける技法を創案。同30年第1回重要無形文化財〈色絵磁器〉保持者に認定された。同36年文化勲章を受章した。

な

中里逢庵（なかざとほうあん）
大正12年（一九二三）～平成21年（二〇〇九）
佐賀県唐津市で生れ、同地で歿。十三代太郎右衛門。昭和18年東京高等工芸学校を卒業。同33年日展で特選、同36年日本陶磁協会賞を受賞した。同56年日展で総理大臣賞を受賞した。同59年芸術院賞を受賞。平成12年日本工匠会会長に就任した。同19年日本芸術院会員になった。日展理事・顧問を務めた。

中里無庵（なかざとむあん）
明治28年（一八九五）～昭和60年（一九八五）
十二代　佐賀県唐津市で生れ、同地で歿。本名は重雄。大正3年有田工業学校別科を修了。昭和2年十二代中里太郎右衛門を襲名。同30年唐津焼の無形文化財に選択された。同44年京都紫野大徳寺本山で得度して無庵と号した。翌45年西日本文化賞受賞。同51年唐津焼の重要無形文化財の保持者に認定された。

中島　宏（なかじまひろし）
昭和16年（一九四一）～平成30年（二〇一八）
佐賀県武雄市に生れ、同地で歿。実家の製陶所で修業後、昭和44年に窯を独立した。同52年日本伝統工芸展で奨励賞を受賞。同56年西日本陶芸展内閣総理大臣賞を受賞した。同60年日本人で初めて中国浙江省龍泉の古窯跡を調査した。平成2年佐賀県重要無形文化財に認定された。同14年日本工芸会理事に就任。同18年日本陶磁協会金賞、西日本文化賞を受賞した。翌19年重要無形文化財に認定された。

中村翠恒（なかむらすいこう）
明治36年（一九〇三）〜昭和61年（一九八六）
石川県に生れ、同地で歿。大正13年京都市立陶磁研究所で河村蜻山に師事した。昭和3年帝展初入選。同15年紀元二千六百年奉祝美術展覧会で最高賞を受賞した。同22年、同28年日展で特選。同45年文部大臣賞を受賞した。

西本瑛泉（にしむらえいせん）
昭和3年（一九二八）〜令和5年（二〇二三）
広島県廿日市市町に生れ、同市で歿。昭和20年8月6日の原爆雲は宮島の対岸で目撃していた。同28年広島県佐伯区に芸州焼の窯を開く。同40年に「廃墟に起つ」で日展初入選。以降縄文時代の美や造形をモチーフとした「縄文シリーズ」を手掛け、同53年・57年日展特選、翌58年日本現代工芸美術展内閣総理大臣賞、同63年広島文化賞・中国文化賞。平成11年に「玄窯縄文譜『黎明（れいめい）』」で日本芸術院賞・恩賜賞を受賞、同年日展理事となり平成29年名誉会員となった。平和への祈りと心の原点を縄文に求めて作陶を続け、陶芸泉の会を主催し後進の育成にあたった。

沼田一雅（ぬまたかずまさ）
明治6年（一八七三）〜昭和29年（一九五四）
福井県に生れ、神奈川県茅ヶ崎で歿。竹内久一に木彫を学んだ。明治36年フランスに留学、パリで絵画、彫刻、陶彫など勉学。昭和6年フランス政府よりシュバリーエ・ド・ドルドール・ナショナル・レジェンドングール勲章を授与された。同29年日本芸術院賞恩賜賞を受賞した。

は

濱田篤哉（はまだあつや）
昭和6年（一九三一）〜昭和61年（一九八六）
栃木県芳賀郡益子町に生れ、同地で歿。昭和23年県立真岡高校を卒業後、父の庄司に師事した。同31年に渡英し、バーナード・リーチの工房に在籍した。同35年に帰国して同46年から毎年、日本橋三越で個展を開催した。同55年に築窯して独立した。カップ類の把手やピッチャーの成形には定評があり、植物好きで作品に植物をモチーフとした文様をしばしば用いた。

浜田庄司（はまだしょうじ）
明治27年（一八九四）〜昭和53年（一九七八）
神奈川県川崎に生れ、栃木県益子で歿。本名は象二。大正5年東京高等工業学校窯業科を卒業。板谷波山に学んだ。昭和6年益子に登窯を築く。同30年民芸陶器の重要無形文化財の保持者に認定された。同43年文化勲章を受章。同48年ロンドン王立美術大学より学位を授与された。

濱田晋作（はまだしんさく）
昭和4年（一九二九）〜令和5年（二〇二三）
東京に生れ、栃木県真岡市で歿。昭和5年に一家で益子町に移住。濱田庄司の次男として生れる。早稲田大学文学部窯業科卒業後は父庄司の元で修業を積む。同38年庄司の助手として渡米し、各地の陶芸講習会でアシスタントを務めメキシコ中東スペイン英国を歴訪する。同53年益子参考館の2代目館長、濱田窯の二代目当主となった。同62年サロン・ド・パリ展大賞。平成11年下野県民賞。同20年栃木県文化功労章。蹴りロクロを用いた成形で堅実で落ち着いた作風であった。

バーナード・リーチ（Bernard Howell Leach）
明治20年（一八八七）〜昭和54年（一九七九）
英国領香港に生れ、英国セントアイヴスで歿。陶芸家・画家・デザイナー。白樺派や民芸運動にも関わりが深く、日本民藝館の設立で柳宗悦に協力した。祖父が日本の英語教師で学生時代の4年間を日本で過ごした。明治36年スレード美術学校に入学し、同40年ロンドンの美術学校で学び、留学中の高村光太郎と知り合い、日本に郷愁を抱いた。同42年再来日し上野に居を構えた。柳宗悦や白樺派の青年達と交流し我孫子で版画指導を行った。また富本憲吉と知り合い、楽焼に絵付けを始めた事で茶道具に惹かれた。大正元年6代尾形乾山に陶芸を学び、後に7代乾山の名を免許された。西洋と東洋の美や哲学を融合させた陶磁器を制作し、哲学や芸術、作陶や民芸運動の書物を著して欧米の陶芸家達に大きな影響を与えた。昭和38年大英帝国勲章となる。

藤平　伸（ふじひらしん）
大正11年（一九二二）～平成24年（二〇一二）
京都に生れ、同地で歿。日展に出品を続け特選、菊花賞を受賞した。昭和47年日本陶磁協会展で協会賞、平成9年金賞を受賞した。日展参与・日本工芸会常務理事を務めた。

藤原　啓（ふじわらけい）
明治32年（一八九九）～昭和58年（一九八三）
岡山県備前市で生れ、岡山市で歿。本名は啓二。大正10年早稲田大学英文科に聴講生として入学、昭和12年三村梅景の指導を受け、作陶生活に入る。同33年日本工芸会理事。同37年プラハ国際陶芸展で受賞。同45年備前焼の重要無形文化財保持者に認定された。

藤原　建（ふじわらけん）
大正13年（一九二四）～昭和52年（一九七七）
岡山県に生れ、同地で歿。昭和21年藤原啓に師事し陶芸を始めた。後に金重陶陽に師事した。同27年金重素山に京焼を学んだ。同33年より日本伝統工芸展に出品を重ねた。同44年金重陶陽賞を受賞した。同48年岡山県重要無形文化財に指定された。

藤原　雄（ふじわらゆう）
昭和7年（一九三二）～平成13年（二〇〇一）
岡山県備前市に生れ、同地で歿。昭和30年明治大学を卒業後、父藤原啓の下で備前焼の修業を始めた。同42年日本陶磁協会賞を受賞。平成2年芸術選奨文部大臣賞を受賞した。同8年重要無形文化財に認定された。明快で清新な感性あふれた作品を発表し、近代備前の作家として高い評価を受けた。

藤本能道（ふじもとよしみち）
大正8年（一九一九）～平成4年（一九九二）
東京に生れ、東京で歿。東京美術学校工芸科を卒業。文部省工芸技術講習所に入り、加藤土師萌に師事した。昭和31年日本陶磁協会賞を受賞した。同35年から伝統的な作品創りを進め、主に日本伝統工芸展に作品を発表した。同61年重要無形文化財に認定された。

ま

松井康成（まついこうせい）
昭和2年（一九二七）～平成16年（二〇〇四）
長野県に生れ、茨城県笠間市で歿。昭和27年明治大学文学部を卒業。その後田村耕一に師事した。同44年日本伝統工芸展に初入選。同46年日本工芸会総裁賞を受賞して正会員になった。同48年日本陶芸展で最優秀作品賞・秩父宮賜杯を受賞した。平成5年重要無形文化財に認定された。

三浦小平二（みうらこへいじ）
昭和8年（一九三三）～平成18年（二〇〇六）
新潟県に生れ、東京で歿。昭和30年東京芸大彫刻科を卒業。その後加藤土師萌に師事した。同42年伝統工芸新作展で優秀賞、同51年日本伝統工芸展で文部大臣賞、翌52年日本陶磁協会賞を受賞した。平成9年青磁で重要無形文化財に認定された。

三輪休和（みわきゅうわ）
明治28年（一八九五）～昭和56年（一九八一）
山口県萩市に生れ、同地で歿。本名は邦広。祖父雪山および父雪堂に陶法を学んだ。昭和2年萩焼三輪窯十代を継承して休雪と称した。同36年萩焼陶芸作家協会会長に就任。同39年山口県文化功労者、同42年隠居して休和と号した。同45年萩焼の重要無形文化財保持者に認定された。

三輪壽雪（みわじゅせつ）

明治43年（一九一〇）～平成24年（二〇一二）

十一代　山口県萩市に生れ、同地で歿。昭和2年十代休雪に師事し、同16年から川喜田半泥子に師事した。同35年日本工芸会正会員になった。同42年十一代休雪を襲名した。同58年重要無形文化財に認定された。

宮川香山（みやがわこうざん）

天保13年（一八四二）～大正5年（一九一六）

初代　京都府真葛ヶ原に生れ、神奈川県横浜で歿。京都府真葛原に楽長造の四男として生れた。明治4年、横浜太田村に輸出向けの陶磁器を作る真葛窯を開窯。同9年フィラデルフィア万国博覧会での受賞を皮切りに各国の万国博覧会、内国博覧会で数々の受賞をした。同29年陶芸界からは2人目の帝室技芸員になった。近現代陶芸の国指定重要文化財5点のうち「褐釉蟹貼付台付鉢」と「黄釉銹絵梅樹文大瓶」の2点が指定されている。

宮下善寿（みやしたぜんじゅ）

明治34年（一九〇一）～昭和63年（一九八八）

京都に生れ、同地で歿。大正5年京都市立陶磁器伝習所で轆轤成形技術を学んだ。昭和4年日本陶芸協会に入り河村蜻山に師事した。同13年より新文展、日展に出品を重ね、同24年、同30年特選、同50年総理大臣賞を受賞した。同56年京都市文化功労者に選ばれた。

宮之原謙（みやのはらけん）

明治31年（一八九八）～昭和52年（一九七七）

鹿児島に生れ、千葉で歿。大正5年早稲田大学理工学部建築科を中退。大正末より陶芸の道を志し、二代宮川香山に師事した。板谷波山の主宰する東陶会に参加。昭和21年茨城県筑波山麓に築窯。同23年千葉県松戸市に築窯。同32年日本芸術院賞を受賞。同44年日展理事を務めた。

森野嘉光（もりのかこう）

明治32年（一八九九）～昭和62年（一九八七）

京都に生れ、同地で歿。大正10年京都市立絵画専門学校を卒業。昭和2年帝展に初入選。同16年新文展で特選。同34年から緑釉窯変の研究を始めた。同38年芸術院賞を受賞した。同55年日本新工芸家連盟の結成に参加して代表委員になった。

や

八木一夫（やぎかずお）

大正7年（一九一八）～昭和54年（一九七九）

京都に生れ、同地で歿。昭和12年京都市立美術工芸学校彫刻科を卒業。商工省陶磁器試験所の伝習生となり、沼田一雅の日本陶彫協会の一員となって陶彫を学んだ。同34年オステンド国際陶芸展金賞受賞。同37年プラハ国際陶芸展金賞を受賞。同48年日本陶磁協会金賞を受賞した。

矢野款一（やのかんいち）

昭和13年（一九三八）～令和5年（二〇二三）

徳島県鳴門市に生れ、同市で歿。京都で二年、愛知県常滑で一年間の陶芸指導所で修行後、全国の六古窯の窯元を巡り21歳で帰郷し、大谷焼の窯元の矢野陶苑四代目当主となる。人間国宝清水卯一らに指導を受けた。昭和45年万国博覧会出展、同49年器表面に銀粉を散りばめたような独特の風合いの「いぶし焼」の壺が日本伝統工芸展初入選。大谷焼を全国に広め伝統工芸品とならしめた。日本と米国の陶芸文化の交流と次世代育成に貢献。日本伝統工芸展に15回入選した。作品は大きな水瓶から身近な器やインテリアまで幅広く大谷焼の伝統を受け継ぎつつも独自の美学を追求した。

安原喜明（やすはらきめい）

明治39年（一九〇六）～昭和55年（一九八〇）

東京に生れ、同地で歿。大正7年成蹊中学を中退。横浜の二代宮川香山について陶芸を学び、また板谷波山に指導を受けた。昭和2年板谷波山・沼田一雅らの東陶会が設立され、これに参加。翌3年東京目黒の自宅に紅椿窯を開窯。同40年日展で文部大臣賞を受賞。同42年日展に出品した「炻器花挿」で翌43年に日本芸術院賞を受賞した。

山田常山（やまだじょうざん）
大正13年（一九二四）～平成17年（二〇〇五）
三代 愛知県常滑市に生れ、同地で歿。昭和16年常滑工業学校を卒業。その後祖父と父に師事した。同33年ブリュッセル万博でグランプリを受賞。同36年三代常山を襲名した。同38年日本工芸会正会員になった。同48年ビエンナーレ国際陶芸展名誉最高大賞を受賞した。平成10年重要無形文化財に認定された。

山田光（やまだひかる）
大正13年（一九二四）～平成13年（二〇〇一）
岐阜に生れ、京都で歿。昭和20年京都高等工業学校を卒業し、父山田喆に師事した。同21年青年作陶家集団を結成。同23年八木一夫らと走泥社を結成した。同36年日本陶磁協会賞、平成7年日本陶磁協会賞金賞を受賞した。

山本陶秀（やまもととうしゅう）
明治39年（一九〇六）～平成6年（一九九四）
岡山県備前市に生れ、同地で歿。農家に生れ15才で陶芸の道に入る。昭和8年備前市伊部に窯を築いた。その後楠部弥弌に師事した。彫刻家のイサムノグチや北大路魯山人らと交遊して芸域を広めた。同34年ブリュッセルの万国博グランプリで金賞を受賞。同62年重要無形文化財に認定された。

吉賀大眉（よしかたいび）
大正4年（一九一五）～平成3年（一九九一）
山口県萩に生れ、同地で歿。東京美術学校彫刻科を卒業し、昭和13年文展に初入選をした。その後、陶芸を始めた。日展・日本現代工芸美術展などで活躍した。同45年日本芸術院賞を受賞。同57年日本芸術院会員。平成2年文化功労者になった。日展常務理事、現代工芸美術家協会副会長も務めた。

ら

楽吉左衛門（らくきちざえもん）
大正7年（一九一八）～昭和55年（一九八〇）
十四代 京都市に生れ、同地で歿。昭和15年東京美術学校彫刻科を卒業。同21年十四代吉左衛門を襲名した。同35年京都伝統工芸家協会が結成され、そのメンバーとなった。作陶は黄土を化粧掛けした赤楽、加茂の黒石を用いた黒楽、長釉石を掛けた白楽など楽焼の伝統を守り、また楽焼の研究と鑑識に多大な業績を残した。

わ

和太守卑良（わだもりひろ）
昭和19年（一九四四）～平成20年（二〇〇八）
兵庫県に生れ、東京で歿。昭和42年京都市立美大を卒業し、高知県安芸市で作陶を始めた。同51年茨城県笠間市に築窯した。同55年ファエンツァ国際陶芸展で金賞、同63年日本陶磁協会賞を受賞した。

Memo

日本洋画商協同組合鑑定登録委員会

日本洋画商協同組合は、日本で最初に設立された洋画商の団体で67年の歴史と伝統のある組織です。私どもは洋画商として、20世紀に活躍された洋画家の作品を顕彰し、後世に正しく伝えていくことの必要性を感じ、鑑定登録委員会を設けました。この委員会は、作家ごとに個々の鑑定登録専門委員を定め、遺族、その作家を主に扱った画商、作家によっては、評論家、研究者を含めて構成されております。

下記の作家の鑑定登録を致します。

靉 光	相原求一朗	青山熊治	伊藤清永	糸園和三郎
猪熊弦一郎	伊原宇三郎	今西中通	海老原喜之助	岡 鹿之助
岡田謙三	刑部 人	荻 太郎	小野 末	小山田二郎
川口軌外	菊畑茂久馬	北川民次	木村荘八	合田佐和子
河野通勢	國領經郎	小松崎邦雄	古茂田守介	斉藤三郎
斎藤義重	斎藤真一	佐伯祐三	佐竹 徳	坂本善三
里見勝蔵	佐野繁次郎	清水登之	白髪一雄	菅 創吉
菅井 汲	菅野圭介	関根伸夫	曽宮一念	田中 保
高島野十郎	高田 誠	高畠達四郎	高松次郎	田辺三重松
椿 貞雄	鶴岡政男	中根 寛	中村琢二	中村直人
難波田龍起	野田英夫	長谷川利行	長谷川潾二郎	林 倭衛
原 勝四郎	原 精一	平野 遼	福沢一郎	藤田嗣治
藤田吉香	俣野第四郎	森田 茂	山下菊二	山本 鼎
山本彪一	山下大五郎	吉井淳二	吉原治良	萬 鉄五郎
〈立体・彫刻〉	三木富雄	柳原義達		

[明治・大正期美術の作家]

青木 繁	浅井 忠	鹿子木孟郎	川村清雄	久米桂一郎
黒田清輝	五姓田芳柳	二世芳柳	五姓田義松	小山正太郎
高橋由一	原 撫松	原田直次郎	満谷国四郎	山本芳翠
和田英作	【油彩のみ対象】		中村不折	和田三造

鑑　定　日／毎月15日（土・日・祭日はその前後）（8月休会）
但し、必ず開催日の１週間前までに組合事務所にご連絡の上、
組合事務所に搬入して下さい。水彩・デッサンについてはお問い合わせ下さい。

事務取扱料・鑑定登録証書料は作家により異なりますのでお問い合わせ下さい。
または、ホームページをご参照下さい。

日本洋画商協同組合
〒104-0061　東京都中央区銀座6-3-2　ギャラリーセンタービル6階
TEL.03-3571-3402　FAX.03-3571-3419
http://www.yokyo.or.jp/

和太守卑良　東美鑑定評価機構鑑定委員会　03 (3432) 0713
〒105-0004 東京都港区新橋6-19-15（東京美術倶楽部内）

彫　刻

朝倉文夫　朝倉彫塑館　03 (3821) 4549
〒110-0001 東京都台東区谷中7-18-10

圓鍔勝三　圓鍔元規　044 (722) 2739
〒211-0063 神奈川県川崎市中原区小杉町2-291

古賀忠雄　古賀美代子　03 (3994) 7707
〒176-0002 東京都練馬区桜台1-37-3

佐藤忠良　笹戸千津子　042 (381) 1045
〒184-0012 東京都小金井市中町2-5-11

澤田政廣　澤田秀之助　03 (3721) 2981
〒158-0085 東京都世田谷区玉川田園調布2-13-15

清水多嘉示　青山敏子　0266 (74) 2701
〒391-0115 長野県諏訪郡原町17217-1611　八ヶ岳美術館内

砂澤ビッキ　北海道絵画商協同組合鑑定委員会　011 (210) 5911
〒060-0063 札幌市中央区南3条西2丁目　KT三条ビル

高田博厚　大野慶子　0466 (34) 8447
〒251-0037 神奈川県藤沢市鵠沼海岸2-9-5

高村光雲　高村　達　03 (3827) 6401
〒113-0022 東京都文京区千駄木5-20-6

高村光太郎　高村　達　03 (3827) 6401
〒113-0022 東京都文京区千駄木5-20-6

平櫛田中　平櫛弘子　042 (342) 2062
〒187-0045 東京都小平市学園西町1-7-7

平野富山　平野千里　03 (3805) 0780
〒116-0013 東京都荒川区西日暮里5-5-5

三木富雄　日本洋画商協同組合鑑定登録委員会　03 (3571) 3402
〒104-0061 東京都中央区銀座6-3-2

柳原義達　日本洋画商協同組合鑑定登録委員会　03 (3571) 3402
〒104-0061 東京都中央区銀座6-3-2

山崎朝雲　山崎澄枝　03 (3846) 7068
〒130-0024 東京都墨田区菊川1-17-2-703

作家	鑑定人	電話
14代　柿右衛門	東美鑑定評価機構鑑定委員会 〒105-0004 東京都港区新橋6-19-15（東京美術倶楽部内）	03（3432）0713
清水卯一	東美鑑定評価機構鑑定委員会 〒105-0004 東京都港区新橋6-19-15（東京美術倶楽部内）	03（3432）0713
田村耕一	田村　田 〒327-0845 栃木県佐野市久保町126	0283（24）5621
塚本快示	東美鑑定評価機構鑑定委員会 〒105-0004 東京都港区新橋6-19-15（東京美術倶楽部内）	03（3432）0713
辻　清明	東美鑑定評価機構鑑定委員会 〒105-0004 東京都港区新橋6-19-15（東京美術倶楽部内）	03（3432）0713
富本憲吉	山本茂雄 〒639-0971 奈良県生駒郡平群町梨本769-2	090（1074）2727
	東美鑑定評価機構鑑定委員会 〒105-0004 東京都港区新橋6-19-15（東京美術倶楽部内）	03（3432）0713
12代　中里逢庵	東美鑑定評価機構鑑定委員会 〒105-0004 東京都港区新橋6-19-15（東京美術倶楽部内）	03（3432）0713
13代　中里無庵	東美鑑定評価機構鑑定委員会 〒105-0004 東京都港区新橋6-19-15（東京美術倶楽部内）	03（3432）0713
濱田篤哉	濱田友緒 〒321-4217 栃木県芳賀郡益子町益子3387	0285（72）5311
濱田庄司	濱田友緒 〒321-4217 栃木県芳賀郡益子町益子3387	0285（72）5311
濱田晋作	濱田友緒 〒321-4217 栃木県芳賀郡益子町益子3387	0285（72）5311
バーナード・リーチ	濱田友緒 〒321-4217 栃木県芳賀郡益子町益子3387	0285（72）5311
藤本能道	藤本芳子 〒102-0094 東京都千代田区紀尾井町4-1　Hニューオータニ　水戸忠交易内	03（3239）0845
藤原　啓	藤原　和 〒705-0033 岡山県備前市穂波3863	0869（67）9090
藤原　雄	藤原　和 〒705-0033 岡山県備前市穂波3863	0869（67）9090
松井康成	東美鑑定評価機構鑑定委員会 〒105-0004 東京都港区新橋6-19-15（東京美術倶楽部内）	03（3432）0713
三浦小平二	東美鑑定評価機構鑑定委員会 〒105-0004 東京都港区新橋6-19-15（東京美術倶楽部内）	03（3432）0713
宮之原謙	東美鑑定評価機構鑑定委員会 〒105-0004 東京都港区新橋6-19-15（東京美術倶楽部内）	03（3432）0713

作家名	鑑定人・連絡先	電話
鹿児島寿蔵	東美鑑定評価機構鑑定委員会 〒105-0004 東京都港区新橋6-19-15（東京美術倶楽部内）	03（3432）0713
加藤唐九郎	加藤重高 〒463-0011 名古屋市守山区小幡北山2758-50	052（794）0011
	東美鑑定評価機構鑑定委員会 〒105-0004 東京都港区新橋6-19-15（東京美術倶楽部内）	03（3432）0713
加藤土師萌	加藤絹子 〒299-2226 千葉県南房総市市部541	0470（57）4035
	東美鑑定評価機構鑑定委員会 〒105-0004 東京都港区新橋6-19-15（東京美術倶楽部内）	03（3432）0713
加守田章二	東美鑑定評価機構鑑定委員会 〒105-0004 東京都港区新橋6-19-15（東京美術倶楽部内）	03（3432）0713
金重陶陽	金重晃介 〒705-0012 岡山県備前市香登本1172	0869（66）7068
河井寛次郎	河井寛次郎記念館 〒605-0875 京都市東山区五条坂鐘鋳町569	075（561）3585
北大路魯山人	北大路泰嗣 〒460-0008 名古屋市中区栄3-35-44　カーム株式会社内 〒104-0061 東京都中央区銀座7-8-6	052（252）7777
	東美鑑定評価機構鑑定委員会 〒105-0004 東京都港区新橋6-19-15（東京美術倶楽部内）	03（3432）0713
楠部彌弌	楠部敦子 〒606-8344 京都市左京区岡崎円勝寺町140	075（771）3152
	東美鑑定評価機構鑑定委員会 〒105-0004 東京都港区新橋6-19-15（東京美術倶楽部内）	03（3432）0713
黒田辰秋	東美鑑定評価機構鑑定委員会 〒105-0004 東京都港区新橋6-19-15（東京美術倶楽部内）	03（3432）0713
小山冨士夫	東美鑑定評価機構鑑定委員会 〒105-0004 東京都港区新橋6-19-15（東京美術倶楽部内）	03（3432）0713
近藤悠三	近藤高弘 〒605-0862 京都市東山区清水1-287　近藤悠三記念館内	075（561）2917
	東美鑑定評価機構鑑定委員会 〒105-0004 東京都港区新橋6-19-15（東京美術倶楽部内）	03（3432）0713
酒井田柿右衛門	AJA 鑑定協会 〒606-0804 京都府京都市左京区下鴨松原町29　井村美術館内	075（722）3300
13代　柿右衛門	東美鑑定評価機構鑑定委員会 〒105-0004 東京都港区新橋6-19-15（東京美術倶楽部内）	03（3432）0713

山本芳翠	日本洋画商協同組合鑑定登録委員会 〒104-0061 東京都中央区銀座6-3-2	03（3571）3402
吉井淳二	日本洋画商協同組合鑑定登録委員会 〒104-0061 東京都中央区銀座6-3-2	03（3571）3402
吉原治良	日本洋画商協同組合鑑定登録委員会 〒104-0061 東京都中央区銀座6-3-2	03（3571）3402
萬鉄五郎	東美鑑定評価機構鑑定委員会 〒105-0004 東京都港区新橋6-19-15	03（3432）0713
	日本洋画商協同組合鑑定登録委員会 〒104-0061 東京都中央区銀座6-3-2（東京美術倶楽部内）	03（3571）3402
和田英作	東美鑑定評価機構鑑定委員会 〒105-0004 東京都港区新橋6-19-15（東京美術倶楽部内）	03（3432）0713
	日本洋画商協同組合鑑定登録委員会 〒104-0061 東京都中央区銀座6-3-2	03（3571）3402
和田三造	日本洋画商協同組合鑑定登録委員会 〒104-0061 東京都中央区銀座6-3-2	03（3571）3402
脇田　和	脇田　和の会 〒104-0061 東京都中央区銀座5-3-16　日動画廊内	03（3571）2553

陶芸

青木龍山	東美鑑定評価機構鑑定委員会 〒105-0004 東京都港区新橋6-19-15（東京美術倶楽部内）	03（3432）0713
荒川豊蔵	荒川　達 〒507-0818 岐阜県多治見市大畑町4	0572（22）5538
	東美鑑定評価機構鑑定委員会 〒105-0004 東京都港区新橋6-19-15（東京美術倶楽部内）	03（3432）0713
石黒宗磨	東美鑑定評価機構鑑定委員会 〒105-0004 東京都港区新橋6-19-15（東京美術倶楽部内）	03（3432）0713
板谷波山	東美鑑定評価機構鑑定委員会 〒105-0004 東京都港区新橋6-19-15（東京美術倶楽部内）	03（3432）0713
今泉今右衛門	AJA 鑑定協会 〒606-0804 京都府京都市左京区下鴨松原町29　井村美術館内	075（722）3300
岡部嶺男	嶺男記念館・岡部美喜 〒112-0001 東京都文京区白山4-12-7	090（5412）5630
	東美鑑定評価機構鑑定委員会 〒105-0004 東京都港区新橋6-19-15（東京美術倶楽部内）	03（3432）0713

宮本三郎	東美鑑定評価機構鑑定委員会 〒105-0004 東京都港区新橋6-19-15（東京美術倶楽部内）	03（3432）0713
	宮本三郎の会 〒104-0061 東京都中央区銀座5-3-16　日動画廊内	03（3571）2553
棟方志功	棟方志功鑑定委員会（休止中） 〒150-0043 東京都渋谷区道玄坂2-24-1　東急百貨店美術部内	
村上肥出夫	村上肥出夫鑑定登録会 〒104-0061 東京都中央区銀座6-16-5-7F　兜屋画廊内	03（5801）5855
村山槐多	東美鑑定評価機構鑑定委員会 〒105-0004 東京都港区新橋6-19-15（東京美術倶楽部内）	03（3432）0713
森　芳雄	東美鑑定評価機構鑑定委員会 〒105-0004 東京都港区新橋6-19-15（東京美術倶楽部内）	03（3432）0713
森田　茂	日本洋画商協同組合鑑定登録委員会 〒104-0061 東京都中央区銀座6-3-2	03（3571）3402
	森田　茂鑑定会・安増千枝子 〒171-0031 東京都豊島区目白4-11-25	03（3954）1664
森本草介	森本草介鑑定委員会 〒103-0027 東京都中央区日本橋3-8-10　春風洞画廊内	03（3281）5252
安井曽太郎	東美鑑定評価機構鑑定委員会 〒105-0004 東京都港区新橋6-19-15（東京美術倶楽部内）	03（3432）0713
	安井曽太郎の会 〒104-0061 東京都中央区銀座5-3-16　日動画廊内	03（3571）2553
山口　薫	東美鑑定評価機構鑑定委員会 〒105-0004 東京都港区新橋6-19-15（東京美術倶楽部内）	03（3432）0713
山下菊二	日本洋画商協同組合鑑定登録委員会 〒104-0061 東京都中央区銀座6-3-2	03（3571）3402
山下　清	山下清鑑定会 〒104-0028 東京都中央区八重洲2-10-5　西邑画廊内	03（3278）1420
山下新太郎	東美鑑定評価機構鑑定委員会 〒105-0004 東京都港区新橋6-19-15（東京美術倶楽部内）	03（3432）0713
山下大五郎	日本洋画商協同組合鑑定登録委員会 〒104-0061 東京都中央区銀座6-3-2	03（3571）3402
山本　鼎	東美鑑定評価機構鑑定委員会 〒105-0004 東京都港区新橋6-19-15（東京美術倶楽部内）	03（3432）0713
	日本洋画商協同組合鑑定登録委員会 〒104-0061 東京都中央区銀座6-3-2	03（3571）3402
山本彪一	日本洋画商協同組合鑑定登録委員会 〒104-0061 東京都中央区銀座6-3-2	03（3571）3402

	藤島武二の会 〒104-0061 東京都中央区銀座5-3-16　日動画廊内	03 (3571) 2553
藤田嗣治	東美鑑定評価機構鑑定委員会 〒105-0004 東京都港区新橋6-19-15（東京美術倶楽部内）	03 (3432) 0713
	日本洋画商協同組合鑑定登録委員会 〒104-0061 東京都中央区銀座6-3-2	03 (3571) 3402
藤田吉香	日本洋画商協同組合鑑定登録委員会 〒104-0061 東京都中央区銀座6-3-2	03 (3571) 3402
前田寛治	寛治の会 〒104-0061 東京都中央区銀座6-9-4　岡崎画廊内	03 (3575) 4795
	東美鑑定評価機構鑑定委員会 〒105-0004 東京都港区新橋6-19-15（東京美術倶楽部内）	03 (3432) 0713
牧野虎雄	東美鑑定評価機構鑑定委員会 〒105-0004 東京都港区新橋6-19-15（東京美術倶楽部内）	03 (3432) 0713
俣野第四郎	日本洋画商協同組合鑑定登録委員会 〒104-0061 東京都中央区銀座6-3-2	03 (3571) 3402
松本竣介	東美鑑定評価機構鑑定委員会 〒105-0004 東京都港区新橋6-19-15（東京美術倶楽部内）	03 (3432) 0713
ミッシェル・アンリ	ミッシェル・アンリ鑑定委員会 〒112-0005 東京都文京区水道1-8-2　ギャルリー亜出果内	03 (5848) 8605
三岸好太郎	東美鑑定評価機構鑑定委員会 〒105-0004 東京都港区新橋6-19-15（東京美術倶楽部内）	03 (3432) 0713
三岸節子	三岸太郎 〒104-0061 東京都中央区銀座8-10-6　高輪画廊内	03 (3571) 3331
	東京美術倶楽部鑑定委員会 〒105-0004 東京都港区新橋6-19-15（東京美術倶楽部内）	03 (3432) 0191
	三岸節子の会 〒104-0061 東京都中央区銀座5-3-16　日動画廊内	03 (5371) 2553
満谷国四郎	東美鑑定評価機構鑑定委員会 〒105-0004 東京都港区新橋6-19-15（東京美術倶楽部内）	03 (3432) 0713
	日本洋画商協同組合鑑定登録委員会 〒104-0061 東京都中央区銀座6-3-2	03 (3571) 3402
南薫造	東美鑑定評価機構鑑定委員会 〒105-0004 東京都港区新橋6-19-15（東京美術倶楽部内）	03 (3432) 0713
宮永岳彦	宮永辰夫 〒162-0815 東京都新宿区筑土八幡6-15	03 (3260) 0859
	東美鑑定評価機構鑑定委員会 〒105-0004 東京都港区新橋6-19-15（東京美術倶楽部内）	03 (3432) 0713

美術家	鑑定人・所在地	電話
	日本洋画商協同組合鑑定登録委員会 〒104-0061 東京都中央区銀座6-3-2	03 (3571) 3402
	長谷川利行の会 〒113-0034 東京都文京区湯島4-6-11　羽黒洞木村東介内	03 (3815) 0431
長谷川潾二郎	日本洋画商協同組合鑑定登録委員会 〒104-0061 東京都中央区銀座6-3-2	048 (772) 9455
塙　賢三	塙賢三之会　塙ゆり子 〒363-0011 埼玉県桶川市北1-13-17　ギャラリー史内	048 (772) 9455
林　喜市郎	林喜市郎鑑定委員会 〒104-0061 東京都中央区銀座1-9-19　ギャラリーティー内	03 (3561) 1251
林　倭衛	日本洋画商協同組合鑑定登録委員会 〒104-0061 東京都中央区銀座6-3-2	03 (3571) 3402
林　武	東美鑑定評価機構鑑定委員会 〒105-0004 東京都港区新橋6-19-15（東京美術倶楽部内）	03 (3432) 0713
	武の会 〒104-0061 東京都中央区銀座5-3-16　日動画廊内	03 (3571) 2553
原　勝四郎	日本洋画商協同組合鑑定登録委員会 〒104-0061 東京都中央区銀座6-3-2	03 (3571) 3402
原　精一	日本洋画商協同組合鑑定登録委員会 〒104-0061 東京都中央区銀座6-3-2	03 (3571) 3402
原　撫松	日本洋画商協同組合鑑定登録委員会 〒104-0061 東京都中央区銀座6-3-2	03 (3571) 3402
原田直次郎	日本洋画商協同組合鑑定登録委員会 〒104-0061 東京都中央区銀座6-3-2	03 (3571) 3402
平澤　篤	平澤昌子 〒182-0022 東京都調布市国領町5-4-19	042 (499) 3463
平野　遼	日本洋画商協同組合鑑定登録委員会 〒104-0061 東京都中央区銀座6-3-2	03 (3571) 3402
深沢幸雄	深沢暁子 〒290-0512 千葉県市原市鶴舞308	
福井良之助	東美鑑定評価機構鑑定委員会 〒105-0004 東京都港区新橋6-19-15（東京美術倶楽部内）	03 (3432) 0713
福沢一郎	日本洋画商協同組合鑑定登録委員会 〒104-0061 東京都中央区銀座6-3-2	03 (3571) 3402
藤井　勉	藤井勉鑑定委員会 〒232-0055 横浜市南区中島町4-66-104　アート横濱内	045 (309) 8239
藤島武二	東美鑑定評価機構鑑定委員会 〒105-0004 東京都港区新橋6-19-15（東京美術倶楽部内）	03 (3432) 0713

中西利雄	中西利一郎 〒164-0001 東京都中野区中野3-11-10	03(3381)7402
中根　寛	日本洋画商協同組合鑑定登録委員会 〒104-0061 東京都中央区銀座6-3-2	03(3571)3402
中畑艸人	東美鑑定評価機構鑑定委員会 〒105-0004 東京都港区新橋6-19-15（東京美術倶楽部内）	03(3432)0713
中村研一	馬目世母子 〒184-0012 東京都小金井市中町2-9-7-403	042(381)3328
中村清治	東美鑑定評価機構鑑定委員会 〒105-0004　東京都港区新橋6-19-15（東京美術倶楽部内）	03(3432)0713
中村善策	北海道絵画商協同組合鑑定委員会 〒060-0063 札幌市中央区南3条西2丁目　KT三条ビル	011(210)5911
中村琢二	日本洋画商協同組合鑑定登録委員会 〒104-0061 東京都中央区銀座6-3-2	03(3571)3402
中村　彝	東美鑑定評価機構鑑定委員会 〒105-0004 東京都港区新橋6-19-15（東京美術倶楽部内）	03(3432)0713
中村直人	日本洋画商協同組合鑑定登録委員会 〒104-0061 東京都中央区銀座6-3-2	03(3571)3402
中村不折	日本洋画商協同組合鑑定登録委員会 〒104-0061 東京都中央区銀座6-3-2	03(3571)3402
鍋井克之	東美鑑定評価機構鑑定委員会 〒105-0004 東京都港区新橋6-19-15（東京美術倶楽部内）	03(3432)0713
難波田龍起	日本洋画商協同組合鑑定登録委員会 〒104-0061 東京都中央区銀座6-3-2	03(3571)3402
西村龍介	東美鑑定評価機構鑑定委員会 〒105-0004 東京都港区新橋6-19-15（東京美術倶楽部内）	03(3432)0713
野口謙蔵	野謙の会 〒104-0045 東京都中央区築地2-14-3-501　岡崎画廊内	03(3248)2530
野口弥太郎	東美鑑定評価機構鑑定委員会 〒105-0004 東京都港区新橋6-19-15（東京美術倶楽部内）	03(3432)0713
野田英夫	東美鑑定評価機構鑑定委員会 〒105-0004 東京都港区新橋6-19-15（東京美術倶楽部内）	03(3432)0713
	日本洋画商協同組合鑑定登録委員会 〒104-0061 東京都中央区銀座6-3-2	03(3571)3402
野間仁根	東美鑑定評価機構鑑定委員会 〒105-0004 東京都港区新橋6-19-15（東京美術倶楽部内）	03(3432)0713
長谷川利行	東美鑑定評価機構鑑定委員会 〒105-0004 東京都港区新橋6-19-15（東京美術倶楽部内）	03(3432)0713

高塚省吾	高塚康子 〒104-0031 東京都中央区京橋2-11-9　西堀11番地ビル2F四季彩舎内	03 (3535) 2131
高橋由一	日本洋画商協同組合鑑定登録委員会 〒104-0061 東京都中央区銀座6-3-2	03 (3571) 3402
高畠達四郎	日本洋画商協同組合鑑定登録委員会 〒104-0061 東京都中央区銀座6-3-2	03 (3571) 3402
高松次郎	日本洋画商協同組合鑑定登録委員会 〒104-0061 東京都中央区銀座6-3-2	03 (3571) 3402
高光一也	高光寂生 〒920-0212 石川県金沢市北間町イ50	076 (238) 2505
鳥海青児	東美鑑定評価機構鑑定委員会 〒105-0004 東京都港区新橋6-19-15（東京美術倶楽部内）	03 (3432) 0713
	鳥海青児の会 〒104-0061 東京都中央区銀座5-3-16　日動画廊内	03 (3571) 2553
辻　永	辻　朗 〒150-0013 東京都渋谷区恵比寿3-35-11	03 (3441) 7043
椿　貞雄	東美鑑定評価機構鑑定委員会 〒105-0004 東京都港区新橋6-19-15（東京美術倶楽部内）	03 (3432) 0713
	日本洋画商協同組合鑑定登録委員会 〒104-0061 東京都中央区銀座6-3-2	03 (3571) 3402
鶴岡政男	日本洋画商協同組合鑑定登録委員会 〒104-0061 東京都中央区銀座6-3-2	03 (3571) 3402
鶴岡義雄	鶴岡義雄鑑定委員会 〒142-0041 東京都品川区戸越6-1-12　正光画廊本店内	03 (5702) 6591
寺内萬治郎	寺内士郎 〒338-0805 埼玉県さいたま市浦和区針ケ谷2-18-12	048 (831) 2842 090 (2100) 0557
	東美鑑定評価機構鑑定委員会 〒105-0004 東京都港区新橋6-19-15（東京美術倶楽部内）	03 (3432) 0713
東郷青児	東郷青児鑑定委員会 〒104-0061 東京都中央区銀座1-20-9　ギャラリー秋田内	03 (3564) 5560
中川一政	東美鑑定評価機構鑑定委員会 〒105-0004 東京都港区新橋6-19-15（東京美術倶楽部内）	03 (3432) 0713
	中川一政の会 〒104-0061 東京都中央区銀座5-3-16　日動画廊内	03 (3571) 2553
中川紀元	アート紀元 〒104-0031 東京都中央区京橋2-8-5	03 (5250) 1870
中谷　泰	東美鑑定評価機構鑑定委員会 〒105-0004 東京都港区新橋6-19-15（東京美術倶楽部内）	03 (3432) 0713

美術家	鑑定人・住所	電話
菅創吉	日本洋画商協同組合鑑定登録委員会 〒104-0061 東京都中央区銀座6-3-2	03（3571）3402
菅井汲	日本洋画商協同組合鑑定登録委員会 〒104-0061 東京都中央区銀座6-3-2	03（3571）3402
菅野圭介	日本洋画商協同組合鑑定登録委員会 〒104-0061 東京都中央区銀座6-3-2	03（3571）3402
杉本健吉	東美鑑定評価機構鑑定委員会 〒105-0004　東京都港区新橋6-19-15（東京美術倶楽部内）	03（3432）0713
鈴木信太郎	東美鑑定評価機構鑑定委員会 〒105-0004 東京都港区新橋6-19-15（東京美術倶楽部内）	03（3432）0713
鈴木千久馬	鈴木美江 〒110-0008 東京都台東区池之端4-23-17	03（3828）9744
関根正二	東美鑑定評価機構鑑定委員会 〒105-0004 東京都港区新橋6-19-15（東京美術倶楽部内）	03（3432）0713
関根伸夫	日本洋画商協同組合鑑定登録委員会 〒104-0061 東京都中央区銀座6-3-2	03（3571）3402
曾宮一念	日本洋画商協同組合鑑定登録委員会 〒104-0061 東京都中央区銀座6-3-2	03（3571）3402
	東美鑑定評価機構鑑定委員会 〒105-0004　東京都港区新橋6-19-15（東京美術倶楽部内）	03（3432）0713
田崎広助	田崎広助鑑定登録会 〒104-0061 東京都中央区銀座1-9-19　ギャラリー・ティー内	03（3561）1251
田中保	日本洋画商協同組合鑑定登録委員会 〒104-0061 東京都中央区銀座6-3-2	03（3571）3402
田辺至	田辺　匠 〒157-0071 東京都世田谷区千歳台6-16-6-208	03（3305）8473
田辺三重松	日本洋画商協同組合鑑定登録委員会 〒104-0061 東京都中央区銀座6-3-2	03（3571）3402
	北海道絵画商協同組合鑑定委員会 〒060-0063 札幌市中央区南3条西2丁目　KT三条ビル	011（210）5911
田村孝之介	東美鑑定評価機構鑑定委員会 〒105-0004 東京都港区新橋6-19-15（東京美術倶楽部内）	03（3432）0713
	大西　洋 〒112-0002 東京都文京区小石川5-6-9-704	03（3945）0744
高島野十郎	日本洋画商協同組合鑑定登録委員会 〒104-0061 東京都中央区銀座6-3-2	03（3571）3402
高田誠	日本洋画商協同組合鑑定登録委員会 〒104-0061 東京都中央区銀座6-3-2	03（3571）3402

作家	鑑定人・連絡先	電話
佐竹　徳	日本洋画商協同組合鑑定登録委員会 〒104-0061 東京都中央区銀座6-3-2	03(3571)3402
佐野繁次郎	日本洋画商協同組合鑑定登録委員会 〒104-0061 東京都中央区銀座6-3-2	03(3571)3402
佐分　真	東美鑑定評価機構鑑定委員会 〒105-0004 東京都港区新橋6-19-15（東京美術倶楽部内）	03(3432)0713
斎藤三郎	日本洋画商協同組合鑑定登録委員会 〒104-0061 東京都中央区銀座6-3-2	03(3571)3402
斎藤真一	日本洋画商協同組合鑑定登録委員会 〒104-0061 東京都中央区銀座6-3-2	03(3571)3402
斎藤与里	東美鑑定評価機構鑑定委員会 〒105-0004 東京都港区新橋6-19-15（東京美術倶楽部内）	03(3432)0713
斎藤義重	日本洋画商協同組合鑑定登録委員会 〒104-0061 東京都中央区銀座6-3-2	03(3571)3402
坂本善三	日本洋画商協同組合鑑定登録委員会 〒104-0061 東京都中央区銀座6-3-2	03(3571)3402
坂本繁二郎	東美鑑定評価機構鑑定委員会 〒105-0004 東京都港区新橋6-19-15（東京美術倶楽部内）	03(3432)0713
	坂本暁彦 〒810-0041 福岡市中央区大名2-10-2　B-101	092(713)1943
里見勝蔵	山内滋夫 〒251-0033 神奈川県藤沢市片瀬山5-30-11	0466(26)0345
	日本洋画商協同組合鑑定登録委員会 〒104-0061 東京都中央区銀座6-3-2	03(3571)3402
清水登之	東美鑑定評価機構鑑定委員会 〒105-0004 東京都港区新橋6-19-15（東京美術倶楽部内）	03(3432)0713
	日本洋画商協同組合鑑定登録委員会 〒104-0061 東京都中央区銀座6-3-2	03(3571)3402
篠田桃紅	篠田桃紅鑑定委員会 〒103-0007 東京都中央区日本橋浜町2-22-5　（有）サン・カイ・ビ内	03(5649)3710
白髪一雄	日本洋画商協同組合鑑定登録委員会 〒104-0061 東京都中央区銀座6-3-2	03(3571)3402
白滝幾之助	東美鑑定評価機構鑑定委員会 〒105-0004 東京都港区新橋6-19-15（東京美術倶楽部内）	03(3432)0713
須田国太郎	東美鑑定評価機構鑑定委員会 〒105-0004 東京都港区新橋6-19-15（東京美術倶楽部内）	03(3432)0713
須田剋太	須田剋太鑑定委員会 〒103-0022 東京都中央区日本橋室町3-2-18-6F　秀山堂画廊内	03(3245)1340

作家名	鑑定人・所在地	電話
小松崎邦雄	日本洋画商協同組合鑑定登録委員会 〒104-0061 東京都中央区銀座6-3-2	03(3571)3402
小山敬三	東美鑑定評価機構鑑定委員会 〒105-0004 東京都港区新橋6-19-15（東京美術倶楽部内）	03(3432)0713
	小山敬三の会 〒104-0061 東京都中央区銀座5-3-16　日動画廊内	03(3571)2553
小山正太郎	日本洋画商協同組合鑑定登録委員会 〒104-0061 東京都中央区銀座6-3-2	03(3571)3402
古賀春江	東美鑑定評価機構鑑定委員会 〒105-0004 東京都港区新橋6-19-15（東京美術倶楽部内）	03(3432)0713
古茂田守介	日本洋画商協同組合鑑定登録委員会 〒104-0061 東京都中央区銀座6-3-2	03(3571)3402
児島善三郎	兒嶋俊郎 〒185-0024 東京都国分寺市泉町1-5-16　兒嶋画廊内	042(207)7918
児島虎次郎	児島塊太郎 〒716-1124 岡山県総社市三須半妻481	0866(93)3287
児玉幸雄	東美鑑定評価機構鑑定委員会 〒105-0004 東京都港区新橋6-19-15（東京美術倶楽部内）	03(3432)0713
	児玉幸雄の会 〒104-0061 東京都中央区銀座5-3-16　日動画廊内	03(3571)2553
五姓田芳柳　初代	日本洋画商協同組合鑑定登録委員会 〒104-0061 東京都中央区銀座6-3-2	03(3571)3402
五姓田芳柳　二世	日本洋画商協同組合鑑定登録委員会 〒104-0061 東京都中央区銀座6-3-2	03(3571)3402
五姓田義松	日本洋画商協同組合鑑定登録委員会 〒104-0061 東京都中央区銀座6-3-2	03(3571)3402
五味悌四郎	五味悌四郎鑑定委員会 〒104-0061 東京都中央区銀座6-4-7　至峰堂画廊内	03(3572)3756
合田佐和子	日本洋画商協同組合鑑定登録委員会 〒104-0061 東京都中央区銀座6-3-2	03(3571)3402
河野通勢	日本洋画商協同組合鑑定登録委員会 〒104-0061 東京都中央区銀座6-3-2	03(3571)3402
國領經郎	日本洋画商協同組合鑑定登録委員会 〒104-0061 東京都中央区銀座6-3-2	03(3571)3402
佐伯祐三	東美鑑定評価機構鑑定委員会 〒105-0004 東京都港区新橋6-19-15（東京美術倶楽部内）	03(3432)0713
	日本洋画商協同組合鑑定登録委員会 〒104-0061 東京都中央区銀座6-3-2	03(3571)3402

氏名	鑑定機関・所在地	電話
木村荘八	東美鑑定評価機構鑑定委員会 〒105-0004 東京都港区新橋6-19-15（東京美術倶楽部内）	03(3432)0713
	日本洋画商協同組合鑑定登録委員会 〒104-0061 東京都中央区銀座6-3-2	03(3571)3402
木村忠太	木村忠太の会 〒104-0061 東京都中央区銀座5-3-16　日動画廊内	03(3571)2553
鬼頭鍋三郎	鬼頭伊佐郎 〒464-0850 名古屋市千種区今池1-23-5	052(731)5409
菊畑茂久馬	日本洋画商協同組合鑑定登録委員会 〒104-0061 東京都中央区銀座6-3-2	03(3571)3402
岸田劉生	岸田劉生の会 〒104-0061 東京都中央区銀座5-3-16　日動画廊内	03(3571)2553
北川民次	日本洋画商協同組合鑑定登録委員会 〒104-0061 東京都中央区銀座6-3-2	03(3571)3402
久米桂一郎	日本洋画商協同組合鑑定登録委員会 〒104-0061 東京都中央区銀座6-3-2	03(3571)3402
国松登	国松登作品鑑定委員会 〒060-0003 札幌市中央区北３条西18丁目　美術新彩堂内	011(612)0041
国吉康雄	東美鑑定評価機構鑑定委員会 〒105-0004 東京都港区新橋6-19-15（東京美術倶楽部内）	03(3432)0713
熊谷守一	東美鑑定評価機構鑑定委員会 〒105-0004 東京都港区新橋6-19-15（東京美術倶楽部内）	03(3432)0713
	熊谷守一水墨淡彩画鑑定登録会 〒104-0031 東京都中央区京橋3-9-4　京橋画廊内	03(5524)5470
黒田清輝	東美鑑定評価機構鑑定委員会 〒105-0004 東京都港区新橋6-19-15（東京美術倶楽部内）	03(3432)0713
	日本洋画商協同組合鑑定登録委員会 〒104-0061 東京都中央区銀座6-3-2	03(3571)3402
小磯良平	小磯良平鑑定委員会 〒530-0001 大阪市北区梅田3-4-5　梅田画廊内	06(6346)1100
小出楢重	小出楢重の会 〒531-0071 大阪市北区中津1-15-37-101　にいファインアーツ内	06(4708)7839
小絲源太郎	東美鑑定評価機構鑑定委員会 〒105-0004 東京都港区新橋6-19-15（東京美術倶楽部内）	03(3432)0713
小林萬吾	東美鑑定評価機構鑑定委員会 〒105-0004 東京都港区新橋6-19-15（東京美術倶楽部内）	03(3432)0713
小林和作	東美鑑定評価機構鑑定委員会 〒105-0004 東京都港区新橋6-19-15（東京美術倶楽部内）	03(3432)0713

作家名	鑑定人・所在地	電話
岡田謙三	日本洋画商協同組合鑑定登録委員会 〒104-0061 東京都中央区銀座6-3-2	03 (3571) 3402
	美術著作権センター 〒231-0016 神奈川県横浜市中区真砂町3-33 セルテ9F	045 (663) 7111
岡田三郎助	東美鑑定評価機構鑑定委員会 〒105-0004 東京都港区新橋6-19-15（東京美術倶楽部内）	03 (3432) 0713
	岡田三郎助の会 〒104-0061 東京都中央区銀座5-3-16　日動画廊内	03 (3571) 2553
荻太郎	日本洋画商協同組合鑑定登録委員会 〒104-0061 東京都中央区銀座6-3-2	03 (3571) 3402
荻須高徳	レザミ ド オギス 〒153-0065 東京都目黒区中町2-14-5	03 (5723) 8409
刑部人	日本洋画商協同組合鑑定登録委員会 〒104-0061 東京都中央区銀座6-3-2	03 (3571) 3402
香月泰男	香月理樹 〒104-0061 東京都中央区銀座6-7-19-2F　瞬生画廊内	03 (3574) 7688
梶田達二	梶田久世 〒174-0063 東京都板橋区前野町3-50-6　ヴェレーナ志村坂上ヒルズ204	03 (6338) 5353
金山平三	金山平三の会 〒104-0061 東京都中央区銀座5-3-16　日動画廊内	03 (3571) 2553
金山康喜	東美鑑定評価機構鑑定委員会 〒105-0004 東京都港区新橋6-19-15（東京美術倶楽部内）	03 (3432) 0713
金子國義	金子國義登録委員会 〒104-0042 東京都中央区入船1-3-9　文京アート内	03 (6280) 3717
鹿子木孟郎	日本洋画商協同組合鑑定登録委員会 〒104-0061 東京都中央区銀座6-3-2	03 (3571) 3402
彼末宏	東美鑑定評価機構鑑定委員会 〒105-0004 東京都港区新橋6-19-15（東京美術倶楽部内）	03 (3432) 0713
鴨居玲	東美鑑定評価機構鑑定委員会 〒105-0004 東京都港区新橋6-19-15（東京美術倶楽部内）	03 (3432) 0713
	鴨居　玲の会 〒104-0061 東京都中央区銀座5-3-16　日動画廊内	03 (3571) 2553
川口軌外	日本洋画商協同組合鑑定登録委員会 〒104-0061 東京都中央区銀座6-3-2	03 (3571) 3402
川村清雄	日本洋画商協同組合鑑定登録委員会 〒104-0061 東京都中央区銀座6-3-2	03 (3571) 3402
木田金次郎	北海道絵画商協同組合鑑定委員会 〒060-0063 札幌市中央区南3条西2丁目　KT三条ビル	011 (210) 5911

作家名	鑑定人・所在地	電話
猪熊弦一郎	日本洋画商協同組合鑑定登録委員会 〒104-0061 東京都中央区銀座6-3-2	03 (3571) 3402
今西中通	東美鑑定評価機構鑑定委員会 〒105-0004 東京都港区新橋6-19-15（東京美術倶楽部内）	03 (3432) 0713
	日本洋画商協同組合鑑定登録委員会 〒104-0061 東京都中央区銀座6-3-2	03 (3571) 3402
上野山清貢	東美鑑定評価機構鑑定委員会 〒105-0004 東京都港区新橋6-19-15（東京美術倶楽部内）	03 (3432) 0713
	北海道絵画商協同組合鑑定委員会 〒060-0063 札幌市中央区南3条西2丁目　KT三条ビル	011 (210) 5911
浮田克躬	浮田和枝 〒166-0004 東京都杉並区阿佐谷南3-10-18	03 (3391) 6710
牛島義弘	牛島智子 〒104-0061 東京都中央区銀座6-4-7　至峰堂画廊内	03 (3572) 3756
梅原龍三郎	東美鑑定評価機構鑑定委員会 〒105-0004 東京都港区新橋6-19-15（東京美術倶楽部内）	03 (3432) 0713
	梅原龍三郎の会 〒104-0061 東京都中央区銀座5-3-16　日動画廊内	03 (3571) 2553
瑛九	東美鑑定評価機構鑑定委員会 〒105-0004 東京都港区新橋6-19-15（東京美術倶楽部内）	03 (3432) 0713
海老原喜之助	東美鑑定評価機構鑑定委員会 〒105-0004 東京都港区新橋6-19-15（東京美術倶楽部内）	03 (3432) 0713
	日本洋画商協同組合鑑定登録委員会 〒104-0061 東京都中央区銀座6-3-2	03 (3571) 3402
小野末	日本洋画商協同組合鑑定登録委員会 〒104-0061 東京都中央区銀座6-3-2	03 (3571) 3402
小山田二郎	日本洋画商協同組合鑑定登録委員会 〒104-0061 東京都中央区銀座6-3-2	03 (3571) 3402
織田広喜	織田きじ男 〒190-0023 東京都立川市柴崎町4-6-7	090 (9134) 1029
大沢昌助	大沢昌助鑑定登録会 〒213-0015 神奈川県川崎市高津区梶が谷3-15-33 アートウイング内	044 (888) 6689
大藪雅孝	大藪淳子 〒198-0172 青梅市沢井3-901	0428 (78) 8203
岡鹿之助	東美鑑定評価機構鑑定委員会 〒105-0004 東京都港区新橋6-19-15（東京美術倶楽部内）	03 (3432) 0713
	日本洋画商協同組合鑑定登録委員会 〒104-0061 東京都中央区銀座6-3-2	03 (3571) 3402

美術家	鑑定人	電話
相原求一朗	日本洋画商協同組合鑑定登録委員会 〒104-0061 東京都中央区銀座6-3-2	03 (3571) 3402
青木　繁	東美鑑定評価機構鑑定委員会 〒105-0004 東京都港区新橋6-19-15（東京美術倶楽部内）	03 (3432) 0713
	日本洋画商協同組合鑑定登録委員会 〒104-0061 東京都中央区銀座6-3-2	03 (3571) 3402
青山熊治	日本洋画商協同組合鑑定登録委員会 〒104-0061 東京都中央区銀座6-3-2	03 (3571) 3402
青山義雄	東美鑑定評価機構鑑定委員会 〒105-0004 東京都港区新橋6-19-15（東京美術倶楽部内）	03 (3432) 0713
朝井閑右衛門	東美鑑定評価機構鑑定委員会 〒105-0004 東京都港区新橋6-19-15（東京美術倶楽部内）	03 (3432) 0713
	朝井閑右衛門の会 〒104-0061 東京都中央区銀座5-3-16　日動画廊内	03 (3571) 2553
浅井　忠	東美鑑定評価機構鑑定委員会 〒105-0004 東京都港区新橋6-19-15（東京美術倶楽部内）	03 (3432) 0713
	日本洋画商協同組合鑑定登録委員会 〒104-0061 東京都中央区銀座6-3-2	03 (3571) 3402
麻生三郎	東美鑑定評価機構鑑定委員会 〒105-0004 東京都港区新橋6-19-15（東京美術倶楽部内）	03 (3432) 0713
有島生馬	東美鑑定評価機構鑑定委員会 〒105-0004 東京都港区新橋6-19-15（東京美術倶楽部内）	03 (3432) 0713
有元利夫	有元利夫作品鑑定委員会 〒104-0031 東京都中央区京橋2-11-10-4F　平野古陶軒内	03 (3535) 2587
井手宣通	井手潔子・通子 〒104-0061 東京都中央区銀座1-5-15　ギャラリー杉野内	03 (3561) 1316
伊藤清永	中山忠彦 〒272-0827 千葉県市川市国府台6-14-8	047 (372) 7914
	日本洋画商協同組合鑑定登録委員会 〒104-0061 東京都中央区銀座6-3-2	03 (3571) 3402
伊原宇三郎	日本洋画商協同組合鑑定登録委員会 〒104-0061 東京都中央区銀座6-3-2	03 (3571) 3402
石井柏亭	松村三冬 〒169-0075 東京都新宿区高田馬場1-19-10	03 (3200) 6587
糸園和三郎	東美鑑定評価機構鑑定委員会 〒105-0004 東京都港区新橋6-19-15（東京美術倶楽部内）	03 (3432) 0713
	日本洋画商協同組合鑑定登録委員会 〒104-0061 東京都中央区銀座6-3-2	03 (3571) 3402

望月春江	鈴木美江 〒110-0008 東京都台東区池之端4-23-17	03 (3828) 9744
森田恒友	東美鑑定評価機構鑑定委員会 〒105-0004 東京都港区新橋6-19-15（東京美術倶楽部内）	03 (3432) 0713
安田靫彦	安田靫彦鑑定委員会 〒104-0061 東京都中央区銀座8-10-8-2F　島村画廊内	03 (3571) 1815
山口華楊	東美鑑定評価機構鑑定委員会 〒105-0004 東京都港区新橋6-19-15（東京美術倶楽部内）	03 (3432) 0713
山口蓬春	山口蓬春記念館 〒240-0111 神奈川県三浦郡葉山町一色2-320	0468 (75) 6094
	東美鑑定評価機構鑑定委員会 〒105-0004 東京都港区新橋6-19-15（東京美術倶楽部内）	03 (3432) 0713
山田申吾	東美鑑定評価機構鑑定委員会 〒105-0004 東京都港区新橋6-19-15（東京美術倶楽部内）	03 (3432) 0713
山本丘人	山本由美子 〒410-1326 静岡県駿東郡小山町用沢1373-1　山本丘人記念館	0550 (78) 1400
山本倉丘	三輪晃久 〒603-8321 京都市北区平野鳥居前76	075 (3314) 9106
山元櫻月	政本武彦 〒101-0003 東京都千代田区一ツ橋2-6-2-B1F　ギャラリー明治内	03 (3261) 7115
山元春挙	山元寛昭 〒520-0837 滋賀県大津市中ノ庄1-19-23	077 (522) 2183
横山大観	横山大観記念館 〒110-0008 東京都台東区池之端1-4-24	03 (3821) 1017
横山　操	東美鑑定評価機構鑑定委員会 〒105-0004 東京都港区新橋6-19-15（東京美術倶楽部内）	03 (3432) 0713
吉田善彦	東美鑑定評価機構鑑定委員会 〒105-0004 東京都港区新橋6-19-15（東京美術倶楽部内）	03 (3432) 0713
渡辺崋山	西村南岳 〒110-0008 東京都台東区池之端4-23-6	03 (5809) 0771

洋画

靉　光	東美鑑定評価機構鑑定委員会 〒105-0004 東京都港区新橋6-19-15（東京美術倶楽部内）	03 (3432) 0713
	日本洋画商協同組合鑑定登録委員会 〒104-0061 東京都中央区銀座6-3-2	03 (3571) 3402

美術家	鑑定人	電話
西山英雄	西山英雄鑑定会・松崎良太 〒604-8064 京都市中京区富小路通六角下ル　津田画廊内	075(211)1636
橋本関雪	東美鑑定評価機構鑑定委員会 〒105-0004 東京都港区新橋6-19-15（東京美術倶楽部内）	03(3432)0713
橋本雅邦	東美鑑定評価機構鑑定委員会 〒105-0004 東京都港区新橋6-19-15（東京美術倶楽部内）	03(3432)0713
橋本明治	橋本弘安 〒167-0032 東京都杉並区天沼2-40-5	03(3220)5927
林　功	東美鑑定評価機構鑑定委員会 〒105-0004 東京都港区新橋6-19-15（東京美術倶楽部内）	03(3432)0713
東山魁夷	東美鑑定評価機構鑑定委員会 〒105-0004 東京都港区新橋6-19-15（東京美術倶楽部内）	03(3432)0713
菱田春草	東美鑑定評価機構鑑定委員会 〒105-0004 東京都港区新橋6-19-15（東京美術倶楽部内）	03(3432)0713
平川敏夫	東美鑑定評価機構鑑定委員会 〒105-0004 東京都港区新橋6-19-15（東京美術倶楽部内）	03(3432)0713
平福百穂	中田百合 〒158-0081 東京都世田谷区深沢5-6-12　舟山方	03(3702)6520
平山郁夫	東美鑑定評価機構鑑定委員会 〒105-0004 東京都港区新橋6-19-15（東京美術倶楽部内）	03(3432)0713
福王寺法林	福王寺一彦 〒181-0002 東京都三鷹市牟礼1-10-11	0422(43)1467
福田平八郎	東美鑑定評価機構鑑定委員会 〒105-0004 東京都港区新橋6-19-15（東京美術倶楽部内）	03(3432)0713
堀　文子	一般財団法人堀文子記念館 〒102-0094 東京都千代田区紀尾井町コートビル402（東京事務局）	03(6274)6973
前田青邨	東美鑑定評価機構鑑定委員会 〒105-0004 東京都港区新橋6-19-15（東京美術倶楽部内）	03(3432)0713
松尾敏男	東美鑑定評価機構鑑定委員会 〒105-0004 東京都港区新橋6-19-15（東京美術倶楽部内）	03(3432)0713
松本哲男	東美鑑定評価機構鑑定委員会 〒105-0004 東京都港区新橋6-19-15（東京美術倶楽部内）	03(3432)0713
三輪晁勢	三輪晃久 〒603-8321 京都市北区平野鳥居前町76	075(463)8875
武者小路実篤	武者小路篤信 〒181-0001 東京都三鷹市井の頭5-17-8	0422(47)6452
村上華岳	村上　伸 〒657-0068 兵庫県神戸市灘区篠原北町2-4-25	078(861)4712

鈴木三朝	鈴木貴夫 〒437-0221 静岡県周智郡森町円田1074-2	0538(85)6001
鈴木松年	久保吉郎 〒616-8224 京都市右京区常盤窪町19-3	075(881)8178
鈴木百年	久保吉郎 〒616-8224 京都市右京区常盤窪町19-3	075(881)8178
高山辰雄	東美鑑定評価機構鑑定委員会 〒105-0004 東京都港区新橋6-19-15（東京美術倶楽部内）	03(3432)0713
竹内栖鳳	東美鑑定評価機構鑑定委員会 〒105-0004 東京都港区新橋6-19-15（東京美術倶楽部内）	03(3432)0713
竹久夢二	東美鑑定評価機構鑑定委員会 〒105-0004 東京都港区新橋6-19-15（東京美術倶楽部内）	03(3432)0713
土田麦僊	東美鑑定評価機構鑑定委員会 〒105-0004 東京都港区新橋6-19-15（東京美術倶楽部内）	03(3432)0713
寺崎廣業	東美鑑定評価機構鑑定委員会 〒105-0004 東京都港区新橋6-19-15（東京美術倶楽部内）	03(3432)0713
寺島紫明	山平義正 〒651-0084 兵庫県神戸市中央区磯辺通4-2-26　ぎゃるり神戸内	078(251)8880
徳岡神泉	徳岡紀子 〒176-0011 東京都練馬区豊玉上1-18-13	03(3993)4697
富岡鉄斉	富岡鉄斉鑑定委員会 〒541-0042 大阪市中央区今橋2-4-5　大阪美術倶楽部内	06(6231)9626
冨田溪仙	東美鑑定評価機構鑑定委員会 〒105-0004 東京都港区新橋6-19-15（東京美術倶楽部内）	03(3432)0713
堂本印象	堂本印象鑑定委員会 〒605-0064 京都市東山区新門前通東大路西入ル梅本町262　ギャラリー鉄斎堂内	075(531)6164
中村岳陵	中村岳陵鑑定会 〒249-0002 神奈川県逗子市山の根2-2-13　（有）天心内	046(872)2379
中村大三郎	中村　実 〒611-0014 京都府宇治市明星町3-12-39	0774(22)8603
中村正義	中村正義の美術館 〒215-0001 神奈川県川崎市麻生区細山7-2-8	044(953)4936
西内利夫	西内登志子 〒602-8057 京都市上京区下長者町堀川東入ル紹巴町19	075(451)8750
西村五雲	東美鑑定評価機構鑑定委員会 〒105-0004 東京都港区新橋6-19-15（東京美術倶楽部内）	03(3432)0713
西山翠嶂	西山翠嶂鑑定会・西山　徹 〒604-8064 京都市中京区富小路通六角下ル　津田画廊内	075(211)1636

美術家	鑑定人	電話
木村武山	木村正夫 〒259-1145 神奈川県伊勢原市板戸536-10	0463(94)2647
吉川霊華	東美鑑定評価機構鑑定委員会 〒105-0004 東京都港区新橋6-19-15(東京美術倶楽部内)	03(3432)0713
小泉淳作	東美鑑定評価機構鑑定委員会 〒105-0004 東京都港区新橋6-19-15(東京美術倶楽部内)	03(3432)0713
小杉放庵	東美鑑定評価機構鑑定委員会 〒105-0004 東京都港区新橋6-19-15(東京美術倶楽部内)	03(3432)0713
小林古径	東美鑑定評価機構鑑定委員会 〒105-0004 東京都港区新橋6-19-15(東京美術倶楽部内)	03(3432)0713
小松　均	小松均美術館 〒601-1246 京都市左京区大原井出町369	075(744)2318
近藤浩一路	近藤　暾 〒170-0004 東京都豊島区北大塚1-11-15-502	03(3940)3119
今野忠一	今野忠一鑑定会 〒101-0021 東京都千代田区外神田5-4-8　丸栄堂内	03(3831)7821
後藤純男	東美鑑定評価機構鑑定委員会 〒105-0004 東京都港区新橋6-19-15(東京美術倶楽部内)	03(3432)0713
郷倉和子	郷倉伸人 〒158-0081 東京都世田谷区深沢6-4-12	03(3701)0879
郷倉千靭	郷倉伸人 〒158-0081 東京都世田谷区深沢6-4-12	03(3701)0879
佐藤太清	佐藤雅子 〒173-0035 東京都板橋区大谷口2-65-3	03(3973)8018
酒井三良	中谷智子 〒168-0082 東京都杉並区久我山5-35-8	03(3332)5323
榊原紫峰	東美鑑定評価機構鑑定委員会 〒105-0004 東京都港区新橋6-19-15(東京美術倶楽部内)	03(3432)0713
塩出英雄	西田俊英 〒150-0001 東京都渋谷区神宮前5-21-10	03(6805)0604
下村観山	東美鑑定評価機構鑑定委員会 〒105-0004 東京都港区新橋6-19-15(東京美術倶楽部内)	03(3432)0713
	中島洋光 〒227-0065 横浜市青葉区恩田町3319	045(981)8258
杉山　寧	東美鑑定評価機構鑑定委員会 〒105-0004 東京都港区新橋6-19-15(東京美術倶楽部内)	03(3432)0713
	杉山　晉 〒157-0073 東京都世田谷区砧8-15-14-102	FAX 03(6805)8675 090(3131)8613

美術家	鑑定人・住所	電話
小野竹喬	小野竹喬鑑定委員会 〒605-0064 京都市東山区新門前通東大路西入ル梅本町262　ギャラリー鉄斎堂内	075 (531) 6164
小茂田青樹	東美鑑定評価機構鑑定委員会 〒105-0004 東京都港区新橋6-19-15（東京美術倶楽部内）	03 (3432) 0713
大橋翠石	東美鑑定評価機構鑑定委員会 〒105-0004 東京都港区新橋6-19-15（東京美術倶楽部内）	03 (3432) 0713
大山忠作	東美鑑定評価機構鑑定委員会 〒105-0004 東京都港区新橋6-19-15（東京美術倶楽部内）	03 (3432) 0713
奥田元宋	奥田小由女 〒177-0034 東京都練馬区富士見台2-22-10	03 (3990) 5522
奥村土牛	東美鑑定評価機構鑑定委員会 〒105-0004 東京都港区新橋6-19-15（東京美術倶楽部内）	03 (3432) 0713
加倉井和夫	東美鑑定評価機構鑑定委員会 〒105-0004 東京都港区新橋6-19-15（東京美術倶楽部内）	03 (3432) 0713
加藤栄三	長縄士郎 〒500-8222 岐阜市琴塚1-9-25	058 (248) 1046
加藤東一	土屋禮一 〒185-0001 国分寺市北町2-31-5	042 (322) 0857
	東美鑑定評価機構鑑定委員会 〒105-0004 東京都港区新橋6-19-15（東京美術倶楽部内）	03 (3432) 0713
加山又造	㈲加山・加山哲也 〒251-0038 神奈川県藤沢市鵠沼松が岡1-10-12	0466 (23) 7662
片岡球子	東美鑑定評価機構鑑定委員会 〒105-0004 東京都港区新橋6-19-15（東京美術倶楽部内）	03 (3432) 0713
堅山南風	堅山寿子 〒104-0061 東京都中央区銀座8-10-3　みずたに美術内	03 (3571) 2013
金島桂華	東美鑑定評価機構鑑定委員会 〒105-0004 東京都港区新橋6-19-15（東京美術倶楽部内）	03 (3432) 0713
鏑木清方	東美鑑定評価機構鑑定委員会 〒105-0004 東京都港区新橋6-19-15（東京美術倶楽部内）	03 (3432) 0713
川合玉堂	東美鑑定評価機構鑑定委員会 〒105-0004 東京都港区新橋6-19-15（東京美術倶楽部内）	03 (3432) 0713
川崎小虎	川崎鈴彦 〒166-0001 東京都杉並区阿佐谷北2-26-6	03 (3330) 7144
川端龍子	東美鑑定評価機構鑑定委員会 〒105-0004 東京都港区新橋6-19-15（東京美術倶楽部内）	03 (3432) 0713
川村曼舟	東美鑑定評価機構鑑定委員会 〒105-0004 東京都港区新橋6-19-15（東京美術倶楽部内）	03 (3432) 0713

日本画

美術家	鑑定人・住所	電話
青木大乗	青木　母 〒565-0874 大阪府吹田市古江台1-27-12	06(6832)6818
秋野不矩	秋野不矩鑑定委員会 〒605-0064 京都市東山区新門前通東大路西入ル梅本町262　ギャラリー鉄斎堂内	075(531)6164
伊藤小坡	大阪美術倶楽部鑑定委員会 〒541-0042 大阪市中央区今橋2-4-5	06(6231)9626
	芳山堂 〒102-0093 東京都千代田区平河町1-7-16　ビュロー平河町101	03(6380)9653
伊東深水	東美鑑定評価機構鑑定委員会 〒105-0004 東京都港区新橋6-19-15（東京美術倶楽部内）	03(3432)0713
池上秀畝	東美鑑定評価機構鑑定委員会 〒105-0004 東京都港区新橋6-19-15（東京美術倶楽部内）	03(3432)0713
池田遙邨	池田良則 〒605-0064 京都市東山区新門前通東大路西入ル梅本町262　ギャラリー鉄斎堂内	075(531)6164
石本　正	東美鑑定評価機構鑑定委員会 〒105-0004 東京都港区新橋6-19-15（東京美術倶楽部内）	03(3432)0713
今尾景祥	今尾景之 〒606-0814 京都市左京区下鴨芝本町26	075(781)1438
今尾景年	今尾景之 〒606-0814 京都市左京区下鴨芝本町26	075(781)1438
今村紫紅	東美鑑定評価機構鑑定委員会 〒105-0004 東京都港区新橋6-19-15（東京美術倶楽部内）	03(3432)0713
岩倉　壽	岩倉壽鑑定委員会 〒605-0064 京都市東山区新門前通東大路西入ル梅元町262　ギャラリー鉄斎堂内	075(531)6164
岩橋英遠	東美鑑定評価機構鑑定委員会 〒105-0004 東京都港区新橋6-19-15（東京美術倶楽部内）	03(3432)0713
宇田荻邨	宇田喜久子 〒621-0007 京都府亀岡市河原林町河原尻東垣内61-1	0771(25)5266
上村松園	東美鑑定評価機構鑑定委員会 〒105-0004 東京都港区新橋6-19-15（東京美術倶楽部内）	03(3432)0713
上村松篁	東美鑑定評価機構鑑定委員会 〒105-0004 東京都港区新橋6-19-15（東京美術倶楽部内）	03(3432)0713
小川芋銭	東美鑑定評価機構鑑定委員会 〒105-0004 東京都港区新橋6-19-15（東京美術倶楽部内）	03(3432)0713
小倉遊亀	小倉健一 〒104-0061 東京都中央区銀座7-12-4　銀座ウェイフェアビル3F	03(6264)7900

美術家鑑定人

作家出身地一覧

鹿児島

〈日本画〉

石踊　紘一
牛塚　和男
岸野　フサヨ
下村　貢
橋口　五葉

〈洋　画〉

伊牟田經正
大津　通臣
東　進市
村岡　岳
山下三千夫
海老原喜之助
大野　幸彦
黒田　清輝
東郷　青児
中間　冊夫
文田　哲雄
藤島　武二
吉井　淳二
和田　英作

京都 絵美
山上 洋典
吉原 慎介
吉村 誠司
川辺 御楯
富田 渓仙
中西 耕石
吉嗣 拝山
吉村 忠夫

〈洋画〉

綾部 伸孝
井口 由多可
伊熊 義和
石橋 久美
内山 直樹
岡 義実
岡田 征彦
開田 風童
筧 本生
紀井 利臣
城戸 久務
倉重 栄二
小柳 幸代
斎藤 千川予
坂田 哲也
高瀬 竜二
塚本 聴
十時 孝好
中村 幸枝
中村 輝行
中山 忠彦
成澤 隆吉
ノブハイハラ
日南 孝志
福岡 通男
福田 建之
藤井 祐二
堀内 朗
堀江 孝
増田 信敏
松井 通央
松浦 安弘
百田 潤一
山口 精之助
吉武 弘樹
横山 申生
渡辺 聖二
青木 繁
織田 広喜
大内田 茂士
庫田 叕
古賀 春江
児島 善三郎
坂本 繁二郎
田崎 広助
田中 繁吉
高島 野十郎
寺田 竹雄
寺田 政明
中村 研一
野見山 暁治
萩谷 巌
平野 遼
藤田 吉香
吉田 博

佐賀

〈日本画〉

熊原 清久
八谷 真弓
服部 由空
原田 隆志
八木 恵子
内山 孝
立石 春美

〈洋画〉

大隈 武夫
児玉 健二
高木 英章
西川 洋一郎
平藪 健
古川 みどり
増本 憲樹
三塩 雅博
森 勝彦
森崎 修太
山口 正人
山田 宗輔
吉武 研司
岡田 三郎助
久米 桂一郎
百武 兼行

長崎

〈日本画〉

辻 紀子
西澤 秀行
馬場 伸子
荒木 十畝
日高 鉄翁
松尾 敏男

〈洋画〉

荒木 孝介
大竹山 規
柏本 龍太
川口 久敏
熊谷 有展
古賀 充
田﨑 英昭
畑 晩菁
平澤 重信
増田 常徳
鴨居 玲
菊畑 茂久馬
佐田 勝
山本 森之助

熊本

〈日本画〉

鬼塚 堅太
小山 硬
大塚 浩平
大塚 玲王
加来 万周
坂本 幸重
下川 辰彦
田中 裕子
千々岩 修
塚本 敏清
中村 賢次
中村 豪志
フクシマサトミ
渕田 邦明
松尾 夢佳
三森 貴公
山下 孝治
浦田 正夫
堅山 南風
川本 末雄
真道 黎明

〈洋画〉

石山 義秀
植野 綾
大津 英敏
岡村 順一
加藤 照
木村 睦郎
北川 宗親
後藤 裕貴
瀧下 和之
歳島 洋一郎
長井 寛明
西村 達也
藤崎 孝敏
本田 和博
宮島 弘行
元村 平
山口 真功
米村 太一
若山 茂
井手 宣通
牛島 憲之
坂本 善三
櫻田 精一

大分

〈日本画〉

岩永 てるみ
菅 かおる
霜鳥 忍
箱崎 睦昌
岩沢 重夫
田近 竹邨
田能村 竹田
田能村 直入
高山 辰雄
福田 平八郎

〈洋画〉

赤木 範陸
今永 清玄
長船 善祐
工藤 和男
佐藤 哲
佐藤 瑞玲
玉田 健二
長岡 卓
藤 祥州
藤原 亜南
溝部 聡
よりかなゑ
糸園 和三郎
江藤 純平
片田 徳郎
佐藤 敬

宮崎

〈日本画〉

外山 寛子
前田 正憲
松崎 和実
山内 多聞

〈洋画〉

岩崎 元郎
近藤 峯子
はしぐちみよこ
日高 康志
日野 みどり
前田 舜敏
前田 利昌
瑛 九

福本　章
正宗得三郎
松岡　寿
満谷国四郎

広島

〈日本画〉

阿部　任宏
阿部　千鶴
青山　博之
植田　一穂
大瀬戸文子
楚里　清
高増　暁子
玉井　伸弥
藤井美加子
増田　貴司
水登麻里子
矢吹　沙織
山浦めぐみ
横山タケ子
若佐　慎一
猪原　大華
奥田　元宋
金島　桂華
児玉　希望
塩出　英雄
平山　郁夫
丸木　位里

〈洋画〉

石倉かよこ
大前　博士
岡野　博
奥田　敏雄
開原　通人
木原　和敏
久保田　裕
倉田　和夫
坂野　昭文
住吉　久志
高山　博子
土屋　文明
照沼　彌彦
道原　聡
野田　弘志
檜山　友希
広田　稔
福井　欧夏
藤原　秀一
細迫　諭
前原　秀雄
槇原　慶喜
松岡　滋子
山本　恭平
渡壁　公義
渡部　耿贇
鬉　光
朝比奈　隆
角　浩
木下　和
小林徳三郎
辻　永
野村　守夫
南　薫造
森田　訓司

山口

〈日本画〉

海老　洋
平山　英樹
吉川　優
狩野　芳崖
高島　北海
中野　弘彦
松林　桂月
森　寛斎

〈洋画〉

東　奈緒
石村　勝宣
河村純一郎
黒木トモ子
鈴木　節子
世良　静夫
田畑　和髙
中司　満夫
原田　郁夫
藤永　俊雄
藤村　恒雄
香月　泰男
小林　和作
永地　秀太
西村　龍介
長谷川三郎
宮崎　進

徳島

〈日本画〉

市原　義之
喜多　祥泰
広島　晃甫
守住　貫魚

〈洋画〉

佐々木澄江
清水　亟慎
清水　新也
瀧田　彩
谷川　泰宏
玉有　万範
徳善　正
松尾　文隆
藪原　幸子
よねざわゆきえ
伊原宇三郎
三宅　克己
山下　菊二

愛媛

〈日本画〉

伊東　正次
佐伯　拓也
佐伯ちはる
白石　晧大
関崎　悦子
浜田　泰介
松下　明生
安永　省三
大智　勝観
河崎　蘭香
矢野　橋村

〈洋画〉

朝日　夏実
上杉　吉昭
越智紀久張
岡　宏
小林　哲郎
白石　裕三
白鳥　龍介
清家　文博
高見　和秀
智内　兄助
濱本　久雄
藤澤　千丈
柳田　補
吉岡　健二
渡邉　祥行
中野　和高
野間　仁根
柳瀬　正夢

香川

〈日本画〉

兼若　和也
國分　敬子
伊達　良
中村　英生
中村　譲
福本　百恵
丸岡　雄道
妻島　健
岩倉　壽
馬場　不二
樋笠　数慶
山下　関城

〈洋画〉

石谷　徳仁
岡本　正尹
多田　博一
中村　光幸
林　哲夫
光元　昭弘
峰見　勝蔵
元木　秀彦
安富　洋貴
山神　敦
猪熊弦一郎
柏原覚太郎
木村　忠太
小林　万吾

高知

〈日本画〉

尾崎　千頭
片岡　宣久
山本　倉丘

〈洋画〉

尾立　晋祥
奥谷　博
横山　和男
石川　寅治
今西　中通
上島　一司
合田佐和子
国沢新九郎

福岡

〈日本画〉

井手　康人
井上　清治
石村　雅幸
出口　雄樹
岡本アヤコ
木下　武
北島　文人
幸田　史香
宍道　圭
中尾　博恵
中尾　誠
藤野　直也
阿　由比
宮川　佑介

吉岡三樹子
小坂 象堂
常岡 文亀
寺島 紫明
橋本 関雪
濱田 観
福田 眉仙
松岡 映丘
三谷十糸子

〈洋 画〉

安益 耕平
安西弥生子
足立 慎治
伊藤 知秋
石野紀美子
石野 容三
宇野 孝之
大木 基彰
大沢 武
王前 一馬
納 健
加藤 裕生
樫原 隆男
片山 司
片山みやび
金井 良勝
金沢 湧洙
河島 紀子
木下 敏彦
九鬼 三郎
斉藤 要
桜井 陽彦
三箇 大介
志水 和司
髙木 弘子
戸田 勝久
長尾 浩一
鍋島 正一
西浦 慎吾
西田 藤夫
西田 洋子
ノブ・サチ
服部和三郎
原 尚子
細馬千佳子
堀井 聰
松原 政祐
身野 友之
森本 克彦
山本 幸雄
領家 裕隆
渡部 香
青山 熊治
井上長三郎
伊藤 清永
金山 平三
川西 英
小磯 良平
白髪 一雄
白滝幾之助
菅 創吉
菅井 汲
西村 功
林 重義
広瀬 勝平
古家 新
桝井 一夫
和田 三造

奈良

〈日本画〉

烏頭尾 精
亀山 玲子
喜多 均
古賀くらら
酒井 弘子
杉山 佳
辰巳 寛
田所 浩
野地美樹子
畠中 光享
松村 公嗣

〈洋 画〉

井澤 幸三
池田 誠史
岩井美津子
小木曽 誠
追立 久雄
金森 良泰
鬼頭 勝
絹谷 幸二
田中愛一郎
中野 淳也
平井 利明
前川 雅幸
村井 洋子
平田 峻三
山本日子士良

和歌山

〈日本画〉

岸野 圭作
清水 由朗
中村妃佐子
穐月 明
川端 龍子
清水 達三
下村 観山
野長瀬晩花
稗田 一穂

〈洋 画〉

伊藤 尚尋
小川 泰弘
尾崎 浩美
酒井 健吉
土井 久幸
道本 勝
三宅 洋子
朝井閑右衛門
川口 軌外
田中 恭吉
中川 力
中畑 艸人
中村 善種
浜口 陽三

鳥取

〈日本画〉

岸本 章
久野千恵美
新山 拓
谷川 将樹
菅 楯彦
濱田 台児

〈洋 画〉

有田 巧
金光 緑
中谷 晃
中村 彰吾
野津清太郎
伊谷 賢蔵
前田 寛治

島根

〈日本画〉

芦田 裕昭
川﨑 麻央
佐藤 哲也
染谷 香理
武市 斉孝
永岡 郁美
宮廻 正明
石本 正
小村 大雲
田中 頼璋
橋本 明治

〈洋 画〉

安食慎太郎
魚谷 洋
大畑 稔浩
小森 隼人
塩田清三郎
清水 勝
上代 誠
園山 幹生
田村 鎮男
富谷 一明
吉野 勉

岡山

〈日本画〉

坂元 洋介
藤原 郁子
森山 知己
池田 遥邨
小野 竹喬
衣笠 豪谷

〈洋 画〉

朝森 武
井上 護
池田 清明
上本 佳明
織田 泰児
岡野 浩二
小泉 憲治
妹尾 宏行
田辺 阿希
立花 博
土井原崇浩
中村 朋子
林 孝三
三木はるな
南田 昌康
宮下 純郎
椋野 茂美
山下 恒子
横田 美晴
赤松 麟作
有元 利夫
鹿子木孟郎
河井 達海
国吉 康雄
児島虎次郎
斎藤 真一
坂田 一男
高塚 省吾
竹久 夢二
寺松国太郎
福島金一郎
中山 巍
原 撫松

村井由美子
森下 一夫
ヤマタニタエコ
山岡 康子
山崎 伸子
山根須磨子
吉田 伊佐
吉田 緑
麻田 浩
芦田 芳生
有岡 一郎
伊藤 快彦
梅原龍三郎
太田喜二郎
里見 勝蔵
芝田 米三
須田国太郎
田中善之助
田村 宗立
長谷川利行
前川 千帆
三雲祥之助
向井 潤吉
安井曽太郎

大阪

〈日本画〉

浅野 均
井上 美紀
伊藤はるみ
諫山 宝樹
石井 鈴
岩野 雅代
植田 清子
大豊 世紀
鍵谷 節子
上村 俊明
今 美礼
芝 康弘
新恵美佐子
田村 仁美
辻野 宗一
當川 伸一
鳥山 武弘
中村あや子
永森 一郎
丹羽 貴子
橋本 弘安
林 樹里
藤本 克美
藤原 重夫
松生 歩
松生春山人
松本 祐子
満田 竹水
森本 政文
安川 眞慈
安田 育代
山崎 啓次
山本 恭子
吉村 佳洋
渡辺 章雄
青木 大乗
赤松 雲嶺
生田花朝女
小川 翠村
大野藤三郎
菊池 芳文
小林 柯白
谷口 香嶠
中村 貞以
向井 久万
村上 華岳
望月 金鳳

〈洋 画〉

青江 鞠
東 直樹
井上 直久
井藤 雅博
生島 浩
池野 史明
泉地 靖雄
稲垣 龍雄
岩見 健二
宇賀 正人
小澤 一正
大垣早代子
大路 誠
大西 浩二
奥江 一太
奥西 健吾
加国 哲二
川口 紘平
北 浩二
國包 和良
倉本 勝博
小林 和栄
才村 啓
坂口 久斗
坂本 忠夫
酒井 優行
沢田 光春
嶋津 俊則
清水 忠臣
正田 徳衛
田中 秀敏
田伏 勉
高橋 明子
髙橋 雅史
高畑 雅一
高畑 幸伸
竹内 康行
武本はる根
谷本 淳子
民谷多都子
辻 真砂
土橋佐喜子
中井 一誠
中尾 公紀
中野 浩明
西澤知江子
額田 晃作
長谷川一郎
濱口 清
林 正己
原 雅幸
藤本 絢子
フルイミエコ
宝永たかこ
前田 俊幸
待井 健一
松村 和紀
三浦 賢一
南口 清二
武藤 岩雄
村社 由起
森田 和子
森田 マヨ
八木田隆子
矢倉 弘資
矢代 夕稀
安井 啓二
安田 正弘
山内 滋夫
山川由美子
山下 徹
山名 将夫
山本 周
山本 桂右
吉岡 耕二
吉岡 正人
吉川 順子
分部 佳英
渡辺美香子
朝井閑右衛門
足立源一郎
井上 覚三
伊藤 継郎
大久保作次郎
河合 新蔵
小出 卓二
小出 楢重
児玉 幸雄
佐伯 祐三
佐竹 徳
佐野繁次郎
島村三七雄
嶋本 昭三
庄司 榮吉
鈴木 亜夫
鈴木 誠
田中阿喜良
田村孝之介
高岡徳太郎
辻 愛造
寺内萬治郎
仲田 好江
仲村 一男
鍋井 克之
藤本東一良
松本富太郎
耳野卯三郎
森崎 幸
吉原 治良

兵庫

〈日本画〉

あいはら友子
井本 一倭
池内 璋美
岩崎 絵里
角島 直樹
佐藤 叔
髙島 圭史
武田修二郎
谷村 能子
津田 親重
堂野 夢酔
中西 佐織
中村 文子
西田 眞人
秦 誠
林 孝二
廣田 晴彦
藤原 郁子
前田 和子
松本 啓
室井 佳世
森田りえ子
山田 毅

瀧下　尚久
仲林　敏次
西田　俊英
二井栄太朗
松本　高明
水谷　興志
伊藤　小波
宇田　荻邨
嶋谷　自然
鈴木　三朝
田南　岳璋

〈洋　画〉

井阪　仁
伊藤　清和
印田洋子
松本　剛一
松本　善造
三谷　祐資
安田　隆亮
山内　大介
石垣　定哉
中谷　泰
平賀　亀祐
元永　定正

滋　賀

〈日本画〉

射庭　一嘉
岩井　晴香
鵜飼　雅樹
河村　卓見
河本万里子
北川安希子
定家亜由子
西嶋　豊彦
西村　光人
藤田　哲也
山本　敦史
小倉　遊亀
岸　竹堂
沢　宏靭
山元　櫻月
山元　春挙

〈洋　画〉

川村　悦子
田中いっこう
伴　清一郎
松井　茂樹
村岡　顕美
吉田　直未
黒田重太郎
三田　康
杉本　哲郎
島野　重之
野口　謙蔵

京　都

〈日本画〉

井上　稔
磯部　茂亀
猪熊　佳子
上田　勝也
上村　淳之
大野　俊明
大森　正哉
扇　敏之
岡村　倫行
奥村　美佳
川島　睦郎
川嶋　渉
河股　幸和
河村　源三
木下　育應
木村　圭吾
来野あぢさ
久保　嶺爾
黒光　茂明
小西　通博
小山美和子
後藤　順一
幸山ひかり
国府　克
佐々木経二
坂井　昇
重岡　良子
清水　信行
田島　周吾
田中　隆
髙井　美香
髙橋　雅美
竹内　浩一
谷井　俊英
塚下　静湖
寺田　正
寺村　里香
土手　朋英
中野　嘉之
中村　貴弥
仁木寿美子
西野　陽一
八田　哲
長谷川雅也
浜田　昇児
林　潤一
伴戸玲伊子
藤岡　雅人
藤田　志朗
藤原　敏行
藤原　裕之
ベリーマキコ
堀　泰明
本多　功身
マツダジュンイチ
曲子　明良
町田　泰宣
松井　周子
三輪　晃久
村居　正之
村岡貴美男
安居由紀夫
山田　りえ
山本　雄教
由利本　出
吉田眞理子
渡辺　信喜
麻田　鷹司
麻田　辨自
池田　道夫
石川　晴彦
石田　武
板倉　星光
猪飼　嘯谷
今尾　景年
入江　波光
上村　松園
上村　松篁
岡崎　忠雄
加山　又造
梶原緋佐子
勝田　哲
川北　霞峰
川端　玉章
川村　曼舟
木村　斯光
北澤　映月
久保田米僊
熊谷　直彦
小嶋　悠司
巨勢　小石
幸野　楳嶺
佐藤　太清
榊原　紫峰
塩川　文麟
澁澤　卿
鈴木　松年
鈴木　百年
竹内　栖鳳
玉村善之助
津田　青楓
都路　華香
堂本　印象
堂本　元次
徳岡　神泉
富岡　鉄斎
中路　融人
中島　清之
中村大三郎
西内　利夫
西村　五雲
西山　翠嶂
西山　英雄
広田　多津
宋本　一洋
三輪　良平
森田　曠平
山岸　純
山口　華陽

〈洋　画〉

青木　敏郎
生駒　泰充
池田　良則
石原　靖夫
今関アキラコ
宇田喜久子
牛尾　一路
岡崎　昭弘
岡村　敦子
柿森　悦子
糟野　勝美
角坂　優子
河合びこう
木村　章子
国広　富之
阪脇　郁子
酒井　英利
四方　道夫
城　康夫
瀬尾　一嘉
田中　芳照
中上　誠章
中西優多朗
中道　佐江
西山　徹
西脇　恵
廣田真知子
福島一二三
藤谷　進
松川　耕太
宮先　雅之
村井　宏二

作家出身地一覧

大橋翠石
加藤栄三
加藤東一
川崎小虎
前田青邨
箕輪芳二
守屋多々志

〈洋画〉

赤塚一三
安藤公一
奥西賀男
奥村晃史
上葛明広
畑中優
山口貢史
北蓮蔵
熊谷守一
小寺健吉
長原孝太郎
橋本博英
服部保
村上肥出夫
山本芳翠

静岡

〈日本画〉

石川和賢
石松チ明
今川教子
奥田紫光
北村さゆり
金原保則
栗原幸彦
坂本武典
鈴木強
只内寿則
東儀恭子
速水敬一郎
前原満夫
牧田宏之
松倉茂比古
八木幾朗
湯山東
秋野不矩
中島多茂都
中村岳陵

〈洋画〉

阿方稔
赤堀尚
石原章吾
岩端啓輔
岡野忠広
勝呂隆光
木津文哉
栗田広敏
小林大彦
佐藤秀人
佐野金継
杉本澄男
鈴木清仁
滝辰夫
滝浪文裕
種房ひさ子
塚越仁慈
土井俊泰
中村晴信
西谷之男
畑中博
松井由紀子
守屋麻美
柳瀬雅夫
山内和則
湯山俊久
渡辺ムサシ
赤城泰舒
北川民次
宮永岳彦

愛知

〈日本画〉

阿部一雅
浅野忠
井木紫人
岩田壮平
小川国亜起
大島亜弓
大矢亮
大矢眞弓
岡江伸
岡田眞治
岡村智晴
奥山たか子
加藤亜作彦
加藤厚
加藤清香
加藤千奈
加藤洋一朗
金澤尚武
神谷菜穂
川地ふじ子
河合重政
河本真里
木村恵子
岸本浩希
熊谷曜志
黒田年子
斎木真沙子
坂根輝美
鈴木一正
鈴木靖代
竹内滋祇
橘泰司
棚町宣弘
土屋雅裕
手塚華
土岐佳子
冨田保和
那須勝哉
中井香奈子
中神敬子
中川雅登
仁礼郁子
服部憲幸
林智基
林美枝子
馬場弥生
曳地聡美
平田望
藤井康夫
藤城正晴
船橋穏行
古田年寿
堀田淑支
真野尚文
牧野環
松井和弘
松浦主税
松村公太
三輪峻
水谷雄
本地裕輔
森脇正人
安井彩子
山口貴士
山﨑有美
山田隆量
川合玉堂
川崎千虎
坪内滄明
中村正義
服部有恒
平川敏夫
村松乙彦

〈洋画〉

浅村理江
有馬和彦
伊藤晴香
市川光鶴
稲垣孝二
稲垣草児
うさ
大久保千尋
大見伸
鬼頭恭子
小林雅英
小柳省三
児島新太郎
佐々木豊
酒井章帆
桜井志保
志水堅二
田口貴久
田村能里子
竹尾文夫
中島康正
長縄眞兒
長縄拓哉
舟山海
三輪修
港信夫
百瀬智宏
森清治郎
薮野健
山羽斌士
山村博男
山本明比古
横江逸美
伊藤廉
飯塚隆雄
大久保泰
荻太郎
荻須高徳
梶田達二
鬼頭鍋三郎
北脇昇
佐分真
杉本健吉
真野紀太郎
松井守男
三尾公三
三岸節子
山本鼎

三重

〈日本画〉

宇城翔子
梅原幸雄
小山大地
坂上楠生
島田沙菜美

平岩 洋彦
二木 一郎
牧野 一泉
牧野 伸英
柳沢 正人
柳沢 優子
池上 秀畝
今井 映方
江崎 孝坪
菊池 契月
小坂 芝田
児玉 果亭
西郷 孤月
荘司 福
登内 微笑
菱田 春草
矢沢 弦月

〈洋 画〉

内山 芳彦
浦野 資勞
小口 卓也
大浦美知子
大島 康紀
大森 祥吾
荻野 幹
片岡 恒夫
金森 宰司
金子 直弘
上條真三留
君島しょうたろう
久保三代子
小林 英且
五味 文彦
さくらようこ
清水 悦男
竹内 洋子
武井 政之
中西 良
中野 光
中村のりゆき
奈良本守正
名香山直子
福沢 一
古畑 雅規
丸山 美香
三嶋 哲也
森本 幹生
山崎 明
山下 貞治
山本 寛
米津 福祐
和田 春奈
若麻績敏隆
鷲森 秀樹
オノサトトシノブ
川上 冬崖
小山 敬三
中川 紀元
中村 直人
林 倭衛
平沢喜之助
丸山 晩霞
百瀬 郷志

新 潟

〈日本画〉

青木 秀明
岩崎 宏
大矢十四彦
大矢 紀
斎藤 満栄
白井 進
関谷 理
坪谷 幸作
遠田いっせい
番場 三雄
八幡 幸子
山崎 隆夫
吉田美樹子
岩田 正巳
小林 古径
柴田 長俊
土田 麦僊
長井 雲坪
三輪 晁勢
村山 径
安田 半圃
横山 操

〈洋 画〉

新井 延彦
猪爪 彦一
尾出川カズヤ
尾身 周三
岡田 肇彦
桐生 照子
熊倉 雄二
黒田 進
櫻井 幸雄
白鳥 十三
関口 雅文
田中 清
津端 泰
中谷 雄大
長谷川健司
本間 哲郎
百川 良
渡部 明夫
安宅安五郎
阿部 展也
小野 末
小山正太郎
竹谷富士雄
中村 琢二
牧野 虎雄

富 山

〈日本画〉

尾長 良範
大坪 由明
下田 義寛
広田 郁世
野村 京香
石崎 光瑤
下保 昭
郷倉 千靱
昇 外義

〈洋 画〉

安達 博文
大城 真人
大場 再生
國村 睦吉
能島 芳史
左 時枝
藤森 兼明
荒谷直之介
金山 康喜
清原 啓一

石 川

〈日本画〉

荒木 恵信
大沼 憲昭
金子 絵理
西藤 哲夫
谷 善徳
中出 信昭
中村 徹
古澤 洋子
前田有加里
松崎 十朗
丸山 円
みやじまゆういち
山本 宏幸
若狭 悌尚
稲元 実
北野 恒富

〈洋 画〉

川野 昌子
鹿山 栄子
下園 由莉
中谷 幸雄
西房 浩二
開 光市
松井 慎一
三浦 泉
森下 武
六反田英一
清水 練徳
高光 一也
富田温一郎
塗師祥一郎
宮本 三郎

福 井

〈日本画〉

大道 厚子
土屋 圀代
松下 宣廉
米谷 清和
島田 墨仙

〈洋 画〉

久保 尚子
田中 孝知
松井ヨシアキ
三田村和男
森 康次
新道 繁
鈴木千久馬
西山 真一
堀田 清治

岐 阜

〈日本画〉

石原 進
大竹 寛子
大平由香里
加藤 良造
木村 友彦
熊崎 勝利
島田 智博
田口 昌宏
土屋 禮一
遠山 幸男
長谷川喜久
林 真
日比野拓史
前川 伸彦
宮野 孝司
武蔵原裕二
山本 真澄

駒井哲郎
佐伯米子
斎藤義重
進藤蕃
菅野圭介
杉全直
鈴木信太郎
鈴木保徳
曽宮一念
田辺至
田村一男
高橋源吉
高橋由一
高畠達四郎
高間惣七
高松次郎
鶴田吾郎
中川一政
中沢弘光
中西利雄
中村不折
野口弥太郎
硲伊之助
林武
早川義孝
原田直次郎
平松譲
福井良之助
藤田嗣治
本多錦吉郎
牧野邦夫
松本竣介
三岸黄太郎
村山知義
森芳雄
森田元子
森本草介
柳瀬俊雄
山内禺偲
山下清
山下新太郎
和田徹
脇田和
渡辺武夫
渡辺幽香

神奈川

〈日本画〉

安藤洋重
阿部観水
青木志子
青山亘幹
井出文洋
飯田文香
家本佳生琉
生野一樹
市橋豊美
上野高
雲碧秀郎
遠藤麻木子
小田野尚之
大石朋生
大竹正芳
大竹ふさ代
大塚千聰
大野麻子
岡信孝
加藤恵
川又聡
川本淑子
釘町彰
黒岩善隆
越畑喜代美
斎藤典彦
志田展哉
篠崎悠美子
清水航
下重ななみ
菅原百佳
関菜穂子
田島奈須美
髙橋浩規
髙橋まり子
武井好之
武部雅子
中條亜耶
月館京子
土屋聡
手塚恒治
手塚雄二
鳥山玲
中川脩
中村ひろみ
中村宗弘
楢原環
菱沼明子
筆谷等
古屋麻里奈
松岡歩
松谷千夏子
三縄健
山下まゆみ
山田真澄
山本直彰
吉田多最
吉田真美
芳澤一夫
渡辺薫
今村紫紅
加倉井和夫
小泉淳作
鈴木竹柏
長谷川路可
東山魁夷

〈洋画〉

井上秀樹
池田洋子
石井行
石井康彦
今関健司
上田哲也
小川和也
小川浩
小尾修
大川正
折本美禰子
片桐聖子
金丸悠児
川崎日出男
木村優博
岸宏士
久住敏之
黒木雅彦
小泉元生
肥沼守
境貴史
酒井信義
桜庭優
志村敏子
島津豪亮
田中賢一郎
田中善明
武井誠
堤岳彦
永井夏夕
額賀加津己
芳賀啓
羽田裕
裵永昌
林敬二
藤井忠行
本田希枝
前田麻里
松沢真紀
松田高明
宮代道子
宮田圭
森嘉一
安岡亜蘭
八田大輔
山口和男
山本靖久
米蒸千穂
頼住美根生
青山義雄
岡本太郎
國領經郎
島田章三
中村清治
深澤孝哉
星野鐵之

山梨

〈日本画〉

阪本トクロウ
近藤浩一郎
のむら清六
望月春江

〈洋画〉

岩下正芙美
太田成子
長田まさと
乙黒久
沓間宏
佐藤顯彦
設和幹
半田強
深沢昭明
山口ひろみ
山本正英
中丸精十郎
増田誠

長野

〈日本画〉

岩波昭彦
太田圭
荻原季美子
木村光宏
清沢孝之
倉島重友
下島洋貫
志世都りも
滝沢具幸
中島千波
並木功
根岸嘉一郎
花岡哲象
林和緒
原誠二

小泉 勝爾
小谷津 任牛
郷倉 和子
柴田 是真
杉山 寧
田崎 草雲
田中 案山子
田中 以知庵
滝 和亭
富取 風堂
長野 草風
野田 九甫
橋本 永邦
橋本 雅邦
速水 御舟
福井 江亭
堀 文子
水野 年方
武者小路実篤
森 白甫
安田 靫彦
山田 敬中
山田 伸吾
山村 耕花
山本 丘人
結城 素明
吉岡 堅二
吉田 善彦
渡辺 省亭

〈洋画〉

阿辺 隆
阿部 穣
相笠 昌義
秋吉 由紀子
荒木 淑子
いろは
伊藤 純子
伊藤 晴子
池田 靖史
悳 俊彦
石坂 仁良
今井 武志
岩岡 航路
薄井 義
内山 懋
江村 真一
遠藤 彰子
小川 馨生
小熊 麻紗子
織田 きじ男
織田 ゆかり
織田 義郎
大内田 敬
大沼 映夫
大野 彩
大渕 繁樹
大矢 英雄
太田 國廣
岡田 高弘
乙丸 哲延
柿崎 覚
掛川 和彦
川名 雅子
河原 朝生
木村 秀夫
木脇 康一
菊地 理
北野 弓子
久保 博孝
朽木 真
桑野 純平
黒木 宏
小泉 守邦
小杉 小二郎
小林 章三
近藤 雅信
佐々木 敏光
佐々木 真由
佐藤 渓
佐藤 弘光
佐藤 義光
斎藤 将
斎藤 由比
笹沢 純雄
志村 好子
塩田 満男
塩谷 亮
島田 三郎
嶋中 俊文
島根 清
下関 正義
白鳥 未行
代田 盛男
すずきゆきお
鈴木 和道
鈴木 延雄
鈴木 益躬
瀬川 智貴
田中 秀典
高木 貴理子
高瀬 誠
高田 明義
髙野 元孝
高橋 正一
高橋 道夫
高松 秀和
武井 清
武田 茂
武宮 秀鵬
立川 広己
塚越 かじん
土屋 成子
筒井 直子
角田 守
寺井 力三郎
寺田 眞
當間 久夫
徳田 則子
徳永 陶子
奈良 晋裕
中佐藤 滋
中島 健太
中田 誠
長井 朋人
永山 裕子
七森 和昭
成田 禎介
西村 直之
沼尾 雅代
根萩 斎門
花巻 碧
塙 珠世
濱岡 朝子
林 昭子
原 秀樹
東 俊光
櫃田 伸也
平倉 靖子
平田 英子
平松 賢太郎
福井 良佑
藤井 一代
藤川 茂登子
藤友 なほみ
藤沼 啓子
藤森 悠二
舟木 誠一郎
古田 帯川
細越 富彦
細田 早苗
堀江 史郎
堀川 理万子
松原 潤
松本 貴子
丸山 隆子
円池 茂
ミカミまこ
ミズテツオ
水島 篤
水嶋 靖博
村本 章
村山 隆信
森岡 謙二
森谷 繁
森吉 健
八木 正夫
八木原 由美
柳瀬 俊泰
山田 ゆかり
山田 嘉彦
山本 貞
山本 文彦
横森 幹男
よしだ 茂
吉田 文子
寄本 祐司
若林 俊男
朝比奈 文雄
浅井 忠
麻生 三郎
池部 鈞
石井 鶴三
石井 柏亭
石川 滋彦
岩田 栄吉
浮田 克躬
大沢 昌助
大下 藤次郎
岡 鹿之助
岡田 又三郎
岡野 栄
恩地 孝四郎
春日部 洋
彼末 宏
金沢 重治
川村 清雄
木下 孝則
木村 荘八
岸田 劉生
栗原 一郎
黒田 久美子
黒田 頼綱
小泉 清
小絲 源太郎
小島 善太郎
小松崎 邦雄
五姓田 芳柳
五姓田 義松
五味 悌四郎
高野 三三男

寺久保文宣
中田　和彦
永井　弘子
西川　克己
樋口　豊子
藤井　誠
藤田　勇哉
堀　千里
森田　健一
山崎　茂行
相原求一朗
倉田　白羊
斎藤　三郎
斎藤　与里
須田　剋太
関根　伸夫
田中　保
高田　誠

千葉

〈日本画〉

伊藤　哲
泉　東臣
越智　明子
狩俣　公介
金澤　隆
川名　倫明
小林　範之
小原　祐介
後藤　紳也
椎名　保
鹿間　麻衣
中沢　勝
中村　哲叡
並木　秀俊
廣瀬　貴洋
本多　翔
前田　力
山崎　佳代
綿引はるな
藁谷　剛己
藁谷　実
後藤　純男
関　主税
吉田　登穀

〈洋画〉

青山　文治
浅川慎一郎
荒木　淳一
梅野　顕司
江越佳代子
小野　彩華
甲田　裕子
菅井　豊
田中　重光
高岡　香苗
徳田　宏行
徳永　光子
早川　桃代
日高　昭二
星野　歩
山髙　徹
山本　大貴
ワタベカズ
青山文治
大野　隆徳
鱸　利彦
林　喜市郎
柳　敬助

東京

〈日本画〉

阿部　穣
青木香保里
青木　惠
伊東　良久
伊藤　髟耳
伊藤深游木
伊藤　由純
池田　彰彦
石﨑　昭三
岩谷　晃太
磯部光太郎
榎本　時子
小田原千佳子
小野寺以文
大岡　亜紀
大河原典子
大野　廣子
大森　隆史
岡部　裕紀
岡村桂三郎
奥山加奈子
長田　佳子
加藤　晋
加藤　智
片瀬　莉乃
兼　未希恵
川崎　鈴彦
河嶋　淳司
木下めいこ
杵島　洋人
北澤　龍
北田　克己
北田　浩子
喜多尾礼子
絹谷香奈子
清見佳奈子
國司　華子
小滝　雅道
小針あすか
小宮　絵莉
近藤　隼次
佐々木　曜
三枝三津子
坂本　藍子
笹本　正明
塩崎　顕
澁澤　星
清水　知道
清水　規
清水　操
新生　加奈
須惠　朋子
菅原　幸代
菅原　健彦
杉松　儀一
杉本　洋
鈴木紀和子
関本麻己子
千住　博
田中　博之
田渕　俊夫
高崎　昇平
高橋　久美
高橋新三郎
高橋　天山
高山　知也
武田　州左
武田　裕子
千野久美子
千葉　里織
辻村　和美
戸屋　勝利
冨田　典子
名取　初穂
内藤　五琅
中島　虎威
中野　昌子
中堀　慎治
中村　桃子
中村　祐子
永井　健志
長澤　耕平
野口満一月
橋岡　昭男
東園　基昭
平子　真理
平松　礼二
廣瀬佐紀子
福井江太郎
福王寺一彦
福永　明子
福本　正
藤崎いづみ
藤田　時彦
船水　徳雄
堀川えい子
堀越　保二
本多久美子
牧　進
松下　順子
松原　亜実
松本　勝
丸山　友紀
三上　俊樹
宮　いつき
宮下真理子
村上　裕二
村越　由子
村田　晴彦
村松　詩絵
目黒　祥元
山口　暁子
山口　裕子
山崎　鈴子
山下　保子
山田　雄貴
湯口絵美子
結城　唯善
依田　万実
横尾　英子
吉井　東人
吉田　潤
亘　征子
荒木　寛畝
新井　勝利
在原　古玩
伊東　深水
伊東　万燿
石井　鼎湖
磯田　長秋
上原　卓
小川　芋銭
尾形　月耕
奥村　土牛
落合　朗風
梶田　半古
鏑木　清方
吉川　霊華

勝田　蕉琴
酒井　三良
須田　珙中
〈洋　画〉
相田　幸男
石山かずひこ
大山　富夫
大輪　信雄
熊坂　行夫
小林　聡一
佐藤　陽也
斎藤　秀夫
斎藤　良夫
白井　洋子
高橋　幸彦
七海　広
矢部　明
斎藤　清
関根　正二
長谷川　昇

茨　城

〈日本画〉
那波多目功一
間島　秀徳
谷中　武彦
河鍋　暁斎
木村　武山
清原　斎
小林巣居人
松本　楓湖
横山　大観
〈洋　画〉
青木　芳昭
飯塚　六郎
石川　理恵
今泉　尚樹
卯野　和宏
内山　節子
大西　敦子
鬼沢　泰治
郡司　静雄
古宇田公仁
斉藤　茂男
四竈　公子
清水　優
鈴木美登里
塚田　清
堤あすか
寺門　由紀
照沼　光治
日賀野兼一
和田　直樹
熊岡　美彦
栗原喜依子
栗原　信
小堀　進
鶴岡　義雄
中村　彝
永瀬　義郎
服部正一郎
塙　賢三
森田　茂
吉田　正雄

栃　木

〈日本画〉
荒井　孝
岸野　香
窪井　裕美
郡司　伸一
小林　済
北條　正庸
茂木　辰也
荒井　寛方
小杉　放庵
小堀　鞆音
島多　訥郎
羽石　光志
松本　哲男
〈洋　画〉
飯田　和彦
石川　茂
入江　観
潮田　和也
大竹　克幸
大根田　真
大谷　喜男
金子　亨
君島　龍輝
後藤　英雄
佐藤　美希
斎藤　功
鈴木裕見子
蛭田　均
藤沼　多門
武関　一成
松野　行
丸山　勉
森　實
柳田　晃良
吉川　龍
若井　良一
刑部　人
川島理一郎
笹島　喜平
清水　登之
山本　彪一
和気　史郎

群　馬

〈日本画〉
新井まち子
井田　昌明
桜井　敬史
須藤　和之
角田信四郎
藤谷　和春
茂木　隼一
磯部　草丘
岸浪百艸居
小室　翠雲
志村　立美
田中　青坪
高橋　常雄
〈洋　画〉
浅香　良太
今井　充俊
上杉　一道
柿沼　直文
金子　訓志
金子　濵
金子　文雄
川島タカフミ
木村　正紀
小永井聖子
佐々木和子
斉藤　秀雄
島崎　庸夫
関口　正人
田中　章夫
外処　旭
平尾　泰子
宮下　幸江
室越　健美
持田よし子
茂木　紘一
山口　進治
余村　展
河野　通勢
高沢　圭一
鶴岡　政男
南城　一夫
福沢　一郎
山口　薫
湯浅　一郎

埼　玉

〈日本画〉
浅野　信康
新井　政明
江川　直也
大久保信子
大竹　彩菜
大野　逸男
久保　孝久
小谷野直己
近藤　守
斎藤　博康
齋藤ゆりあ
篠田　雅典
関口　浩
三神慎一朗
村田　美和
森田　和彦
吉澤　光子
和田　雄一
小茂田青樹
小村　雪岱
森田　恒友
〈洋　画〉
青木恵美子
遊馬　賢一
新井　隆
安西　大
飯島　二朗
石田　淳一
岩崎　弘子
大久保信子
大隈　伸也
大沢　包房
大野　登
岡田　諭
カネコミホ
笠原　宏隆
倉林愛二郎
黒澤　信男
小磯　育央
小菅　光夫
今野樹里恵
近藤　友恵
佐野　京子
櫻井　孝美
島村　信之
菅沼　光児
菅野　瑠衣
関根吉亜木
滝沢　直次
竹馬のりこ

◆作家出身地一覧◆

北海道
〈日本画〉
伊藤みさと
尾崎 淳子
鎌田 義裕
木下 千春
小島 和夫
杉浦 左知
中野 邦昭
福井 爽人
福井 時子
前本 利彦
森 桃子
池田 幹雄
岩橋 英遠
片岡 球子
菊川 多賀
菊川三織子
森田 沙伊
山口 蓬春
〈洋 画〉
伊藤 光悦
居島 春生
石岡 剛
笠井 誠一
菊池 潤子
小林さと枝
小林 学
小牧 真緒
佐藤美江子
佐藤 祐治
スガミオコ
杉森企観明
セキ・トシ
園田 郁夫
たかたのりこ
田中 進
高田 龍子
高梨 芳実
高橋 哲夫
高橋 益之
丹 良行
塚原 貴之
続橋 守
南條 千恵
野口 俊介
野村 昭雄
藤田 遼子
細川 尚
前田 伸子
槙 利光
松井 典子
松田 環
三国 芳郎
三原它休身
安田 祐三
山田 啓貴
和田 義郎
輪島 進一
上野山清貢
蛯子 善悦
岡本 一平
木田金次郎
久保 守
国松 登
田中 忠雄
田辺三重松
武田 範芳
中村 善策
難波田龍起
長谷川濬二郎
俣野第四郎
丸木 俊
松樹 路人
三岸好太郎
渡辺祐一郎

青 森
〈日本画〉
相馬 勉
工藤 甲人
蔦谷 竜岬
〈洋 画〉
明山 応義
今川 和男
下村 正二
高木 博
戸狩 公久
長門 和恵
渡部 満
葛西 四雄
佐野 ぬい
関野準一郎
鷹山 宇一
奈良岡正夫
棟方 志功

岩 手
〈日本画〉
佐藤 晨
〈洋 画〉
石森 寛
小笠原千賀子
小笠原亮一
菊池 満
佐々木 友
清水 朋江
庄司 守
髙橋 行雄
松田 憲一
山中 雅彦
渡部 吟子
伊藤 應久
深沢 紅子
万 鉄五郎

宮 城
〈日本画〉
大場 茂之
能島 和明
前野 萃周
松下 雅寿
三浦ひろみ
三浦 理絵
太田 聴雨
〈洋 画〉
阿部 良広
伊藤 正宏
亀山 裕昭
黒田 悦子
佐々木康夫
佐藤 隆春
高橋 勉
丹野 清悟
西塚 弘
長谷川資朗
佐藤 哲郎

秋 田
〈日本画〉
小林 司
平林 貴宏
細川 良治
山田美知男
寺崎 広業
平福 穂庵
平福 百穂
福田豊四郎
〈洋 画〉
阿邑 隆策
小川 恒雄
大須賀 勉
口澤 弘
渋谷 重弘
須藤けい子
高根沢晋也
成田 康
三浦 明範
三浦 裕之
安田 早苗
伊勢 正義
田口 省吾
藤井 勉
山形 八郎

山 形
〈日本画〉
生田 宏司
須田 健文
山本 真也
小松 均
今野 忠一
福王寺法林
〈洋 画〉
大沼紘一郎
沖津 信也
黒木 普子
今野 恵一
佐藤 辰作
杉浦 幹男
武田 優作
名和 智明
中澤 知子
舟山 一男
和田 晶
斎藤 長三
菅野 矢一
椿 貞雄
真下 慶治

福 島
〈日本画〉
小泉 智英
小林 希光
齋 正機
齋藤 勝正
羽柴 正和
原 宏之
藤原まどか
桝田 隆満
諸星 美喜
今井 珠泉
大山 忠作

日本画家
洋画家 出身地一覧表

Memo

米 林 雄 一
二紀会理事　平櫛田中賞　現代日本美術展・日本国際美術展出　金沢美大　東京芸大大学院修　東京　昭和17年
〒110-0001 台東区谷中3-23-2　*03-3822-4522*

ワ

和田雄之助
無所属　昭和会展優秀賞　新具象彫刻展出品　東京芸大大学院修　新潟　昭和24年
〒369-1241 深谷市武蔵野字前原3912-5

渡 辺 浩 二
無所属　コモ国際コンクール大賞　ラベンナ国際彫刻ビエンナーレ銀賞　個展　G展　九州産大大学院修　伊国立ブレラ美術アカデミー修　福岡　昭和42年　**在伊**

綿 引 道 郎
元二科会参与　文部大臣賞　会員努力賞　ロダン大賞展特別優秀賞　東京芸大大学院修　東京　昭和17年
〒299-0263 袖ケ浦市奈良輪2510　*047-345-0072*

麦倉忠彦
新制作会員　新作家賞　個展　師菊池一雄・ジオルコフスキー　東京芸大卒　埼玉　昭和10年
〒340-0003 草加市稲荷4-3-23　0489-31-5011

六崎敏光
一陽会委員　特待賞　野外彫刻賞　木内克賞　現代日本具象彫刻展大賞　個展　茨城　昭和13年
〒315-0013 石岡市府中5-7-13　029-924-2079

村松達也
元モダンアート会員　現代彫刻展　毎日選抜展　朝日新人展他出品　個展　福井　昭和10年
〒639-1134 大和郡山市柳町380　07435-2-5496

村山　哲
日展会員　特選　元日彫会会員　西望賞　努力賞　個展　師長江録弥　愛知　昭和24年
〒215-0022 川崎市麻生区下麻生2-16-10　044-989-2464

茂木弘行
無所属　新樹会展招　現代彫刻17人展　個展　師舟越保武　東京芸大大学院修　新潟　昭和20年
〒959-0137 燕市源八新田　0256-98-4789

森　矢真人
日展会員　特選　日彫会会員　白日会展入　名古屋芸大大学院修　東京　昭和50年
〒400-0306 南アルプス市小笠原880-19　055-284-5626

森戸重臣
二紀会会員　優賞　同人賞　日本陶彫会会員　個展　師日原公大　宇都宮大卒　栃木　昭和42年
〒328-0074 栃木市薗部町2-21-20　0282-25-0636

ヤ

柳沼英夫
創型会同人　文部大臣奨励賞　個展　師伊東傀　房野徳夫　神奈川　昭和29年
〒242-0007 大和市中央林間6-2-1-415　0462-72-4386

安田　侃
無所属　芸術選奨文部大臣新人賞　師ペリクレ・ファッツィーニ　東京芸大大学院修　北海道　昭和20年
〒150-0046 渋谷区松濤1-23-3-201　03-3485-0537

籔内佐斗司
無所属　平櫛田中賞　神戸市緑化芸術賞展兵庫県立美術館賞　個展　東京芸大卒　大阪　昭和28年
〒156-0052 世田谷区経堂1-41-1　03-3420-1844

山井イク夫
無所属　元モダンアート会員　ＪＡＦミラノ展他出品　神奈川県展大賞　日大卒　昭和18年
〒264-0015 千葉市若葉区大宮台1-12-10　043-262-8741

山口秀太郎
元モダンアート会員　中部作家展中部作家賞　中日賞　個展　愛知教育大卒　愛知　昭和26年
〒441-8123 豊橋市若松町字丸山146-5　0532-25-0661

山下英二
無所属　埼玉県展入　大宮市展入　EWACC会員　個展多数　埼玉　昭和42年
〒337-0052 さいたま市見沼区堀崎町358-5-105　048-684-2014

山下みどり
元日展会友　特選　元白日会会員　奨励賞　師中村晋也　鹿児島大卒　昭和30年
〒244-0801 横浜市戸塚区品濃町535-2D-1101　045-826-0216

山瀬晋吾
日展会員　特選　日展新人選抜展出品　日彫会員　日彫賞　努力賞　石川　昭和10年
〒924-0865 白山市倉光8-40　0762-75-2730

山本眞輔
芸術院会員　芸術院賞　日展理事　総理大臣賞　日彫会常務理事　白日会副会長　愛知　昭和14年
〒463-0021 名古屋市守山区大森2-1913　052-798-9155

山本正道
新制作会員　平櫛田中賞　中原悌二郎賞　彫刻の森大賞展受賞　東京芸大大学院修　京都　昭和16年
〒251-0031 藤沢市鵠沼藤ガ谷4-5-9　0466-22-7075

湯村　光
無所属　中原悌二郎賞優秀賞　現代日本彫刻展東京国立近代美術館賞　東京芸大卒　鳥取　昭和23年
〒160-0015 新宿区大京町20-52　03-3225-6775

横山　徹
二紀会委員　宮本三郎賞　40周年記念賞　安田火災奨励賞他　金沢美工大卒　滋賀　昭和29年
〒259-1322 秦野市渋沢2962　0463-81-0634

横山祐三
日展会員　特選　日彫会員　県展招受賞　個展　師木下繁　岡山大卒
〒709-0612 岡山市内ケ原426　0862-97-3065

吉野　毅
芸術院賞　二科会常務理事　文科大臣賞　特選　ローマ賞　東京芸大大学院修　千葉　昭和18年
〒176-0012 練馬区豊玉北1-13-9　03-3948-0430

藤森　汎
三軌会運委　文部大臣奨励賞　三軌会賞　奨励賞　師小川正波　クチュリエ　パリ美大修　長野　昭和15年
〒154-0004 世田谷区太子堂4-8-10　03-3419-0048

藤原健太郎
元日展会員　特選　元日彫会会員　奨励賞　長崎大大学院修　長崎　昭和49年
〒856-0018 大村市今富町1054-5　0957-55-6380

舟越　桂
無所属　芸術選奨文科大臣賞　中原悌二郎優秀賞　平櫛田中賞　東京芸大大学院修　岩手　昭和26年
〒156-0054 世田谷区桜丘3-26-16　03-3426-2058

細野稔人
二紀会委員　文部大臣賞　菊華賞　同人賞　選抜展賞　ネーベ具象彫刻展結成　新潟大卒　新潟　昭和７年
〒330-0072 さいたま市浦和区領家2-7-20 048-886-1828

堀尾秀樹
日展会員　特選　日彫会会員　師三坂耿一郎　長江録弥　武蔵野美術学園修　広島　昭和26年
〒359-0021 所沢市東所沢2-13-12　04-2924-4136

本多正直
二紀会委員　同人賞　奨励賞　埼玉二紀展新人賞　東京学芸大卒　埼玉　昭和36年
〒340-0214 埼玉県鷲宮町葛梅1-25-5　0480-58-1632

マ

前嶋英輝
一陽会委員　会員賞　青麦賞　県展大賞　岡山大大学院修　岡山　昭和36年
〒716-1122 岡山県加賀郡吉備中央町竹荘1699

牧田裕次
創型会同人　創型会賞　文部大臣奨励賞　同人優秀賞　秀作木彫展　個展　師牧田秀雲　東京　昭和25年
〒347-0011 加須市北小浜1359　0480-68-5214

牧田善晴
無所属　個展　G展　伝通院観音勢至両脇侍像制作　東京芸大大学院修　東京　昭和23年
〒260-0032 千葉市中央区登戸1-22-14　043-274-3039

増井岳人
新制作会員　新作家賞　個展　グループ展　東京芸大大学院修　神奈川　昭和54年
〒247-0061 鎌倉市台3-1-6-405　0467-45-8786

増山俊春
無所属　彫刻日動展　昭和会展林武賞　個展　G展　師舟越保武　東京芸大大学院修　東京　昭和21年
〒359-1153 所沢市上山口1814-3　042-928-5474

松岡高則
日展会員　特選　日彫会員　現代美術選抜展招　県展運委審　昭和７年
〒729-0104 福山市松永町4-32-7　084-933-3305

松田裕康
日展会員　特選　日彫会員　日彫賞　日展新人選抜展招　県文化奨励賞　昭和18年
〒426-0051 藤枝市大州4-14-3　054-636-0072

松永　勉
行動美術会員　安田火災美術財団奨励賞　ヘンリームア大賞展上野の森美術館賞　個展　昭和23年
〒770-0801 徳島市上助任町三本松366-13　088-632-3275

丸山　勝
無所属　元国画会会員　国画賞　天展表統領大賞　個展　G展　愛知芸大大学院修　神奈川　昭和20年
〒463-0002 守山区中志段味字吉田洞2911-945　052-736-3798

三谷　慎
無所属　個展（ローマ・高島屋他）東京造形大卒　伊国立ローマアカデミー卒　石川　昭和28年
〒371-0201 前橋市粕川町中之沢249-64

三宅一樹
無所属　昭和会展日動美術財団賞　二科展ローマ賞　個展　多摩美大大学院修　東京　昭和48年
〒252-0141 相模原市緑区相原4-4-1　042-774-8166

南　安廣
無所属　元二紀会会員　宮本三郎賞　会員賞　個展　東京芸大大学院修　鹿児島　昭和23年
〒345-0832 南埼玉郡宮代町東粂原435-2　0480-34-0533

峯田敏郎
国画会会員　平櫛田中賞　昭和会展優秀賞　高村光太郎大賞展優秀賞　個展　師新海竹蔵　山形　昭和14年
〒350-1234 牛久市中央2-25-3　029-874-0381

宮崎　甲
無所属　新制作展出　カステランザ国際展出　伊・独G展　伊個展　伊留学　佐賀大卒　福岡　昭和33年
〒194-0202 町田市下小山田329-3　042-797-7962

宮瀬富之
芸術院会員　芸術院賞　日展理事　総理大臣賞　特選　日彫会理事　師松田尚之　金沢美大卒　京都　昭和16年
〒605-0035 京都市東山区粟田口三条坊町21-1

丹羽建生
元日展会員　特選　元日彫会員　奨励賞　努力賞　現代美術選抜展出　富山　昭和24年
〒211-0007 川崎市中原区上丸子天神町374-6　044-722-8025

西川吉彦
無所属　30周年記念大賞　現代美術選抜展　朝日美術展　個展　G展　武蔵野美大卒　愛知　昭和10年
〒470-3232 知多郡美浜町美浜緑苑2-6-7　0569-87-5839

西中良太
自由美術協会会員　新人賞　佳作賞　現代日本具象彫刻展出品　個展　多摩美大大学院修　大阪　昭和36年
〒563-0372 吹田市清水11-1-907　06-4864-2020

西村公泉
国画会年功会員　フィレンツェ芸術祭典地中海芸術大賞　個展　東京芸大大学院修　大阪　昭和25年
〒610-1106 京都市西京区大枝沓掛町26-668　075-332-6509

野崎　窮
無所属　昭和会展林武賞　岩手県優秀美術選奨　新具象彫刻展出品　個展　東京芸大大学院修　岩手　昭和29年
〒369-1304 埼玉県秩父郡長瀞町本野上324-4　0494-66-0282

野間口　泉
日展会員　特選　白日会会員　奨励賞　師中村晋也　鹿児島大卒　鹿児島　昭和35年
〒892-0875 鹿児島市川上町668-2　099-244-3142

能島征二
芸術院会員　芸術院賞　日展理事　文部大臣賞　特選　日彫会常務理事　師小森邦夫　茨城大卒　昭和16年
〒310-0851 水戸市千波町2363-6　029-244-5811

ハ

波多野　泉
無所属　昭和会展優秀賞　あさご芸術の森大賞展大賞　東京芸大大学院修　滋賀　昭和32年
〒900-0006 那覇市おもろまち2-5-13-202　サントピアおもろまち　090-6863-3819

橋本和明
二科会会員　会員賞　ロダン大賞展優秀賞　個展　金沢美工大卒　和歌山　昭和33年
〒643-0004 和歌山県有田郡湯浅町湯浅1499-1　0737-63-4077

原田裕明
日展会員　会員賞　特選　白日会会員　文部大臣賞　安田火災奨励賞　元日彫会員　師中村晋也　大分　昭和28年
〒874-0834 別府市新別府５組4-2　0977-25-7422

番浦有爾
元新制作会員　新作家賞　昭和会展優秀賞　毎日現代展　個展　京都　昭和10年
〒607-8418 京都市山科区御陵牛尾町33　075-581-3068

日野宏紀
元二紀会理事　文部大臣奨励賞　同人賞　宮本賞　日動彫刻展招　個展　東海大芸術研究所修　北海道　昭和24年
〒350-1215 日高市高萩東2-27-20

日原公大
二紀会常務理事　会員優賞　U氏賞　宮本賞　現代選抜展出　東京芸大大学院修　昭和20年
〒324-0032 大田原市佐久山2282-5　0287-28-2395

彦坂　良
無所属　原田賞　Banque populaire財団賞　Ecole Boulle留学　東京芸大大学院博士修　Atelier Ryo Hikosaka設立
ギャラリーら・む～気付　在仏

一鍬田　徹
日彫会会員　日彫賞　白日会会員　白日賞　日展特選　個展　千葉大大学院修　千葉　昭和39年
〒739-0048 東広島市西条東北町2-14-301　082-421-5846

平野千里
太平洋美術副会長　太平洋美術会賞　日彫展日彫賞　奨励賞　個展　師ファッツィーニ　平野富山　昭和23年
〒116-0013 荒川区西日暮里5-5-5　03-3805-0780

平原孝明
日展会員　特選　元日彫会員　選抜展文部大臣賞　高村光太郎大賞展受賞　宮崎　昭和18年
〒880-0052 宮崎市丸山2-270-2　0985-24-6835

蛭田二郎
芸術院会員　芸術院賞　日展顧問　文部大臣賞　特選　日彫会常務理事　個展　茨城大卒　茨城　昭和８年
〒701-1205 岡山市北区佐山2502-4　086-284-7727

深田充夫
無所属　ヘンリームア大賞展美ヶ原美術館賞　優秀賞　野外彫刻展入　個展　京都精華短大卒　滋賀　昭和31年
〒520-3232 湖南市平松平野553-39　0748-72-6660

藤木康成
二紀会委員　宮本賞　現代具象彫刻大賞展大賞　師村上炳人　金沢美大卒　京都　昭和27年
〒520-0221 大津市緑町21-11　077-572-3421

藤田英樹
国画会会員　奨励賞　安田火災美術財団奨励賞　昭和会展優秀賞　上越教育大大学院修　鳥取　昭和42年
〒683-0002 米子市皆生新田2-16-16　0859-21-8300

土田隆生
無所属　現代日本具象彫刻展大賞　神戸具象彫刻展大賞　高村光太郎大賞展受賞　滋賀　昭和18年
〒520-0001 大津市蓮池町14-30-205　*077-524-7520*

土屋　勝
国画会会員　新海賞　新人賞　個展　G展　カラーラ国立美術学校卒　千葉　昭和26年
〒263-0051 千葉市稲毛区園生町468-81　*043-253-0536*

辻畑隆子
日展会員　特選　白日会会員　日彫会員　現代美術選抜展出　ロダン大賞展受賞　個展　大分　昭和26年
〒879-1506 大分県速見郡日出町藤原4525-1　*0977-28-0444*

辻本博紀
無所属　現代鎌倉彫コンペティション00入賞　個展　金沢美工大卒　東京　昭和47年
〒195-0076 町田市金井カ丘3-33-3　*090-9345-7121*

堤　直美
日展会員　特選　日彫会員　日彫賞　県文化奨励賞　武蔵野美大卒　昭和25年
〒411-0000 静岡県長泉町駿河平137-173　*055-988-2515*

靏田清二
元国画会会員　昭和会展優秀賞　高村光太郎大賞展特別優秀賞　安田火災美術賞展賞　日大卒　福岡　昭和18年
〒359-1145 所沢市山口1404-17　*042-924-4105*

戸田裕介
無所属　神戸須磨離宮公園現代彫刻展優秀賞　大分アジア彫刻展大賞　武蔵野美大大学院修　広島　昭和37年
〒350-1317 狭山市水野字月見野532-67

利根川典央
無所属　元二紀会会員　同人賞　奨励賞　二紀新人選抜展奨励賞　関東二紀選抜展佳作賞　新潟　昭和23年
〒339-0044 さいたま市岩槻区真福寺384　*048-797-1591*

得能節朗
日展会員　総理大臣賞　会員賞　特選　日彫会員　日彫賞　現代美術展　金沢美大卒　昭和５年
〒921-8036 金沢市弥生2-16-28　*076-242-7554*

徳持耕一郎
無所属　個展（岡山奈義町現代美術館他）日仏アートマルシエ出品　東京JAZZ2003出品　鳥取　昭和32年
〒680-1412 鳥取市宮谷371-1　*0857-29-8385*

富田眞州
無所属　国際ビエン彫刻展金賞　ローマ展金賞　国際プレミオ展特選　ロダン大賞展他出　埼玉　昭和26年
〒418-0044 富士宮市大中里1274-8　*0544-23-3198*

土橋慶光
日展会友　元日彫会員　師伊藤五百亀　長江録弥　多摩美大卒　昭和16年
〒299-4314 千葉県一宮町新地1990-63　*0475-42-6548*

ナ

中岡慎太郎
無所属　ヘンリー・ムーア大賞展美ヶ原美術館賞　ロダン大賞展優秀賞　個展　多摩美大卒　岐阜　昭和32年
〒503-2103 岐阜県不破郡垂井町梅谷125　*0584-23-5033*

中垣克久
無所属　元新制作会員　新作家賞　ロダン大賞展大賞　東京芸大大学院修　伊ブレラアカデミア留学　岐阜　昭和19年
〒160-0011 新宿区若葉3-5　*03-3353-4066*

中嶋登茂美
無所属　現代日本具象彫刻展大賞　神戸具象彫刻展他出　個展　名古屋造形短大卒　広島　昭和18年
〒444-0071 岡崎市稲熊町1-31-1　*0564-24-6578*

中野　滋
無所属　ロダン大賞展彫刻の森美術館賞　昭和会展林武賞　個展　師船越保武　東京芸大大学院修　昭和26年
〒227-0061 横浜市青葉区桜台12-6　*045-983-6238*

中村晋也
文化勲章　文化功労者　芸術院会員　芸術院賞　日展顧問　文部大臣賞　日彫会顧問　大正15年
〒890-0044 鹿児島市常盤町1-1-22　*099-255-7027*

永野光一
二紀会委員　宮永賞　会員優賞　安田火災奨励賞　現代美術の祭展佳作賞　東京造形大卒　北海道　昭和29年
〒067-0052 江別市角山世田谷349-7　*011-382-8996*

長井武志
無所属　凰の会展　現代新鋭作家彫刻展　あうんの会展出品　東京造形大卒　東京芸大大学院修
〒330-0017 さいたま市見沼区風渡野340-1　*048-686-9915*

長澤知明
無所属　富山トリエンナーレ優秀賞　奨励賞　中之条ビエンナーレ出品　個展　東京芸大大学院修　岐阜　昭和22年
〒503-0017 大垣市中川町2-31-1　*0584-81-1982*

南部祥雲
日府展理事長　日府賞　努力賞　奨励賞　師南部白雲　米治一　富山　昭和22年
〒939-1104 高岡市戸出町2-2-21　*0766-63-3480*

神保　　雅
無所属　自由美術佳作賞　父子展　個展　G展　師神保豊　東京　昭和27年
〒350-0301 埼玉県鳩山町奥田104-14　*0492-96-1581*

菅原二郎
二科会常務理事　現代美術展・グラデッツ国際展・宇部現代彫刻展出　東京芸大大学院修　奈良　昭和16年
〒222-0021 横浜市港北区篠原北2-11-12-616　*045-434-2679*

杉本　　繁
元二科会会員　二科賞　記念賞　ユーゴスラビア彫刻シンポ参加　個展　多摩美大大学院修　昭和21年
〒214-0032 川崎市多摩区枡形5-16-3-102　*044-933-5706*

杉山惣二
元新制作会員　新作家賞　昭和会展優秀賞　ロダン大賞展優秀賞　東京芸大大学院修　昭和21年
〒248-0035 鎌倉市西鎌倉1-3-13　*0467-32-0256*

島根　　紹
無所属　高村光太郎大賞展佳作賞　現代日本彫刻展兵庫県立近代美術館賞　東京芸大大学院修　東京　昭和24年
〒133-0057 江戸川区西小岩5-10-15　*03-3659-2535*

嶋畑　　貢
日展会員　会員賞　特選　日彫会員　日彫賞　大阪芸大卒　滋賀　昭和27年
〒520-0241 大津市今堅田2-28-35

下山直紀
元二科会会員　特選　損保ジャパン美術財団奨励賞　個展　多摩美大大学院修　群馬　昭和47年
〒371-0822 前橋市下新田町460-4

ゼロ・ヒガシダ
新制作会員　新作家賞　協会賞　KAJIMA彫刻コンクール金賞　個展　東京芸大大学院修　広島　昭和33年
〒739-0142 東広島市八本松東2-15-3　*082-428-0149*

タ

田中　　毅
無所属　現代日本具象彫刻展大賞　神戸具象彫刻大賞展大賞　個展　東京芸大大学院修　宮崎　昭和26年
〒350-0022 川越市小中居903-3　*049-235-3847*

高岡典男
無所属　中原悌二郎賞展優秀賞　新潟市野外彫刻大賞展優秀賞　個展　G展　金沢美工大卒　東京　昭和25年
〒330-0005 さいたま市見沼区小深作400-19　*048-685-6110*

高野佳昌
無所属　元行動会員　神戸具象彫刻大賞展賞　長野市野外彫刻賞　京都府野外彫刻展府買上　京都　昭和16年
〒607-8076 京都市山科区音羽役出町25-3　*075-591-1556*

高橋　　勇
日展会員　特選　日彫会員　奨励賞　師澤田政廣　富山　昭和17年
〒930-0992 富山市新庄町2-6-47　*076-441-1108*

髙村光治
無所属　師髙村晴雲　東京芸大大学院修　東京　昭和42年
〒248-0026 鎌倉市七里ヶ浜1-17-7　*0467-32-1025*

高山仁志
三軌会運営委員　三軌会賞　互井賞　個展　師河野正造　東京造形大卒　群馬　昭和29年
〒371-0031 前橋市上細井町1823-5　*027-232-1884*

鷹尾俊一
無所属　昭和会展優秀賞　神戸具象彫刻展優秀賞　師柳原義達　日大卒　熊本　昭和25年
〒355-0327 比企郡小川町腰越1867　*0493-74-4138*

竹　　道久
元二科会会員　特選　二科賞　昭和会展優秀賞　個展　県芸術文化賞　東京芸大大学院修　鹿児島　昭和23年
〒899-5101 霧島市隼人町住吉321-7　*0995-42-1975*

竹谷邦夫
日展会員　特選　日彫会員　日彫賞　努力賞　個展　京都　昭和30年
〒607-8109 京都市山科区小山西御所町33-1 *075-591-8584*

谷口淳一
日展会員　特選　日彫会員　奨励賞　努力賞　金沢美工大卒　筑波大大学院修　昭和27年
〒605-0846 京都市東山区五条橋東6-583-94　*075-525-2787*

谷村俊英
日展会員　特選　日彫会員　個展　師矩幸成　金沢美工大卒　石川　昭和16年
〒923-1107 石川県能美郡寺井町末寺イ39　*0761-57-2308*

玉野勢三
無所属　昭樹会展招　全関西美術展読売新聞社賞　個展　師水島石根　愛知芸大大学院修　大阪　昭和29年
〒599-8242 堺市中区陶器北479　*072-234-9247*

津田裕子
二科会評議員　特選　会友賞　安田火災美術財団優秀賞　高村光太郎展受賞　個展　師桑原巨守　東京　昭和23年
〒167-0063杉並区和泉3-39-1　*03-3328-8168*

小清水　漸
無所属　中原悌二郎賞優秀賞　平櫛田中賞　ヴェネチア国際展出　個展　多摩美大卒　愛媛　昭和19年
〒563-0029 池田市五月丘2-1-7 A-102　*0727-53-1741*

小島靖成
日展会員　特選　元日彫会員　努力賞　師藤野天光　東京昭和19年
〒299-2526 南房総市沓見53-1　*0470-46-3432*

小堤良一
無所属　昭和会展出品　個展　師舟越保武　東京芸大大学院修　東京　昭和28年
〒230-0017 横浜市鶴見区東寺尾中台23-13　*045-575-7342*

サ

佐藤敬助
無所属　日展会員賞　特選　日彫展日彫賞　長崎大助教授　東京教育大大学院修　東京　昭和26年
〒852-8045 長崎市錦3-18-23　*095-843-4660*

佐山道知
自由美術会員　佳作作家賞　平和賞　個展　武蔵野美大卒　岡山　昭和17年
〒359-0026 所沢市牛沼310-5　*042-992-9488*

斎藤　馨
創型会運営委員　文部大臣賞　箱根大賞展他　個展　埼玉　昭和９年
〒346-0024 久喜市北青柳460-3　*0480-23-3567*

齋藤尤鶴
日展会員　会員賞　特選　日彫会員　日彫賞　努力賞　県展大賞　富山　昭和15年
〒932-0305 砺波市庄川町金屋1952　*0763-82-2137*

坂井彰夫
新制作会員　新作家賞　県展グランプリ　個展　Ｇ展　東京芸大大学院修　神奈川　昭和19年
〒216-0011 川崎市宮前区犬蔵2-13-8　*044-976-2905*

笹戸千津子
新制作会員　新作家賞　中原悌二郎賞　現代女流美術展　東京造形大卒　山口　昭和23年
〒184-0012 小金井市中町2-5-11　*042-381-1045*

塩原康正
元創型会運営委員　創型会賞　文部大臣奨励賞　個展　埼玉大卒　昭和12年
〒348-0012 羽生市与兵衛新田38　*048-565-3708*

鹿間厚次郎
二紀会委員　宮本賞　同人優賞　同人賞　須磨現代展出　個展　金沢美工大卒　兵庫　昭和16年
〒676-0082 高砂市曽根町宮前2452-2　*0794-47-3358*

柴田鋼造
芸術院賞　元日展理事　総理大臣賞　会員賞　特選　元日彫会理事　個展　東京芸大卒　昭和10年
〒486-0913 春日井市柏原町1-41　*0568-31-3777*

島田恭宏
太平洋美術会員　総理大臣賞　日彫会員　国際展他出　個展　師桜井祐一　昭和10年
〒330-0834 さいたま市大宮区天沼町2-863-5　*048-642-1215*

島田紘一呂
二科会理事　会員賞　ローマ賞　個展　多摩美大大学院修　東京　昭和19年
〒177-0042 練馬区下石神井5-4-11　*03-3904-9708*

島田勝吾
無所属　昭和会展優秀賞　新樹会展　現代国際彫刻展出　個展　東京芸大卒　昭和15年
〒286-0018 成田市吾妻1-16-7　*0476-27-5753*

嶋田秀男
元日展会員　特選　元日彫会員　日彫賞　師澤田政廣　富山　昭和33年
〒183-0035 府中市四谷4-54-71　*042-336-4983*

下川昭宣
新制作会員　新作家賞　昭和会展優秀賞　個展　師菊池一雄　細川宗英　東京芸大大学院修　愛知　昭和24年
〒155-0033 世田谷区代田3-10-22　*03-3422-4873*

小代　猛
日展会員　特選　日彫会員　白日会会員　奨励賞　長崎　昭和16年
〒859-3607 長崎県東彼杵郡川棚町城山113　*0956-82-5075*

城田孝一郎
新制作会員　協会賞　中原悌二郎賞優秀賞　平櫛田中賞　長野市野外彫刻賞　東京芸大卒　長野　昭和３年
〒204-0012 清瀬市中清戸2-622　*042-491-1276*

新宮　晋
現代日本展大賞　みなとみらい21展大賞　吉田五十八賞　東京芸大卒　大阪　昭和12年
〒669-1358 三田市藍本3990-7　*079-568-3737*

神保琢磨
創型会同人　創型会賞　国展　個展　父子展　師神保豊　大平洋美校　東京　昭和31年
〒350-0302 埼玉県鳩山町大橋759　*0492-96-0404*

柏 原 花 子
日展会員　特選　白日会会員　日彫会員　日彫賞　努力賞　師桑原巨守　女子美短大卒　神奈川　昭和23年
〒166-0014 杉並区松ノ木3-1-9-103　03-3313-6972

粕 谷 圭 司
元国画会会員　新人賞　北関東美術展優秀賞　個展　師舟越保武　東京芸大大学院修　栃木　昭和21年
〒320-0074 宇都宮市細谷町757-6　028-625-3143

片 山 博 詞
日展会員　特選　日彫会会員　奨励賞　昭和会展日動美術財団賞　熊本　昭和38年
〒810-0034 福岡市中央区笹丘3-10-10　092-721-0740

勝 野 眞 言
日展会員　会員賞　特選　日彫会員　奨励賞　昭和会展優秀賞　長野　昭和29年
〒359-1101 所沢市北中2-353-2　042-928-3184

亀 谷 政 代 司
日展会員　特選　元日彫会員　日彫賞　昭和会展笠間日動美館賞　師長江録弥　愛知　昭和27年
〒489-0987 瀬戸市西山町1-88-10　0561-84-7807

川 崎 普 照
芸術院会員　芸術院賞　日展顧問　総理大臣賞　特選　日彫会常務理事　個展　東京　昭和６年
〒115-0041 北区岩渕町19-4　03-3901-5369

河 崎 良 行
二紀会委員　文部大臣奨励賞　同人優賞　Ｕ氏賞　金属造型作家展　個展　徳島　昭和10年
〒770-0006 徳島市北矢三町4-9-13　088-632-0802

神 戸 峰 男
芸術院会員　芸術院賞　日展副理事長　文科大臣賞　日本彫刻会理事長　武蔵野美大卒　岐阜　昭和19年
〒509-0224 可児市久々利189　0574-64-5281

菅 野 邦 彦
元太平洋美術会員　太平洋美術会賞　会員秀作賞　新人賞　佳作賞　個展　師小畠広志　山形　昭和26年
〒197-0826 あきる野市牛沼478　042-559-3796

木 代 喜 司
日展会員　会員賞　特選　日彫会員　奨励賞　京展市長賞　個展　師松田尚之　京都学芸大卒　京都　昭和15年
〒603-8363 京都市北区衣笠総門町19　075-461-0778

木 戸 龍 一
無所属　現代国際彫刻展　現代展　ヘンリームア大賞展　個展　Ｇ展　福岡　昭和12年
〒810-0064 福岡市中央区地行4-17-4　092-781-0298

木 村 博 昌
元創型会委員　文部大臣賞　創型賞　個展　外遊　埼玉　昭和14年
〒330-0031 さいたま市北区吉野町2-244-8　048-667-4155

北 田 孝 之
無所属　行動美術会友賞　宇部野外彫刻展他出　個展　渡米　大阪　昭和12年
〒598-0072 泉佐野市泉ヶ丘83　0724-62-1609

九 後 稔
日展会員　特選　日彫会員　個展　師杉村尚　京都教育大卒　京都　昭和27年
〒562-0022 箕面市粟生間谷東2-23-5　072-729-0750

工 藤 健
二科会参与　文部大臣賞　日陶彫会委員　高村光太郎展受賞　師菊池一雄　東京芸大卒　秋田　昭和12年
〒358-0012 入間市東藤沢6-17-5　04-2964-9066

久 保 浩
日展会員　特選　日彫会員　日彫賞　県美術会理事　師朝倉文夫　甲南大卒　兵庫　昭和７年
〒285-0853 佐倉市小竹884　043-461-0106

久 保 田 俶 通
元日展会員　総理大臣賞　会員賞　特選　元日彫会監事　日彫賞　長野　昭和13年
〒272-0835 市川市中国分5-36-16　047-372-2525

楠 元 香 代 子
日展会員　会員賞　特選　日彫会員　白日会員　師中村晋也　鹿児島　昭和29年
〒890-0046 鹿児島市西田3-30-20-105　099-251-8367

熊 谷 喜 美 子
日展会員　特選　日彫会員　努力賞　金沢美大卒　富山　昭和23年
〒939-0362 射水市太閤山3-35　0766-56-3176

黒 川 晃 彦
無所属　昭和会展優秀賞　高村光太郎大賞展優秀賞　長野市野外彫刻賞　東京芸大大学院修　東京　昭和21年
〒169-0051 新宿区西早稲田1-16-14　03-3209-5858

桑 原 秀 栄
日彫会会員　優秀賞　日展入　東京芸大卒　群馬　昭和42年
〒371-0801 前橋市文京町3-29-6　027-221-9390

桒 山 賀 行
日展会員　総理大臣賞　特選　元日彫会員　奨励賞　西望賞　師澤田政廣　愛知　昭和23年
〒251-0051 藤沢市白旗3-12-4　0466-82-0982

岩田　実
無所属　元新具象彫刻会員　日本芸術メダル協会賞　個展　師舟越保武　東京芸大大学院修　岐阜　昭和23年
〒247-0062 鎌倉市山ノ内67　*0467-25-5329*

岩間　弘
新制作会員　新作家賞　東京野外現代彫刻展都知事賞　個展　金沢美工大大学院修　富山　昭和31年
〒362-0806 北足立郡伊奈町小室8224-9　*048-722-0983*

宇津孝志
日展会員　特選　日彫会員　日彫賞　富山県彫刻家連盟委員長　富山　昭和27年
〒939-2706 富山市婦中町速星312　*076-465-2769*

上田久利
日展会員　特選　日彫会員　日彫賞　現代美術選抜展出　師蛭田二郎　徳島　昭和27年
〒719-1161 総社市宿94　*0866-92-7671*

植田　努
日展準会員　特選　元日彫会会員　昭和会展東京海上日動賞　名古屋芸大大学院修　埼玉　昭和49年
〒467-0037 名古屋市瑞穂区弥富町字上山157-1-207

内田晴之
無所属　日本国際美術展大賞　ヘンリー・ムーア大賞展優秀賞　京都精華短大卒　静岡　昭和27年
〒604-8225 京都市中京区蟷螂山町464-1-1303

江里敏明
日展会員　特選　日彫会員　日彫賞　努力賞　奨励賞　師松田尚之　金沢美大　京都　昭和22年
〒606-0097 京都市左京区上高野前田町14-6　*075-791-0689*

圓鍔元規
日展会員　文科大臣賞　特選　会員賞　日彫会員　日彫賞　奨励賞　東京芸大卒　神奈川　昭和12年
〒211-0061 川崎市中原区小杉2-291　*044-722-2739*

遠藤利克
無所属　芸術選奨文科大臣賞　ヴェネツィアビエンナーレベネッセ賞　名古屋造形芸術短大卒　岐阜　昭和25年
〒350-1313 狭山市上赤坂くぬぎ山1871-5　*04-2959-2691*

遠藤幹彦
二紀会委員　会員優賞　安田火災美術財団賞　高村光太郎大賞展受賞　昭和会展招　青森　昭和24年
〒350-1245 日高市栗坪227-3　*042-986-0203*

小田信夫
二科会理事　文科大臣賞　ロダン大賞展彫刻の森美術館賞　師淀井敏夫　東京芸大大学院修　大阪　昭和23年
〒545-0021 大阪市阿倍野区阪南町1-28-4　*06-6622-3555*

小野直子
無所属　元創型会同人　創型会賞　文部大臣賞　京仏師巧匠苑会員　個展　師朋琳　東京　昭和18年
〒250-0117 南足柄市塚原4919-116　*0465-72-5057*

小張隆男
無所属　昭和会展優秀賞　新制作展入　神戸具象大賞展優秀賞　日大卒　茨城　昭和23年
〒300-4104 土浦市沢辺792　*029-862-5450*

尾崎　慎
無所属　神戸具象彫刻大賞展優秀賞　なよろ国際雪像彫刻大会グランプリ　個展　多摩美大大学院修　昭和36年
〒470-1162 豊明市栄町上姥子3-149　*0562-97-9160*

大須賀万里子
二紀会委員　田村賞　美学会会員　個展　グループ展　女子美大卒　佐賀　昭和22年
〒192-0914 八王子市片倉町1221-84　*0426-35-2114*

大森暁生
無所属　個展　愛知芸大卒　東京　昭和46年
〒120-0043 足立区千住宮元町31-18　*03-3882-6721*

岡本敦生
現代日本彫刻展国立国際美術館賞　ヘンリー・ムア大賞展特別優秀賞　多摩美大大学院修　広島　昭和26年
〒300-4205 つくば市安食2544-27　*029-877-2880*

桶本　寿
日展会員　特選　白日会会員　奨励賞　日彫会友　師中村晋也　長崎　昭和17年
〒856-0047 大村市須田ノ木町787-7　*0957-53-6249*

親松英治
日展会員　総理大臣賞　特選　日彫会員　仏遊　個展　師多嘉示　武蔵野美大卒　新潟　昭和９年
〒251-0873 藤沢市みその台1-4　*0466-54-7430*

カ

加藤　豊
無所属　元二紀会委員　文部大臣賞　宮本三郎賞　会員賞　同人優賞　昭和会展招　個展　山形　昭和23年
〒336-0911 さいたま市緑区三室215-6　*048-874-9595*

笠原鉄明
国画会会員　現代日本具象彫刻展優秀賞　昭和会展日動美術財団賞　太平洋美校修　富山　昭和28年
〒300-1234 牛久市中央2-15-3　*0298-74-1884*

ア

アレッサンドロ・ヨッシーニ
元新槐樹社会員　新人賞　奨励賞　個展（上野松坂屋）師吉野不二太郎　静岡　昭和40年
〒411-0845 三島市加屋町1-13　055-972-9676

阿部誠一
新制作会員　新作家賞　県美会評議員　現代展　野外個展　師佐藤忠良　愛媛　昭和６年
〒794-0056 今治市南日吉町3-3-50　0898-23-6654

阿部鉄太郎
日展会員　特選　日彫会会員　努力賞　昭和会展東京海上日動賞　兵庫　昭和53年
〒780-8064 高知市朝倉丁407　088-844-8404

青木三四郎
新制作会員　新作家賞　個展　東京芸大大学院修　千葉　昭和22年
〒260-0018 千葉市中央区院内1-9-1　043-222-5639

青木野枝
無所属　芸術選奨文部大臣新人賞　タカシマヤ美術賞　武蔵野美大大学院修　東京　昭和33年
〒198-0024 青梅市新町4-3-7-307

青山三郎
日展会員　特選　日彫会員　北陸日彫会員　県彫刻家連盟会員　師森田清一　富山　昭和26年
〒932-0212 南砺市山斐306　0763-82-4702

朝比奈秀男
無所属　個展（ロイドワークスギャラリー）渡米　武蔵野美大建築デザイン科卒　昭和42年
〒191-0032 日野市三沢4-7-5　042-592-6569

天野裕夫
無所属　神戸具象彫刻大賞展準大賞　円空大賞展岐阜県知事賞　多摩美大大学院修　岐阜　昭和29年
〒252-0328 相模原市南区麻溝台3497-1

雨宮一正
無所属　国際彫刻ビエンナーレ招　国際彫刻シンポ招　個展　東京芸大卒　パリ美大卒　長野　昭和９年
〒184-0004 小金井市本町2-13-13　0423-81-3394

雨宮透
新制作会員　新作家賞　個展　師佐藤忠良　東京造形大卒　東京　昭和18年
〒999-0825 山形市城北町1-20-14　023-643-6186

新井浩
国画会会員　新海賞　野島賞　昭和会展優秀賞　桜の森彫刻コンクール大賞　個展　埼玉　昭和36年
〒960-8161 福島市郷野目字東7-201　024-545-1290

伊加利庄平
無所属　あうんの会展出品　二人展　大宮市大円寺釈迦如来像制作　東京芸大大学院修　茨城　昭和35年
〒164-0013 中野区弥生5-17-4　03-3381-1785

池田カオル
無所属　元二科会会員　特選　昭和会展林武賞　個展　東京芸大大学院修　群馬　昭和21年
〒371-0018 前橋市三俣町1-24-7　027-232-1203

池田英貴
無所属　二科展入　県展特選　石の里フェスティバル入　個展　師石田栄一　馬越正八　愛媛　昭和37年
〒794-0803 今治市北鳥生町2-1-34　0898-32-0134

石黒光二
日展会員　会員賞　特選　日彫会理事　日彫賞　西望賞　師高橋剛　多摩美大卒　山形　昭和27年
〒359-1162 所沢市和ヶ原1-223-51　04-2949-1829

石谷孝二
国画会会員　国画賞　会友優作賞　県展賞　個展　愛知芸大卒　北海道　昭和27年
〒680-1416 鳥取市高住94-3　0857-28-0953

一色邦彦
新制作会員　新作家賞　高村光太郎賞　中原悌二郎賞　美ヶ原美術館賞　東京芸大卒　昭和10年
〒300-1225 牛久市新地町341　029-874-0270

市川悦也
無所属　ダンテ国際展金賞　個展　師平櫛田中　菊池一雄　東京芸大大学院修　奈良　昭和15年
〒658-0015 神戸市東灘区本山南町9-4-21　078-412-8866

猪瀬清四郎
国画会会員　受賞　文化庁現代展出　師清水多嘉示　武蔵野美大卒　長野　昭和12年
〒189-0024 東村山市富士見町2-16-33　042-393-1244

今成正孝
モダンアート会員　優秀賞　安田火災美術財団選抜奨励賞　多摩美大卒　群馬　昭和27年
〒374-0016 館林市松原1-2-25

祝迫芳郎
無所属　前橋アートコンペライブ銅賞　うわむき賞　淡水翁賞　東京芸大大学院修　鹿児島　昭和50年
〒270-0144 流山市前ヶ崎669-2-102　090-8053-9258

彫刻家

Memo

横山伸一
日本工芸会正会員　一水会展一水会賞　備前陶心会展受賞　個展（大丸　小田急）昭和36年
〒705-0001 備前市伊部2013-6　*0869-63-0825*

吉賀將夫
芸術院賞　日展理事　文部大臣賞　特選　現代工芸会理事　個展　師吉賀大眉　東京芸大卒　山口　昭和18年
〒758-0011 萩市椿東4404　*0838-22-2448*

吉筋恵治
無所属　富嶽ビエンナーレ展他出品　個展　師神山易之　田村悟郎　静岡　昭和27年
〒437-0206　静岡県周智郡森町葛布436　*0538-85-0174*

吉田洋子
日本工芸会正会員　元一水会会員　伝統工芸展入　個展　師三代八十吉　金沢美大卒　石川　昭和30年
〒926-0038　七尾市八幡町2-3　*0767-57-2766*

吉田美統
重要無形文化財　日本工芸会正会員　元一水会員　一水会賞　伝統工芸展高松宮記念賞　石川　昭和７年
〒923-0031 小松市高堂町ト-18　*0761-22-5080*

吉田幸央
日本工芸会正会員　伝統工芸展高松宮記念賞　伝統九谷焼工芸展大賞　石川　昭和35年
〒923-0031 小松市高堂町ト18　*0761-22-5080*

吉延美山
無所属　備前焼　第三文明賞　県展入　全関西展入　個展（神戸そごう他）岡山　昭和21年
〒705-0013 備前市福田567　*0869-66-8856*

吉本　正
日本工芸会正会員　伝統工芸展入　金重陶陽賞　県文化奨励賞　個展　岡山　昭和18年
〒705-0036 備前市閑谷1266　*0869-67-2363*

ラ

樂吉左衛門
十五代　無所属　楽焼　日本陶磁協会賞　岡田茂吉賞　個展　東京芸大卒　京都　昭和24年
〒602-0923 京都市上京区油小路中立売上ル　*075-441-0621*

ワ

和田　的
日本工芸会正会員　パラミタ陶芸大賞展大賞　日本陶芸展池田満寿夫賞　個展　師上瀧勝治　千葉　昭和53年
〒285-0844 佐倉市上志津原63-5　*043-487-4549*

若尾　経
無所属　パラミタ陶芸大賞展大賞　東海現代陶芸の今展　個展　日本大卒　多治見市陶磁器研究所修　昭和42年
〒507-0004 多治見市小名田町2-152　*0572-22-0601*

若尾利貞
日本工芸会正会員　美濃陶芸協会参与　日本陶磁協会賞　加藤幸兵衛賞　個展　昭和８年
〒507-0004 多治見市小名田町2-152　*0572-22-0601*

若尾　誠
日本工芸会正会員　伝統工芸展入　朝日陶芸展入　中日国際陶芸展入　個展　多治見工高卒　岐阜　昭和34年
〒507-0004 多治見市小名田町4-6　*0572-22-7686*

渡邊琢磨
無所属　日本伝統工芸展　茶の湯の造形展　個展　師山内厚可　関西大卒　兵庫　昭和43年
〒709-0521 岡山県和気郡和気町父井原1679　*0869-88-1321*

渡辺琢哉
無所属　朝日陶芸展入　東海伝統工芸展入　伝統工芸展入　日本伝統工芸展入　瀬戸窯業高卒　愛知　昭和32年
〒020-0834 盛岡市永井22-1-4　*019-637-9101*

渡部秋彦
日本工芸会東京支部会員　伝統工芸展入　新作展入　個展　山形　昭和34年
〒990-2401 山形市平清水75-2　*0236-41-0895*

森田信司
無所属　日本新工芸展入　個展　文化学院卒　京都府立陶工訓練校卒　広島　昭和36年
〒311-2203 鹿島市浜津賀317　0299-69-4764

森野泰明
芸術院会員　文化功労者　芸術院賞　日展顧問　特選　会員賞　新工芸展文部大臣賞　京都美大卒　京都　昭和９年
〒607-8322 京都市山科区清水焼団地町11-3　075-591-8361

森本英助
無所属　備前焼　個展（日本橋三越　岡山天満屋他）岡山　昭和16年
〒705-0034　備前市友延943-120　0869-67-1968

ヤ

矢内齊
日本工芸会正会員　日本陶芸展入　日本伝統工芸展入　伝統工芸新作展入　師加守田章二　福島　昭和23年
〒321-4212 芳賀郡益子町上大羽2169　0285-72-5520

弥延潤太
無所属　個展（新宿三越　池袋三越他）　師岡野法世　横浜国立大卒　静岡　昭和25年
〒279-0217 長生郡長柄町針が谷1589-47　0475-35-5485

安原喜孝
元日展会員　特選　現代工芸参与　バロリス国際陶芸展グランプリ　師安原喜明　東京教育大卒　昭和11年
〒153-0064 目黒区下目黒4-21-18　03-3716-4992

山内厚可
日本工芸会正会員　伝統工芸展入　日本陶芸展入　個展　京都美大卒　岡山大卒　昭和20年
〒705-0016 備前市坂根130　0869-66-9039

山上憲一
日本工芸会正会員　伝統工芸新作展奨励賞　日本伝統工芸展入　個展　師野中春甫　山田勢児　東京　昭和22年
〒413-0102　熱海市下多賀409-10　0557-68-6161

山岸大成
日展会員　特選　現代工芸会理事　総理大臣賞　文科大臣賞　金沢美大卒　石川　昭和31年
〒923-1121　能美市寺井町7-114　0761-57-1843

山口義博
元日展会友　元現代工芸会員　九谷久思陶窯　師浅蔵五十吉石川　昭和26年
〒923-0965　小松市串町南125　0761-43-3161

山崎光洋
三代　元日展会友　元日本新工芸会会員　個展（京都大丸）師河合誓徳　大阪芸大卒　京都　昭和37年
〒605-0864 京都市東山区五条橋東6-531　075-561-8053

山田和
無所属　個展（日本橋三越　大阪高島屋他）師加藤唐九郎　大阪芸大卒　愛知　昭和29年
〒916-0273 福井県丹生郡越前町小曽原16-14-2　0778-32-2538

山田常山
四代　無所属　師三代常山　個展（日本橋三越　名鉄百貨店他）愛知　昭和29年
〒479-0052　常滑市字夏敷39-1　0569-34-6632

山田想
無所属　東海現代陶芸の今展　個展（名古屋三越他）師三代　四代常山　常滑市立陶芸研究所修　愛知　昭和54年
〒479-0868 常滑市飛香台2-9-3　0569-34-6632

山田泰
無所属　日本工芸会近畿支部展入　個展（東武百貨店他）Ｇ展　師岩渕重哉　東京　昭和24年
〒355-0366 埼玉県都幾川村大野字船ノ沢2238　0493-67-1555

山田義明
日本工芸会正会員　創造美術会代表　伝統九谷工芸展優秀賞　創造記念展文科大臣賞　師武腰泰山　昭和23年
〒923-1111 能美市泉台町西5　0761-57-2007

山本出
日本工芸会正会員　伝統工芸展奨励賞　県展賞　個展　師山本陶秀　武蔵野美大卒　昭和19年
〒705-0001 備前市伊部931-2　0869-64-4789

山本教行
無所属　個展（うめだ阪急　米子高島屋他全国主要百貨店）鳥取　昭和23年
〒681-0025 鳥取県岩美郡岩見町宇治134-1　0857-73-0339

山本雄一
日本工芸会正会員　伝統工芸展文部大臣奨励賞　金重陶陽賞　県文化奨励賞　個展　師山本陶秀　昭和10年
〒705-0001 備前市伊部881-2　0869-64-2448

山本義博
日本工芸会正会員　伝統工芸展入　日本陶芸展入　朝日陶芸展入　新匠工芸展新匠賞　個展　奈良　昭和22年
〒635-0153 奈良県高取町下土佐297　0744-52-2759

大和保男
日本工芸会正会員　新作陶芸展日本工芸会賞　県無形文化財　山口　昭和８年
〒753-0001 山口市宮野上2419-2　083-928-0480

水野雅之
無所属　陽山窯三代　美濃陶芸協会賞　土岐陶芸会員　大阪芸大卒　岐阜　昭和32年
〒509-5102 土岐市泉町定林寺614-2　*0572-54-5343*

皆川仁史
無所属　個展　師鈴木蔵　愛知県立窯業職業訓練校卒　岐阜県立多治見工校卒　滋賀　昭和34年
〒529-1811 甲賀市信楽町江田607-15　*0748-82-1760*

峯岸勢晃
日本工芸会正会員　日本伝統工芸展入　日本陶芸展入　新作展入　個展（日本橋三越他）　埼玉　昭和27年
〒329-3215 栃木県那須町寺子乙2374-24　*0287-72-1380*

宮川喜吉
日本工芸会正会員　伝統工芸展入　草月花の器展受賞　個展　京都芸大卒　大阪　昭和18年
〒607-8322 京都市山科区清水焼団地町10-3　*075-592-2336*

宮川香齋
六代　無所属　個展（日本橋三越　京都高島屋他）東京造形大卒　京都　昭和19年
〒605-0873 京都市東山区下馬町484　*075-561-4373*

宮宅淪迸
無所属　伝統工芸展入　中日国際陶芸展他入個展　師森宝山・森泰司　岡山　昭和22年
〒705-0032 備前市麻宇那1266-1　*0869-67-0045*

宮崎祐輔
日本工芸会正会員　伝統工芸展入　日本陶芸展入　西部工芸展入　県展受賞　昭和29年
〒843-0303 佐賀県嬉野町吉田丁3855　*0954-43-9850*

宮沢　章
無所属　日本陶芸展入　個展（高島屋他）　師薄田浩司　秋田大卒　秋田　昭和25年
〒321-4217 栃木県益子町益子3929　*0285-72-0790*

迎　泰夫
無所属　日本伝統工芸展入　伝統工芸新作展入　東京芸大大学院修　愛知　昭和41年
〒329-4405 下都賀郡大平町西山田783　*0282-43-9064*

宗正芳明
無所属　日本セラミック協会正会員　個展（日本橋三越　柿伝ギャラリー他）広島　昭和14年
〒309-1626 笠間市下市毛芸術村　*0296-72-2147*

村越風月
日本工芸会正会員　伝統工芸展入　日本煎茶工芸展文部大臣奨励賞　師三代常山　愛知　昭和25年
〒479-0853 常滑市本郷町2-202　*0569-43-1488*

村田　森
無所属　個展　師荒木義隆　京都精華大卒　京都　昭和45年
〒603-8862 京都市北区雲ヶ畑中津川町268

望月　集
日本工芸会理事　伝統工芸展日本工芸会賞　日本陶芸展入　東京芸大大学院修　東京　昭和35年
〒164-0014　中野区南台5-32-5　*03-5385-3173*

茂登山泰晴
無所属　伝統工芸新作展入　武蔵野展入　県展特賞　個展（小田急他）昭和23年
〒379-1305 群馬県月夜野町後閑2196　*0278-62-6632*

本木眞悟
日本工芸会正会員　伝統工芸展奨励賞　東海伝統工芸展招　個展（日本橋東急他）東京　昭和25年
〒413-0232 伊東市八幡野字高塚1264-7　*0557-51-2074*

百田　輝
無所属　伝統工芸新作展入　個展（ギャラリーねこ）バロセロナ留学　東京芸大大学院修　徳島　昭和36年
〒351-0001 朝霞市上内間木493-1　*0484-56-1955*

森　一蔵
走泥社同人　日陶展入　ファエンツァ国際展入　個展（京王他）師日根野作三、藤沢昇　三重　昭和20年
〒511-0839 桑名市安永1169　*0594-21-0864*

森　克徳
日展準会員　新工芸会員　奨励賞　光風会展工芸賞　朝日陶芸展特別賞　個展　武蔵野美大卒　昭和30年
〒444-1325 高浜市青木町5-7-88　*0566-53-4928*

森　恵子
日本工芸会正会員　日本陶芸展入　日本伝統工芸展入　師藤本能道　田村耕一　東京芸大大学院修　昭和24年
〒422-8062 静岡市稲川1-7-21　*054-285-2517*

森　大雅
無所属　国際アート未来展新人賞　個展（銀座松屋）師木村玉舟　陶芸センター卒　岡山　昭和49年
〒705-0001 備前市伊部1749　*0869-64-3231*

森　丁斎
日本工芸会正会員　伝統工芸展　朝日陶芸展　個展（銀座三越他）師森風来　愛知大卒　岡山　昭和24年
〒705-0001 備前市伊部474-3　*0869-64-1295*

森　泰司
日本工芸会正会員　伝統工芸展入　中日国際陶芸展奨励賞　金重陶陽賞　個展　岡山　昭和22年
〒705-0001 備前市伊部710　*0869-64-2497*

星野亨斉
無所属　焼入窯変　朝日陶芸研究所主宰　個展（松屋・三越他）福岡　昭和14年
〒253-0013 茅ケ崎市赤松町11-4　0467-53-3497

堀　一郎
無所属　日本伝統工芸展　中日国際陶芸展　朝日陶芸展　個展　師加藤孝造　岐阜　昭和27年
〒509-6101 瑞浪市土岐町大草8488-13　0572-68-3959

堀野証嗣
無所属　安南焼　伝統工芸展入　現代工芸展入　朝日展知事賞　個展　師辻光典　三重　昭和24年
〒510-0018 四日市市白須賀2-9-11　0593-31-2470

本庄健二
元日展会友　元現代工芸会員　会員賞　個展　師安田全宏　昭和24年
〒607-8301 京都市山科区西野山百々町10-56　075-592-2505

マ

前田昭博
重要無形文化財　日本工芸会理事　日本陶磁協会賞　新匠会会員　個展　大阪芸大卒　昭和29年
〒680-1252 鳥取市河原町本鹿282　0858-85-0438

前田正博
日本工芸会正会員　日本陶磁協会賞　個展　師藤本能道・田村耕一　東京芸大大学院修　京都　昭和23年
〒106-0032 港区六本木3-5-7　03-3586-1205

前田泰昭
日展会員　特選　新工芸顧問　県芸術文化賞　佐賀新聞芸術文化奨励賞　佐賀　昭和12年
〒849-4107 佐賀県有田町下本乙2487　0955-46-3089

松井康陽
日本工芸会正会員　伝統工芸展入　日本陶芸展入　個展　師松井康成　筑波大卒　茨城　昭和37年
〒309-1611 笠間市笠間350　0296-72-0555

松井與之
日本工芸会正会員　伝統工芸展入　金重陶陽賞　県文化奨励賞　個展　師森野嘉光　熊本　昭和６年
〒705-0021 備前市西片上2048　0869-64-4436

松崎　健
国画会会員　野島賞　会友優作賞　個展　師島岡達三　東京　昭和25年
〒321-4217 栃木県益子町益子4090-2　0285-72-0688

松下忠生
無所属　個展（池袋東武　渋谷東急他）師佐久間賢司　栃木　昭和26年
〒321-4217 栃木県益子町益子297-3　0285-72-5681

松嶋　勉
日本工芸会正会員　支部会長賞　教育長賞　県展賞　一水会展受賞　個展（岡山天満屋他）岡山　昭和12年
〒705-0001 備前市伊部308　0869-64-2471

松嶋　弘
日本工芸会正会員　伝統工芸展入　個展(三越他)　師金重道明　多摩美大卒　岡山　昭和35年
〒705-0001 備前市伊部308　0869-64-2471

松田百合子
無所属　ファエンツァ国際陶芸展金賞　現代国際陶芸展優秀賞　個展　京都市立美大卒　兵庫　昭和18年
〒401-0511 南都留郡忍野村忍草3432　0555-84-2431

松林豊斎
十五代　無所属　朝日焼　京都伝統陶芸家協会員　個展　武蔵野美大卒　昭和25年
〒611-0021 宇治市宇治山田11　0774-23-2511

松本佐一
元日展会員　特選　元現代工芸評議員　元光風会会員　九谷陶芸展グランプリ　金沢美大卒　石川　昭和５年
〒920-2321 白山市吉野春29　07619-5-5848

三浦竹泉
五代　京都伝統陶芸協会役員　府美術工芸研究会委員　個展　師四代三浦竹泉　同志社大卒　京都　昭和９年
〒605-0846 京都市東山区五条橋東6-493-1　075-561-2987

三原　研
無所属　日本陶磁協会賞　パラミタ陶芸大賞展準大賞　個展　師舩木研児　島根　昭和33年
〒699-0405 松江市宍道町上来待1715-7　0852-66-3020

三好健太郎
無所属　個展（日本橋高島屋　京都高島屋他）師徳沢守俊　木村盛和　北海道　昭和28年
〒915-1242 越前市粟野町3-17　0778-28-1132

三輪休雪
十二代　無所属　日本陶磁協会賞金賞　ファエンツァ国際陶芸展賞　個展　東京芸大大学院修　昭和15年
〒758-0011 萩市椿東858-9　0838-25-3388

見附正康
無所属　パラミタ陶芸大賞展大賞　工芸未来派展出品　師福島武山　九谷焼技術研究所卒　石川　昭和50年
〒922-0414 加賀市片山津町オ40　0761-75-4166

樋口大桂
無所属　朝日陶芸展入　茶の湯の造形展入　個展　師守繁栄徹　東京デザイナー学院卒　東京　昭和30年
〒758-0011 萩市椿東1505-2　0838-22-1447

東田茂正
無所属　朝日陶芸展入　伝統工芸新作展入　個展　下関市立大卒　広島　昭和30年
〒184-0015 小金井市貫井北町1-7-31　042-386-1061

人見啓一
日本工芸会正会員　日本陶芸展文部大臣賞　陶芸ビエンナーレ準大賞　個展　茨城　昭和24年
〒253-0063 茅ヶ崎市柳島海岸1283-11　0467-85-2474

平尾峰春
全陶展副会長　群馬支部長審査員　日中陶芸文化交流展文部大臣奨励賞　山崎記念特別賞　昭和15年
〒371-0036 前橋市敷島町250-6　027-232-7766

廣瀬義之
日本工芸会正会員　日本伝統工芸展入　個展（日本橋高島屋）師藤本能道　東京芸大大学院修　栃木　昭和29年
〒198-0063 青梅市梅郷1-89

深見陶治
無所属　日本陶磁協会賞　毎日芸術賞　ファエンツァ展大賞　中日展大賞　個展　京都　昭和22年
〒612-0829 京都市伏見区深草谷口町86-1　075-643-3956

福岡琢也
無所属　東海伝統工芸展入　めん鉢大賞展入　個展　早稲田大卒　常滑市立陶芸研究所修　東京　昭和35年
〒250-0106 神奈川県寒川町宮山3059-6　0467-74-2807

福島善三
重要無形文化財　日本工芸会正会員　総裁賞　伝統工芸展高松宮記念賞　日本陶芸展大賞　福岡　昭和34年
〒838-1601 福岡県朝倉郡東峰村小石原978-2　0946-74-2056

福田陶華
重要無形文化財　無所属　渋民焼主宰　朝日陶芸展入　蒼樹会展受賞　個展　師野津佐吉・梶田敬　佐賀　昭和26年
〒377-0022 渋川市御陰3786-1　0279-24-5514

福野道隆
日本工芸会正会員　伝統工芸会展40回記念賞　個展（日本橋三越）師伊藤東彦　埼玉　昭和45年
〒309-1631 笠間市箱田3194-14　0296-72-9109

藤井錦彩
無所属　九州新工芸展大賞　個展（福岡県立美術館　全国百貨店）師井上萬二　有田窯業大卒　佐賀　昭和51年
〒849-4166 佐賀県有田町北ノ川内丙1488-1　0955-46-4328

藤岡周平
無所属　現代工芸展出品　個展（阪神・伊勢丹他）師谷本光生　立命館大卒　愛媛　昭和22年
〒518-0021 上野市諏訪563　0595-24-5378

藤村小春
無所属　萩焼　個展　師納富鳥雲・松野緑栄　萩女子短大卒　山口　昭和23年
〒758-0134 山口県阿武郡川上村立野　083854-2757

藤原　均
無所属　伝統工芸展入　中日国際陶芸展入　個展　師清水武・藤原建　兵庫　昭和23年
〒705-0001 備前市伊部210-2　0869-63-1093

舩木伸児
無所属　田部美術館大賞「茶の湯の造形展」優秀賞　個展　師舩木研児　武蔵野美短大卒　島根　昭和35年
〒699-0203　松江市玉湯町布志名437　0852-62-0710

船戸あやこ
無所属　バヤドリッド国際陶芸コンクール特別賞　スペイン国立マニセス陶芸学校卒　スペインタイル工房主催
〒336-0023 さいたま市南区神明1-1-12　トレードウインド

古田英晶
無所属　朝日陶芸展グランプリ　第25回記念賞　日展入　新工芸展入　個展　師加藤裕英　岐阜　昭和34年
〒509-5401 土岐市駄知町雨池827-1　0572-59-2330

古野幸治
日本工芸会正会員　伝統工芸展入　中日国際陶芸展入　大阪工芸展賞　個展（日本橋三越他）大阪　昭和18年
〒599-0231 阪南市貝掛1070-1　0724-76-5158

古谷　徹
日本工芸会正会員　伝統工芸展入　日本陶芸展入　大阪工芸展知事賞　特別賞　個展　大阪　昭和23年
〒598-0021 泉佐野市日根野3142-3　0724-67-0043

保立　剛
日本工芸会正会員　陶美展日本陶芸美術協会賞　陶芸財団展文科大臣賞　一水会賞　中央大卒　千葉　昭和37年
〒193-0832　八王子市散田町3-17-18　042-668-2478

星野友幸
日本工芸会正会員　陶美展優秀賞　日本陶芸展特別賞　個展　師猪飼祐一　京都府立陶工専門校修　昭和51年
〒185-0022　国分寺市東元町2-20-12

星　正幸
無所属　一水会展佳作賞　茶の湯造形展入　個展（日本橋三越他）上智大卒　東京　昭和24年
〒701-4273 岡山県邑久郡長船町磯上3066　0869-26-3764

西 田 宣 生
日本工芸会正会員　田部美術館大賞「茶の湯の造形展」大賞　現代茶陶展TOKI織部大賞　高知　昭和50年
〒783-0092 南国市田村乙997-2　*088-863-0479*

西 端 　正
日本工芸会正会員　伝統工芸展総裁賞　茶の湯造形展大賞　優秀賞　個展（日本橋三越）　兵庫　昭和23年
〒669-2135 篠山市今田町上立杭2-9　*079-597-3162*

西 部 　功
元新工芸会員　都知事賞　日展入　朝日陶芸展特別賞　奨励賞　個展　宇都宮大大学院修　岐阜　昭和23年
〒501-3524 岐阜県武儀町下之保西洞　*0575-49-3433*

西 本 瑛 泉
令和5年9月28日歿
恩賜賞　日展会員　特選　現代工芸会員　総理大臣賞　市文化功労章　師吉賀大眉　広島　昭和３年

野 坂 康 起
元日展会友　日本工芸会正会員　元新工芸会員　個展　三重　昭和６年
〒758-0000 萩市玉江二区　*0838-22-0879*

ハ

長谷川紀代
女流陶芸会員　受賞　日展入　一水会賞　台北陶芸展招　個展　石川　昭和15年
〒923-0825 小松市西軽海町4-169　*0761-47-0165*

波多野善蔵
日本工芸会正会員　伝統工芸展奨励賞　県芸術文化振興奨励賞　師吉賀大眉　山口　昭和17年
〒758-0057 萩市堀内247-8　*0838-22-1784*

波多野英生
日本工芸会正会員　おおたき北海道陶芸展銀賞　父子展（日本橋三越）多摩美大卒　山口　昭和46年
〒758-0057 萩市堀内247-8　*0838-22-1784*

橋 本 昌 彦
日本工芸会正会員　日本陶芸展文部大臣奨励賞　日本工芸会賞　個展　北海道　昭和26年
〒989-2424 岩沼市早股字猫原69　*0223-22-3886*

蓮 　善 隆
無所属　個展（日本橋高島屋　大阪高島屋他）師番浦史郎　長崎　昭和24年
〒518-0024 伊賀市東高倉3198　*0595-24-1107*

服 部 牧 子
源流会員　新陶彫会員　NAU美術会員　個展　瀬戸窯業高等専門学校卒　静岡　昭和24年
〒507-0071 多治見市旭ヶ丘7-16-66　*0572-29-1357*

浜 田 英 峰
無所属　日本民芸館入　個展（銀座たくみ　神戸阪急）日大卒　師島岡達三　愛媛　昭和30年
〒321-4216 栃木県芳賀郡益子町塙1324　*0285-72-8364*

濱 田 友 緒
無所属　個展（日本橋三越他）多摩美大大学院修　栃木　昭和42年
〒321-4217 栃木県芳賀郡益子町益子3387　*0285-72-5311*

林 　慶 一
無所属　個展（京阪百貨店他）　師林秀行　京都　昭和39年
〒605-0846 京都市東山区五条橋東6-541　*075-541-0151*

林 　恭 助
日本工芸会正会員　東海伝統工芸展賞　個展（日本橋三越）　師加藤孝造　岐阜　昭和37年
〒509-5142 土岐市泉町久尻1295-2

林 正 太 郎
日本工芸会正会員　伝統工芸展入　美濃陶芸協会理事　朝日陶芸展入賞　個展　昭和22年
〒509-5202 土岐市下石町山神2388-55　*0572-57-2027*

林 　寧 彦
日本工芸会正会員　伝統工芸新作展入　日本伝統工芸展入　師浜渡富雄　早稲田大卒　岡山　昭和28年
〒275-0026 習志野市谷津1-24-28　*047-473-3333*

原 　　清
重要無形文化財　日本工芸会功労会員　伝統工芸展会長賞　個展　師石黒宗磨・清水卯一　島根　昭和11年
〒369-1214 埼玉県寄居町今市746-1　*0485-82-1570*

原 口 卓 士
日本工芸会正会員　伝統工芸展入　個展（高島屋他）京都窯業訓練所卒　昭和22年
〒605-0845 京都市東山区竹村通150　*075-561-5354*

原 田 拾 六
無所属　備前焼　個展（日本橋三越・阪神他）植村直己記念碑制作　明大卒　岡山　昭和16年
〒705-0001 備前市伊部1579　*0869-64-4889*

馬 場 弘 吉
日本工芸会正会員　伝統工芸展入　個展（京都高島屋）　師石黒宗磨　京都　昭和16年
〒605-0925 京都市東山区今熊野日吉町13-8　*075-551-3265*

南雲　龍
日展会員　文部大臣賞　特選　現代工芸理事　金沢美大卒　群馬
〒407-0301 北杜市高根町清里3545-1　*0551-48-4215*

直木美佐
無所属　個展（日本橋三越他）師江川拙斎　直木友次良　静岡　昭和22年
〒248-0024 鎌倉市稲村ヶ崎3-15-39

中尾　純
日本工芸会正会員　日本伝統工芸展入　西部伝統工芸展奨励賞　師井上萬二　有田窯業大卒　佐賀　昭和52年
〒844-0012 佐賀県有田町桑古場乙2395-1　*0955-42-2856*

中川千賀子
無所属　国際セラミックドールコンクールブルーリボン賞１位　高松宮妃殿下献上　アメリカ留学　昭和38年
〒670-0876 姫路市西八代町12-12-403　*079-295-5771*

中里　隆
無所属　日本陶磁協会賞　個展　師十二代中里太郎右衛門　佐賀　昭和12年
〒847-0825 唐津市見借4333-1　*0955-74-3503*

中里太亀
無所属　個展（新宿伊勢丹）　師中里隆　佐賀　昭和40年
〒847-0825 唐津市見借4333-1　*0955-74-3503*

中里太郎右衛門
十四代　元日展会友　特選　日本工芸会正会員　日工会評議員　会員賞　武蔵野美大大学院修　佐賀　昭和32年
〒847-0821 唐津市町田5-2-10　*0955-72-8171*

中島克童
無所属　伝統工芸新作展奨励賞　益子陶芸展濱田庄司賞　日本陶芸展優秀作品賞　東京　昭和29年
〒259-1304　秦野市堀山下1570-2　*0463-88-2748*

中嶋健一
日本工芸会正会員　日展入　朝日陶芸展入　個展　師中嶋寿山　石川　昭和23年
〒923-1121 石川県能美郡寺井町寺井ヨ110　*0761-57-1833*

中田一於
日本工芸会常任理事　伝統工芸展文科大臣賞　個展　師三代徳田八十吉　石川　昭和24年
〒923-0031 小松市高堂町ロ158　*0761-22-5628*

中田博士
無所属　伝統工芸展新人賞　金沢市工芸展大賞　個展（日本橋高島屋）京都精華大卒　石川　昭和54年
〒923-0031 小松市高堂町ロ-158　*0761-22-5628*

中村元風
日本工芸会正会員　伝統工芸展入　個展　師中村翠恒　三代徳田八十吉　金沢大大学院修　石川　昭和30年
〒922-0862 加賀市大聖寺錦町13-37 甲　*0761-72-0901*

中村康平
無所属　国際現代陶芸展　工芸未来派展　個展（日本橋三越）多摩美大卒　石川　昭和23年
〒920-0902 金沢市尾張町2-16-19　*076-231-6466*

中村卓夫
無所属　越後妻有アートトリエンナーレ　個展（和光ホール）師中村梅山　石川　昭和20年
〒920-0902 金沢市尾張町2-16-22　*076-222-0779*

中村重人
元日展会友　元現代工芸会員　現代工芸会賞　個展　師浅蔵五十吉　石川　昭和21年
〒923-1112 石川県寺井町佐野2-2　*0761-57-1688*

長江重和
無所属　朝日陶芸展グランプリ　国際陶磁器展グランプリ　個展　瀬戸窯業高卒　愛知　昭和28年
〒480-1218 瀬戸市中品野町37　*0561-41-0317*

永末隆平
無所属　伝統工芸中国展入　県展奨励賞　茶の湯造形展入　個展　師山本陶秀・山本雄一　福岡　昭和26年
〒701-4273 岡山県邑久郡長船町土師1436　*08692-6-3389*

新里明士
無所属　パラミタ陶芸大賞展大賞　ファエンツァ国際陶芸展新人賞　個展　多治見陶磁器研究所修　昭和52年
〒509-5202 土岐市下石町738

西浦　武
無所属　個展（JRタカシマヤ）師木村盛和　東京大卒　福井　昭和16年
〒916-0200 福井県丹生郡織田町脇谷　*0778-36-1529*

西川　聡
無所属　高岡クラフトコンペ優秀賞　日本クラフト展　個展（京王）武蔵野美大卒　愛知　昭和42年
〒259-0321 足柄下郡湯河原町吉浜1939-8　*0465-62-0633*

西川　勝
新工芸審議員　奨励賞　朝日陶芸展新人賞　全関西美術展１席　個展　武蔵野美大卒　京都　昭和37年
〒612-0819 京都市伏見区深草僧坊山町5-3　*075-641-0378*

西川　實
日展会員　総理大臣賞　特選　新工芸理事　文部大臣賞　師楠部弥弌・叶光夫　京都　昭和４年
〒612-0819 京都市伏見区深草僧坊山町5-3　*075-641-0378*

武腰　潤
日本工芸会正会員　日本陶磁協会賞　日本伝統工芸展朝日新聞社賞　個展　金沢美工大卒　石川　昭和23年
〒923-1121 能美市寺井町た83　0761-57-0083

棚橋　淳
日展会友　日本新工芸会員　日本新工芸賞　加藤卓男賞　朝日陶芸展奨励賞　岐阜　昭和34年
〒489-0027　瀬戸市東拝戸町94-12　0561-84-5999

谷口正典
日展会友　日本新工芸会員　会員賞　日展入　京都作家協会奨励賞　個展　師谷口良三　京都　昭和29年
〒607-8322 京都市山科区清水焼団地町11-10　075-591-1688

谷本　景
無所属　個展（三越他）師日根野作三　加藤仁　三重　昭和23年
〒518-0022 伊賀市三田1113　0595-21-4184

谷本　洋
無所属　個展（日本橋三越　ロンドン）師谷本光生　京都市立工業試験場修　三重　昭和33年
〒518-0002 伊賀市三田2305　0595-24-0030

玉置保夫
日本工芸会正会員　国際陶磁展賞　日本陶磁協会賞　朝日陶芸賞　加藤幸兵衛賞　個展　岐阜　昭和16年
〒507-0814 多治見市市之倉町11-45　0572-23-1804

塚本治彦
日本工芸会準会員　朝日陶芸展グランプリ　現代茶陶展銀賞　伝統工芸展入　個展（名古屋三越他）昭和34年
〒509-5401 土岐市駄知町1143-11　0572-59-8900

塚本　満
日本工芸会正会員　伝統工芸展入　支部展教育委員会賞　個展　師塚本快示　岐阜　昭和26年
〒509-5401 土岐市駄知町1805　0572-59-8415

月形明比古
無所属　鬼志野　志野　織部　国務大臣賞　プラハ国立美術館招待　個展　師那比古　京都造形大卒　昭和42年
〒509-5142 土岐市泉町五斗蒔　0572-54-3538

辻　聡彦
日展会友　現代工芸会員　現工賞　九山展大賞　個展　佐賀　昭和40年
〒844-0002 佐賀県有田町中樽1-5-14　0955-42-2653

辻　常陸
十五代　宮内庁買上　個展　宮殿春飾盆器制作　佐賀　昭和14年
〒844-0003 西松浦郡有田町上幸平1-9-8　0955-42-2411

恒岡光興
日本工芸会正会員　伝統工芸展入　朝日陶芸展入　中日国際陶芸展入　個展　三重　昭和14年
〒518-1314 伊賀市円徳院1085　0595-43-0037

壺井義統
日本工芸会正会員　伝統工芸展入　近畿展日経奨励賞　支部長賞　個展　師清水卯一　大阪　昭和20年
〒589-0005 大阪狭山市狭山4-2496　0723-65-0070

寺池静人
芸術院賞　日展会員　新工芸会長　総理大臣賞　文部大臣賞　師楠部弥弌　昭和８年
〒607-8322 京都市山科区清水焼団地町11-8　075-581-6482

寺田康雄
無所属　朝日陶芸展グランプリ　朝日現代クラフト展招待　多摩美大卒　愛知　昭和23年
〒489-0028 瀬戸市西窯町142　0561-82-4077

寺本　守
日本工芸会正会員　板谷波山賞　伝統工芸展日本工芸会賞　県芸術祭美術展優賞　個展　師松本佐一　昭和24年
〒309-1622 笠間市南吉原406　0296-72-5915

天坊昌彦
無所属　個展（なんば高島屋他）師牧勇吉　京都芸大卒　大阪　昭和22年
〒569-0814 高槻市富田町5-26-4　0726-96-0265

徳澤守俊
日本工芸会正会員　伝統工芸展文科大臣賞　個展　師中里無庵　東京　昭和18年
〒811-2114 福岡県粕屋郡須恵町上須恵43-2　092-932-2697

徳田八十吉
四代　日本工芸会正会員　伝統九谷焼工芸展大賞　伝統工芸展入　個展（高島屋他）石川　昭和36年
〒923-0153 小松市金平町新5　0761-41-1234

豊住和廣
日本工芸会正会員　伝統工芸展入　新匠工芸会展入　個展（阪急他）大阪芸大卒　奈良　昭和22年
〒630-1236 奈良市大保町692　0742-94-0562

ナ

奈良千秋
無所属　個展（池袋西武・小田急他）陶芸三人展（大手町画廊）愛知県立窯業訓練校卒　秋田　昭和25年
〒386-2203 上田市真田町傍陽458-2　0268-75-3554

田中佐次郎
無所属　唐津焼　個展（黒田陶苑）師加藤唐九郎　福岡　昭和12年
〒849-5124 唐津市浜玉町山瀬マリ石　0955-56-8280

田村雲溪
二代　陶光会理事　文部大臣奨励賞　10周年記念賞　個展　師初代雲溪　安東五　昭和29年
〒740-0500 山口県玖珂郡美川町河山　0827-76-0112

田村星都
無所属　個展（日本橋三越他）師田村敬星　九谷毛筆細字　九谷焼技術研究所修　石川　昭和55年
〒923-0031　小松市高堂町イ-53　0761-22-6767

田村了一
元二科会会員　銀賞　特賞　ユーゴ国際シンポジウム参加　個展　師田村耕一　東京芸大卒　栃木　昭和21年
〒372-0845 佐野市久保町126　0283-24-5621

田原陶兵衛
十三代　日本工芸会正会員　日本伝統工芸展入　個展　師中里重利　武蔵野美大大学院修　山口　昭和26年
〒759-4103 長門市深川湯本1403　0837-25-3406

高井　進
日本工芸会正会員　伝統工芸展入　日本陶芸展入　個展　新潟　昭和13年
〒949-2300 新潟県中頸城郡中郷村江端　0255-74-4020

髙垣　篤
無所属　菊池ビエンナーレ優秀賞　朝日陶芸展秀作賞　ヴァロリス陶磁器ビエンナーレ招待　神奈川　昭和21年
〒221-0812 横浜市神奈川区平川町22-7

高田さとこ
日展会友　現代工芸会員　現代工芸賞　師厚東孝治　鹿児島　昭和30年
〒892-0834 鹿児島市南林寺町25-3　099-222-0602

高橋　彰
元光風会会員　奨励賞　工芸賞　長野県展教育委員会賞　岡谷美術展30周年記念賞　個展　昭和25年
〒381-2246 長野市波島1-171-1　026-284-3648

高橋佐門
無所属　天翔窯　個展（日本橋三越他）師加藤幸兵衛・加藤卓男　岐阜　昭和23年
〒480-0305 春日井市坂下町6-760　0568-88-3636

高橋茂晴
無所属　伝統工芸新作展入　日本伝統工芸展入　個展　師神谷紀雄　千葉　昭和27年
〒289-2244　千葉県香取郡多古町船越2369-2

高村宜志
無所属　個展　G展　師鯉江良二　東海大卒　北海道　昭和24年
〒321-4215 栃木県芳賀郡益子町生田目842　0285-72-6801

高力芳照
無所属　田部美術館「茶の湯の造形展」出品　師金重素山　金重有邦　兵庫　昭和45年
〒705-0036 備前市閑谷532-1　0869-67-3367

滝川幸志
無所属 日展入 朝日陶芸展入 豊田美術展市長賞 瀬戸陶芸協会員 長三賞 瀬戸窯業高卒 愛知 昭和33年
〒489-0048 瀬戸市窯神町72　0561-82-0802

瀧田項一
無所属　元国画会会員　個展（三越・和光他）師富本憲吉・浜田庄司　東美卒　栃木　昭和２年
〒321-0605 那須烏山市大字滝田2009　0287-84-2222

瀧本湖久
無所属　伊賀古窯　古窯研究　古式大穴窯　個展　兵庫　昭和22年
〒519-1406 伊賀市小杉2037-1　0595-45-5803

竹内公明
元日本工芸会正会員　伝統工芸展入　日本陶芸展外務大臣賞　中日国際展入　個展　師江崎一生　昭和23年
〒479-0003 常滑市金山字大岨9-34　0569-42-5482

竹内旦岱
元日展会友　現代工芸会員　現代工芸賞　会員賞　個展　愛知　昭和15年
〒612-8025 京都市伏見区桃山与五郎町1-346　075-622-1757

竹内靖之
無所属　備前焼　個展（銀座三越・明日香画廊）師山本陶秀・山本雄一　大阪芸大卒　岡山　昭和26年
〒709-0411 岡山県和気町吉田2272-1　0869-93-1806

竹中　浩
日本工芸会正会員　伝統工芸展入　日本陶磁協会賞　師近藤悠三　福井　昭和16年
〒607-8308 京都市山科区西野山桜馬場町128　075-592-2730

竹村繁男
日本工芸会正会員　新作陶芸展日本工芸会賞　個展（京都高島屋他）師木村盛伸　京都　昭和28年
〒607-8218 京都市山科区勧修寺御所内町110　075-571-2231

武腰一憲
日展会員　特選　現代工芸会員　文科大臣賞　伝統九谷展大賞　個展金沢美大卒　石川　昭和31年
〒923-1121 能美市寺井町寺井ワ-113　0761-57-0943

椎 名　　勇
日本伝統工芸展都知事賞　日本伝統工芸展入　伝統工芸新作展入　個展　東京芸大大学院修　神奈川　昭和43年
〒325-0301 栃木県那須郡那須町湯本406-11 0287-76-3398

篠 原 雅 士
日本工芸会正会員　伝統工芸展入　工芸会支部賞　新匠会友　新匠賞　県展大賞　師矢野款一　愛媛　昭和19年
〒792-0856 新居浜市船木4116-3 0897-41-5302

柴 岡 紘 一
日本工芸会正会員　伝統工芸展入　中国支部展受賞　日本陶工展入　師伊勢崎満・淳　岡山　昭和16年
〒705-0001 備前市伊部569 0869-64-3402

柴 岡　　守
日本工芸会正会員　伝統工芸展入　陶友会会員　日本陶芸展入　個展　岡山　昭和27年
〒705-0001 備前市伊部243 0869-64-1192

柴 田 快 元
無所属　迦葉山窯　九州山口工芸展受賞　県展入　師吉田萩苑　昭和33年
〒758-0011 萩市椿東船津2534-6 08382-2-6764

島 田 文 雄
日本工芸会正会員　伝統工芸展入　工芸会長賞　個展　師藤本能道・田村耕一　東京芸大大学院修　昭和23年
〒135-0044 江東区越中島1-3-16-908 03-3630-3253

清 水 保 孝
日本工芸会理事　伝統工芸展入　近畿展日経奨励賞　支部長賞　師清水卯一　竜谷大卒　京都　昭和22年
〒605-0864 京都市東山区五条橋東5-477 075-561-3933

下　　和 弘
無所属　国際陶磁展美濃出品　個展　師鯉江良二　有田窯業大卒　大阪　昭和46年
〒518-0813 伊賀市蓮池390 0595-36-2427

庄 村　　健
日本工芸会正会員　伝統工芸展文部大臣賞　一水会会員　西日本陶芸展大賞　県展知事賞　佐賀　昭和24年
〒844-0006 佐賀県有田町赤絵町1-2-3 0955-42-2035

城 田　　領
日本工芸会正会員　伝統工芸展入　個展　沖縄県立芸大卒　東京芸大大学院修　東京　昭和40年
〒385-0004 佐久市安原757 0267-68-4443

新 庄 貞 嗣
日本工芸会理事　伝統工芸展入　山口県展最優秀賞　西日本陶芸展通産大臣賞　東京芸大大学院修　昭和25年
〒759-4103 長門市深川湯本1480 0837-25-3603

神 農　　巌
日本工芸会常任理事　日本陶磁協会賞　日本工芸会会長賞　個展　京都府立陶工訓練校卒　京都　昭和32年
〒520-0521 大津市和邇北浜691-1 077-594-3250

末 石 泰 節
元一水会会員　一水会賞　伝統工芸展入　日展入　岡山　昭和28年
〒705-0001 備前市伊部989 0869-64-0889

鈴 木　　藏
重要無形文化財　芸術選奨　日本工芸会正会員　最優秀賞　チエコ国際展グランプリ　岐阜　昭和９年
〒507-0014 多治見市虎渓山町3-1-1 0572-25-3855

鈴 木 黄 弌
日本工芸会正会員　伝統工芸展入　京展他入　個展　師楠部弥弌　昭和17年
〒705-0001 備前市伊部2349 0869-64-2102

鈴 木 五 郎
無所属　日本陶磁協会賞　朝日陶芸展最高賞　中日国際陶芸展奨励賞　個展　愛知　昭和16年
〒470-0464 豊田市折平町497-41 0565-76-4321

鈴 木 青 児
元日展会友　元新工芸会員　中日国際陶芸展特選　朝日陶芸展入　愛知　昭和21年
〒489-0842 瀬戸市小空町211 0561-82-3582

鈴 木　　徹
日本工芸会理事　新作陶芸展日本工芸会賞　菊池ビエンナーレ大賞　京都府陶工職業訓練校卒　昭39年
〒507-0014 多治見市虎渓山町3-1-1

鈴 木　　環
無所属　伝統工芸新作展入　めん鉢大賞展入　個展　師小野寺玄　文化学院卒　茨城　昭和38年
〒309-1462 西茨城郡岩瀬町曽根257-2 0296-75-0313

園　　阿 莉
無所属　女流陶芸展大賞　伝統工芸武蔵野展入　中日国際陶芸展入　個展　昭和12年
〒194-0041 町田市玉川学園1-24-26 042-725-1971

タ

田 上 真 也
無所属　日本陶芸展優秀作品賞　朝日陶芸展奨励賞　個展　嵯峨芸術短大卒　京都　昭和51年
〒601-1455 京都市伏見区小栗小阪町78 075-573-3116

肥沼美智雄
無所属　北関東美術展優秀賞　日華現代陶芸展招　アジア芸術祭現代陶芸展招　県マロニエ文化賞　昭和11年
〒321-4200 栃木県益子町円道寺677　*0285-72-3557*

今　千春
無所属　淡交ビエンナーレ茶道美術展奨励賞　個展　師辻清明　武蔵野美大卒　新潟　昭和26年
〒940-2042　長岡市宮本3　*0258-46-6838*

近藤功次
元新工芸会員　日展入　朝日陶芸展入　個展　師加藤舜陶　愛知　昭和23年
〒480-1205 瀬戸市落合町217-3　*0561-41-2216*

近藤精宏
無所属　美濃唐津　瀬戸黒　個展（高島屋　松坂屋他）師小山冨士夫　新潟　昭和20年
〒509-6251 瑞浪市日吉半原　*0572-69-2845*

サ

佐伯守美
日本工芸会正会員　日本伝統工芸展入　新作陶芸展日本工芸会賞　個展　東京芸大大学院修　栃木　昭和24年
〒321-3301 栃木県芳賀郡芳賀町給部17-4　*028-677-3656*

佐久間　信
日本工芸会正会員　伝統工芸展入　新作展入　一水会賞　福島　昭和27年
〒963-3402 福島県小野町谷津作字鬼石64　*0247-72-3579*

佐久間藤也
国画会会員　国画賞　個展　グループ展　名古屋芸大卒　栃木県立窯業指導所修　栃木　昭和38年
〒321-4217 栃木県芳賀郡益子町益子644-2　*0285-72-3161*

佐竹良幸
無所属　個展（横浜そごう　新宿小田急他）師窪田直文　栃木　昭和25年
〒325-0302 那須郡那須町高久丙3226-1　*0287-77-1427*

佐藤和彦
無所属　個展（セントラル絵画館・三越・西武他）師藤本能道　東京芸大大学院修　神奈川　昭和22年
〒251-0028 藤沢市本鵠沼3-14-8　*0466-34-9109*

佐藤苔助
日本工芸会正会員　伝統工芸展入　中日国際陶芸展他入　日本工芸美術家連盟大賞　個展　広島　昭和16年
〒705-0001 備前市伊部河原畑891　*0869-63-4288*

佐藤　亮
日本工芸会正会員　伝統工芸展入　支部展受賞　九谷焼工芸展受賞　個展　新潟　昭和21年
〒922-0313 加賀市勅使町リ93　*0761-77-2369*

斎藤　修
日本工芸会正会員　伝統工芸展入　日本陶芸展入　個展　宮城県芸術祭知事賞　宮城　昭和27年
〒321-4104 栃木県芳賀郡益子町大沢3658　*0285-72-5696*

齊藤勝美
無所属　栃木県芸術祭奨励賞　伝統工芸新作展　個展（日本橋高島屋他）栃木県立窯業指導所卒　栃木　昭和33年
〒329-1102 宇都宮市白沢町1539-2　*028-673-0408*

斉藤　隆
無所属　一水会賞　朝日陶芸展入　岡山県展奨励賞　個展　中央大卒　笠間窯業指導所修　東京　昭和23年
〒701-4261 岡山県邑久郡長船町飯井2173-1　*0869-26-4957*

酒井田柿右衛門
十五代　日本工芸会正会員　日本伝統工芸展入　西部伝統工芸展入　師14代柿右衛門　佐賀　昭和43年
〒844-0028　佐賀県有田町南山丁352　*0955-43-2267*

坂倉新兵衛
十五代　日本工芸会正会員　伝統工芸展入　日本陶芸展入　東京芸大卒　昭和24年
〒759-4103 長門市深川湯本1487　*0837-25-3626*

坂田慶造
日本工芸会正会員　伝統工芸展入　個展（日本橋三越他）山口　昭和24年
〒759-4103 長門市深川湯本1423　*0837-25-3903*

澤田勇人
日本工芸会正会員　伝統工芸展日本工芸会賞　菊池ビエンナーレ奨励賞　個展　流通経済大卒　茨城　昭和53年
〒312-0052 ひたちなか市東石川3541-8　*029-275-2036*

沢畠　州
無所属　個展（銀座三越・松坂屋他）茨城芸術祭奨励賞　師畠山是閑　高崎市立芸大卒　茨城　昭和27年
〒316-0012 日立市大久保町1-2-2　*0294-38-0058*

志賀暁吉
無所属　日本陶芸展大賞・桂宮賜杯　日本伝統工芸展出品　師鈴木三成　文化学院卒　福島　昭和52年
〒979-2611 福島県相馬郡新地町駒ケ嶺字西久保108-1

志村観行
無所属　朝日現代クラフト展　サントリー美術館大賞展入選　個展　師加藤釥　玉川大卒　静岡　昭和31年
〒413-0234 伊東市池615-24　*0557-54-3878*

岸本謙仁
日本工芸会正会員　伝統工芸展入　中日国際展入　日本の陶芸百撰展　個展　愛知　昭和９年
〒509-5312 土岐市鶴里町柿野2-6　0572-52-2087

北岡秀雄
元日展会友　特選　元日工会評議員　新工芸賞　朝日陶芸展入　個展　昭和18年
〒811-1101 福岡市早良区重留358-1　092-804-0935

北野勝彦
日本工芸会正会員　日本陶磁協会員　伝統工芸展入　中日国際陶芸展入　日本美術工芸展賞　昭和29年
〒532-0026 大阪市淀川区塚本4-8-6　06-6309-2869

清水六兵衛
八代　無所属　日本陶磁協会賞　タカシマヤ美術賞　早稲田大卒　京都　昭和29年
〒605-0846 京都市東山区五条橋東5-467　075-561-3131

久保満義
日展会員　会員賞　特選　元現代工芸会員　県展記念賞　師厚東孝治　鹿児島大卒　昭和30年
〒899-2501 日置市伊集院町下谷口1890-4　099-273-5163

久保田保義
日本工芸会正会員　伝統工芸展入　西部工芸展正会員特別賞　大阪芸大卒　熊本　昭和27年
〒868-0075 人吉市矢黒町2354-32　0966-22-6960

栗林一夫
日本工芸会正会員　伝統工芸展入　東海伝統工芸展知事賞　個展　師加藤春鼎　群馬　昭和25年
〒372-0801 伊勢崎市宮子町3319　0270-23-7423

栗林みどり
無所属　国際陶磁器展　美濃国際陶磁器コンペティション出品　沖縄県立芸術大学大学院修　大阪　昭和57年
〒902-0078 那覇市識名4-11-21 メゾン1-A　090-7554-4193

黒井慶雲
無所属　備前虫明焼　県展特別賞　個展（天満屋）師黒井一楽　昭和15年
〒701-4501 岡山県邑久町虫明4493　08692-5-0413

黒井千左
日本工芸会正会員　伝統工芸展入　東中国工芸展奨励賞　県展知事賞　個展　昭和20年
〒701-4501 瀬戸内市邑久町虫明4493　08692-5-0413

小島憲二
無所属　伊賀焼　個展　師中川伊作・小西陶蔵　愛知　昭和28年
〒518-1325 三重県伊賀市阿山町丸柱　05954-4-1688

小峠丹山
日本工芸会正会員　伝統工芸展入　近畿展市長賞　個展　兵庫　昭和21年
〒605-0953 京都市東山区今熊野南日吉町36　075-551-3100

小西陶蔵
日本工芸会正会員　中日国際陶芸展文部大臣賞　金重陶陽賞　師二代小西陶古　個展　岡山　昭和22年
〒705-0001 備前市伊部640　0869-64-2210

小西洋平
日本工芸会正会員　伝統工芸展入　東海伝統工芸展受賞　中日国際陶芸展入　個展　昭和16年
〒479-0823 常滑市奥栄町4-3　0569-35-5147

小林潤呼
無所属　天母林窯　県工芸家協会員　新槐樹社展奨励賞　国際陶芸展他入　個展　師安東五　静岡　昭和11年
〒410-0044 沼津市五月町10-10　0559-21-8216

小林勇超
日本工芸会正会員　新匠工芸展入賞　朝日陶芸展入賞　個展（あべのハルカス他）多摩美大卒　昭和19年
〒529-1804 甲賀市信楽勅旨599　0748-83-0748

小松幸代
日本工芸会正会員　伝統工芸展入　日本陶芸展入　個展　師渡辺一紳　武蔵野美短大卒　長野　昭和25年
〒390-0011 茅野市玉川4324-3　0266-72-8647

小山耕一
日本工芸会正会員　大滝村北海道陶芸展大賞　伝統工芸展日本工芸会賞　玉川大卒　東京　昭和35年
〒110-0012　台東区竜泉1-31-7　03-3873-6501

小山末廣
元一水会会員　伝統工芸展入　中日国際陶芸展入　茶の湯造形展優秀賞　個展（三越）岡山　昭和23年
〒705-0001 備前市伊部467　0869-64-3517

児島塊太郎
無所属　天子窯　県展山陽新聞社賞　伝統工芸支部展市長賞　個展　岡山　昭和22年
〒719-1124 総社市三須半妻481　0866-93-3287

厚東建信
無所属　伝統工芸展入　西部工芸展朝日賞　県知事賞　個展　昭和22年
〒758-0000 萩市前小畑一区4321　0838-25-3393

厚東孝治
日展会員　特選　現代工芸理事　現代工芸賞　個展　師吉賀大眉　山口　昭和11年
〒892-0861 鹿児島市東坂元町2-49-2　099-248-1779

神 谷 紀 雄
日本工芸会正会員　伝統工芸展入　新作展奨励賞　師田村耕一　多摩美大卒　栃木　昭和15年
〒264-0035 千葉市若葉区東寺山町9　043-251-3426

亀 井　勝
日展会員　特選　光風会評議員　現代工芸理事　総理大臣賞　外務大臣賞　個展　愛知　昭和８年
〒489-0847 瀬戸市東町38　0561-82-4336

亀 井 味 楽
十五代　日本陶芸展入　西日本陶芸展賞　西部工芸展賞　個展　福岡　昭和35年
〒841-0011 福岡市早良区高取1-26-62　092-821-0457

川 合 正 樹
日展会友　新工芸評議員　佳作賞　中日賞　美濃陶芸協会理事　個展　岐阜　昭和24年
〒509-5401 土岐市駄知町1606　0572-59-8849

川 上 眞 悟
無所属　個展（銀座たくみ　阪急）師島岡達三　石川　昭和33年
〒321-3628 栃木県芳賀郡茂木町深沢2152-14　0285-65-0271

川 島 郁 朗
無所属　個展（ぎゃらりぃぜん他）　師高内秀剛　東北芸術工科大卒　栃木　昭和55年
〒321-4217 栃木県芳賀郡益子町益子2903　090-8646-8676

川 尻 浩 史
新日美工芸部審査委員　大賞　特選　東京都教育委員会賞　日陶展入　個展（ニューヨーク）昭和21年
〒321-4200 栃木県益子町城内4327　0285-72-0309

川 瀬　忍
日本工芸会正会員　日本陶磁協会賞　金賞　個展　師初代・二代川瀬竹春　神奈川　昭和25年
〒259-0111 神奈川県大磯町国府本郷527　0463-61-1205

川 瀬 満 之
日本工芸会功労会員　伝統工芸展入　京都工芸展入　個展　師川瀬竹春　京都　昭和８年
〒605-0846 京都市東山区五条橋東5-470　075-561-4607

川 端 健 太 郎
無所属　パラミタ陶芸大賞展大賞　益子陶芸展加守田章二賞　多治見市陶磁器意匠研究所修　埼玉　昭和51年
〒509-6251 瑞浪市日吉町8045-35　0572-64-2885

川 端 文 男
日本工芸会正会員「茶の湯の造形展」田部美術館大賞　金重陶陽賞　備前市重要無形文化財　神奈川　昭和23年
〒705-0001 備前市伊部228-1　0869-63-4136

河 合 徳 夫
日展会員　特選　新工芸会員　総理大臣賞　会員賞　会員佳作賞　京展市長賞　京都　昭和31年
〒605-0864 京都市東山区五条橋東6-541　075-561-2348

河 島　洋
日本工芸会正会員　伝統工芸展入　伝統九谷焼展入　個展　昭和26年
〒922-0013 加賀市上河崎町326　07617-3-1053

河 野 榮 一
日展会員　特選　日工会理事　フレッチャー国際陶芸展大賞　師清水六兵衛　大阪　昭和18年
〒520-0066 大津市茶戸町9-1　077-525-4834

木 澤 良 治
元日展会友　元新工芸評議員　新工芸賞　明日を開く新工芸展大賞　茨城　昭和22年
〒151-0062 渋谷区元代々木町30-8-102　03-3469-7074

木 村 宏 造
元一水会委員　一水会賞　伝統工芸展入　日本陶芸展入　個展（小田急）金沢美工大卒　昭和16年
〒705-0001 備前市伊部670　0869-64-3655

木 村 盛 康
日本工芸会正会員　個展（大阪三越・小田急他）師木村盛和　京都　昭和10年
〒607-8322 京都市山科区清水焼団地10-1　075-581-5296

木 村 盛 伸
日本工芸会正会員　京都工芸美術展奨励賞　現代国際陶芸展招待出品　個展　京都　昭和７年
〒606-0016 京都市左京区岩倉木野町171　075-701-4993

木 村 展 之
日本工芸会正会員　日本陶芸展　長三賞陶芸展出品　個展　師木村盛伸　京都　昭和40年
〒520-0501 大津市北小松1780　077-596-1284

木 村 芳 之 助
無所属　個展（池袋東武　静岡伊勢丹他）カナダ留学ヨーロッパ研修　師金崎秀利　神奈川　昭和25年
〒240-0106 横須賀市子安　子安の里

木 村 芳 郎
日本工芸会正会員　伝統工芸展奨励賞　支部展賞　茶の湯造形展優秀賞　個展　岡山大卒　愛媛　昭和21年
〒739-0041 東広島市西条町寺家6010　0824-23-8989

菊 池 挙 子
無所属　伝統工芸新作展入　女流陶芸展入　アジア現代美術展入　個展（横浜そごう他）愛知　昭和９年
〒321-4217 栃木県益子町益子1659　0285-72-2382

加藤幸兵衛
七代　日本新工芸理事　美濃陶芸協会会長　朝日陶芸展大賞　京都市立美大卒　昭和20年
〒507-0814 多治見市市之倉町4-114　0572-22-3715

加藤唐三郎
三十一代　日本工芸会正会員　日本伝統工芸展入　東海伝統工芸展入　個展　愛知　昭和23年
〒489-0023 瀬戸市窯元町80　0561-82-4832

加藤　肇
日本工芸会正会員　日本伝統工芸展入　一水会賞　ビアマグランカイ展優秀賞　立命館大卒　滋賀　昭和21年
〒529-1851 甲賀市信楽町長野980　0748-82-0020

加藤洋二
無所属　現代茶陶展織部大賞　金沢工芸大賞展大賞　朝日陶芸賞　個展　師加藤卓男　岐阜　昭和28年
〒509-5401 土岐市駄知町1577-3

加藤陽児
元日展会友　美濃陶芸展大賞　明日をひらく新工芸展上野森美術館賞　個展　岐阜　昭和33年
〒507-0018 多治見市高田町3-95　0572-22-1636

加藤嘉明
無所属　クラフトデザイン協会員　国際陶芸展大賞　ニュークラフト展大賞　個展　愛知　昭和９年
〒470-3233 愛知県美浜町奥田字小廻間　0569-87-1700

加藤亮太郎
無所属　個展（日本橋高島屋他）師秋山陽　石川九楊　京都精華大卒　京都市立芸大大学院修　岐阜　昭和49年
〒507-0814 多治見市市之倉町4-124　0572-22-3821

加藤令吉
日展会員　会員賞　特選　日本工芸会常務理事　総理大臣賞　大賞　愛知　昭和28年
〒489-0028 瀬戸市西窯町114　0561-82-2790

嘉生安穂
無所属　備前焼　伝統工芸中国支部展入　花の器展大賞　県展入　個展 師榊原貢 大東文化卒 長野 昭和35年
〒709-0515 岡山県佐伯町米沢宮の下302　0869-88-0901

槐　和男
日展会友　新工芸会員　会員賞　東京都知事賞　佳作賞　師河合誓徳　大分　昭和23年
〒165-0025 中野区沼袋2-3-3　03-3387-4431

各見飛出記
日本工芸会正会員　伝統工芸展入　支部展奨励賞　個展　師各見政峯　岡山　昭和25年
〒705-0001 備前市伊部858　0869-64-3138

隠崎隆一
日本工芸会理事　日本陶磁協会金賞　一水会賞　陶芸ビエンナーレ佳作賞　個展　大阪芸大卒　長崎　昭和25年
〒701-4273 瀬戸内市長船町磯上2798-10　0869-26-4378

司辻光男
日展会員　特選　現代工芸会員　会員賞　朝日陶芸展入　福井県文化芸術賞　昭和22年
〒916-0273 福井県越前町小曽原20-5　0778-32-2654

勝尾青龍洞
二代　無所属　個展（日本橋三越他）師初代青龍洞　京都　昭和6年
〒605-0872 京都市東山区東山五条音羽町599　075-561-7575

角谷英明
日本工芸会正会員　伝統工芸展入　東海伝統工芸展最高賞　個展　師近藤悠三　京都芸大修　大阪　昭和20年
〒518-0734 名張市黒田1110-2　0595-64-2411

金井伸弥
日展会友　日工会会員　総理大臣賞　大賞　瀬戸美術展大賞　個展　師加藤鈔　加藤令吉　埼玉　昭和50年
〒278-0046 野田市谷津457　灼陶奄

金重有邦
無所属　日本陶磁協会賞　淡交ビエンナーレ奨励賞　個展　師金重素山　武蔵野美大卒　岡山　昭和25年
〒705-0001 備前市伊部2568　0869-63-0310

金重晃介
無所属　日本陶磁協会賞　岡山県文化奨励賞　現代陶芸の華展招待出品　東京芸大大学院修　岡山　昭和18年
〒705-0012 備前市香登本1172　0869-66-7068

金重　愫（まこと）
無所属　田部美術館茶の湯の造形展奨励賞　個展（日本橋高島屋他）師金重素山　京都大卒　岡山　昭和20年
〒703-8271 岡山市中区円山1076　086-277-8111

金子信彦
無所属　日本陶芸展文科大臣賞　朝日陶芸展グランプリ　益子陶芸展グランプリ　師吉賀大眉　山口　昭和26年
〒758-0057 萩市堀内467-2　0838-25-1666

叶　松谷
三代　元日展会員　会員賞　特選　新工芸会員　国際展大賞　中日国際陶芸展大臣賞　京都芸大卒　昭和23年
〒605-0871 京都市東山区慈法院奄町591　075-561-3021

兼田昌尚
日本工芸会正会員　西日本陶芸美術展通産大臣賞　個展　師七代三左衛門　筑波大大学院修　山口　昭和28年
〒758-0011 萩市椿東4867-1　0838-22-2468

太田富夫
無所属　陶友会会員　受賞　伝統工芸支部展入　県展入　個展　岡山　昭和24年
〒701-4234 岡山県邑久郡邑久町大富531　*08694-3-6639*

太田雪輝
無所属　泥土会展　現代茶陶展　竜右衛門窯一門展　個展　沖縄県立芸術大学大学院修　東京　昭和52年
〒192-0151　八王子市上川町3363　*042-654-1337*

岡　左久良
無所属　個展（高島屋・京都大丸・天満屋他）師浜田庄司　多摩美大卒　神奈川　昭和13年
〒168-0064 杉並区永福3-15-8　*03-3324-3646*

岡田　輝
日本工芸会正会員　伝統工芸展入　中日国際展文部大臣賞　個展　武蔵野美大卒　昭和22年
〒705-0024 備前市久々井116-12　*0869-64-0917*

岡田崇人
無所属　個展（銀座たくみ　東急　ぎゃらりいぜん）東洋大卒　師島岡達三　東京　昭和49年
〒321-4213 栃木県芳賀郡益子町山本1801　*0285-72-9718*

岡田　泰
日本工芸会正会員　菊池ビエンナーレ奨励賞　個展　師岡田裕　東京造形大卒　山口　昭和51年
〒758-0011 萩市椿東前小畑一区　*0838-25-3737*

岡田　裕
日本工芸会正会員　山口県指定無形文化財　個展　師岡田仙舟　慶大卒　山口　昭和21年
〒758-0011 萩市椿東前小畑一区　*0838-25-3737*

岡野法世
日本工芸会正会員　伝統工芸展入　新作展入　個展　師岩渕重哉　武蔵野美大卒　東京　昭和12年
〒190-0182 東京都日の出町平井1756-2　*042-597-0983*

岡本作礼
無所属　唐津焼　現代日本の陶芸「愛用と発信」展出品　個展（野村美術館）佐賀　昭和33年
〒849-3115 唐津市厳木町平之279　*0955-63-4680*

荻原毅久
無所属　日本陶芸展入　国展入　県芸術祭入　個展　師滝田項一　昭和27年
〒324-0611 栃木県馬頭町小砂3112　*02879-3-0593*

奥川忠右衛門
二代　日本工芸会正会員　日本伝統工芸会会員　師初代忠右衛門　佐賀　昭和6年
〒844-0014 佐賀県有田町戸矢甲1568-1　*0955-43-2783*

奥川俊右衛門
日本工芸会正会員　伝統工芸展入　九州山口陶磁展賞　師初代忠右衛門　佐賀　昭和24年
〒844-0002 佐賀県有田町中樽2-9-3　*0955-43-3727*

奥野敏春
無所属　朝日クラフト展入　土と字の展出品　個展　滴翠美術館付属陶芸研究所卒　大阪　昭和32年
〒593-8301 堺市上野芝町4-4-1　*072-241-9630*

鬼丸碧山
日本工芸会正会員　伝統工芸展入　西部工芸展入　個展　福岡　昭和22年
〒838-1601 福岡県小石原村小石原962-1　*0946-74-2810*

カ

加瀬達郎
日本工芸会正会員　伝統工芸展入　中日国際陶芸展入　日本陶芸展入　県展受賞　千葉　昭和24年
〒289-2705 旭市飯岡2348　*0479-57-2678*

加藤清和
日本工芸会正会員　日本陶芸展大賞　日本伝統陶芸展入　個展　師川瀬満之　加藤靖山　京都　昭和45年
〒605-0981 京都市東山区本町15-784　*075-551-3237*

加藤清之
無所属　朝日陶芸展大賞　日本陶磁協会賞金賞　元日展会員　個展　愛知　昭和6年
〒480-1207 瀬戸市品野町4-1008　*0561-41-0259*

加藤喜代司
日本工芸会正会員　日本伝統工芸展入　信楽陶芸展優秀賞　個展　師熊本喜一　滋賀　昭和22年
〒529-1851 甲賀市信楽町長野1121　*0748-82-1943*

加藤摑也
日本工芸会正会員　伝統工芸展入　中日国際陶芸展入　朝日陶芸展入　個展　師辻晋六　岐阜　昭和15年
〒507-0054 多治見市宝町8-3　*0572-23-0337*

加藤春鼎
三代　無所属　個展（日本橋三越　名古屋三越他）師武田敏男　小川文斎　愛知　昭和35年
〒489-0022 瀬戸市赤津町83　*0561-82-4076*

加藤天平
元日展会友　新工芸会員　会員佳作賞　朝日陶芸展秀作賞　日本陶芸展入　師加藤舜陶　愛知　昭和28年
〒489-0902 瀬戸市内田町1-115　*0561-48-5125*

今西方哉
日本工芸会正会員　新匠工芸会展佳作賞　伝統工芸展入　日本陶芸展入　個展　師近藤悠三　奈良　昭和22年
〒631-0811 奈良市秋篠町651-2　0742-44-7388

今野登志夫
日本工芸会正会員　伝統工芸展入　東海伝統工芸展中日賞　奨励賞　個展　師加藤春鼎　神奈川　昭和26年
〒419-0304 静岡県富士郡芝川町鳥並363　0544-66-0173

上田哲也
日本工芸会正会員　伝統工芸展入　伝統工芸新作展入　武蔵野展入　個展　東京芸大大学院修　熊本　昭和28年
〒241-0104 横須賀市芦名2-23-11

上田直方
六代　陶耀会会員　日本伝統工芸展入　朝日陶芸展入　個展　京都府立陶工訓練校修　師大上強　昭和32年
〒529-1851 甲賀市信楽町長野1423-9　0748-82-3919

臼井和成
日本工芸会正会員　伝統工芸展入　東海伝統工芸展最高賞　瀬戸陶芸協会員　個展　愛知　昭和29年
〒480-0031 北杜市長坂町小荒間宮桜畑27-274

内川清徳
新工芸会員　奨励賞　会員努力賞　日展入　国際陶芸展銀賞　個展　師浮田武司　東京　昭和22年
〒123-0851 足立区梅田2-5-8　03-3886-2020

内堀敏房
無所属　伝統工芸展入　新作展入　G展　師高内秀剛・古川隆久　東京
〒321-4214 栃木県益子町前沢887　0285-72-0764

浦口雅行
日本工芸会正会員　朝日陶芸展新人賞　国際交流基金買上　個展　東京芸大大学院修　東京　昭和39年
〒315-0116 石岡市柿岡4661-5　0299-43-3383

江口勝美
日本工芸会正会員　伝統工芸展最優秀賞　県展文部大臣賞　佐賀県芸術文化賞　個展　佐賀　昭和11年
〒843-0233 武雄市東川登町内田6766-1　0954-23-2318

永楽善五郎
十八代　無所属　個展（日本橋三越）師永楽而全　東京芸大大学院博士修卒　昭和19年
〒605-0933 京都市東山区大和大路小松町555　075-561-7683

小川秀蔵
日本工芸会正会員　伝統工芸展入　日本陶芸展入　一水会賞　個展　岡山　昭和26年
〒705-0001 備前市伊部715　0869-64-2710

小川哲男
日本工芸会正会員　伝統工芸展入　日本陶芸展入　個展　師森野嘉光　有田工高卒　佐賀　昭和12年
〒840-0544 佐賀市富士町下合瀬　0952-57-2767

小川待子
無所属　芸術選奨文科大臣賞　日本陶磁協会賞　タカシマヤ美術賞　個展　東京芸大卒　北海道　昭和21年
〒259-0312 足柄下郡湯河原町吉浜1912-11　0465-62-1806

小野卓
無所属　伝統工芸展入　日本陶芸展入　個展（日本橋三越他）師松井康成　茨城　昭和23年
〒300-4108 新治郡新治村小野415　0298-62-4857

大井正則
日本工芸会正会員　伝統工芸展入　日本工芸会山口支部展最優秀賞　東京芸大学院修　山口　昭和28年
〒747-0067 防府市佐野768　0835-24-5757

大川正洋
無所属　日本新工芸賞　全関西展三席　日展出品　個展　師谷本光　京都芸術短大卒　群馬　昭和36年
〒373-0026 太田市東本町49-8　0276-22-4050

大西雅文
無所属　丹波焼　個展（神戸大丸　あべのハルカス他）大阪芸術短大卒　兵庫　昭和55年
〒669-2141 篠山市今田町下立杭67　079-597-2089

大野耕太郎
日本工芸会正会員　現代茶陶展TOKI織部大賞　酒の器創作展最優秀賞　個展　学習院大卒　昭和28年
〒079-0461 滝川市江部乙町832-1　0125-75-6568

大樋年雄
日展会員　会員賞　現代工芸常務理事　総理大臣賞　現代美術展最高賞　ボストン大大学院修　石川　昭和33年
〒920-0911 金沢市橋湯町2-17　076-221-2397

大樋年朗
十代長左衛門　**文化勲章　文化功労者　芸術院会員**　芸術院賞　日展顧問　現代工芸理事長　昭和２年
〒920-0911 金沢市橋場町2-17　076-221-2397

大平和正
無所属　三重県丸柱築窯　個展　G展　武蔵野美大彫刻科卒　東京　昭和18年
〒518-1322 三重県阿山郡阿山町玉滝9788　05954-2-1436

太田和明
日本工芸会正会員　伝統工芸展入　日本陶芸展入　個展　師武田楽・佐藤和彦　千葉　昭和23年
〒192-0151 八王子市上川町3363　042-654-1337

伊豆蔵幸治
日展会友　日本新工芸会員　一水会展入　個展（日本橋三越他）石川　昭和27年
〒922-0244 加賀市山代温泉ル41-1　*0761-77-2527*

伊勢﨑　競
日本工芸会正会員　日本伝統工芸会中国支部展支部長賞　岡山県展市長賞　師伊勢﨑満　岡山　昭和45年
〒705-0001 備前市伊部819-1　*0869-64-0172*

伊勢﨑　淳
重要無形文化財　日本工芸会正会員　伝統工芸展入　岡山県文化賞　師伊勢崎陽山　岡山大卒　昭和11年
〒705-0001 備前市伊部2012　*0869-64-2326*

伊勢﨑　紳
日本工芸会正会員　日本工芸会中国支部展50周年記念奨励賞　個展（天満屋他）大阪芸大卒　岡山　昭和40年
〒705-0001 備前市伊部810-2　*0869-64-0735*

伊勢﨑　創
日本工芸会正会員　日本伝統工芸展中国支部展入　個展（日本橋三越）師山下譲治　伊勢﨑満　岡山　昭和43年
〒705-0001 備前市伊部2207　*0869-64-2572*

伊勢﨑　卓
無所属　日清めん鉢大賞入　個展（天満屋　大丸他）師伊勢﨑満　大阪芸大卒　岡山　昭和38年
〒705-0024 備前市久々井102-1　*0869-64-2572*

伊東祐一
日本工芸会正会員　朝日陶芸展川崎記念賞　日本伝統工芸展　一水会陶芸展入　個展（三越本店）東京　昭和16年
〒362-0001 上尾市上1318-2　*048-771-2892*

伊藤彰敏
日展会友　現代工芸会員　会員賞　現代工芸賞　県展知事賞　中日国際展入　個展　長野　昭和26年
〒391-0004 茅野市城山15-11　*0266-72-8057*

伊藤赤水
五代　重要無形文化財　日本工芸会正会員　伝統工芸展奨励賞　日本陶芸展最高作品賞　個展　新潟　昭和16年
〒952-1500 新潟県佐渡郡相川町1　*0259-74-2127*

伊藤東彦
日本工芸会正会員　伝統工芸展入　武蔵野展奨励賞　師藤本能道　東京芸大卒　福岡　昭和14年
〒309-1622 笠間市南吉原733　*0296-72-4277*

伊藤秀人
無所属　パラミタ陶芸大賞展大賞　現代茶陶展金賞　個展　多治見市陶磁器研究所修　岐阜　昭和46年
〒507-0066 多治見市西山町2-9-4

猪飼祐一
日本工芸会正会員　日本伝統工芸展入　師清水保孝　京都府立陶工訓練校卒　京都　昭和38年
〒605-0846 京都市東山区五条橋東6-540-10　*075-541-6884*

池田省吾
無所属　現代茶陶展TOKI織部銀賞　個展　師川添貞秀　有田窯業大卒　鹿児島　昭和51年
〒891-3222 西之表市国上上之古田　*0997-28-1802*

石橋裕史
日本工芸会理事　文科大臣賞　日本陶芸展グランプリ　個展（日本橋三越　大阪高島屋）東京　昭和32年
〒622-0202 京都府船井郡京丹波町実勢大平45-263

泉田之也
無所属　朝日陶芸展グランプリ　日本陶芸展優秀賞　岩手県美術選奨　個展（日本橋三越）岩手　昭和41年
〒028-8202 岩手県九戸郡野田村玉川5-79-17 *0194-78-3403*

市野信水
二代　日本工芸会正会員　日本伝統工芸展入　茶の湯造形展入　個展（高島屋他）兵庫　昭和32年
〒669-2135 篠山市今田町上立杭4-3

市野年成
日本工芸会準会員　伝統工芸展入　県工芸展賞　県展賞　半どん及川記念賞　個展　昭和23年
〒669-2135 兵庫県多紀郡今田町上立杭449-1　*0795-97-2212*

糸井康博
日本工芸会正会員　伝統工芸展　朝日陶芸展入　個展　師猪飼祐一　大阪芸大卒　京都　昭和47年
〒636-0012 奈良県北葛城郡王寺町本町2-14-21

今井政之
令和5年3月6日歿
文化勲章　文化功労者　芸術院会員　芸術院賞　日展顧問　毎日芸術賞　個展　師楠部弥弌　広島　昭和５年

今泉今右衛門
十四代　重要無形文化財　日本工芸会副理事長　日本陶磁協会賞　武蔵野美大卒　佐賀　昭和37年
〒844-0006 佐賀県有田町赤絵町2-1-15　*0955-42-3101*

今泉　毅
無所属　日本陶芸展大賞桂宮賜杯　韓国京畿道世界陶磁ビエンナーレ銅賞　個展　早稲田大卒　埼玉　昭和53年
〒350-1244 日高市野々宮102-2

今西公彦
無所属　茶の湯の造形展　現代茶陶展入　個展　京都府立陶工高専修　師岡本彰　兵庫　昭和46年
〒669-2135 篠山市今田町上立杭宮ノ北1-47　*079-597-3383*

ア

安食ひろ
無所属　田部美術館「茶の湯の造形展」大賞　個展　武蔵野美大中退　島根　昭和23年
〒691-0014 出雲市口宇賀町410-5　*0853-63-1452*

安倍安人
無所属　個展（壺中居他）師宮本三郎　中美卒　大阪　昭和13年
〒701-4301 岡山県牛窓町長浜5958-1　*0869-34-5778*

安藤日出武
日本工芸会正会員　朝日陶芸賞　伝統工芸展入　日陶展入　個展（日本橋三越他）岐阜　昭和13年
〒507-0814 多治見市市之倉町10-98　*0572-22-3750*

青山鉄郎
日展会友　新工芸会員　中日賞　中日国際陶芸展入　朝日展賞　県展賞　個展　昭和21年
〒509-8301 中津川市蛭川5735-268　矢筈窯　*0573-45-3105*

赤沢嘉則
無所属　ファエンツア国際陶芸展ロータリークラブ賞　ピラン国際陶芸展　京都市立芸大卒　京都　昭和46年
〒607-8326 京都市山科区川田御出町32-46　*075-582-4731*

赤沢露石
四代　日本工芸会正会員　現代の陶芸百人香炉名品展出品　個展（日本橋三越　京都大丸他）京都　昭和16年
〒607-8326 京都市山科区川田御出町32-46　*075-592-0270*

赤瀬史林（みふさ）
無所属　個展　嵯峨芸大陶芸科卒　インド・ビシュババラティ大学留学　愛媛　昭和56年
〒604-0993 京都市中京区久遠院前町669彩還美術事務所

明石庄作
無所属　国画会展新人賞　日本陶芸展入　県文化奨励賞　個展　師浜田庄司　栃木　昭和21年
〒321-4217 栃木県益子町益子3378　*0285-72-3769*

秋保浩樹
日本工芸会正会員　伝統工芸展入　師田村耕一・浅野陽　東京芸大大学院修　東京　昭和20年
〒176-0004 練馬区小竹町1-17-6　*03-3973-1565*

浅海真弓
無所属　個展　愛知教育大大学院修　立体造形終了　大阪　昭和45年
〒530-0001 大阪市北区梅田1-11-4　G・ら・む～気付

浅蔵五十吉
三代　日展会員　特選　現代工芸評議員　文部大臣賞　師北出塔次郎　石川　昭和16年
〒923-0833 小松市八幡九谷ケ丘己50-1　*0761-47-0051*

浅藏正博
日展会員　特選　現代工芸会員　会員賞　師川尻一寛　石川　昭和18年
〒923-0833 小松市八幡九谷ケ丘310　*0761-47-1576*

東　直人
日本工芸会正会員　伝統工芸展入　中日国際展入　日本陶芸展入　個展　名城大卒　宮崎　昭和25年
〒509-7028 恵那市笠置町姫栗103　*0573-27-3288*

新　歓嗣
無所属　新匠工芸展受賞　伝統工芸展入　個展　G展大阪芸大卒　大阪　昭和19年
〒518-0031 伊賀市長田三軒家　*0595-23-8933*

有山長佑
日展会員　特選　新工芸理事　総理大臣賞　個展　多摩美大卒　鹿児島　昭和10年
〒891-0144 鹿児島市下福元町2962-6　*099-268-3313*

井伊昊嗣
無所属　日本伝統工芸展入　信楽陶器総合展受賞　個展　師河井博次　京都　昭和28年
〒529-1814 甲賀市信楽町田代711-1　*0748-82-1951*

井口雅代
日本工芸会正会員　伝統工芸展日本工芸会賞　女流陶芸展河北賞　個展　武蔵野美大卒　千葉　昭和31年
〒256-0066 千葉市若葉区多部田町418　*043-237-0772*

井上壽博
元日展会友　特選　北斗賞　現代工芸評議員　個展　師井上良斎　武蔵野美大卒　京都　昭和16年
〒310-0825 水戸市谷田町872　*029-226-8422*

井上東也
無所属　唐津焼協同組合理事長　個展（三越他）日大卒　佐賀　昭和17年
〒847-0022 唐津市鏡　鏡山窯　*0955-77-2131*

井上萬二
重要無形文化財　日本工芸会正会員　一水会会員　伝統工芸展文部大臣賞　佐賀　昭和４年
〒844-0028 佐賀県有田町南山丁307　*0955-42-4438*

井上佳久
元日展会友　特選　元新工芸評議員　新工芸賞　個展　師六代清水六兵衛　京都　昭和22年
〒605-0874 京都市東山区渋谷通東大路東入　*075-561-1800*

陶芸家

Memo

版画用語

木版（凸版） Wood cut

凸版形式を代表する最も古くから使われている技法。版木の種類により、板目木版と木口木版がある。さらに浮世絵に代表される多色刷木版がある。

リトグラフ（平版） Lithography

石版画。石灰石や金属板に油性の解墨・鉛筆などで絵を描き、その上から滑石粉末を撒布し更に少量の硝酸を加えたアラビアゴム液を塗ると絵が浮き出て、それを紙に写しとる技法。

エッチング（凹版） Etching

銅版画技法の一種で、一番古い間接的凹版。銅版の表面を松脂と蠟の混合物で作った耐酸性の防蝕剤でおおい、その上に彫刻針で絵を描き、銅版の裏側と、へりに耐酸性の蠟を塗って硝酸にひたして版を作る。

シルクスクリーン（孔版） Silk screen

木枠に張った絹またはナイロンの上にフィルムを貼りつけたり、絹に感光液を塗布して写真を投影してからスクィジーでインクを定着させる技法。紙のほかガラス、金属などにも印刷できる。最近ではセリグラフと云われている。

ドライポイント（凹版） Dry point

銅版画の一種。銅版を鋼鉄針、ダイヤモンド針などで直接刻描する最も簡単な、然し最も熟練を要する技法。刻描した時にできるまくれによる線の濃淡が特徴である。

メゾチント（凹版） Mezzotint

銅版の表面に櫛歯状の彫刻刀で縦、横、斜めの無数の線で画面を削り出していく技法。良い刷はわずかな枚数しか得られないが、ビロードのような感触の深みをもっている。

アクアチント（凹版） Aquatint

銅版の上に松脂または砂糖の粉末を使い熱して多孔質な砂目の版画を作り刷り上げる技法。版面をザラザラにするため、紙ヤスリや硫黄の粉末を撒布することがある。

ソフト・グラウンド（凹版） Soft ground

エッチングに使うニス（グラウンド）に濃い獣脂を混ぜて軟いグラウンドをつくり、その上に薄い紙や布などをのせて、シャープな鉛筆で画面を作り、そして紙または布を除去すれば画面の下のニスがとれ、その後はエッチングと同じ技法。

リフト・グラウンド（凹版） Lift ground

毛筆で描いたような効果をだすために、砂糖とアラビヤゴムを混ぜた液で、直接版面に毛筆で描き、そのまま、版面に腐蝕し、定着させる技法。

ビュラン（凹版） Burin

銅板に直接ビュランで彫る技法。鋭い線で描くことができるので、彫られた溝が深いため、より多く刷ることができる。

ジークレー Gclee

デジタル・リトグラフとも言われ、最新のコンピュータ技術を使った技法。ジークレーはフランス語で「インクの吹き付け」を意味し、スキャナーで読み取った原画をインクジェットプリンターで版画紙にインクを吹き付けることで再現する。精密性、保存性に優れている。

エスタンプ Estampe

原画を刻り師が模刻した「複製版画」で、版画独自の価値を表現するために作家自らが製版したオリジナル版画とは区別される。

エディション（限定版） Edition

完成した原版で刷った部数。10/50 のように、分母に限定部数、分子に一連の当該番号を記入し、画面の左下に表示するのが普通である。その他に
A．P（Artist proof）作家用（約 25 部）
P.P（Present Proof）贈呈用（約 20 部）
H.C（Hors Commerce）非売用（約 5 部）などがある。

吉田亜世美　木版画
無所属　サンシャイン展優秀賞　リュブリアナ国際展出個展　和光大卒　東京　昭和33年
〒181-0001 三鷹市井の頭1-13-40　0422-44-3923

吉田勝彦　銅版画
無所属　元春陽会員　春陽会賞　個展　師駒井哲郎　多摩美大卒　東京芸大大学院修　東京　昭和22年
〒300-1145 牛久市小坂1957-2　0298-73-8279

吉田克朗　エッチング
無所属　ソウル国際展東亜大賞　リュブリアナ国際展クラコウ国際展他出　多摩美大卒　埼玉　昭和18年
〒248-0002 鎌倉市二階堂34　0467-25-0235

吉田光彦　シルクスクリーン
無所属　毎日現代展　東京国際展他出　個展　師村上善男　駒井哲郎　多摩美大卒　岩手　昭和21年
〒155-0033 世田谷区代田2-32-2　03-3411-8940

吉原英里　エッチング
無所属　京展　リュブリアナ国際展他出品　ＡＢＣ絵画イラスト展優秀賞　嵯峨美短大卒　大阪　昭和34年
〒569-1046 高槻市塚原6-18-14　0726-96-2286

吉松順一郎　木版画
無所属　イビザ国際展グランプリ　「期待の新人作家」展会長賞ソウル国際展出　多摩美大卒　山口　昭和28年
〒755-0000 宇部市藤山区上条寺山　0836-32-3036

吉村明子　シルクスクリーン
無所属　「期待の新人作家」展買上賞　西武大賞展　モダンアート展出　女子美大卒　北海道　昭和35年
〒182-0022 調布市国領町1-25-20-312　042-487-5239

芳野太一　エッチング
国画会友　国画会賞　会友優作賞　個展　創形美校卒　東京　昭和35年
〒359-1105 所沢市青葉台1337-4　042-922-2394

米倉　泉　エッチング
無所属　「期待の新人作家」展　中華民国国際展　日版協展出　東京　昭和30年
〒189-0021 東村山市諏訪町2-8-5　042-391-3294

ラ

李　禹煥　木版画・リトグラフ
無所属　東京国際展京都近代美術館賞　国際青年展日本文化フォラム賞　個展　韓国　1936年
〒248-0002 鎌倉市二階堂267-186　0467-25-4025

利渉重雄　エッチング
日版協会員　フレンヘン国際展第３席　「期待の新人作家」展大賞　千葉　昭和23年
〒216-0001 川崎市宮前区野川4037-1-201　044-752-8401

ワ

和田美智子　銅版画
無所属　各種装丁制作　壁画制作　個展　グループ展　大阪芸大卒　大阪　昭和43年
〒599-8123 堺市北野田311　アトリエたまご　072-237-1832

和田裕子　アクアチント・エッチング
元全道展会友　佳作賞　個展　グループ展　北海道美術学校卒　北海道　昭和29年
〒006-0813 札幌市手稲区前田3条8丁目1-12 川端方　011-685-0847

若江漢字　オフセット
無所属　東京国際展文部大臣賞　国際青年展ストラレム賞　クラコウ国際展４席　個展　神奈川　昭和19年
〒238-0032 横須賀市平作7-12-11　0468-53-8041

若生秀二　リトグラフ
日版協会員　日版協展新人賞　ロックフォード国際展　日動版画グランプリ展出　造形大卒　宮城　昭和28年
〒201-0014 狛江市東和泉1-29-18-503　03-3488-5538

渡辺栄一　銅版画
無所属　日動版画グランプリ展グランプリ　日版協展入個展　師野間傳治　東京理科大卒　山形　昭和22年
〒247-0056 鎌倉市大船6-4-31　0467-44-5831

渡辺すすむ　シルクスクリーン
無所属　毎日広告賞部門賞　イラスト技術賞　全国カレンダー展印刷時報社賞　師利根山光人　新潟　昭和21年
〒413-0001 熱海市泉240-162　0465-62-8110

渡辺達正　銅版画
春陽会員　春陽展研究賞　日動版画グランプリ展出　個展　師駒井哲郎　多摩美大卒　愛知　昭和22年
〒192-0353 八王子市鹿島22-1-208　0426-75-1655

渡會純价　銅版画
日版協会員　元春陽会員　春陽展研究賞　日本現代展他出個展　師駒井哲郎・深沢幸雄　北海道　昭和11年
〒005-0006 札幌市南区澄川六条12-10-10　011-581-2528

森下慶三　シルクスクリーン
無所属　サン・フェレーデ賞展第２席　サロン・ド・メ展出　個展　師マリノ・マリーニ　福岡　昭和19年
在伊

森野眞弓　銅版画
無所属　日本現代展大賞　グレンヘン国際展最高賞　シェル賞展佳作賞　個展　早稲田大卒　東京　昭和16年
〒154-0002 世田谷区下馬4-11-7　03-3410-5349

森本潤一　シルクスクリーン
無所属　クラコウ国際展買上賞　日本雑誌広告賞金賞　個展　武蔵野美大卒　大阪　昭和22年
〒150-0021 渋谷区恵比寿西2-6-7-601　03-3496-1948

両角　修　木版画
日版協会員　日動版画グランプリ展大賞　ＪＡＦ展優秀賞　個展　多摩美大大学院修　長野　昭和23年
〒214-0023 川崎市多摩区長尾5-1-7-303　044-911-5831

ヤ

八神和敏　シルクスクリーン
無所属　「期待の新人作家」展買上賞　優秀賞　リュブリアナ国際展　クラコウ国際展他出　愛知　昭和17年
〒490-1100 海部郡甚目寺町江上田78-4　0524-43-1768

矢代夕稀　木版画
無所属　国際芸術交流展奨励賞　棟方記念版画大賞展入　個展　京都芸術大卒
http://www.youkiss.art/ ギャラリーら·む～気付　在仏

柳澤紀子　銅版画
日版協会員　日版協賞　クラコウ展　イタリア国際展出　個展　東京芸大大学院修　静岡　昭和15年
〒436-0079 掛川市掛川1038　0537-21-2323

山口和雄
無所属　ミヤコ版画賞展大賞　浅井忠記念展入　「期待の新人作家」展入　個展　千葉大卒　東京　昭和24年
〒313-0351 茨城県久慈郡水府村天下野7835-1　0294-85-1911

山口博一　シルクスクリーン
元日版協会員　日版協展新人賞　クラコウ国際展　サンシャイン展出　個展　東京芸大卒　愛知　昭和15年
〒461-0004 名古屋市東区葵2-5-8　052-935-0231

山下清澄　銅版画
無所属　幻想と絵画展　横浜ロータリアン大賞　個展　文化学院卒　神奈川　昭和16年
〒739-2124 東広島市高屋町郷408-21　0824-34-0378

山下武美
無所属　元日版協会員　優作賞　現代日本版画展　現代の旗手展　個展　創形美術学校卒　鳥取　昭和26年
〒206-0012 多摩市貝取2-12-5-203　042-339-5919

山下哲郎　木版画
無所属　現代版画コンクール展大賞　京都ビエンナーレ優秀賞　花の美術大賞展特別賞　昭和26年
〒813-0013 福岡市東区香椎駅前3-17-21　092-662-3994

山野辺義雄　エッチング
元日版協会員　クラコウ国際展　英国国際展　セコビア国際展他出　個展　東京芸大卒　福島　昭和11年
〒195-0052 町田市広袴443-10　042-734-5117

山本桂右　リトグラフ
日版協会員　さっぽろ国際版画ビエンナーレ大賞　昭和会展優秀賞　金沢美工大大学院修　大阪　昭和36年
〒612-8141 京都市伏見区向島二ノ丸町68-63　075-601-7464

山本　博　木版画
無所属　ミヤコ版画賞展　高知国際版画トリエンナーレ展出品　個展　多摩美大卒　福井　昭和22年
〒227-0038 横浜市青葉区奈良2-23-11　045-961-6293

山本容子　銅版画
無所属　韓国国際展優秀賞　京都市芸術新人賞　個展　師吉原英雄　京都芸大卒　埼玉　昭和27年
〒248-0013 鎌倉市材木座5-6-11　0467-24-9346

矢柳　剛　シルクスクリーン
無所属　フレヘン国際展受賞　国際青年展受賞　クラコウ国際展他出　師ヘイター　北海道　昭和８年
〒202-0005 保谷市住吉町1-16-5　042-423-2114

横井　巴　カラーメゾチント
無所属　ノルウェー国際展佳作賞　ハワイ国際展　グレンヘン国際展他出　個展　文化学院卒　愛知　昭和17年
〒601-0751 京都府北桑田郡美山町字大字島　07717-5-1777

横尾忠則　シルクスクリーン
無所属　パリ青年展大賞　ブルノ国際展特別賞　東京ＡＤＣ最高賞　個展　兵庫　昭和11年
〒157-0066 世田谷区成城5-11-5　03-3483-6969

吉池弘安　ステンシル
無所属　日仏現代展クリティック賞１席　カボ・フリオ国際展特別賞　日本現代展出　個展　満州　昭和14年
〒203-0042 東久留米市八幡町3-4-15　042-475-1170

吉岡弘昭　銅版画
日版協会員　毎日現代展　ＣＷＡＪ展　朝日美術展他出　個展　師江上明　愛知　昭和17年
〒467-0053 名古屋市瑞穂区仁所町2-78　052-831-1236

牧野宗則 木版画
無所属　浜松市美術館版画大賞展奨励賞　フィナール国際展　日仏現代展他出　個展　静岡　昭和15年
〒420-0886 静岡市葵区大岩1-6-52　054-246-2211

間島領一 シルクスクリーン・リトグラフ
無所属　マイアミ国際展買上賞　スペイン・アメリカ留学　個展　オデス美術大学修　東京　昭和22年
〒145-0073 大田区北嶺町38-2　03-3727-8213

松下サトル 木版画
日版協会員　西武版画大賞展　セントラル版画大賞展出　個展　師野田哲也　東京芸大卒　東京　昭和32年
〒113-0021 文京区本駒込2-13-18　03-3946-2030

松島順子 石版画
日版協会員　春陽会員　日本国際展　日動版画グランプリ展出　個展　女子美大卒　東京　昭和26年
〒145-0071 大田区田園調布4-29-25　03-3721-3062

松村定育 シルクスクリーン
無所属　世界ミニチュア版画展受賞　クラコウ国際展賞　個展　武蔵野美大卒　青森　昭和11年
〒158-0097 世田谷区用賀1-13-19-203　03-3700-8135

松本旻 シルクスクリーン・木版画
無所属　日版協展山本鼎賞　ＪＡＦ展大賞　リュブリアナ国際展大賞　東京国際展佳作賞　大阪　昭和11年
〒194-0032 町田市本町田1882　イ-4-207　042-791-1486

松本威 シルクスクリーン
無所属　リュブリアナ国際展　サンシャイン版画展　神戸招待現代展出　個展　師久保晃　大阪　昭和17年
〒630-8131 奈良市大森町54-3-305　0742-24-3735

松本真一 リトグラフ
無所属　セントラル版画大賞展買上賞　日動版画グランプリ展　個展　師原健　日大卒　熊本　昭和35年
〒177-0041 練馬区石神井町2-31-14　03-3904-4761

丸山浩司 木版画
日版協会員　日版協展新人賞　ＣＷＡＪ展　リュブリアナ国際展他出　個展　東京芸大卒　栃木　昭和28年
〒178-0064 練馬区南大泉4-40-8　03-3978-5005

三塩英春 銅版画
無所属　西武版画大賞展　日動版画グランプリ展出　東京芸大大学院修　佐賀　昭和31年
〒240-0102 横須賀市秋野11-21・1-304　0468-56-6110

三村治男 木版画
無所属　日版協展出品　太平洋美術展出品　個展　師吉田遠志　青山学院大中退　広島　昭和22年
〒018-5336 鹿角市十和田錦木字浜田43-5　0186-35-3934

水落啓 エッチング
無所属　東京セントラル大賞展買上賞　「期待の新人作家」展大賞　イビザ国際展他出　北海道　昭和25年
〒363-0027 桶川市川田谷2591-1　0487-86-4779

水口かよこ 木版画
無所属　川上澄夫美術館木版画大賞展入　タグボート・アワード展入　個展　京都市立芸大卒　大阪　昭和57年
〒567-0010 茨木市山手台新町1-2-5　072-628-0327

南正雄 シルクスクリーン
無所属　ＣＷＡＪ現代版画展出品　神奈川版画アンデパンダン展買上賞　個展　中央大卒　東京　昭和10年
〒194-0032 町田市本町田1544-32　042-726-3817

宮本秋風 木版画
無所属　画廊選抜作家展賞　地方展賞　個展　福岡　昭和25年
〒192-0912 八王子市絹ヶ丘1-6-8　0426-35-1703

村上明 リトグラフ
無所属　英国国際展大賞　フレヘン国際展第２席　ソウル国際展他出　個展　京都芸大卒　広島　昭和24年
〒605-0977 京都市東山区泉涌寺山内町22　075-525-3259

村上文生 銅版画
無所属　現代版画コンクール優秀賞　リュブリアナ国際展他出　個展　京都芸大卒　広島　昭和23年
〒616-8153 京都市右京区太秦面影町6　075-881-3164

室橋信一 リトグラフ
元日版協会員　日版協展奨励賞　日動版画グランプリ出　ＣＷＡＪ展出　個展　武蔵野美大卒　東京　昭和27年
〒167-0051 杉並区荻窪3-28-9-101　03-3392-9778

元田久治
日版協会員　版画協会賞　神奈川国際版画トリエンナーレ2001準大賞　東京芸大大学院修　熊本　昭和48年
〒120-0002 足立区中川2-20-6　03-5697-6414

元村平 銅版画
無所属　カンヌ国際展　フランス国際展招待　抒情７人衆・日本新人作家展出　個展　武蔵野美大卒　熊本　昭和12年
在仏

百瀬寿 シルクスクリーン
無所属「期待の新人作家」展大賞　シェル賞展３等賞　ビエッラ国際展出　個展　岩手大卒　北海道　昭和19年
〒020-0878 盛岡市肴町11-39　019-654-3265

森岡完介 シルクスクリーン
無所属　版画大賞展優秀賞　日本国際展京都国立近代美術館賞　個展　愛知教育大卒　愛知　昭和16年
〒466-0855 名古屋市昭和区川名本町3-39　052-762-6625

福田弘美　シルクスクリーン
無所属　「期待の新人作家」展優秀賞　日本国際美術展・版画コンクール展出　個展　奈良　昭和20年
〒638-0811 奈良県大淀町土田64　0747-52-2932

藤江　民　リトグラフ
無所属　日動版画グランプリ展　現代日本美術展他出　個展　明治大卒　富山　昭和25年
〒930-0012 富山市稲荷町3-7-2　076-441-2093

藤岡　慎　リトグラフ
日版協会員　日版展新人賞　日動版画グランプリ展他出　個展　多摩美大大学院修　広島　昭和29年
〒247-0033 横浜市栄区桂台南2-45-18　045-894-4923

藤田　修　銅板画
無所属　版画グランプリ展　日版協展　サンシャイン展入　神奈川県展出　多摩美大卒　神奈川　昭和28年
〒238-0031 横須賀市衣笠栄町3-65　0463-53-0770

藤田慶次　メゾチント
無所属　関西新制作展賞　京展紫賞　市長賞　イタリア国際展出　個展　師大垣禎造　昭和25年
〒606-8165 京都市左京区一乗寺野田2-2-220　075-721-8612

藤浪理恵子　エッチング
無所属　ミヤコ版画賞展大賞　日本具象版画展グランプリ　東京造形大卒　多摩美大大学院修　千葉　昭和35年
〒160-0002 新宿区坂町27　プレミール805　03-3357-6078

藤本俊彦
無所属　元日版協会員　準会員佳作賞　日本グラフィック大賞展奨励賞　武蔵野美術学園卒　兵庫　昭和28年
〒156-0056 世田谷区八幡山3-37-7-404　03-5317-8372

藤原向意　木版画
無所属　現代日本美術展　アートナウ展　クラコウ国際展他出品　個展　武蔵野美大卒　兵庫　昭和７年
〒675-1213 加古川市上荘町国包211-2　0794-38-2941

二見彰一　アクアチント
元春陽会員　春陽展研究賞　ウッジ国際展賞クラコウ国際展他出　個展　大阪　昭和７年
〒614-8332 八幡市橋本新石14-18　075-983-7474

筆塚稔尚　シルクスクリーン
元日版協準会員　春陽準会員　西武大賞展優秀賞　春陽展新人賞　武蔵野美大卒　香川　昭和32年
〒359-1142 所沢市上新井784-4　042-924-1826

船生敏雄　メゾチント
一線美術会委員　一線美術展受賞　蒼樹会展銀賞　二科展入　千葉　昭和22年
〒273-0048 船橋市丸山1-20-6　047-438-6778

舩坂芳助　木版・シルクスクリーン
日版協会員　春陽会員　東京国際展京都近美館賞　多摩美大卒　岐阜　昭和14年
〒152-0012 目黒区洗足2-17-26-302　03-3712-0784

古谷博子　木版画
日版協会員　山口源新人賞　準会員優秀賞　川上澄生美術館大賞展準大賞　多摩美大大学院修　東京　昭和36年
〒187-0042 小平市仲町12-10　042-341-5769

保科豊巳　木版画
無所属　パリ国際展　現代紙の造形展他出　個展　師野田哲也　東京芸大大学院修　長野　昭和28年
〒270-2252 松戸市千駄堀1453-14　047-386-5630

星野美智子　リトグラフ
日版協会員　国画会員　国画展新人賞　会友優作賞　リュブリアナ国際展他出　東京芸大卒　東京　昭和９年
〒167-0041 杉並区善福寺1-14-10　03-3390-5517

干場良光　リトグラフ
無所属　「期待の新人作家」展　国展　北海道抽象版画協会展出　北海道教育大卒　北海道　昭和26年
〒060-0033 札幌市中央区北3条東5丁目岩佐ビル　011-241-2310

堀江良一　木版画
日版協会員　ＣＷＡＪ展　日動版画グランプリ展他出品　個展　師伊藤廉　東京芸大卒　愛知　昭和18年
〒505-0051 美濃加茂市加茂野町鷹之巣2127　0574-54-2140

本田和久　メゾチント
無所属　マイアミ国際展買上賞　ノースダコタ版画展買上賞　個展　師浜口陽三　ヘイター　大阪芸大卒　愛媛　昭和23年
在米

本田眞吾　エッチング
無所属　国際青年展　ＣＣＡＣ国際展　日本国際展　ＪＡＦ展他出品　個展　師斉藤義重　多摩美大卒　新潟　昭和19年
在米

マ

マキツトム　リトグラフ
元春陽会員　春陽展新人賞　版画ハガキコンクールグランプリ　日本国際展他出　日大卒　昭和24年
〒203-0043 東久留米市下里5-16-24　042-474-0221

前川幸夫　メゾチント
無所属　京都銅版画協会会員　個展　グループ展　大阪芸大卒　京都　昭和34年
〒614-8367 八幡市男山長沢3-5

野村真喜 銅版画
無所属 講談社童画グランプリ優秀賞 個展 京都市立芸大卒 奈良 昭和37年
〒632-0016 天理市川原城町207-2 滝野荘 *070-5167-6463*

乗兼広人 銅版画
日版協会員 日動グランプリ展賞候補 日本国際展 現代版画展出 個展 創形美校卒 広島 昭和24年
〒190-0011 立川市高松町1-21-18 X36 *042-525-3376*

ハ

萩原朔美 シルクスクリーン
無所属 東京国際展長岡現代美術館賞 リュブリアナ国際展 英国国際展出 個展 東京 昭和21年
〒168-0073 杉並区下高井戸1-31-13-403 *03-3428-8884*

橋本文良 シルクスクリーン
無所属 高知国際版画展大賞 「現代の版画」優秀賞 現代版画展優秀賞 京都芸大卒 富山 昭和24年
〒603-8426 京都市北区紫竹西北町33-12 *075-492-3879*

塙 太久馬 木版画
無所属 元日版協会員 一線美術会員 サロン・ドートンヌ入 個展 武蔵野美大卒 東京 昭和22年
〒214-0022 川崎市多摩区堰1-2-8 *044-822-8492*

馬場 章 銅版画
無所属 日動版画グランプリ展賞候補 国際メゾチント作家版画展 個展 東京芸大大学院修 福岡 昭和27年
〒216-0033 川崎市宮前区宮崎1-5-23B-203 *044-855-8217*

浜田 浄 シルクスクリーン
無所属 クラコウ国際展国立美術館賞 西武版画展優秀賞 個展 多摩美大卒 高知 昭和12年
〒202-0011 保谷市泉町5-1-13 *0424-23-4202*

浜西勝則 銅版画
日版協会員 春陽会員 イビザ国際展最高賞 グレンヘン展最高賞 個展 東海大卒 北海道 昭和24年
〒257-0031 秦野市曽屋6019-6 *0463-83-0187*

林 和一 木版画
春陽会員 日版協展新人賞 春陽会展新人賞 日動版画グランプリ展出 金沢市立美大卒 静岡 昭和26年
〒431-1305 静岡県細江町気賀8358-1 *0535-22-0873*

原 健 リトグラフ・シルクスクリーン
無所属 東京国際展京都近美館賞 フィレンツェ国際展他出 個展 東京芸大卒 愛知 昭和17年
〒216-0003 川崎市宮前区有馬6-14-4 *044-853-4680*

原 三佳恵 リトグラフ
無所属 個展（ギャラリープチフォルム・信濃橋画廊他） 師浜口陽三 南桂子 大阪芸大卒 大阪 昭和26年
〒580-0042 松原市松ヶ丘2-7-14 *0723-31-6678*

原田泰治
無所属 「日本のふる里」原田泰治の世界展連載（朝日新聞）長野オリンピック文化芸術祭参加 長野 昭和15年
〒392-0017 諏訪市城南2-2296 *0266-52-0182*

判治佐江子 銅版画
日版協会員 日版協展・日動版画グランプリ展他出品 個展 師駒井哲郎 多摩美大卒 三重 昭和25年
〒512-8061 四日市市広永町1030-17 *0593-61-0307*

朴 再英 木版画
日版協会員 山本鼎版画大賞展準大賞 武蔵野美大大学院修 東京芸大大学院修 昭和39年
〒389-0821 千曲市上山田温泉2-10-3 *026-276-0048*

伴 颺 木版画
無所属 泥々会結成 創展評論家賞 努力賞 東京展 スペイン展出 個展 師中村正義 神奈川 昭和９年
〒131-0044 墨田区文花1-15-2 *03-3613-3752*

樋勝朋巳 銅版画
無所属 神戸版画ビエンナーレ1998神戸新聞社賞 サッポロ国際現代版画展 多摩美大卒 長野 昭和44年
〒340-0114 幸手市東3-5-3-301 *0480-44-4747*

秀島由己男 メゾチント
無所属 グラフィカ・クリエーチバ受賞 現代日本展他出 個展 師浜田知明 熊本 昭和９年
〒861-0526 山鹿市下吉田729-4 *0968-44-0912*

平賀 敬 リトグラフ
無所属 国際美術家展大賞 シェル美術賞展３席 個展 立教大卒 東京 昭和11年
〒250-0311 神奈川県箱根町湯本613 *0460-5-8327*

広根良子 銅版画
元日版協準会員 版画ハガキコンクール特別賞 ＣＷＡＪ展出 個展 師深沢幸雄 多摩美大卒 東京 昭和31年
〒194-0043 町田市成瀬台4-26-4 *042-726-4876*

吹田文明 木版画
日版協名誉会員 モダンアート委員 日版協展恩地賞 サンパウロ展最高賞 個展 徳島師範 徳島 大正15年
〒157-0073 世田谷区砧3-33-4 *03-3417-7123*

福岡奉彦 銅版画
独立美術会員 奨励賞 独立賞 春陽展新人賞 師駒井哲郎 中林忠良 東京芸大大学院修 佐賀 昭和20年
〒358-0022 入間市扇町屋1-5-16 *0429-66-3839*

戸田正寿 シルクスクリーン
無所属　国際青年展　ワルシャワ国際展　マイアミ国際展他出品　個展　目黒ゼミナール修　福井　昭和23年
〒104-0045 中央区築地7-16-3-307　03-3545-1533

戸村茂樹 銅版画
無所属　国画会展　サンシャイン展他出品　個展　銅版画集「メゾチントの肖像」　岩手大卒　青森　昭和26年
〒020-0111 盛岡市黒石野1-20-14　019-661-8160

塔本賢一 シルクスクリーン
無所属　ＡＢＣ＆ＰＩ展大林賞　浜松絵画展大賞　花の美術展大賞　安井賞展出品　個展　熊本　昭和18年
〒573-1155 枚方市招提南町3-18-15-105　072-855-8348

富田文雄 シルクスクリーン
日版協会員　フレヘン国際展受賞　モダンアート展新人賞　イビザ国際展他出　鹿児島大卒　鹿児島　昭和９年
〒296-0044 鴨川市広場1308　0470-92-5150

富張広司 木版画
モダンアート会員　バルセロナ展受賞　毎日現代展・現代日本展他出　個展　茨城大卒　茨城　昭和11年
〒323-0807 小山市城東4-6-10　0285-24-5500

豊島弘尚 リトグラフ
無所属　クラコウ国際展買上賞　特別賞　クリエーチバ特別賞　個展　東京芸大卒　青森　昭和８年
〒325-0303 栃木県那須町高久乙湯道東2728-41　0287-62-6454

ナ

名嶋憲児 木版画
無所属　独学　個展（都画廊他）　グループ展　三重　昭和43年
〒515-2404 三重県一志郡嬉野町大字上小川222

中井富士子 リトグラフ
無所属　国画展新人賞　関西国画賞　アートナウ展他出品　個展　師吉原英雄　京都芸大卒　和歌山　昭和23年
〒596-0046 岸和田市藤井町2-3-38　0724-22-8782

中村忠良 エッチング
日版協会員　日動版画グランプリ展大賞　リュブリアナ国際展他出　個展　東京芸大大学院修　東京　昭和12年
〒356-0034 上福岡市駒林437　0492-63-1970

中村和人 メゾチント
無所属　元日版協会員　日版協会賞　文化庁選抜展　日本国際展他出　多摩美大卒　宮崎　昭和27年
〒350-0001 川越市古谷上6083-7　L-1-303　0492-25-4047

中山隆右 シルクスクリーン
日版協会員　リュブリアナ国際展　イビザ国際展他出品「期待の新人作家」展買上賞　多摩美大卒　群馬　昭和24年
〒191-0052 日野市東豊田1-53-22　042-584-5832

中山昌子 木版画
無所属　元日版協会員　日版協展星襄一賞　創形美校卒　長野　昭和28年
〒224-0023 横浜市都筑区東山田4-5-4-405　045-591-3261

永井研治 リトグラフ
元モダンアート会員　日動版画グランプリ展賞候補　モダンアート展部門賞　武蔵野美大卒　昭和22年
〒357-0215 飯能市坂石852-6　042-978-1030

長岩典子 イメージアート
無所属　師写真家小川勝久　個展（四谷ポートレートギャラリー）　グループ展　東京
〒320-0062 宇都宮市馬場通り1-1-1-1501　0285-32-8075

並木一 木版画
日本木彫連盟会員　ＣＷＡＪ現代版画展出　個展　Ｇ展　師小倉茂山　東京　昭和22年
〒270-2252 松戸市千駄堀968-21　047-343-4967

二村裕子 シルクスクリーン
無所属　ＪＡＦ展優秀賞　国際青年展佳作賞　日本国際展　東京国際展出　個展　多摩美大卒　新潟　昭和18年
〒272-0144 市川市新井1-16-12　047-358-8846

西川洋一郎 シルクスクリーン
元日版協会員　日仏現代美術展出品　個展　多摩美大大学院修　佐賀　昭和34年
〒215-0025 川崎市麻生区五力田446-1-D　044-989-1612

西田忠重 木版画
無所属　日本表現派展新人賞　奨励賞　ドイツ表現派展招待出品個展　千葉大卒　鹿児島　昭和17年
〒277-0845 柏市豊四季台2-1-106-601　047-145-7732

野田哲也 木版画・シルクスクリーン
無所属　東京国際展大賞　クラコウ国際展２席　リュブリアナ国際展大賞　個展　東京芸大卒　熊本　昭和15年
〒277-0031 柏市亀甲台2-12-4　047-163-5332

野中ユリ 銅版画
無所属　東京国際展　日本国際展　現代美術の動向展他出品　個展　駒場高卒　東京　昭和13年
〒247-0061 鎌倉市台2-7-25　0467-45-8098

野間傳治 銅版画
元一陽会委員　一陽展青麦賞　ベッドフォード展第1席　師ヘイター　東京芸大卒　愛媛　昭和10年
〒177-0041 練馬区石神井町2-34-30　03-3996-3582

髙久　茂　木版画
日本板画院委員　都知事賞　川上澄生木版画展準大賞　個展　栃木　昭和25年
〒320-0856 宇都宮市砥上町350-28　*028-648-1602*

高橋　潮　メゾチント
元春陽会員　個展　グループ展　師横地康国　斉藤長三　武蔵野美大卒　福岡　昭和19年
〒177-0045 練馬区石神井台2-25-10　*03-3997-1242*

高橋　脩　木版画
無所属　刀の会世話人　個展　京都学芸大卒　京都　昭和10年
〒616-8341 京都市右京区嵯峨甲塚町5　*075-872-0157*

高橋シュウ　銅版画
無所属　日仏現代展大賞　日本国際展国立国際美術館賞　北大卒　埼玉　昭和26年
〒335-0025 戸田市南町8-8　*0484-41-9682*

高橋義治　銅版画
ザルツブルグ・ワシントン他内外個展　ザルツブルグ美術館所蔵　東京芸大卒　ミュンヘン芸大卒　東京　昭和18年
在独

高原　斉　銅版画
日版協会員　春陽会展新人賞　日本現代版画大賞展優秀賞　個展　師山野辺義雄　東海大卒　愛媛　昭和29年
〒799-0101 川之江市川之江町1118　*0896-58-8143*

高部多恵子　シルクスクリーン・銅版画
日版協会員　日版協展奨励賞・新人賞　クラコウ国際展他出　女子美大卒　和歌山　昭和16年
〒225-0005 横浜市青葉区荏子田1-6-2　*045-901-2009*

高松次郎　スクリーンプリント
無所属　芸術選奨新人賞　シェル賞展１等賞　東京国際展国際大賞　個展　東京芸大卒　東京　昭和11年
〒181-0013 三鷹市下連雀2-2-27　*0422-44-6882*

高柳　裕　金属凸版・シルクスクリーン
無所属　シェル賞展佳作賞　版画グランプリ展大賞　個展　東京芸大大学院修　東京　昭和16年
〒240-0111 神奈川県葉山町一色813-5　*0468-75-5460*

竹田和子　メゾチント
元春陽会員　春陽展研究賞　東京国際展　今日の作家展出個展　師駒井哲郎　東京芸大卒　東京　昭和21年
〒156-0057 世田谷区上北沢3-24-27　*03-3303-5166*

竹田鎮三郎　リトグラフ・木版画
無所属　メキシコ青年展第１席　東京国際展他出品　個展　師久保貞次郎　東京芸大卒　愛知　昭和10年
在メキシコ

竹村　健　木版画
無所属　自画自刻自摺　個展　CWAJ展　神奈川　昭和31年
〒259-0113 神奈川県中郡大磯町石神台1-4-6　*0463-71-3777*

谷口　茂　シルクスクリーン
無所属　イビザ国際展特別賞　「期待の新人作家」展優秀賞　リュブリアナ国際展招　個展　福岡　昭和23年
〒166-0012 杉並区和田3-42-6　*03-3312-6630*

玉置　昇　木版画
春陽会員　郵政大臣賞　春陽展奨励賞　会友賞　スペイン美術賞展他入　個展　岐阜大卒　岐阜　昭和５年
〒505-0125 岐阜県御嵩町伏見982-1　*0574-67-1715*

丹阿弥丹波子　メゾチント
春陽会員　春陽展研究賞　単行本装幀　版画集刊　個展　師駒井哲郎　文化学院卒　東京　昭和２年
〒166-0016 杉並区成田西1-16-44　*03-3311-3171*

塚本邦光　メゾチント
元日版会理事　新鋭作家選抜展　ブルガリア奨励賞　個展　東京　昭和27年
〒146-0093 大田区矢口1-1-6　*03-3758-1598*

辻　憲　銅版画
無所属　日動版画グランプリ展賞候補　個展　師駒井哲郎　吹田文明　多摩美大大学院修　昭和21年
〒131-0033 墨田区向島5-45-3　*03-3622-1983*

鍔本達朗　リトグラフ
無所属　「期待の新人作家」展会長賞　現代版画コンクール展出　個展　武蔵野美大卒　愛知　昭和27年
〒447-0051 碧南市東山町5-82　*0566-41-7485*

坪田政彦　シルクスクリーン
無所属　現代日本展　リュブリアナ国際展出　個展　師船井裕　持田総章　森泰　大阪芸大卒　兵庫　昭和22年
〒547-0041 大阪市平野区平野北1-4-12-502　*06-6792-1027*

坪山由起　銅版画
無所属　第６回ミヤコ版画賞展大賞　個展（都画廊他）　大阪　昭和35年
〒590-0132 堺市原山台5丁1-20-109　*072-299-6480*

鶴岡　洋　銅版画
元日版協会員　国画展新人賞　毎日現代展　アジア現代展個展　師深沢幸雄　千葉大卒　千葉　昭和16年
〒290-0222 市原市上原141-2　*0436-95-3621*

出倉裕之　木版画
無所属　第三文明展入　国際扇面展出品　個展　石川　昭和32年
〒500-8368 岐阜市宇佐3-1-6　*058-272-0147*

鈴 木 広 行　銅版画
無所属　ブロワ国際展　カンヌ国際展　リュブリアナ国際展　ビエッラ国際展他出　個展　愛知　昭和25年
〒451-0025 名古屋市西区上名古屋1-5-8　052-522-0410

鈴 木 友 二　エッチング
無所属　「期待の新人作家」展大賞　日宣美展奨励賞　日版協展　西武大賞展出　東京　昭和10年
〒351-0005 朝霞市根岸台7-25-13　0484-65-6185

鈴 木 洋 一　木版画
日板院委員　日板展新人賞　県美展奨励賞　山新賞　個展　師棟方末華　山形大卒　山形　昭和14年
〒999-3771 東根市長瀞1326-1　0237-42-0649

仙北屋　崇　ビュラン
無所属　春陽会展新人賞　今日の版画65人展　個展　師駒井哲郎　東京芸大大学院修　東京　昭和25年
〒175-0083 板橋区徳丸1-59-11-907　03-3937-7058

曽 根 光 子　シルクスクリーン
無所属　西武版画大賞展大賞　日本国際展　現代日本展入　個展　武蔵野美大卒　神奈川　昭和30年
〒206-0041 多摩市愛宕4-31-10-301　042-339-5822

園 山 晴 巳　リトグラフ
日版協会員　日版協展新人賞　日本現代展　ロックフォード国際展他出　個展　東京造形大卒　福岡　昭和25年
〒253-0087 茅ヶ崎市下町屋2-9-59　0467-82-5097

傍 嶋 康 博　リトグラフ
日版協会員　日版協展奨励賞　ロッククフォード国際展佳作賞　個展　東京芸大大学院修　岐阜　昭和22年
〒272-0815 市川市北方1-14-21　047-322-4496

タ

田 口 雅 巳　シルクスクリーン
無所属　ニューハンプシャー国際展　ＣＷＡＪ展他出　個展　兼日本画　鎌倉高卒　神奈川　昭和11年
〒253-0106 神奈川県寒川町宮山4501-6　0467-75-7176

田 島 征 彦　型染・シルクスクリーン
日版協会員　フランス美術展佳作賞　世界絵本原画展金牌受賞　師稲垣稔次郎　京都芸大卒　高知　昭和15年
〒629-0103 京都府船井郡八木町諸畑　0771-42-4284

田中喜美子　エッチング
無所属　個展　句集花のつぶやき出版記念個展　長野　昭和８年
〒380-0835 長野市新田町1465　026-224-4257

田 中　潔　シルクスクリーン
無所属　イビザ国際展　国際アートコンペティション「期待の新人作家」展出　大分　昭和25年
〒251-0038 藤沢市鵠沼松が岡2-5-30-E-203　0466-22-8773

田 中　孝　シルクスクリーン
無所属　日本現代展優秀賞　クラコウ国際展２席　個展　京都芸大卒　滋賀　昭和23年
〒520-0016 大津市比叡平1-21-5　077-529-2863

田 中 正 秋　シルクスクリーン
元一陽会員　特待賞　主体美術展佳作賞　日動グランプリ展　個展　師野間傳治　武蔵野美大卒　東京　昭和22年
〒154-0015 世田谷区桜新町1-12-2　03-3420-7484

田 中 陽 子　木版画
無所属　鹿沼市立川上澄生美術館木版画大賞　個展　師斉藤寿一　和光大卒　京都　昭和22年
〒194-0043 町田市成瀬台2-18-32　042-728-0233

田 中 令 子　木版画
春陽会員　新人賞　春陽会秋季展・「期待の新人作家」展出品　武蔵野美大卒　長野　昭和15年
〒161-0035 新宿区中井1-14-7-803　03-3368-6393

田 辺 和 郎　シルクスクリーン
日版協会員　版画グランプリ展大賞　国際青年展文部大臣賞　個展　東北大卒　神奈川　昭和12年
〒232-0063 横浜市南区中里3-4-45　045-742-7510

田 村 文 雄　リトグラフ
日版協会員　日版協展新人賞　フィレンツェ国際展大賞　版画グランプリ展大賞　東京芸大卒　長野　昭和16年
〒187-0045 小平市学園西町2-12-8　042-343-7282

田 原 桂 一　タブローレアル
無所属　光を核にした作品制作　光の彫刻家として活躍　木村伊兵衛賞　フランス文学功労賞　京都　昭和26年
52,rue Bichat 75010 Paris,France　01-4208-8011

多 賀　新　エッチング
元日版協会員　版画グランプリ展受賞　文化庁在外研修派遣員　個展　北海道　昭和21年
〒272-0815 市川市北方3-18-19　047-335-1998

高 垣 秀 光　木版画
日版協会員　奨励賞　新人賞　国画展新人賞　サンシャイン展大賞　個展　多摩美大学院修　広島　昭和28年
〒242-0006 大和市南林間7-12-16　0462-76-4463

高 木 隆 行　木版画
元日版協準会員　日動版画グランプリ展グランプリ　国画会展新人賞　師吹田文明　多摩美大卒　愛知　昭和34年
〒273-0042 船橋市前貝塚町1005-4-C-105　047-439-3462

坂爪厚生 銅版画
日版協会員　版画グランプリ賞　国際グラフィックス展賞　京展賞　個展　京都大卒　群馬　昭和16年
〒618-0000 京都府大山崎町谷田77-6　075-956-6910

桜井貞夫 エッチング
無所属　現代版画コンクール展優秀賞　「期待の新人作家」展買上賞　イビザ国際展他出　和歌山　昭和26年
〒617-0002 向日市寺戸町二枚田4-51　075-931-0446

櫻井尚 リトグラフ
無所属　元日版協会員　日動版画グランプリ展賞候補　ＪＡＦ展国際版画展他出　個展　大阪　昭和18年
〒206-0012 多摩市貝取2-12-2-305　042-372-3800

志野和男 ペーパースクリーン
元春陽会会員　春陽会大阪展市長賞　全関西展読売新聞社賞　個展　大阪　昭和23年
〒573-1166 枚方市新之栄町10-43　072-847-7164

塩入久 木版画
日板院委員　IAC美術会常任理事　県工芸美術会理事　IAC美術展文科賞　県工芸美術展知事賞　昭和24年
〒390-0803 松本市元町3-8-22　0263-33-6944

塩田みはる リトグラフ
日版協会員　日仏現代美術展２席　日動版画グランプリ賞候補　師大沢昌助　多摩美大卒　東京　昭和22年
在仏

塩見奈々 木版画
無所属　西武版画大賞展優秀賞　サンシャイン展他出品個展　多摩美大大学院修　大阪　昭和31年
〒351-0101 和光市白子2-24-24-615　0484-65-0701

重野克明
無所属　日本版画協会展協会賞　春陽会展奨励賞　東京芸大大学院修　千葉　昭和50年
〒121-0053 足立区佐野1-28-26　090-6014-7633

四反田善 木版画
元モダンアート会員　クラコウ国際展　リュブリアナ国際展他出品　多摩美大卒　広島　昭和28年
〒733-0842 広島市西区井口1-20-31　082-277-5658

四宮修 リトグラフ
無所属　元日版協会員　サンシャイン展優秀賞　国画会展新人賞　個展　多摩美大大学院修　兵庫　昭和30年
〒192-0944 八王子市館町1671-1　042-666-3660

篠原猛史 シルクスクリーン
無所属　西武版画大賞展優秀賞　版画グランプリ展賞候補　京展賞　個展　大英博物館他買上　京都　昭和26年
〒600-8876 京都市下京区西七条南中野町60　075-951-6072

島州一 シルクスクリーン
無所属　クラコウ展受賞　ＪＡＦ展大賞　東京国際展受賞　個展　多摩美大卒　東京　昭和10年
〒173-0004 板橋区板橋1-38-2 池田ビル3F　03-3961-7381

島田節子 リトグラフ
元春陽会員　元日版協準会員　春陽展新人賞　日版協展出品個展　武蔵野美大卒　宮崎　昭和22年
〒203-0043 東久留米市下里5-16-24　042-474-0221

清水光一 リトグラフ
大平洋美術会評議員　大平洋展会員秀作賞　ピストイア国際展他出　個展　大平洋美校修　東京　昭和21年
〒114-0023 北区滝野川5-53-10　03-3916-4108

清水遠流 木版画
無所属　版画グランプリ展　日中版画交流展出　個展　版画集「巴里の秋」「天平の仏像」刊　富山　昭和13年
〒558-0052 大阪市住吉区帝塚山西1-11　A-119　06-6674-1503

清水美三子 リトグラフ
春陽会員　春陽会賞　日版協会員　日版協会賞　安田火災奨励賞展優秀賞　女子美大卒　東京　昭和38年
〒143-0024 大田区中央1-21-12　03-3774-0073

下谷千尋 シルクスクリーン
無所属　ＪＡＦ展大賞　サンパウロ国際展優秀賞　英国国際展賞個展　京都美大卒　奈良　昭和９年
〒633-0091 桜井市桜井64　0744-42-2808

城景都 エッチング
从会員　シェル賞展佳作賞　ジェノバ市芸術家展大賞　日仏現代展２席　個展　昭和23年
〒444-1300 高浜市高浜町一本木31-1-303　0566-52-6643

白木俊之 銅版画
日版協会員　日版協展新人賞　現代日本美術展・ＪＡＦ日本国際展出　東京教育大卒　長野　昭和13年
〒305-0045 つくば市梅園2-8-13　0298-52-0710

末武英一 シルクスクリーン
無所属　国展野島賞　モダンアート展部門賞　「期待の新人作家」展買上賞　岩手大卒　北海道　昭和21年
〒070-8013 旭川市神居3条14丁目　0166-61-1357

菅木志雄 シルクスクリーン
無所属　シェル賞展大賞　パリ青年展　大平洋国際展他出　師斉藤義重　多摩美大卒　岩手　昭和19年
〒413-0235 伊東市大室高原2-541　0557-51-5428

杉山一夫
日版協会員　奨励賞　準会員賞　リュブリン国際反戦芸術展準大賞　個展　神奈川　昭和25年
〒239-0803 横須賀市桜が丘1-8-13　0468-34-5851

ケ　ン　シ　　シルクスクリーン
無所属　ＪＡＦ展優秀賞　ベルクナップメモリアル版画展買上賞　個展　日大卒　福岡　1946年
〒270-0002 松戸市平賀137-4　047-343-9566

小　浦　　昇　　銅版画
春陽会員　春陽展新人賞　日動版画グランプリ展グランプリ受賞　個展　多摩美大卒　埼玉　昭和24年
〒352-0011 新座市野火止5-19-24　0484-77-3326

小　暮　真　望　　シルクスクリーン
元日版会会長　文科大臣賞　ノルウェー国際展１位　個展　Ｇ展　明大大学院修　群馬　昭和23年
〒355-0037 東松山市若松町1-5-10　0493-24-8791

小　崎　　侃　　木版画
無所属　元太平洋美術評議員　日動版画グランプリ展他出品　個展　太平洋美校修　熊本　昭和17年
〒851-0251 長崎市田上町134　0958-26-2515

小清水量造　　リトグラフ
モダンアート協会員　新人賞　奨励賞　ＣＷＡＪ展出品　武蔵野美大卒　昭和30年
〒243-0006 厚木市吾妻1-19-303　0462-22-5360

Koharu 小春
無所属　ニューヨーク現代版画展　那須国際ビエンナーレ　個展　東京芸大大学院修　昭和22年
在米

小　林　清　子　　リトグラフ
日版協会員　日美連会員　サンシャイン版画展大賞　現代日本美術展賞　個展　東京芸大卒　新潟　昭和22年
〒216-0001 川崎市宮前区野川4090-1-2-403　044-755-6186

小　林　敬　生　　木口木版
日版協会員　セントラル版画大賞展佳作賞　日動版画グランプリ展賞候補　個展　京都　昭和19年
〒141-0021 品川区上大崎2-10-45-1107　03-3446-8496

小松崎広子　　シルクスクリーン
元モダンアート会員　モダンアート協会賞　毎日現代展・リュブリアナ国際展出　信州大卒　長野　昭和10年
〒123-0851 足立区梅田7-10-26　03-3840-0801

小　山　愛　人　　シルクスクリーン
無所属　元日版協会員　日版協展新人賞　現代日本版画大賞展優秀賞　個展　創形美校修　岡山　昭和26年
〒344-0000 春日部市武里団地8-8-302　048-737-8080

古　賀　　章　　木版画
日版協会員　モダンアート展新人賞・奨励賞・星嚢一賞　日動版画グランプリ展出　福岡　昭和26年
〒805-0026 北九州市八幡東区東山2-9-33 093-651-1955

越　谷　賢　一　　リトグラフ
無所属　現代版画コンクール展優秀賞　日版協展　セントラル版画大賞展出　北大卒　北海道　昭和18年
〒061-2271 札幌市南区藤野432　011-591-8889

サ

佐久間嘉明
日版協会員　日本国際美術展兵庫県立近美館賞　現代版画コンクール展優秀賞　京都市立芸大卒　昭和22年
〒607-8417 京都市山科区御陵別所町57-4　075-591-4265

佐　竹　邦　子　　リトグラフ
日版協会員　協会賞　現代日本美術展富山県立近代美術館賞　棟方記念大賞展奨励賞　多摩美大大学院修
〒353-0003 志木市宗岡4-30-26　048-473-6213

佐　藤　亜　土　　シルクスクリーン
無所属　パリ青年展受賞　ベルギーオスタンド絵画展金賞　クノック市展大賞　個展　慶応大卒　神奈川　昭和11年
在仏

サイトウ良　　シルクスクリーン
国画会員　国画会賞・記念賞　ビエッラ国際展・ノルウェー国際展招　個展　福岡　昭和16年
〒300-1222 牛久市南1-34-22　0298-73-2699

三　枝　孝　司　　スチプリント
日版協会員　神奈川県展大賞　和歌山版画ビエンナーレ展他出　多摩美大大学院修
〒145-0062 大田区北千束1-2-1　03-3273-6928

斎藤カオル　　メゾチント
元春陽会員　春陽会賞　自由美術展・モダンアート展出品師鶴田吾郎　荒井龍男　神奈川　昭和６年
〒240-0112 神奈川県葉山町堀内870-8　0468-75-2522

斎　藤　　智　　シルクスクリーン
無所属　ＪＡＦ展大賞　東京国際展大賞　ノルウェー国際展大賞　個展　東京芸大卒　東京　昭和11年
〒270-1154 我孫子市白山1-27-3　0471-82-2566

斎　藤　隆　夫　　木版画
国画会展新人賞　太平洋美術会賞　版画新人展優秀賞　個展　太平洋美校修　埼玉　昭和27年
〒362-0037 上尾市上町2-14-17　0487-73-6825

斎　藤　真　紀
無所属　和光大卒　神奈川　昭和39年

〒212-0024 川崎市幸区塚越3-375

神 野 立 生　銅版画
無所属　フランス政府給費留学生　ヘイターとアトリエ17展　個展　京都芸大卒　兵庫　昭和21年
〒663-8214 西宮市今津曙町13-2　曙コーポ　0798-23-2629

木 下 恵 介　銅版画
無所属　日版協展賞　現代美術選抜展　現代日本美術展他出　個展　福岡　昭和35年
〒190-1211 東京都瑞穂町石畑819-2-511　042-552-9092

木 原 い づ み　銅版画・木版画
日版協会員　日版協展新人賞　日本国際美術展　日本版画大賞展出品　個展　東京芸大卒　東京　昭和27年
〒168-0061 杉並区大宮1-16-4　安岡方　03-3311-2810

木 村 光 佑　シルクスクリーン・リトグラフ
無所属　リュブリアナ展大賞　ＪＡＦ展大賞　ノルウェー展大賞　京都美大卒　大阪　昭和11年
〒567-0862 茨木市美沢町14-14　0726-35-1070

木 村 繁 之　木版画
無所属　サンシャイン版画展木版部門大賞　日動版画グランプリ展　多摩美大卒　愛媛　昭和32年
〒186-0005 国立市西2-11-2　042-573-3025

木 村 秀 樹　シルクスクリーン
無所属　東京国際展京都近美館賞　クラコウ国際展メダル賞　個展　京都芸大卒　京都　昭和23年
〒520-0016 大津市比叡平3-10-5　077-529-0320

木 村 　 学　リトグラフ
無所属　モチーフ版画優秀賞　版画グランプリ・日版協展入　個展　東京芸大大学院修　山形　昭和30年
〒165-0023 中野区江原町2-8-8-105　03-3951-7095

菊 池 俊 治　木版画
無所属　日板院賞　ベルリン国際展招　個展（メキシコ・横浜そごう他）　武蔵野美大卒　北海道　昭和19年
〒215-0021 川崎市麻生区上麻生5-12-25　044-987-4741

北 川 健 次　銅版画
無所属　現代日本展ブリヂストン美術館賞　版画グランプリ展　個展　多摩美大卒　福井　昭和27年
〒231-0023 横浜市中区山下町73-2-206　045-651-6114

君 島 龍 輝　木版画
無所属　ＮＡＳＵ国際ビエンナーレ展　ロックフェラービル収蔵　曹洞宗大本山総持寺収蔵　栃木　昭和31年
〒733-0802 広島市西区三滝本町2-22-16　082-962-3904

清 塚 紀 子　銅版画
元日版協会員　現代日本展国立近代美術館賞　日動版画グランプリ展賞候補　海外展出　東京芸大卒　昭和15年
〒174-0076 板橋区上板橋2-48-2-808　03-3931-5877

桐 村 　 茜　銅版画
無所属　日版協展・春陽展出　イビザビエンナーレ展他出　個展　武蔵野美大卒　京都　昭和27年
〒252-1121 綾瀬市小園960-1-106　0467-76-8780

クリフトン・カーフ　木版画
無所属　墨絵　個展　ミネソタ美術館・ボストン美術館所蔵　ミネアポリス美校卒　アメリカ　1927年
〒602-8019 京都市上京区室町下長者町下ル33　075-415-0606

日 下 里 美　木版画
無所属　元日板院会員　日板院賞　日版協展　国画会展出品　個展　師棟方志功　岡山　昭和10年
〒194-0211 町田市相原町480-149　042-773-7580

葛 原 陽 子　銅版画
無所属　サンシャイン銅版画部門展出　「期待の新人作家」展奨励賞　女子美大卒　広島　昭和30年
〒184-0003 小金井市緑町5-20-25　042-383-4554

隈 部 滋 子
元日版協会員　星襄一賞　準会員賞　神奈川県展特選　多摩美大大学院修　神奈川　昭和23年
〒241-0022 横浜市旭区鶴ケ峰1-32-13　045-373-6437

倉 地 比 沙 支
日版協会員　日版協会賞　ＡＲＴＢＯＸ大賞展大賞　石田財団奨励賞　愛知芸大大学院修　愛知　昭和36年
〒480-1103 長久手市岩作三ケ峯1-1-1-12　0561-61-0587

栗 田 政 裕　木版画
元日版協会員　記念賞　新人賞　木口木版画文集出版記念展　個展　東海大卒　創形美校修　茨城　昭和27年
〒302-0027 取手市駒場2-9-16　0297-72-2474

黒 木 良 典　木版画
無所属　元国画会員　国画展記念賞　フレヘン国際展特別賞　リュブリアナ国際展他出　個展　宮崎　昭和23年
〒882-0837 延岡市古城町4-616-1　0982-21-2417

黒 田 茂 樹　銅版画
無所属　現代版画大賞展受賞　アジア美術展受賞　マイアミ国際展受賞　多摩美大大学院修　神奈川　昭和28年
〒236-0032 横浜市金沢区六浦町303　045-781-4715

桑 田 義 郎　銅版画
新制作協会新作家賞　京都府洋画新人展新人賞　個展　師大垣禎造　京都　昭和24年
〒606-8407 京都市左京区銀閣寺前町19　075-771-5957

郡 司 伸 一　メゾチント
無所属　元美術文化会員　新人賞　奨励賞　栃木県美術展芸術祭賞　ミヤコ版画展入賞　栃木　昭和24年
〒329-2735 那須郡西那須野町太夫塚1-193　02873-6-0544

岡 本 裕 子 エッチング
日版協会員　リュブリアナ国際展出　ミヤコ版画賞展大賞　武蔵野美大卒　創形美校卒　東京　昭和34年
〒150-0033 渋谷区猿楽町12-1-1405　*03-3461-9690*

岡 本 道 治 銅版画
元日版協会員　日版協展賞　版画グランプリ・サンシャイン展出　個展　多摩美大大学院修　広島　昭和28年
〒227-0033 横浜市青葉区鴨志田町803-39　*045-962-0637*

園 城 寺 建 治 銅版画
国画会員　国画会賞　新人賞　大英博物館所蔵　個展　師ヘイター　茨城　昭和21年
〒357-0124 飯能市原市場513-50　*042-977-3492*

カ

加 藤　聖 木版画
無所属　カボフリオ国際展　カダケス国際展他出品　県美展受賞　個展　東北学院大卒　福島　昭和26年
〒251-0032 藤沢市片瀬4-1-29 リバーグリーズ　*0466-27-6420*

加 納 光 於 リトグラフ
無所属　東京国際展国立近美館賞　日本国際展優秀賞　個展　東美卒　東京　昭和８年
〒248-0031 鎌倉市鎌倉山2-14-1　*0467-32-0493*

嘉 勢 山 喜 生 シルクスクリーン
無所属　国際青年美術家展他出品　個展　Ｇ展　師福沢一郎・杉全直　現代美術研究所　徳島　昭和21年
〒181-0013 三鷹市下連雀8-2-20-102　*0422-41-8591*

笠 井 正 博 シルクスクリーン
無所属　期待の新人展最優秀賞　個展　師井上公三　東京学芸大卒　東京　昭和29年
〒143-0023 大田区山王4-11-9　*03-3768-1033*

片 山 み や び リトグラフ
無所属　TOKYOまちだ国際版画展　町田市立国際版画美術館賞　個展　京都市立芸大大学院修　兵庫
http://www.poolcompany.com/miyabi/

勝 井 三 雄 木版画・シルクスクリーン
無所属　ブルノ・ブックデザインビエンナーレ受賞　講談社出版文化賞　東京教育大卒　昭和６年
〒107-0062 港区南青山5-1-10-907　*03-3407-0801*

勝 間 田 哲 朗 アルミ版
JIAS会員　シェル賞展第２席　スペイン美術賞展優秀賞　海外展出　個展　多摩美大卒　静岡　昭和10年
〒412-0036 御殿場市萩無120-6　*0550-83-4220*

鹿 取 武 司 メゾチント
無所属　ロックフォード国際版画ビエンナーレ展最高賞　師萩原英雄　東京学芸大卒　東京　昭和24年
〒196-0012 昭島市つつじヶ丘3-5-6-715　*042-541-8013*

金 崎　曙 メゾチント
無所属　版画グランプリ展入　期待の新人作家大賞展入　ミヤコ版画賞展買上賞　昭和18年
〒564-0051 吹田市豊津町50-T3-107　*06-6386-9396*

鎌 谷 伸 一 シルクスクリーン
無所属　現代日本美術展ブリヂストン美術館賞　JAF展文部大臣賞　個展　東京芸大卒　兵庫　昭和23年
〒213-0034 川崎市高津区上作延139-13-837　*044-853-1913*

蒲 地 清 爾 銅版画
日版協会員　日動版画グランプリ展入　日版協展準会員賞　師加藤清美　佐賀　昭和23年
〒162-0066 新宿区市谷台町11　*03-3359-4696*

上 矢　津 シルクスクリーン
無所属　東京国際展鎌倉近代美術館賞　JAF展優秀賞　世界版画コンペ最高賞　東京　昭和17年
〒350-0314 比企郡鳩山町楓ヶ丘3-9-7　*049-296-3968*

柄 沢　齊 木口木版
無所属　日版協展新人賞　版画集「アル・ヒミヤ」刊　個展　創形美校卒　栃木　昭和25年
〒253-0053 茅ヶ崎市東海岸北5-4-50　*0467-85-9512*

川 上 洋 明 銅版画
元日版会会員　日版会賞・新人賞　日動版画グランプリ展出品　個展　師原健　日大卒　神奈川　昭和26年
〒369-1203 埼玉県寄居町寄居1541-3　*0485-81-1860*

川 原 田　徹 銅版画
無所属　サンシャイングランプリ展銅版画大賞　西武版画大賞展優秀賞　個展　鹿児島　昭和19年
〒801-0861 北九州市門司区長谷2-8-36　*093-331-7473*

河 内 成 幸 木版画
日版協会員　日版協展最優秀賞　版画グランプリ展グランプリ　多摩美大卒　山梨　昭和23年
〒206-0013 多摩市桜ヶ丘4-26-33　*042-371-4687*

河 口　聖 リトグラフ
無所属　国際青年美術家展佳作賞　日本国際美術館　日動版画グランプリ展他出品　個展　鳥取　昭和22年
〒196-0031 昭島市福島町2-25-4-A-4　*042-541-0654*

河 口 龍 夫 エンボス
無所属　ＪＡＦ展優秀賞　彫刻の森大賞展優秀賞　現代の空間展大賞　個展　多摩美大卒　兵庫　昭和15年
〒305-0045 つくば市梅園2-30-9　*0298-52-5082*

遠藤竜太
日版協会員　日本国際美術展ブリヂストン美術館賞　個展　多摩美大大学院修　山梨　昭和35年
〒186-0001 国立市北2-21-11　042-572-4196

小川正明　銅版画
日版協会員　日版協展・春陽展・クラコウ国際展出品　武蔵野美大卒　埼玉　昭和22年
〒336-0001 さいたま市浦和区常盤7-8-18　048-822-2761

小作青史　リトグラフ・エッチング
日版協名誉会員　自由美術会員　フィレンツェ展賞　文化庁在外研修員　個展　東京芸大卒　東京　昭和11年
〒156-0042 世田谷区羽根木2-27-4　03-3321-7221

小田襄　メタルプリント
新制作会員　JAF優秀賞　ポーランド芸術と科学シンポ優秀賞　東京芸大卒　東京　昭和11年
〒191-0033 日野市百草971-137　042-593-1541

小沼隆一郎　リトグラフ
日版協会員　ＣＷＡＪ現代版画展　日動版画グランプリ展　日仏現代美術展　武蔵野美大卒　昭和30年
〒207-0013 東大和市向原6-935-1-315　042-563-8031

小野克子　銅版画
自由美術会員　元日版協準会員　自由美術展・日版協展出個展　女子美大卒　東京　昭和22年
〒196-0022 昭島市中神町西武蔵野1388-T11　042-543-0891

小原信博　エッチング・アクアチント
春陽展入　春陽展研究賞　グランプリ展出　個展　武蔵野美術学園修　東京　昭和24年
〒187-0041 小平市美園町903-8　042-341-5283

尾崎ユタカ　銅版画
山梨版画協会会員　日版協展　春陽会展　日本の自然を描く展文部大臣奨励賞　個展　東京芸大卒　昭和31年
〒403-0004 富士吉田市下吉田6594-1　0555-23-6112

緒方淳司　木版画
無所属　元太平洋美術会員　ＧＷＡＪ展出品　個展　師秋山巌　太平洋美校修　鹿児島　昭和14年
〒270-0021 松戸市小金原8-21-12-101　047-342-4775

織田繁　ソゾチント・エッチング
無所属　ライプチヒ国際展出品　個展　師クートー・ヘイター　パリ美校修　大阪　昭和８年
〒369-1803 埼玉県荒川村日野759-2　0494-54-1425

大川泰央　木版画
日板院同人　常務理事　日板院賞　日仏展入　版画集出版　個展　東京　昭和16年
〒228-0023 座間市立野台463　0462-54-9567

大島龍　木版画
無所属　日伯美術展　スペイン美術大賞展出　個展　著書「詩画集山鬼抄」北海道　昭和21年
〒061-3377 石狩市親船74　0133-62-3210

大竹功雄　木版画
旺玄会員　佳作賞　川端賞　神奈川県知事賞　個展　神奈川　昭和18年
〒211-0025 川崎市中原区木月750　044-433-2302

大貫真寿美　木版画
無所属　プリンツ21グランプリ特選　川上澄生木版画展入　多摩美大卒　東京　昭和40年
〒158-0094 世田谷区玉川3-35-34-302　03-3708-5480

大橋成行　シルクスクリーン
無所属　マドリッド国際展・イビザビエンナーレ・日動版画展他　個展　師井上公三　千葉大卒　青森　昭和26年
〒244-0843 横浜市栄区長尾台町17　045-851-8535

大場英二
無所属　日本具象版画展エンゼル賞　大阪現代版画コンクール展優秀賞　日大卒　茨城　昭和48年
〒178-0061 練馬区大泉学園6-19-4

大矢雅章
無所属　クルージ国際ミニプリントビエンナーレ大賞　神奈川県展奨学会賞　多摩美大大学院修　昭和47年
〒228-0005 座間市さがみ野3-2-2

岡田真宏　シルクスクリーン
無所属　リュブリアナ国際展買上賞　クラコウ展　JAF展他出品　個展　多摩美大卒　香川　昭和22年
〒276-0031 八千代市八千代台北12-4-28　0474-85-4932

岡田まりゑ
元日版協会員　準会員賞　日本具象版画展優秀賞　個展　武蔵野美大卒　神奈川　昭和31年
〒180-0001 武蔵野市吉祥寺北町1-1-19-301　0422-22-5961

岡田露愁　木版画
無所属　木版面集「ヨハネの黙示録」「モーツアルト／魔笛」刊　個展　京都　昭和24年
〒525-0024 草津市平井町53-6　077-564-1314

岡部和彦　シルクスクリーン
元国画会員　国画賞　日仏現代展佳作賞　フィレンツェ版画グランプリ展出　岩手大卒　長野　昭和24年
〒380-0101 長野市若穂綿内8530-5　026-282-5190

岡本信治郎　シルクスクリーン
無所属　シェル展佳作賞　長岡現代美術館展大賞　現代日本展フロンティア賞　東京　昭和８年
〒248-0023 鎌倉市極楽寺4-10-19　0467-24-2351

猪飼　正　メゾチント
無所属　版画グランプリ　セントラル版画大賞展入「期待の新人作家」賞展買上賞　愛知　昭和10年
〒453-0054 名古屋市中村区鳥居西通2-56　*052-411-0532*

五十嵐彰雄
無所属　シェル展佳作賞　現代版画コンクール　世界版画コンペ77出品　福井大卒　福井　昭和13年
〒915-0085 武生市八幡1-93-6　*0778-22-5513*

生田宏司　メゾチント
無所属　カンビナス国際版画ビエンナーレ最優秀賞　カダケス国際展最高賞　個展　多摩美大卒　昭和28年
〒275-0011 習志野市大久保1-5-8　*047-493-4024*

池田良二　銅版画
無所属　現代日本美術展京都近代美術館賞　現代版画コンクール佳作賞　武蔵野美大卒　北海道　昭和22年
〒208-0023 武蔵村山市伊奈平5-43-13　*042-560-1165*

池間英治　木版画
日板院常務理事　県展奨励賞　日独交流展招待　師川上澄生　宇都宮大卒　新潟　昭和８年
〒322-0303 栃木県粟野町久野996　*0289-85-3451*

磯見輝夫　木版画
日版協会員　日版協会賞　日動版画グランプリ優秀賞　個展　師山口薫　東京芸大大学院修　神奈川　昭和16年
〒248-0006 鎌倉市小町3-11-38　*0467-25-2499*

稲次淳三　木版画
無所属　関西木版画会員　刀の会会員　佛像　京都産業デザイン研究所修　昭和17年
〒610-0102 城陽市久世里の西173-10　*0774-53-8435*

いわたきよし　ステンシル
国画会員　日美連会員　国画展新人賞　日版協展奨励賞　シアトル展賞　市奨励賞　愛知　昭和15年
〒460-0017 名古屋市中区松原2-7-22　*052-321-6168*

岩井幸子　木版画
日展会友　特選　光風会会員　奨励賞　日版会理事　文部大臣奨励賞　個展　富山　昭和21年
〒939-0731 富山県下新川郡朝日町東草野1377-4

岩切裕子
日版協会員　日版協会賞　60回記念賞　準会員優作賞　多摩美大大学院修　東京　昭和36年
〒135-0023 江東区平野1-6-7-3F　*03-3642-6053*

岩谷　徹　マニエルノワール
無所属　ル・サロン銅賞　ル・トウレ招待出品　モダン・インターナショナル・グラフィック出　個展　福島　昭和11年　**在仏**

宇樹夢舟　エッチング・アクアチント
無所属　モダンアート・スイスバーゼルアートフェア作品展出　水彩　パステル　個展　東京　昭和10年
〒165-0032 中野区鷺宮4-37-6　*03-3310-2300*

宇佐見圭司　シルクスクリーン
記号学会員　国際青年展ストラレム賞　大原美術館賞　多摩美助教授　天王寺高卒　大阪　昭和15年
〒186-0002 国立市東3-32-7　*042-572-5354*

魚住五百誉　メゾチント
無所属　日本国際展　日本現代幻想展出品　文化庁派遣海外研修個展　武蔵野美大卒　昭和12年
〒145-0071 大田区田園調布3-11-5　*03-3721-3272*

内田真理
日版協会員　ブサンビエンナーレ　西武版画大賞展　日本の現代版画展　東京造形大卒　千葉　昭和27年
〒189-0025 東村山市廻田町3-19-13　*042-392-6640*

梅木英治　メゾチント・エッチング
無所属　版画ハガキコンクール賞　版画集「夢魂」出版　個展　大阪　昭和26年
〒584-0062 富田林市須賀475　*0721-52-2457*

浦江妙子　木版画
日版協会員　日版協展新人賞　奨励賞　リュブリアナ国際展出品　個展　多摩美大卒　神奈川
〒235-0016 横浜市磯子区磯子8-3-406　石田方　*045-755-1859*

浦田周社　木版画
白日会員　白日賞　浮世絵木版画彫摺技術保存協会員　静岡県版画協会　師五世版隈　静岡　昭和14年
〒420-0042 静岡市葵区駒形通1-2-7　*054-252-9922*

浦山　宏　木版画
無所属　山形大卒　山形　昭和16年
〒980-0803 仙台市青葉区国分町1-8-11　ギャラリーミラノ 気付

江本清彦　木版画
太平洋会員　太平洋展佳作賞　個展　福岡教育大卒　山口　昭和26年
〒811-4213 遠賀郡岡垣町糠塚586　*093-282-0007*

海老原　暎　リトグラフ
無所属　東京国際ビエンナーレ　リュブリアナ国際ビエンナーレ出品　個展　多摩美大卒　昭和17年
〒197-0011 福生市福生642　*042-551-5722*

鰕澤達夫
無所属　個展　グループ展　東海大卒　イタリア国立美術学校留学　東京芸大大学院修　東京　昭和33年
〒734-0055 広島市南区向洋新町3-26-20　*082-288-5056*

ア

安部直人　銅版画
無所属　クラコウ国際展入　ノルウェー国際展招　日本版画協会入　個展　G展　福島　昭和27年
〒963-8833 郡山市香久池1-16-18　0249-34-1437

䨱　嘔　シルクスクリーン
無所属　クラコウ展賞　東京国際版画展近美賞　日本芸術大賞　東京教育大卒　茨城　昭和６年
〒204-0022 清瀬市松山2-6-38　0424-92-1529

相笠昌義　エッチング・リトグラフ
無所属　芸術選奨新人賞　安井賞　日本現代版画賞　師小磯・駒井　東京芸大卒　昭和14年
〒228-0023 座間市立野台3-25-15　0462-54-0279

相澤弘邦　木版画
日本板画会会員　日仏中現代美術世界展銅賞　版画フォーラム大賞展大賞　CWAJ展出品　栃木　昭和21年
〒324-0035 大田原市薄葉1998-113　0287-29-1551

相田一夫　銅版画
無所属　元自由美術会員　版画協会展　日本現代版画大賞展他出品　個展　武蔵野美大卒　昭和12年
〒350-1306 狭山市富士見2-23-28　042-959-9693

青山光佑　シルクスクリーン
無所属　東京国際展シェル賞　クラコウ展　ＪＡＦ展　毎日現代展出品　東京芸大卒　山形　昭和14年
〒242-0011 大和市深見3929　0462-62-1044

秋岡美帆　リトグラフ
無所属　日本国際展富山近代美術館賞　世界版画コンペ特別買上賞　個展　大阪教育大卒　昭和27年
〒562-0043 箕面市桜井3-13-16　0727-22-3645

秋庭宏行　リトグラフ
無所属　日版協展新人賞　現代版画コンクール優秀賞　師北岡文雄　武蔵野美大卒　茨城　昭和26年
〒252-1132 綾瀬市寺尾中3-16-10　0467-76-8780

秋元幸茂　シルクスクリーン
無所属　現代日本美術展　ＪＡＦ展他出品　個展　滋賀大教授　東京芸大卒　東京　昭和10年
〒520-0065 大津市稲葉台13-10　077-525-7927

天野純治　シルクスクリーン
日版協会員　日版協会賞　国際青年展日本文化フォーラム賞　クラコウ展他出品　鳥取　昭和24年
〒240-0113 神奈川県葉山町長柄1601-366　0468-75-8689

新井正博　石版画
無所属　ロサンゼルス版画会　個展　ニューオリンズ大大学院修　群馬　昭和29年
在米

新井リコ　リトグラフ
春陽会会員　元日版協会員　上毛芸術奨励賞　現代美術選技展　日仏現代美術展　東京芸大卒　群馬
〒376-0002 桐生市境野町1-1228　0277-44-3938

有田暁子　シルクスクリーン
無所属　毎日現代展　ＪＡＦ他出品　国際野外彫刻展彫刻の森美術展買上　多摩美大卒　宮崎　昭和19年
〒248-0002 鎌倉市二階堂81　0467-25-4868

有地好登　銅版画
日版協会員　カボ・フリロ国際版画展特別審査委員賞　サンシャイングランプリ展優秀賞　広島　昭和24年
〒350-1315 狭山市北入曽526-10　042-957-8468

安東菜々　シルクスクリーン
無所属　クラコウ国際展２位賞　現代版画コンクール佳作賞　個展　京都芸大卒　東京　昭和23年
〒605-0981 京都市東山区本町7-23-2-304　075-561-9303

井上員男　紙凹版特殊技法
無所属　北京招待原理指導　青梅市立美術館　高松市立美術館蔵　著書「山の花」　個展　香川　昭和７年
〒248-0003 鎌倉市浄明寺3-7-9

井上公三　シルクスクリーン
無所属　毎日現代展コンクール賞　仏オーパベ大賞　パリ近代美術館蔵　大阪市立美術館蔵　慶大卒　ショミエール修　大阪　昭和12年
在仏

井上敏雄　銅版画
無所属　日版協展奨励賞　武蔵野美大卒　東京　昭和18年
〒198-0063 青梅市梅郷5-1024-5　042-876-1202

伊藤一雄　木版画
新世紀会員　国際美会員　日版協会員　仏ニース展賞他米巡回展　個展　昭和14年
〒004-0002 札幌市厚別区厚別東二条6-5-10　011-898-1391

伊藤卓美　木版画
無所属　元日版会会長　文部大臣奨励賞　個展（小田急西武）　昭和21年
〒154-0014 世田谷区新町2-21-23　03-3706-6205

伊藤倭子　メゾチント
日版協会員　全道展会員　全道展賞　ピストイア国際展豪展出品　個展　G展　昭和20年
〒064-0806 札幌市中央区南6条西21-1-1　011-561-0078

版画家

Memo

大分市美術館 月曜
〒870-0100 大分市上野町865 097-554-5800

九州芸術の杜 水曜
〒879-4911 玖珠郡九重町大字田野1712-707 0973-73-3812

九州湯布院民芸村 年末年始
〒879-5102 由布市湯布院町川上1542-1 0977-84-2056

天領雛御殿 無休
〒877-0005 日田市豆田町13-6 0973-22-2456

二階堂美術館 月曜
〒879-1505 速見郡日出町川崎837-6 0977-73-1100

日田祇園山鉾会館 水曜
〒877-0044 日田市隈2-7-10 0973-24-6453

別府市竹細工伝統産業会館 月曜
〒874-0836 別府市東荘園8-3 0977-23-1072

別府市美術館 月曜
〒874-0023 別府市上人ヶ浜町1-1 0977-67-0189

湯布院アルテジオ 不定休
〒879-5102 由布市湯布院町川上1272-175 0977-28-8686

由布院シャガール美術館 無休
〒879-5102 由布市湯布院町川上岳本1592-1 0977-28-8500

由布院ステンドグラス美術館 無休
〒879-5102 由布市湯布院町川上2461-3 0977-84-5575

宮崎

宮崎県総合博物館 火曜・祝翌日
〒880-0053 宮崎市神宮2-4-4 0985-24-2071

宮崎県立美術館 月曜・祝翌日
〒880-0031 宮崎市船塚3-210県総合文化公園内 0985-20-3792

都城市立美術館 月曜
〒885-0073 都城市姫城町7-16 0986-25-1447

鹿児島

岩崎美術館 無休
〒891-0403 指宿市十二町3755 0993-22-4056

鹿児島霧島アートの森 月曜
〒899-6201 姶良郡湧水町木場6340-220 0995-74-5945

鹿児島県立博物館 月曜
〒892-0853 鹿児島市城山町1-1 099-223-6050

鹿児島市立美術館 月曜
〒892-0853 鹿児島市城山町4-36 099-224-3400

児玉美術館 月曜
〒891-0141 鹿児島市下福元町8251-1 099-262-0050

指宿市考古博物館時遊館 月曜第4水曜
〒891-0403 指宿市十二町2290 0993-23-5100

田村一村記念美術館 第1・3水曜
〒894-0504 奄美市笠利町節田1834 0997-55-2635

長島美術館 無休
〒890-0045 鹿児島市武3-42-18 099-250-5400

中村晋也美術館 月曜
〒899-2701 鹿児島市石谷2366 099-246-7070

松下美術館 月曜
〒899-4501 霧島市福山町福山771 0995-55-3350

三宅美術館 水曜
〒891-0141 鹿児島市谷山中央1-4319-4 099-266-0066

吉井淳二美術館 元旦のみ
〒897-0002 南さつま市加世田武田13877-3 0993-53-6778

沖縄

石垣市立八重山博物館 月曜・祝日
〒907-0004 石垣市登野城4-1 0980-82-4712

浦添市美術館 月曜
〒901-2103 浦添市字仲間1-9-2 098-879-3219

沖縄県立博物館・美術館 月曜
〒900-0006 那覇市おもろまち3-1-1 098-941-8200

佐喜眞美術館 火曜
〒901-2204 宜野湾市上原358 098-893-5737

那覇市歴史博物館 木曜
〒900-0015 那覇市久茂地1-1-1-4F 098-869-5266

多賀谷美術館 不定休・要予約
〒807-0141 遠賀郡芦屋町山鹿21-12 093-223-0473

小石原工芸館 要予約
〒836-1601 朝倉郡東峰村小石原 0946-74-2266

田川市美術館 月曜
〒825-0016 田川市新町11-56 0947-42-6161

博多町家ふるさと館 第4月曜
〒812-0039 福岡市博多区冷泉町6-10 092-281-7761

福岡県立美術館 月曜
〒810-0001 福岡市中央区天神5-2-1 092-715-3551

福岡市博物館 月曜
〒814-0001 福岡市早良区百道浜3-1-1 092-845-5011

福岡市美術館 月曜
〒810-0051 福岡市中央区大濠公園1-6 092-714-6051

福岡アジア美術館 水曜
〒812-0027 福岡市博多区下川端町3-1リバレインセンタービル内 092-263-1100

ミュゼ・オダ 月曜
〒814-0133 福岡市城南区七隈1-11-50 092-822-8828

佐賀

今右衛門古陶磁美術館 月曜
〒844-0006 西松浦郡有田町赤絵町2-1-11 0955-42-5550

有田陶磁美術館 月曜・祝日
〒844-0004 西松浦郡有田町大樽1-4-2 0955-42-3372

九州陶磁文化館 月曜
〒844-8585 西松浦郡有田町戸杓乙3100-1 0955-43-3681

河村美術館 土日祝のみ開館
〒847-0015 唐津市北城内6-5 0955-73-2868

佐賀県立九州陶磁文化館 月曜
〒844-8585 西松浦郡有田町戸杓乙3100-1 0955-43-3681

佐賀県立博物館・美術館 月曜
〒840-0041 佐賀市城内1-15-23 0952-24-3947

中里太郎右衛門陶房展示室 年末年始
〒847-0821 唐津市町田3-6-29 0955-72-8171

長崎

雲仙スパハウス・ビードロ美術館 無休
〒854-0621 雲仙市小浜町雲仙320 0957-73-3131

小さな美術館 木曜
〒811-5135 壱岐市郷ノ浦町郷ノ浦 0920-47-6614

対馬博物館 木曜
〒817-0021 対馬市厳原町今屋敷668-2 0920-53-5100

長崎県美術館 第2・4月曜
〒850-0862 長崎市出島町2-1 095-833-2110

長崎市須加五々道美術館 年末年始
〒850-0931 長崎市南山手町3-17 095-820-3328

長崎歴史文化博物館 第3火曜
〒850-0007 長崎市立山1-1-1 095-818-8366

野口彌太郎記念美術館 月曜
〒852-8117 長崎市平野町7-8 095-843-8209

熊本

芦北町立星野富弘美術館 第2・4月曜
〒869-5563 葦北郡芦北町大字湯浦1439-2 0966-86-1600

阿蘇火山博物館 水曜
〒869-2232 阿蘇市赤水1930-1 0967-34-2111

天草市立天草キリシタン館 年末年始
〒863-0017 天草市船之尾町19-52天草殉教公園内 0969-22-3845

天草ロザリオ館 年末年始
〒863-2801 天草市天草町大江1749 0969-42-5259

阿蘇・古代の郷美術館 無休
〒869-2512 阿蘇市一の宮町宮地6-135 0967-22-3313

熊本市現代美術館 火曜
〒860-0845 熊本市中央区上通町2-3 096-278-7500

熊本県立美術館 月曜
〒860-0008 熊本市二の丸2番 096-352-2111

熊本県立美術館分館 月曜
〒860-0001 熊本市中央区千葉城町2-18 096-351-8411

熊本国際民芸館 月曜
〒861-8006 熊本市北区龍田1-5-2 096-338-7504

熊本市立熊本博物館 月曜
〒860-0007 熊本市中央区古京町3-2 096-324-3500

坂本善三美術館 月曜
〒869-2502 阿蘇郡小国町黒渕2877 0967-46-5732

島田美術館 火曜
〒860-0073 熊本市西区島崎4-5-28 096-352-4597

不知火美術館 年中無休
〒869-0552 宇城市不知火町高良2352 0964-32-6222

つなぎ美術館 水曜
〒869-5603 芦北郡津奈木町大字岩城494 0966-61-2222

山鹿市立博物館 月曜・祝翌日
〒861-0541 山鹿市鍋田2085 0968-43-1145

八代市立博物館未来の森ミュージアム 月曜
〒866-0863 八代市西松江城町12-35 0965-34-5555

湯前まんが美術館 年末年始
〒868-0621 球磨郡湯前町1834-1 0966-43-2050

大分

コミコアートミュージアム湯布院 隔週水曜
〒879-5102 由布市湯布院町川上2995-1 https://camy.oita.jp/

大分香りの博物館 年末年始
〒874-0915 別府市北石垣48-1 0977-27-7272

大分県立芸術会館 月曜
〒870-0152 大分市牧緑町1-61 097-552-0077

大分県立歴史博物館 月曜
〒872-0101 宇佐市高森字京塚 0978-37-2100

豊島美術館 火曜・12〜2月は火水木
〒761-4662 小豆郡土庄町豊島唐櫃607 0879-68-3555

中津万象園・丸亀美術館 無休
〒763-0054 丸亀市中津町25-1 0877-23-6326

ベネッセハウスミュージアム 無休
〒761-3110 香川郡直島町琴弾地 087-892-3223

丸亀市猪熊弦一郎現代美術館 年末
〒763-0022 丸亀市浜町80-1 0877-24-7755

丸亀市立資料館 月曜
〒763-0025 丸亀市一番丁 0877-22-5366

丸亀平井美術館 年末年始
〒763-0082 丸亀市土器町東8-538丸亀新聞放送会館モトリス 0877-24-1222

四谷シモン人形館淡翁荘 月〜木曜
〒762-0044 坂出市本町1丁目6-27 0877-45-1111

李禹煥美術館 月曜
〒761-3110 香川郡直島町字倉浦1390 087-892-3754

愛媛

あかがね美術館 月曜
〒792-0812 新居浜市坂井町2-8-1 0897-31-0305

畦地梅太郎美術館 火曜
〒791-1114 宇和島市三間町務田180-1 0895-58-1133

今治市河野美術館 月曜
〒794-0042 今治市旭町1-4-8 0898-23-3810

今治市玉川近代美術館 月曜
〒794-0102 今治市玉川町大野甲86-4 0898-55-2738

今治市立大三島美術館 月曜
〒794-1304 今治市大三島町宮浦9099-1 0897-82-1234

愛媛県美術館 月曜
〒790-0007 松山市堀之内 089-932-0010

愛媛文華館 月曜
〒794-0037 今治市黄金町2-6-2 089-832-1063

宇和島市立伊達博物館 火曜
〒798-0061 宇和島市御殿町9-14 0895-22-7776

大洲市立博物館 月曜
〒795-0054 大洲市中村618-1社会教育センター内 0893-24-4107

西条市立西条郷土博物館 月曜
〒793-0023 西条市明屋敷237-1西条市立博物館 0897-56-3199

セキ美術館 月・火曜
〒790-0848 松山市道後喜多町4-42 089-946-5678

高畠華宵大正ロマン館 火〜金
〒791-0222 東温市下林丙654-1 089-964-7077

松山市立子規記念博物館 火曜
〒790-0857 松山市道後公園1-30 089-931-5566

道後温泉本館 無休
〒790-0842 松山市道後湯之町5-6 089-921-5141

町立久万美術館 月曜
〒791-1205 上浮穴郡久万高原町菅生2番耕地1442-7 0892-21-2881

ミウラート・ヴィレッジ三浦美術館 月・火曜
〒799-2651 松山市堀江町1165-1 089-978-6838

高知

アンパンマンミュージアム 火曜
〒781-4212 香美市香北町美良布1224-2 0887-59-2300

安芸市立書道美術館 月曜
〒784-0042 安芸市土居953番地イ 0887-34-1613

絵金蔵 月曜
〒781-5310 香南市赤岡町538 0887-57-7117

奥物部美術館 月曜
〒781-4401 香美市物部町大栃872-2 0887-58-2727

香美市立美術館 月曜
〒782-0041 香美市土佐山田町262-1 0887-53-5110

芸西村筒井美術館 月曜
〒781-5701 安芸郡芸西村和食甲1262 0887-33-2400

四万十町立美術館 月曜・祝日
〒786-0004 高岡郡四万十町茂串町9-20 0880-22-5000

高知県立美術館 年末年始
〒781-8123 高知市高須353-2 088-866-8000

中土佐町立美術館 月曜
〒789-1301 高岡郡中土佐町久礼6584-1 0889-52-4444

横山隆一記念まんが館 月曜
〒780-8529 高知市九反田2-1高知市文化プラザ内 088-883-5029

福岡

秋月郷土美術館 年末年始
〒838-0001 朝倉市秋月野鳥532-2 0946-25-0405

伊都郷土美術館 月曜
〒819-1119 糸島市前原東2-2-8 092-322-5661

出光美術館（門司） 月曜
〒801-0853 北九州市門司区東港町2-3 093-332-0251

大川市立清力美術館 月曜
〒831-0008 大川市大字鐘ヶ江77-16 0944-86-6700

北九州市立いのちのたび博物館 6月下旬
〒805-0071 北九州市八幡東区東田2-4-1 093-681-1011

北九州市立美術館本館・アネックス 月曜
〒804-0024 北九州市戸畑区西鞘ヶ谷町21-1 093-882-7777

北九州市立美術館分館 年末年始
〒803-0812 北九州市小倉北区室町1-1-1リバーウォーク5F 093-562-3215

北九州市漫画ミュージアム 火曜
〒802-0001 北九州市小倉北区浅野2-14-5あるあるCity内 093-512-5077

九州国立博物館 月曜
〒818-0118 太宰府市石坂4-7-2 050-5542-8600

久留米市美術館 月曜
〒839-0862 久留米市野中町1015石橋文化センター内 0942-39-1131

現代美術センターCCA北九州 年末年始
〒805-0059 北九州市八幡東区尾倉2-6-1 093-663-1615

広島市現代美術館 月曜
〒732-0815 広島市南区比治山公園1-1 082-264-1121

ふくやま書道美術館 月曜
〒720-0067 福山市西町1-1-1福山ロッツ8F 084-991-5112

ふくやま美術館 月曜
〒720-0067 福山市西町2-4-3 084-932-2345

三原市歴史民俗資料館 月曜
〒723-0015 三原市円一町二丁目3-2 0848-62-5595

八千代の丘美術館 火曜
〒731-0302 安芸高田市八千代町勝田494-7 0826-52-3050

安浦歴史民俗資料館 火曜
〒737-2519 呉市安浦町海南2-13-10 0823-84-6421

山口

石井茶碗美術館 月曜
〒758-0077 萩市南古萩町33-3 0838-22-1211

岩国徴古館 月曜
〒741-0081 岩国市横山二丁目7-19 0827-41-0452

香月泰男美術館 火曜
〒759-3802 長門市三隅中字湯免226 0837-43-2500

熊谷美術館 月曜
〒758-0052 萩市今魚店町47 0838-25-5535

下関市立長府博物館 月曜
〒752-0979 下関市長府川端1丁目2-5 083-245-0555

下関市立美術館 月曜
〒752-0986 下関市長府黒門東町1-1 083-245-4131

周南市美術博物館 月曜
〒745-0006 周南市花畠町10-16 0834-22-8880

ときわミュージアム 火曜
〒755-0025 宇部市野中3-4-29 0836-37-2888

逍雲堂美術館 月曜
〒755-0029 宇部市新天町2-8-1 0836-55-6230

萩博物館 水曜
〒758-0057 萩市大字堀内355 0838-25-6447

毛利博物館 年末
〒747-0023 防府市多々良1-15-1 0835-22-0001

山口県立萩美術館・浦上記念館 月曜
〒758-0074 萩市平安古町586-1 0838-24-2400

山口県立美術館 月曜
〒753-0089 山口市亀山町3-1 083-925-7788

山口県立山口博物館 月曜
〒753-0073 山口市春日町8-2 083-922-0294

山口市歴史民俗資料館 月曜
〒753-0073 山口市春日町5-1 083-924-7001

吉賀大眉記念館 無休
〒758-0011 萩市大字椿東永久山426-1 0838-26-5180

徳島

藍の館 火曜
〒771-1212 板野郡藍住町徳命前須西172 088-692-6317

阿波木偶資料館 年末年始
〒770-0835 徳島市藍場町2-14 088-622-8121

NFT鳴門美術館 木曜
〒772-0016 鳴門市撫養町林崎北殿町149 088-684-4445

大塚国際美術館 月曜
〒772-0053 鳴門市鳴門町鳴門公園内 088-687-3737

鳴門市ドイツ館 第4月曜
〒779-0225 鳴門市大麻町桧字東山田55-2 088-689-0099

徳島県立近代美術館 月曜
〒770-8070 徳島市八万町向寺山文化の森総合公園内 088-668-1088

徳島県立鳥居龍蔵記念博物館 月曜
〒770-8070 徳島市八万町向寺山文化の森総合公園内 088-668-2544

徳島県立博物館 月曜
〒770-8070 徳島市八万町向寺山文化の森総合公園内 088-668-3636

徳島県立文学書道館 月曜
〒770-0807 徳島市中前川町2-22-1 088-625-7485

徳島市立考古資料館 月曜・祝翌日
〒779-3127 徳島市国府町西矢野10-1 088-637-2526

松茂町歴史民俗資料館人形浄瑠璃芝居資料館 月曜・第3火曜日
〒771-0220 板野郡松茂町広島字四番越11-1 088-699-5995

香川

ANDO MUSEUM 月曜
〒761-3110 香川郡直島町736-2 087-892-3754

イサム・ノグチ庭園美術館 火・木・土開館（予約制）
〒761-0121 高松市牟礼町牟礼3519 087-870-1500

香川県立東山魁夷せとうち美術館 月曜
〒762-0066 坂出市沙弥島字南通224-13 0877-44-1333

香川県立ミュージアム 月曜
〒760-0030 高松市玉藻町5-5 087-822-0002

灸まん美術館 水曜
〒765-0052 善通寺市大麻町338 0877-75-3000

金刀比羅宮博物館 不定期
〒766-0001 仲多度郡琴平892 0877-75-2121

坂出市民美術館 月曜
〒762-0043 坂出市寿町1-3-35 0877-45-7110

ジョージナカシマ記念館 日曜・祝日・夏季
〒761-0122 高松市牟礼町大町1132-1 087-870-1020

心臓音のアーカイブ 火曜
〒761-4662 小豆郡土庄町豊島唐櫃2801-1 0879-68-3555

高松市美術館 月曜
〒760-0027 高松市紺屋町10-4 087-823-1711

地中美術館 月曜
〒761-3110 香川郡直島町3449-1 087-892-3755

岡山

赤磐市山陽郷土資料館 月曜
〒709-0816 赤磐市下市337 086-955-0710

赤磐市吉井郷土資料館 土日祝
〒701-2503 赤磐市周匝136 086-954-1379

井原市立田中美術館 月曜
〒715-8601 井原市井原町315 0866-62-8787

犬島精錬所美術館 火〜木曜
〒704-8153 岡山市東区犬島327-5 086-947-1112

大原美術館 月曜
〒710-8575 倉敷市中央1-1-15 086-422-0005

岡山県備前陶芸美術館 月曜
〒705-0001 備前市伊部1659-6 0869-64-1400

岡山県立博物館 月曜
〒703-8257 岡山市北区後楽園1-5 086-272-1149

岡山県立美術館 月曜
〒700-0814 岡山市北区天神町8-48 086-225-4800

岡山市立オリエント美術館 月曜
〒700-0814 岡山市北区天神町9-31 086-232-3636

荻野美術館 水曜
〒711-0926 倉敷市下津井吹上1-3-9 086-479-9003

勝山郷土資料館 月曜・祝翌日
〒717-0013 真庭市勝山170 0867-44-4222

かがみの近代美術館 月曜
〒708-0504 苫田郡鏡野町奥津川西692 0868-52-0722

笠岡市立竹喬美術館 月曜
〒714-0087 笠岡市六番町1-17 0865-63-3967

倉敷考古館 月・火曜
〒710-0046 倉敷市中央1-3-13 086-422-1542

倉敷市立美術館 月曜
〒710-0046 倉敷市中央2-6-1 086-425-6034

倉敷市立自然史博物館 月曜
〒710-0046 倉敷市中央2-6-1 086-425-6037

倉敷民芸館 月曜
〒710-0046 倉敷市中央1-4-11 086-422-1637

瀬戸内市立美術館 月曜・祝翌日
〒701-4392 瀬戸内市牛窓町牛窓4911 0869-34-3130

高梁市成羽美術館 月曜
〒716-0111 高梁市成羽町下原1068-3 0866-42-4455

田中苑 月曜
〒715-0019 井原市井原町315 0866-62-8787

津山郷土博物館 月曜・祝翌日
〒708-0022 津山市山下92 0868-22-4567

奈義町現代美術館 月曜・祝翌日
〒708-1323 勝田郡奈義町豊沢441 0868-36-5811

新見美術館 月曜
〒718-0017 新見市西方361 0867-72-7851

華鴒大塚美術館 月曜
〒715-0024 井原市高屋町3-11-5 0866-67-2225

林原美術館 月曜
〒700-0823 岡山市北区丸の内2-7-15 086-223-1733

BIZEN中南米美術館 土日祝のみ開館
〒701-3204 備前市日生町日生241-10 0869-72-0222

藤原啓記念館 月曜
〒705-0033 備前市穂浪3868 0869-67-0638

夢二郷土美術館 月曜
〒703-8256 岡山市中区浜2-1-32 086-271-1000

広島

泉美術館 月曜
〒733-0833 広島市西区商工センタ2-3-1 082-276-2600

圓鍔勝三彫刻美術館 月曜
〒722-0353 尾道市御調町高尾220 0848-76-2880

ウッドワン美術館 月曜
〒738-0301 廿日市市吉和4278 0829-40-3001

尾道市立美術館 月曜
〒722-0032 尾道市西土堂町17-19 0848-23-2281

尾道市立大学美術館 火・水曜
〒722-8506 尾道市久保3-4-11 0848-20-7831

奥田元宋・小由女美術館 第2水曜
〒728-0023 三次市東酒屋町453-6 0824-65-0010

呉市立美術館 月曜
〒737-0028 呉市幸町入船山公園内 0823-25-2007

耕三寺博物館 無休
〒722-2411 尾道市瀬戸田町553-2 0845-27-0800

しぶや美術館 月・火・夏期
〒720-0056 福山市本町8-27 084-925-2113

下瀬美術館 月曜
〒739-0622 大竹市晴海2-10-50 0827-94-4000

竹原市歴史民俗資料館 火曜
〒725-0022 竹原市本町3-11-16 0846-22-5186

なかた美術館 月曜
〒722-0012 尾道市潮見町6番11号 0848-20-1218

中川美術館 火・水・夏期・冬期
〒720-0411 福山市熊野町鴬の里 084-959-1248

平山郁夫美術館 無休
〒722-2413 尾道市瀬戸田町沢200-2 0845-27-3800

辻村寿三郎人形館 水曜日
〒728-0021 三次市三次町1236 0824-64-1036

ひろしま美術館
〒730-0011 広島市中区基町3-2中央公園内 082-223-2530

東広島市立美術館 月曜
〒739-0015 東広島市西条栄町9-1 082-430-7117

広島県立美術館 月曜
〒730-0014 広島市中区上幟町2-22 082-221-6246

奈良国立博物館 月曜
〒630-8213 奈良市登大路町50 050-5542-8600

奈良国立文化財研究所飛鳥資料館 月曜
〒634-0102 高市郡明日香村奥山601 0744-54-3561

奈良国立文化財研究所平城宮跡資料館 月曜
〒630-8003 奈良市佐紀町 0742-30-6752

奈良市杉岡華邨書道美術館 月曜・祝翌日
〒630-8337 奈良市脇戸町3 0742-24-4111

奈良大学博物館 日曜祝日
〒631-8502 奈良市山陵町1500 0742-44-1251

なら工藝館 月曜
〒630-8346 奈良市阿字万字町1-1 0742-27-0033

寧楽美術館 火曜
〒630-8208 奈良市水門町74依水園内 0742-25-0781

大和文華館 月曜
〒631-0034 奈良市学園南1-11-6 0742-45-0544

和歌山

串本応挙芦雪館 無休
〒649-3503 西牟婁郡串本町串本833無量寺境内 0735-62-0468

熊野古道なかへち美術館（田辺市立美術館分館） 月曜
〒646-1402 田辺市中辺路町近露891 0739-65-0390

田辺市立美術館 月曜・祝翌日
〒646-0015 田辺市たきない町24-431 0739-24-3770

和歌山県書道資料館 日曜
〒640-8227 和歌山市西汀丁61 073-433-7272

和歌山県立近代美術館 月曜
〒640-8137 和歌山市吹上1-4-14 073-436-8690

和歌山県立博物館 月曜
〒640-8137 和歌山市吹上1-4-14 073-436-8670

和歌山市立博物館 月曜・祝日翌日
〒640-8222 和歌山市湊本町3-2 073-423-0003

鳥取

植田正治写真美術館 火曜・12～2月休館
〒689-4107 西伯郡伯耆町須村353-3 0859-39-8000

現代工芸美術の里 月曜
〒689-3105 西伯郡大山町羽田井1419-316 0858-58-4111

倉吉市立博物館 月曜
〒682-0824 倉吉市仲ノ町3445-8 0858-22-4409

鳥取県立博物館 月曜・祝翌日
〒680-0011 鳥取市東町2-124 0857-26-8042

鳥取民芸美術館 水曜
〒680-0831 鳥取市栄町651 0857-26-2367

鳥取砂丘美術館 テーマ開催中無休
〒689-0105 鳥取市福部町湯山2083-17 0857-20-2231

松江歴史館 月曜
〒690-0887 松江市殿町279 0852-32-1607

米子市美術館 水曜
〒683-0822 米子市中町12 0859-34-2424

渡辺美術館 火曜
〒680-0003 鳥取市覚寺堤下1-55-1 0857-24-1152

島根

安芸市加納美術館 火曜
〒692-0623 安来市広瀬町布部345-27 0854-36-0880

足立美術館 年中無休
〒692-0064 安来市古川町320 0854-28-7111

安野光雅美術館 木曜
〒699-5605 鹿足郡津和野町後田イ60-1 0856-72-4155

今井美術館 第1・3土日
〒699-4226 江津市桜江町川戸472-1 0855-92-1839

いも代官ミュージアム（石見銀山資料館）
〒694-0305 大田市大森町ハ51-1 0854-89-0846

出雲文化伝承館 月曜
〒693-0054 出雲市浜町520 0853-21-2460

出雲民藝館 火曜
〒693-0033 出雲市知井宮町628 0853-22-6397

古代出雲歴史博物館 第1・3火曜日
〒699-0701 出雲市大社町杵築東99-4 0853-53-8600

葛飾北斎美術館
〒699-5605 鹿足郡津和野町大字後田口254 0856-72-1850

島根県立石見美術館 火曜
〒698-0022 益田市有明町5-15グラントワ内 0856-31-1860

島根県立古代出雲歴史博物館 第3火曜
〒699-0701 出雲市大社町杵築東99-4 0853-53-8600

島根県立美術館 火曜
〒690-0049 松江市袖師町1-5 0852-55-4700

田部美術館 月曜
〒690-0888 松江市北掘町310-5 0852-26-2211

手銭記念館 火曜
〒699-0751 出雲市大社町杵築西2450-1 0853-53-2000

浜田市世界こども美術館 月曜
〒697-0016 浜田市野原町859-1 0855-23-8451

浜田市立石正美術館 月曜
〒699-3225 浜田市三隅町古市場589 0855-32-4388

益田市立雪舟の郷記念館 火曜・祝翌日
〒698-0003 益田市乙吉町イ1149 0856-24-0500

益田市立歴史民俗資料館 火曜
〒698-0005 益田市本町6-8 0856-23-2635

水の国/MUSEUM104° 火・水曜
〒699-4505 江津市桜江町坂本2025 0855-93-0077

杜塾美術館 年末年始
〒699-5604 鹿足郡津和野町大字森村イ542 0856-72-3200

来待ストーンミュージアム 火曜
〒699-0404 松江市宍道町東来待1574-1 0852-66-9050

国立民族学博物館 水曜
〒565-8511 吹田市千里万博公園10-1 06-6876-2151

小林美術館 月曜
〒592-0002 高石市羽衣2-2-30 072-262-2600

山王美術館 火水曜
〒540-0001 大阪府大阪市中央区城見2-2-27 06-6942-1117

天門美術館 火曜
〒573-0049 枚方市山之上北町3-1 072-841-0006

日本工芸館 月曜
〒556-0011 大阪市浪速区難波中3-7-6 06-6641-6309

藤田美術館
〒534-0026 大阪市都島区網島町10-32 06-6351-0582

正木美術館 水曜
〒595-0812 泉北郡忠岡町忠岡中2-9-26 0725-21-6000

湯木美術館 月曜
〒541-0046 大阪市中央区平野町3-3-9 06-6203-0188

兵庫

アガペ大鶴美術館 火曜
〒662-0001 西宮市甲山町53-4 0798-73-5111

あさご芸術の森美術館 水曜・祝翌日
〒679-3423 朝来市多々良木739-3 079-670-4111

芦屋市立美術博物館 月曜・祝翌日
〒659-0052 芦屋市伊勢町12-25 0797-38-5432

淡路市立中浜稔猫美術館 月曜
〒656-2305 淡路市浦668-2 0799-75-2011

出石町立伊藤美術館 水曜
〒668-0214 出石郡出石町内町98 0796-52-5456

市立伊丹ミュージアム 月曜
〒664-0895 伊丹市宮ノ前2-5-20 072-772-5959

伊藤清永美術館 水曜
〒668-0124 豊岡市出石町内町98 0796-52-5456

エンバ中国近代美術館 月・火・水曜
〒659-0003 芦屋市奥池町12-1 0797-38-0021

グレンバラ美術館 コロナ休館中
〒671-2217 姫路市町田120 079-260-8720

頴川美術館 月曜・祝翌日
〒662-0813 西宮市上甲東園1-10-40 0798-51-3915

香雪美術館 開期中無休
〒658-0048 神戸市東灘区御影郡家2-12-1 078-841-0652

神戸北野美術館 第3火曜
〒650-0002 神戸市中央区北野町2-9-6 078-251-0581

神戸市立小磯記念美術館 月曜
〒658-0032 神戸市東灘区向洋町5-7 078-857-5880

神戸市立博物館 月曜
〒650-0034 神戸市中央区京町24 078-391-0035

神戸ゆかりの美術館 水曜
〒658-0032 神戸市東灘区向洋町中2-9-1 078-858-1520

篠山市立歴史美術館 月曜
〒669-2322 篠山市呉服町53 079-552-0601

宝塚市立手塚治虫記念館 水曜
〒665-0844 宝塚市武庫川町7-65 0797-81-2970

滴翠美術館 月曜・夏・冬期
〒659-0082 芦屋市山芦屋町13-3 0797-22-2228

鉄斎美術館 月曜
〒665-0831 宝塚市米谷字清シ1清澄寺内 0797-84-9600

西宮市大谷記念美術館 水曜
〒662-0952 西宮市中浜町4-38 0798-33-0164

西脇市岡之山美術館 月曜・祝翌日
〒677-0039 西脇市上比延町345-1 0795-23-6223

白鶴美術館 月曜・祝翌日
〒658-0063 神戸市東灘区住吉山手6-1-1 078-851-6001

姫路市書写の里・美術工芸館 月曜
〒671-2201 姫路市書写1223 079-267-0301

姫路市立美術館 月曜
〒670-0012 姫路市本町68-25 079-222-2288

兵庫陶芸美術館 月曜
〒669-2135 篠山市今田町上立杭4 079-597-3961

兵庫県立美術館 月曜
〒651-0073 神戸市中央区脇浜海岸通1-1-1 078-262-0901

兵庫県立歴史博物館 月曜
〒670-0012 姫路市本町68 079-288-9011

奈良

入江泰吉記念奈良市写真美術館 月曜・祝翌日
〒630-8301 奈良市高畑町600-1 0742-22-9811

春日大社国宝殿 月曜
〒630-8212 奈良市春日野町160 0742-22-7788

興福寺国宝館 無休
〒630-8213 奈良市登大路町48番 0742-22-5370

桜井市立埋蔵文化財センター 月火曜
〒633-0074 桜井市芝58-2 0744-42-6005

松伯美術館 月曜
〒631-0004 奈良市登美ヶ丘2-1-4 0742-41-6666

高松塚壁画館
〒634-0144 高市郡明日香村平田439 0744-54-3340

富本憲吉記念館 月・火曜
〒639-1061 生駒郡安堵町東安堵1442 0743-57-3300

中野美術館 月曜
〒631-0033 奈良市あやめ池南9-946-2 0742-48-1167

奈良県立橿原考古学研究所付属博物館 月曜
〒634-0065 橿原市畝傍町50-2 0744-24-1185

奈良県立美術館 月曜
〒630-8213 奈良市登大路町10-6 0742-23-3968

奈良県立民俗博物館 月曜
〒639-1058 大和郡山市矢田町545 0743-53-3171

木下美術館 火・水曜・12～3月休館
〒520-0016 大津市比叡平2-28-21 077-575-1148

佐川美術館 月曜
〒542-0102 守山市水保町北川2891 077-585-7800

滋賀県立近代美術館 月曜
〒520-2122 大津市瀬田南大萱町1740-1 077-543-2111

滋賀県立陶芸の森 月曜
〒529-1804 甲賀市信楽町勅旨2188-7 0748-83-0909

日登美美術館 年末年始
〒527-0231 東近江市山上町2068-2 0748-27-1707

彦根城博物館 年末
〒522-0061 彦根市金亀町1-1 0749-22-6100

MIHO MUSEUM 月曜・祝翌日・冬期
〒529-1814 甲賀市信楽町桃谷300 0748-82-3411

京都

アサヒビール大山崎山荘美術館 月曜
〒618-0071 乙訓郡大山崎町銭原5-3 075-957-3123

井伊美術館 臨時休館日
〒605-0811 京都市東山区花見小路四条下ル4小松町 075-525-3921

井村美術館 休館中
〒606-0804 京都市左京区下鴨松原町29 075-722-3300

池大雅美術館 水曜
〒615-8287 京都市西京区松尾万石町57 075-381-2832

大西清右衛門美術館 月曜・祝翌日
〒604-8241 京都市中京区三条通新町西入ル釜座町18 075-221-2881

ガーデンミュージアム比叡 冬期休園
〒606-0000 京都市左京区修学院尺羅ヶ谷四明ヶ嶽4番地(比叡山頂) 075-707-7733

何必館・京都現代美術館 月曜
〒605-0073 京都市東山区祇園町北側271 075-525-1311

河井寛次郎記念館 月曜・夏期・冬期
〒605-0875 京都市東山区五条坂鐘鋳町569 075-561-3585

北村美術館 月曜・祝翌日
〒602-0841 京都市上京区河原町今出川南一筋目東入 075-256-0637

京都ギリシアローマ美術館 月曜
〒606-0831 京都市左京区下鴨北園町1-72 075-791-3561

京都伝統工芸館 水曜
〒604-8172 京都市中京区烏丸通三条上ル場之町606 075-229-1010

京都国立近代美術館 月曜
〒606-8344 京都市左京区岡崎円勝寺町 075-761-4111

京都国立博物館 月曜
〒605-0931 京都市東山区茶屋町527 075-525-2473

京都市京セラ美術館 月曜
〒606-8344 京都市左京区岡崎円勝寺町124 075-771-4334

京都市美術館 月曜
〒606-8344 京都市左京区岡崎円勝寺町124 075-771-4107

京都府京都文化博物館 月曜
〒604-8183 京都市中京区三条高倉 075-222-0888

京都府立陶板名画の庭 年末年始
〒606-0823 京都市左京区下鴨半木町(京都府立植物園北山門出口東隣) 075-724-2188

京都府立堂本印象美術館 月曜
〒603-8355 京都市北区平野上柳町26-3 075-463-0007

泉屋博古館 月曜
〒606-8431 京都市左京区鹿ヶ谷下宮ノ前町24 075-771-6411

野村美術館 月曜・夏期・冬期
〒606-8434 京都市左京区南禅寺下河原町61 075-751-0374

細見美術館 月曜
〒606-8342 京都市左京区岡崎最勝寺町6-3 075-752-5555

橋本関雪記念館 無休
〒606-8406 京都市左京区浄土寺石橋町37 075-751-0446

福田美術館 年末年始
〒616-8385 京都市右京区嵯峨天龍寺芒ノ馬場町3-16 075-863-0606

藤井斉成会有鄰館 要予約
〒606-8344 京都市左京区岡崎円勝寺町44 075-761-0638

楽美術館 月曜
〒602-0923 京都市上京区油小路通一条下ル 075-414-0304

大阪

あべのハルカス美術館 月曜
〒545-8545 大阪市阿倍野区阿倍野筋1-1-43-16F 06-4399-9050

アルフォンス・ミュシャ館 月曜
〒590-0014 堺市堺区田出井町1-2-200 072-222-5533

大阪芸術大学博物館 会期中のみ開館
〒585-0001 南河内郡河南町東山469 0721-93-3781

逸翁美術館 月曜
〒563-0058 池田市栄本町12-27 072-751-3865

和泉市久保惣記念美術館 月曜
〒594-1156 和泉市内田町3-6-12 0725-54-0001

江之子島文化芸術創造センター 月曜
〒550-0006 大阪市西区江之子島2-1-34 06-6441-8050

大阪市立東洋陶磁美術館 改装休館中
〒530-0005 大阪市北区中之島1-1-26 06-6223-0055

大阪市立美術館 月曜
〒543-0063 大阪市天王寺区茶臼山町1-82 06-6771-4874

大阪市立美術館附属現代美術センター 日曜
〒540-0008 大阪市中央区大手前3-1-43大阪府新別館北館・南館 06-4790-8520

大阪中之島美術館 月曜・祝翌日
〒530-0005 大阪市北区中之島4-3-1 06-4301-7285

大阪歴史博物館 火曜
〒540-0008 大阪市中央区大手前4丁目1-32 06-6946-5728

上方浮世絵館 月曜
〒542-0076 大阪市中央区難波1-6-4 06-6211-0303

絹谷幸二天空美術館 火曜
〒531-6127 大阪市北区大淀1-1-30-27F 06-6440-3760

国立国際美術館 月曜
〒530-0005 大阪市北区中之島4-2-55 06-6447-4680

メルヘンの森美術館 水木曜
〒414-0055 伊東市大室高原富戸1317-2714 0557-51-0114

ベルナール・ビュフェ美術館 水曜
〒411-0931 駿東郡長泉町東野クレマチスの丘（スルガ平）515-57 055-986-1300

愛知

愛知芸術文化センター愛知県美術館 月曜
〒461-8525 名古屋市東区東桜1-13-2 052-971-5511

愛知県陶磁美術館 月曜
〒489-0965 瀬戸市南山口町234 0561-84-7474

一宮市博物館 月曜・祝翌日
〒491-0922 一宮市大和町妙興寺2390 0586-46-3215

一宮市三岸節子記念美術館 月曜・祝翌日
〒494-0007 一宮市小信中島字郷南3147-1 0586-63-2892

稲沢市荻須記念美術館 月曜・祝翌日
〒492-8217 稲沢市稲沢町前田365-8 0587-23-3300

おかざき世界子ども美術博物館 月曜・祝翌日
〒444-0005 岡崎市岡町字鳥居戸1-1岡崎地域文化広場内 0564-53-3511

岡崎市美術館 月曜
〒444-0864 岡崎市明大寺町字茶園11-3 0564-51-4280

岡崎市美術博物館 月曜
〒444-0002 岡崎市高隆寺町峠1岡崎中央総合公園内 0564-28-5000

かみや美術館 火・木曜
〒475-0017 半田市有脇町10-8-9 0569-29-2626

唐九郎記念館（翠松園陶芸記念館） 月～木曜・夏期
〒463-0011 名古屋市守山区小幡字北山2758 052-795-2110

刈谷市美術館 月曜・祝翌日
〒448-0852 刈谷市住吉町4-5 0566-23-1636

清須市はるひ美術館 月曜
〒452-0961 清須市春日夢の森1番 052-401-3881

桑山美術館 月曜・祝翌日
〒466-0828 名古屋市昭和区山中町2-12 052-763-5188

昭和美術館 月曜・その他
〒466-0837 名古屋市昭和区汐見町4-1 052-832-5851

翠松園陶芸記念館（唐九郎記念館） 月～木曜・夏期
〒463-0011 名古屋市守山区翠松園1-1710 052-795-2110

杉本美術館 水曜
〒470-3232 知多郡美浜町美浜緑苑1-12-1 0569-88-5171

瀬戸市美術館 第2火曜
〒489-0884 瀬戸市西茨町113-3瀬戸市文化センター内 0561-84-1093

瀬戸蔵ミュージアム 臨時休館日
〒489-0813 瀬戸市蔵所町1-1 0561-97-1190

大一美術館 月曜
〒453-0843 名古屋市中村区鴨付町1-22 052-413-6777

高浜市やきものの里かわら美術館 月曜
〒444-1325 高浜市青木町9-6-18 0566-52-3366

徳川美術館 月曜
〒461-0023 名古屋市東区徳川町1017 052-935-6262

豊田市美術館 月曜
〒471-0034 豊田市小坂本町8-5-1 0565-34-6610

豊橋市美術博物館 月曜
〒440-0801 豊橋市今橋町3豊橋公園内 0532-51-2879

名古屋市博物館 月・第4火曜
〒467-0806 名古屋市瑞穂区瑞穂通1-27-1 052-853-2655

名古屋市美術館 月曜
〒460-0008 名古屋市中区栄2-17-25 052-212-0001

ノリタケミュージアム 月曜
〒451-8501 名古屋市西区則武新町3-1-36 052-561-7114

博物館明治村 12～2月の月曜
〒484-0000 犬山市字内山1 0568-57-0314

美術館松欅堂 16～26日開館
〒473-0914 豊田市若林東町13 0565-52-3150

古川美術館 月曜
〒464-0066 名古屋市千種区池下町2-50 052-763-1991

碧南市藤井達吉現代美術館 月曜
〒447-0847 碧南市音羽町1-1 0566-48-6602

名都美術館 月曜
〒480-1116 長久手市杁ケ池301 0561-62-8884

メナード美術館 月曜
〒485-0041 小牧市小牧5-250 0568-75-5787

ヤマザキマザック美術館 月曜
〒461-0004 名古屋市東区葵1-19-30 052-937-3737

三重

伊勢現代美術館 火・水曜
〒516-0101 度会郡南伊勢町五ヶ所浦湾場102-8 0599-66-1138

かめやま美術館 月・火曜
〒519-0168 亀山市太岡寺町1170あんぜん文化村内 0595-83-1238

桑名市博物館 月曜・祝翌日
〒511-0039 桑名市京町37-1 0594-21-3171

神宮美術館 月曜
〒516-0016 伊勢市神田久志本町1754-1 0596-22-5533

石水博物館 月曜
〒514-0821 津市垂水3032-18 059-227-5677

パラミタミュージアム 年末年始
〒510-1245 三重郡菰野町大羽根園松ヶ枝町21-6 059-391-1088

三重県総合博物館 月曜
〒514-0061 津市一身田上津部田3060 059-228-2283

三重県立美術館 月曜・祝翌日
〒514-0007 津市大谷町11 059-227-2100

ルーブル彫刻美術館 無休
〒515-2621 津市白山町佐田1957 059-262-1111

滋賀

大津絵美術館 無休
〒520-0036 大津市園城寺町33 077-522-3690

放浪美術館山下清の世界 無休
〒391-0001 茅野市ちの2764-3 0266-72-9908

北杜市郷土資料室 火水曜
〒408-0036 北杜市長坂町中丸1996-2 0551-32-6498

北斎館 年末
〒381-0201 上高井郡小布施町大字小布施485 026-247-5206

松本市時計博物館 月曜
〒390-0811 松本市中央1-21-15 0263-36-0969

松本市美術館 月曜
〒390-0811 松本市中央4-2-22 0263-39-7400

松本市立博物館 年末年始
〒390-0873 松本市丸の内4-1 0263-32-0133

水野美術館 月曜
〒380-0928 長野市若里6-2-20 026-229-6333

無言館 火曜
〒386-1213 上田市古安曽字山王山3462 0268-37-1650

八ヶ岳美術館 年末年始
〒391-0100 諏訪郡原村17217-1611 0266-74-2701

ルヴァン美術館 水曜
〒389-0111 北佐久郡軽井沢町長倉957-10 0267-46-1911

碌山美術館 11～4月の月曜・祝翌日
〒399-8303 安曇野市穂高5095-1 0263-82-2094

脇田美術館 無休
〒389-0100 北佐久郡軽井沢町旧道1570-4 0267-42-2639

脇本陣奥谷 無休
〒399-5302 木曽郡南木曽町吾妻2187-1 0264-57-3322

岐阜

荒川豊蔵資料館 月～木曜
〒509-0234 可児市久々利柿下入会352 0574-64-1461

市之倉さかづき美術館 火曜
〒507-0814 多治見市市之倉町6-30-1 0572-24-5911

大垣市守屋多々志美術館 火曜・祝翌日
〒503-0887 大垣市郭町2-12 0584-81-0801

加藤栄三・東一記念館 月曜・祝翌日
〒500-8003 岐阜市大宮町1-46岐阜公園内 058-264-6410

岐阜県現代陶芸美術館 月曜
〒507-0801 多治見市東町4-2-5 0572-28-3100

岐阜県博物館 月曜
〒501-3941 関市小屋名1989百年公園内 0575-28-3111

岐阜県美術館 月曜
〒500-8358 岐阜市宇佐4-1-22 058-271-1313

岐阜城資料館 無休
〒500-0000 岐阜市金華山天守閣18 058-263-4853

熊谷守一記念館 月曜
〒508-0351 中津川市付知町4956-52アートピア付知内 0573-82-4911

三甲美術館 火曜
〒502-0071 岐阜市長良福士山3535 058-295-3535

中山道広重美術館 月曜・祝翌日
〒509-7201 恵那市大井町176-1 0573-20-0522

中津川市東山魁夷心の旅路館 水曜
〒508-0501 中津川市山口1-15 0573-75-5222

飛騨高山美術館 無休
〒506-0055 高山市上岡本町1-124-1 0577-35-3535

養老天命反転地 月曜
〒503-1267 養老郡養老町高林1298-2 0584-32-4592

静岡

熱海市立澤田政廣記念館 月曜
〒413-0032 熱海市梅園町9-46 0557-81-9211

池田20世紀美術館 水曜
〒414-0052 伊東市十足614 0557-45-2211

伊豆ガラスと工芸美術館 無休
〒413-0235 伊東市大室高原11-300 0557-51-7222

伊豆の長八美術館 無休
〒410-3611 賀茂郡松崎町松崎23 0558-42-2540

上原近代美術館 無休
〒413-0715 下田市宇土金341 0558-28-1228

MOA美術館 木曜
〒413-8511 熱海市桃山町25-2 0557-84-2511

黄金崎クリスタルパークガラスミュージアム 無休
〒410-3501 西伊豆町宇久須2204-3 0558-55-1516

佐野美術館 木曜
〒411-0838 三島市中田町1-43 055-975-7278

静岡市立美術館 月曜
〒420-0852 静岡市葵区紺屋町17-1葵タワー3F 054-273-1515

静岡市立芹沢銈介美術館 月曜・祝翌日
〒422-8033 静岡市駿河区登呂5-10-5 054-282-5522

静岡市歴史博物館 月曜
〒420-0853 静岡市葵区追手町4-16 054-204-1005

静岡市東海道広重美術館 月曜
〒421-3103 静岡市清水区由比297-1 054-375-4454

静岡県立美術館 月曜
〒422-8002 静岡市駿河区谷田53-2 054-263-5755

常葉美術館 木曜・特別展以外は休館
〒439-0019 菊川市半済1550 0537-35-0775

浜松市秋野不矩美術館 月曜
〒431-3314 浜松市天竜区二俣町二俣130 053-922-0315

浜松市美術館 月曜
〒430-0947 浜松市中区松城町100-1 053-454-6801

ヴァンジ彫刻庭園美術館 水曜
〒411-0931 駿東郡長泉町東野クレマチスの丘（スルガ平）347-1 055-989-8787

平野美術館 月曜
〒430-0942 浜松市中区元浜町166 053-474-0811

美術館夢呂土・山本丘人記念館 火～木曜
〒410-1326 駿東郡小山町用沢1373-1 0550-78-1400

笛吹市立青楓美術館 月曜・祝翌日
〒405-0051 笛吹市一宮町北野呂3-1 0553-47-2122

南アルプス市立春仙美術館 月曜
〒400-0306 南アルプス市小笠原1281 055-282-6600

三島由紀夫文学館 月火曜
〒401-0502 南都留郡山中湖村平野506-296 0555-20-2655

山梨県立博物館 火曜・祝翌日
〒406-0801 笛吹市御坂町成田1501-1 055-261-2631

山梨県立美術館 月曜・祝翌日
〒400-0065 甲府市貢川1-4-27 055-228-3322

山中湖美術館 4~12月の火・水曜・冬期
〒401-0502 南都留郡山中湖村平野493-81 055-562-0793

長野

安曇野ジャンセン美術館 火曜
〒399-8301 安曇野市穂高有明4018-6 0263-83-6584

安曇野高橋節郎記念美術館 月曜・祝翌日
〒399-8302 安曇野市穂高北穂高408-1 0263-81-3030

安曇野ちひろ美術館 第2・4水曜・12~2月休館
〒399-8501 北安曇郡松川村西原3358-24 0261-62-0772

安曇野市豊科近代美術館 月曜・祝翌日
〒399-8205 安曇野市豊科5609-3 0263-73-5638

伊東近代美術館 火曜
〒399-0101 諏訪市諏訪2-4-6 0266-52-0164

飯田市美術博物館 月曜・祝翌日
〒395-0034 飯田市追手町2-655-7 0265-22-8118

池田満寿夫美術館 木曜
〒381-0000 長野市松代町殿町城跡10 026-278-1722

上田市山本鼎記念館 水曜・祝翌日
〒386-0026 上田市二の丸3-4 0258-22-2693

上田市立美術館 火曜
〒386-0025 上田市天神3-15-15サントミューゼ内 0268-27-2300

美ヶ原高原美術館 冬期間
〒386-0507 上田市武石上本入美ヶ原高原 0268-86-2331

奥村土牛記念美術館 月曜・祝翌日
〒384-0702 南佐久郡佐久穂町大字穂積1429-1 0267-88-3881

おぶせミュージアム 年末・その他
〒381-0201 上高井郡小布施町大字小布施595 026-247-6111

軽井沢安東美術館 水曜・冬期
〒389-0104 北佐久郡軽井沢町軽井沢東43-10 0267-42-1230

軽井沢千住博美術館 火曜・冬期
〒389-0100 北佐久郡軽井沢町塩沢815 0267-46-6565

木曾路美術館 木曜・冬期
〒399-5600 木曾郡上松町寝覚 0264-52-2554

北澤美術館 無休
〒392-0027 諏訪市湖岸通1-13-28 0266-58-6000

北野美術館 月曜
〒381-0101 長野市若穂綿内7963-2 026-282-3450

康耀堂美術館 月曜・冬期
〒391-0213 茅野市豊平4734-215 0266-71-6811

小諸市立小山敬三美術館 12~3月の水曜
〒384-0804 小諸市丁221懐古園内 0267-22-3428

サンリツ服部美術館 月曜
〒392-0027 諏訪市湖岸通り2-1-1 0266-57-3311

佐久市立近代美術館 月曜
〒385-0011 佐久市大字猿久保35-5 0267-67-1055

志賀高原ロマン美術館 木曜
〒381-0401 下高井郡山ノ内町大字平穏1465 0269-33-8855

信州新町美術館 月曜・祝翌日
〒381-2404 長野市信州新町上条 026-262-3500

信州高遠美術館 火曜・祝翌日
〒396-0213 伊那市高遠町東高遠400 0265-94-3666

須坂版画美術館 水曜
〒382-0031 須坂市大字野辺1386-8 026-248-6633

諏訪市美術館 月曜・祝翌日
〒392-0027 諏訪市湖岸通4-1-14 0266-52-1217

セゾン現代美術館 木曜
〒389-0111 北佐久郡軽井沢町長倉芹ヶ沢2140 0267-46-2020

田崎美術館 水曜
〒389-0111 北佐久郡軽井沢町長倉横吹2141-279 0267-45-1186

東御市梅野記念絵画館 月曜・祝翌日
〒389-0406 東御市八重原935-1芸術むら公園 0268-61-6161

辰野美術館 月曜・祝翌日・冬期
〒399-0425 上伊那郡辰野町大字樋口2407-1 0266-43-0753

茅野市美術館 火曜
〒391-0002 茅野市塚原1-1-1 0266-82-8222

長野県立美術館・東山魁夷館 水曜
〒380-0801 長野市箱清水1-4-4（善光寺東隣） 026-232-0052

日本浮世絵博物館 月曜
〒390-0852 松本市島立小柴2206-1 0263-47-4440

白馬美術館 水曜
〒399-9301 北安曇郡北城みそらの別荘地内 0261-72-6084

白馬三枝美術館 無休
〒399-9301 北安曇郡白馬村北城2935 0261-72-4685

SUWAガラスの里 火水曜
〒392-0016 諏訪市豊田2400-7 0266-57-2000

高橋まゆみ人形館 水曜
〒389-2253 飯山市飯山2941-1 0269-67-0139

ハーモ美術館 無休
〒393-0045 諏訪郡下諏訪町10616-540 0266-28-3636

原田泰治美術館 月曜
〒392-0010 諏訪市渋崎1792-375 0266-54-1881

深沢紅子野の花美術館 冬期不定休
〒389-0111 北佐久郡軽井沢町塩沢湖217 0267-45-3662

ペイネ美術館 冬期不定休
〒389-0100 北佐久郡軽井沢町塩沢湖217 0267-46-6161

石川県立美術館 年末年始
〒920-0963 金沢市出羽町2-1 076-231-7580

石川県立歴史博物館 年末年始・他
〒920-0963 金沢市出羽町3-1 076-262-3236

石川県輪島漆芸美術館 年末年始
〒928-0063 輪島市水守町四十苅11 0768-22-9788

卯辰山工芸工房 火曜
〒920-0832 金沢市卯辰山ト10 076-251-7286

大樋美術館 無休
〒920-0911 金沢市橋場町2-17 076-221-2397

加賀市美術館 火曜
〒922-0423 加賀市作見町リ1-4 0761-72-8787

KAMU kanazawa 月曜・祝翌日
〒920-8509 金沢市広坂1-1-52 https://www.ka-mu.com

金沢市立中村記念美術館 年末年始
〒920-0964 金沢市本多町3-2-29 076-221-0751

金沢21世紀美術館 月曜
〒920-8509 金沢市広坂1-2-1 076-220-2800

金沢湯涌夢二館 無休
〒920-1123 金沢市湯涌町イ144-1 076-235-1112

国立工芸館 月曜・翌祝日
〒920-0963 金沢市出羽町3-2 076-221-2020

小松市立本陣記念美術館 月曜・祝翌日
〒923-0903 小松市丸の内公園町19 0761-22-3384

小松市立宮本三郎美術館 無休
〒923-0904 小松市小馬出町5 0761-20-3600

珠洲市立珠洲焼資料館 月
〒927-1204 珠洲市蛸島町1-2-563 0768-82-6200

成巽閣 水曜
〒920-0936 金沢市兼六町1-2 076-221-0580

能美市九谷焼美術館浅蔵五十吉記念館 月曜
〒923-1111 能美市泉台町南56 0761-58-6100

能登島ガラス美術館 第3火曜
〒926-0211 七尾市能登島向田町125-10 0767-84-1175

能登町立羽根万象美術館 月曜
〒927-0433 鳳至郡能登町字宇出津イ112-5 0768-62-3669

硲伊之助美術館 火～木曜
〒922-0822 加賀市吸坂町4-3 0761-72-0872

白山市立中川一政記念美術館 月曜
〒924-0888 白山市旭町61-1 076-275-7532

福井

あわら市郷土歴史資料館 月曜 第4木曜
〒919-0632 あわら市春宮2-14-11 0776-73-5158

いまだて芸術館 年末年始
〒915-0242 越前市粟田部11-1-1 0778-42-2700

うるしの里会館 第4火曜
〒916-1221 鯖江市西袋町40-1-2 0778-65-2727

COCONOアートプレイス 月曜
〒912-0081 大野市元町12-2 0779-64-4848

大野市民俗資料館 年末年始
〒912-0087 大野市城町2-13 0779-66-0238

敦賀市立博物館 月曜
〒914-0062 敦賀市相生町7-8 0770-25-7033

ふくい藤田美術館 木・日曜・祝日
〒910-0004 福井市宝永4-15-12 0776-21-7710

福井県陶芸館 月曜・祝翌日
〒916-0273 丹生郡越前町小曽原120-61 0778-32-2174

福井県立美術館 年末年始
〒910-0017 福井市文京3-16-1 0776-25-0452

福井県立歴史博物館 第2・第4水曜日
〒910-0016 福井県福井市大宮2-19-15 0776-22-4675

福井市美術館 月曜・祝翌日
〒918-8112 福井市下馬3-1111 0776-33-2990

山梨

久保田一竹美術館 火曜
〒401-0304 南都留郡富士河口湖町河口2255 0555-76-8811

韮崎大村美術館 水曜
〒407-0043 韮崎市神山町鍋山1830-1 0551-23-7775

河口湖音楽と森の美術館 火水曜
〒401-0304 南都留郡富士河口湖町河口3077-20 0555-20-4111

河口湖木ノ花美術館 無休
〒401-0304 南都留郡富士河口湖町河口3026-1 0555-76-6789

河口湖美術館 火曜
〒401-0304 南都留郡富士河口湖町河口3170 0555-73-2829

河口湖ミューズ館与勇輝館 木曜
〒401-0302 南都留郡富士河口湖町小立923 0555-72-5258

清里現代美術館 1・2月の月～金曜
〒407-0301 北杜市高根町清里3545-3519 0551-48-3903

清春白樺美術館（清春芸術村） 月曜
〒408-0036 北杜市長坂町中丸2072 0551-32-4865

嘯月美術館 月・火曜
〒400-0336 南アルプス市十日市場726 055-282-0037

昇仙峡影絵の森美術館 無休
〒400-1214 甲府市高成町1035-2 055-287-2511

白根桃源美術館 月曜・祝翌日
〒400-0292 南アルプス市飯野2825-6 055-282-0149

田中治彦モダンアート美術館 火・水曜・12～3月休館
〒407-0301 北杜市高根町清里の森2-1-1 0551-48-3733

なかとみ現代工芸美術館 火曜
〒409-3301 南巨摩郡身延町西嶋345 0556-20-4555

光の美術館（清春芸術村） 月曜
〒408-0036 北杜市長坂町中丸2072 0551-32-3737

平山郁夫シルクロード美術館 火曜・年末～3月
〒408-0031 北杜市長坂町小荒間2000-6 0551-32-0225

箱根ラリック美術館 無休
〒250-0631 足柄下郡箱根町仙石原186-1 0460-84-2255

秦野市宮永岳彦記念美術館 月曜
〒257-0001 秦野市鶴巻北3-1-2 0463-78-9100

光と緑の美術館 月曜
〒252-0242 相模原市中央区横山3-6-18 042-757-7151

日吉の森庭園美術館 不定休
〒223-0064 横浜市港北区下田町3-10-34 045-561-3214

平塚市美術館 月曜
〒254-0073 平塚市西八幡1-3-3 0463-35-2111

ポーラ美術館 無休
〒250-0631 足柄下郡箱根町仙石原小塚山1285 0460-84-2111

真鶴町立中川一政美術館 第1・3水曜
〒259-0201 足柄下郡真鶴町真鶴1178-1 0465-68-1128

山口蓬春記念館 月曜
〒240-0111 三浦郡葉山町一色2320 046-875-6094

横須賀美術館 第1月曜
〒239-0813 横須賀市鴨居4-1 046-845-1211

横浜美術館 木曜
〒220-0012 横浜市西区みなとみらい3-4-1 045-221-0300

新潟

會津八一記念館 月曜・その他
〒951-8101 新潟市中央区西船見町5932-561 025-222-7612

今井美術館 月〜木曜
〒954-0052 見附市学校町2-8-8 0258-63-4501

潟東樋口記念美術館 月曜
〒959-0505 新潟市西蒲区三方92 0256-86-3444

菊盛記念美術館 月曜
〒949-4525 長岡市島崎3938 0258-74-3700

小林古径記念美術館 月曜・祝翌日
〒943-0835 上越市本城町7-7高田公園内 025-523-8680

佐渡版画村美術館 12月〜2月末休館
〒952-1533 佐渡市相川米屋町38-2 0259-74-3931

雪梁舎美術館 月曜・冬季
〒950-1101 新潟市西区山田451 025-377-1888

谷村美術館 年末年始
〒941-0054 糸魚川市京ヶ峰2-1-13玉翠園 025-552-9277

知足美術館 日曜・祝日
〒950-0965 新潟市中央区新光町10-2技術士センタービル別棟 025-281-2001

敦井美術館 日曜・祝日
〒950-0087 新潟市中央区東大通1-2-23北陸ビル 025-247-3311

トミオカホワイト美術館 水曜
〒949-7124 南魚沼市上薬師堂142 025-775-3646

栃尾美術館 月曜
〒940-0237 長岡市上の原町1-13 0258-53-6300

新潟県立近代美術館 月曜
〒940-2083 長岡市千秋3-278-14 0258-28-4111

新潟県立近代万代島美術館 月曜
〒950-0078 新潟市中央区万代島5-1万代島ビル 025-290-6655

新潟市美術館 月曜・祝翌日
〒951-8556 新潟市中央区西大畑町5191-9 025-223-1622

新潟市新津美術館 月曜
〒956-0846 新潟市秋葉区蒲ケ沢109-1 0250-25-1300

星と森の詩美術館 火曜・12月〜3月末休館
〒948-0101 十日町市稲葉1099-1 025-752-7202

北方文化博物館（豪農の館） 無休
〒950-0205 新潟市江南区沢海2-15-25 025-385-2001

良寛記念館 年末年始
〒949-4342 三島郡出雲崎町米田1 0258-78-2370

良寛の里美術館 年末年始
〒949-4525 長岡市島崎3938 0258-74-3700

富山

井波美術館 火曜・1〜2月休館
〒932-0234 南砺市井波3624 0763-82-5523

百河豚美術館 月曜
〒939-0723 下新川郡朝日町不動堂6 0765-83-0100

セレネ美術館 無休・11月〜3月の火曜
〒938-0282 黒部市宇奈月町温泉6-3 0765-62-2000

高岡市美術館 月曜
〒933-0056 高岡市中川1-1-30 0766-20-1177

砺波市美術館 月曜
〒939-1383 砺波市高道145-1 0763-32-1001

富山県水墨美術館 月曜
〒930-0887 富山市五福777 076-431-3719

富山県民会館美術館 年末年始
〒930-0006 富山市新総曲輪4-18 076-432-3111

富山県立近代美術館 月曜・祝翌日
〒939-8636 富山市西中野町1-16-12 076-421-7111

富山市郷土博物館 年末年始・他
〒930-0081 富山市本丸1-62 076-432-7911

富山美術館 月曜
〒930-0081 富山市本丸1-33 076-432-9031

難波田龍起・史男記念美術館 月曜
〒930-0944 富山市開85 076-422-7722

福光美術館 火曜・祝翌日
〒939-1626 南砺市法林寺2010 0763-52-7576

石川

石川県九谷焼美術館 月曜
〒922-0861 加賀市大聖寺地方町1-10-13 0761-72-7466

石川県七尾美術館 月曜
〒926-0855 七尾市小丸山台1-1 0767-53-1500

石川県立伝統産業工芸館 第3木曜・12月〜3月は毎木曜
〒920-0936 金沢市兼六町1-1兼六園内 076-262-2020

長谷川町子美術館 月曜
〒154-0015 世田谷区桜新町1-30-6 03-3701-8766

畠山記念館 月曜
〒108-0071 港区白金台2-20-12 03-3447-5787

光ヶ丘美術館 月曜
〒179-0073 練馬区田柄5-27-25 03-3577-7041

平木浮世絵美術館 月曜
〒135-8614 江東区豊洲2-4-9アーバンドック ららぽーと豊洲 03-6910-1290

Bunkamuraザ・ミュージアム 休館中
〒150-8507 渋谷区道玄坂2-24-1 03-3477-9413

町田市立国際版画美術館 月曜
〒194-0013 町田市原町田4-28-1 042-726-2771

町田市立博物館 月曜
〒194-0032 町田市本町田3562 042-726-1531

松岡美術館 月曜
〒108-0071 港区白金台5-12-6 03-5449-0251

三鷹の森ジブリ美術館 火曜
〒181-0013 三鷹市下連雀1-1-83 0570-055-777

ミュゼ浜口陽三 月曜
〒103-0014 中央区日本橋蛎殻町1-35-7 03-3665-0251

三井記念美術館 月曜
〒103-0022 中央区日本橋室町2-1-1三井本館7F 050-5541-8600

三菱一号館美術館 休館中
〒100-0005 千代田区丸の内2-6-2 03-5777-8600

宮本三郎記念美術館 月曜
〒158-0083 世田谷区奥沢5-38-13 03-5483-3836

武者小路実篤記念館 月曜
〒182-0003 調布市若葉町1-8-30 03-3326-0648

武蔵野美術大学美術館・図書館 日曜・祝日
〒187-8505 小平市小川1-736 042-342-6003

向井潤吉アトリエ館 月曜
〒154-0016 世田谷区弦巻2-5-1 03-5759-9581

村内美術館 水曜
〒192-8551 八王子市左入町787村内ファニチャーアクセス 042-691-6301

目黒区美術館 月曜
〒153-0063 目黒区目黒2-4-36 03-3714-1201

森美術館 無休
〒106-6153 港区六本木6-10-1六本木ヒルズ森タワー 03-5777-8600

弥生美術館 月曜
〒113-0032 文京区弥生2-4-3 03-3812-0012

山種美術館 月曜
〒150-0012 渋谷区広尾3-12-36 03-5777-8600

横山大観記念館 月〜水曜
〒110-0008 台東区池之端1-4-24 03-3821-1017

龍子記念館 月曜
〒143-0025 大田区南馬込4-49-11 03-3772-0680

神奈川

岡田美術館 会期中無休
〒250-0406 足柄下郡箱根町小涌谷493-1 0460-87-3931

カスヤの森現代美術館 月火曜
〒238-0032 横須賀市平作7-12-13 046-852-3030

神奈川県立金沢文庫 月曜
〒236-0015 横浜市金沢区金沢町142 045-701-9069

神奈川県立近代美術館　鎌倉別館 月曜
〒248-0005 鎌倉市雪ノ下2-8-1 0467-22-7718

神奈川県立近代美術館　葉山 月曜
〒240-0111 三浦郡葉山町一色2208-1 046-875-2800

神奈川県立歴史博物館 月曜
〒231-0006 横浜市中区南仲通5-60 045-201-0926

鎌倉国宝館 月曜
〒248-0005 鎌倉市雪ノ下2-1-1 0467-22-0753

鎌倉市鏑木清方記念美術館 月曜
〒248-0005 鎌倉市雪ノ下1-5-25 0467-23-6405

鎌倉彫資料館 不定休
〒248-0006 鎌倉市小町2-15-13 0467-25-1502

川崎市岡本太郎美術館 月曜・祝翌日
〒214-0032 川崎市多摩区枡形7-1-5 044-900-9898

川崎市市民ミュージアム 休館中
〒211-0052 川崎市中原区等々力1-2等々力緑地内 044-754-4500

川崎市立日本民家園 月曜・祝翌日
〒214-0032 川崎市多摩区枡形7-1-1 044-922-2181

北鎌倉美術館 月曜
〒247-0056 鎌倉市大船2135 0467-43-4141

三渓園 年末年始
〒231-0824 横浜市中区本牧三之谷58-1 045-621-0634

そごう美術館 そごう横浜定休日
〒220-8510 横浜市西区高島2-18-1 045-465-5515

茅ヶ崎市美術館 月曜・祝翌日
〒253-0053 茅ヶ崎市東海岸北1-4-45 0467-88-1177

彫刻の森美術館 無休
〒250-0493 足柄下郡箱根町ニノ平1121 0460-82-1161

町立湯河原美術館 水曜
〒259-0314 足柄下郡湯河原町宮上623-1 0465-63-7788

宮川香山眞葛ミュージアム 土日のみ開館
〒221-0052 横浜市神奈川区栄町6-1ヨコハマポートサイドロア 045-534-6853

中村正義の美術館 月〜木曜・1〜2月6〜8月12月休館
〒215-0001 川崎市麻生区制山7-2-8 044-953-4936

成川美術館 無休
〒250-0522 足柄下郡箱根町元箱根570 0460-83-6828

人間国宝美術館 無休
〒259-0301 足柄下郡湯河原町中央3-16-1 0465-62-2112

箱根美術館 木曜
〒250-0408 足柄下郡箱根町強羅1300 0460-82-2623

O美術館 木曜
〒141-0032 品川区大崎1-6-2大崎ニューシティ・2号館2F 03-3495-4040

青梅市郷土博物館 月曜
〒198-0053 青梅市駒木町1-684 0428-23-6859

青梅市立美術館 月曜
〒198-0085 青梅市滝ノ上町1346-1 0428-24-1195

大倉集古館 月曜
〒105-0001 港区虎ノ門2-10-3 03-3583-0781

岡本太郎記念館 火曜
〒107-0062 港区南青山6-1-19 03-3406-0801

菊池寛実記念智美術館 月曜
〒105-0001 港区虎ノ門4-1-35西久保ビル 03-5733-5131

ギャラリーTOM 月曜
〒150-0046 渋谷区松濤2-11-1 03-3467-8102

玉堂美術館 月曜
〒198-0174 青梅市御岳1-75 0428-78-8335

草間彌生美術館 月・火・水曜
〒162-0851 新宿区弁天町107 03-5273-1778

久米美術館 月曜
〒141-0021 品川区上大崎2-25-5久米ビル8F 03-3491-1510

皇居三の丸尚蔵館 月曜・祝翌日・オンライン予約制
〒100-0100 千代田区千代田1-1皇居東御苑 03-5208-1063

国立新美術館 火曜
〒106-8558 港区六本木7-22-2 050-5541-8600

国立西洋美術館 月曜
〒110-0007 台東区上野公園7-7 050-5541-8600

小平市平櫛田中彫刻美術館 火曜
〒187-0045 小平市学園西町1-7-5 042-341-0098

古代オリエント博物館 展示替日のみ
〒170-6090 豊島区東池袋3-1-4文化会館7階 03-3989-3491

五島美術館 月曜
〒158-0093 世田谷区上野毛3-9-25 03-5777-8600

サントリー美術館 火曜
〒107-8643 港区赤坂9-7-4東京ミッドタウン 03-3479-8600

郷さくら美術館 月・火曜
〒153-0051 目黒区上目黒1-7-13 03-3496-1771

渋谷区立松濤美術館 月曜
〒150-0046 渋谷区松濤2-14-14 03-3465-9421

静嘉堂文庫美術館 月曜
〒100-0005 千代田区丸の内2-1-1明治生命館1F 050-5541-8600

聖徳記念絵画館 水曜
〒160-0013 新宿区霞ヶ丘町1-1 03-3401-5179

世田谷美術館 月曜
〒157-0075 世田谷区砧公園1-2 03-3415-6011

泉屋博古館東京 月曜
〒106-0032 港区六本木1-5-1 050-5541-8600

千秋文庫 日・月曜・祝日
〒102-0074 千代田区九段南2-1-36 03-3261-0075

SOMPO美術館 月曜
〒160-8338 新宿区西新宿1-26-1 03-5777-8600

多摩美術大学美術館 火曜
〒206-0033 多摩市落合1-33-1 042-357-1251

竹久夢二美術館 月曜
〒113-0032 文京区弥生2-4-2 03-5689-0462

台東区立朝倉彫塑館 月金曜
〒110-0001 台東区谷中7-18-10 03-3821-4549

ちひろ美術館・東京 月曜
〒177-0042 練馬区下石神井4-7-2 03-3995-0612

長泉院付属現代彫刻美術館 月曜
〒153-0061 目黒区中目黒4-12-18 03-3792-5858

戸栗美術館 月曜
〒150-0046 渋谷区松涛1-11-3 03-3465-0070

豊島区立熊谷守一美術館 月曜
〒171-0044 豊島区千早2-27-6 03-3957-3779

豊島区立トキワ荘マンガミュージアム 月曜・祝翌日
〒171-0052 豊島区南長崎3-9-22南長崎花咲公園内 03-6912-7706

刀剣博物館 月曜
〒151-0053 渋谷区代々木4-25-10 03-3379-1386

東京藝術大学大学美術館 月曜
〒110-8714 台東区上野公園12-8 050-5525-2200

東京国立近代美術館 月曜
〒102-0091 千代田区北の丸公園3-1 03-5777-8600

東京国立博物館 月曜
〒110-8712 台東区上野公園13-9 03-5777-8600

東京都現代美術館 月曜
〒135-0022 江東区三好4-1-1 03-5777-8600

東京都写真美術館 月曜
〒153-0062 目黒区三田1-13-3恵比寿ガーデンプレイス内 03-3280-0099

東京都庭園美術館 第2・4水曜
〒108-0071 港区白金台5-21-9 03-3443-0201

東京都美術館 第1・3月曜
〒110-0007 台東区上野公園8-36 03-3823-6921

東京富士美術館 月曜
〒192-0016 八王子市谷野町492-1 042-691-4511

中村研一記念小金井市立はけの森美術館 月曜
〒184-0012 小金井市中町1-11-3 042-384-9800

ニューオータニ美術館 月曜
〒102-8578 千代田区紀尾井町4-1 03-3221-4111

日本民藝館 月曜
〒153-0041 目黒区駒場4-3-33 03-3467-4527

根津美術館 月曜
〒107-0062 港区南青山6-5-1 03-3400-2536

練馬区立美術館 月曜
〒176-0021 練馬区貫井1-36-16 03-3577-1821

パナソニック汐留美術館 水曜
〒105-8301 港区東新橋1-5-1パナソニック東京汐留ビル4F 03-5777-8600

美術館・博物館

高崎市美術館　月曜
〒370-0849 高崎市八島町110-27　027-324-6125

高崎市染料植物園　月・祝日の翌日
〒370-0865 高崎市寺尾町2302-11　027-328-6808

高崎市山田かまち美術館　月火曜
〒370-0862 高崎市片岡町3-23-5　027-321-0077

竹久夢二伊香保記念館　無休
〒377-0102 渋川市伊香保町544-119　0279-72-4788

天一美術館　1月6日～2月末休み
〒379-1619 利根郡みなかみ町谷川508　0278-20-1111

陶器と良寛書の館　月曜
〒376-0301 みどり市東町沢入968-8　0277-95-6565

富岡市立美術博物館・福沢一郎記念美術館　月曜
〒370-2344 富岡市黒川351-1　0274-62-6200

富岡市立妙義ふるさと美術館　月曜
〒379-0201 富岡市妙義町妙義1-5　0274-73-2585

中之沢美術館　月～木曜
〒371-0201 前橋市粕川町中之沢249-14　027-285-2880

ハラ・ミュージアム・アーク　木曜
〒377-0027 渋川市金井2855-1　0279-24-6585

広瀬川美術館　月曜
〒371-0022 前橋市千代田町3-3-10広瀬川厩橋河畔　027-231-7825

妙義山麓美術館　火水曜・12～3月休館
〒379-0226 安中市松井田町行田822-1　0273-93-5500

山田かまち水彩デッサン美術館　水曜
〒370-0862 高崎市片岡町3-23-5　0273-24-3890

埼玉

うらわ美術館　月曜
〒336-0062 さいたま市浦和区仲町2-5-1　048-827-3215

川越市美術館　月曜
〒350-0053 川越市郭町2-30-1　049-228-8080

河鍋暁斎記念館　木曜
〒335-0003 蕨市南町4-36-4　048-441-9780

原爆の図丸木美術館　月曜
〒355-0076 東松山市下唐子1401　0493-22-3266

サトエ記念21世紀美術館　月曜
〒347-0022 加須市水深大立野2067　0480-66-3806

埼玉県立歴史と民族の博物館　月曜
〒330-0803 さいたま市大宮区高鼻町4-219　048-641-0890

埼玉県立近代美術館　月曜
〒336-0001 さいたま市浦和区常盤9-30-1　048-824-0111

埼玉伝統工芸会館　月曜・祝日の翌日
〒355-0321 比企郡小川町大字小川1220　0493-72-1220

遠山記念館付属美術館　月曜
〒350-0128 比企郡川島町白井沼675　0492-97-0007

武者小路実篤記念新しき村美術館　月曜
〒350-0445 入間郡毛呂山町葛貫423　0492-95-4081

ビアトリクスポター資料館　月曜
〒355-0065 東松山市岩殿554　0493-35-1267

文書館　月曜・祝日
〒330-0063 さいたま市浦和区高砂4-3-18　048-865-0112

ヤオコー川越美術館・三栖右嗣記念館　月曜
〒350-0851 川越市氷川町109-1　049-223-9511

やまとーあーとみゅーじあむ　火曜
〒368-0023 秩父市大宮6175-1羊山公園内　0494-22-8822

山崎美術館　木曜・月末2日間
〒350-0065 川越市仲町4-13　049-224-7114

千葉

いすみ市郷土資料館　月曜
〒298-8501 いすみ市大原7400-1　0470-62-2811

市川市東山魁夷記念館　月曜
〒272-0813 市川市中山1-16-2　047-333-2011

国立歴史民俗博物館　月曜
〒285-0017 佐倉市城内町117　0434-86-0123

佐倉市立美術館　月曜
〒285-0023 佐倉市新町210　043-485-7851

千葉県立美術館　月曜
〒260-0026 千葉市中央区中央港1-10-1　043-242-8311

千葉市美術館　第1月曜
〒260-8733 千葉市中央区中央3-10-8　043-221-2311

DIC川村記念美術館　月曜
〒285-0078 佐倉市坂戸631　0120-498-130

成田書道美術館　月曜
〒286-0023 成田市成田640　0476-24-0774

菱川師宣記念館　月曜
〒299-1908 安房郡鋸南町吉浜516　0470-55-4061

ホキ美術館　火曜
〒267-0067 千葉市緑区あすみが丘東3-15　043-205-1500

東京

アーティゾン美術館　月曜
〒104-0031 中央区京橋1-7-2　03-3563-0241

相田みつを美術館　年末年始
〒100-0005 千代田区丸の内3-5-1東京国際フォーラムB1F　03-6212-3200

板橋区立美術館　月曜
〒175-0092 板橋区赤塚5-34-27　03-3979-3251

出光美術館　月曜
〒100-0005 千代田区丸の内3-1-1　03-3213-9402

上野の森美術館　不定休
〒110-0007 台東区上野公園1-2　03-3833-4191

浮世絵太田記念美術館　月曜
〒150-0001 渋谷区神宮前1-10-10　03-5777-8600

江戸東京博物館　月曜
〒130-0015 墨田区横網1-4-1　03-3626-9974

水戸市立博物館 月曜・祝日
〒310-0062 水戸市大町3-3-20 029-226-6521

六角堂（茨城大学五浦美術文化研究所） 月曜
〒319-1703 北茨城市大津町五浦727-2 0293-46-5311

和紙人形美術館（奥久慈茶の里公園） 水曜
〒319-3543 久慈郡大子町大字左貫1920 0295-78-0511

結城蔵美館 木曜
〒307-0001 結城市大字結城1330 0296-54-5123

栃木

足利市立美術館 月曜・祝翌日
〒326-0814 足利市通2-14-7 0284-43-3131

荒井寛方記念館 月・祝日の翌日・第3火曜日
〒329-1311 さくら市氏家1297 028-682-7123

岩下記念館 月曜
〒328-0034 栃木市本町1-25 0282-20-5533

宇都宮美術館 月曜・祝翌日
〒320-0004 宇都宮市長岡町1077 028-643-0100

エミールガレ美術館 無休
〒325-0002 那須郡那須町高久丙132 0287-78-6030

大谷資料館 火曜
〒321-0345 宇都宮市大谷町909 028-652-1232

鹿沼市立川上澄生美術館 月曜・祝翌日
〒322-0031 鹿沼市睦町287-14 0289-62-8272

栗田美術館 月曜
〒329-4217 足利市駒場町1542 0284-91-1026

小杉放菴記念日光美術館 月曜
〒321-1431 日光市山内2388-3 0288-50-1200

小山市立車屋美術館 月曜日・第4金曜日・祝日の翌日
〒329-0214 小山市乙女3-10-34 0285-41-0968

小山市立博物館 月曜日・第4金曜日・祝日の翌日
〒329-0214 小山市乙女1-31-7 0285-45-5331

佐野東石美術館 木曜
〒327-0013 佐野市本町2892 0283-23-8111

佐野市立吉澤記念美術館 月曜・祝翌日
〒327-0501 佐野市葛生東1-14-30 0283-86-2008

草雲美術館 月曜・祝翌日
〒326-0816 足利市緑町2-3768 0284-21-3808

田村耕一陶芸館 臨時休館日のみ
〒327-0022 佐野市高砂町2794-1 0283-22-0311

ダイアナガーデンエンジェル美術館 火・水・1～3月
〒325-0303 那須郡那須町高久乙3392 0287-62-8820

とちぎ蔵の街美術館 月曜・祝翌日
〒328-0015 栃木市万町3番23号 0282-20-8228

栃木県立美術館 月曜・祝翌日
〒320-0043 宇都宮市桜4-2-7 028-621-3566

栃木市立美術館 月曜・祝翌日
〒328-0016 栃木市入舟町7-26 0282-25-5300

那珂川町馬頭広重美術館 月曜・祝翌日
〒324-0613 那須郡那珂川町馬頭116-9 0287-92-1199

那須おもいで美術館 不定休
〒325-0301 那須郡那須町大字湯本213-1921 0287-74-3811

那須ステンドグラス美術館 無休
〒325-0302 那須郡那須町高久丙1790 0287-76-7111

那須高原私の美術館 無休
〒325-0304 那須郡那須町高久甲西山6039-4 0287-62-6522

日光竹久夢二美術館 火曜
〒321-2524 日光市鬼怒川温泉柄倉772-1 0288-77-0777

日光東照宮美術館 無休
〒321-1431 日光市山内2301 0288-54-0560

濱田庄司記念益子参考館 月曜
〒321-4217 芳賀郡益子町大字益子3388 0285-72-5300

ふくろうの森手塚登久夫石彫館 土日祝のみ開館
〒321-1261 日光市今市504-1 0288-22-5211

藤城清治美術館 火曜
〒325-0301 那須郡那須町湯本203 0287-74-2581

益子陶芸美術館 月曜
〒321-4217 芳賀郡益子町大字益子3021 0285-72-7555

三好記念館 日曜
〒327-0317 佐野市田沼町大字田沼362 0283-52-5497

もうひとつの美術館 月曜・12月中旬頃～2月下旬
〒324-0618 栃木県那須郡那珂川町小口1181-2 0287-92-8088

龍泉寺美術館 月曜
〒326-0044 足利市助戸1-652 0284-41-5685

和気記念館 月曜
〒329-2221 塩谷郡塩谷町玉生648 0287-45-1010

群馬

伊香保保科美術館 無休
〒377-0102 渋川市伊香保町伊香保208-1 0279-72-3226

大川美術館 月曜
〒376-0043 桐生市小曽根町3-69 027-746-3300

太田市美術館 月曜
〒373-0026 太田市東本町16-30 0276-55-3036

群馬ガラス工芸美術館 水曜・その他
〒377-0008 渋川市渋川4204 0279-20-1101

群馬県立近代美術館 月曜
〒370-1293 高崎市綿貫町992-1群馬の森公園内 027-346-5560

群馬県立館林美術館 月曜
〒374-0076 館林市日向町2003 0276-72-8188

群馬県立歴史博物館 月曜
〒370-1293 高崎市綿貫町992-1群馬の森公園内 027-346-5522

渋川市美術館・桑原巨守彫刻美術館 火曜
〒377-0017 渋川市新町1907 0279-25-3215

高崎市タワー美術館 月曜・祝翌日
〒370-0841 高崎市栄町3-23高崎タワー21 027-330-3773

土門拳記念館 12～3月の月曜
〒998-0055 酒田市飯森山2-13飯森公園内 0234-31-0028

蟹仙洞美術館 火曜・12～2月の火～木曜
〒999-3134 上山市矢来4-6-8 0236-72-0155

広重美術館 火曜・月末3日間
〒994-0025 天童市鎌田本町1-2-1 023-654-6555

福王寺法林記念館 新聞休刊日
〒992-0039 米沢市門東町3-3-7米沢新聞社3F 0238-22-4411

文教の杜ながい　長沼孝三彫塑館 月曜・月末日
〒993-0086 長井市十日町1-11-7 0238-88-4151

本間美術館 12～2月の火水曜
〒998-0024 酒田市御成町7-7 0234-24-4311

山形県立美術館 月曜
〒990-0045 山形市大手町1-63 0236-22-3090

山形県立博物館 月曜
〒990-0826 山形県山形市霞城町1番8号(霞城公園内) 023-645-1111

山寺後藤美術館 月曜
〒999-3301 山形県山形市大字山寺2982-3 023-695-2010

歴史と文化の美術館　わらべの里 火曜
〒990-2301 山形市蔵王温泉童子平1138 023-693-0093

やませ蔵美術館 月～木曜・12～3月休館
〒993-0006 長井市あら町6-61 0238-88-9988

米沢市立上杉博物館 月曜
〒992-0052 米沢市丸の内1-2-1 0238-26-8001

福島

会津坂下町　五浪美術記念館 祝日を除く月～金曜
〒969-6533 河沼郡会津坂下町台ノ下842 0242-84-1233

会津武家屋敷・心の美術館青龍 無休
〒965-0813 会津若松市東山町石山院内1 0242-28-2525

いわき市立美術館 月曜
〒970-8026 いわき市平字堂根町4-4 0246-25-1111

喜多方蔵座敷美術館 水曜・12月～3月の月～金曜
〒966-0817 喜多方市字3-4844 0241-22-0008

喜多方蔵品美術館 水曜
〒966-0821 喜多方市梅竹7294-4 0241-24-3576

喜多方市美術館 水曜
〒966-0094 喜多方市字押切2-2 0241-23-0404

郡山市立美術館 月曜
〒963-0666 郡山市安原町字大谷地130-2 024-956-2200

斎藤清美術館 月曜
〒969-7201 河沼郡柳津町大字柳津字下平乙187 0241-42-3630

郷さくら美術館 月・火曜
〒963-8017 郡山市長者1-6-16 024-927-1010

CCGA現代グラフィックアートセンター 月曜・祝翌日・12月下旬～2月休館
〒962-0711 須賀川市塩田字宮田1 0248-79-4811

種徳美術館 月・祝翌日
〒969-1617 伊達郡桑折町陣屋12 024-582-5507

須賀川市立博物館 月曜・祝翌日
〒962-0843 須賀川市池上町6 0248-75-3239

二本松市大山忠作美術館 月曜
〒964-0917 二本松市本町2-3-1 0243-24-1217

福島県立美術館 月曜・祝翌日
〒960-8003 福島市森合西養山1 0245-31-5511

福島県立博物館 月曜
〒965-0807 会津若松市城東町1-25 0242-28-6000

南相馬市博物館 月曜
〒975-0051 南相馬市原町区牛来字出口194 0244-23-6421

諸橋近代美術館 12月～4月中旬休館
〒969-2701 耶麻郡北塩原村檜原剣ヶ峰1093 0241-37-1088

梁川美術館 月曜・祝翌日
〒960-0782 伊達市梁川町中町10 024-527-2656

茨城

板谷波山記念館 月曜
〒308-0021 筑西市田町甲866-1 0296-25-3830

茨城県つくば美術館 月曜
〒305-0031 つくば市吾妻2-8 0298-56-3711

茨城県天心記念五浦美術館 月曜
〒319-1703 北茨城市大津町椿2083 0293-46-5311

茨城県陶芸美術館 月曜
〒309-1611 笠間市笠間2345 0296-70-0011

茨城県立近代美術館 月曜
〒310-0851 水戸市千波町東久保666-1 0292-43-5111

岩瀬石彫展覧館 年末年始
〒309-1343 桜川市亀岡741 0296-75-1550

大洗美術館 水・木曜
〒311-1301 東茨城郡大洗町磯浜町8249 029-266-2637

ギター文化館 月曜・火曜
〒315-0124 石岡市柴間431-35 0299-46-2457

月山寺美術館 月曜
〒309-1451 桜川市西小塙1677 0296-75-2251

笠間稲荷美術館 無休
〒309-1611 笠間市笠間1 0296-73-0001

笠間日動美術館 月曜
〒309-1611 笠間市笠間978-4 0296-72-2160

しもだて美術館 月曜
〒308-0031 筑西市丙327 0296-23-1601

篆刻美術館 月曜祝日の翌日第4金曜
〒306-0033 古河市中央町2-4-18 0280-22-5611

幕末と明治の博物館 水
〒311-1301 東茨城郡大洗町磯浜町8231-4 029-267-2276

廣澤美術館 月曜
〒308-0811 筑西市ザ・ヒロサワ・シティ 0296-21-1234

水戸芸術館現代美術センター 月曜
〒310-0063 水戸市五軒町1-6-8 029-227-8111

岩手県立美術館 月曜
〒020-0866 盛岡市本宮字松幅12-3 019-658-1711

岩手町立石神の丘美術館 12～3月の月曜
〒028-4307 岩手郡岩手町五日市10-121-21 0195-62-1453

御所湖川村美術館 月曜
〒020-0572 岩手郡雫石町西安庭第11-55-6 019-692-5931

桜地人館 12月中旬～3月中旬休館
〒025-0084 花巻市桜町4-14 019-823-6591

高村光太郎記念館 12月中旬～3月休館
〒025-0037 花巻市太田3-91 019-828-3012

利根山光人記念美術館 12～3月休館
〒024-0043 北上市立花15-153-2 0197-65-1808

深沢紅子野の花美術館 月曜
〒020-0885 盛岡市紺屋町4-8 019-625-6541

宮沢賢治イーハトーブ館 年末と元日
〒025-0014 花巻市高松1-1-1 0198-31-2116

宮沢賢治記念館 年末と元日
〒025-0011 花巻市矢沢1-1-36 019-831-2319

宮沢賢治童話村 年末と元日
〒025-0014 花巻市高松26-19 0198-31-2211

萬鉄五郎記念美術館 月曜
〒028-0114 花巻市東和町土沢5区135 019-842-4405

宮城

エール蔵王島川記念館 冬期
〒989-0916 刈田郡蔵王町遠刈田温泉西集団95-1 0224-26-9501

大衡村ふるさと美術館 年末年始
〒981-3602 黒川郡大衡村大衡平林39-12 022-345-0945

カメイ美術館 月曜
〒980-0022 仙台市青葉区五橋1-1-23 022-264-6543

風の沢ミュージアム 水木曜・12～3月休館
〒987-2302 栗原市一迫片子沢外の沢11 0228-52-2811

菅野美術館 月火曜
〒985-0042 塩竈市玉川3-4-15 022-361-1222

切込焼記念館 第2・4月曜
〒981-4401 加美郡加美町宮崎字切込3 0229-69-5751

サトル・サトウ・アート・ミュージアム 年末年始
〒987-0602 登米市中田町上沼字舘43生涯学習センター 0220-34-8081

芹沢長介記念東北陶磁文化館 月曜・祝翌日
〒981-4261 加美郡加美町字町裏64 0229-63-3577

東北福祉大学　芹沢銈介美術工芸館 日・祝・大学休業日
〒981-8522 仙台市青葉区国見1-8-1東北福祉大学内 022-717-3318

仙台市博物館 月曜・祝翌日
〒980-0862 仙台市青葉区川内三の丸跡 022-225-3074

福島美術館 月・第1日曜・祝翌日
〒984-0065 仙台市若林区土樋288-2 022-266-1535

藤田喬平ガラス美術館 水曜
〒981-0125 宮城郡松島町高城字浜1-4 022-353-3322

墨雪墨絵美術館 月曜・祝翌日・12～2月休館
〒981-4252 加美郡加美町字西田1-33 0229-63-3617

丸寿美術館 火曜
〒986-0822 石巻市中央2-8-1 0225-22-0151

宮城県美術館 月曜
〒980-0861 仙台市青葉区川内元支倉34-1 022-221-2111

リアス・アーク美術館 月火曜・祝翌日
〒988-0171 気仙沼市赤岩牧沢138-5 0226-24-1611

秋田

秋田県立近代美術館 年末年始
〒013-0064 横手市赤坂字富ヶ沢62-46 0182-33-8855

秋田県立博物館 月曜
〒010-0124 秋田市金足鳰崎字後山52 018-873-4121

秋田県立美術館 無休
〒010-0001 秋田市中通1-4-2 018-853-8686

秋田市立千秋美術館 年末年始
〒010-0001 秋田市中通2-3-8 018-836-7860

大村美術館 木曜・12～3月の月～金曜
〒014-0326 仙北市角館町山根町39-1 0187-55-5111

亀田城佐藤八十八美術館 月曜・年始年末
〒018-1223 秋田県由利本荘市岩城下蛇田字高城4 0184-74-2500

仙北市立角館町平福記念館 年末年始
〒014-0334 仙北市角館町表町上丁4-4 0187-54-3888

天馬美術館 日曜・祝日
〒012-1125 雄勝郡羽後町野中字水無19-1 0183-62-0008

横手市増田まんが美術館 月曜
〒019-0701 横手市増田町増田字新町285 0182-45-5556

山形

今井繁三郎美術収蔵館 月曜・12～3月休館
〒997-0100 鶴岡市羽黒町仙道字一本松5-175 0235-62-3667

内藤秀因水彩画記念館 月曜・祝日
〒999-7781 東田川郡庄内町余目字三人谷地58-1 0234-43-3039

掬粋巧芸館 月曜・12～3月休館
〒999-0122 川西町中小松2911 0238-42-3101

斎藤真一心の美術館 月曜
〒994-0044 天童市一日町2-4-34 023-654-5050

酒田市美術館 12月～3月の月曜
〒998-0055 酒田市飯森山3-17-95 0234-31-0095

致道博物館 年末年始
〒997-0036 鶴岡市家中新町10-18 0235-22-1199

鶴岡アートフォーラム 月曜・年始年末
〒997-0035 鶴岡市馬場町13-3 0235-29-0260

出羽桜美術館 月曜
〒994-0044 天童市一日町1-4-1 023-654-5050

天童市美術館 月曜
〒994-0013 天童市老野森1-2-2 023-654-6300

美術館・博物館

名称 住所	休館日 TEL

北海道

網走市立美術館 月曜・祝日
〒093-0016 網走市南6条西1丁目 0152-44-5045

相原求一朗美術館 11月上旬～4月中旬休館
〒089-1366 中札内村栄東五線「中札内美術村」内 0155-68-3003

旭川市博物館 第2・4月曜
〒070-8003 旭川市神楽3条7丁目旭川市大雪クリスタルホール内 0166-69-2004

荒井記念美術館 月曜・12月中旬～4月中旬休館
〒045-0024 岩内郡岩内町字野東505 0135-63-1111

小樽芸術村 5月～10月無休・11月～4月水曜
〒047-0031 小樽市色内1-3-1（似鳥美術館） 0134-31-1033

小樽市総合博物館 火曜
〒047-0041 小樽市手宮1-3-6 0134-33-2523

小樽市立小樽美術館 月曜・祝翌日
〒047-0031 小樽市色内1-9-5 0134-34-0035

北一ヴェネツィア美術館 無休
〒047-0027 小樽市堺町5-27 0134-33-1717

神田日勝記念美術館 月曜・祝翌日
〒081-0222 河東郡鹿追町東町3-2 0156-66-1555

木田金次郎美術館 月曜
〒045-0003 岩内郡岩内町万代51-3 0135-63-2221

釧路市立美術館 月曜
〒085-0836 釧路市幣舞町4-28 0154-42-6116

小泉淳作美術館 11月上旬～4月中旬休館
〒089-1366 中札内村栄東五線「中札内美術村」内 0155-68-3003

後藤純男美術館 無休
〒071-0524 空知郡上富良野東4線北26号 0167-45-6181

札幌芸術の森美術館 夏期無休・月曜
〒005-0864 札幌市南区芸術の森2-75 011-592-5111

滝川市美術自然史館 月曜・祝翌日
〒073-0033 滝川市新町2-5-30 0125-23-0502

苫小牧市美術博物館 月曜
〒053-0011 苫小牧市末広町3-9-7 0144-35-2550

洞爺湖芸術館 月曜・12/1～3/31
〒049-5802 虻田郡洞爺湖町洞爺町96-3 0142-87-2525

中原悌二郎記念旭川市彫刻美術館 月曜
〒070-0875 旭川市春光5条7丁目 0166-69-5858

西村計雄記念美術館 月曜
〒048-2202 岩内郡共和町南幌似143-2 0135-71-2525

函館市立函館博物館 月曜・その他
〒040-0044 函館市青柳町17-1 0138-23-5480

美幌博物館 月曜
〒092-0002 網走郡美幌町字美禽253-4 0152-72-2160

福原記念美術館 月曜
〒081-0212 河東郡鹿追町泉町1丁目21 0156-66-1010

北海道開拓記念館 月曜
〒004-0006 札幌市厚別区厚別町小野幌53-2 011-898-0456

北海道伝統美術工芸村 無休
〒070-8028 旭川市南が丘3-1-1 0166-62-8811

北海道立旭川美術館 月曜
〒070-0044 旭川市常盤公園 0166-25-2577

北海道立帯広美術館 月曜
〒080-0846 帯広市緑ヶ丘2緑ヶ丘公園 0155-22-6963

北海道立近代美術館 月曜
〒060-0001 札幌市中央区北1条西17丁目 011-644-6881

北海道立釧路芸術館 月曜
〒085-0017 釧路市幸町4-1-5 0154-23-2381

北海道立函館美術館 月曜
〒040-0001 函館市五稜郭町37-6 0138-56-6311

北海道立三岸好太郎美術館 月曜・その他
〒060-0002 札幌市中央区北2条西15丁目 011-644-8901

北武記念絵画館 月～水曜・1～2月休館
〒062-0911 札幌市豊平区旭町1丁目1-36 011-822-0306

本郷新記念札幌彫刻美術館 月曜
〒064-0954 札幌市中央区宮の森4条12 011-642-5709

安田侃彫刻美術館 火曜
〒072-0831 美唄市落合町栄町 0126-63-3137

夕張市美術館 月曜
〒068-0405 夕張市旭町4-3 0123-52-0930

青森

青森県立郷土館 月曜
〒030-0802 青森市本町2-8-14 017-777-1585

青森県立美術館 第2・4月曜
〒038-0021 青森市安田字近野185 017-783-3000

国際芸術センター青森 大学入試日
〒030-0134 青森市合子沢字山崎152-6 017-764-5200

鷹山宇一記念美術館 月曜
〒039-2501 上北郡七戸町字荒熊内67-94 0176-62-5858

十和田市現代美術館 月曜
〒034-0082 十和田市西二番町10-9 0176-20-1127

八戸市美術館 火曜
〒031-0031 八戸市番町10-4 0178-45-8338

弘前市立博物館 月曜
〒036-8356 弘前市下白銀町1-6弘前公園内 0172-35-0700

棟方志功記念館 月曜
〒030-0813 青森市松原2-1-2 017-777-4567

岩手

一関市博物館 月曜
〒021-0101 一関市厳美町字沖野々215-1 0191-29-3180

岩手県立博物館 月曜
〒020-0102 盛岡市上田字松屋敷34 019-661-2831

美術館・博物館

休館日について：年末年始及び展示替休館があるため、無休やその他の記載の場合も各美術館にお問合せの上、ご訪問ください。

名称	経営・担当	住所	電話
三幸	若宮國嗣	〒790-0003 松山市三番町4-7-6	089-943-0050
東洋美商	高橋清	〒795-0081 大洲市菅田町菅田甲2501-1	0893-25-2535
べにばら画廊	吉田陽二	〒798-0041 宇和島市本町追手2-8-6	0895-22-1104

高知	県花：やまもも　県鳥：やいろちょう　県木：やなせすぎ

香川	県花：オリーブの花　県鳥：ほととぎす　県木：オリーブ

名称	経営・担当	住所	電話
あーとらんどギャラリー	山下高志	〒763-0022 丸亀市浜町4	0877-24-0927
松村画廊	松村久行	〒760-0034 高松市内町1-2　佐々木ビル１Ｆ	087-822-0470

福岡	県花：うめ　県鳥：うぐいす　県木：つつじ

名称	経営・担当	住所	電話
アートギャラリー政次郎	山本昌平	〒806-0022 北九州市八幡西区藤田4-3-6	093-621-5802
アートディーラーモリ	森徹	〒838-0141 小郡市小郡418-1　パークタウンG308	0942-73-1857
葵画廊	増本千恵子	〒814-0111 福岡市城南区茶山6-16-65　ホワイトキャッスル城南102	092-823-1765
牛尾味楽堂	牛尾光宏	〒810-0001 福岡市中央区天神2-3-12	092-712-3692
カジキ美術	外丸常治	〒806-0021 北九州市八幡西区黒崎2-8-18	093-642-0200
翰林画廊	髙嶋桂子	〒810-0034 福岡市中央区笹丘3-20-8-402	092-526-6141
画廊さかもと	坂本暁彦	〒810-0041 福岡市中央区大名2-10-2　シャンボール大名	092-713-1943
ギャラリー季の風	山口美智子	〒819-1303 糸島市志摩野北1982-1	092-332-2161
ギャラリーやまもと	山本俊明	〒818-0125 大宰府市五条1-14-14	092-924-9770
ディーディーシーグループ	辻政宏	〒815-0036 福岡市南区筑紫丘1-23-9-1207	092-542-3228
中原大春堂画廊	中原良道	〒830-0044 久留米市本町3-7-13	0942-32-5616
平成美術㈱	於保忠夫	〒812-0854 福岡市博多区東月隈3-18-4-14	092-504-0921
福岡日動画廊	長谷川徳七	〒810-0004 福岡市中央区渡辺通1-1-2　ホテルニューオータニ	092-713-0440
マスダ画廊	増田啓一郎	〒828-0021 豊前市八屋2575-24	0979-82-4187

佐賀	県花：樟の花　県鳥：カササギ　県木：樟

長崎	県花：雲仙ツツジ　県鳥：おしどり　県木：ひのき

名称	経営・担当	住所	電話
現代画廊	山下亨	〒850-0035 長崎市元船町7-4　松永ビル２Ｆ	095-823-2766
山下画廊	山下博之	〒854-0014 諫早市東小路町5-6	0957-24-1368

熊本	県花：りんどう　県鳥：ひばり　県木：くすの木

名称	経営・担当	住所	電話
東京画廊	本田芳廣	〒866-0852 八代市大手町2-33-1	0965-34-3403
文林堂本店	丹辺恭平	〒860-0004 熊本市新町2-7-16	096-355-0274

大分	県花：ぶんごうめ　県鳥：めじろ　県木：ぶんごうめ

宮崎	県花：はまゆう　県鳥：コシジロヤマドリ　県木：フェニックス

鹿児島	県花：みやまきりしま　県鳥：るりかけす　県木：くすのき・カイコウズ

沖縄	県花：でいご　県鳥：のぐちげら　県木：りゅうきゅうまつ

名称	経営・担当	住所	電話
ギャラリースペースアート	新川唯介	〒900-0015 那覇市久茂地2-12-24	098-867-7530

名称	経営・担当	住所		電話
西田画廊	西田考作	〒630-8115	奈良市大宮町6-3-29	0742-35-2455
和歌山	県花：うめ　県鳥：めじろ　県木：うばめがし			
画廊ビュッフェファイブ	堀内俊延	〒642-0022	海南市大野中608-11	073-482-1994
島根	県花：ぼたん　県鳥：おおはくちょう　県木：くろまつ			
うえの美術	植野修行	〒697-0062	浜田市熱田町110-5	0855-26-0188
ギャラリーアマツ	天津好宜	〒699-5605	鹿足郡津和野町本町1	0856-72-0118
ギャラリー土岐	土岐智則	〒690-0846	松江市末次町42	0852-27-6616
佐藤美術店	佐藤隆浩	〒690-0001	松江市東朝日町168-4	0852-24-0597
紫泉堂ギャラリー	藤井明	〒690-0887	松江市殿町125　紫泉堂ビル	0852-21-3127
松江画廊	槇原健一	〒690-1406	松江市八束町二子11	0852-33-7571
山口	県花：なつみかんのはな　県鳥：なべづる　県木：あかまつ			
アート新下関画廊	対馬博	〒751-0873	下関市秋根西町1-7-13	0832-56-1550
パレット画廊	平野壽美子	〒745-0016	周南市若宮町2-27	0834-21-8022
ニシオカ画廊	西岡和則	〒742-0031	柳井市南町6-4-2	0820-23-3306
岡山	県花：もものはな　県鳥：ほととぎす　県木：あかまつ			
ギャラリーONO	小野善平	〒700-0903	岡山市北区幸町9-11	086-225-1772
ギャラリーオグラ	小倉重臣	〒700-0822	岡山市北区表町2-1-48	086-222-3597
岡南ギャラリー	重田賢吾	〒700-0822	岡山市北区表町1-3-22	086-222-6334
セト美術店	角南雄一郎	〒711-0906	倉敷市児島下の町1-12-2	086-473-0033
豊池美術店	豊池勇	〒714-0081	笠岡市笠岡2445-6	0865-62-2732
ハシモト画廊	橋本善政	〒705-0001	備前市伊部606-1	0869-63-0355
三沢美術	三沢壮一郎	〒700-0822	岡山市北区表町2-7-53	086-233-2227
広島	県花：モミジ　県鳥：アビ　県木：モミジ			
安芸乃画廊	鹿田京子	〒720-0067	福山市西町2-8-27　ポートビル1F	084-921-8336
アシダ画廊	芦田京一	〒739-0007	東広島市西条土与丸3-4-12	0824-23-9536
石森画廊	石森善貴	〒730-0029	広島市中区三川町3-14　PALビル1F	082-544-2750
おだ画廊	織田耕治	〒722-0036	尾道市東御所町6-14	0848-23-6006
ガクセンター	藤田みどり	〒730-0824	広島市中区吉島新町1-27-31	082-249-6851
上下画廊	重森由枝	〒729-3431	府中市上下町上下1017	0847-62-4822
第一美術	佐古利浩	〒721-0966	福山市手城町3-1-9	084-924-8235
徳岡画廊	徳岡元造	〒720-0815	福山市野上町2-19-1	084-923-3358
無垢画廊	吉田慶良	〒730-0037	広島市中区中町5-19	082-246-0690
徳島	県花：すだちの花　県鳥：しらさぎ　県木：やまもも			
阿波画廊	新林昇	〒779-1108	阿南市羽ノ浦町明見	0884-44-2775
ギャラリー玉有	玉有万範	〒772-0023	小松崎市坂野町字楠塚6-1	0885-37-2368
ギャラリーM&M（エムアンドエム）	阿部正史	〒770-0913	徳島市南新町1-12-2	088-655-3711
眉峰ギャラリー	杉本敏宏	〒770-0911	徳島市東船場町1-10	088-623-5363
愛媛	県花：みかんの花　県鳥：こまどり　県木：まつ			
ギャラリーかわにし	塩出治	〒793-0030	西条市大町1639-2	089-755-5768

名称	経営・担当	住所		電話
三好宝生堂	三好正範	〒542-0081	中央区南船場4-12-2	06-6245-4766

名称	経営・担当	住所		電話
三浦アートギャラリー	三浦和幸	〒561-0872	豊中市寺内2-9-5-403	06-6868-0880
安井美術品店	安井唯祐	〒541-0055	中央区船場中央町1-4-3-107	06-6264-0855
米田春香堂	米田良三	〒541-0044	中央区伏見町4-4-1	06-6228-1467
吉美画廊	吉川元佑	〒557-0041	西成区岸里2-5-10	06-6651-4743
LADS（ラッズ）ギャラリー	安田豊子	〒553-0003	福島区福島3-1-39　メリヤス会館１Ｆ	06-6453-5706
ワカオユキカズギャラリー	若尾幸計	〒583-0882	羽曳野市高鷲4-9-3-602	0729-38-1600

兵庫

県花：ノジギク　県鳥：コウノトリ　県木：クスノキ

名称	経営・担当	住所		電話
アートギャラリーマルイ	土井祥司	〒661-0021	尼崎市名神町1-1-1	06-6429-2123
アートビューローミコノス	中嶋優	〒661-0033	尼崎市南武庫荘2-8-1　ルネ武庫荘107号	06-6436-1491
アートホール蔵	池本長蔵	〒664-0846	伊丹市伊丹2-5-11	0727-83-4966
川田	川田泰	〒658-0081	神戸市東灘区田中町1-13-22-102	078-451-5555
関西アート	川崎則昭	〒666-0024	川西市久代4-2-69	072-757-9231
ギャラリーアッシュ	山下若代	〒650-0003	神戸市中央区山本通3-15-13	078-200-5580
ギャラリーあじさい	中院俊子	〒650-0021	神戸市中央区三宮町1-9-1　センタープラザ	078-331-1639
ギャラリーえびはら	海老原あかね	〒670-0875	姫路市南八代町20-8	0792-95-5700
ギャラリー和	服部隆也	〒651-1202	神戸市北区花山中尾台3-22-8	078-583-1708
ギャラリー倉	板倉修二	〒665-0845	宝塚市栄町2-11-7	0797-87-7001
ギャラリー村上	村上敦雄	〒660-0893	尼崎市西難波町4-6-9	06-6482-3167
ギャラリー・モダーン	松岡博幸	〒650-0002	神戸市中央区北野町2-7-1-512	078-232-3171
ギャラリーＹＯＵ	松本徳子	〒658-0032	神戸市東灘区向洋町中5-1-521-1305	078-857-2348
ギャラリー和商	谷村貴司	〒650-0003	神戸市中央区山本通4-17-23	078-241-2637
ギャルリーオブジェ	浅田耕造	〒655-0872	神戸市垂水区塩屋町6-1-8-808	078-798-5222
ぎゃるりー神戸	沢辺昭彦	〒651-0084	神戸市中央区磯辺通4-2-26	078-251-8880
三交美商	田中安子	〒675-0062	加古川市加古川町美乃利409-29	0794-24-0392
野村美術	野村建滋	〒655-0021	神戸市垂水区馬場通7-23	078-709-6688
花岡画廊	花岡忠男	〒659-0003	芦屋市奥池町13-3	0797-35-0575
美術商向洋	川田孝	〒658-0081	神戸市東灘区中町4-6-7-203	078-771-4569
松岡美術	松岡博幸	〒650-0002	神戸市中央区北野町2-7-1-512	078-232-3171
宮崎画廊	宮崎忠顕	〒651-1231	神戸市北区青葉台35-5	078-583-7500

奈良

県花：ならやえざくら　県鳥：こまどり　県木：すぎ

名称	経営・担当	住所		電話
アクアヴィータギャラリー	寺井典明	〒635-0035	大和高田市旭南町1-31-130	090-9099-8117
ギャラリー創	松谷幸徳	〒635-0037	大和高田市中今里町2-33-313	0745-23-3354
ギャラリーファインアート	片野田旨侶	〒634-0064	橿原市見瀬町157-4	0744-28-7226
ナカハラ画廊	中原聰	〒631-0002	奈良市東登美ヶ丘5-22-21	0742-48-6664

名称	経営・担当	住所	電話
ギャラリーら・む～	矢代修子	〒530-0001 北区梅田1-11-4 大阪駅前第４ビル１Ｆ24	06-6344-7603

名称	経営・担当	住所	電話
ギャラリーリッチ	西村直樹	〒541-0046 大阪市中央区平野町3-3-7 ニューライフ平野810	06-7162-6945
ギャルリーオー	大村三津子	〒582-0020 柏原市片山町1-44	072-977-3619
ギャルリーソノリテ	山口幸助	〒540-0036 中央区船越町2-2-13	06-6941-2345
古忨堂	漆原明弘	〒530-0001 北区梅田1-13-13 阪神百貨店８Ｆ	06-6345-1656

名称	経営・担当	住所	電話
ギャルリーためなが	井上勝之	〒540-8578 中央区城見1-4-1 ホテルニューオータニ１Ｆ	06-6949-3434
九鬼三郎ギャラリー	吉野浩	〒540-8578 中央区城見1-4-1 ホテルニューオータニ１Ｆ	06-6809-2377
桜塚ギャラリー	内田吉彦	〒560-0082 豊中市新千里東町1-1-3 SENRITOよみうり2F	06-6873-7007
佐野美術店	佐野哲也	〒545-0035 阿倍野区北畠1-13-2	06-6624-2675
集雅堂	岡田太一	〒541-0041 中央区北浜2-4-9	06-6231-0860
荘園画廊	小川啓司	〒563-0038 池田市荘園2-2-9	072-762-0355
太陽画廊	田中敦宏	〒530-0003 北区堂島2-4-27 JRE堂島タワービルＢ１	06-6345-6325
たきい画廊	滝井鎮	〒542-0041 中央区北浜2-1-19-302	06-6231-3009
茶臼山画廊	吉田良男	〒543-0063 天王寺区茶臼山町1-11	06-7502-1055
瀧川画廊	瀧川清	〒530-0047 北区西天満4-5-7 三旺ビル２Ｆ	06-6365-6578
天渼画廊	嶋田拓	〒540-0035 中央区釣鐘町1-6-6-101	06-6941-6427
とりゐや美術店	松宮秀信	〒543-0034 天王寺区松ケ鼻町10-8	06-6771-1032
白鳳梅田画廊	土井光代	〒560-0002 豊中市緑丘3-13-6	06-6848-0560
八番館画廊	中西慶佐	〒530-0054 北区南森町1-3-10 河野ビル	06-6361-5104
美工画廊	河野幸広	〒541-0044 中央区伏見町3-2-8 池芳ビル	06-6232-1506
美撰堂	辻野晃弘	〒550-0015 西区南堀江1-14-26-2Ｆ	06-6556-7508
木辰画廊	木ノ元隆博	〒550-0025 西区九条南4-3-16-303	06-6582-7277
前坂晴天堂	前坂浩之	〒530-0047 北区西天満4-5-2	06-6364-3397
松生画廊	松生富仁	〒537-0012 東成区大今里2-3-6	06-6976-2198

名称	経営・担当	住所	電話
大阪	府花：うめ・さくらそう　府鳥：もず　府木：いちょう		
アート工房	松本裕美子	〒550-0013　西区新町1-33-11-1104	06-6578-8025
アート・遊	澤井あい	〒541-0041　中央区北浜3-2-24　北沢ビル１Ｆ	06-6201-0221
ウメダアート	野呂好徳	〒530-0001　北区梅田3-4-5 毎日新聞ビル５Ｆ梅田画廊内	06-6346-1100
梅田画廊	土井俊弘	〒530-0001　北区梅田3-4-5　毎日新聞社ビル１Ｆ・５Ｆ	06-6346-1100
画廊赤井一恵堂	赤井　一	〒540-0026　中央区内本町2-3-8　ダイアパレス本町205	06-6945-1311
関西画廊	溝尻真人	〒530-0003　北区堂島2-2-22　堂島永和ビル	06-6341-0868

名称	経営・担当	住所	電話
画廊大千	植松健至	〒541-0046　中央区道修町2-4-11　KCI平野町ビル１Ｆ	06-6201-1337
画廊裕貴	梅田裕貴	〒530-0047　北区西天満6-6-14	06-6364-8117
菊池画廊	菊池恵之助	〒530-0041　北区天神橋2-5-26	06-6351-2463
北浜画廊	上村茂生	〒530-0047　北区西天満3-1-5　英和ビル901	06-6361-0317
木下美術店	木下哲成	〒530-0041　北区天神橋3-1-2　正司ビル２Ｆ	06-4801-0102
ギャラリーアクセス	早川信宏	〒573-1118　枚方市楠葉並木2-28-18　Ｋ1ビル３Ｆ	072-851-8055
ギャラリーいわた	岩田直人	〒558-0052　住吉区帝塚山西2-1-24	06-6678-0307
ギャラリー井上	井上佳昭	〒542-0085　中央区心斎橋筋1-3-10	06-6245-5378
ギャラリー大井	大井　務	〒541-0041　中央区北浜2-1-26　北浜松岡ビル	06-6201-0151
ギャラリー瓔珞	懸田　弘	〒590-0834　堺市出島町4-5-24	072-241-3893
ギャラリーKAKEDA	懸田裕士	〒565-0821　吹田市山田東4-28-13	06-6877-1501
ギャラリー恭美堂	上農恭子 西上久美子	〒570-0012　守口市大久保2-29-15-1317	090-1968-0405
ギャラリークドー	工藤正美	〒545-0035　阿倍野区北畠1-11-1	06-6625-5615
ギャラリー39	小林正一	〒530-0045　北区天神西町6-7　ファイン・アートビル	06-6314-0239
ギャラリー瑞鳳	中宮達雄	〒530-0043　北区天満2-3-19　ＡＭビル２Ｆ	06-4801-8755
ギャラリー谷崎	谷崎義弘	〒541-0041　中央区北浜3-2-5	06-6227-1610
ギャラリーたけやま	竹山太郎	〒542-0086　中央区西心斎橋1-4-13　竹山ビル１Ｆ	06-6271-8883
ギャラリー辻梅	辻　健二	〒541-0046　中央区平野町3-3-8	06-6231-3941
ギャラリー中	中　三郎	〒546-0014　東住吉区鷹合1-1-17	06-6607-2447
ギャラリー新居	新居紘一	〒593-8303　堺市西区上野芝向ヶ丘町3-3-51	072-249-7550
ギャラリー美游館	佐々木秀幸	〒589-0022　大阪狭山市西山台6-1-16	072-367-5650
ギャラリープチフォルム	青柳清孝	〒541-0046　中央区平野町4-6-15	06-6231-2302
ギャラリーベルンアート	松本　敦	〒530-0047　北区西天満4-2-4 美術ビル２Ｆ	06-6361-5507
ギャラリーミヤコ	大島　聡	〒541-0044　中央区伏見町2-2-3　伏見ビル２Ｆ	06-6203-5012
ギャラリーヤマノ	山野　茂	〒543-0052　天王寺区大道1-8-11　山野ビル４Ｆ	06-6772-6572
ギャラリー米田	生田達志	〒542-0086　中央区西心斎橋2-10-12	06-6213-9331

名称	経営・担当	住所		電話
皐月表玄	皐月邦右	〒602-8007	上京区中長者町新町東入	075-441-0141
三条祇園画廊	梶川　強	〒604-0925	中京区寺町通御池上ル上本能寺前町485	075-221-6401
神泉画廊	矢野幹雄	〒604-8381	中京区西の京職司町26-13	075-812-0971
思文閣	田中　大	〒605-0089	東山区古門前通大和大路東入元町355	075-531-0001
正観堂	金子勝二	〒605-0088	東山区西之町211-3	075-533-4110
尚和正画廊	尚和　正	〒605-0931	東山区大和大路通茶屋町527-4-208	075-708-6389
朱雀美術	宇城成樹	〒612-8113	伏見区向島中島町30-111	075-612-0185
清昌堂やました	山下寛一郎	〒602-0061	上京区小川通寺ノ内上ル	075-431-1366
泉尚堂美術	髙田玉人	〒611-0002	宇治市木幡畑山田28-28	0774-33-8438
蔵丘洞画廊	岡　眞純	〒604-8091	中京区御池通河原町西入　ホテル本能寺1F	075-255-2232
大雅堂	庄司雅一	〒605-0073	東山区祇園町北側301-2	075-541-7388

名称	経営・担当	住所		電話
竹内美術店	竹内　丘	〒604-8006	中京区河原町御池東入南側下丸屋町412-3　真和ビル1F	075-211-0809
たづアート	森井　毅	〒605-0037	東山区三条通神宮道西入西町138-1	075-771-8225
俵屋画廊	松本顕竜	〒605-0073	東山区祇園町北側	075-561-8303
津田画廊	津田宗之	〒604-8064	中京区富小路通六角下ル	075-211-1636
鉄斎堂	川崎正継	〒605-0006	東山区新五軒町195	075-531-5403
西出翠宗園美術部	西出宗一	〒604-8842	中京区壬生西土居ノ内町40	075-311-2022
長谷川アート	長谷川義秋	〒605-0863	東山区東大路五条上ル西入ル	075-541-3806
濱風アート㈱	濱風　勝	〒601-8114	南区上鳥羽南鉾立町38	075-661-9020
梅軒画廊	佐藤鉄也	〒604-8153	中京区烏丸四条上ル　梅軒ビル	075-221-3510
宝古堂美術	山田春雄	〒602-8145	上京区左馬松町782-2	075-801-3311
星野画廊	星野桂三	〒605-0033	東山区神宮通三条上ル	075-771-3670
村田画廊	村田一雄	〒606-0911	左京区松ヶ崎泉川町18-4	075-703-8960

名称	経営・担当	住所		電話
山北光運堂	山北　清	〒600-8029	下京区寺町通五条上ル西橋詰町786-3	075-343-2300
山総美術	山本祐三郎	〒606-8344	左京区岡崎円勝寺町140　ポルト・ド岡崎	075-751-6333
リューデックス	田中英雄	〒606-0911	左京区松ヶ崎泉川町16	075-705-0657

名称	経営・担当	住所		電話
豊田画廊	松下英二	〒471-0027	豊田市喜多町2-160 コモ・スクエアウエスト1F	0565-37-8567
名古屋画廊	中山真一	〒460-0008	名古屋市中区栄1-12-10	052-211-1982
名古屋日動画廊	長谷川徳七	〒460-0003	名古屋市中区錦2-19-19	052-221-1311
ニシド画廊	西土晴彦	〒462-0869	名古屋市北区竜ノ口町2-5-3	052-991-5080
山手画廊	大脇八寿子	〒467-0022	名古屋市瑞穂区上山町1-16 石川橋ガーデンプラザ1B	052-832-1109
渡邊画廊	渡邊富生	〒467-0026	名古屋市端穂区陽明町1-16-3	052-861-1700

三重

県花：はなしょうぶ　県鳥：しろちどり　県木：神宮すぎ

名称	経営・担当	住所		電話
Art Gallery M's	水谷義章	〒511-0864	桑名市西方526	0594-21-5567
内田画廊	内田節夫	〒511-0009	桑名市桑名476-72	0594-21-9065
北岡技芳堂	北岡賢	〒510-0082	四日市市中部4-9	0593-52-6246
ギャラリー森田	森田和男	〒515-0083	松阪市中町1948	0598-21-3178
練木ギャラリー	練木学	〒514-0027	津市大門19-14	059-225-2287
別所美術サロン	別所克美	〒514-0114	津市一身田町180-2	059-232-1017
三重画廊	山本賢司	〒514-0032	津市中央18-19	059-225-6588

滋賀

県花：しゃくなげ　県鳥：かいつぶり　県木：もみじ

名称	経営・担当	住所		電話
ギャラリーすぎうら	杉浦正史	〒520-0016	大津市比叡平1-21-20	077-529-2075
西野美術	西野篤	〒520-2279	大津市黒津3-2-4	077-568-3137
ふくだ画廊	福田正晴	〒520-0026	大津市桜野町2-4-7-410	077-536-6474

京都

府花：しだれ桜　府鳥：オオミズナギドリ　府木：北山杉

名称	経営・担当	住所		電話
今西美術	今西三浩	〒617-0824	長岡京市天神1-10-28 JOロワイヤル105	075-953-0950
芸艸堂画廊	山田博隆	〒604-0932	中京区寺町通二条南入ル妙満寺前町459	075-231-3613
御池画廊	尾西沙生朗	〒603-8142	北区北上総町20-2	075-492-3083
カギムラ画廊	鍵村哲男	〒604-8025	中京区河原町通四条上ル2丁目下大阪町354-7	075-221-2996
桂画廊	本郷孟史	〒605-0981	東山区本町15-267	075-561-9288
画廊彩雲	山田常道	〒612-8012	伏見区桃山町遠山70-18	075-611-2802
ギャラリー桜	前田勝清	〒601-1334	伏見区醍醐勝口町3-72	075-572-5661
桂美術	多和田弘之	〒615-8212	西京区上桂北ノ口町168	075-392-3144
ギャラリー芙蓉美術	門幸洋	〒604-0992	中京区寺町通夷川上ル藤木町22	075-256-2921
ギャラリーミューゼム	中林誠	〒612-0856	伏見区桃山町正宗62-1	075-643-7669
ギャラリー美楽堂	木ノ山博一	〒605-0033	東山区神宮道三条上ル夷町155-2	075-761-9710

名称	経営・担当	住所		電話
ギャルリー宮脇	宮脇豊	〒604-0915	中京区寺町通二条上ル東側	075-231-2321
京都美商	井村欣裕	〒606-0804	左京区下鴨松原町29	075-722-2300
京都リベラルアート	西出義心	〒604-8163	中京区室町通六角下ル鯉山町522	075-255-3868
祇園画廊	梶川芳友	〒605-0073	東山区祇園町北側271	075-525-2711

名称	経営・担当	住所		電話
カツマタ画廊	勝又　明	〒410-1102	裾野市深良1665-27	090-1413-5531
ギャラリー佐野	佐野泰之	〒420-0012	静岡市葵区柚木町8-1　ゆずの木ビル１Ｆ	054-652-3210
ギャラリー清水	杉本静雄	〒426-0034	藤枝市駅前2-6-16	054-641-0850
ギャラリーベルセーブ	長谷川　肇	〒417-0073	富士市浅間本町1-49	0545-51-0777
テンコレクションミュージアム	波田野典子	〒420-0035	静岡市葵区七間町9-3（青葉通り）	054-254-1322
天象堂画廊	森山和保	〒433-8122	浜松市中区上島6-4-19	053-472-5389
星倭画廊	長島啓介	〒420-0852	静岡市葵区紺屋町8-12　金清軒ビル	054-255-0208
ホシワアートコンセル	星倭画廊内	〒420-0852	静岡市葵区紺屋町8-12　金清軒ビル	054-255-0208

愛知

県花：かきつばた　県鳥：コノハズク　県木：はなのき

名称	経営・担当	住所		電話
アート買取協会	松井星生	〒460-0007	名古屋市中区新栄1-12-26　AKKビル10F	052-241-1177
アートギャラリー小森	小森康司	〒460-0008	名古屋市中区栄3-5-12号先　栄森の地下街南四番街	052-265-8740
アートサロン光玄	中林幸雄	〒466-0826	名古屋市昭和区滝川町47-153	052-839-1877
アート佑美	曽根卓也	〒462-0032	名古屋市北区辻町1-43-1	052-914-0751

名称	経営・担当	住所		電話
いづみ画廊	小山雅弘	〒467-0028	名古屋市瑞穂区初日町2-13	052-833-1231
岩勝画廊	岩田　薫	〒460-0008	名古屋市中区栄2-6-1　RT白川ビル１Ｆ	052-202-1770

名称	経営・担当	住所		電話
画廊日輪	澤野　仁	〒459-0002	名古屋市熱田区金山町1-9-16-101	052-211-7120
ギャラリーアサダ	浅田健二	〒464-0057	名古屋市千種区法王町2-5　ルナプラザ２Ｆ	052-762-7231
ギャラリー安里	門　万暉	〒464-0821	名古屋市千種区末盛通1-18　覚王ハイツ１Ｆ	052-762-5800
ギャラリーイスクラ	浅井正人	〒460-0007	名古屋市中区新栄1-12-26　AKKビル8F	052-241-0577
ギャラリー・ぐりーむ	鬼頭伸子	〒460-0008	名古屋市中区栄4-6-8　東急ホテル１Ｆ	052-252-2811
ギャラリーサンセリテ	野尻眞理子	〒440-0862	豊橋市向山大池町18-11	0532-53-5651
ギャラリー彩	杉本知枝美	〒460-0003	名古屋市中区錦3-25-12　AYA栄ビル4F・1F	052-971-4997
ギャラリー野田	野田千佐子	〒460-0008	名古屋市中区栄3-32-9　アークロック栄ビル	052-264-9336
玉宝堂	関谷雅夫	〒480-0304	春日井市神屋町654-214	0568-88-5041
桂花堂画廊	中村文治	〒464-0807	名古屋市千種区東山通3-11	052-781-8880
第一美術	福井孝弘	〒488-0822	尾張旭市緑町緑ヶ丘100-84	0561-54-9185
長者町画廊	横井　保	〒460-0003	名古屋市中区錦2-13-24先	052-203-0192

名称	経営・担当	住所		電話
富山	県花：チュウリップ　県鳥：らいちょう　県木：たてやますぎ			
青木美術	老田武夫	〒930-0083	富山市総曲輪2-7-12	076-421-0039
香希画廊	宮島香世	〒930-0077	富山市磯部町2-8-1	076-495-8552
GINZA絵画館	久和修子	〒939-8201	富山市花園町3-3-11	076-491-8711
清華堂画廊	澤野　進	〒930-0047	富山市常盤町8-3	076-421-5008
中谷画廊	中谷　進	〒939-8086	富山市東中野町3-4-5	076-491-2633
石川	県花：クロユリ　県鳥：イヌワシ　県木：アテ			
林画廊	林　良一	〒923-0861	小松市沖町イ35-1	0761-22-6480
福井	県花：水仙　県鳥：つぐみ　県木：松			
源松堂小野山美術店	小野山友二	〒910-0246	坂井市丸岡町西瓜屋3-4-3	0776-66-0467
森川美術店	森川裕司	〒918-8004	福井市西木田2-4-7	0776-36-0380
岐阜	県花：げんげ（れんげ草）　県鳥：ライチョウ　県木：イチイ			
偕拓堂アート	岡崎　拓	〒501-0438	岐阜県本巣郡北方町平成7-33	058-323-1810
画廊光芳堂	杉山範彦	〒500-8017	岐阜市梶川町1番地	058-263-2012
画廊文錦堂	堀江知宏	〒500-8113	岐阜市金園町3-26	058-263-7751
ギャラリーゑぎぬ	渡辺人祥	〒500-8875	岐阜市柳ヶ瀬通1-15-2	058-264-1680

名称	経営・担当	住所		電話
古代商舗	松橋英雄	〒500-8207	岐阜市日野北4-8-10	058-245-8175
光陽社	中島健治	〒500-8364	岐阜市本荘中の町10丁目37-3	058-272-4311
國井美術真言堂	國井幸太郎	〒501-1203	岐阜県本巣町文殊天辺1002-1	0581-32-9157
後藤画廊	後藤政英	〒500-8355	岐阜市六条片田1-15-3	058-274-6055
新日本美術	辻　武慶	〒501-3933	関市向山町4-8-10	0575-21-3216
深美社画廊	森崎栄峰	〒500-8268	岐阜市茜部菱野2-52	058-272-6633
多和田商会	多和田常雄	〒501-6006	岐阜県羽島郡岐南町伏屋893	0582-46-2020
長江洞画廊	若山晴夫	〒500-8061	岐阜市小熊町2-22	058-262-0541
ニシコー㈱	新井　毅	〒500-8164	岐阜市鶴田町3-21	058-247-2571
美術の森	岡崎　拓	〒501-0462	本巣市宗慶557-1	0583-82-0115
丸百商会	伏屋徳弘	〒500-8185	岐阜市元町3-9	058-265-1455
モリシタ画廊	森下智樹	〒506-0011	高山市本町3-50	0577-32-1590
柳ヶ瀬画廊	市川博一	〒500-8875	岐阜市柳ヶ瀬通3-21　岐阜高島屋北	058-262-3481
吉野画廊	森　弓子	〒500-8844	岐阜市吉野町3-10	058-265-1023
静岡	県花：つつじ　県鳥：三光鳥　県木：もくせい			
赤堀画廊	赤堀信之	〒430-0917	浜松市中区常盤町140-16 常盤館２A	053-454-6880

名称	経営・担当	住所	電話
美術サロン泉	小泉清隆	〒238-0014 横須賀市三春町1-31	0468-23-0607
平林美術	平林信樹	〒231-0824 横浜市中区本牧三之谷16-12	045-621-0448
毎日アートプランニング	辻　省三	〒224-0029 横浜市都筑区南山田1-3-10-510	045-620-7764
むつみ画廊	河原睦生	〒242-0002 大和市つきみ野4-12-1-406	046-275-0366

山梨　県花：ふじざくら　県鳥：うぐいす　県木：かえで

名称	経営・担当	住所	電話
アートモチヅキ	望月一男	〒400-0032 甲府市中央1-1-4	055-233-4547
ギャラリー飯田甲府店	飯田節夫	〒400-0858 甲府市相生1-3-9	055-226-7116
山鏡堂画廊	加賀美昇	〒400-0031 甲府市丸の内1-21-21	055-232-8866

長野　県花：りんどう　県鳥：らいちょう　県木：しらかば

名称	経営・担当	住所	電話
アートサロン千曲	西澤賢史	〒387-0012 千曲市桜堂511-2	026-217-1155
泉美術	高橋新平	〒392-0007 諏訪市清水2-7-10	0266-53-1285
キング堂画廊	神藤光裕	〒395-0031 飯田市銀座4-5	0265-24-5500
ギャラリー駒	斎藤　精	〒386-0025 上田市天神2-4-60　ヒロミツビル１Ｆ	0268-25-8866

名称	経営・担当	住所	電話
ギャラリー石榴	薄井宏彦	〒390-0821 松本市筑摩2-17-10	0263-27-5396
ギャラリー諏波	河西修平	〒392-0004 諏訪市諏訪2-1-14	0266-58-0187
ギャラリー橋田	橋田文雄	〒392-0017 諏訪市城南１丁目2550番地	0266-52-3420
サロンＮ２Ｙ	中村のりゆき	〒381-0043 長野市吉田3-19-13　ユーワン1-C	090-1057-4539
天龍堂美術	原　義美	〒395-0084 飯田市鈴加町2-17	0265-22-6901
天竜堂画廊	原　貞美	〒395-0027 飯田市馬場町1-15	0265-23-0620
長野国際ギャラリー	中田幸治	〒380-0838 長野市県町576　ホテル国際21南館1Ｆ	026-238-8900
ニシムラ画廊長野店	大日方英一	〒380-0823 長野市南千歳1-8-4	026-224-1671
はら美術	原　義美	〒396-0024 伊那市坂下3303	0265-74-0751
みやこ美術	青木三郎	〒391-0001 茅野市ちの3502-1　ベルビア2F	0266-82-0031
ランダムギャラリー	駒村卓也	〒396-0021 伊那市伊那本通り２丁目	02657-2-1701

新潟　県花：ちゅうりっぷ　県鳥：とき　県木：ゆきつばき

名称	経営・担当	住所	電話
アートサービス丘	諸橋徳行	〒940-0897 長岡市新組町2566	0258-24-2101
大島画廊	大島喜久雄	〒943-0832 上越市本町3-1-11	025-524-2231
ギャラリー祥	久保田祥子	〒943-0832 上越市本町5-2-2　ちもとビル	025-522-8778
近代	鳥越知行	〒940-2127 長岡市新産3-1-7	0258-46-3939
高久美術店	高橋久義	〒959-1258 燕市仲町4523	0256-62-2470
たけうち画廊	竹内功己	〒951-8124 新潟市中央区医学町通2-74-3　バンビル１Ｆ	025-222-0751
もろはし美術店	諸橋宏輔	〒955-0045 三条市一ノ門2-14-2	0256-33-1048
ゆうき画廊	金子結城	〒959-1311 加茂市加茂新田7802	0256-53-1104

名称	経営・担当	住所	電話
八木澤美術	八木澤秀雄	〒121-0807　足立区伊興本町1-15-3	03-3897-9387

神奈川

県花：やまゆり　県鳥：かもめ　県木：いちょう

名称	経営・担当	住所	電話
アート　ウイング	鷹箸富男	〒213-0015　川崎市高津区梶ヶ谷3-15-33	044-888-6689
アート・ビジョン	高橋昭雄	〒238-0032　横須賀市平作2-12-6	046-853-7253
アート横濱	柳原義晴	〒232-0055　横浜市南区中島町4-66-104	045-309-8239
旭ギャラリー	江崎　勲	〒241-0004　横浜市旭区中白根町2-5-26	045-955-3388
石原商店	石原悦朗	〒211-0002　川崎市中原区上丸子山王町2-1334-1	044-863-6656
伊豆画廊	稲葉義一	〒254-0045　平塚市見附町23-15	0463-33-9327
上田創美堂	上田茂行	〒231-0066　横浜市中区日ノ出町1-65	045-241-7258

名称	経営・担当	住所	電話
かさぎ画廊	笠木和子	〒238-0041　横須賀市本町1-12	046-826-2170
ギャラリーエコール	須山喜義	〒257-0035　秦野市本町1-2-16	0463-81-5229
ギャラリー輝鳳	後藤千明	〒222-0032　横浜市港北区大豆戸町480-1菊名ハイツ壱号館103号	045-435-0225
ギャラリーコンティーナ	高橋嬉文	〒215-0003　川崎市麻生区高石3-5-15	044-573-2830
ギャラリー伸	新井伸男	〒248-0006　鎌倉市小町2-9-3-2F	0467-24-4081
ギャラリー田辺	田邉亮佑	〒242-0003　大和市林間1-4-20　第一映光ビル１Ｆ	046-278-2488
ギャラリー枇杷	及川たか子	〒231-0013　横浜市中区住吉町4-42-1-4　㈶関内ホール１Ｆ	045-671-5481
ギャラリーベル	鈴木淳二	〒215-0004　川崎市麻生区万福寺249-66	044-955-1290
薫風美術	西川利美	〒232-0024　横浜市南区浦舟町4-47-2-804	045-242-6321
コックピットアート・ビジョン	上田哲也	〒236-0057　横浜市金沢区能見台5-35-7	045-782-1064
湘南西脇画廊	西脇成治	〒251-0038　藤沢市鵠沼松ヶ岡4-17-15	0466-22-5792
正光画廊橋本店	塩野正雄	〒252-0143　相模原市緑区橋本6-2-1　イオン橋本店5F	0120-37-3215
瀬尾画廊	瀬尾嘉樹	〒251-0023　藤沢市鵠沼花沢町1-16　千代田ビル1F	0466-41-9990
爽画廊	赤平　昭	〒248-0002　鎌倉市二階堂358-1	0467-24-6395
Ｔ＆Ｔギャラリー	星野年男	〒211-0006　川崎市中原区丸子通1-639　大山第２ハウス	044-431-0631
中山画廊	中山　誠	〒244-0003　横浜市戸塚区戸塚町736　レジデンスアカシＡ101	045-866-2211
のむら画廊	野村栄弥	〒230-0062　横浜市鶴見区豊岡町4-10	045-582-6662
番町画廊	松宮郁子	〒227-0061　横浜市青葉区桜台5-18	045-983-3888

名称	経営・担当	住所		電話
北斗画廊	木村明夫	〒105-0011	港区芝公園1-3-5	03-3578-8871
ホワイトストーンギャラリー	白石幸栄	〒104-0061	中央区銀座5-1-10	03-3574-6161
ホワイトストーンギャラリー新館	白石幸栄	〒104-0061	中央区銀座6-4-16	03-3574-6161
本郷美術骨董館	染谷尚人	〒113-0033	文京区本郷5-25-17	03-3812-3211
毎日アート出版	川崎　宏	〒101-0052	千代田区神田小川町3-7-16　報道ビル	03-3233-7392
増保美術	小暮ともこ	〒101-0065	千代田区西神田2-1-2YⅡビル１Ｆ	03-5829-8735
松田美術	松田裕功	〒104-0061	中央区銀座2-4-1 銀楽ビル２Ｆ	03-3561-0431
丸栄堂	浅木正勝	〒101-0021	千代田区外神田5-4-8	03-3831-7821
万葉洞	関谷徳衛	〒104-0061	中央区銀座6-3-2　ギャラリーセンタービル２Ｆ	03-3575-4790
みずたに美術	水谷　大	〒104-0061	中央区銀座8-10-3　銀座三鈴ビル	03-3571-2013
美岳画廊	林　岳史	〒104-0032	中央区八丁堀4-13-5　幸ビル１Ｆ	03-3551-2262
港屋	大平龍一	〒103-0004	中央区東日本橋2-18-13　港屋ビル	03-3865-1555
水戸忠交易	林　大介	〒102-0094	千代田区紀尾井町4-1 ホテルニューオータニロビー階	03-3239-0845
三春堂ギャラリー	安藤三春	〒161-0033	新宿区下落合3-2-8-B1F	03-3952-7977
宮澤美術	宮澤豊志	〒130-0002	墨田区業平5-5-16	03-3623-5454
武蔵野アート	上利晃弘	〒180-0023	武蔵野市境南町3-21-18	0422-33-1731

名称	経営・担当	住所		電話
村越画廊	櫻井美穂子	〒104-0061	中央区銀座6-7-16　岩月ビル８Ｆ	03-3571-2880
モトアート	本内義彰	〒101-0064	千代田区猿楽町1-5-3　リッツお茶の水第２ビル１Ｆ	03-3296-0255
森田画廊	森田茂昭	〒104-0061	中央区銀座1-16-5 銀座三田ビル２Ｆ	03-3563-5935
森谷美術	森谷善一郎	〒193-0833	八王子市めじろ台4-18-8	042-667-0101
彌生画廊	小川敏之	〒102-0075	千代田区三番町6-2	03-5211-7330
養清堂画廊	阿部雄治	〒104-0061	中央区銀座5-5-15	03-3571-1312
横井美術	横井　彰	〒104-0061	中央区銀座6-4-13　山崎ビル３Ｆ	03-3571-0451
横田茂ギャラリー	横田　茂	〒105-0022	港区海岸1-14-24　鈴江第3倉庫4Ｆ	03-3433-4479
よこやま画廊	横山磊一	〒103-0022	中央区日本橋室町1-5-15　真光ビル	03-3241-7328
吉井画廊	吉井篤志	〒104-0061	中央区銀座8-4-25	03-3571-0412
ヨシオカ画廊	吉岡栄次	〒104-0061	中央区銀座6-9-4　岩崎ビル７Ｆ	03-3571-3233
吉野美術	吉野達夫	〒104-0031	中央区京橋2-7-11	03-6663-9796
友美堂	小黒雄蔵	〒101-0046	千代田区神田多町2-11-27　第19岡崎ビル１Ｆ	03-6260-7125

名称	経営・担当	住所	電話
白銅鞮画廊	工藤昭三	〒104-0031　中央区京橋1-1-10　西勘本店ビル３Ｆ	03-6262-1283
花田美術	花田　淳	〒104-0061　中央区銀座6-3-7　アオキタワー１Ｆ	03-3289-5555
林田画廊	林田泰尚	〒104-0031　中央区京橋2-6-16	03-3567-7778

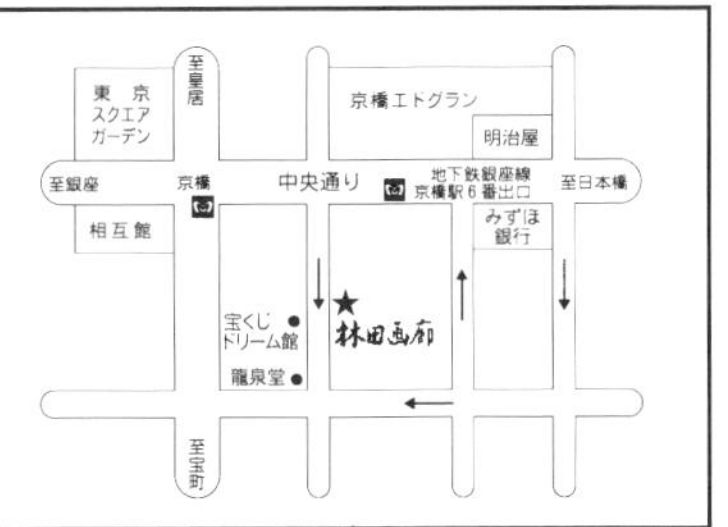

名称	経営・担当	住所	電話
薔薇画廊	後藤宗太郎	〒145-0066　大田区南雪谷3-12-25	03-3573-0783
半澤美術店	原　良一	〒110-0002　台東区上野桜木町2-9-2	03-3828-2646

名称	経営・担当	住所	電話
光画廊	山﨑信之	〒104-0061　中央区銀座7-6-6　丸源ビル24　１Ｆ	03-3572-1855
樋口ギャラリー	松野忠子	〒105-0001　港区虎ノ門4-3-9　住友新虎ノ門ビル	03-3431-0631
檜画廊	檜よしえ	〒101-0051　千代田区神田神保町1-17	03-3291-9364
ヒロ画廊	藤井公博	〒104-0061　中央区銀座6-7-16　岩月ビル３Ｆ	03-3574-0545
美術サロンあおき	青木満男	〒186-0004　国立市中1-20-2	042-572-5857
フォルム画廊	福島葉子	〒104-0061　中央区銀座5-7　イグジットメルサ７Ｆ	03-3571-5061
フジカワ画廊	石川秀昭	〒104-0061　中央区銀座8-5-4　銀座マジソンビル３Ｆ	03-3574-6820
フジ・ギャラリー	鴻野雄平	〒190-0023　立川市柴崎2-11-10	042-526-8880
フレンドアート	小林俊明	〒160-0017　新宿区左門町21	03-3226-8988
プレヴィジョン画廊	田所孝康	〒182-0022　調布市国領1-8-14　ハイム都１Ｆ	042-444-6590
文京アート	夫馬正夫	〒104-0042　中央区入船1-3-9　長崎ビル９Ｆ	03-6280-3717
芳山堂	久保聡一郎	〒102-0093　千代田区平河町1-7-16　ビュロー平河町101	03-6380-9653
ほうよう美術	後藤嘉代子	〒112-0015　文京区目白台2-6-23-305	03-3944-5812
宝古堂美術	山田雄一郎	〒154-0011　世田谷区上馬4-16-11	03-5486-0008

名称	経営・担当	住所	電話
創英ギャラリー	海老原英男	〒104-0061　中央区銀座7-2-6	03-6274-6698

名称	経営・担当	住所	電話
第一画廊	梅澤蔦子	〒101-0044　千代田区鍛冶町2-4-5　オータニビル２Ｆ	03-3253-0221

名称	経営・担当	住所	電話
泰明画廊	檀上正憲	〒104-0061　中央区銀座7-3-5 ヒューリック銀座７丁目ビル1F	03-3574-7225
泰明企画	久保昭仁	〒104-0061　中央区銀座7-3-6	03-3289-0777
田島美術店	田嶋孝造	〒110-0005　台東区上野1-10-9	03-3831-6890
高輪画廊	三岸太郎	〒104-0061　中央区銀座8-10-6　MEビル１Ｆ	03-3571-3331
近岡美術	近岡　茂	〒104-0031　中央区京橋2-8-5　読売京橋ビル２Ｆ	03-3563-5717
東京絵画センター	新江 新太郎	〒133-0044　江戸川区本一色1-9-5　新江ビル	03-3674-4773
東京画廊＋BTAP	山本豊津	〒104-0061　中央区銀座8-10-5　第4秀和ビル7F	03-3571-1808
東邦アート㈱	村瀬公一	〒105-0011　港区芝公園3-1-14　FLEX芝公園１Ｆ	03-5733-5377
土橋美術	土橋熊男	〒152-0032　目黒区平町1-4-29-103	03-3723-5743
戸村美術	戸村正己	〒104-0031　中央区京橋2-8-10　丸茶ビルB1	03-3564-0064
ナカジマアート	中島良成	〒104-0061　中央区銀座5-5-9　アベビル３Ｆ	03-3574-6008
77ギャラリー	遠藤修一	〒104-0061　中央区銀座7-5-4　毛利ビル５Ｆ	03-3574-1601
中村好古堂	中村　純	〒150-0036　渋谷区南平台7-15-13	03-3461-7140
中村美術	中村　恵	〒168-0063　杉並区和泉2-36-24	03-3321-9716
中村美術店	中村正雄	〒113-0021　文京区本駒込6-15-20	03-3941-5928
夏目美術店	夏目　進	〒102-0074　千代田区九段南4-8-28	03-3264-6606
新田美術店	新田英夫	〒176-0021　練馬区貫井1-43-12	03-3998-6328
日本画廊	竹本克子	〒103-0027　中央区日本橋3-1-4	03-3272-0011
日本美術倶楽部	野村隆昌	〒113-0034　文京区湯島3-10-5　マザービル１Ｆ	03-3837-9701
丹羽美術	丹羽裕美子	〒113-0031　文京区根津2-12-5　丹羽ビル	03-3821-4229
西台ギャラリー・サンス	国方忠明	〒175-0045　板橋区西台3-35-13	03-3931-1599
ニシムラ画廊	西村里恵子	〒152-0023　目黒区八雲3-7-2	03-5726-9605
西邑画廊	渡辺光男	〒104-0028　中央区八重洲2-10-5　花長ビル1F	03-3278-1420
日動画廊	長谷川徳七	〒104-0061　中央区銀座5-3-16	03-3571-2553
ニシムラ美術	西村行雄	〒142-0062　品川区小山6-9-4　コスモ西小山501	03-5702-2482
NUKAGA GALLERY	額賀古太郎	〒104-0061　中央区銀座2-3-2　エイコー銀座ビル３Ｆ	03-5524-5544

名称	経営・担当	住所	電話
正光画廊本社	塩野正雄	〒142-0041　品川区戸越6-1-12	03-5702-6591

名称	経営・担当	住所	電話
靖山画廊	山田聖子	〒104-0061　中央区銀座5-14-16　銀座アビタシオン１Ｆ	03-3546-7356

名称	経営・担当	住所	電話
草土舎画廊	河原英夫	〒101-0052　千代田区神田小川町1-7	03-3294-6411

名　称	経営・担当	住　所	電　話
交隆社	三宅哉之	〒104-0044　中央区明石町1-3　明石町ツインクロス410	03-3545-2988

名　称	経営・担当	住　所	電　話
彩光画廊	金子　博	〒104-0031　中央区京橋2-1-1　第２荒川ビル２Ｆ	03-3281-4535
彩鳳堂画廊	本庄俊男	〒104-0031　中央区京橋3-3-10　第１下村ビル２Ｆ	03-6262-0985
ササイファインアーツ	佐々井智子	〒104-0061　中央区銀座3-7-20　銀座日本料理会館２Ｆ	03-5159-7402
酒井京清堂	酒井勝彦	〒104-0031　中央区京橋2-11-10	03-3561-3994
相模屋美術店	原田裕季子	〒104-0061　中央区銀座5-6-9-5F	03-3571-1222
三溪洞画廊	三谷忠彦	〒103-0022　中央区日本橋室町4-3-15	03-3241-1003
三陽アート	坂本　勲	〒175-0083　板橋区徳丸3-28-6	03-3932-2750
SAN BANCHO GALLERY	新江新太郎	〒102-0075　千代田区三番町3-1　パレスサイド三番町１Ｆ	03-6824-8298
Sansiao Gallery	佐竹昌一郎	〒103-0027　中央区日本橋3-2-9　三昌ビルB1F	03-3275-1008
紫鴻画廊	神部孝子	〒103-0027　中央区日本橋3-6-9　箔屋町ビル４Ｆ	03-3242-2598
不忍画廊	荒井一章	〒103-0027　中央区日本橋3-8-6　第二中央ビル４Ｆ	03-3271-3810
シバヤマ	柴山裕史	〒110-0003　台東区根岸2-1-2　シバヤマビル	03-3873-9149
思文閣銀座	田中　大	〒104-0061　中央区銀座5-3-12　壱番館ビルディング	03-3289-0001
至峰堂画廊	鈴木庸平	〒104-0061　中央区銀座6-4-7　いらか銀座ビル1・2F	03-3572-3756
秀山堂画廊	伊藤　仁	〒103-0022　中央区日本橋室町3-2-18　海老屋ビル６Ｆ	03-3245-1340
瞬生画廊	今津浩太	〒104-0061　中央区銀座6-7-19　空也ビル２Ｆ	03-3574-7688
春風洞画廊	横井　彬	〒103-0027　中央区日本橋3-8-10	03-3281-5252
シルクランド画廊	顧　定珍	〒104-0061　中央区銀座6-5-11　第15丸源ビル１Ｆ	03-5568-4356
秋華洞	田中千秋	〒104-0061　中央区銀座6-4-8　曽根ビル７Ｆ	03-3569-3620
シロタ画廊		〒104-0061　中央区銀座7-10-8	03-3572-7971
新生堂	畑中昭彦	〒107-0062　港区南青山5-4-30	03-3498-8383
杉江画廊	杉江　隆	〒104-0061　中央区銀座7-7-1　銀座幸伸ビル３Ｆ	03-5537-3731
杉江美術店	杉江雄治	〒110-0005　台東区上野4-3-8	03-3831-7803
鈴木美術画廊	鈴木正臣	〒104-0061　中央区銀座1-13-4　大和銀座ビル１Ｆ	03-3567-1110

名　称	経営・担当	住　所	電　話
（株）セマフォー	青山多男	〒157-0076　世田谷区岡本3-28-13	03-3942-4111
セノオ美術	妹尾泰志	〒112-0011　文京区千石2-23-4	03-5727-3133
潺画廊	郷倉葉子	〒158-0081　世田谷区深沢6-4-12	03-3703-6255

名称	経営・担当	住所	電話
ギャラリー和田	和田正宏	〒104-0061　中央区銀座1-8-8　三神ALビル	03-3561-4207
ギャルリ・シェーヌ	樫山　敦	〒104-0061　中央区銀座6-13-4　銀座S2ビル１F	03-6264-2951
ギャルリー亜出果	武田康弘	〒112-0005　文京区水道1-8-2　ヒマラヤンハイツ101	03-5848-8605
ぎゃらりいサムホール	井上哲邦	〒104-0061　中央区銀座7-10-11　日本アニメーションビル２F	03-3571-8271
清澄画廊	田中孝一	〒104-0061　中央区銀座6-3-12　数寄屋ビル10F	03-5568-5150
京橋画廊	居原田健	〒104-0031　中央区京橋3-9-4　新京橋ビル	03-5524-5470
銀座ジャンセンギャラリー	向田耕介	〒104-0061　中央区銀座6-6-19　若松ビル１F	03-3573-0095
銀座スルガ台画廊	串田光子	〒104-0061　中央区銀座6-5-8　トップビル２F	03-3572-2828
銀座柳画廊	野呂好彦	〒104-0061　中央区銀座5-1-7　数寄屋橋ビル３F	03-3573-7075
K・アート・オフィス	矢嶋喜芳	〒112-0011　文京区千石4-40-8	03-3946-6479
孔雀画廊	伊賀静雄	〒104-0031　中央区京橋2-5-18　京橋創生館１F	03-3535-3334
栗原画廊	栗原　宏	〒171-0021　豊島区西池袋3-33-24　アポロマンション3F	03-3982-6044
黒川美術	黒川惠美	〒152-0034　目黒区緑が丘2-24-23　黒川マンション201	03-3718-2250

名称	経営・担当	住所	電話
兒嶋画廊	兒嶋俊郎	〒185-0024　国分寺市泉町1-5-16　丘の上APT	042-207-7918
香山堂	大島文隆	〒103-0007　中央区日本橋浜町3-29-4　大島ビル２F	03-3669-1999

名称	経営・担当	住所	電話
香染美術	仲村信二	〒166-0015　杉並区成田東4-28-9	03-3314-9106
弘和洞	倉田丈範	〒110-0001　台東区谷中3-10-21	03-3821-1024
壺中居	松浪幸夫	〒103-0027　中央区日本橋3-8-5	03-3271-1835
コバヤシ画廊	小林ひとみ	〒104-0061　中央区銀座3-8-12　ヤマトビルＢ１	03-3561-0515
小林画廊	小林將利	〒150-0014　港区芝1-15-13　3F	03-6435-1893

名　称	経営・担当	住　所		電　話
ギャラリー紫苑	中野幹夫	〒103-0013	中央区日本橋人形町3-5-8	03-3663-8300
ギャラリーシーク	塩野秀樹	〒104-0061	中央区銀座2-11-18 銀座小林ビル１F	050-5491-4949
ギャラリー白金台	早鞆一雄	〒108-0071	港区白金台5-18-5　三好ビル１F	03-3441-7544
ギャラリー杉野	杉野　修	〒104-0061	中央区銀座1-5-15　高橋ビル１F	03-3561-1316

名　称	経営・担当	住　所		電　話
GALLERY SCENA	田中千秋	〒150-0011	渋谷区神宮前6-15-17　クレストコート神宮前1F	03-6805-0887
ギャラリー双鶴	安藤政彦	〒103-0015	中央区日本橋箱崎町16-1　東益ビル1F	03-3808-2431
ギャラリー蒼茫	大島　夢	〒115-0045	北区赤羽1-61-4-604	03-3903-0130
ギャラリーためなが	為永清司	〒104-0061	中央区銀座7-5-4	03-3573-5368
ギャラリー竹柳堂	藤澤　繁	〒104-0061	中央区銀座7-10-6　アスク銀座ビル	03-3575-4865
ギャラリー椿	椿原弘也	〒104-0031	中央区京橋3-3-10　第１下村ビル1F	03-3281-7808
ギャラリーティー	積田　章	〒104-0061	中央区銀座1-9-19　法研銀座ビル1F	03-3561-1251
ギャラリー東洋館	寺岡武男	〒145-0071	大田区田園調布1-21-18	03-3721-6200
ギャラリー東洋人	亀井　節	〒150-0041	渋谷区神南1-5-2	03-3464-9140
ギャラリー西田	西田眞伺郎	〒104-0061	中央区銀座7-8-19　東京ビル５F	03-3289-4601
ギャラリー長谷川	長谷川浩司	〒104-0061	中央区銀座6-7-19　ミクニ銀座ビル	03-3289-0350
ギャラリー藤井	藤井正昭	〒103-0004	中央区東日本橋2-6-11	03-5833-2262
ギャラリー広田美術	廣田登支彦	〒104-0061	中央区銀座7-3-15　ぜん屋ビル	03-3571-1288
ギャラリーファインアーティスト	江尻文子	〒150-0012	渋谷区広尾5-6-6　広尾プラザ２F	03-5422-7668
ギャラリーフォルテ	澤田みどり	〒164-0001	中野区中野3-34-18　リュミエール401	03-5340-0850
ギャラリーフォレスト	林　潤	〒176-0012	練馬区豊玉北1-9-1	03-3994-4473
ギャラリーフクミ	安食憲二	〒104-0061	中央区銀座1-15-7 MAC銀座ビル605	03-3564-0293
ギャラリーボヤージュ	山川秀樹	〒104-0061	中央区銀座5-4-15　銀座エフローレビル５F	03-3573-3777
ギャラリーマークウェル	朝倉京子	〒103-0025	中央区日本橋茅場町1-11-8　紅萌ビル１F	03-5640-8584
ギャラリー明治	政本武彦	〒101-0003	千代田区一ツ橋2-6-2　日本教育会館B1F	03-3261-7115

名　称	経営・担当	住　所		電　話
ギャラリー萠	島村和男	〒167-0051	杉並区荻窪4-29-8　オザオビル	03-5397-6951
ギャラリーヤマキ	山木隆弘	〒167-0042	杉並区西荻北4-6-16　カーサポルタ1F	03-5382-8288
ギャラリーヤマダ	山田隆志郎	〒105-0004	港区新橋4-24-4　Aビル３F	03-3433-7059
ギャラリーゆめじ	藤原利親	〒171-0033	豊島区高田1-36-22	03-3988-7751

名称	経営・担当	住所		電話
ウイルデンスタイン東京	水嶋恵理	〒108-0071	港区白金台5-3-6-4F	03-5422-6812
永善堂画廊	山村浩一	〒104-0061	中央区銀座6-4-7-10F	03-3573-0505
エトワール画廊	片口光江	〒104-0031	中央区京橋2-6-13	03-3561-2041
海老屋美術店	三宅正洋	〒103-0022	中央区日本橋室町3-2-18	03-3241-6543
おいだ美術	種田ひろみ	〒104-0061	中央区銀座1-13-7	03-3562-1740
岡崎画廊	岡崎守一	〒104-0045	中央区築地2-14-3　NITビル501	03-3248-2530
音羽画廊	杉山暢枝	〒112-0013	文京区音羽1-15-12-1F	03-3947-7110
櫂画廊	若杉博保	〒203-0054	東久留米市中央町1-14-25	0424-71-2752
嘉祥閣	福田一生	〒104-0061	中央区銀座1-24-5　パークサイド・ギンザ3F	03-3567-6638
加藤画廊	加藤哲教	〒141-0031	品川区西五反田2-15-13-103	03-3493-2417
加藤美術店	加藤　功	〒152-0004	目黒区鷹番3-9-11	03-3712-1677
金井画廊	金井　充	〒104-0031	中央区京橋2-6-8　仲通りビル３Ｆ	03-5250-0860
兜屋画廊	小澤禮子	〒104-0061	中央区銀座8-8-17　伊勢萬ビル8F	03-3571-6331
ガレリア・キサ	後藤　茂	〒189-0013	東村山市栄町3-7-1-205	042-396-2745
ガレリア・プロバ	鈴木洋樹	〒150-0033	渋谷区猿楽町9-3　メゾン・ド・コアン	03-5456-8850
画廊くにまつ	国松賢一	〒107-0062	港区南青山2-10-14　アオヤマアネックス1F	03-3470-5200
画廊タンギー	立野誠一郎	〒113-0033	文京区本郷5-1-15	03-3811-7077
画廊百一草	池田知都子	〒111-0032	台東区浅草1-8-6（雷門通り）	03-3845-5356
画廊宮坂	宮坂瑞枝	〒104-0061	中央区銀座7-12-5　銀星ビル４Ｆ	03-3546-0343
川田美術	川田秀人	〒198-0043	青梅市千ヶ瀬町3-460	0428-22-3844
かわうそ画廊	盛本浩二	〒104-0041	中央区新富1-8-11　東新ビル４Ｆ	03-3522-0550
かわべ美術	川辺泰一	〒104-0061	中央区銀座4-13-3　ACN HIGASHIGINZA BLDG 2 F	03-3542-3988
木之庄企畫	佐藤嘉洲	〒104-0031	中央区京橋2-11-11　宝永ビル101	03-6262-3558
祇園画廊	梶川芳友	〒104-0061	中央区銀座8-4-24	03-3573-3124
ギャラリーアートスペース	福岡敏郎	〒135-0063	江東区有明3-7-26　有明フロンティアビルBタワー11F	03-6379-8885
ギャラリー上田	上田宗一郎	〒104-0061	中央区銀座8-8-1　セントラルビル８Ｆ	03-3574-7553
ギャラリー絵夢	増田裕二	〒160-0022	新宿区新宿3-33-10　モリエールビル３Ｆ	03-3352-0413
ギャラリー川船	川船　敬	〒104-0031	中央区京橋3-3-4　フジビルＢ１	03-3245-8600
ギャラリー玉英	玉屋喜[illegible]URL	〒107-0062	港区南青山6-8-3	03-6410-4478
ギャラリーくぼた	窪田千比呂	〒104-0031	中央区京橋2-7-11　クボタビル１～４Ｆ	03-3563-0008
ギャラリーぐんじ	郡司　茂	〒104-0041	中央区新富2-2-13　新富太陽ビル１Ｆ	03-6280-5163
ギャラリー径	西本　圭	〒167-0035	杉並区今川4-22-20	03-3390-7420
GALLERY KOGURE	小暮　洋	〒101-0051	千代田区神田神保町2-14-19	03-5215-2877
ギャラリーＫＯＨ	甲田成彦	〒112-0012	文京区大塚3-40-3	03-5981-8134

名称	経営・担当	住所		電話
ギャラリー高雅堂	服部圭祐	〒167-0051	杉並区荻窪5-8-10	03-3393-1567
ギャラリー桜の木	岩関禎子	〒104-0061	中央区銀座5-3-12　壹番館ビル３Ｆ	03-3573-3313
ギャラリー山雅	山本桂子	〒151-0053	渋谷区代々木5-15-10-208	03-3468-6275

名称	経営・担当	住所	電話
ギャラリー雄美	早坂義雄	〒260-0013 千葉市中央区中央4-14-1 千葉不動産ビル1F	043-301-4833
桂林画廊	園辺哲	〒277-0023 柏市中央1-5-7 園辺ビル1F・2F・3F	04-7163-8362

名称	経営・担当	住所	電話
彩立画廊	高岡良樹	〒260-0856 千葉市中央区亥鼻1-1-3	043-222-0319
朱鷺美術	赤井暁	〒275-0012 習志野市本大久保3-17-18	047-475-7211
美術センター	宮崎喜久男	〒260-0015 千葉市中央区富士見2-9-28 山崎ビル3F	043-225-5308
平成美術	大澤一仁	〒274-0824 船橋市前原東1-1-1 美術会館内	047-476-2828
丸山美術	丸山和則	〒274-0805 船橋市二和東5-24-4	047-448-3655
八千代画廊	鈴木和子	〒276-0031 八千代市八千代台北17-20-16	047-485-0870
やまとう美術	三橋藤夫	〒273-0037 船橋市古作3-11-27	047-336-0077

東京

都花：そめいよしの　都鳥：ゆりかもめ　都木：いちょう

名称	経営・担当	住所	電話
アサヒ画廊	赤井巧	〒104-0031 中央区京橋3-9-7 京橋ポイントビル 1F	03-3535-7377
アスクエア神田ギャラリー	伊藤厚美	〒101-0054 千代田区神田錦町1-8 伊藤ビルB1F	03-3219-7373
㈱アデカ	武田康弘	〒112-0005 文京区水道1-8-2 ヒマラヤンハイツ	03-5848-8605
アトリエえん	小西由泰	〒193-0841 八王子市裏高尾町1223	042-657-1699
アート石川	石川学	〒190-0003 立川市栄町3-40-8	042-529-5743
アートジャパン	山田聖子	〒104-0061 中央区銀座5-14-16 銀座アビタシオン1F	03-3546-7356
アート紀元	伊藤幸和	〒104-0031 中央区京橋2-8-5 読売京橋ビル1F	03-5250-1870
アートキューブ	菅原秀一	〒170-0005 豊島区南大塚3-4-4-201	03-3987-6461
アート咲輝	咲間昇	〒177-0032 練馬区谷原3-8-33	03-5934-3767
アートスペース	福岡敏郎	〒135-0063 江東区有明3-7-26 有明フロンティアビル Bタワー11F	03-6379-8885
アートラボ	内田繁弥	〒111-0041 台東区元浅草4-4-19 アムフラット502	03-6231-7683
アルトン	横垣明美	〒107-0062 港区南青山5-17-2-1F	03-6450-5885
アン・ギャラリー	篠田真弓	〒157-0062 世田谷区南烏山4-28-23	03-3326-1776
あかね画廊	内田眞樹	〒104-0061 中央区銀座4-3-14 筑波ビル2F	03-3561-4930
青木画廊	青木外司	〒153-0064 目黒区下目黒5-1-2-102	03-3712-9477
秋山画廊	秋山智之	〒103-0013 中央区日本橋人形町1-1-10 麻業会館7F	03-6667-0973
麻樹画廊	川上正芳	〒157-0066 世田谷区成城5-25-21	03-5429-2317
朝日画廊	高山昭	〒104-0061 中央区銀座3-4-1 大倉別館5F	0120-971-322
梓美術	浅田淳一	〒170-0005 豊島区南大塚3-7-2 メゾン・ド・ルブレ1F	03-5396-0428
新井画廊	新井信彦	〒104-0061 中央区銀座7-10-8 第5太陽ビル1F	03-3574-6771
飯田画廊	飯田祐三	〒104-0061 中央区銀座6-7-16 岩月ビル906	03-3572-3746
飯田美術	飯田功	〒104-0061 中央区銀座7-12-4 友野ビル3F	03-6264-1702
一枚の繪	山城一子	〒104-0061 中央区銀座6-6-1 風月堂ビル3F	03-3575-0123
一燈画廊	小濱武治	〒104-0061 中央区銀座8-12-6 小野商ビル2F	03-3543-3901
いつき美術画廊	齋藤隆	〒105-0004 港区新橋5-19-15 アド・タイヘイビル1F	03-6459-0727
ウエキアートミュージアム	植木徳廣	〒106-0032 港区六本木5-16-5 インペリアル六本木901	03-3568-6007

画廊——関東

名称	経営・担当	住所	電話
広瀬画廊	広瀬毅郎	〒370-0862 高崎市片岡町3-23-4	027-326-7821
美術サロンあいざわ	相沢　武	〒371-0017 前橋市日吉町1-1-7　アイビータウン日吉107号	027-231-7604

埼玉

県花：サクラソウ　県鳥：シラコバト　県木：ケヤキ

名称	経営・担当	住所	電話
川越画廊	金子勝則	〒350-0066 川越市連雀町14-2　シャトー連雀2-A	049-225-3260
画廊ルルド	益田築哉	〒343-0041 越谷市千間台西1-8-10	048-978-0036
ギャラリー河野	河野　昭	〒359-1146 所沢市小手指南1-6-11	04-2924-6727
ギャラリーつくば	増淵一夫	〒338-0002 さいたま市中央区下落合6-5-7	048-854-2988
ギャラリー史	高橋　悟	〒363-0011 桶川市北1-13-17	048-772-9455
ギャラリー宝珠	菅野俊記	〒333-0845 川口市上青木西3-8-1	048-254-8766
共同美術	壺内正徳	〒350-0016 川越市木野目252-6	049-235-3414
竹田美術	竹田哲雄	〒336-0931 さいたま市緑区原山2-17-3	048-882-1428
菟玖波	増淵一夫	〒338-0002 さいたま市中央区下落合6-5-7	048-854-2988
㈱トレードウインド	清原正明	〒336-0023 さいたま市南区神明1-1-12	048-839-3901
野口美術サロン	野口孝二	〒350-1235 日高市楡木198	0429-89-1057
凌雲堂	榊原八十一	〒351-0101 和光市白子2-9-24-708	048-465-3309

千葉

県花：なのはな　県鳥：ほおじろ　県木：まき

名称	経営・担当	住所	電話
アートエミュウ	谷口祐一	〒263-0023 千葉市稲毛区緑町1-26-13 EMY-BLDG.N	043-241-0736
アートドゥ	吉田正美	〒285-0807 佐倉市山王2-14-2	043-483-1387
梓画廊	宗村　勇	〒260-0013 千葉市中央区中央2-7-10-201	043-225-0236
絵画館51起点	島田裕子	〒260-0012 千葉市中央区本町1-4-2	090-3100-5770
画材・画廊スズトヨ	鈴木秀章	〒292-0831 木更津市富士見1-7-12	0438-25-2245
河原町画廊	佐藤裕之	〒272-0021 市川市八幡2-2-19-1205	047-333-0032
如月美術	木本裕司	〒272-0816 市川市本北方1-15-15	047-334-9541

名称	経営・担当	住所	電話
ギャラリーアンアート	松本琢巳	〒267-0066 千葉市緑区あすみが丘5-60-16	043-294-6010

名称	経営・担当	住所	電話
北島美術	北島睦司	〒276-0034 八千代市八千代台西5-3-6	047-409-7187
ギャラリー坂和	坂和正夫	〒272-0823 市川市東菅野3-28-5	047-334-9100

名称	経営・担当	住所	電話
彩美堂	尾形比呂志	〒998-0024　酒田市御成町3-35	023-422-7819
福島	県花：ネモトシャクナゲ　県鳥：きびたき　県木：ケヤキ		
小野美術	小野誠一	〒970-8026　いわき市平字中町22-2　Kビル1号	0246-35-0383

日本画・洋画・茶道具・工芸

〒970-8026 福島県いわき市平字中町22-2 KビルＩF
TEL&FAX 0246-35-0383 〈毎週水曜定休日〉
e-mail:onobijutsu@sirius.ocn.ne.jp

名称	経営・担当	住所	電話
ギャラリーマスガ	増賀睦朗	〒962-0061　須賀川市北山寺町260	0248-76-7511
サンメリット白河	仁井田一	〒961-0824　白河市丸小山4-1	0248-24-1181
正光画廊郡山店	塩野正雄	〒963-8851　郡山市開成5-19-15	024-924-3219
タカダメモリアルギャラリー	藤田澄子	〒963-6131　東白川郡棚倉町棚倉古町59	0247-57-5875
茨城	県花：バラ　県鳥：ひばり　県木：うめ		
アートプロジェクト	広瀬健一	〒305-0021　つくば市古来225-1	0298-57-1877
まつえだ画廊	松枝光男	〒306-0011　古河市東2-19-31	0280-32-1512
栃木	県花：やしおつつじ　県鳥：オオルリ　県木：トチノキ		
石井画廊	石井仁	〒326-0814　足利市通2-12-15	0284-43-2346
石川美術品店	石川晴彦	〒320-0804　宇都宮市二荒町5-3	028-637-1213
イノテックス・ジャパン ギャラリー	猪越省介	〒326-0816　足利市緑町1-3-1	0284-22-7557
岩船画廊	岩船哲也	〒328-0053　栃木市片柳町1-22-30	0282-22-1586
ギャラリーファンタジア	藤田富貴子	〒327-0821　佐野市高萩町463-2	0283-21-0820
ギャラリー碧	山川敏明	〒326-0805　足利市巴町2547	0284-21-3258
ぎゃらりいぜん	篠崎信子	〒328-0037　栃木市倭町7-15	0282-25-0017
匠堂	赤川雅彦	〒321-0904　宇都宮市陽東1-10-10	028-660-0794
西邑画廊	渡辺光男	〒321-0953　宇都宮市東宿郷3-5-18	028-637-3721
群馬	県花：れんげつつじ　県鳥：やまどり　県木：くろまつ		
アートミュージアム赤城	柿沼久康	〒371-0103　前橋市富士見町小暮2420-67	027-288-7674
阿久津画廊	阿久津仁一	〒371-0805　前橋市南町3-44-1	027-223-2259
あさぎ美術	松村勉	〒372-0001　伊勢崎市波志江町1920-3	0270-25-7718
小沢商店	小澤国良	〒371-0022　前橋市千代田町1-8-3	027-235-8072
画廊オブジェ	清水雅子	〒370-3523　高崎市福島町742-6	0273-73-3922
画廊翠轡	梅津宏規	〒371-0801　前橋市文京町1-47-1	027-223-6311
ギャラリーあーとかん	馬場律夫	〒371-0821　前橋市上新田町680-12	027-896-1317
ギャラリーイシザワ	石澤毅	〒370-0803　高崎市大橋町11	0273-25-9203
ギャラリー杜	内山光明	〒371-0854　前橋市大渡町1-22-32	027-289-3532
熊倉画廊	熊倉康隆	〒371-0844　前橋市古市町428-6	027-252-4858
正光画廊前橋店	塩野正雄	〒371-0847　前橋市大友町1-3-10	027-289-3219
セントポールギャラリー	山越志津子	〒371-0805　前橋市南町2-43-2　SK21ビル1F	027-243-1741

名　称	経営・担当	住　所		電　話
北海道	道花：ハマナス　道鳥：タンチョウ　道木：エゾマツ			
ギャラリーシーズ	久木佐知子	〒070-0832	旭川市旭町2条3丁目11番地31	0166-53-8886
ギャラリー梅鳳堂	高橋敏八	〒060-0033	旭川市旭町3条8丁目買物公園	011-207-4082
小竹美術	小竹康晴	〒064-0811	札幌市中央区南11条西７丁目2-22	011-533-1161
国際美術	橋本　健	〒087-0024	根室市宝林町2-91	0153-23-3578
美術新彩堂	新田一博	〒060-0003	札幌市中央区北３条西18丁目　新田ビル1F	011-612-0041
北海道画廊	鶴田昌嘉	〒060-0063	札幌市中央区南３条西２丁目　KT３条ビル２F	011-251-3619
ミヤタ画廊	宮田　勝	〒085-0814	釧路市緑ヶ岡2-41-19	0154-45-1439
横山美術店	横山忠司	〒060-0053	札幌市中央区南３条東１丁目-6	011-251-7652
青森	県花：りんご　県鳥：白鳥　県木：ひば			
岩手	県花：きりの花　県鳥：きじ　県木：南部あかまつ			
正光画廊盛岡店	塩野正雄	〒020-0133	盛岡市青山4-44-10	019-646-4190
宮城	県花：みやぎのハギ　県鳥：がん　県木：ケヤキ			
朝日画廊	中田　護	〒982-0252	仙台市太白区茂庭台1-19-2	022-281-3419
阿部敬四郎ギャラリー	阿部敬四郎	〒980-0811	仙台市青葉区一番町4-10-16　梅原ビルB1	022-796-1527
ギャラリーミラノ㈱	梅澤　孝	〒980-0803	仙台市青葉区国分町1-8-11　白松ビル3F	022-211-5733

名　称	経営・担当	住　所		電　話
敷島画廊	佐々木嘉則	〒982-0003	仙台市太白区郡山6-6-2-306	022-246-5061

名　称	経営・担当	住　所		電　話
スポットライトギャラリー	遠藤幸恵	〒980-0811	仙台市青葉区一番町4-5-7　シエロ一番町4丁目ビル2F	022-264-4610
秋田	県花：ふきのとう　県鳥：やまどり　県木：秋田杉			
ギャラリー杉	杉渕　薫	〒010-0921	秋田市大町1-3-27　大町商屋舘	018-866-5422
山形	県花：ベニ花　県鳥：オシドリ　県木：さくらんぼ			
阿部美術	阿部英昭	〒999-3772	東根市松沢91	0237-42-1790

全国主要画廊・美術店

百貨店——中部・近畿・中国

名称	住所			フロア	電話
和歌山					
和歌山近鉄	〒640-8546	和歌山市友田町5-18		5F	073-433-1122
鳥取					
丸由	〒680-8601	鳥取市今町2-151		4F	0857-25-2111
米子高島屋	〒683-0812	米子市角盤町1-30		4F	0859-22-1111
米子しんまち天満屋	〒683-8510	米子市西福原2-1-10		3F	0859-35-1111
岡山					
岡山高島屋	〒700-8520	岡山市北区本町6-40		7F	086-232-1111
岡山天満屋	〒700-8625	岡山市北区表町2-1-1		5F	086-231-7111
倉敷天満屋	〒710-8550	倉敷市阿知1-7-1		4F	086-426-2111
広島					
福山天満屋	〒720-8636	福山市元町1-1		6F	084-927-2111
広島そごう	〒730-8501	広島市中区基町6-27	本館	8F	082-225-2111
広島三越	〒730-8545	広島市中区胡町5-1		7F	082-242-3111
福屋	〒730-8548	広島市中区胡町6-26		7F	082-246-6111
山口					
山口井筒屋	〒753-0086	山口市中市町3-3		5F	083-902-1111
愛媛					
いよてつ高島屋	〒790-8587	松山市湊町5-1-1		6F	089-948-2111
松山三越	〒790-8532	松山市一番町3-1-1		4F	089-945-3111
香川					
高松三越	〒760-8639	高松市内町7-1	本館	5F	087-851-5151
福岡					
小倉井筒屋	〒802-8511	北九州市小倉北区船場町1-1	新館	7F	093-522-3111
福岡天神大丸	〒810-8711	福岡市中央区天神1-4-1	本館	6F	092-712-8181
福岡三越	〒810-8544	福岡市中央区天神2-1-1		9F	092-724-3111
佐賀					
佐賀玉屋	〒840-8580	佐賀市中の小路2-5	南館	5F	0952-24-1151
長崎					
浜屋	〒850-0853	長崎市浜町7-11		8F	095-824-3221
熊本					
鶴屋	〒860-8586	熊本市中央区手取本町6-1	本館	8F	096-356-2111
大分					
トキハ	〒870-8688	大分市府内町2-1-4	本館	7F	097-538-1111
鹿児島					
鹿児島山形屋	〒892-8601	鹿児島市金生町3-1	3号館	3F	099-227-6111
沖縄					
リウボウ	〒900-8503	那覇市久茂地1-1-1		2F	098-867-1171

名称	住所		フロア	電話
横浜そごう	〒220-8510　横浜市西区高島2-18-1		6F	045-465-2111
横浜高島屋	〒220-8601　横浜市西区南幸1-6-31		7F	045-311-5111
長野				
井上	〒390-8507　松本市深志2-3-1		6F	0263-33-1150
ながの東急	〒380-8539　長野市南千歳町1-1-1	別館シェルシェ	4F	026-226-8181
新潟				
新潟伊勢丹	〒950-8589　新潟市中央区八千代1-6-1		7F	025-242-1111
富山				
富山大和	〒930-8505　富山市総曲輪3-8-6		5F	076-424-1111
石川				
香林坊大和	〒920-8550　金沢市香林坊1-1-1		6F	076-220-1111
金沢エムザ	〒920-8583　金沢市武蔵町15-1		5F	076-260-1111
福井				
西武福井	〒910-8582　福井市中央1-8-1		5F	0776-27-0111
岐阜				
岐阜高島屋	〒500-8525　岐阜市日ノ出町2-25		8F	058-264-1101
静岡				
静岡伊勢丹	〒420-0031　静岡市葵区呉服町1-7		6F	054-251-2211
静岡松坂屋	〒420-8560　静岡市葵区御幸町10-2	本館	6F	054-254-1111
愛知				
JRタカシマヤ	〒450-6001　名古屋市中村区名駅1-1-4		11F	052-566-1101
名古屋栄三越	〒460-8669　名古屋市中区栄3-5-1		7F	052-252-1111
名古屋松坂屋	〒460-8430　名古屋市中区栄3-16-1	本館	8F	052-251-1111
名鉄	〒450-8505　名古屋市中村区名駅1-2-1	本館	10F	052-585-1111
三重				
松菱	〒514-8580　津市東丸之内4-10		6F	059-228-1311
四日市近鉄	〒510-8585　四日市市諏訪栄町7-34		4F	059-353-5151
京都				
京都大丸	〒600-8511　京都市下京区四条通高倉西入立売西町79		6F	075-211-8111
京都高島屋	〒600-8520　京都市下京区四条通河原町西入真町52		6F	075-221-8811
大阪				
あべのハルカス近鉄	〒545-8545　大阪市阿倍野区阿倍野筋1-1-43	タワー館	11F	06-6624-1111
上本町近鉄	〒543-8543　大阪市天王寺区上本町6-1-55		8F	06-6775-1111
大阪高島屋	〒542-8510　大阪市中央区難波5-1-5		6F	06-6631-1101
京阪	〒570-8558　守口市河原町8-3		6F	06-6994-1313
心斎橋大丸	〒542-8501　大阪市中央区心斎橋筋1-7-1	本館	8F	06-7711-7366
高槻阪急スクエア	〒569-1196　高槻市白梅町4-1		3F	0570-081-381
阪急うめだ	〒530-8350　大阪市北区角田町8-7		9F・7F	06-6361-1381
阪神	〒530-8224　大阪市北区梅田1-13-13		8F	06-6345-1201
兵庫				
神戸大丸	〒650-0037　神戸市中央区明石町40		7F	078-331-8121
神戸阪急	〒651-8511　神戸市中央区小野柄通8-1-8	新館	7F	078-221-4181
姫路山陽	〒670-0912　姫路市南町1	本館	5F	079-223-1231
奈良				
橿原近鉄	〒634-8511　橿原市北八木町3-65-11		5F	0744-25-1111
奈良近鉄	〒631-8511　奈良市西大寺東町2-4-1		5F	0742-33-1111

百貨店——北海道・東北・関東

名称	住所			フロア	電話
北海道					
札幌大丸	〒060-0005	札幌市中央区北5条西4-7		8F	011-828-1111
さっぽろ東急	〒060-8619	札幌市中央区北4条西2-1		6F	011-212-2211
札幌三越	〒060-0061	札幌市中央区南1条西3-8	本館	9F	011-271-3311
青森					
青森さくら野	〒030-8574	青森市新町1-13-2		5F	017-723-4311
八戸さくら野	〒031-0032	八戸市三日町13		5F	0178-44-1151
岩手					
川徳	〒020-8655	盛岡市菜園1-10-1		5F	019-651-1111
宮城					
仙台三越	〒980-8543	仙台市青葉区一番町4-8-15	本館	7F	022-225-7111
藤崎	〒980-8652	仙台市青葉区一番町3-2-17	本館	6F	022-261-5111
茨城					
水戸京成	〒310-0026	水戸市泉町1-6-1		6F	029-231-1111
栃木					
宇都宮東武	〒320-8560	宇都宮市宮園町5-4		7F	028-636-2211
群馬					
高崎スズラン	〒370-8555	高崎市宮元町13-1		B1F	027-326-1111
高崎高島屋	〒370-8565	高崎市旭町45		5F	027-327-1111
埼玉					
浦和伊勢丹	〒330-0063	さいたま市浦和区高砂1-15-1		7F	048-834-1111
大宮そごう	〒330-9530	さいたま市大宮区桜木町1-6-2		7F	048-646-2111
川越丸広	〒350-8511	川越市新富町2-6-1	別館	4F	049-224-1111
八木橋	〒360-8502	熊谷市仲町74		5F	048-523-1111
千葉					
千葉そごう	〒260-8557	千葉市中央区新町1000		7F	043-245-2111
船橋東武	〒273-8567	船橋市本町7-1-1		5F	047-425-2211
東京					
池袋西武	〒171-8569	豊島区南池袋1-28-1		6F	03-3981-0111
池袋東武	〒171-8512	豊島区西池袋1-1-25		6F	0570-086-102
上野松坂屋	〒110-8503	台東区上野3-29-5	本館	7F	03-3832-1111
吉祥寺東急	〒180-8519	武蔵野市吉祥寺本町2-3-1		8F	0422-21-5111
銀座松屋	〒104-8130	中央区銀座3-6-1		7F	03-3567-1211
銀座三越	〒104-8212	中央区銀座4-6-16	本館	7F	03-3562-1111
銀座和光	〒104-8105	中央区銀座4-5-11	本館	6F	03-3562-2111
新宿伊勢丹	〒160-0022	新宿区新宿3-14-1	本館	6F	03-3352-1111
新宿京王	〒160-8321	新宿区西新宿1-1-4		6F	03-3342-2111
新宿高島屋	〒151-8580	渋谷区千駄ヶ谷5-24-2		10F	03-5361-1111
渋谷西武	〒150-8330	渋谷区宇田川町21-1	B館	8F	03-3462-0111
東京大丸	〒100-6701	千代田区丸の内1-9-1		10F	03-3212-8011
玉川高島屋	〒158-0094	世田谷区玉川3-17-1		5F	03-3709-3111
日本橋高島屋	〒103-8265	中央区日本橋2-4-1	本館	6F	03-3211-4111
日本橋三越	〒103-8001	中央区日本橋室町1-4-1	本館	6F	03-3241-3311
神奈川					
たまプラーザ東急	〒225-0002	横浜市青葉区美しが丘1-7		4F	045-903-2211
藤沢さいか屋	〒251-8558	藤沢市藤沢555		5F	0466-27-1111

全国主要百貨店美術画廊

広告のご案内

（50音順）

美術市場2024

令和6年1月1日発行

定価　本体3000円＋税

編集・発行人
磯 尾 千 壽 子

発売所
株式会社　経済界
〒100-0014 東京都千代田区永田町2-4-11
フレンドビル3F
TEL03(6441)3744
FAX03(6206)7415

発行所
株式会社　美術新星社
〒151-0053 東京都渋谷区代々木2-26-5
バロール代々木420
TEL 03(5356)9517
FAX03(5356)9518

info@artnewstar.com

ISBN978-4-7667-5087-4 C0070 Y3000E